# KLEIN WOORDEBOEK

# LITTLE DICTIONARY

# KLEIN WOORDEBOEK

# LITTLE DICTIONARY

Afrikaans – Engels
English – Afrikaans

*Dertiende, hersiene en uitgebreide uitgawe*
*Thirteenth, revised and expanded edition*

JAN KROMHOUT
B.Com., FCIS, M.A., D. Litt.

PHAROS
KAAPSTAD / CAPE TOWN

Eerste uitgawe 1952
Tweede uitgawe 1960
Derde uitgawe 1965
Vierde uitgawe 1967
Vyfde uitgawe 1969
Sesde uitgawe 1970
Sewende uitgawe 1973
Agste uitgawe 1976
Negende uitgawe 1978
Tiende uitgawe 1984
Elfde uitgawe 1988
Twaalfde uitgawe (eerste in sagteband) 1992

First edition 1952
Second edition 1960
Third edition 1965
Fourth edition 1967
Fifth edition 1969
Sixth edition 1970
Seventh edition 1973
Eighth edition 1976
Ninth edition 1978
Tenth edition 1984
Eleventh edition 1988
Twelfth edition (first in limp cover) 1992

Die eerste twaalf uitgawes is uitgegee
deur J.L. van Schaik Uitgewers, Pretoria
M.S.B. Kritzinger was die samesteller tot
met die agste uitgawe
Samesteller vanaf die negende uitgawe:
Jan Kromhout

The first twelve editions were published
by J.L. van Schaik Publishers, Pretoria
M.S.B. Kritzinger compiled the
first eight editions
From the ninth edition compiled by
Jan Kromhout

ISBN 1 86890 005 3

ISBN 1 86890 005 3

Dertiende, grondig hersiene
en uitgebreide uitgawe
versorg deur Jan Kromhout
en in 1997 uitgegee deur
Pharos Woordeboeke,
'n afdeling van
Nasionale Boekhandel Beperk,
Heerengracht 40, Kaapstad


Thirteenth, extensively revised
and expanded edition
edited by Jan Kromhout
and published in 1997 by
Pharos Dictionaries,
a division of
Nasionale Boekhandel Ltd,
40 Heerengracht, Cape Town


Bandontwerp deur Abdul Amien
Geset, gedruk en gebind deur
Nasionale Boekdrukkery,
Drukkerystraat, Goodwood,
Wes-Kaap

Cover design by Abdul Amien
Typeset, printed and bound by
National Book Printers,
Drukkery Street, Goodwood,
Western Cape

# Inhoud / Contents

# Foreword

This thirteenth edition of *Little Dictionary* has been thoroughly updated to reflect, within the constraints of a "little" dictionary, the language patterns of a new South Africa.

Special attention has been given to vocabulary growth through transitional and technological developments, especially in the field of computer science.

The list of abbreviations and acronyms has been expanded considerably. Useful new features are the names of the nine provinces and eleven official languages of our country.

Furthermore, thousands of word options and near-synonyms have been included. This increases without doubt the dictionary's functional flexibility.

As an aid to correct pronunciation, stress marks have been added to the countless derivations and composites as well.

*Jan Kromhout*
Johannesburg, June 1997

# Vooraf

Hierdie dertiende uitgawe van *Klein Woordeboek* is ingrypend bygwerk sodat dit binne die beperkinge van 'n "klein" woordeboek die taalgebruik van 'n nuwe Suid-Afrika bydertyds weerspieël.

Besondere aandag is gegee aan nuwe woorde wat vanweë die veranderende situasie in die land en tegnologiese ontwikkelinge, veral op die gebied van die rekenaarwese, in omloop gekom het.

Die lys afkortings en akronieme is aansienlik uitgebrei. 'n Nuttige nuwigheid is die bylaes met die name van die nege provinsies en die elf ampstale.

Voorts is duisende keusewoorde en amper-sinonieme bygevoeg om die boek as *woorde*boek nóg bruikbaarder te maak.

As riglyn by die regte uitspraak van woorde het nou nie meer slegs die trefwoorde nie maar ook die tallose afleidings en samevoegings *binne* die lemmas klemtekens gekry.

*Jan Kromhout*
Johannesburg, Junie 1997

# AFRIKAANS – ENGELS

# Afkortings en tekens

Die volgende verkorte afkortings dui, waar nodig, die woordsoort van die trefwoord aan:

(b) = byvoeglike naamwoord
(bw) = bywoord
(lw) = lidwoord
(s) = selfstandige naamwoord
(telw) = telwoord
(tw) = tussenwerpsel
(vgw) = voegwoord
(vnw) = voornaamwoord
(vs) = voorsetsel
(w) = werkwoord

Ander afkortings wat in hierdie woordeboek gebruik word, is onder meer: (advert.) advertensie(wese); (Afro-Am.) Afro-Amerikaans; (Am.) Amerika/-aans; (betr.) betreklike (met "vnw"); (besit.) besitlike (met "vnw"); (biol.) biologie; (bot.) botanie/-s; (bv.) byvoorbeeld; (ekon.) ekonomie/-s; (elektr.) elektrisiteit/elektries/elektronies; (Eng.) Engeland; (Eur.) Europa/-ees; (fig.) figuurlik; (fot.) fotografie; (geol.) geologie/-s; (gimn.) gimnastiek/gimnasium; (gram.) grammatika/grammaties; (hist.) histories; (idiom.) idiomaties; (imp.) imperatief; (lett.) letterkunde/-ig; (med.) medies/medisyne; (mil.) militêr; (mus.) musiek; (mv) meervoud; (neerh.) neerhalend; (onbep.) onbepaalde (met "vnw"); (pers.) persoonlike (met "vnw"); (Prot.) Protestants; (rek.) rekenaar(wese); (R.K.) Rooms-Katoliek; (SA) Suid-Afrika/-aans; (S.Am.) Suid-Amerika/-aans; (sl) sleng; (stat.) statistiek/statistiese wetenskap; (tegn.) tegnologie; (telef.) telefoon; (verklw) verkleinwoord; (veroud.) verouderd/verouderend; (vr.) vraende (met "vnw"); (wisk.) wiskunde/-ig.

1. Die **tilde** of **slangetjie** (~) vervang die trefwoord soos hy staan:
   a) **nippertjie:** op die ~ beteken: *op die nippertjie.*
   b) **aand:** **~ete, ~kerk** beteken: **aandete, aandkerk.**
2. **Koppelteken (-):**
   a) Ná selfstandige naamwoorde beteken dit: voeg die letter(s) by die woord vir die meervoud: **eend -e = eend, eende; kind -ers = kind, kinders.**
   b) Twee letters of lettergrepe voorafgegaan deur koppeltekens beteken die selfstandige naamwoord (s) het twee meervoude: **aanbeveling -s, -e = aanbeveling, aanbevelings, aanbevelinge.**
   c) Na byvoeglike naamwoorde en bywoorde gee dit te kenne: voeg die letters by vir die trappe van vergelyking: **lelik -e; -er, -ste = lelik, lelike, leliker, lelikste.**
   d) Na werkwoorde beteken dit: voeg, vir die verlede deelwoord, **ge-** voor die woord: **speel ge- = speel, gespeel.** So ook: voeg **-ge-** tussen die dele van die woord: **wegkruip -ge- = wegkruip, weggekruip.**
   e) Aan die end van 'n reël dui die koppelteken aan dat die betrokke samevoeging met 'n koppelteken geskryf word.
3. **Afbreekteken (=):** Die afbreekteken aan die end van 'n reël dui aan dat die betrokke woord aanmekaar geskryf word.
4. **Kolletjies (..):** Oral waar die spelling van verboë vorme verander, word sulke veranderinge voorafgegaan deur twee kolletjies: **musikaal ..kale = musikaal, musikale.**
5. **Ronde hakies** ( ) om 'n letter of letters in 'n woord beteken dat die woord met of sonder daardie letter(s) gespel kan word: **agte(r)losig; verjaar(s)dag.**
6. Die **klemteken** ( ′ ) verskyn net na die letter of lettergreep wat die hoofklem het in 'n woord: **kie′wiet; mu′sikus; musikant′.**
7. Die **balk** ( / ) beteken die gebruiker het 'n keuse tussen die twee vorme: **keuse/keur.**

# A

**aak'lig -e; -er, -ste** horrible, nasty, awful; *'n ~e gesig* a horrible sight
**aal'moes -e** alms, charity, dole
**aal'wyn -e/aal'wee -s** aloe
**aam'beeld -e** anvil; *altyd op dieselfde ~ slaan* keep on harping on the same string
**aam'bei -e** piles, haemorrhoids
**aambors'tig e-; -er, -ste** asthmatic
**aan**[1] (b, bw) on, in, upon; *ek wil weet waar ek ~ of af is* I want to know where I stand
**aan**[2] (vs) at, near, next to, upon; *~ boord* on board; *~ die gang* on the go; *~ tafel* at table; *~ tering sterf* die of consumption; *wat is ~ die gang?* what is going on?
**aan'beveel** ~ recommend; **aan'bevole prys** recommended price *ook* **rig'prys**
**aan'beveling -s, -e** recommendation; *op ~ van* on the recommendation of
**aanbid'** ~ adore, worship, idolise
**aan'bied -ge-** offer; present; volunteer; tender; **~ing** presentation
**aan'bly -ge-** continue, remain; hold on; *bly asseblief aan* please hold the line
**aan'bod ..biedinge, ..biedings** offer, proposal; supply; *vraag en ~* demand and supply
**aan'bou** (w) **-ge-** build on; **~ing** addition (to building)
**aan'breek -ge-** dawn; come; *die dag sal ~* the day will come
**aand -e** evening, eve *ook* **voor'nag**
**aan'dag** attention, devotion; *die ~ vestig op* draw attention to
**aandag'tig -e; -er, -ste** attentive
**aan'deel ..dele** share; portion, part; *~ hê in* have a share in; **~hou'er** shareholder
**aan'dele: ~beurs** stock exchange; **~bewys'** share certificate; (pl) scrip; **~kapitaal'** share capital
**aan'denking -s, -e** remembrance, keepsake, souvenir, memento
**aand: ~e'te** supper; dinner; **~kerk** evening service; **~klas** evening/night class(es); **~klokreël** curfew *ook* **klok'reël**
**aan'doen -ge-** call at (port); cause, affect, move; *smart/leed ~* cause grief/sorrow; **~'lik** touching, pathetic
**aand'pak -ke** dress suit
**aan'dra -ge-** bring to, carry to; tell, inform
**aan'draai -ge-** screw tighter, turn on
**aan'dring -ge-** urge, press on, insist on; *op 'n saak ~* insist on a matter
**aand'rok -ke** evening dress (lady)
**aand: ~sit'ting** evening/night session; **~ske'mering** twilight, dusk
**aan'dui -ge-** indicate, point out
**aan'duiding -s, -e** indication, designation
**aan'durf -ge-** dare; *'n taak ~* tackle a job
**aan'gaan -ge-** concern; begin; proceed, continue; *koste ~* incur expenses; *'n ooreenkoms ~* conclude/enter into an agreement; *wat my ~* as far as I am concerned.
**aangaan'de** as for, concerning, regarding
**aan'gaap -ge-** stare/gape at
**aan'gee** (s) **..geë** pass (rugby); (w) **-ge-** hand on, pass; *die pas ~* set the pace *kyk* **pas'aangeër**
**aan'gehoudene** (s) detainee (person)
**aan'geklaagde -s** accused, defendant
**aan'geklam -de** tipsy, groggy *ook* **geko'ring**
**aan'geleentheid ..hede** affair, concern, matter *ook* **saak, on'derwerp**
**aan'genaam ..name; ..namer, -ste** pleasant, agreeable, enjoyable *ook* **genot'vol**; *~!/ ..name kennismaking* how do you do?, pleased to meet you
**aan'genome** (b) accepted; adopted; **~ kind** adopted child
**aan'gesien** because, as, considering, since
**aan'gesig -te** face, countenance
**aan'geteken -de** noted; registered; **~de pos** registered post
**aan'gewese** obvious, right, proper; *die ~ persoon* the right person
**aangren'send -e** adjacent, bordering on, adjoining; **~e bin'neland** adjacent interior; **~e pla'se** adjoining farms
**aan'gryp -ge-** seize, catch hold of; attack; *'n geleentheid ~* grasp/seize an opportunity
**aangry'pend -e; -er, -ste** touching, moving, gripping *ook* **ontroe'rend**
**aan'haak -ge-** hook on, fasten; hitch on
**aan'haal -ge-** quote, cite; *~ ..afhaal* quote ..unquote; *bewyse ~* produce proof/evidence; **~te'kens** quotation marks
**aan'haling -s, -e** quoted passage
**aan'hang** (s) following; adherents, party; **~er** follower, disciple; fan (person)
**aan'hangsel -s** supplement, appendix/annexure *ook* **by'lae**

**aan'hef** (s) beginning, preamble; *die ~ van 'n brief* the beginning/salutation of a letter
**aan'heg -ge-** affix, annex, attach; **aan'gehegte kwitan'sie** attached receipt
**aan'help -ge-** help on with
**aan'hits -ge-** instigate, incite *ook* **op'stook**
**aan'hoor -ge-** listen to; **~der** listener
**aan'hou -ge-** continue; insist; persevere; keep (servant); keep on (clothes); detain, arrest; *in ~ding* detained, in custody; **aan'gehou=dene** detainee (person)
**aanhou'dend -e** continual, incessant; **~ droogte** prolonged drought
**aan'houer -s** perseverer; *~ wen* perseverance will be rewarded
**aan'kla -ge-** accuse, charge with
**aan'klaer -s** prosecutor; plaintiff
**aan'klag -te** accusation, charge *ook* **aan'klag=te; ~kantoor'** charge office (police)
**aan'kleef/aan'klewe -ge-** stick/adhere to
**aan'klop -ge-** knock, beat (at the door); *om hulp ~* ask for help
**aan'knoop -ge-** fasten; enter into (conversa=tion); tie on to
**aan'kom -ge-** arrive, get at; acquire, obtain; drop in; *betyds/op tyd ~* arrive in time
**aan'komeling -e** newcomer, beginner
**aan'koms** arrival
**aan'kondig -ge-** announce, publish, inform, advertise; **~er** announcer; **~ing** announce=ment, notification
**aan'koop** (s, w) purchase; *verkry deur ~* acquired through purchase; **aan'koper** buyer (for firm)
**aan'kweek -ge-** cultivate, grow, rear; *'n goeie gewoonte ~* cultivate a good habit
**aan'kyk -ge-** look at; *iem. skeef ~* look askance/doubtingly at someone
**aan'las -ge-** join, attach
**aan'lê -ge-** aim at; apply; plan, build, lay out; court; *~ met 'n geweer* take aim; *by 'n nooi ~* court a girl
**aan'leer -ge-** learn, acquire (a skill)
**aan'leg -te** plan; arrangement; talent, disposi=tion; installation; **~ en masjinerie'** plant and machinery; **~toets** aptitude test
**aan'leiding -s, -e** cause, reason, motive; *na ~ van* with reference to, concerning
**aanlok'lik** attractive, charming, inviting
**aan'loop** (s) patronage; takeoff; (w) **-ge-** go on walking; walk faster; call in passing; *agter meisies ~* run after girls; **~baan** runway *ook* **styg'baan**
**aan'maak -ge-** prepare, mix
**aan'maan -ge-** warn, admonish; remind
**aan'maning -s, -e** warning, reminder; relapse (disease)
**aan'matigend -e; -er, -ste** presumptuous, arro=gant; **~e houding** arrogant bearing/attitude
**aan'mekaar** together, connected; consecu=tively, continuously; *die twee is ~* the two of them are fighting
**aan'meld -ge-** announce, report; *jy moet jou môre ~* you must report tomorrow; **~bare siekte** notifiable disease
**aan'merking -s, -e** remark; criticism; observa=tion; *in ~ kom vir* qualify for; *in ~ neem* take into consideration; **bele'digende ~** insulting remark
**aanmerk'lik -e; -er, -ste** considerable, nota=ble, appreciable; **~e verbe'tering** a remark=able improvement
**aan'moedig -ge-** encourage *ook* **aan'spoor**; **~ing** encouragement
**aan'neem -ge-** accept, adopt; assume, admit; *'n vriendelike houding ~* adopt a friendly atti=tude; *'n uitnodiging ~* accept an invitation
**aanneem'lik -e; -er, -ste** acceptable, credible, reasonable
**aan'nemer -s** contractor *ook* **kontrakteur'**; (funeral) undertaker
**aan'pak -ge-** seize, take hold of; tackle
**aan'pas -ge-** try on, fit; adapt, adjust; *by om=standighede ~* adapt to circumstances; **~ser** adapter (elect.) *ook* **pas'stuk**; **~sing** adjust=ment; **~(sings)vermo'ë** adaptability
**aan'plak -ge-** post up (bills), stick; **~bord** notice board *ook* **aan'speldbord**
**aan'por -ge-** prod, rouse, urge, instigate
**aan'prys -ge-** commend, extol
**aan'raai -ge-** advise, suggest, recommend *kyk* **af'raai**
**aan'raak -ge-** touch
**aan'raking -s, -e** touch, contact; *in ~ kom met* get in touch with
**aan'rand -ge-** assault, attack; **~ing** assault, attack; **onse'delike ~ing** indecent assault
**aan'rig -ge-** cause, commit, do; *skade ~* cause damage
**aan'roer -ge-** touch upon, broach, mention; stir up; hasten; *'n saak ~* broach a subject/matter
**aan'ryg -ge-** string (beads); lace up (boots); baste

**aan'sê -ge-** announce, inform; instruct
**aan'sien** (s) appearance; respect, esteem; *hoog in ~ wees* be highly respected
**aansien'lik -e; -er, -ste** respectable; considerable, notable; handsome
**aan'sit -ge-** sit down at table; put on; instigate; start (motor); **~ka'bel** booster cable, jumper lead; **~ter** starter (motor)
**aan'skaf -ge-** procure, buy, secure
**aanskou'** ~ view, behold; *die lewenslig ~* be born; **~ingson'derwys** visual education; **~lik** (b) attractive, striking
**aan'skryf/aan'skrywe -ge-** notify; send a letter of demand, sue
**aan'skrywing -s, -e** letter of demand; summons
**aan'slaan -ge-** touch, strike, assume (a tone); assess; salute; knock on (rugby); *die regte toon ~* strike the right note
**aan'slag ..slae** stroke; attempt; touch (mus.); assessment (income tax); *'n ~ op sy lewe* an attempt on his life
**aan'sluit -ge-** join, follow; enlist, enrol; connect; *by die leër ~* join the army; **~ing** connection; junction (road)
**aan'soek -e** application, request, proposal; *~ doen om 'n betrekking* apply for a post/job; *'n ~ rig* apply; **~er** applicant *ook* **applikant'**
**aan'spoor -ge-** spur on, urge on, encourage; **~bo'nus** incentive bonus
**aan'sporing** encouragement; incentive
**aan'spraak ..sprake** address; claim, title; *~ maak op iets* lay claim to something; **~maker** contender (for a sporting title)
**aan'spreek -ge-** address, speak to; accost
**aanspreek'lik -e; -er, -ste** responsible, liable; *~ hou vir die koste* hold responsible for the cost; **~heid** liability
**aan'staan -ge-** please, like, suit; *hy staan my glad nie aan nie* I don't like him at all
**aanstaan'de** (s) **-s** intended; fiance (man), fiancee (lady) *ook* **verloof'de** (s); (b) next; prospective; forthcoming
**aan'staar -ge-** stare at, gaze at
**aan'stalte -s** preparation; *~ maak* getting ready
**aan'stap -ge-** walk on; walk briskly
**aan'steek -ge-** infect; light, kindle; pin on
**aansteek'lik -e; -er, -ste** infectious, contagious
**aan'steker -s** (cigarette) lighter
**aan'stel -ge-** appoint; pretend; sham, put on; *moenie jou so ~ nie* do not put on such airs
**aan'stellerig -e; -er, -ste** affected, conceited *ook* **verwaand'/geveins'**
**aan'stelling -s, -e** appointment
**aan'sterk -ge-** recuperate, convalesce; **~verlof'** convalescent leave
**aan'stip -ge-** jot down, touch on, hint at
**aan'stons** presently, directly *ook* **nou-nou**
**aan'stoot** (s) **..stote** offence; *~ gee of neem* give or take offence/umbrage
**aanstoot'lik -e; -er, -ste** objectionable, offensive, indecent *ook* **kwet'send/walg'lik**
**aan'stryk -ge-** walk on; brush over
**aan'stuur -ge-** send on, despatch
**aan'suiwer -ge-** settle; adjust; *'n tekort ~* make up a deficit; **~ings** adjustments (bookkeeping)
**aan'sukkel -ge-** struggle/trudge along
**aan'tal -le** number; *'n hele ~ foute* quite a few mistakes
**aan'tas -ge-** touch; attack, affect; *sy gesondheid was aangetas* his health was impaired
**aan'teken -ge-** note down, record; register; score; *'n brief ~* register a letter; *'n drie ~* score a try (rugby); *protes ~* lodge a protest; **~ing** (s) note; record; registration; **~ingboek** notebook, scribbler
**aan'toon -ge-** show, demonstrate; indicate *ook* **aan'dui, toon** (w)
**aan'tref -ge-** meet, find; *iem. tuis ~* find somebody at home
**aan'trek -ge-** dress; draw tighter; attract
**aan'trekking** attraction; **~s'krag** gravitation (of earth); appeal, attractiveness
**aantrek'lik -e; -er, -ste** attractive, handsome (man); pleasing *ook* **bekoor'lik**; sensitive
**aan'tyging -s, -e** allegation, accusation *ook* **beskul'diging**
**aanvaar'** ~ accept, assume
**aan'val** (s) **-le** attack, charge; fit; *'n ~ afslaan* repel an attack; (w) attack, assail, charge
**aan'valler -s** assailant, attacker
**aanval'lig** (b) attractive; lovely, charming *ook* **aantrek'lik/bekoor'lik**
**aan'vang** (s) beginning, start; (w) begin, commence; *wat het jy aangevang?* what have you been up to?; **~s'kol'wer** opening batsman; **~sta'dium** initial stage
**aanvoel'bare:** ~ **temperatuur'** wind-chill (ambient) factor
**aan'voer** (w) **-ge-** supply; allege; advance; lead; **~der** commander, leader
**aan'voor -ge-** begin, commence; *'n saak ~* take the first steps

**aan'vra -ge-** apply for, request
**aan'vraag ..vrae** application, demand, request, requisition; *hierdie artikel is in ~* this article is in demand
**aan'vul -ge-** fill up, replenish, supplement; **~(lings)eksa'men** supplementary examination
**aan'wakker -ge-** encourage; fan (hatred); *belangstelling ~* rouse interest
**aan'was** (s) growth; increase (in population); (w) grow, increase
**aan'wend -ge-** use, employ, apply; appropriate; *~ing van fondse* application of funds (bookkeeping); *'n poging ~* make an attempt
**aanwe'sig -e** present; *veertien leerlinge is ~* fourteen pupils are present
**aan'wins** gain, profit, acquisition, asset
**aan'wys -ge-** show, point out, indicate; allocate; **~stok** pointer
**aan'wyser -s** pointer, indicator; **ekono'miese ~** economic indicator
**aap ape** ape; monkey; fool; *die ~ kom uit die mou* the cat is out of the bag; **~stre'ke** monkey tricks
**aap'stuipe:** *hy kry die ~* he is beside himself/very upset
**aar**[1] **are** ear (of corn)
**aar**[2] **are** vein; underground watercourse; core (electr.); **~voe'ding** intravenous feeding
**aar'bei -e** strawberry; **~konfyt'** strawberry jam
**aard**[1] (s) nature, kind, temper; *niks van die ~ nie,* nothing of the kind; *'n ~jie na sy vaartjie* like father, like son; (w) **ge-** take after; thrive
**aard**[2] (w) **ge-** earth (electr.)
**aard: ~be'wing** earthquake; **~bol** globe
**aar'de** earth; *hemel en ~ beweeg* leave no stone unturned; *moeder ~* mother earth
**aar'dig** (b) nice, agreeable; unpleasant, queer; *'n ~e sommetjie geld* a considerable sum of money
**aard: ~kun'de** geology; **~rykskun'de** geography
**aardrykskun'dig -e** geographical; **~e -s** geographer (person)
**aards -e** worldly, mundane; down to earth
**aard: ~skok/~skud'ding** earth tremor
**aar'sel ge-** hesitate, waver *ook* **wei'fel**
**aart'appel -s** potato *ook* **ert'appel; ~moer** seed potato; **~sky'fie** (potato) chip

**aarts: ~bis'kop** archbishop; **~en'gel** archangel; **~va'der** patriarch; **~vy'and** archenemy
**aas**[1] (s) carrion; bait; (w) **ge-** feed on, prey on; scrounge
**aas**[2] (s) **ase** ace
**aas'voël -s** vulture; glutton
**ab -te** abbot (person)
**ab'attoir -s** abattoir; public slaughterhouse *ook* **slag'plaas**
**ab'ba** (w) **ge-** carry on one's back (baby); **~hart** piggy-back heart
**abdis' -se** abbess
**abdy' -e** abbey, monastery
**abnormaal' ..male; ..maler, -ste** abnormal
**abor'sie -s** abortion *ook* **vrug'afdrywing**
**ab'seil** (w) abseil; **~er** abseiler (person)
**absent'** absent; **~isme** absenteeism
**abses' -se** abscess, ulcer *ook* **et'tersweer**
**absoluut'** (b) **..lute** absolute; (bw) absolutely *ook* **volstrek', volko'me**
**absorbeer' ~, ge-** absorb
**abstrak' -te** abstract
**absurd' -e** absurd, preposterous; **~e tea'ter** theatre of the absurd
**abuis'** mistake, error; *per ~* by mistake *ook* **per on'geluk**
**a'dams: ~ap'pel** Adam's apple; **~kostuum'** in nature's garb, nude
**ad'der -s** adder, viper; **~gebroed'sel** breed of vipers; vermin
**addisioneel' ..nele** additional; extra *ook* **bykom'mend**
**a'del** nobility
**a'delaar -s** eagle *ook* **a'rend**
**a'delbors** (s) marine cadet; midshipman
**a' del: ~lik** noble, high-born; *hy is van ~like afkoms* he is of noble birth; **~stand** nobility, peerage
**a'dem** (s) **-s** breath; (w) breathe (fig.); *~lose stilte* breathless silence
**adjektief' ..tiewe** adjective
**adjudant' -e** adjutant, aide-de-camp
**adjunk' -te** deputy, assistant; **~president'** deputy president
**administra'sie** administration
**administrateur' -s** administrator
**admiraal' -s** admiral
**administratief'** (b) **..iewe** administrative
**admis'sie** admission; **~-eksa'men** entrance examination (mostly theology)
**adolessen'sie** adolescence *ook* **tie'nerjare**

**adrenalien'/adrenali'ne** adrenalin(e)
**adres'** **-se** address *ook* **woon'plek**
**adresseer'** ~, **ge-** address, direct
**adverteer'** ~, **ge-** advertise
**adverten'sie** **-s** advertisement *kyk* **rekla'me**
**advies'** advice; *op ~ van* on the advice of; *van ~ (be)dien* advise; **~raad** advisory council
**adviseer'** (w) ~, **ge-** advise
**adviseur'** **-s** adviser *ook* **raad'gewer** (mens)
**advokaat'**[1] **..kate** advocate, barrister-at-law, lawyer; *hy praat/pleit soos 'n ~* he has the gift of the gab
**advokaat**[2] eggflip
**af** off, down, from; *van sy jeug ~* since his (early) youth; *~ en toe* now and then
**af'baken** **-ge-** divide; beacon off, mark out; **~ing** delimitation, demarcation
**af'beeld** **-ge-** picture, portray, depict; **~ing** picture, portrait, illustration
**af'been** cripple(d)
**af'betaal** ~ (w) pay off, discharge; settle
**af'betaling** **-s, -e** payment, settlement; *op ~ koop* buy on terms
**af'brand** **-ge-** burn down (house)
**af'breek** **-ge-** demolish; destroy; break off
**af'breuk** damage; *~ doen aan* injure, prejudice
**af'bring** **-ge-** bring down, reduce; come off
**af'byt** **-ge-** bite off; *die spit ~* bear the brunt
**af'dak** **-ke** shed, lean-to; penthouse; **mo'tor~** carport *ook* **mo'torskuiling**
**af'dank** **-ge-** dismiss, discharge, fire; retrench *ook* **af'betaal, ontslaan'**
**af'deling** **-s, -e** division, section, department; detachment; *'n ~ soldate* a squad of soldiers; **~swin'kel** department(al) store
**af'doen** **-ge-, afgedaan** finish, complete; take off, expedite; **~de bewys'** clear/conclusive proof
**af'draai** **-ge-** turn off, twist off, branch off
**af'draand(e)** slope, descent; *hy is op die ~* he is going down-hill
**af'dreig** **-ge-** blackmail; extort; **~ing** (s) blackmail; extortion *ook* **af'persing**
**af'druk** (s) **-ke** imprint; copy, impression, reproduction
**af'dwaal** **-ge-** stray, deviate, wander
**affêre** **-s** affair, thing, matter *ook* **petal'je**
**affilia'sie** affiliation *ook* **aan'sluiting**
**affodil'** **-le** daffodil *ook* **mô'rester** (blom)
**af'gaan** **-ge-** go down, descend; wear off
**afgedank'ste** confounded; ~ **loe'sing/pak slae** severe thrashing
**af'gee** **-ge-** deliver, hand over; come off; *on=enigheid ~* cause dissension
**af'gelas** ~ call off; *die polisie gelas die soek=tog af* the police are calling off the search
**af'geleë** **meer ~, mees ~** remote, distant
**af'geleef** **-de** worn with age, decrepit
**af'gemat** tired, weary, exhausted *ook* **uit'geput**
**af'gesaag** hackneyed, stale; **~de grap** stale joke
**af'gesant** **-e** messenger; envoy, emissary
**af'gesien:** *~ van* apart from; notwithstanding
**af'gesonder** **-de** isolated; retired, lonely
**af'gestorwene** **-s** (the) deceased, (the) dear departed
**af'getrokke** **meer ~, mees ~** absent-minded; abstract; ~ **profes'sor** absent-minded pro=fessor
**af'gevaardigde** **-s** deputy, delegate (person)
**af'god** **-e** idol; *geld tot 'n ~ maak* idolise/worship money
**af'gooi** **-ge-** throw down; cast off
**af'grond** **-e** precipice, abyss
**afgrys'lik** **-e; -er, -ste** horrible, hideous, dread=ful, ghastly *ook* **afsku'welik/aak'lig**
**af'guns** (s) envy, jealousy, spite
**afguns'tig** **-e; -er, -ste** envious, jealous *ook* **jaloers'**
**af'haak** **-ge-** unhook, detach; let go, let loose; deliver a blow; *wanneer gaan julle ~?* when are you getting married?
**af'haal** **-ge-** take down; call for; unquote
**af'handel** **-ge-** settle, terminate, conclude
**af'hang** **-ge-** hang down; depend (up)on; *alles hang van jou af* everything depends on you
**afhank'lik** (b) dependent; (s) **~e** dependant (person)
**af'jak** (s) **-ke** rating, rebuff; snub; (w) scold, chide, snub
**af'kam** **-ge-** comb off; run down (by criti=cism), denigrate
**af'kap** **-ge-** cut off, chop off; apostrophise; **~te'ken/~pingsteken** apostrophe
**af'keer**[1] (s) aversion, dislike; *'n ~ hê van* have a dislike of
**af'keer**[2] (w) **-ge-** avert, ward off
**afkeur** **-ge-** disapprove, condemn; reject
**af'keuring** (s) disapproval, censure; *sy ~ uitspreek* express his disapproval
**af'klim** **-ge-** climb down, descend; *van sy perdjie ~* come down a notch or two
**af'knou** **-ge-** hurt, bully; **~er** (s) bully *ook* **baas'speler/boe'lie** (mens)
**af'koel** **-ge-** cool down

**af'kom -ge-** come down, descend; *met 'n boete daarvan* ~ get off with a fine; *die rivier sal* ~ the river will be in flood; ~**eling** descendant; ~**s** descent, extraction, origin; *van hoë ~s* of noble birth
**afkoms'tig** derived from, descended from; ~ *van die Karoo* hailing from the Karoo
**af'kondig -ge-** proclaim, promulgate, publish; *gebooie* ~ publish the banns
**af'konkel -ge-** coax away; alienate
**af'koop** (w) **-ge-** surrender (insurance policy); redeem; ~**boe'te** spotfine; ~**waar'de** surrender value (insurance)
**af'kort -ge-** shorten, abbreviate, abridge; ~**ing** abbreviation, abridgment
**af'kyk -ge-** copy, crib; look down; spy
**af'laai**[1] **-ge-** unload/offload; discharge
**af'laai**[2] (w) download; (s) downloading (comp.)
**af'lê -ge-** lay down, part with; lay out; take (oath); pass (examination); give (evidence); pay (visit); *'n besoek* ~ pay a visit; *'n eed* ~ take an oath; *eksamen* ~ take/pass an examination; *getuienis* ~ give evidence
**af'leer -ge-** unlearn, forget
**af'leggingspakket'** (s) severance package *ook* **skei'dingspakket', uit'treepakket'**
**af'lei -ge-** deduce, infer, derive; divert; ~**ding** derivation, deduction; diversion, distraction, recreation; ~**er** (lightning) conductor; distractor (in multiple-choice questions)
**af'lewer -ge-** deliver; ~**ing** delivery
**af'loer -ge-** spy, watch
**af'loop** (s) end, result, issue; expiration; run-off; *na* ~ *van die vergadering* after the meeting
**af'los -ge-** relieve, redeem; *mekaar* ~ take turns; ~**baar** redeemable; ~**wed'loop** relay race
**af'luister** (w) **-ge-** eavesdrop; bug, tap (tel.) *ook* **mee'luister** *kyk* **luis'tervlooi**
**af'maak -ge-** kill, finish
**af'mat:** (b) ~**tend** tiresome; ~**ting** weariness, exhaustion *kyk* **af'gemat**
**af'merk -ge-** tick off, mark; mark down
**af'meting -s, -e** measurement, dimension
**af'neem -ge-** take away, deprive; decrease, shrink; take a photo, photograph (v) *ook* **fotografeer'**; *'n eksamen* ~ conduct an examination; *sy kragte neem vinnig af* his strength is rapidly declining
**af'pen -ge-** peg out (claim)
**af'pers -ge-** extort, exact from *ook* **af'dreig;** blackmail; ~**er** blackmailer, racketeer; ~**ing** extortion; blackmail
**af'plat** level off, slow down (economy)
**af'pluk -ge-** pick (off); gather
**af'praat -ge-** arrange, agree upon, settle
**af'raai -ge-** dissuade from; discourage
**af'rammel -ge-** rattle off; prattle; *die voordrag* ~ rattle off the recitation
**af'ransel -ge-** thrash, flog *ook* **foe'ter/ta'kel**
**af'reken -ge-** settle, get even with
**af'rig -ge-** train, coach (sport); ~**ter** trainer, coach *ook* **brei'er**; ~**ting** training, coaching
**A'frika** Africa; ~**ta'le** African languages
**Afrikaan' ..kane** African
**Afrikaans'** (s) Afrikaans; (b) **-e** Afrikaans
**Afrika'ner**[1] **-s** Afrikaner (person) *ook* **Afrikaan'** (van Afrika)
**afrika'ner**[2] **-s** marigold (flower)
**af'rit -te** offramp, exit (traffic) *ook* **uit'rit**
**Af'ro-Asia'ties -e** Afro-Asian
**af'rokkel -ge-** coax away, wheedle away
**af'rond -ge-** round off, finish off; ~**ing** rounding off; finish; ~**(ing)skool** finishing school
**af'saag/af'sae -ge-** saw off; **af'gesaagde grap** stale joke
**af'sê -ge-** sack; countermand; *die nooi het hom afgesê* the girl gave him the sack (broke the engagement)
**af'send -ge-** send off, forward, consign *ook* **versend'** (w); ~**er** sender, consignor
**af'set** turnover, sales; ~**gebied'** market, sales area; ~**punt** outlet
**af'setter -s** swindler, conman, cheat (person)
**afsien -ge-** give up, abandon; see off; *van 'n plan* ~ give up a plan
**afsig'telik** (b) ugly, hideous *ook* **afsku'welik**
**af'sit -ge-** put down; dismiss; dethrone (a king); ~**ter** starter (person; sport)
**af'skaal** (w) **-ge-** scale down
**af'skaf -ge-** abolish, abrogate, repeal; ~**fer** abstainer, teetotaller (person)
**af'skeep -ge-** do work in a slip-shod manner, treat shabbily; *jou werk* ~ neglect your work
**af'skeer -ge-** shear; shave
**af'skei -ge-** separate; sever from; secrete
**af'skeid** parting, departure, farewell; ~ *toewuif* wave farewell
**af'skeids:** ~**geskenk'** farewell gift/present; ~**maal** farewell dinner; ~**preek** farewell/valedictory sermon
**af'skil -ge-** peel, rind
**af'skilfer -ge-** scale, peel off
**af'skop** (w) **-ge-** kick off
**af'skort -ge-** partition off; ~**ing** partition;

cubicle *ook* **kleed'hokkie**
**af'skrif -te** copy, duplicate; **gewaar'merkte** ~ certified copy
**af'skrik** (w) **-ge-** frighten, scare away, discourage; ~**mid'del** deterrent
**afskrikwek'kend -e; -er, -ste** terrifying
**af'skryf/af'skrywe -ge-** copy, crib; cancel, write off; *R5 van 'n rekening* ~ write off R5 from an account
**af'sku** (s) abomination, horror, abhorrence
**af'skud -ge-** shake off
**afsku'welik -e; -er, -ste** abominable, horrible *ook* **aak'lig, afgrys'lik**
**af'slaan -ge-** decline, refuse (an invitation); repulse, beat off (the enemy); serve, service (tennis); *'n aanbod* ~ refuse an offer
**af'slaer -s** auctioneer (person)
**af'slag**[1] (s) rebate, discount *ook* **kor'ting**
**af'slag**[2] (w) **-ge-** flay, skin
**af'slagwinkel -s** discount store
**af'sloof** (w) **-ge-** drudge, toil; flog oneself
**af'sluit -ge-** close, shut off; fence in; seclude; *jou* ~ seclude oneself; *rekenings* ~ *aan die einde van die boekjaar* close off accounts at the end of the financial year
**af'slyt -ge-** wear out, waste
**af'smeer -ge-** palm off on; *hy het daardie ou fiets aan my afgesmeer* he palmed off that old bicycle on me
**af'snou -ge-** speak harshly to, snub; bully
**af'sny -ge-** cut off, curtail, lop off
**af'sonder -ge-** isolate, separate; ~**ing** seclusion, retirement; ~**ingshospitaal'** isolation hospital
**afson'derlik** (b) **-e** separate, isolated; ~**e geval'le** isolated cases; ~**e ontwik'keling** separate development; (bw) separately
**af'sper** (w) cordon off (street)
**af'spraak ..sprake** appointment; agreement; ~ *met tandarts* appointment with dentist; ~**verkrag'ting** date rape
**af'spreek -ge-** agree upon, arrange
**af'spring -ge-** jump off, alight; ~**plek** springboard (for attacks)
**af'staan -ge-** give up, yield, surrender
**af'stam -ge-** descend, spring from; ~**meling'** descendant
**af'stand** (s) ~**e** distance; ~**(s)beheer** remote control; ~**on'derrig** distance education/ teaching, teletuition
**af'steek -ge-** contrast with; deliver (speech); cut off; mark out; *iem. die loef* ~ outdo someone
**af'stof -ge-** dust
**af'stoot -ge-** push off; repel; *jy stoot al jou vriende van jou af* you alienate all your friends
**afstoot'lik** (b) **-e** repulsive *ook* **walg'lik**
**af'studeer** (v) **-ge-** complete studies
**af'sweer -ge-** abjure, swear off, renounce; *hy het alle aardse genietinge afgesweer* he renounced all worldly pleasures
**af'takel -ge-** unrig (ship); dismantle; thrash; *hy takel vinnig af* he is getting weak and decrepit
**af'tas** (w) scan *ook* **skandeer'** *kyk* **breintas'ting; (af)tas'ter** scanner
**af'teken -ge-** mark; draw; sign off; *die berge staan afgeteken teen die lug* the mountains are silhouetted against the sky
**af'tel**[1] **-ge-** lift off
**af'tel**[2] **-ge-** count out; count down; ~**ling** count off; countdown (space launch)
**af'tog** retreat; *die* ~ *blaas* sound the retreat
**af'trap -ge-** wear out (heels); break by treading; *'n lelike stel* ~ have a nasty experience
**af'trede/af'treding** resignation, retirement
**af'tree**[1] (w) **-ge-** pace, measure
**af'tree**[2] (w) **-ge-** resign; retire; ~**-annuïteit'** retirement annuity; ~**oord** retirement village
**af'trek** (s) sale, demand; subtraction; *die boek kry baie* ~ the book is much in demand; ~**som** subtraction sum
**af'vaardig -ge-** delegate, return, depute; ~**ing** deputation, delegation
**af'val** (s) head and trotters of a sheep; offal; refuse, trash, waste; (w) **-ge-** fall off
**afval'lig -e; -er, -ste** faithless; disagreeing, dissident; ~**e** dissident (person)
**af'val: ~produk'** (s) **-te** byproduct; ~**waar'de** scrap value
**af'vee(g) -ge-** wipe off, dry; polish
**af'voer** (w) **-ge-** lead away, carry off; ~**pyp** waste/overflow pipe; downpipe (gutter)
**af'vra -ge-** ask, request; *die boer die kuns* ~ fish for information
**af'vry -ge-** oust (in courting), cut out
**af'vryf/af'vrywe -ge-** rub off
**af'wag -ge-** await, abide; *sy beurt* ~ take his turn; ~**re'kening** suspense account
**af'water** (w) **-ge-** drain, pour off; **af'gewaterde teks** watered-down text/version; (s) effluent
**af'weer -ge-** ward off, prevent, avert
**af'wend -ge-** turn aside, divert; *die gevaar* ~ avert the danger
**af'werk -ge-** complete, finish; put finishing touches to; ~**ing** finish; workmanship

**af'werp -ge-** throw off, shake off
**afwe'sig -e** absent; ~**heid** absence
**af'wissel -ge-** change, alternate; take turns; vary; ~**end** (b) alternative, diversified; ~**ende kleu're** varying colours
**af'wyk -ge-** deviate, depart from, differ from; deflect; *van die waarheid* ~ swerve from the truth
**af'wys -ge-** reject, refuse, decline
**ag**[1] (s) attention, care; *in* ~ *neem* take into consideration; ~ *slaan op* pay attention to; (w) **ge-** esteem, value; *iets nodig* ~ consider something necessary
**ag/agt**[2] (telw) eight
**ag**[3] (tw) alas! oh!
**ag'baar ..bare** respectable, venerable, honourable; **ag'bare voor'sitter (voor'sitster)** Mr Chairman (Madam Chair), Chairperson
**ageer'** ~, **ge-** act (for someone), deputise
**agen'da -s** agenda *ook* **sa'kelys**; **verskuil'de** ~ hidden agenda
**agent' -e** agent; ~**skap** agency
**aggressief'** (b) aggressive *ook* **aanval'lend**
**a'gie -s** quidnunc, Paul Pry; *nuuskierige* ~*s hoort in die wolwehok* curiosity killed the cat
**agita'tor -s** agitator *ook* **op'stoker**; demagogue
**agiteer'** ~, **ge-** agitate
**ag(t)** eight; *oor 'n dag of* ~ within a week
**agte(r)lo'sig** careless *ook* **nala'tig**
**ag'ter** behind, after; late; *my horlosie is* ~ my watch is slow; ~ *die tralies* in jail
**ag'teraf** backward; secretly; out-of-the-way; ~ **men'se** lowclass/backward people
**agterbaks' -e; -er, -ste** sly, underhand
**ag'terbanker -s** backbencher (parliament)
**ag'terbeen ..bene** hind leg
**ag'terbly -ge-** remain behind, straggle
**ag'terbuurt -e/ag'terbuurte -s** backstreet/slum area *ook* **krot'buurt**
**ag'terdeur -e** backdoor; *'n* ~ *oophou* keep a loophole open
**ag'terdog** suspicion *ook* **suspi'sie**; ~ *koester* harbour suspicion
**agterdog'tig -e; -er, -ste** suspicious
**agtereenvol'gens** successively, consecutively
**ag'terent** hind part, rear, backside, bum
**ag'tergeblewe:** ~ **gemeen'skap** deprived/disadvantaged community
**ag'tergrond** background
**ag'terhoede -s** rearguard; backline
**ag'terkant -e** back, back part, reverse side
**ag'terklas** (s, b) lowclass (people)
**ag'terkleinkind -ers** great-grandchild
**ag'terkom -ge-** discover, find out
**ag'terlaat -ge-** leave behind; *sy vrou onversorg* ~ leave his wife unprovided for
**ag'terlig -te** tail light (car)
**ag'terlik** backward; (mentally) retarded *ook* **sim'pel, vertraag'**
**ag'terlyf ..lywe** hind quarters; abdomen (insect)
**agtermekaar'** in order, orderly; spick and span *ook* **or'delik, puik;** ~ **kê'rel** a fine/smart fellow
**agtermid'dag ..middae** afternoon
**agterna'** after, later, subsequently; ~**wys'heid** hindsight
**ag'terom** round the back
**agteroor'** backward(s), supinely
**ag'teros -se** hind ox; ~ *kom ook in die kraal* slow but sure
**ag'terpoot ..pote** hind foot; *gou op die ..pote wees* be quick-tempered
**ag'terplaas ..plase** backyard
**ag'terryer -s** attendant on horseback; henchman
**ag'tersaal -s** pillion
**ag'terspeler -s** back (football)
**ag'terstaan -ge-** be behind; *by niemand* ~ *nie* be inferior to nobody
**agterstal'lig -e** in arrear, overdue; *sy rekening is drie maande* ~ his account is three months overdue/outstanding
**ag'terstand** (s) arrears; backlog
**ag'terste** last, hindmost
**ag'terstel** (s) **-le** rear part (chassis)
**agterstevoor'** hind part foremost; topsyturvy *ook* **a'weregs**
**ag'terstewe -ns** stern (of ship); backside (of a person)
**ag'tertoe** astern; towards the back; *staan asseblief* ~ please stand back
**agteruit'** backwards; *die pasiënt gaan* ~ the patient is getting worse
**agteruit'gang** deterioration, decline, decay
**ag'tervoegsel -s** suffix *ook* **suf'fiks**
**agtervolg'** ~ follow, pursue; ~**ing** pursuit, persecution; ~**ingswaan'** persecution mania/complex
**ag'terwiel -e** back/rear wheel
**ag(t)'hoek -e** octagon
**ag'ting** regard, esteem, respect *ook* **eer'bied, respek'**

**ag(t)'ste -s** eighth
**ag'(t)ien** eighteen; ~**de -s** eighteenth
**ag(t)'uur** eight o'clock; breakfast; ~**werkdag** eight-hour working day
**akade'mie -s** academy; studies; academe
**akade'mies -e** academic(al); ~**e op'leiding** academic training
**aka'sia -s** acacia (tree)
**akkedis' -se** lizard
**ak'ker**[1] **-s** field; acre; *Gods water oor Gods ~ laat loop* let matters take their own course
**ak'ker**[2] **-s** acorn; ~**boom** *kyk* **ei'keboom**; ~**boon(tjie)** cowpea
**akklimatiseer'** ~, **ge-** acclimatise
**akkommoda'sie** accommodation *ook* **verblyf'**
**akkoord' -e** agreement, harmony; chord (mus.); ~ *gaan met* agree with
**akkor'deon -s** accordion *ook* **trek'klavier**
**akkuraat'** (b) accurate, exact
**akkusatief' ..tiewe** accusative
**ak'nee** acne, facial pimples *ook* **vet'puisie(s)**
**akoestiek'** acoustics *ook* **geluids'leer**
**akrobaat' ..bate** acrobat
**aksent' -e** accent *ook* **klem**; **tong'val**
**aksep'bank -e** merchant bank
**aksepteer' ge-** accept; *'n wissel* ~ accept a bill (of exchange)
**ak'sie -s** action, suit; tiny bit; *'n ~ hê teen iem.* have a bone to pick with someone
**aksyns'** excise; ~**belas'ting** excise duty
**ak'te -s** deed; certificate; ~ **van oprigting** memorandum of association (of company); ~**tas** briefcase; ~**-uit'maker** conveyancer (person)
**akteur' -s** actor
**aktief'** active; **..tie'we vulkaan'** active volcano
**aktivis' -te** activist (person)
**aktiwiteit' -e** activity
**aktri'se -s** actress
**aktua'ris -se** actuary (insurance)
**aktueel' ..tuele** actual, real, topical; vital
**akupunktuur'** (s) acupuncture
**akuut' akute** acute *ook* **skerp/he'wig**
**akwa'rium -s** aquarium
**al**[1] (b, telw) all, every; ~ *om die ander week* every other week; ~ *drie* all three; *in ~le geval* in any case
**al**[2] (bw) already; continually; ~ *hoe meer* more and more
**al**[3] (vgw) though, even if; ~ *is hy nog so arm* however poor he may be
**alarm' -s** alarm; ~ *blaas* sound the alarm
**albas'ter -s** marble (game); alabaster
**al'batros -se** albatross (bird)
**al'bei** both; *hulle is ~ siek* both of them are ill
**albi'no -'s** albino
**al'bum -s** album *ook* **gedenk'boek**
**al'dag** all day, every day; *nie ~ se kêrel nie* an outstanding fellow
**aldus'** thus, so
**al'ewig -e** continual, incessant; ~ *laat wees* be continually late
**al'fa** alpha; *die ~ en die omega* the beginning and the end
**al'fabet -te** alphabet
**alfabe'ties -e** alphabetic(al)
**al'gar** all, everybody *ook* **almal, ie'dereen**
**al'ge** algae *ook* **wier**
**al'gebra** algebra *ook* **stel'kunde**
**al'geheel ..hele** total(ly), entire(ly), overall; **al'gehele wen'ner** overall winner
**algemeen' ..mene; ..mener, -ste** general(ly), universal(ly), common(ly); *oor/in die ~* in general; **al'gemene jaar'vergadering** annual general meeting; **al'gemene praktisyn'** general practitioner *ook* **huis'arts**
**alhoewel'** (al)though *ook* **hoewel'**
**a'lias** (s) **-se** alias; (bw) alias, otherwise
**a'libi -'s** alibi; *sy ~ bewys* establish one's alibi
**a'likreukel -s** periwinkle
**al'kant** all sides; ~ *selfkant* six of the one and half-a-dozen of the other
**al'kante** on all sides
**al'kohol** alcohol
**alkoholis' -te** alcoholic (person); ~**me** alcoholism
**al'ko:** ~**me'ter** alcometer; ~**toet'ser** breathalyser
**alledaags'** (b) **-e** commonplace, ordinary
**alleen'** alone, single, lonely; sole/solo; ~**agent'** sole agent; ~**han'del** monopoly; ~**lik** only; ~**op'sluiting** solitary confinement; ~**praktyk'** solo practice; ~**spraak** monologue, soliloquy; ~**versprei'der** sole distributor
**allegaar'tjie -s** mixed grill; chow-chow, jumble, medley, hodge-podge
**allegorie' -ë** allegory *ook* **sin'nebeeld**
**al'lemansvriend** hail-fellow-well-met
**alle'nig** alone, lonely *ook* **alleen'**
**allerbes'te** very best
**allereers'te** very first
**al'lerhande** all sorts, all kinds, sundry
**Allerhoog'ste** the Supreme Being, God
**allerlaas'te** very last, ultimate
**al'lerlei** all kinds of, miscellaneous *ook* **diver'se**

**allermins'te** very least, least of all
**al'lerweë** everywhere, in all respects
**al'les** all, everything; a time for everything; ~ *en nog wat* one thing and another
**al'les behalwe** anything but, not at all
**al'leswinkel -s** hypermarket, bazaar
**allitera'sie** alliteration
**allooi'** alloy, standard, quality; *van die suiwerste* ~ of the finest quality
**alluviaal' ..viale** alluvial (diamonds)
**al'mag** omnipotence
**almag'tig -e** almighty, omnipotent; **die A~e God** the Almighty
**al'mal** all, everybody; *ons* ~ all of us
**almanak' -ke** almanac *ook* **kalen'der**
**al'melewe** always, the whole time; ~ *laat wees* be continually late
**almiskie'** nevertheless, notwithstanding; *dis nie* ~ *nie* it is quite certain
**alom'** everywhere; ~*bekend* known by all
**alomteenwoor'dig -e** omnipresent
**alreeds'** already *ook* **reeds**
**alsien'de** all-seeing; ~ **oog** all-seeing eye
**alt -e** contralto, alto
**al'taar/altaar' altare** altar
**altans'** at least, anyway, at any rate
**al'te** very; too; *ek voel nie* ~ *wel nie* I don't feel too well
**altemit(s)'** perhaps, maybe *ook* **miskien'**
**alternatief' ..tiewe** alternative
**al'tesaam/al'tesame** altogether, together
**al'tyd** always, ever
**aluin' -e** alum
**alumi'nium** aluminium
**alum'nus ..ni, -se** alumnus, graduate
**alvo'rens** before, until; ~ *hy aangestel word, moet hy . . .* before he is appointed he should . . .
**al weer'** once again
**amalgama'sie** amalgamation *ook* **sa'mesmelting**
**aman'del -s** almond
**amaril'** emery *ook* **skuur'steen**
**amaso'ne -s** amazon *ook* **man'netjiesvrou**
**amateur' -s** amateur *ook* **leek** (mens)
**am'bag** (s) **-te** trade, profession, handicraft, business; ~**skool** trade/industrial school; ~**sman** artisan
**ambassa'de -s** embassy
**ambassadeur' -s** ambassador
**am'ber** amber *ook* **geel** (verkeerslig)
**ambi'sie** ambition
**ambisieus'** ambitious *ook* **vooruitstre'wend**
**ambulans' -e** ambulance
**a'men -s** amen; *op alles ja en* ~ *sê* agree to everything
**amendement' -e** amendment *ook* **wy'siging**
**Ame'rika** America
**Amerikaans' -e** American
**Amerika'ner -s** American (person)
**ameublement' -e** set of furniture *ook* **meubelment'**
**amfibie'** (s) **-ë** amphibious animal
**amfi'bies -e** amphibious *ook* **tweeslag'tig**
**amfitea'ter -s** amphitheatre
**ammoniak'** ammonia
**ammuni'sie** ammunition
**amnes'tie** (s) amnesty *ook* **vry'waring**
**amok'** amok; ~ *maak* run amok *ook* **raserny'**
**amp -te** office, employment; duty, function; *'n* ~ *beklee* hold an office; ~**bekle'der/~bekleër** officebearer, incumbent (of post)
**am'per/am'pertjies** nearly, almost; *amper maar nog nie stamper nie* a miss is as good as a mile
**am'perbroekie -s** scanty-panty, scanties
**amp'genoot ..note** colleague, official counterpart
**amps: ~bekle'ër** holder of office, incumbent; ~**gewaad'** robes of office; ~**hal'we** officially, ex officio, in attendance (meetings); ~**mo'tor** official car; ~**termyn'** term of office
**amp: ~telik'** official(ly); ~**tenaar'** official, officer, functionary
**amusant' -e; -er, -ste** amusing, entertaining *ook* **vermaak'lik**
**anachronis'me -s** anachronism *ook* **tyd'verskuiwing**
**analfabeet' ..bete** analphabete, illiterate (person)
**anali'se -s** analysis *ook* **ontle'ding**
**analogie' -ë** analogy *ook* **ooreen'koms**
**anargie'** anarchy *ook* **wet'teloosheid**
**anargis' -te** anarchist; ~**me** anarchism
**anatomie'** anatomy *ook* **ontleed'kunde**
**an'der** other, another; *aan die* ~ *kant* on the other hand; *met* ~ *woorde* in other words; ~**half** one and a half; ~**kant** across, on the other side
**an'ders** otherwise, else; failing which; ~ *as sy familie* not like his relations; *heeltemal iets* ~ something totally different; *maak gou,* ~ *is jy laat* hurry up, else you'll be late

**andersden'kend** (b) **-e** dissenting, of a different opinion
**an'dersins** otherwise
**an'dersom** the other way about; *dis net* ~ just the opposite
**an'derste = anders**
**anekdo'te -s** anecdote *ook* **staal'tjie**
**ane'mies -e** anaemic *ook* **bloed'armoedig**
**anemoon' ..mone** anemone *ook* **wind'blom**
**an'gel -s** sting (of a bee)
**angelier' -e** carnation (flower)
**Anglikaans' -e** Anglican
**angliseer' ge-** Anglicise
**Anglisis'me -s** Anglicism
**Anglo-Boe'reoorlog** Anglo-Boer War; South African War *ook* **Twee'de Vry'heidsoorlog**
**angs -te** anxiety, fear, agony, *dodelike* ~ *uitstaan* be in mortal fear; ~**knop'pie** panic button; ~**sweet** cold perspiration
**ang'stig -e; -er, -ste** afraid, terrified; ~**e oom'blikke** anxious moments
**angswek'kend -e; -er, -ste** alarming, fearsome, horrifying
**an'ker** (s) **-s** anchor; *êrens* ~ *gooi* go courting somewhere; *voor* ~ *lê* lie/ride at anchor
**anna'le** annals *ook* **kroniek'e**
**anneksa'sie -s** annexation *ook* **in'lywing**
**annekseer'** ~, **ge-** annex
**annuïteit'** annuity *ook* **jaar'geld**
**anomalie' -ë** anomaly *ook* **ongerymd'heid**
**anoniem' -e** anonymous *ook* **naam'loos**
**anorek'sie** (s) anorex'ia nervo'sa *ook* **dieet'siekte** *kyk* **bulimie'**
**ansjo'vis** anchovy
**anten'ne -s** aerial (wire) *ook* **lug'draad**
**antibio'ties** (b) **-e** antibiotic
**antibio'tikum** (s) **-s, ..tika** antibiotic
**an'tichris** antichrist
**antiek' -e** antique; ~**win'kel** antique shop
**an'tiklimaks** anticlimax
**an'tiloop ..lope** antelope
**an'tirevolusionêr'** (s) **-e** anti-revolutionist, pacifist; (b) **-e** anti-revolutionary
**an'ti-Semiet -e** anti-Semite
**antisep'ties -e** antiseptic
**antite'se** antithesis *ook* **teen'stelling**
**antitoksien' -e/antitoksi'ne -s** antitoxin
**An'tjie:** ~ **Somers** bogeyman; ~ **taterat** gossip, chatterbox (person)
**antrasiet'** anthracite
**antropologie'** anthropology
**antropoloog' ..loë** anthropologist
**ant'woord** (s) **-e** answer, reply; *in* ~ *op* in reply to; (w) **ge-** answer, reply; *bevestigend (ontkennend)* ~ reply in the affirmative (negative); ~**koevert'** reply-paid envelope; ~**masjien'** answering machine (tel.)
**anys'** anise (plant); ~**saad** aniseed
**apart' -e** apart, separate; ~**heid** separateness; apartheid (political system)
**apokopee' -s** apocope
**apokrief' ..kriewe** apochryphal; **Apokrie'we Boeke** Apochrypha
**apologie' -ë** apology *ook* **versko'ning**; ~ *aanteken* make/offer an apology
**apos'tel -s** apostle
**aposto'lies -e** apostolic
**apostroof' ..strowe** apostrophe *ook* **af'kap(ping)te'ken**
**apparaat' ..rate** apparatus
**apparatuur'** computer hardware *ook* **har'deware**
**ap'pel -s** apple; pupil (eye); *die* ~ *val nie ver van die boom nie* like father like son; *'n* ~ *'n dag laat die dokter wag* an apple a day keeps the doctor away
**appèl' -le** appeal; ~ *aanteken* give notice of appeal; ~**hof** court of appeal
**appelkoos' ..kose** apricot; ~**konfyt'** apricot preserve, apricot jam; ~**siek'te** diarrhoea
**appellie'fie -s** Cape gooseberry
**ap'pelwyn** cider
**appendisi'tis** appendicitis *ook* **blindederm'ontsteking**
**applikant' -e** applicant *ook* **aan'soeker**
**applika'sie -s** application (for a post); *'n* ~ *indien/besorg* submit an application
**applous'** applause *ook* **toe'juiging**
**appresia'sie** appreciation *ook* **waarde'ring**
**apteek' ..teke** chemist's shop, pharmacy
**apte'ker -s** chemist, druggist
**aptyt'** appetite *ook* **eet'lus**
**Ara'bië** Arabia
**Arabier' -e** Arab (person)
**Ara'bies** (s) Arabian; (b) **-e** Arabian
**ar'bei ge-** work, labour, toil
**ar'beid** work, labour, toil; ~ *adel* labour ennobles; **geskool'de** ~ skilled labour; ~**er** labourer, workman, worker; ~**(s)intensief'** labour intensive
**ar'beid(s):** ~**terapie'** occupational therapy; ~**veld** sphere of action, field of activity; ~**verhou'dinge** industrial/labour relations
**arbi'ter -s** arbiter, arbitrator (person)

**arbitra'sie** arbitration
**a'rea -s** area *ook* **gebied'**
**are'na -s** arena *ook* **stryd'perk**
**a'rend -e** eagle
**argaïs'ties -e** archaic, obsolete
**Argenti'nië** Argentina (country)
**Argentyn' -e** (an) Argentinean; ~**s** (b) Argentine
**argeologie'** archaeology *ook* **oud'heidkunde**
**argeoloog' ..loë** archaeologist
**argief' argiewe** archives
**argipel' -le** archipelago *ook* **ei'landgroep**
**argitek' -te** architect *ook* **bou'meester**
**argitektuur'** architecture
**argiva'ris -se** archivist
**argument' -e** argument, plea *ook* **dispuut'**
**argumenteer'** ~, **ge-** argue
**arg'waan** suspicion, mistrust
**a'ria -s** air, tune, song, aria
**aristokraat' ..krate** aristocrat *ook* **edel'man**
**aristokra'ties -e** aristocratic
**ark -e** ark; *uit die ~ se dae* from time immemorial; ~**mark** petshop
**arka'de -s** arcade *ook* **deur'loop** (s)
**arm**[1] (s) **-s** arm
**arm**[2] (b) **-e; -er, -ste** poor, indigent, needy
**arm'band -e** bracelet, bangle
**arm'druk(wedstryd)** arm/Indian wrestling
**ar'mesorg** care of the poor
**arm'holte -s** armpit *ook* **ok'sel**
**armlas'tig -e; -er, -ste** chargeable to the parish; (s) ~**e** pauper (person)
**ar'moede** poverty, want
**armoe'dig -e; -er, -ste** poor, needy, indigent, shabby; *'n ~e huisie* a shabby house
**armsa'lig -e; -er, -ste** pitiful, miserable
**arm'stoel -e** armchair *ook* **leun'stoel**
**aro'ma -s** aroma, fragrance
**a'ronskelk -e** arumlily *ook* **vark'oor** (blom)
**arres'/arresta'sie** arrest, custody *ook* **aan'houding**
**arresteer'** ~, **ge-** arrest, take prisoner
**arseen'** arsenic; ~**vergif'tiging** arsenic poisoning
**arsenaal' ..nale** arsenal *ook* **wa'penhuis**
**arte'sies -e** artesian; ~**e bron/put** artesian well
**arties' -te** artist *kyk* **waag'arties**
**arti'kel -s** article, clause; commodity
**artikula'sie** articulation
**artillerie'** artillery
**artisjok' -ke** artichoke
**artistiek'** artistic, tasteful; *die ~e gehalte* the artistic quality
**arts -e** physician, doctor *ook* **genees'heer** *kyk* **tand'arts, vee'arts, huis'arts**
**artseny'** medicine, medicament; ~**kun'de** pharmacology
**as**[1] (s) ashes; *~ is verbrande hout* if ifs and ans were pots and pans; *in die ~ sit* repent
**as**[2] (s) **-se** axle, axis
**as**[3] (bw, vgw) as, like, than; when, if; *so nimmer ~te nooit* never ever
**asa'lea -s** azalea *ook* **berg'roos**
**as:** ~**baan** dirt track, cinder track; ~**bak'kie** ashtray
**asbes'** asbestos; ~**sement'** asbestos cement
**a'sem** (s) **-s** breath; *die laaste ~ uitblaas* expire; (w) breathe; ~**ha'ling** breathing, respiration; **kunsma'tige** ~**ha'ling** artificial respiration
**asetileen'** acetylene
**as(se)gaai' -e** assegai
**as'hoop ..hope** ash heap, dumping site
**Asia'ties -e** Asiatic
**A'sië** Asia
**asiel' -e** asylum, place of refuge, sanctuary
**as'jas -se** rascal; joker (cards)
**as'koek -e** ashcake; ne'er-do-well; *~ slaan* dance a reel
**as'ma** asthma
**aspaai'** I spy (hide-and-seek game)
**aspek' -te** aspect
**asper'sie -s** asparagus
**aspirant' -e** aspirant, applicant; ~**onderwy'ser** teacher in training
**as'poestertjie -s** cinderella
**aspres'/aspris'** deliberately, by design
**asseblief'** please, if you please; *~ tog!* do please!; *bly ~ aan* please hold the line
**asses'sor -s, -e** assessor, co-opted member
**assimila'sie** assimilation
**assistent' -e** assistant; ~**re'kenmeester** assistant accountant
**assosiaat' ..ate** associate (of a society)
**assosia'sie** association *kyk* **vere'niging**
**assuran'sie** insurance, assurance *ook* **verse'kering**; ~**agent'** insurance agent; ~**maatskappy'** insurance company
**as'ter -s** aster, chrysanthemum; girl, girlfriend
**astrant' -e; -er, -ste** cheeky, impudent, bold *ook* **parman'tig**
**astrologie'** astrology *ook* **ster'rewiggelary'**
**astroloog' ..loë** astrologer (person)
**astrono'mies -e** astronomic(al); ~**e kos'te** astronomic/huge costs

**astronoom′ ..nome** astronomer *ook* **sterre-kun′dige** (mens)
**as′tronout -e** astronaut, spaceman *ook* **ruim′-tevaarder**
**as′vaal** ashen pale; *jou ~ skrik* become pale with fright
**asyn′** vinegar
**ateïs -te** atheist *ook* **god′loënaar**; **~me** atheism
**ateljee′ -s** studio, workshop *ook* **stu′dio**
**ateljee′orkes -te** studio orchestra
**at′jar** pickles
**Atlan′ties -e** Atlantic
**at′las -se** atlas
**atleet′ atlete** athlete
**atletiek′** athletics; **~baan** athletic track; **~by-een′koms** athletic meeting
**atle′ties -e** athletic; **~e figuur′** built like an athlete
**atmosfeer′ ..sfere** atmosphere
**atoom′ atome** atom; **~bom** atom/atomic bomb; **~fu′sie** atomic fusion; **~oor′log** atomic war; **~split′sing/~sply′ting** splitting of the atom, atomic fission
**attaché -s** attaché; **~tas** briefcase *ook* **ak′tetas**
**attent′** attentive; *iem. op iets ~ maak* draw someone's attention to
**attributief′ ..tiewe** attributive
**Augus′tus** August
**Austra′lië** Australia; **~r** Australian (person)
**Austra′lies** (b) **-e** Australian
**avoka′do -′s** avocado
**avonturier′ -s** adventurer; fortune hunter
**avontuur′ ..ture** adventure; **~lik** adventur-ous; **~verhaal′** adventure story
**a′wend -e** evening, night (poetic)
**A′wendmaal** the Lord's Supper
**a′weregs -e** wrong *ook* **agterstevoor′**; purl (knitting)
**a′wery** average (at sea); **~klousu′le** average clause (insurance)

# B

**ba!** bah! pshaw! *nie boe of ~ sê nie* not say boo to a goose
**baad′jie -s** coat, jacket
**baai**[1] (s) **-e** bay
**baai**[2] (w) **ge-** bathe *ook* **swem**; **-er** bather (person)
**baal** (s) **bale** bale; (w) **ge-** bale
**baan** (s) **bane** course, way; orbit (of a planet); court (tennis); lane (traffic)
**baan: ~bre′ker** pioneer; **~sy′fer** par (golf, for course); bogey (for hole); **~tjie** job, em-ployment; *~tjies vir boeties* jobs for pals
**baar** (b) **-der, -ste** uncivilised, unskilled; (w) bear a child
**baard -e** beard
**baar′moeder -s** womb, uterus
**baars -e** bass; perch (fish)
**baas base** master, boss; crack, ace; **~baklei′er** champion fighter; **~raak** overcome, master
**baat** (s) profit, gain; **ba′te** assets; *ten bate van* in aid of
**ba′ba/ba′batjie -s** baby; **ba′bafol′tering** baby battering; **~wag′ter** babysitter *ook* **kroos′-trooster**
**bab(b)elas′** (s) hangover *ook* **win′gerdgriep**
**bab′bel ge-** tattle, chatter; **~aar** tattler, chatterer; **~bek/~kous** chatterbox
**ba′ber -s** barbel (fish)
**baccalau′reus ..rei, -se: B~ Artium** Bachelor of Arts
**bad** (s) **-de, -dens** bath; (swimming) bath/pool **baaie** mineral bath, hot spring; (w) **ge-** take a bath, bathe; **~ka′mer** bathroom; **~kos-tuum′** bathing costume
**baga′sie** baggage, luggage; **~bak** boot (of car)
**bag′ger ge-** dredge; **~boot/~masjien′** dredg-er, dredging machine
**bai′e meer, meeste** very, much, many; *~ dankie* thank you very much; **~maal/baie maal** many a time, frequently, often
**bajonet′ -te** bayonet
**bak**[1] (s) **-ke** basin, trough, bowl; body (of a car(t)); (b, bw), baggy; cupped
**bak**[2] (w) **ge-** bake, fry, roast; *~ en brou* muddle; *'n poets ~* play a trick
**bak**[3] (b) fine, first-rate, decent; *hy is 'n ~ ou* he is a first-rate chap
**bakatel′** (s) **-le** trifle, bagatelle *ook* **klei′nig-heid**
**bak′boord** larboard, port (side); *iem. van ~ na stuurboord stuur* send someone from pillar to post
**ba′ken -s** beacon; buoy
**bak′gat** (b, tw) excellent/first-class; swanky

**bak'ker -s** baker; ~**y** bakery
**bak'kie -s** small dish (tray, basin, bowl); pickup van, bakkie; punnet
**bak'kies -e** face, phiz, mug, dial (idiom.)
**bak'kopslang -e** ringed cobra
**baklei'** ~, **ge-** fight, scrap, quarrel; ~**ery'** (s) fighting, scrap, brawl
**bak'maat** capacity, content (of a dam)
**bak'oond -e** (Dutch) oven
**bak'oor ..ore** large prominent ear
**bak'sel -s** batch, baking; ~ **bro'de** loaves in (out of) the oven
**bak'steen ..stene** brick
**bakte'rie -ë, -s** bacterium *ook* **kiem**
**bak'vis -se/bak'vissie -s** flapper, teenager (girl)
**bal**[1] (s) **-le** ball (e.g. tennis); (w) **ge-** clench (the fist)
**bal**[2] (s) **-s** ball (dance); **gemas'kerde ~/mas'kerbal** fancy-dress ball
**balakla'wa:** ~**mus** balaclava/cap *ook* **klap'=mus**
**balans' -e** balance, equilibrium; poise
**balanseer'** ~, **ge-** balance
**balans'staat ..state** balance sheet
**balda'dig -e; -er, -ste** mischievous; boisterous
**ba'lie**[1] **-s** bar; *tot die ~ toegelaat* admitted to the bar (legal)
**ba'lie**[2] **-s** tub; (water) barrel
**baljaar'** ~, **ge-** play noisily, gambol, frolic
**balju' -'s** messenger of the court, sheriff
**balk**[1] (s) **-e** beam, rafter; stave, bar (mus.)
**balk**[2] (w) **ge-** bray (donkey)
**balkon' -ne, -s** balcony
**balla'de -s** ballad
**ballas'** ballast; ~**mand'jie** large bushel basket
**ballet' -te** ballet; ~**dan'ser,** ~**danseres'** ballet dancer
**bal'ling = ban'neling**
**ballon' -ne, -s** balloon
**bal'punt(pen)/bol'punt(pen)** (s) ballpoint pen *ook* **rol'punt(pen)**
**bal'sem** (s) **-s** balm, balsam, ointment; (w) **ge-** embalm
**bamboes' -e** bamboo
**ban** (s) excommunication, banishment; *in die ~ doen* ban; excommunicate
**banaal' ..nale; ..naler, -ste** banal, vulgar
**band -e** band (for clothes); ribbon (for hair); tape, cord; girdle; tyre (for car)
**bandelier' -e, -s** bandoleer
**bandiet' -e** convict, prisoner
**band:** ~**opna'me** tape recording; ~**masjien'/~opne'mer** tape recorder; ~**oteek'** tape library; ~**sky'fiereeks** tapeslide sequence *kyk* **vi'deoband**
**bang -e; -er, -ste** afraid, frightened; *liewer ~ Jan as dooie Jan* discretion is the better part of valour; ~**broek** coward
**banier' -e** banner, standard
**ban'jo -'s** banjo
**bank**[1] (s) **-e** bench, form, desk; pew (church); *deur die ~* on the average; throughout
**bank**[2] (s) **-e** bank; (w) **ge-** bank; ~**bestuur'der** bank manager
**banket'** confectionery; **-te** banquet; ~**bak'ker** confectioner
**bankier' -s** banker
**bank:** ~**kommis'sie** bank charges/rate; ~**noot** banknote; ~**re'kening** bank account
**bankrot'** (s) **-te** bankruptcy *ook* **bankrot=skap**; ~ *speel* go bankrupt
**bank:** ~**staat** bank statement ~**wis'sel** bank draft
**ban'neling -e** exile, outcast *ook* **bal'ling**
**ban'tamhoendertjie -s** bantam fowl
**barak' -ke** barracks
**barbaar' ..bare** barbarian, savage (person)
**barbaars' -e; -er, -ste** barbarous, brutal person
**barbier' -s** barber *ook* **haar'kapper**
**baret' -te** beret; birette
**ba'riton -s** baritone
**barmhar'tig -e; -er, -ste** merciful, compassio=nate; ~**e Samaritaan'** good Samaritan
**ba'rometer -s** barometer *ook* **weer'glas**
**baron' -ne, -s** baron
**barones' -se** baroness
**bars**[1] (s) **-te** burst, crack; (w) **ge-** burst, crack; *buig of ~* bend or break
**bars**[2] (b, bw) **-e; -er, -ste** harsh, rough; *veg dat dit ~* fight like mad
**bas**[1] **-se** bass (singer)
**bas**[2] **-te** bark, rind; body; *sy ~ red* save his skin; *tussen die boom en die ~* betwixt and between
**basaar' -s** bazaar *ook* **ker'mis** (by skool)
**baseer'** ~, **ge-** base, ground
**ba'sies -e** basic *ook* **fundamenteel'**
**ba'sis -se** basis, base; foothold; **militê're ~** military base
**basket'bal** basketball (men)
**Baso'tho** (s) Basuto (person)
**bas'ta!** enough! stop! ~ *nou met jou lollery!* stop bothering me!

**bas'ter**[1] (s) **-s** bastard, halfcaste; hybrid; (w) **ge-** hybridise
**bas'ter**[2] (bw) rather, somewhat; *ek voel ~ naar* I am feeling a little sick
**bas'ter: ~mie'lies** hybrid maize; **~taal** bar⸗barism (language); mixed jargon
**bataljon' -ne, -s** battalion
**ba'te** asset; credit; **~s en las'te** assets and liabilities
**ba'tig: ~e sal'do** credit balance
**battery' -e** battery; *'n ~ laai* charge a battery
**beamp'te -s** (honorary) official; employee
**beant'woord** ~ answer, reply; *aan die doel ~* meet the purpose
**bebloed' -e** bloodstained, bloody
**beboet'** ~ fine; *iem. met R10 ~* fine someone R10
**bebou'** ~ cultivate, till; **~de gebied'** built-up area
**bed -dens, -de** bed
**bedaar'** (w) ~ appease; subside, abate; **~mid'del** tranquilliser *ook* **kalmeer'middel**
**bedaard' -e; -er, -ste** calm, sedate
**bedags'** during the day
**bedag'saam** (b) thoughtful, circumspect, con⸗siderate
**bedank'** ~ thank; decline, refuse; resign; *as lid ~* resign one's membership; *~ uit 'n komitee* resign from a committee; **~ing** refusal; resignation; expression of gratitude; *die ~ing doen/uitspreek* propose a vote of thanks
**bed'degoed** bedding, bedclothes
**bed'ding** (s) river/flower bed
**be'de -s** prayer, petition; entreaty; **~vaart** pilgrimage
**bedees' -de; -der, -ste** timid, bashful
**bedek'** (w) ~ cover up, conceal, hide; (b) hidden, covered; **~te se'ën** blessing in dis⸗guise
**be'del ge-** beg, ask alms; **~aar** beggar
**bede'ling -s, -e** endowment, supply; **nu'we ~** new dispensation/deal
**beden'king -e, -s** consideration, reflection, remark; *~e teen iets hê* have doubts about something
**bedenk'lik -e; -er, -ste** critical, dangerous; serious; *hy lê in 'n ~e toestand* he is in a critical condition
**bederf'** (s) corruption, depravity; decay; (w) ~ spoil, corrupt, deprave, ruin; **~ba're goe'⸗dere** perishable goods
**bedien'** ~ serve, attend, wait upon; administer; **~de** servant; domestic *ook* **huis'hulp**; at⸗tendant; **~er** operator (of machine)
**bed: ~kus'sing** pillow; **~laken** (bed)sheet; **~lê'end** bedridden, confined to bed
**bedoel'** ~ mean; intend; purpose; *ek het dit nie so ~ nie* this is not what I meant; **~ing** meaning, intention, purpose; *met goeie ~ings* with the best of intentions
**bedom'pig -e; -er, -ste** close; stuffy, sultry
**bedor'we** (b) spoiled; depraved; **~ kind** spoilt child
**bedra'** ~ amount to; *die rekening ~ R5* the account/bill amounts to R5
**bedrag' bedrae** amount
**bedreig'** ~ threaten, menace; **~de spe'sie** endangered species; **~ing** threat, menace
**bedre'we meer ~, mees ~** competent *ook* **bekwaam'**; skilled, experienced
**bedrieër -s** fraud, deceiver, cheat, conman
**bedrieg'** ~ cheat, deceive, defraud, con; **~lik** deceptive, fraudulent, deceitful
**bedroef'** (w) ~ grieve, afflict; (b) sorrowful, sad, grieved *ook* **hart'seer**; *~ min* precious little; *~ wees oor* grieve at
**bedroe'wend -e** distressing, saddening
**bedrog' bedrieërye** deceit, deception, fraud; cheating; *~ pleeg* commit fraud
**bedruk' -te; -ter, -ste** oppressed, dejected, downhearted *ook* **terneer'gedruk**
**bedryf'** (s) **bedrywe** (branch of) industry; (line of) business; profession, trade; act (play); *'n ~ beoefen* practise a trade; *in ~ kom* start operations; (w) ~ commit, per⸗petrate; **~sielkunde** industrial psychology
**bedryfs: ~bates** current assets; **~kapitaal'** working capital; **~ken'nis** industrial art(s); **~kos'te** working expenses; **~las'te** current liabilities; **~lei'er** executive *ook* **bestuurs'⸗hoof**; **~verhou'dinge** labour/industrial rela⸗tions
**bedry'wig -e; -er, -ste** active, busy
**bedui'dend** significant, meaningful
**bedui'e** (w) ~ signify, mean, imply; point out, direct; *iem. die pad/rigting ~* explain the road/direction to someone
**bedui'wel** ~ make crazy, spoil *ook* **veron'ge⸗luk**; *hy het die hele saak ~* he has bungled the whole affair
**bedwelm'** (w) ~ stun, stupefy; drug; (b) benumbed, stunned, drugged; **~ing** daze, stunned state; **~mid'del** drug *kyk* **dwelms**
**bedwing'** ~ curb, check, restrain; *hy kon hom nie ~ nie* he could not restrain himself

**beë′dig** (w) ~ swear to; put upon oath; *die burgemeester is* ~ the mayor was sworn in; (b) **-de** sworn; ~**de verkla′ring** sworn affidavit
**beef ge-** tremble, shiver; quiver; ~ *soos 'n riet* tremble like an aspenleaf *ook* **bewe**
**beëin′dig** ~ finish off, terminate
**beeld -e** image, likeness, picture; statue; ~**bou′er** image builder
**beeld′hou ge-** sculpture, carve; ~**er** sculptor; ~**kuns** sculpture
**beeld:** ~**ra′dio** television; ~**saai,** ~**send** televise; ~**skoon** beautiful as a picture; ~**spraak** figurative/metaphorical language
**been bene** bone; leg; *harde bene kou* suffer hardships; *deur murg en* ~ to the marrow of one's bones; ~**af** in love
**beer bere** bear (wild animal); boar (male pig)
**bees -te** beast; bovine (animal); cow; (mv) cattle
**bees:** ~**boer** stock/cattle farmer; ~**melk** cow's milk; ~**vleis** beef; ~**wag′ter** cowherd/herdsman
**beet**[1] **bete** beetroot
**beet**[2] **bete** bite; hold, grip; ~**kry** get hold of, seize
**befoe′ter** ~ spoil; bedevil; ~**d** (b) cantankerous, contrary *ook* **beneuk′**
**begaaf′ -de** talented, gifted; ~**de kind** gifted child
**begaan′**[1] (w) ~ commit, perpetrate; *'n fout* ~ make a mistake
**begaan′**[2] (b) beaten, trodden; upset, worried; ~ *oor die uitslag* worried about the result
**begeer′** ~ desire, wish for, covet; ~**lik** desirable; ~**te** desire, wish
**begelei′** ~ accompany, escort; ~**de toer** guided/conducted tour *ook* **rond′leiding**; ~**ding** accompaniment
**begena′dig** (w) ~ pardon, condone, reprieve
**bege′rig -e; -er, -ste** desirous; eager
**begin** (s) beginning, start, outset, commencement
**begin′ner -s** beginner, novice; ~**s′kur′sus** beginners' course
**begin′sel -s** principle *ook* **grond′reël**
**begraaf′** (w) ~ bury, inter *ook* **begra′we**; ~**plaas** graveyard, cemetery *ook* **kerk′hof**
**begraf′nis -se** burial, funeral; ~**onderne′mer** funeral undertaker; ~**stoet** funeral procession
**begra′we** ~ bury, inter
**begrip′ -pe** idea, notion, conception; *traag van* ~ slow to understand, slow on the uptake
**begroet′** ~ greet, welcome
**begroot′** (w) ~ estimate, budget
**begro′ting** (s) **-s** estimate, budget
**begryp′** ~ understand, comprehend
**behaal′** ~ obtain, get, win, gain, score; *hy het sy graad* ~ he obtained his degree
**beha′e** delight, pleasure; ~ *skep in* delight in
**behal′we** except, save, besides; *alles* ~ anything but
**behan′del** ~ treat; handle; manage; ~**ing** treatment
**behar′tig** ~ have at heart; take care of *ook* **hanteer′**; *hy* ~ *die geldsake* he looks after the finances
**beheer′** (s) management, direction, control; (w) administer, control, manage; ~**lig′gaam** body corporate (sectional titles)
**beheers′** ~ rule, govern, manage, control
**behels′** ~ embrace, comprise; contain
**behen′dig -e; -er, -ste** dexterous, handy
**behoed′saam** cautious, circumspect, wary
**behoef′:** ~**te** want, need, necessity; ~**tig** poor, needy
**behoe′we** on behalf of, in aid of; *die kollekte is ten* ~ *van die armes* the collection is in aid of the poor
**behoor′lik** (b) **-e** proper, fit, becoming
**behoor(t)′** ~ belong to; behove, ought; be proper; *die boek* ~ *aan my* the book belongs to me; *hy* ~ *tot/aan daardie kerk* he is a member of that church
**behou′** ~ keep, retain, preserve, save
**behou′e** (b) safe and well
**behou′ering** containerisation
**behui′sing** housing; ~**ske′ma** housing scheme
**behulp′** aid, help, shift; *met* ~ *van* with the aid of
**bei′de** both; *geen van* ~ neither of the two
**beïnvloed** (w) ~ influence, affect *ook* **raak**; bias
**bei′tel** (s) **-s** chisel; (w) **ge-** chisel
**bejaard′ -e** aged, old, elderly; **tehuis′ vir** ~**es** old-age home *ook* **ou′etehuis**
**bejaar′desorg** care of the aged
**bejam′mer** ~ deplore, lament, bewail; *ek* ~ *jou* you have my sympathy
**beje′ën** ~ treat, act towards; *met minagting* ~ treat with contempt
**bek -ke** beak (bird); snout (animal); muzzle (of firearm); mouth (animal); *'n dik* ~ *hê* sulk; *hou jou* ~*!* shut up! *met 'n* ~ *vol tande* without saying a word

**bek:** ~**af** downhearted, down in the dumps; ~**dry′wer** backseat driver
**bekeer′** ~ convert, proselytise
**beken′** ~ confess, acknowledge; ~**tenis′** con=fession
**bekend′** (b) **-e; -er, -ste** known, conversant with, noted, familiar
**be′ker -s** cup, jug, bowl, mug; sports trophy ~**wed′stryd** cup match/final
**beke′ring** conversion
**bek′ken -s** pelvis; basin; catchment area
**beklem′toon** ~ emphasise, stress
**beklink′** ~ arrange, settle; *'n saak* ~ close a deal
**beknop′ -te; -ter, -ste** succinct, concise, abridged; *'n ~te uitgawe van die boek* a condensed version of the book
**bekom′** (w) ~ obtain; recover from (fright)
**bekom′mer** ~ trouble, worry; *ek ~ my daar=oor* I am worried about it; ~**nis** uneasiness; worry, anxiety
**bekoor′** ~ charm, enchant, fascinate, tempt; ~**lik** charming, fascinating *ook* **aanval′lig, fraai**
**beko′ring** charm, fascination
**bekos′tig** ~ afford; defray, pay; *ek kan dit nie ~ nie* I cannot afford it; ~**baar** (b) afford=able *ook* **sak′pas**
**bekrag′tig** ~ ratify; confirm, sanction
**bekrom′pe** narrow-minded
**bekro′ning** crowning; reward of merit; award
**bekroon′** ~ crown; award; *met die eerste prys* ~ awarded the first prize
**bekruip′** ~ creep upon, steal upon, stalk
**bekwaam′** (w) ~ qualify; enable; train; (b) able, capable, competent, efficient; ~**heid** ability, capability, capacity
**bekyk′** ~ look at, view, inspect
**bel** (s) **-le** bell; wattle (bird); (w) **ge-** ring, 'phone *ook* **ska′kel**
**belag′lik** (b) ridiculous *ook* **bespot′lik**
**beland′** ~ land; get to; arrive
**belang′ -e** importance; interest; concern; *in jou eie* ~ in your own interest
**belang′rik -e; -er, -ste** important, consider=able; ~**heid** importance
**belang′stel -ge-, belang stel belang ge-** take an interest in, be interested in
**belas′** (w) ~ burden; tax; rate; assess; ~ *en belade* heavily laden; ~**te wins** profits after tax; ~**baar** taxable
**belas′ting -s** tax(ation); load; rate, duty; ~ *hef* levy tax on; ~ **op toe′gevoegde waarde (BTW)** value added tax (VAT); ~**aan′slag** assessment; ~**beta′ler** taxpayer; ratepayer; ~**gaar′der** tax collector, receiver of revenue (state income) *ook* **Ontvang′er van In′=komste**; ~**plig′tige** taxpayer; ~**vry** taxfree
**belê′** ~ convene, call (meeting); invest (money)
**bele′dig** ~ insult, offend; ~**ing** insult
**beleef′**[1] (w) ~ experience, witness, live to see *ook* **bele′we** (w)
**beleef′**[2] (b) **-de; -der, -ste** polite, civil, cour=teous *ook* **beleefd′, hof′lik**
**beleefd′heid** civility, politeness, courtesy
**bele′ër** ~ besiege, lay siege to; ~**ing** siege
**beleg′ beleëringe, beleërings** siege; *staat van* ~ state of siege; ~**ger** investor (of money)
**beleg′ging -s, -e** investment (of money, assets)
**beleid′** ~**e, beleidrig′tings** policy; ~**ma′ker** policy maker/shaper
**belem′mer** ~ hamper, obstruct; *die uitsig is* ~ the view is obstructed
**bele′se** well-read, widely read, erudite
**belet′ (w)** ~ prohibit, forbid
**bele′we** ~ experience, witness, live to see *ook* **beleef′** (w)
**bel′hamel -s** bellwether; ringleader
**belig′** ~ lighten up; illuminate; expose
**belig′ting** exposure; illumination, lighting
**belof′te -s** promise; *'n ~ nakom* keep a promise
**belo′ning -s, -e** reward; *'n ~ uitloof* offer a reward
**beloof′/belo′we** (w) ~ promise
**beloon′** ~ reward, remunerate
**belt** (s) **bel′de** belt *ook* **gor′del**
**bely′** ~ confess, avow; ~**denis′** confession
**bemaak′** ~ bequeath (money in a will)
**bemag′tiging** empowerment (e.g. of women)
**beman′** (w) ~ man, equip; ~**ning** crew; man=ning (staff provision); **on′der**~ understaffed
**bemark** (w) market; ~**ing** marketing
**bemees′ter** ~ overpower; master
**bemerk′** ~ observe, notice, perceive
**bemid′delaar -s** mediator, go-between *ook* **tus′senganger**
**bemid′deld -e** well-to-do, wealthy *ook* **wel′af**
**bemin′** ~ love, be fond of; ~**d′** loved, beloved; ~**de** loved one, lover
**bemoei′** ~ meddle, interfere; ~ *jou met jou eie sake* mind your own business; ~**siek** (b) meddlesome, officious
**bemors′** ~ soil, stain, begrime

**bena'deel** (w) ~ harm; hurt, injure
**benader** ~ approach; approximate, estimate; ~**ing** (s) approach; approximation, rough estimate; *by ~ing* approximately
**bena'ming -s, -e** name, title, term
**benard' -e; -er, -ste** distressed, trying; embarrassed; *in ~e omstandighede* in straitened circumstances
**ben'de -s** band, troop, gang; ~**lei'er** gangleader; ~**verkrag'ting** gangrape *ook* **groep'verkragting**
**bene'de** below, beneath, under; ~ *my waardigheid* beneath my dignity
**beneuk'** (w) ~ damage, spoil, mar; (b) *ook* **befoe'ter** daft, cantankerous, unmanageable
**bene'wel** (w) ~ cloud, darken, obscure
**bene'wel(d)** (b) **-de** foggy, misty, hazy
**bene'wens** besides, in addition to
**beno'dig(d)heid** requirement
**benoem'** ~ nominate, appoint; ~**ing** appointment, nomination
**benoud'** anxious, oppressed; stuffy, stifling
**bensien'/bensi'ne** benzine
**benul'** notion, idea; *geen ~ nie* not the slightest notion/idea
**benut'** (w) ~ utilise, avail oneself of
**beny'** ~ envy, grudge; *ek ~ hom sy gesondheid* I envy him for his health
**beoe'fen** ~ study; practise; exercise; pursue (a profession); *geduld ~* exercise patience
**beoog'** ~ aim at, have in view; ~**de uit'breidings** planned extensions
**beoor'deel** ~ judge, criticise, adjudicate
**beoor'delaar -s** adjudicator, judge; reviewer, critic
**bepaal'** ~ determine (date); define; stipulate
**bepaald'** (b) **-e** fixed, positive, definite
**bepa'ling -s, -e** stipulation; determination; provision; fixture (sport)
**beperk'** (w) ~ limit, confine, restrict; ~ *tot* restricted to; (b) limited, restricted; ~**ing** limitation, restriction
**beplan'** (w) plan; ~**ning** planning
**bepleit'** ~ plead, advocate
**beproe'wing -s, -e** trial, tribulation
**beraad'** deliberation, talk(s); ~**slaag** (w) deliberate, consult; ~**sla'ging** deliberation, consultation *kyk* **bos'beraad/lekgot'la**
**beraam'** ~ plan, contrive; frame; estimate; *'n plan ~* make a plan
**bera'dene** (s) **-s** counsellee (person being counselled)
**bera'der** (s) **-s** counsellor (psychology)
**bera'ding** (s) counselling
**bera'ming -s, -e** estimate; specification
**bê're ge-** store, save, put aside
**bered'der** ~ administrate, wind up (estate)
**bere'de** mounted; ~ **poli'sie** mounted police
**beredeneer'** ~ discuss, reason
**berei'** ~ prepare; dress; *'n maaltyd ~* prepare a meal
**bereid'** (b) ready, prepared, willing
**bereidwil'lig -e** ready, willing *ook* **hulpvaar'dig**
**bereik'** (s, w) reach
**bere'ken** ~ calculate; compute; charge; ~**aar** estimator (person); calculator *ook* **sak'rekenaar**; ~**ing** calculation
**bê'rekoop** lay-by
**bê'replek -ke** storage space/room
**berg**[1] (s) **-e** mountain, mount; *van 'n molshoop 'n ~ maak* make a mountain out of a molehill
**berg**[2] (w) **ge-** salvage; store *kyk* **op'berg**
**bergag'tig -e** mountainous
**berg:** ~**enier'** mountaineer *ook* **berg'klimmer**; ~**hang** mountain slope
**berg'ie** (s) (Table Mountain) tramp/loiterer
**ber'ging** salvage, salvaging (a ship); storing of; stowage (mealies); ~**skip** salvage vessel
**berg:** ~**ket'ting** mountain range; ~**klim'mer** mountaineer *ook* **bergenier'**; ~**pas** mountain pass; **B~rede** Sermon on the Mount; ~**skool** initiation school (tribal custom)
**berig'** (s) **-te** intelligence, news, report
**beroemd' -e; -er, -ste** famous, renowned, celebrated; ~**heid** fame, renown
**beroep'** (s) **-e** profession; calling, vocation; trade; appeal; *'n ~ beoefen* follow a profession; *'n ~ doen op* appeal to; (w) call, nominate; appeal to; ~**s'hal'we** by virtue of one's profession; ~**siek'te** occupational disease; ~**s'keu'se** choice of profession; ~**s'lei'er** careers adviser; ~**s'lei'ding** career/vocational guidance/counselling; ~**s'man** professional (person); ~**s'op'leiding** vocational training; ~**spe'ler** professional (player); ~**sport** professional sport; ~**stoei** professional wrestling; ~**s'voor'ligting** careers/vocational guidance; ~**wed'der** bookie *ook* **boe'kie**
**beroerd'** (b) rotten, miserable, lousy
**beroe'ring -e, -s** commotion, disturbance

**beroer'te** (s) stroke; apoplexy, palsy
**berok'ken** ~ cause, create; *skade* ~ cause damage
**beroof'** ~ rob; deprive, bereave
**berou'** (s) repentance, regret, remorse; (w) repent, regret
**berug'** (b) **-te; -ter, -ste** notorious, infamous
**berus'** ~ rest upon, depend upon; acquiesce; *in die onvermydelike* ~ resign oneself to the inevitable
**bes** (s) best, utmost; quite; *sy uiterste* ~ *doen* do his utmost
**besa'dig** (b) **-de** composed, sedate, calm
**beseer** ~ hurt, injure (in accident)
**besef'** (s) idea, realisation; *tot die* ~ *kom* realise; (w) ~ realise, comprehend
**be'sem -s** broom
**besen'ding -s, -e** consignment (of goods)
**bese'ring -s, -e** injury
**beset'** ~ occupy (a place); engage; *die telefoon is* ~ the telephone is engaged
**bese'tene -s** possessed one; maniac; *hy gaan te kere soos 'n* ~ he carries on like a maniac/madman
**beset'ting -s, -e** occupation; garrison
**besiel'** (w) ~ animate, inspire *ook* **inspireer'**
**besie'ling** inspiration, animation
**besienswaar'dig -e** worth seeing, remarkable; ~**heid** tourist attraction; curiosity
**be'sig** (w) **ge-** use, employ (words); (b) busy, engaged; ~**heid** business, occupation, employment
**besig'tig** ~ examine, inspect
**besin'** ~ reflect, come to one's senses; ~ *voor jy begin* look before you leap
**besit'** (s) possession; assets; *in* ~ *neem* take possession of; (w) own, possess, have; ~**lik** possessive; ~**reg** right of ownership; title; ~**ting** possession, property, estate
**beskaaf'** (w) ~ cultivate, civilise; (b) cultured, civilised *ook* **op'gevoed**
**beska'dig** (w) ~ damage, harm, injure
**beska'wing -s, -e** civilisation, culture
**beskei'e meer** ~, **mees** ~ discreet, modest; *na my* ~ *mening* in my humble opinion
**beskerm'** ~ protect; shelter; guard; ~**(e)'ling** protégé; ~**en'gel** guardian angel; ~**er** protector, patron; ~**heer** patron; ~**heilige** patron saint
**besker'ming** protection; patronage; auspices; *onder* ~ *van die nag* under cover of night
**beskik'** ~ manage; arrange; dispose; *die mens wik, God* ~ man proposes, God disposes; ~**baar** available; ~**king** disposal, arrangement; *tot sy* ~*king hê* have at his disposal
**besko're** granted to, allotted; *dit was my nie* ~ *nie* I was not destined to . . .
**beskou'** ~ view, look at, behold; consider
**beskryf'/beskry'we** ~ describe, depict; draw up (in writing)
**beskry'wing -s, -e** description; ~**s'punt** point/item for discussion (on the agenda)
**beskuit' -e** rusk
**beskul'dig** ~ accuse, charge with; ~ *van* accuse of; ~**de** accused, defendant (person); ~**ing** accusation, charge, indictment
**beskut'** ~ protect, shelter; ~**te beroep'/werk** sheltered occupation/employment
**beslaan** (w) ~ occupy, fill; cover (area)
**besleg'** ~ decide, settle; *hulle het die geskil* ~ they settled the argument
**beslis'** (w) ~ decide; (b) decided, positive; (bw) decidedly, positively; ~**send** decisive, final, conclusive; ~**sende stem** casting vote; ~**sing** decision, ruling, resolution
**beslom'mering -s, -e, beslom'mernis -se** vexation, trouble, cares (of office)
**beslo'te korpora'sie (BK)** close corporation (CC)
**besluit'** (s) **-e** resolution; decision; (w) resolve, decide; ~**e'loos** irresolute, wavering; ~**ne'mer** decision maker
**besmeer'** ~ soil, smear; grease
**besmet'** ~ infect, contaminate, pollute
**besmet'lik -e; -er, -ste** contagious, infectious (disease)
**besnoei'** ~ curtail, retrench; cut; *uitgawes* ~ cut down on expenses
**besny'** ~ circumcise; ~**denis'** circumcision
**besoe'del** ~ stain, contaminate, pollute; ~**ing** contamination, pollution
**besoek'** (s) **-e** visit, call; ~ *aflê* pay a visit; (w) (~) visit, call on; try, afflict; ~**er** visitor; guest; ~**ing** visitation, affliction, trial
**besol'dig** ~ pay, remunerate; ~**ing** salary, remuneration, pay, wages
**beson'der** (s): *in die* ~ particularly; (b) particular, special, peculiar; (bw) exceptionally, particularly; ~**heid** detail, particular; *meer/nadere besonderhede* further details
**beso'pe** drunk, fuddled (with drink)
**besorg'** (w) ~ deliver (goods); procure; furnish (details); (b) anxious, concerned, uneasy; ~**d'heid** anxiety, worry
**bespaar'** ~ economise; save; ~ *jou die moeite*

save yourself the trouble; *geld/onkoste* ~ save costs/spending
**bespa'ring** saving; ~**s'rit** economy run (cars)
**bespie'gel** (w) ~ speculate, contemplate
**bespoe'dig** ~ accelerate; hasten; expedite
**bespot'** ~ mock, laugh at, ridicule; ~**lik** ridic= ulous; *hom ~lik maak* make an ass of himself; ~**ting** mockery, derision, ridicule
**bespreek'** ~ discuss, talk over/about; *ook* **beraad'slaag** (w); review (books); reserve, book (seats); *sitplekke* ~ book seats
**bespre'king -s, -e** discussion; conference; booking, reservation; review; ~**s'groep'** discussion group
**besproei'** ~ irrigate; ~**ing** irrigation
**bes'sie -s** berry; ~**sap** currant juice
**bestaan'** (s) existence, livelihood; (w) ~ exist, live, consist (of); ~ *uit* consist of; ~ *van* live on; ~**s'ekonomie'** subsistence econo= my; ~**s'jaar** year of existence, anniversary
**bestand'** proof (against), equal to; ~**deel** ingredient, component (part)
**bes'te** best, excellent; dear; *my (ou)* ~ my better half; *sy* ~ *vertoning nog* his best performance ever
**beste'ding** (s) expenditure *ook* **uit'gawes**
**bestee'** ~ spend; use; expend; *aandag* ~ *aan* give attention to
**besteel'** ~ rob
**bestel'** (w) ~ order, arrange, appoint
**bestel'ling -s, -e** order, delivery; appointment; *'n ~ plaas* place an order
**bestel'vorm -s** order form
**bestel'wa ..waens** delivery van; bakkie
**bestem'** ~ destine, fix, apportion; ~**ming** destination, destiny
**bestem'pel** ~ stamp; name, call (names); designate as
**besten'dig** (b) **-e** constant; consistent, stable; ~**e speler** safe/consistent player
**bestier** (s) guidance; dispensation; ~**ing** act of Providence
**bestook'** ~ harass; batter, bombard; *met vrae* ~ bombard with questions
**bestor'we** deadly pale, livid; deceased; ~ **boe'del** deceased estate
**bestraf'** ~ rebuke, reprove, punish
**bestry'** ~ combat, contest; dispute
**bestudeer'** ~ study; investigate
**bestuif'/bestui'we** ~ cover with dust; pollinate
**bestuur'** (s) **..sture** management; directorate, board of control; (w) govern, rule, manage, direct; drive, steer; **bestu'rende direkteur'** managing director; ~**der** manager, director; driver (car); ~**derslisen'sie** driver's license *ook* **ry'bewys**
**bestuurs'**: ~**hoof/~lei'er** executive *ook* **be= dryfs'hoof**; ~**komitee'** management com= mittee *ook* ~**raad**; ~**lid** board member
**bestuur'skool ..skole** driving school; school of management
**bestuur'stel -le** executive suite
**bestuurs'vergadering -s, -e** management meet= ing
**besui'nig** ~ economise, reduce expenses
**beswaar'** (s) **besware** objection, grievance, scruple; *besware maak/opper* raise objections
**besweer'** ~ swear; conjure; entreat; charm (snake)
**bes'wil:** *vir jou eie* ~ for your own good
**beswyk'** ~ succumb; yield; die *ook* **sterf**; *aan 'n siekte* ~ die of a disease
**betaal'** ~ pay, settle; **haal-en-~** cash-and-= carry; **vooruit~** paid in advance
**beta'kel** ~ dirty, besmear
**beta'ling -s, -e** payment
**betas'** ~ finger, feel; fondle *ook* **bevoel'** *kyk* **seksue'le teis'tering**
**bete'ken** ~ mean, signify, imply; spell, portend; serve; *dagvaarding* ~ *aan* serve summons on *ook: bestel aan*
**bete'kenis -se** meaning; sense, significance, importance *ook* **belang'rikheid**; *manne van* ~ men of note; ~**vol** significant, meaningful
**be'ter** better, superior; ~**skap** improvement, recovery; ~**we'ter** pedant, wiseacre, know-all (person)
**beteu'el** ~ restrain, check, bridle, curb
**beteu'ter(d) -de** perplexed, puzzled
**beto'ger -s** demonstrator (political)
**beto'ging -s, -e** demonstration (public) *ook* **protes'optog**
**beton'** concrete; **gewa'pende** ~ reinforced concrete
**betoog'** (s) **..toë** argument(ation); (w) demon= strate, argue, prove
**beto'wer** ~ enchant, charm, fascinate
**beto'werend -e** charming, fascinating, glam= orous *ook* **bekoor'lik**
**betrap'** ~ catch; surprise; trap; detect; *iem. heter daad op diefstal* ~ catch a thief redhanded
**betree'** ~ tread upon, enter, set foot upon; **onregma'tige betre'ding** trespassing

**betref′** ~ concern, relate to, touch, affect; *wat my* ~ as for me; ~**fende** concerning, regarding *ook* **aangaan′de**
**betrek′** ~ occupy; involve; ~**king -e** relation; ~**king -s** situation, job; *met ~king tot* with reference to
**betreur′** (w) ~ regret, lament, deplore
**betrok′ke** cloudy, overcast; gloomy; concerned, involved; ~ **amp′tenaar** official concerned
**betrou′** ~ trust; ~**baar** trustworthy, reliable; ~**baarheid** reliability
**betuig′** ~ testify; declare; assure; show; express (thanks); *sy dank* ~ express his thanks
**betwis′** ~ dispute; contest; *'n setel* ~ contest a seat (in election)
**betwy′fel** ~ doubt, question, query
**betyds′** in time *ook* **op tyd**
**beu′el -s** bugle, trumpet
**beul -e, -s** hangman, executioner
**beurs -e** purse; bursary, scholarship; stock exchange; ~**note′ring** stock exchange listing
**beur′sievryer -s** sugardaddy *ook* **vroe′telvader, paai′pappie** (idiom.)
**beurt -e** turn; over (cricket); ~**e′lings** by turns, alternately, in rotation
**beval′ling -s, -e** confinement, delivery (of a child)
**beva′re:** ~ **see′man** able seaman
**bevat′** ~ contain, comprise, hold *ook* **behels′**; comprehend
**beveel′** (w) ~ order, command, enjoin
**beveg′** ~ combat, fight (against)
**bevei′lig** ~ shelter, protect, safeguard
**bevel′ -e** order, command; mandate; ~**voerder** commander; ~**voerende offisier** commanding officer
**beves′tig** ~ confirm, corroborate, bear out; ~**end** affirmative; ~**ende/reg′stellende ak′sie/optrede** affirmative action; ~**ing** confirmation, affirmation
**bevind′** (w) ~ find, experience; ~**ing** (s) finding
**bevlek′** ~ stain, defile, pollute
**bevlie′ging -s, -e** caprice, sudden fancy, whim; *'n ~ kry* act on a sudden impulse
**bevoeg′ -de** competent, qualified, able; ~**d′heid** competence, qualification; power
**bevoel′** ~ feel; finger *kyk* **betas′**; touch
**bevolk′:** *dig* ~ densely populated; ~**ing** population; ~**ingsontplof′fing** population explosion
**bevoor′deel** (w) ~ favour, promote, advance
**bevoor′oordeel(d) -de** biased, prejudiced
**bevoor′reg** (b) **-te** privileged
**bevor′der** ~ promote, advance; ~**ing** promotion, rise
**bevraag′teken** (w) ~ query, doubt, question
**bevre′dig** ~ satisfy, appease, gratify; ~**end** satisfactory; ~**ende diens** satisfactory service
**bevrees′** (b) afraid, anxious
**bevriend′ -e** friendly, on good terms; ~**e land** friendly country
**bevries′** ~ freeze, congeal
**bevro′re** frozen; ~ **hoen′der** dressed chicken
**bevrug′** ~ impregnate, fecundate; ~**ting** conception, impregnation; **kunsma′tige ~ting/insemina′sie** artificial insemination
**bewaak′** ~ watch, guard
**bewaar′** ~ keep, preserve; ~**der** keeper, warder; ~**kas** locker *ook* **sluit′kas**; ~**skool** infant school, crèche
**bewa′pen** (w) ~ arm, provide with arms
**bewa′rea** (s) nature reserve *ook* **bewaar′area**
**bewa′ring** keeping; custody; conservation *kyk* **natuur′bewa′ring**
**be′we ge-** tremble, shiver; quiver *ook* **beef**
**beweeg′** ~ move, stir; persuade; ~**lik** movable, mobile; vivacious; ~**re′de** motive, rationale
**beweer′** ~ assert, contend, allege
**bewe′ging -s, -e** movement, motion; ~**s′leer** eurythmics; kinetics
**be′wer -s** beaver
**bewera′sie** (s) trembling fit, shivering
**be′werig -e; -er, -ste** shaking, trembling, quivering; shaky
**bewe′ring -s, -e** assertion, contention, statement *ook* **stel′ling**; allegation *ook* **aan′tyging**
**bewerkstel′lig** ~ effect, cause, bring about
**bewil′lig** (w) grant, consent; *geld* ~ vote money/funds
**bewind′** government, rule, administration; *aan die ~ kom* come to power; ~**heb′bende party′** ruling party; ~**heb′ber** governor, ruler
**bewo′ë** moved, affected; agitated
**bewolk′ -te** cloudy, overcast
**bewon′der** ~ admire; ~**aar** admirer, fan (person); ~**aars′pos** fan mail; ~**ing** admiration
**bewo′ner -s** inhabitant; occupier; ~ *van 'n huis* occupant of a house
**bewoon′** ~ occupy, inhabit
**bewoord′** ~ word, express (in words); ~**ing** wording, expression

**bewus′ -te** aware, conscious; *ten volle ~ van* fully aware of; in question; **~syn** con= sciousness
**bewus′teloos ..lose** unconscious
**bewys′** (s) **-e** proof, evidence; (w) prove, demonstrate; show; do (a favour)
**bey′wer** ~ endeavour, apply oneself; *hom ~ vir* work/strive for
**bib′ber ge-** shiver, tremble
**bibliograaf′ ..grawe** bibliographer (person)
**bibliografie′ -ë** bibliography *ook* **bron′nelys**
**biblioteek′ ..teke** library
**biblioteka′ris -se** librarian
**bid ge-** pray, beseech, supplicate, ask a blessing; say grace; **~stond** prayer meeting
**bie ge-** bid; tender
**bied ge-** offer, present; *teenstand ~* offer resistance
**bie′der -s** bidder (at auction)
**bief′stuk** beefsteak *ook* **steak**
**bieg** (s) confession; (w) **ge-** confess; **~poësie′** confessional poetry
**bie′lie -s** stalwart; whopper; *jy is darem 'n ~!* you're a brick!
**bier** beer; **~brouer** brewer; **~brou′ery** brew= ery; **~saal** beer hall; **~vat** beer cask, beer barrel
**bies** beestings, colostrum; **~brui′lof** non-alco= holic wedding reception
**bie′sie -s** rush, reed; **~pol** tussock of rush; peach of a girl
**bie′tjie** (s) a little bit; a moment; *alle ~s help* every little helps; (b) few; little; (bw) rather, slightly; *'n ~ baie* rather much; *gee ~ pad* just stand clear; *help ~* please give me a hand
**bifokaal′** bifocal; **..kale bril** bifocal specta= cles; (mv) bifocals
**bigamis′ -te** bigamist *ook* **veel′wywer**
**bilateraal′** (b) **..ale** bilateral *ook* **tweesy′dig**
**bilhar′ziase** bilharziasis (disease) *ook* **rooi′= water**
**biljart′** (s) billiards (game)
**biljoen′ (miljoen miljoen)** billion (Eng 1 000 million = Afr **miljard′**)
**bil′lik** (b) **-e; -er, -ste** reasonable, fair, just, equitable; *nie meer as ~ nie* only fair
**bil′likheid** equity, justice, fairness
**bil′tong -e** biltong (dried meat); *~ sny voor die bees geslag is* count one's chickens before they are hatched
**bind ge-** tie, bind, fasten; **~geld** retaining fee, retainer; commitment fee
**bin′ne** in, within, into, inward, inside; *~ 'n paar dae* within a few days; *te ~ skiet* flash into one's mind; **~aarse voe′ding** intrave= nous feeding; **~band** tube; **~brandmotor** internal combustion engine; **~goed** intes= tines, entrails; *meer bek as ~goed* all talk; **~-in** inside, within; **~kant** inside; **~kort′** shortly, soon, before long; **~land** interior; **~lands** inland, in the interior; **~land′se sa′ke** home affairs (dept. of); **~landse verbruik′** domestic consumption
**bin′nens: ~huis** indoors, in the house; **~huise versie′ring** interior decorating *ook* **binne= versiering**
**bin′ne(n)ste** innermost; *~ buite* inside out
**bin′ne: ~pasiënt -e** in-patient; **~versiering** interior decorating
**bi′odata** (s) curriculum vitae *ook* **CV, le′= wensprofiel′**
**biografie′ -ë** biography *ook* **le′wensbeskry= wing**
**biologie′** biology
**biolo′gies -e** biological; **~e na′vorsing** biolo= gical research
**bio′nies** (b): **~e mens** bionic man; cyberman
**bioskoop′ ..skope** bioscope, cinema, movie
**bis′kop -pe** bishop
**bits/bit′sig -e; -er, ste** harsh, sharp, biting
**bit′ter [-e]; -der, -ste** bitter, grievous; *~ min* precious little; **~einder** diehard, persister; **~heid** bitterness; acerbity
**blaad′ jie -s** leaflet *ook* **blad′skrif**
**blaai ge-** turn over pages; *~ om (b.o.)* please turn over (p.t.o.); browse (comp.)
**blaam** blame, blemish
**blaar[1] blare** blister, bleb
**blaar[2] blare** leaf (of a plant)
**blaas[1]** (s) **blase** bladder
**blaas[2]** (s) **blase** bubble; (w) **ge-** blow, puff; **~balk** bellows; **~gom** bubblegum; **~kans, ~tyd** break, time for a breather; **~op′pie -s** toby (fish); **~orkes′** brass band; **~pyp** blowgun, blowpipe; **~vlam** cutting torch
**blad blaaie** leaf (of a book); newspaper; blade (spring); shoulder (animal)
**blad: ~sak** knapsack; **~skrif** leaflet, hand-= out; **~sy** page; **~wy′ser** bookmark, index
**blaf** (s) **blawwe** bark; (w) **ge-** bark; *komman= deer jou eie honde en ~ self* do your own dirty work
**bla′ker -s** candlestick
**blameer′ ge-,** ~ blame, slander

**blan'ke -s** white person; white (member of group or race)
**blan'ko** blank; ~ **tjek** blank cheque
**blaps** mistake, slip-up *ook* **fla'ter/glips**
**blas -ser, -ste** sallow, darkbrown
**blat'jang** chutney; relish, ketchup
**bleek** (w) **ge-** bleach; (b) pale, pallid, colour=less; ~**siel** wimp *ook* **slap'gat** (*kru*)
**bleik ge-** bleach; ~**poei'er** bleaching powder
**blêr ge-** bleat; ~**fliek** talkie film; ~**kas** juke=box
**bles -se** blaze; bald head; ~**bok** blesbuck; ~**hoender** whitefaced coot, moorhen; ~**perd** horse with a blaze
**blie'per -s** bleeper (for messages)
**blik**[1] (s) **-ke** glance, view; glance, look; *sonder om te ~ of te bloos* without a blush
**blik**[2] (s) **-ke** tin; ~**brein** computer (idiom.); ~**kiesdorp'** shantytown; slum; ~**kieskos'** tinned foodstuffs; ~**kiesmelk'** condensed/tinned milk
**blik'ker** (w) glare, glitter, dazzle; ~**ing** (s) glare (affecting vision)
**Blik'oor ..ore** nickname for Freestater
**blik'sem** (s) **-s** lightning *ook* **weer'lig**; scoun=drel; (w) flash; ~**straal** flash of lightning
**blik:** ~**skêr -e** plate shears; tin opener; ~**skottel!** silly ass!; rascal!; ~**sla'er** tin=smith; rascal; ~**sny'er** tin opener
**blind -e** blind; ~**e hoogte** blind rise; ~**e vertrou'e** implicit faith; ~**doek** (s) eye bandage; (w) blindfold
**blin'dederm -s** appendix *ook* **appen'diks**; ~**ontste'king** appendicitis
**blin'de-instituut ..tute** institute for the blind
**blinde:** ~**lings** blindly, implicitly; ~**mol'letjie** blind man's buff (a game)
**blin'der -s** window blind
**blin'de:** ~**skool** school for the blind; ~**vlieg** stingfly
**blin'ding = blin'der**
**blind:** ~**tik** touch typing; ~**tik'ster** touch typist
**blink** (w) **ge-** shine, glitter; (b) shining, glitter=ing; ~ **gedag'te** brainwave; ~ **toe'koms** bright future
**blits** (s) **-e** lightning flash; (w) **ge-** flash; ~**aan'val** blitz, lightning attack; ~**debat'** snap debate (parliament); ~**mo'tor** (flying) squad car; ~**patrol'lie** flying squad; ~**ver=ko'per** bestseller *ook* **tref'fer** (boek); ~**vin=nig** like a flash
**bloed** blood; strain; *sy ~ kook* he is furious; ~**ar'moede** anaemia, chlorosis; ~**bad** blood=bath; massacre
**bloeddors'tig -e; -er, -ste** blood-thirsty
**bloed:** ~**druk** blood pressure; ~**drup'pel** drop of blood; ~**e'rig** bloody; *'n ~erige stuk vleis*, meat dripping with blood; ~**hond** bloodhound; ~**ig** bloody; scorching; *'n ~ige geveg* a bloody fight; ~**ige hit'te** scorching heat; ~**ing** bleeding, haemor=rhage; ~**jong/jonk** very young; ~**kan'ker** leukemia; ~**min** precious little; ~**oortap'=ping** blood transfusion; ~**rooi** bloodred; ~**skan'de** incest; ~**sken'ker** blood donor
**bloeds'omloop** circulation of the blood
**bloed:** ~**sui'er** leech, bloodsucker; extortioner; ~**vergie'ting** bloodshed; ~**vergif'tiging/~ver-gif'ting** blood poisoning; ~**verwant'** rela=tive; kinsman; ~**ve'te** blood grudge/feud, vendetta
**bloed'vint -e** boil, furuncle
**bloed:** ~**vlek** bloodstain; ~**wei'nig** precious little
**bloei**[1] (s) bloom, flourishing condition; *in die ~ van sy jare* in the prime of his life; (w) **ge-** bloom (flowers); blossom (trees); flour=ish; ~**ende be'sigheid** flourishing concern
**bloei**[2] (w) **ge-** bleed
**bloei'sel -s** blossom, bloom *ook* **bloe'sem**
**bloe'kom** bluegum
**bloemis' -te** florist
**bloem'lesing -s** anthology, selected writings
**bloes(e)** blouse
**blok**[1] (s) **-ke** block, log; clog; ~**bespre'king** block booking; ~**fluit** recorder; ~ **sjoko=la'de** slab of chocolate *ook* **sjok'kie**
**blok**[2] (w) **ge-** grind at, cram, swot
**blok'huis -e** blockhouse
**blokka'de -s** blockade; roadblock *ook* **pad'=versperring**
**blokkeer' ge-** blockade; block
**blok'kies:** ~**raaisel** crossword puzzle *ook* **blok'raaisel**; ~**vloer** parquet floor(ing)
**blok'man -ne** blockman
**blom** (s) **-me** flower, blossom; ~**bed'ding** flower bed; ~**kool** cauliflower
**blom'merangskikking -s** flower arrangement
**blom'meskou -e, blom'metentoonstelling -s** flower show
**blom:** ~**pot** flowerpot; ~**ryk** flowery; florid; ~**tuin** flower garden
**blond -e; -er, -ste** fair, light

**blondi'ne -s** blonde, fair-haired girl
**bloos ge-** blush, colour; ~ *tot agter die ore* blush to the roots of one's hair
**bloot blote** naked, bare; mere; *blote toeval* sheer coincidence; *met die blote oog* with the naked eye; ~**lê** (w) expose (crime ring) *ook* **oop'vlek**
**bloots** bareback(ed)
**bloot'stel -ge-** expose; *hom ~ aan gevaar* expose himself to danger
**blos -se** blush, bloom
**blo'send -e; -er, -ste** blushing, flushed; rosy, ruddy
**blou -er, -ste** blue; *bont en ~ slaan* beat black and blue
**blou-blou:** ~ *laat* let the matter rest
**blou:** ~**druk** blueprint; ~**kopkoggelman'der** blueheaded lizard; ~**kous** bluestocking, literary woman; ~**oog** blue-eyed; ~**reën** wistaria; ~**sel** (washing) blue; ~**skim'mel -s** bluish grey horse; ~**tjie:** *'n ~tjie loop* unsuccessful; refused by a girl; ~**wil'debees** blue wildebees, brindled gnu
**bluf** (s) bragging, boasting, bluff; (w) brag, bluff
**blus** (s): *sy ~ is uit* he is done for; (w) extinguish, quench, put out; slake (lime)
**bly**[1] (w) **ge-** stay, remain, live; ~ *aan* hold the line
**bly**[2] (b) glad, joyful, cheerful; ~ *u te kenne* how do you do, pleased to meet you *ook* **aan'genaam!**
**bly'beurt** (s) timeshare *ook* **tyd'deel**
**blyd'skap** joy, happiness
**bly'er-vry'er** live-in lover
**blyk** (s) **-e** proof, mark, token, sign; ~ *van waardering* token/mark of appreciation; (w) appear; seem, be evident; *dit sal gou ~* we shall soon see
**blyk'baar** apparently, obviously, evidently
**bly'kens** according to; ~ *koerantberigte* judg= ing from newspaper reports
**blymoe'dig -e; -er, -ste** joyful, glad, cheerful; joyous
**bly'spel -e** comedy *ook* **kome'die**
**bly'wend -e** lasting, permanent; fast; ~*e vrede* lasting peace
**bo** above; upstairs; up, upon; over; ~ *en behalwe* over and above; ~ *alle verwagting* beyond all expectations
**bo:** ~**aan** at the top, at the head; ~*aan die klas staan* be at the top of the class; ~**baas** topdog *ook* **uit'blinker**
**bobbejaan' ..jane** monkey; baboon; *die ~ agter die bult/berg haal* create/pre-empt imaginary problems; ~**boud** old-fashioned musket; ~**spinnekop** tarantula, baboon spider; ~**stui'pe** hysterics, fits
**bobo'tie** curried mince, bobotie
**bod/bot botte** offer, bid
**bod'der:** *moenie ~ nie* don't bother
**bo'de -s** messenger
**bo'dem -s** bottom; soil
**boe** (tw) boo(h); *hy kan nie ~ of ba sê nie* he can't say boo to a goose
**Boeddhis' -te** Buddhist (person); ~**me** Bud= dhism; ~**ties** Buddhistic
**boe'del -s** estate; ~ *oorgee* go bankrupt; give up; ~**belas'ting** estate duty; ~**bered'deraar** executor, administrator (of an estate)
**boef boewe** rogue, villain, knave *ook* **skurk, boos'wig**
**boeg boeë** bow, prow; ~**lam** tired out, fatigued, deadbeat
**boe'goe** buchu; ~**bran'dewyn** buchu brandy
**boei** (s) **-e** shackle; handcuff, fetter; (w) handcuff, chain, fetter, fascinate, capti= vate; ~**end** captivating, fascinating, inter= esting; ~**ende verhaal'** gripping story/ tale
**boek** (s) **-e** book; *anderman se ~e is duister,* the lives of others are a closed book; *te ~ stel* record; put on paper; (w) book, enter
**boekanier' -s** buccaneer, pirate
**boek:** ~**beoor'delaar** reviewer, critic; ~**be= wys'** booktoken; ~**deel** volume, part; *dit spreek ~dele* it speaks volumes; ~**druk= kuns'** printing art, typography; ~**ekas** book= case; ~**ery'** library (private)
**boeket' -te** bouquet *ook* **rui'ker**
**boe'kevat -ge-** observe divine service at home
**boek'handel** booktrade; bookshop; ~**aar** bookseller, stationer
**boek'hou** (s) bookkeeping; (w) keep books, keep accounts; ~**er** bookkeeper
**boe'kie -s** small book, booklet; bookie (horse racing)
**boek'jaar ..jare** financial year *ook* **geld'jaar**
**boek:** ~**rak** bookshelf, bookcase; ~**sak** school= bag, case, satchel; ~**staaf** (w) put on record, commit to paper; ~**win'kel** bookshop; ~**wurm** bookworm
**boel** crowd, lot, a great many; ~**hond** bulldog
**boe'lie** (w) bully *ook* **af'knou**; (s) bully *ook* **bul'lebak**

**boe′mel ge-** booze, spree; ~**aar** tramp, loafer; hobo; reveller; ~**trein** slow train
**boe′merang -s** boomerang
**boen′der ge-** scrub, rub, polish *ook* **boen**; bundle away
**boen′doehof** (s) kangaroo court *ook* **straat′hof**
**bo′-ent -e** topside; upper half
**boe′pens -e** paunch; potbelly
**Boer**[1] **-e** Boer (member of group or race); *die ~ met sy roer* the Boer and his (faithful) gun
**boer**[2] (s) **-e** farmer, peasant; jack, knave (cards); *die ~ die kuns afvra* try to find out a secret; (w) farm; stay; frequent; *hy ~ by daardie nooi* he is always off to that girl; *agteruit~* go downhill; ~**dery′** farm; farming; ~**(e)beskuit′** rusk; ~**boon(tjie)** broadbean; ~**pot** jackpot
**boe′re:** ~**dag** agricultural/farmers' day; ~**matriek′** confirmation (church); ~**musiek′** popular music; ~**orkes′** traditional rural orchestra; ~**raat′** home remedy; ~**troos′** coffee (idiom.); ~**verneu′ker** conman; cheat; quack; ~**wors** boerewors; ~**kool** borecole, kale
**boe′sem -s** bosom, breast; *die hand in eie ~ steek* search one's own heart; ~**vriend′** chum, bosom friend
**Boes′man -s** Bushman *ook* **San**; ~**te′kening** Bushman drawing/rock painting
**boet**[1] (s) brother; *baantjies vir ~ies* jobs for pals; *boetie-boetie speel* be hand and glove together
**boet**[2] (w) **ge-** atone, expiate; *vir sy sondes ~* pay for his sins
**boe′ta -s** brother; old chap; *ek sal jou wys, ~ !* I'll show you, old chap!
**boe′te -s** fine; penalty; penance; *~ doen* do penance; *~ oplê* impose a fine; ~**bes′sie** metermaid; ~**bos′sie** burweed
**boetiek′** boutique *ook* **mo′dewinkel**
**boe′we:** ~**streek** villainy, roguery; ~**tro′nie** hangdog face
**bof**[1] (s) tee (golf); base (baseball); home (games)
**bof**[2] (w) **ge-** be lucky, have more success than expected
**bof′bal** baseball
**bog** (s) nonsense, trash, tripe; **-te** blighter, fool (person); *jou klein ~* you little fool/rascal; *dis pure ~* it's all bunkum
**bo′gemiddeld** above average
**bog′gel -s** hump, hunch; ~**rug** hunchback
**bogh′er/bok′ker** bugger (*vulgar*) *ook* **swer′noot**
**bog:** ~**rym′pie** limerick *ook* **limeriek′**; ~**praa′tjies** twaddle, trash, piffle
**bohaai′** fuss, hubbub, noise *ook* **kabaal′**
**boi′kot** (s) boycott; (w) boycott
**bok**[1] **-ke** goat, antelope, buck; trestle; *'n ou ~ is ook lus vir 'n groen blaartjie* old men like tender chickens; ~**kie** small buck; girlfriend
**bok**[2] **-ke** blunder; *'n ~ skiet* make a blunder
**bok′baard** billy goat (beard)
**bok-bok-staan-styf′** high cockalorum
**bok:** ~**haar** mohair; ~**hael** buckshot; ~**kapa′ter** castrated goat
**bok′kem/bok′kom -s** (dried) Cape herring; bloater
**bok′kesprong -e** caper, antic
**bok′kie**[1] **-s** kid; small trestle
**bok′kie**[2] **-s** buggy (cart)
**bokmakie′rie -s** bush shrike (bird)
**bok:** ~**melk** goat's milk; ~**ooi** she-goat; ~**ram** he-goat
**bo′koste** overhead costs, overheads
**boks** (w) **ge-** box; (s) boxing (sport); box, container *ook* **karton′doos**
**bok′ser -s** boxer
**boks′handskoen** boxing glove
**bok′spring** (s) **-e** caper, antic; (w) caper, prance
**bok′veld** goat pasture; *hy is ~ toe* he has gone west, has joined his forefathers
**bok:** ~**vet** goat suet; ~**wa** buckwagon; ~**wiet** buckwheat
**bo′laag** (s) upper layer; topdressing (lawn)
**bol -le** (s) ball; bulb; globe; (w) bulge; (b) convex, round
**bo:** ~**leer** upper leather, uppers; ~**lig** skylight, fanlight
**bol′la -s** chignon, bun (hair)
**bol(le)makie′sie** head over heels, somersault; *~ slaan* loop the loop
**bol:** ~**puntpen′** ballpoint pen *ook* **bal′puntpen**; ~**rond** convex, spherical
**bol′werk** (s) bulwark, rampart
**bo′lyf ..lywe** body above the hips
**bom** (s) **-me** bomb, shell; *die ~ het gebars* the fat is in the fire; (w) bomb; *die stasie is ge~* the station has been bombed
**bombardement′ -e** bombardment
**bombas′ties -e; -er, -ste** bombastic
**bom:** ~**kombers′** bomb suppressor; ~**skok** shellshock; ~**wer′per** bomber (plane)
**bo′natuurlik -e** supernatural

**bond -e** confederation, association, union
**bon'del -s** parcel, bundle; ~**dra'er** pedlar, tramp; ~**transak'sie** package deal *ook* **pak=ket'akkoord**
**bond'genoot ..note** ally, confederate; ~**skap** alliance, confederacy
**bon'dig -e; -er, -ste** brief, terse, succinct, concise; *kort en ~* short and to the point
**bons** (s) **-e** bump, bang, thud; (w) beat, palpitate, bounce (ball)
**bont**[1] (s) fur; ~**jas** fur coat *ook* **pels'jas**
**bont**[2] (b) **-er, -ste** odd-coloured, variegated, motley; *sy ~ varkie is weg* he has a screw loose; ~**e'bok** nunni, pied antelope, bonte=bok; ~**kwagga** Burchell's zebra; ~**lo'per** jaywalker; ~**lo'pery** jaywalking; ~**rokkie** stonechat (bird)
**bo'nus -se** bonus
**bood'skap** (s) **-pe** message, errand; *die blye ~* the glad tidings/gospel; ~**per** messenger; courier *ook* **koerier'**
**boog boë** bow; curve, arch, arc; **pyl en ~** bow and arrow; ~**skiet** archery; ~**skutter** archer
**boom**[1] **bome** bottom *ook* **bo'dem**
**boom**[2] **bome** tree; bar, beam; *tussen die ~ en die bas* betwixt and between
**boom:** ~**kap'per** treefeller (person); ~**sing'er=tjie** cicada, scissor grinder; ~**skil'padjie** ladybird
**boom'skraap** finished; empty; rock-bottom
**boon bone** bean; **grond'~** peanut
**boon'op** moreover, besides *ook* **bowendien'**
**boon'ste** top, uppermost, highest
**boon'tjie -s** bean; *~ kry sy loontjie* every dog has his day
**boon'toe** to the top, up(wards)
**bo'-oor** over the top, right over
**bo'-op** on top, atop of
**boor** (s) **bore** bore, drill; gimlet; (w) bore, drill
**boord**[1] **-e** orchard
**boord**[2] border, edge, brim; board (ship); *aan ~ gaan* go aboard; *oor~ gooi* throw to the winds
**boord'jie -s** collar
**boor:** ~**gat** borehole; ~**ling:** *'n ~ling v.d. Pêrel* born in Paarl; ~**man** driller; ~**masjien'** drilling machine
**boor'suur** boracic acid
**boor'toring -s** (oil) rig
**boos' [bose]; boser, -ste** angry; wicked, evil; **bose kring'loop** vicious circle
**boos:** ~**doen'er** evildoer, villain, criminal; ~**wig** villain, criminal *ook* **skurk, boef**
**boot bote** boat *ook* **skuit**
**bord -e** plate; board
**bordeel' ..dele** brothel, house of ill-fame
**bord'jie -s** small plate; notice board; *die ~s is verhang* the tables are turned
**bord'papier** cardboard, paste board
**borduur'** (w) **ge-** embroider
**borg -e** surety, guarantee; sponsor; *~ staan* become surety; stand bail; ~**skap** surety=ship; sponsorship; *op ~tog uit* released on bail; *hy ~ die byeenkoms* he is sponsoring the event
**bor'rel** (s) **-s** bubble; drop, tot; (w) bubble; tipple; ~**siek'te** air embolism; bends (diving)
**bors -te** breast; chest; thorax; *dit stuit my teen die ~* it goes against the grain; ~**beeld** bust
**bor'sel** (s) **-s** brush; bristle; (w) brush
**bors:** ~**hemp** dress shirt; ~**lap** breastpiece; bib; ~**plaat** butterscotch; ~**speld** brooch; ~**suiker** sugarstick, lollipop; ~**rok** corset; foundation garment; ~**voe'ding** breast feed=ing (of baby)
**bos**[1] **-se** bundle, bunch
**bos**[2] **-se** forest, wood; shrub, bush; shock (hair); *om die ~ lei* lead by the nose; ~**aap** thick-tailed lemur; ~**a'pie** bushbaby; ~**be=raad'** bundu conference, bosberaad, lekgo=tla; ~**bou** forestry, afforestation; ~**buf'fer** bullbar *ook* ~**bre'ker**
**bosga'sie/boska'sie -s** copsewood, thicket; unkempt hair
**bos:** ~**god** (s) satyr *ook* **sa'ter, faun;** ~**lan'ser** unkempt country cousin; coward; ~**luis** bushtick
**bos'sie -s** shrub; *geld soos ~s* plenty of money
**bo'staande** above(-mentioned)
**bos'tamboer** grapevine (idiom.)
**Bos'veld** Bushveld
**bos'wagter** ranger, gamekeeper
**bot**[1] (s) **-te** fluke; flounder (fish); bid (auction) *ook* **bod**
**bot**[2] (s) **-te** sprout, bud; (w) bud, sprout
**bot**[3] (b) **-te; -ter, -ste** blunt, dull, abrupt
**bota'nies -e** (b) botanic(al)
**bota'nikus -se, ..ici** botanist (person)
**bo'tol** (w, s) topspin (ball games)
**bo'toon** overtone; *die ~ voer* boss the show
**bots** (s) shock, collision; (w) collide, clash; ~**ing** collision, smash, clash
**bot'stil** stock-still, motionless
**bot'tel** (s) **-s** bottle, flask; *al bars die ~* come

what may; (w) bottle; ~**nek** bottleneck *ook* **knel′punt**
**bottelier′ -s** butler (bottlebearer)
**bot′ter** butter; *met die neus in die ~ val* have all the luck; ~**broodjie** scone *ook* **skon;** ~**pot** butterdish; ~**skors(ie)** butternut (vegetable)
**bou** (s) build; structure; (w) build, construct; ~**aan′nemer** building contractor *ook* **boukontrakteur′;** ~**bedryf′** building industry/trade
**boud** (s) **-e** buttock; leg (of mutton)
**bou′er -s** builder
**bou′kontrakteur -s** building contractor
**bou′kunde/bou′kuns** architecture
**boul** (w) bowl; ~**beurt** over; **leë** ~**beurt** maiden over; ~**er** bowler
**bou′rekenaar -s** quantity surveyor
**bout -e** bolt, pin
**bouval′lig -e; -er, -ste** dilapidated, decayed, tottering, ramshackle
**bou′vereniging -s** building society
**bo′we** above; upon; over; upstairs; *te ~ kom* surmount difficulties
**bowenal′** above all (things)
**bowendien′** moreover, besides
**bra′**[1] rather, really, actually; *hy is maar ~ dom* he is rather stupid
**bra**[2] (s) bra *ook* **buus′telyfie**
**braaf brawe; brawer, -ste** honest, good, upright
**braai ge-** roast, fry, grill; scorch; ~**gereg′** grill; **gemengde** ~**gereg′** mixed grill *kyk* **allegaar′tjie**; ~**hoek** barbecue; ~**hoen′der/**~**kui′ken** broiler; ~**huis/**~**restourant′** steakhouse *ook* **braais** (s); ~**rib′betjie** roast(ed) rib; ~**vleis** roasted meat, roast; *~vleis hou* have a braai
**braais = braai′huis**
**braak**[1] (w) **ge-** vomit *ook* **op′gooi**
**braak**[2] (w) **ge-** break up; fallow
**braam brame** bramble
**brab′bel** (w) **ge-** jabber; mutter
**brak**[1] (s) **-ke** dog; cur, mongrel; **Brak′dag** Day of the Mutt
**brak**[2] (b) brackish, briny; ~**wa′ter** brack(ish) water
**brak′kie -s** small dog; small mongrel; ~**sak′kie** doggybag (idiom.)
**brand** (s) **-e** fire, conflagration; mildew, blight; *aan die ~!* on the go!; *aan die ~ steek* set on fire; (w) burn, scald, blaze, scorch, cauterise; brand (cattle); ~**alarm′** fire alarm; ~**arm** indigent, destitute; ~**assuran′sie** fire insurance; ~**baar** combustible; (in)flammable; ~**bestry′ding** fire fighting; ~**blus′ser** fire extinguisher; ~**bom** incendiary bomb
**bran′der -s** large wave, breaker; (mv) surf; ~**plank** surfboard; ~**ski** surf skiing
**bran′dewyn** brandy
**brand:** ~**hout** firewood; ~**kas** safe, strongbox; ~**kluis** strongroom; ~**ma′er** skinny, scraggy, as lean as a rake; ~**merk** (s) brand, stigma; (w) **ge-** brand, stigmatise; ~**po′lis** fire policy; ~**punt** focus; ~**sla′ner** firefighter; ~**spi′ritus** methylated spirits; ~**spuit** fire hose/hydrant; ~**sta′pel** stake, pile; pyre; ~**stig′ter** arsonist; ~**stig′ting** arson
**brand:** ~**stof** fuel; ~**stofbespa′ring** fuel economy/saving; ~**stofverbruik′** fuel consumption; ~**trap** fire escape; ~**verseke′ring** fire insurance; ~**wag** guard, outpost; sentry, picket
**brand′weer** fire brigade
**brava′de** bravado, boast
**bre′die** stew (vegetables and meat), ragout
**breed breë; breër, -ste** broad, wide; *in breë trekke* in broad outline
**breed′te -s** breadth, width
**breedvoe′rig -e; -er, -ste** detailed, exhaustive
**breek ge-** break, smash, crush, snap, fracture; *maak en ~* make and mar; ~**baar** breakable, fragile; ~**goed/**~**wa′re** crockery
**brei**[1] **ge-** knit
**brei**[2] **ge-** prepare skins; coach, train
**brei′er -s** coach (sports); knitter
**brein** brain; intellect; ~**flou′te** black-out
**brei′naald -e** knitting needle
**brein′spoeling** brainwashing
**breintas′ting** (s) brainscan *ook* **breinskande′ring**
**brek′fis** (s) breakfast *ook* **ontbyt′**
**breuk -e** rupture, hernia; breach (peace); fracture; fraction
**brief briewe** letter, epistle; **aan′gehegte** ~ attached letter; **begelei′dende** ~ covering letter; **by′gaande** ~ accompanying letter; ~**hoof′** letterhead; ~**kaart** postcard *ook* **pos′kaart;** ~**wis′seling** correspondence *ook* **korresponden′sie**
**bries**[1] (s) **-e** breeze
**bries**[2] (w) **ge-** snort, fret; ~**end** (b) snorting, furious, wild with rage
**brie′we:** ~**bestel′ler** postman; ~**boek** letterwriter; ~**bus** posting box

**brigadier′ -s** brigadier (person)
**briket′ -te** briquette/bricket
**bril** (s) **-le** pair of spectacles; (w) **ge-** wear spectacles; ~**hui′sie** spectacle case
**briljant′** (s) **-e** cut diamond; (b) brilliant *ook* **skit′terend**
**bril′maker -s** optician, optometrist
**bring ge-** bring, take, carry, convey; *te berde* ~ broach a matter; *iem. om die lewe* ~ kill a person
**Brit -te** Briton, Britisher; ~**s** (b) British
**Brittan′je** Britain
**broe′der -s** brother; ~**lief′de** brotherly love; ~**lik** brotherly, fraternal; ~**moord** fratri-cide; ~**skap** brotherhood
**broei ge-** brood, hatch; ~**kas** hothouse *ook* **kweek′huis**; ~**masjien′** incubator
**broeis** broody (hen)
**broei′sel -s** brood; clutch
**broek -e** (pair of) trousers, breeches; drawers, bloomers; ~**pak** slacksuit; ~**sak** trouser pocket
**broer -s** brother; ~**s′kind** nephew, niece
**brok -ke** piece, fragment; *stukkies en* ~*kies* odds and ends
**brom** (w) **ge-** grumble, mutter, growl
**brom:** ~**mer** grouser, grumbler; bluebottle, blowfly/drone fly; ~**po′nie** (motor) scooter; ~**pot** growler, grouser, grumbler; ~**vo′ël** ground hornbill
**bron -ne** spring; source, origin; ~ (*herkoms*) *en aanwending/besteding van fondse* source and application of funds; *uit betroubare* ~ from a reliable source
**brongi′tis** bronchitis
**brons**[1] (s) bronze, brass
**brons**[2] (s) rut, heat; ~**tig** ruttish, in/on heat
**brood brode** bread; loaf; *die een se dood is die ander se* ~ one man's meat is another man's poison; ~**boom** breadfruit tree, cycad; ~**lyn:** *onder die* ~*lyn leef* live under the breadline; ~**mes** bread knife; ~**mie′lie** variety of early mealies; ~**no′dig** indispensable, essential; ~**skry′wer** pen-ny-a-liner; ~**win′ner** breadwinner; ~**wor′-tel** cassava
**brosju′re -s** brochure, pamphlet *ook* **pamflet′**, **blad′skrif**
**brou ge-** brew; bungle, botch; ~**ery** brewery
**brug**[1] bridge (cards)
**brug**[2] **brûe** bridge; parallel bars; *'n* ~ *slaan oor* bridge; ~**hoof** bridgehead
**bruid -e** bride; ~**e′gom** bridegroom; ~**skat** dowry
**bruids:** ~**koek** wedding cake; ~**kom′buis′:** ~*kombuis hou* give a kitchen tea; ~**paar** bridal couple; ~**uit′set** trousseau
**bruik′baar** serviceable, useful
**bruik′huur** (s) leasing; lease; *ek het die (motor)kar op* ~ I am leasing this car
**bruik′leen** loan (for use); lease-lend; *in* ~ *afstaan* make a loan of (for use)
**brui′lof -te** wedding; **goue** ~ golden wedding
**bruilofs:** ~**gas** wedding guest; ~**pleg′tigheid** marriage ceremony
**bruin -er, -ste** brown; bay
**bruin:** ~**kapel′** brown cobra; ~**mense** co-loured people, coloureds *ook* **kleur′linge**
**bruis ge-** foam, froth, effervesce; ~**melk** milkshake; ~**poei′er** fruitsalts; ~**sui′ker** sorbit; ~**wyn** sparkling wine, champagne
**brul** (s) **-le** roar; (w) **ge-** roar; ~**pad′da** bullfrog
**brunet′ -te** brunette
**brutaal′ ..tale; ..taler, -ste** cheeky, impudent, insolent
**bru′to** gross; ~ **gewig′/mas′sa** gross weight/ mass; ~ **wins** gross profit
**bry ge-** roll the ''r'', speak with a burr
**bud′jie -s** budgie *ook* **parkiet′**
**buf′fel -s** buffalo; rude fellow
**buf′fer -s** buffer; bumper
**buffet′ -te** sideboard; bar; ~**e′te** buffet lunch/ supper
**bui -e** shower (of rain); whim, mood
**bui′e/buig ge-** bend, bow, stoop; curve
**buig′baar ..bare; -der, -ste** bendable; *daardie yster is* ~ you can bend that piece of iron
**buig′saam ..same; ..samer, -ste** flexible, pliable; yielding (person) *ook* **meegaan′de** *..same rottang* flexible cane
**buik -e** stomach, belly; abdomen; ~**danseres′** bellydancer; ~**spraak** ventriloquy; ~**spre′-ker** ventriloquist; ~**vol** fed up *ook* **gat′vol** (*kru*)/**keel′vol**
**buil -e** boil; swelling; ~**epes′** bubonic plague
**buis -e** tube, pipe; duct; ~**lig** fluorescent light (tube)
**buit** (s) booty, loot, plunder; (w) rob, loot, pillage
**bui′te** outside; out of doors; ~ *geveg stel* disable; ~ **per′ke** out of bounds; ~**band** tyre; ~**-eg′telik** out of wedlock, illegitimate (child); ~**baan** off-course (totalisator);

~**kans** unexpected advantage, windfall; outside chance; ~**kant** (s) outside, exterior; (bw) outside; ~**klub** country club; ~**land** foreign country; ~**lan'der** foreigner; ~**lands** foreign; exotic *ook* **uitheems'**; ~**lug** open air; ~**muurs** extramural (studies)
**bui'ten** besides, except, beyond *ook* **behal'we**
**buitendien'** moreover, besides *ook* **bo'wendien**
**bui'tengewoon ..wone** extraordinary
**buitenspo'rig** extravagant, excessive; ~*e wins* exorbitant profit
**bui'tenste** outermost, exterior
**bui'te:** ~**pasiënt'** outpatient; ~**perd** outsider; ~**pos** outpost, outstation; ~**sintuig'like waar'neming** extrasensory perception; ~**stan'der** outsider; ~**ste'delik** peri-urban; ~**verkoop/**~**verko'pe** off-sales
**buit'maak** (w) **-ge-** seize, capture, carry off
**buk ge-** stoop, bend, bow
**buk'sie -s** saloon rifle; smallish person
**bul -le** bull, steer *ook* **stier** (stiergeveg)
**bul'der ge-** roar, rage, boom
**bulimie'** (s) bulimia *ook* **geeu'honger**
**bulk ge-** low, bellow, moo
**bulle'bak -ke** bully *ook* **boe'lie**; lout
**bulletin'/boeletien' -s** notice, bulletin
**bult -e** hillock, ridge, rising ground; hump, bump; *ons is amper oor die* ~ the worst is nearly over
**bun'del** (s) **-s** volume (book); bundle
**burg -e** gelded pig, barrow
**bur'gemeester -s** mayor; ~**es'** lady mayor; ~**s'vrou** mayoress
**bur'ger -s** citizen, civilian; burgher; ~**bandra'dio** citizen-band radio; ~**blin'de** civilian blind; ~**kle're** civilian clothes, civvies; *in* ~*drag/in* ~*klere* in plain clothes, in mufti; ~**kun'de** civics; ~**like** civilian (person); ~**like besker'ming** civil defence; ~**like onthaal'** civic reception; ~**lug'vaart** civil aviation; ~**oor'log** civil war; ~**sen'trum** civic centre; ~**wag** civic guard
**buro' -'s** office; (writing) desk; bureau
**burokraat' ..krate** bureaucrat (person)
**bus**[1] **-se** box, tin; bush (of a wheel)
**bus**[2] **-se** (omni)bus; ~**diens** bus service; ~**dry'wer** bus driver; ~**kaar'tjie** bus ticket
**bus'kruit** gunpowder
**buur bure** neighbour; ~**man** neighbour
**buurt -e, buur'te -s** neighbourhood, area, vicinity; ~**wag** neighbourhood watch
**buur'vrou -e, -ens** neighbour's wife
**buus'te -s** bust; ~**ly'fie** bra *ook* **bra**
**by**[1] (s) **-e** bee
**by**[2] (vs) at, near, by, with
**by'behore** accessories
**By'bel -s** Bible; ~**ken'nis** scriptural knowledge; (b) ~**s** biblical, scriptural; ~**verkla'ring** exegesis; ~**teks** text from Scriptures
**byderhand'** close by; handy
**byderwets'** with-it, trendy *ook* **bydertyds'**
**by'dra -ge-** contribute; ~**e** contribution
**byeen'** together; ~**roep** call together, convene (a meeting); ~**roe'pende kennis'gewing** notice calling a meeting
**byeen'kom -ge-** meet, gather, assemble; (s) ~**s** gathering, meeting, event (sport), assembly
**by'e:** ~**korf** beehive; ~**was** beeswax
**by'gaande** accompanying, enclosed; ~ **brief** accompanying letter
**by'gebou -e** annex; outhouse
**by'geloof ..lowe** superstition
**bygelo'wig -e; -er, -ste** superstitious
**by'kans** nearly, almost *ook* **by'na**
**by'klank -e** sound effect(s)
**by'kom -ge-** come up with; recover (from a faint); reach
**by'komende** additional, incidental; ~ **in'ligting** additional/further information
**bykoms'tig -e** accessory, minor, incidental; ~**e nala'tigheid** contributory negligence; ~**hede** accessories/parts; minor matters
**byl -e** axe, hatchet
**by'lae -s** appendix, annexure, supplement
**by'lyn -e** extension (telephone)
**bymekaar'** together
**by'na** nearly, almost; ~ *nooit* hardly ever
**by'naam ..name** nickname
**by'nes -te** beehive *ook* **bye'korf**
**by'saak** side issue, mere detail
**bysien'de** (b) short-sighted, myopic
**by'sin -ne** dependent/subordinate sentence
**by'sit** (w) **-ge-** add to; inter; help; *hand* ~ lend a hand
**by'smaak ..smake** aftertaste, peculiar flavour
**by'staan -ge-** assist, help, back up
**by'stand** assistance, aid, support; *op* ~ on standby (doctor); ~ *verleen* render assistance
**byt** (s) **-e** bite; (w) **ge-** bite, snap at
**byt'soda** caustic soda
**by'vak -ke** ancillary subject
**by'val**[1] (s) applause, approval, approbation; ~ *vind* meet with approval

**by'val**[2] (w) **-ge-** remember suddenly
**by'verdienste** sideline, extra income
**by'voeg -ge-** add, annex, append; ~**'lik** adjectival; ~**like naam'woord** adjective
**byvoor'beeld** for example
**by'voordeel** fringe benefit, perk (perquisite)
**by'werk** (w) update *ook* **aan'vul/aan'suiwer**
**by'woner -s** subfarmer; sharecropper
**by'woon -ge-** be present at, attend; ~**regis'ter** attendance register
**by'woord -e** adverb
**by'wyf** concubine, mistress *ook* **hou'vrou**

# C

**Calvinis' -te** Calvinist (person); ~**me** Calvinism; ~**ties** Calvinistic
**casi'no/kasi'no -'s** casino *ook* **dob'belplek**
**CD-ROM-aan'drywer** CD-ROM drive (comp.)
**chalet' -te** chalet
**cha'os** chaos *ook* **wan'orde**
**chao'ties -e** chaotic
**chauffeur' -s** chauffeur; driver
**chauvinis' -te** chauvinist (person); ~**me** chauvinism; ~**ties** chauvinistic
**chemie'** chemistry
**che'mies -e** chemical; ~**e on'kruidbeheer** chemical weedcontrol
**chemika'lie** (s) **-ë** chemical
**chev'ronteken -s** chevron sign
**Chi'na** China
**Chinees' ..nese** Chinese *ook* **Sjinees'**
**chiropraktisyn' -s** chiropractor
**chirurg'/sjirurg' -e** surgeon *ook* **sny'dokter**; ~**ie** surgery; ~**ies** surgical; **plas'tiese** ~**ie** plastic surgery
**chloor** chlorine
**chlo'roform** chloroform
**cho'lera/ko'lera** cholera
**choreograaf' ..awe** choreographer
**Chris'telik -e** Christian(like); *die ~e jaartelling* the Christian era
**Chris'ten -e** Christian; ~**dom** Christianity
**Christin' -ne** Christian (woman)
**Chris'tus** Christ; *na* ~ Anno Domini (AD); *voor* ~ before Christ (BC)
**chro'nies/kro'nies -e** chronic (illness)
**chronolo'gies -e** chronological, in order of time
**chroom** chromium
**cochenil'le** cochineal (dye, insect)
**confet'ti/konfet'ti** (s) confetti
**con'tra/kon'tra** contra, counter; ~**produktief'** counterproductive *ook* **teenproduktief'**
**cot'tage** cottage *ook* **kot'huis**
**coun'try** country (style of song)
**cow'boy** (s) cowboy (cattle herder on horseback)
**crèche** crèche *ook* **bewaar'skool**
**cre'do** credo; belief *ook* **geloofs'belydenis'**
**crou'pier/kroepier'** croupier (roulette master)
**curri'culum vi'tae** (v) curriculum vitae *ook* **le'wensprofiel', bi'odata**
**cum:** ~ **lau'de** with distinction

# D

**daad dade** deed, action; *op heter ~ betrap* catch in the act
**daag ge-** summon; dawn; ~**liks** daily, every day; *vir ~likse gebruik* for daily use
**daal ge-** descend; sink; fall; ~**spekulant'** bear (stock exchange)
**Daan'tjie:** *tot by oom ~ in die kalwerhok* to the limit
**daar** (bw) there; (vgw) since, as, because; ~**ag'ter** behind that (it); ~**bene'wens** besides, in addition; ~**by** thereto, besides; ~**deur** thereby, by that means; through (there); ~**die** that; those; **daarente'ë/daarenteen'** on the other hand; *Piet is slim, Jan ~ is 'n bietjie dom* Peter is a clever boy, John on the other hand is not so bright *kyk* **inteen'deel**
**daar:** ~**heen** thither, there, to that place; ~**in** therein, in that; ~**mee** therewith, with that; ~**na** after that, afterwards; ~**naas** next to that
**daar'om** therefore, thus, for that reason *ook* **dus, derhal'we**
**daar:** ~**on'der** under that, down there, by that;

~**oor** about that; therefore; ~**op** thereupon, upon that; ~**so** there, yonder
**daar:** ~**teë/**~**teen** against that; ~**uit** thence, out of that; ~**van** of that, about that, thereof; ~**vandaan′** from there, thence; ~**voor** for that, therefore
**da′del -s** date (fruit)
**da′delik** immediately, at once, instantly
**dag dae** day; ~**bestuur′** executive/management committee; ~**boek** diary; ~**breek** daybreak
**dag′ga** dagga, Cape hemp, hashish, marijuana
**da′gha** clay (bricklaying), mortar
**dag′lig** daylight; ~**bespa′ring** daylight saving
**dag:** ~**lo′ner** daylabourer; ~**pak** lounge suit; ~**sê** good day, good morning/afternoon; ~**skolier** day scholar; ~**skool** day school; ~**taak** daily task; *sy* ~*taak is afgedaan* he has finished his day's work
**dag′vaar ge-** summon, subpoena; ~**ding** summons, warrant; *'n* ~*ding beteken/bestel aan* serve a summons on
**dak -ke** roof; ~**fees:** ~*fees vier* wet the roof; ~**geut** gutter; ~**pan** tile; ~**stel** penthouse suite
**dak:** ~**tuin** roof garden; ~**vink** roofclutcher (motorist); ~**wo′ning/**~**woon′stel** penthouse
**da′ling** descent; fall, drop, slump
**dalk** perhaps, maybe *ook* **miskien′/altemit′**
**dam** (s) **-me** dam, reservoir
**dam′bord -e** draughtboard *ook* **damspel′**: draughts
**da′me -s** lady; ~*s en here!* ladies and gentlemen!
**damp** (s) **-e** vapour, steam; fume
**dan**[1] (bw) then
**dan**[2] (vgw) than; *al* ~ *nie* whether or not
**dan′dy** dandy, lounge lizard *ook* **laven′telhaan**
**da′nig** (b) **-e** effusive, exuberant; (bw) much, awfully; over-friendly; *nie te* ~ *goed nie* not too wonderful; *hom* ~ *hou* give himself airs
**dank** (s) thanks, gratitude; ~ *betuig* express thanks; *mosie van* ~ vote of thanks; *stank vir* ~ get small thanks; *teen wil en* ~ in spite of; (w) thank, give thanks; say grace; *te* ~*e aan* due to, thanks to; ~**baar** thankful, grateful; ~**brief** thank-you letter
**dan′kie!** thank you! thanks!; *jy kan* ~*bly wees* you can thank your lucky stars
**dank:** ~**of′fer** thanks offering; ~**seg′ging** thanksgiving; ~**sy** thanks to; ~*sy Piet het ons dit oorleef* thanks to Peter we survived
**dans** (s) **-e** dance; (w) dance; *die poppe is aan die* ~ the fat is in the fire
**dan′ser -s** dancer
**dans:** ~**les** dancing lesson; ~**party** ball, dance; ~**saal** ballroom; ~**skoen** dancing shoe, pump
**dap′per** brave, valiant, plucky, gallant; *met* ~ *en stapper reis* ride shanks's mare
**da′rem** though, all the same; surely; *hy is* ~ *nie te sleg nie* after all he is not too bad
**dar′tel** (w) gambol; (b) frisky, playful; ~**da′wie** (idiom.) playboy *ook* **swier′bol**
**das**[1] **-se** rockrabbit, das(sie)
**das**[2] **-se** tie (for the neck)
**dat** that, so that, in order that
**da′ta** data, facts; ~**bank** data bank; ~**ba′sis** database; ~**basisbedie′ner** database server; ~**verwer′king** data processing
**da′tum -s** date
**Dawid** David; *weet waar* ~ *die wortels graaf/grawe* know what is what
**dè!** (w, imp.) take! here you are!; ~, *vat hier* here, take this
**debat′ -te** debate
**debiet′** debit; ~**nota** debit note; ~**or′der** debit order; ~**sal′do** debit balance
**debiteer′ ge-** debit, charge with
**debiteur′ -e, -s** debtor
**debutant′ -e** débutant; ~**e** débutante (fem.)
**debuut′** first appearance; debut *ook* **bui′ging**
**deeg** dough; ~**rol′ler** rolling pin
**deeg′lik -e; -er, -ste** solid, thorough, sound; ~**e on′dersoek** thorough investigation
**deel** (s) **dele** part, portion; share; division, section; (w) divide; participate; share
**deel:** ~**neem** participate in, take part in; ~*neem aan* participate in; ~**neemverband′** participation bond; ~**ne′mer** participant, contestant; ~**ne′ming** participation; sympathy; ~*neming/simpatie betuig* express sympathy
**deels** partly, in part
**deel:** ~**som** division sum; ~**te′ken** diaeresis; division sign; ~**ti′tel** sectional title; ~**woord** participle; *verle′de* ~*woord* past participle; ~**tyds/heeltyds** part-time/full-time; ~**wa′re** shareware (comp.)
**deemoe′dig -e; -er, -ste** humble, meek
**deer′nis** compassion; commiseration, pity
**defek′** (s) **-te** defect; (b) defective

**defini'sie -s** definition *ook* **omskry'wing**
**definitief' ..tiewe** definite, decisive
**def'tig -e; -er, -ste** stately, grave, dignified; exclusive (suburb); ~ **informeel'** smart casual (clothing)
**dein ge-** heave, surge, swell; ~**ing** surge, (back)wash (waves); heave, swell
**dek** (s) **-ke** deck; (w) cover, clothe; be at stud, cover (horse); thatch (house); *die aftog* ~ cover the retreat; *tafel* ~ lay the table
**dekaan' ..kane** dean (university)
**deka'de -s** decade, ten (years)
**dekadent' -e** decadent, deteriorating
**de'ken[1] -s** counterpane, quilt, coverlet
**de'ken[2] -s** dean (church); doyen (ambassador)
**dek:** ~**gras** thatch (grass); ~**king** cover, shelter; coverage (news); guard
**dek'mantel -s** cloak; excuse, pretext; *onder die* ~ *van* under the cloak/guise of
**dekodeer'der** (s) decoder
**de'kor/dekor'** decor, (stage) scenery
**dekora'sie -s** decoration *ook* versiering; order (of knighthood), distinction
**dekreet' dekrete** decree, edict
**dek'sel -s** cover, lid
**dek'sels** (b) **-e** darned, confounded; *'n* ~*e gelol* a darned nuisance; (bw) confounded, darned; ~ *hard* dashed hard
**dek'verband -e** covering bond (on property)
**delegeer' ge-** delegate
**de'ler -s** divider; divisor; **groot'ste geme'ne** ~ greatest common factor
**delf/del'we ge-** dig, mine
**delg ge-** discharge, pay off, redeem; *jou skuld* ~ discharge one's debt
**del'ging**, redemption, amortisement: ~**(s)fonds** sinking fund, redemption fund
**delikaat'** delicate; tender; difficult (affair)
**delikates'se -s** delicacy, savoury bit
**de'ling** division; **lang** ~ long division
**deli'ries -e** delirious *ook* **ylhoof'dig**
**del'ta -s** delta
**del'wer -s** digger; ~**y** diggings
**demobiliseer' ge-** demobilise
**demokraat' ..krate** democrat (person)
**demokrasie'** (s) democracy
**demokra'ties -e** democratic
**demonstreer'** ~, **ge-** demonstrate *ook* **betoog'** (politiek)
**demp ge-** fill up with earth; quell (riot); quench (fire); dim (light); mute (sound)
**den -ne** fir (tree), pine (tree)
**denk'baar ..bare** imaginable, conceivable
**denk'beeld -e** idea, notion
**denkbeel'dig -e** imaginary
**den'ke** thought, (act of) thinking
**denkvermo'ë** (s) intellectual capacity
**den'ne:** ~**bol** fir cone; ~**boom** fir, pine; ~**bos** pine forest; ~**hout** pine (wood)
**denomina'sie** denomination *ook* **kerk'verband**
**deo'dorant** deodorant *ook* **reuk'weerder**
**departement' -e** department, office
**deponeer'** ~, **ge-** deposit, lodge
**deporteer' ge-** deport
**depo'sito -'s** deposit
**depot' -s** depot; dump
**depresia'sie** depreciation *ook* **waar'devermindering**
**depresieer'** ~, **ge-** depreciate
**depres'sie -s** depression
**deputa'sie -s** deputation *ook* **af'vaardiging**
**der'de -s** third; ~**dek'king** third-party cover (insurance); ~ **vloer/verdie'ping/vlak** third floor; ~**rangs** third-rate; ~**wê'reldland** third-world country
**der'gelik -e** such, the like, similar
**der'halwe** therefore, consequently, thus
**derm -s** intestine, gut; (mv) bowels, entrails; ~**ontste'king** enteritis
**der'tien** thirteen; ~**de** thirteenth
**der'tig** thirty; ~**ste** thirtieth
**des:** ~ *te beter* so much the better; *'n kind* ~ *doods* a dead man
**Desem'ber -s** December
**desentralisa'sie** decentralisation
**de'ser:** *die tiende* ~ the 10th instant
**de'sibel -s** decibel (unit of sound)
**desimaal' ..male** decimal; **..male breuk** decimal fraction; ~**kom'ma** decimal comma; ~**stel'sel** decimal system
**deskun'dig -e** expert; ~**e getui'enis** expert evidence; (s) ~**e** expert (person)
**des'nieteenstaan'de** in spite of, notwithstanding
**des'noods** if need be, in case of need
**desperaat' ..rate** desperate *ook* **ra'deloos**
**despoot' ..pote** despot, tyrant
**despo'ties -e** despotic, tyrannic(al)
**destabiliseer'** ~, **ge-** destabilise
**des'tyds** at that time, then *ook* **in'dertyd**
**detail'** (s) detail *ook* **beson'derhede**; (w) detail
**deten'sie** detention; ~**kaser'ne** detension barracks

**deug** (s) **-de** virtue, excellence; *liewe* ~! good gracious! (w) be good for, serve a purpose, be of use; *potlood sal* ~ pencil will do; ~**niet** rascal, good-for-nothing *ook* **va'bond;** ~**saam** virtuous
**deun'tjie -s** air, tune, ditty
**deur**[1] (s) **-e** door, gate; *met die* ~ *in die huis val* come straight to the point
**deur**[2] (b) passed; (vs) through, by, throughout; ~ *die bank* all, without exception
**deur'braak** breach, burst; breakthrough
**deur'bring -ge-** pass; spend, squander; ~**er** spendthrift, waster
**deur'dat** because, as
**deurdring'** ~ permeate, pervade, impress; *die stank* ~ *die huis* the bad smell fills the house
**deur'dring -ge-** penetrate, pierce; *die waarheid het tot hom deurgedring* the truth dawned upon him
**deurdrin'gend -e** shrill, penetrating; searching *ook* **in'dringende** (b)
**deur'druk -ge-** press through; persist; *tot die end* ~ see it through to the end
**deur en deur** thoroughly, out and out
**deur'entyd** all the time
**deur'gaans** usually, invariably; generally
**deur'gang -e** passage; thoroughfare
**deur:** ~**glip** slip through; ~**gra'wing** cutting; ~**gren'del** doorbolt
**deurgrond'** ~ fathom, penetrate, understand
**deur'haal -ge-** delete; fetch/pull through
**deur'hak -ge-** cut through; solve; *die knoop* ~ cut the knot
**deur'knop -pe** doorknob
**deur'kom -ge-** get through; pass; survive; *hy het net-net deurgekom,* he just managed to pass
**deur'kosyn -e** doorframe
**deur'kyk -ge-** look over, skim, peruse; sum up
**deur'laat -ge-** let through, allow to pass
**deurleef'/deurle'we** ~ live through
**deur'lees -ge-** read through, peruse
**deur'loop**[1] (s) **..lope** arcade *ook* **arka'de**
**deur'loop**[2] (w) **-ge-** move on; walk through; peruse; punish; *die stout seuns het almal deurgeloop* the naughty boys all had their punishment
**deurlo'pend -e** continuous, uninterrupted
**deur'maak -ge-** go through, experience
**deur'mat -te** doormat
**deurmekaar' -der, -ste** in confusion; ~**spul** mix-up, shambles

**deur:** ~**pad** freeway, motorway, throughway —*ook* **snel'weg**
**deur'reis**[1] (s) passage; through-journey; (w) travel, pass through
**deurreis'**[2] ~ travel all over; *die wêreld* ~ globe-trotting
**deur'settingsvermoë** persistence; perseverance *ook* **volhar'ding**
**deursig'tig -e** transparent, lucid; ~**heid** transparency, openness *ook* **o'pen(lik)heid**
**deur'skemer -ge-** glimmer through; *laat* ~ hint at
**deursky'nend -e** transparent, translucent
**deur'slaan -ge-** strike/hit through; punch
**deur'slag** moist soil, boggy ground; decisive factor; **..slae** punch; ~**ge'wend** decisive *ook* **beslis'send**
**deur:** ~**slot** doorlock; ~**sluip** steal/sneak through; ~**smokkel** smuggle through
**deur'snee/deur'snit** section; diameter; average
**deur'sneeprys** average price
**deur'snit = deur'snee**
**deur'soek -ge-** examine, search; explore
**deurspek'** ~ interlard; intersperse; *sy proefskrif is* ~ *met aanhalings* his thesis is riddled with quotations
**deurstaan'** ~ endure, suffer, bear; stand
**deur:** ~**styl** doorpost; ~**suk'kel** struggle through; ~**sy'fer** trickle through; ~**sy'pel** ooze through
**deurtas'tend -e** decisive, resolute, vigorous, thorough; ~**e maat'reël** drastic measure
**deur'tog** passage; march through
**deurtrap' -te** sly, crafty, cunning; ~**te skelm** confounded rascal
**deurtrek'**[1] ~ pervade, permeate, imbue
**deur'trek**[2] **-ge-** pass through, pull through; ~**ker** spendthrift; pullthrough (rifle); loincloth; G-string *ook* **gena'delappie**
**deur'voer -ge-** carry out; *planne* ~ carry out/execute/implement plans
**deur'wagter -s** porter, janitor, doorkeeper; commissionaire
**deurweek'** ~ soak, moisten; ~ *van die reën* drenched with rain
**deur'weg ..weë** throughway *ook* **snel'weg**
**devalueer'** ~, **ge-** devaluate
**diabe'tes** diabetes *ook* **sui'kersiekte**
**diabo'lies -e** diabolic(al), devilish *ook* **dui'wels/sata'nies**
**diagno'se -s** diagnosis

**diagnoseer′** (w) **ge-** diagnose
**diagonaal′** **..nale** diagonal
**diagram′** **-me** diagram
**dia′ken** **-s** deacon
**dialek′** **-te** dialect *ook* **streek′taal**
**dialoog′** **..loë** dialogue *ook* **twee′gesprek**
**diamant′** **-e** diamond; sparkler; **~sly′per** diamond cutter
**didak′ties** (b) **-e** didactic *ook* **le′rend**
**die** (lw) the
**dié** (vnw) this; these
**die′derik** **-e, -s** golden cuckoo (bird)
**dieet′** **diëte** diet; **~kun′dige** dietician
**dief** **diewe** thief
**dief′alarm** burglar alarm
**dief′stal** **-le** theft, robbery; larceny; *skuldig aan ~ van geld* guilty of theft of money
**dief′wering** burglar proofing; burglar guard
**die′gene** those
**dien** **ge-** serve, wait on; attend to; suit; *van advies ~/bedien* advise; *hy ~ in/op die adviesraad* he serves on the advisory coun= cil
**die′naar** **-s; ..nare** servant, valet; **werk′gewer en ~** master and servant
**dien′lik** **-e; -er, -ste** serviceable
**dien′luik** -e serving hatch
**dien′ooreenkomstig** accordingly
**diens** **-te** service; function, duty; *'n ~ bewys* do a good turn; *in ~ neem* engage; *op (aan) ~* on duty; *tot u ~* at your service; *van ~ af* off duty; **~bus(sie)** service bus, courtesy bus; **~gelof′te** act of dedication *ook* **toe′wydingsformulier′; ~in′gang** trades= man's entrance; **~le′weraar/~verskaf′fer** service provider; **~mei′sie** domestic *ook* **huis′hulp**; **~plig** compulsory (military) service; **~reg** law of employment; **~ter= myn′** term of office; **~voor′waardes** con= ditions of service/employment; **~wei′eraar -s** conscientious objector
**dienswil′lig** **-e; -er, -ste** helpful, ready to serve; obedient
**diens′woonstel** **-le** serviced flat
**dien′tafel** **-s** dinner wagon
**dien′tengevolge** accordingly, consequently
**diep** **-er, -ste** deep; profound; *~ in gedagte* deep in thought; *~/bitter ongelukkig* ex= tremely unhappy; **~gaande on′dersoek** searching inquiry
**diep′te** **-s** depth; profundity; **~bom** depth charge; **~stu′die** in-depth study
**dier** **-e** animal; brute
**diera′sie** **-s** monster; vixen, (she)devil
**dier′baar** (b) dear, beloved, lovable
**dier′bare** (s) -s loved one, beloved (person)
**die′re:** **~besker′ming** animal protection; **D~besker′mingsvere′niging** Society for the Prevention of Cruelty to Animals (SPCA); **~her′berg** kennels *ook* **woe′fie= tuis′te**; **~kliniek′** veterinary clinic; **~ryk** animal kingdom; **~tuin** zoological gardens, zoo; **~win′kel** petshop *ook* **ark′-mark**
**dier′lik** (b) **-e** barbaric, brutal *ook* **wreed= aar′dig**
**die′sel** diesel; **~en′jin** diesel engine
**dieself′de** the same; *presies ~* exactly the same
**die′we:** **~ben′de** gang/pack of thieves; **~sleu′= tel** skeleton/master key; **~tra′lies** burglar bars
**differensieer′** **ge-** differentiate
**dig**[1] (w) **ge-** write poetry, compose, versify
**dig**[2] (b) tight; close; dense, compact; dull, stupid; **~bevolk′** (b) densely populated
**dig′by** **digterby, digsteby** nearby, close; **~-opname** close-up (photography)
**dig:** **~kuns** poetry *ook* **poësie′**; **~maat** metre, poetic measure
**dig′ter** **-s** poet (person)
**dig′terlik** **-e; -er, -ste** poetic(al); **~e vry′heid** poetic licence
**digt′heid** density, denseness
**dik** **-ker, -ste** thick; bulky; stout, corpulent; satiated; *~ vir* fed-up with; *hulle is ~ vriende* they are close friends; **~bek** (s) sulky person; pouter; (b) sulky; fed-up; **~melk** curdled milk
**diktafoon′** **-s** dictaphone
**dikta′tor** **-s** dictator
**dik′te** **-s** thickness, swollenness
**diktee′** **-s** dictation
**dikteer′** **~, ge-** dictate; **~masjien′** dictating machine, dictaphone
**dik′wels** often, frequently *ook* **baie′keer**
**dilem′ma** **-s** dilemma, predicament, quandary *ook* **verknor′sing**
**dilettant′** **-s** dilettante, amateur
**dina′mies** **-e** dynamic
**dinamiet′** dynamite
**dinee′** dinner (formal); **~pak** dinner jacket *ook* **aand′pak**
**ding**[1] (s) **-e** thing, object, affair, matter
**ding**[2] (w) **ge-** try for, compete *ook* **mee′ding**

**din'ges** what-do-you-call-it, thingumajig *ook* **wat'senaam/hoe'senaam**
**dink ge-** think, consider, ponder; *aan iets ~* think of something; **~skrum** thinktank
**Dins'dag ..dae** Tuesday
**dip** (s) **-pe** dip; (w) dip *ook* **diep** (beeste)
**diplo'ma -s** diploma, certificate; **~pleg'tigheid** graduation ceremony
**diplomaat' ..mate** diplomat, diplomatist
**diploma'ties -e** diplomatic
**direk'** (b) **-te** direct, straight *ook* **reg'streeks**
**direk'sie -s** direction; board of directors
**direkteur' -e, -s** director; **~-generaal** director-general
**dirigeer' ge-** conduct (music); **~stok** baton
**dirigent' -e** (music) conductor
**dis** it is; *~ te sê* that is (to say)
**disket** (s) **-te** computer disc/disk, diskette
**diskon'to** discount *ook* **af'slag, kor'ting**
**diskoteek'** record library; discothéque, disco
**diskre'sie** discretion *ook* **goed'dunke**
**diskrimina'sie** discrimination
**dis'kus -se** disc(us) *ook* **(werp)skyf**
**diskusseer' ge-** discuss *ook* **bespreek'** ('n saak)
**diskus'sie -s** discussion, argument; **~groep** discussion group *ook* **gons'groep**; newsgroup (Internet)
**diskwalifika'sie -s** disqualification
**diskwalifiseer' ~, ge-** disqualify
**dislek'sie** dyslexia, (reading) impediment *ook* **leer'geremd'heid**
**dis'nis:** *~ loop* run/knock someone flat
**dispuut' ..pute** dispute, controversy, argument *ook* **konflik'**
**dis'selboom** (s) shaft, thill, beam (of wagon); pole (of cart)
**disserta'sie -s** dissertation, thesis
**dissi'pel -s** disciple; adherent
**dissipli'ne** discipline; *strenge ~ handhaaf* maintain rigid discipline; adherent
**dissiplinêr'** (b) **-e** disciplinary; *~e stappe neem/doen* take disciplinary action
**dis'tel -s** thistle
**distilleer' ge-** distil (brandy)
**distrik' -te** district; **~s'geneesheer** district surgeon
**dit** this; it
**divan' -s** divan, sofa; ottoman
**diver'se** sundries; incidental expenses; **~ uitgawes** sundry/miscellaneous expenses
**dividend' -e** dividend; *'n ~ uitkeer/uitbetaal* pay a dividend; *tussentydse ~* interim dividend *ook* **tus'sendividend;** *'n ~ verklaar* declare a dividend
**dob'bel** gamble, play at dice; **~aar** gambler; **~huis** casino *ook* **kasi'no**; **~ma'sjien** gambling machine, one-armed bandit; **~steen** dice, cube; **~wiel** roulette *ook* **roelet'**
**dob'ber** (s) **-s** float, buoy; (w) bob up and down, float, fluctuate
**do'de: ~dans** death dance; **~lik** deadly, mortal, fatal; **~mars** funeral march; **~ryk** realm of death; **~tal** number of deaths; **~tol** death toll
**doea'ne -s** custom house; customs
**doe'delsak** bagpipe
**doe'die -s** (*verouderd*) girlie, cute (young) lass; **pronk~** showgirl
**doe'doe ge-** sing to sleep; go to sleep; dormy (golf)
**doek -e** cloth; napkin (baby); canvas, painting
**doel** (s) **-e, -ein'des** purpose, aim, object; **-e** goal; *sy ~ bereik* attain one's goal/object; *die ~ heilig die middele* the end justifies the means; **~ein'de** purpose, end, aim, goal; **~gebou** (b) custom made; customised; **~loos** aimless, useless; **~lyn** goalline
**doelma'tig -e; -er, -ste** effective; appropriate
**doel: ~paal** goalpost; **~punt** goal; **~skop** goalkick, conversion
**doeltref'fend -e; -er, -ste** effective, efficient, effectual; **~heid** effectiveness
**doel: ~wag'ter -s** goalkeeper; **~wit** aim, goal *ook* **mik'punt/oog'merk**; **~witbestuur'** management by objectives
**doem ge-** doom, condemn; **~profeet'** prophet of doom
**doen**[1] (s): *ons ~ en late* our goings out and comings in
**doen**[2] (w) **ge-** do, make, effect, perform; *daar is niks aan te ~ nie* there is no help for it; **~lik** feasible, practical; **~likheidstu'die** feasibility study *ook* **haal'baar(heid)stu'die**
**doe'pa** love potion, charm *ook* **toor'goed**
**dof dowwe; dowwer, -ste** dull, faint, dim, indistinct; lack-lustre (eyes)
**dog** but *ook* **maar**; still, however; *hy is siek, ~ hy kom skool toe* he is ill, but he comes to school
**dog'ma -s** dogma *ook* **leer'stelling**
**dogma'ties -e** dogmatic(al)
**dog'ter -s** daughter; girl
**doi'lie -s** doily *ook* **be'kerlappie, kraal'doekie**

**dok -ke** dock; ~**geld** dock duties/dues
**dok'ter** (s) **-s** doctor, physician *ook* **genees'heer;** (w) **ge-** doctor, nurse; ~**es** female doctor; ~**s'gelde** medical fees
**dok'tor -e, -s** doctor (of literature, law)
**dok'torsgraad ..grade** doctor's degree
**dokument' -e** document; ~**a'sie** documentation
**dokumentêr' -e** documentary; ~**e film** documentary (film)
**dol -ler, -ste** mad, crazy, frantic, ridiculous; *in ~le vaart* in headlong career
**dolf/dolwe ge-** dig deep, turn over (soil)
**dolfyn -e** dolphin
**dol:** ~**graag** very keen; ever so much; ~**heid** madness
**dolk -e** dagger, poniard
**dol'lar -s** dollar
**dol'leeg ..leë** absolutely empty
**dolomiet'** dolomite
**dol'os -se** ball of anklejoint, astragulus, knucklebone; ~ *gooi* throw the bones (witchcraft)
**dol'verlief -de** madly in love *ook* **smoor'verlief**
**dom**[1] (s) **-me** dome, cathedral
**dom**[2] (b) **-mer, -ste** stupid; dull; *nie so ~ as hy lyk nie* not as green as he is cabbage-looking
**domastrant'** impudent, cheeky, insolent
**dom'heid** stupidity, dullness
**dominant'** (b) dominant *ook* **oorheers'end**
**do'minee -s** clergyman, minister, parson
**domineer' ge-** dominate, domineer
**dom:** ~**kop** blockhead/fathead, stupid, clod, plonker; ~**krag** jackscrew, jack; *die kar opdomkrag* jack up the car; ~**oor** dunce, blockhead
**domp** (w) dim/dip (headlights)
**dom'pel ge-** plunge, dive, dip, immerse; *in ellende ~* plunge into misery
**donateur' -s** contributor; donor *ook* **sken'ker/borg**
**don'der** (s) **-s** thunder; *jou ~!* you scoundrel! (w) thunder, boom; fulminate; ~**bui** thunderstorm
**Don'derdag ..dae** Thursday
**don'der:** ~**slag** thunderclap; ~**storm** thunderstorm; ~**weer** thundery weather; ~**wolk** thundercloud
**don'ga -s** donga, gully
**don'ker** (s) darkness; *in die ~ tas* grope in the dark; (b) dark; gloomy, obscure; ~**blou** dark blue; ~**bruin** dark brown, dun; ~**te** darkness; ~**vat** lucky dip; ~**werk**: *~werk is konkelwerk* bunglers work in the dark
**don'kie -s** donkey, ass; ~**long** concertina (idiom.)
**dons -e** down, fluff; (b) ~**agtig,** ~**erig,** ~**ig** fluffy, downy; ~**ha'el** fine shot'; dust; ~**kombers'** (eiderdown) quilt
**dood** (s) death, decease; demise; (w) kill; (b) **dooie** dead, deceased, defunct; *liewer bang Jan as dooi(e) Jan* discretion is the better part of valour; *op sy dooie gemak* very leisurely; *so ~ soos 'n mossie* as dead as a doornail; ~**(s)berig'** death notice; ~**bloei** bleed to death; ~**eenvou'dig** quite simple; ~**eer'lik** quite honest; ~**gaan** die; ~**gebo're** stillborn; ~**gerus'** perfectly calm; ~**gewoon'** very simple, very common; ~**goed** very kind; ~**(s)kis** coffin; ~**loop** come to a dead end; peter out; ~**lui'ters** free and easy; ~**maak** kill; ~**mak** quite tame; ~**mar'tel** torture to death; ~**moeg** deadbeat, deadtired *ook* **poe'gaai**; ~**ongeluk'kig** utterly miserable; ~**ry** ride to death; override, kill
**doods -e** desolate, dreary, deathlike; ~**e stilte** deadly silence; ~**angs** agony, mortal fear; ~**berig'** death notice; ~**bleek** ghastly/deadly pale; livid; ~**en'gel** angel of death; ~**gevaar'** peril of death
**dood:** ~**siek** dangerously ill; ~**skiet** shoot dead
**doods:** ~**kleed** shroud; ~**klok** deathbell, knell
**doods'kop**[1] (n) **-pe** death's head, skull
**dood'skop**[2] (w) **-ge-** kick to death
**dood:** ~**skrik** be frightened to death; ~**snik** last gasp
**dood:** ~**sonde** deadly sin; ~**steek** (s) deathblow, coup de grace *ook* **gena'deslag;** *sy ~steek* his pet aversion; ~**steek** (w) stab to death; ~**stil** very still, quiet as a mouse; ~**straf** capital punishment
**doods:** ~**von'nis** death sentence; ~**vy'and** mortal enemy
**dood:** ~**swyg** ignore; ~**tevre'de** quite content; ~**verlief'** madly in love *ook* **smoor'verlief**; ~**verwon'derd** quite astonished
**dooie'punt** (s) deadlock
**doof**[1] (w) **ge-** extinguish, put out *ook* **uit'doof**
**doof**[2] (b) **dowe; dower, -ste** deaf; (w) *so ~ soos 'n kwartel* as deaf as a post; ~**blind** deaf and blind; ~**mid'del** anaesthetic, drug(s) *kyk* **dwelm'middel/dwelm(s)**
**doof'stom** deafmute, deaf and dumb; ~**me**

deaf and dumb (person)
**dooi ge-** thaw (ice, snow)
**dooi'e -s** the dead, the deceased
**dooi'emansdeur:** *voor ~ kom* find nobody at home
**dooi'epunt -e** deadlock; stalemate
**dooi'er -s** yolk (of egg)
**dooi'erig -e; -er, -ste** lifeless, listless; slow
**dooi'eskuld** bad debts *ook* **sleg'te skuld**
**dool ge-** wander, roam; ~**hof** maze, labyrinth
**doop** (s) christening, baptism; (w) christen, baptise; dunk, dip; ~**formulier'** baptismal formulary; ~**gelof'te** baptismal vow; ~**naam** first name(s); ~**regis'ter** church register; ~**seel** baptismal certificate
**Doops'gesind -e** Baptist
**doop:** ~**vont** baptismal font, baptistry
**doos do'se** box *ook* **boks**; case; *uit die ou ~* old-fashioned, antiquated
**dop** (s) **-pe** shell (eggs); peel, husk (seed); drink; *'n halwe eier is beter as 'n leë ~* a bird in the hand is better than two in the bush; *'n ~ steek* have/take a drink; (w) shell, peel; fail (examination); ~**-ertjie** green pea
**dop'hou -ge-** keep an eye on
**Dop'per -s** Dopper, Calvinist-Reformed
**dop'pie -s** percussion cap; shell; tot; *sy ~ het geklap* he has had his chips
**dor -re; -der, -ste** dry, barren, withered
**do'ring -s** thorn, prickle, spine; topnotcher, crack (person); ~**draad** barbed wire
**dorp -e** village, town
**dor'peling -e, dor'penaar -s; ..nare** villager
**dorps:** ~**gek** village idiot; ~**ja'pie** ignorant/stupid chap from town; ~**ontwik'kelaar** town developer; ~**raad** village council
**dors**[1] (s) thirst; *die ~ les* quench the thirst; (w) thirst (for knowledge); (b) thirsty
**dors**[2] (w) **ge-** thresh
**dors'masjien -e** threshing machine
**dos** (s) attire, array, raiment; (w) attire, deck out; *spoggerig uitgedos* dressed to kill
**doseer'**[1] **~, ge-** teach, lecture; ~**pos** lecturing post
**doseer'**[2] ~, **ge-** dose (animals)
**dosent' -e** teacher, lecturer
**do'sie -s** little box; ~ **vuur'houtjies** box of matches
**do'sis -se** dose; *te groot ~ (oordosis)* overdose; **skraag**~ booster dose
**dossier' -s** dossier, (personal) docket
**dosyn' -e** dozen
**dot'jie -s** little dear; dot; brimless hat
**dou** (s) dew; (w) dew; ~**trap'per** early bird (person); ~**voordag'** at the crack of dawn
**do'yen** doyen, senior member; dean
**dra ge-** carry; wear; bear
**draad drade** wire; thread, fibre; grain; filament; fence; *kort van ~* short-tempered; ~**loos** wireless *ook* **ra'dio**; ~**loossta'sie** broadcasting station; ~**sit'ter** temporiser; ~**tang** wire pliers; ~**trek'ker** wirepuller; ~**trek'kery** wirepulling; intrigue; ~**werk** wire grate, filigree work; wiring; nonsense; *vol ~werk wees* be full of fads and fancies
**draag'baar**[1] (s) **..bare** bier, litter; stretcher *ook* **vou'katel(tjie)**; ~**dra'er** stretcher bearer
**draag'baar**[2] (b) **..bare; -der, -ste** portable, wearable; bearable; **..bare re'kenaar** portable computer, laptop (computer)
**draag:** ~**lik** bearable, tolerable; ~**rak** carrier (on motorcar); ~**wyd'te** range; import
**draai** (s) **-e** turn, twist, corner, bend; whorl (shell); **Kaapse** ~ sudden sharp turn; **slap** ~ slight turn; (w) turn; revolve, twist, wind; tarry, linger *ook* **talm**; *stokkies ~* play truant; ~**bank** lathe; ~**boek** scenario, script (film); ~**hek** turnstile; ~**jak'kals** long-eared fox; ~**kolk** whirlpool; ~**or'rel** barrel organ; ~**pot'lood** propelling pencil; ~**stan'der** lazy susan (on dining table); ~**ta'fel** turntable
**draak drake** dragon; *met iem. die ~ steek* poke fun at somebody
**draal ge-** linger, dawdle *ook* **talm/sloer**
**dra'er -s** carrier, bearer; pallbearer *ook* **slip(pe)draer**
**draf** (s) trot; (w) **ge-** trot; jog; ~**kar'retjie** sulky; ~**sport** jogging *ook* **pret'draf**
**drag -te** load, burden; dress, fashion
**drag'tig -e** pregnant, with young *ook* **swan'ger** (mens)
**dra'ma -s** drama; playwriting
**drama'ties -e** dramatic
**dramatiseer' ge-** dramatise
**dramaturg' -e** dramatist *ook* **toneel'skrywer**
**drang -e** urge; urgency, pressure
**drank -e** strong drink, liquor; beverage; potion; *'n ~ie maak* have/take a drink; *sterk ~* alcoholic liquor; *aan die ~ verslaaf wees* be addicted to alcohol; ~**lisen'sie** liquor licence; ~**verslaaf'** (b) alcoholic; ~**win'kel** bottlestore
**dra'radio** portable radio
**dras'ties -e** drastic *ook* **ingry'pend**

**dra'wiegie -s** carrycot
**draw'wer -s** jogger *ook* **pret'draw'wer;** trotter (horse)
**draw'wertjie -s** trotter; courser (bird)
**dreef:** *op ~ kom* get into one's stride
**dreig** (w) **ge-** threaten, menace
**dreigement'** (s) **-e** threat, menace
**drei'gend** (b) **-e** threatening; imminent
**dreineer'** ~ **ge-** drain
**drem'pel -s** threshold (fig.) *kyk* **drum'pel**
**drenk ge-** drench, soak; allow to drink; **~e'ling** drowned/drowning person
**dren'tel ge-** saunter, loiter
**dresseer' ge-** train, coach; drill, dress
**dreun** (s) rumble, roar, thud; (w) rumble, roar, roll, boom; **~strook** rumble strip (on road)
**drib'bel ge-** dribble
**drie -ë** three; try (rugby)
**Drie-een'heid** Trinity
**drie'ërlei** of three kinds
**drie'hoek -e** triangle; **~ig** triangular; **~s'me'ting** trigonometry
**drie: ~kuns** hattrick (sport); **~kwart** three fourths; threequarter (rugby); **~lettergre'pig** trisyllabic; **~ling** triplets; **~maan'deliks** quarterly; **~manskap'** triumvirate; **~poot** tripod; **~sprong** hop, skip and jump; **~sy'dig** three-sided, trilateral; **~voet** tripod; trivet; **~voud** treble; triple; *'n verklaring in ~voud* a statement in triplicate; **~wiel** tricycle
**drif**[1] **driwwe** ford, drif(t)
**drif**[2] **-te** hot temper, passion; anger; *sy ~ beteuel* keep one's temper; **~tig** passionate; hasty, quick-tempered
**dril ge-** bore; drill, exercise; train, coach; **~kol'lege** cramcollege
**dring ge-** press, urge, throng; **~end** (b) urgent, pressing
**drink ge-** drink; **~be'ker** goblet, beaker
**dro'ë** (s) dry land; (w) dry, make dry; **~bek:** *~bek sit* wait in vain (for refreshments); be disappointed
**droef droewe** (b) sad, dejected
**droefgees'tig -e; -er, -ste** melancholy, dejected, gloomy *ook* **verdrie'tig**
**droef'nis** sadness, sorrow, affliction
**droe'wig -e; -er, -ste** sad, dismal, sorrowful; **~e afloop** sorry end
**drom** (s) **-me** metal drum/container; (w) troop, crowd, throng; *die mense ~ saam* the people are flocking together
**dro'merig -e; -er, -ste** dreamy
**drom'mel -s** deuce, devil; wretch; **arme ~** poor wretch; *wat de/die ~ doen hy?* what on earth is he doing?
**dronk** (b) **-er, -ste** drunk(en), intoxicated; **~aard** drunkard; **~bestuur'** drunken driving; **~en'skap** drunkenness, inebriety; **~lap** drunkard; **~slaan** flabbergast, beat one's apprehension; *dit slaan my ~* it gets me beat; **~verdriet'** alcoholic blues
**droog** (w) **ge-** dry, make dry; (b) parched, arid; *nie ~ agter die ore nie* be a greenhorn; **~dok** dry/graving dock; **~skoonmaker/~reiniger** drycleaner; **~te** drought
**droom** (s) **drome** dream; (w) dream; **~uit'lêer** interpreter of dreams
**drop** liquorice *ook* **soet'hout**
**dros ge-** run away, abscond, desert
**drosdy' -e** landdrost's residence, residency
**dros'ter -s** runaway, absconder, deserter
**druif druiwe** grape; **~luis** phylloxera
**druip ge-** drip, trickle, fall in drops; fail (in examination); **~eling** failure (in examination); **~nat** dripping wet, soaked; **~steen** stalactite, stalagmite; **~stert** sneaking; *~stert weggaan* slink off; **~sy'fer** failure rate (of students); **~vet** dripping
**druis ge-** roar, swirl
**drui'we: ~prieel'** vinebower; **~sap** grapejuice; **~stok** vine; **~tros** bunch of grapes
**druk** (s) pressure, weight; print; **-ke** edition; (w) press, print; squeeze; push; (b) busy, fussy, lively; **~fout** printer's error; **~groep** pressure group; **~kastrol'** pressure cooker
**druk'ker -s** printer; **~s'duiwel** printer's devil, literal *ook* **set'satan**; **~y** printing works
**druk: ~knoptelefoon'** pushbutton/pressbutton telephone; **~kuns** art of printing; typography; **~pers** printing press; **~proef** printer's proof; **~skrif** typescript, print; **~stuk** print-out; **~te** (s) stir, bustle, fuss, ado
**drum'pel -s** threshold, doorstep
**drup** (s) eaves; drip (medical); (w) drip, drop
**drup'pel -s** drop; *'n ~ in 'n emmer* a drop in the ocean; (w) drop, trickle
**dryf ge-** float; swim; impel, drive, conduct: *handel ~* trade; *die spot ~* mock; **~baan** driving range (golf); **~krag** motive power; force; drive; **~sand** driftsand, quicksand; **~veer** motive
**dry'wer -s** driver, wagon driver; fanatic
**dub'bel -e** double; twice; *~ en dwars verdien* deserve over and over again; **~door** double-

yolked egg; ~**gan'ger** double, second self, alter ego (person); ~**loop** double-barrel (gun); ~**pad** dual carriageway; ~**punt** colon
**dubbelsin'nig -e; -er, -ste** ambiguous
**dub'beltjie -s** devil's thorn; *loop voor die pad vol ~s is* be quick about it
**duet' -te** duet
**dui'delik -e; -er, -ste** clear, distinct, obvious; legible
**duif duiwe** pigeon, dove
**duik**[1] (s) **-e** dent; (w) **ge-** dent
**duik**[2] (w) **ge-** dive, plunge; ~**bom'werper** divebomber; ~**boot** submarine, U-boat; ~**er** diver; culvert; duiker (antelope); cormorant (bird); ~**long** aqualung; ~**plank** spring= board; ~**weg** subway
**duim -e** thumb; inch; *iets uit die ~ suig* trump up a story; ~**gooi** hitchhike *ook* **ry'loop**; ~**gooier** hitchhiker; ~**pie** little thumb; **Klein D~pie** Tom Thumb; ~**ry** hitchhike; ~**ry'er** hitchhiker *ook* **ry'loper**; ~**spy'ker(tjie)** draw= ing pin; ~**stok** inch measure, footrule
**duin -e** dune
**dui'nebesie -s** beachbuggy (car)
**dui'sel ge-** grow giddy/dizzy, reel; ~**ig** giddy, dizzy *ook* **lighoof'dig**
**dui'send -e** thousand; ~**ja'rige ryk** millen= nium; ~**poot** millipede
**duis'ter** (s) dark(ness); (b) dark, dusky; ob= scure; ~**e poësie'** obscure poetry
**Duits** (s) German; (b) (language); ~**er** Ger= man (person); ~**land** Germany
**dui'wehok -ke** pigeon house, dovecot
**dui'wel -s** devil; *dank jou die ~!* well I never; *so bang soos die ~ vir 'n slypsteen* be as scared as the devil is of holy water; ~**s'kun'stenaar** sorcerer, magician; ~**spiraal'** vicious circle; ~**s** (b) devilish, diabolic *ook* **demo'nies**
**duld ge-** bear, tolerate, endure
**dun** (b) thin, rarefied; sparse; slender; washy
**duplikaat' ..kate** duplicate *ook* **twee'voud**
**durf** (s) pluck, daring, guts
**dus** thus, therefore *ook* **daar'om/derhal'we**
**dus'kant** this side of
**dut'jie -s** nap, snooze; *'n ~ doen* nap
**duur**[1] (s) duration; (w) last, continue; *dit ~ tien dae* it lasts ten days
**duur**[2] (b) **dure; -der, -ste** dear, expensive; *'n dure eed sweer* swear a solemn oath
**duur'saam ..same; ..samer, -ste** durable; lasting; wearing well
**dwaal ge-** err; wander, roam; ~**gees** wander= ing spirit; ~**koe'ël** stray bullet; ~**lig** will-o'-the-wisp; ~**spoor** false track
**dwaas** (s) **dwase** fool, silly fellow; (b) foolish, silly; ~**heid** folly, stupidity
**dwang** compulsion, coercion, force, con= straint; ~**ar'beid** hard labour; ~**baad'jie** straitjacket; ~**voe'ding** force-feeding
**dwar'rel ge-** whirl; ~**wind** whirlwind *ook* **war'relwind**
**dwars** across, athwart; contrary; ~**boom** (w) thwart, obstruct; ~**lê'er** sleeper (railway); ~**straat** cross-street; ~**trek'ker** squabbler, thwarter (person)
**dweep ge-** rave about; ~**pos** fanmail *ook* **bewon'deraarspos**; ~**siek** fanatic(al)
**dwelm:** ~**afhank'likheid** drug dependence; ~**baas** drug lord; ~**han'delaar** drug traf= ficker; ~**mid'del** medical drug; ~**misbruik'** drug abuse; ~**slaaf** drug addict; ~**smous** drug pedlar/pusher; ~**toer** (drug) trip
**dwelms** drugs (non-medical)
**dwe'per -s** fanatic, bigot (person)
**dwerg -e** dwarf, pygmy, midget; ~**kees** toypom (dog); ~**ten'nis** tenniset
**dwing ge-** force, compel, constrain
**dwin'geland** tyrant *ook* **tiran'** (mens)
**dy** (s) **-e** thigh
**dyk -e** dike, bank
**dyn'serig/dyn'sig -e; -er, -ste** misty, hazy
**dy'spier -e** hamstring muscle

# E

**eb** (s) ebb; *~ en vloed* ebb and flow
**e'del -e; -er, -ste** noble, generous; **Sy E'dele** His Honour
**edelag'baar ..bare** honourable; Your/His Worship; **Sy Edelag'bare die Bur'gemees= ter** His Worship the Mayor
**e'delman -ne, edellie'de** nobleman
**e'delsteen ..stene** precious stone, gem
**edik' -te** edict, decree *ook* **dekreet'**
**eed ede** oath
**eek'horinkie -s** squirrel
**eelt** (s) **-e** horny skin, callus

**een** one, someone, a certain; *op ~ nà* all but one; **~ak'ter/~bedryf'** one-act play
**eend -e** duck
**een'dag** once, one day
**een'dekker -s** monoplane
**een'ders/e'ners** (b) similar, alike; *presies ~ lyk* look exactly alike
**een'drag** concord, union, unity, harmony; *~ maak mag* union is strength
**eend'stert -e** ducktail (person)
**een: ~heid** unity; **~ho'ring** unicorn; **~kant** on one side, apart; **~kleu'rig** monochrome; **~lettergre'pig** monosyllabic; **~lo'pend** unmarried, single; **~maal** once, one day; **~ma'lig** once only
**een'oog** one-eye, one-eyed person
**eenpa'rig -e** unanimous; **~e besluit'/beslis'sing** unanimous decision
**een'rigtingstraat** one-way street
**eens** unanimous, of the same opinion; *ek is dit ~ met jou* I agree with you
**een'saam ..same; ..samer, -ste** solitary, lonely; **een'same op'sluiting** solitary confinement; **~heid** solitude, loneliness
**eens'klaps** suddenly, all of a sudden *ook* **skie'lik, plot'seling**
**eenstem'mig -e** unanimous *ook* **eenparig**
**eensy'dig -e; -er, -ste** onesided, unilateral; **~e onafhanklikverkla'ring** unilateral declaration of independence (UDI)
**een'talig** (b) **-e** unilingual
**een'tjie** one; *op sy ~* all by himself
**eento'nig -e; -er, -ste** monotonous, tedious *ook* **verve'lig**
**eenvor'mig** (b) **-e** uniform *ook* **u'niform**
**een'voud** simplicity
**eenvou'dig** (b) simple, easy; singular
**eer**[1] (s) honour, repute, credit; *die laaste ~ bewys* render the last (funeral) honours, pay the last respects; (w) honour, respect
**eer**[2] (vgw) before *ook* **voor'dat**
**eer'baar ..bare; -der, -ste** virtuous; chaste, honest; worthy
**eer'betoon/eer'bewys** tribute; homage, mark of honour/respect
**eer'bied** respect, regard, reverence
**eerbie'dig** (w) ~, **geëer-**, respect, revere; obey; *verkeersreëls ~* obey traffic rules
**eer'der** sooner, rather; *hoe ~ hoe beter* the sooner the better
**eer'gevoel** sense of honour
**eer'gister** the day before yesterday
**eerlang'/eerlank'** before long, erelong
**eer'lik -e; -er, -ste** honest, upright, fair; **~heid** honesty; **~waar** honestly
**eers** first; formerly; only; even
**eers'daags/eer'daags** soon, shortly
**eers'geboortereg** birthright
**eers'genoemde** the former
**eers'komende** next, following
**eer'ste** first; *die ~ die beste boek* the first book at hand; **~hands** firsthand; **~hulp** first aid; **~klas** first-class, first-rate *ook* **voortref'lik**; **~ling** firstling, firstborn; **~ns** firstly
**eersug'tig** ambitious *ook* **ambisieus'**
**eer'tyds -e** former(ly)
**eer'vol -le** honourable; **~le vermel'ding** honourable mention
**eerwaar'de** (s, b) reverend
**eet geëet** eat; **~ka'mer** dining room; **~le'pel** tablespoon; **~lus** appetite; **~luswek'ker(tjie)** appetiser; **~maal** meal *ook* **e'te** banquet; **~plek** restaurant, eatery; **~servies'** dinner service; **~sta'king** hunger strike
**eeu -e** century; age; **~wending** turn of the century
**eeu'fees -te** centenary
**ef'fe** even, level, flat, smooth; plain
**effek' -te** effect, result *ook* **uit'werking**
**effek'te** securities; gilts; **~beurs** stock exchange *ook* **aan'delebeurs**; **~ma'kelaar** stockbroker; **~trust** unit trust
**effektief' ..tiewe** effective *ook* **doeltref'fend**
**ef'fens/ef'fentjies** slightly; a moment; a little; just; *wag ~* half a mo(ment)
**eg**[1] (s) marriage, wedlock; *in die ~ tree* enter into matrimony
**eg**[2] (s) **êe, eg'ge** harrow
**eg**[3] (b) **-te; -ter, -ste** authentic, real, thorough, genuine; legitimate; **~te diaman'te** genuine diamonds
**ega'lig -e; -er, -ste** level, smooth, even
**eg'genoot ..note** spouse, husband/wife *ook* **ga'de, we'derhelf** (mens)
**eg'go -'s** echo *ook* **weer'klank**
**Egip'te** Egypt; **~naar** Egyptian (person)
**e'go** ego, self; *jou ~ streel* boost one's ego
**egoïs' -te** egoist; **~me** egotism *ook* **self'sug**
**eg'skeiding -s, -e** divorce
**eg'ter** however; yet, notwithstanding; *die meeste leerlinge het geslaag, heelparty het ~ gedruip* most pupils passed, quite a few however failed
**ei'e** own; natural; peculiar, specific; familiar;

*uit ~ beweging* of one's own accord; **~belang'** self-interest
**eiegereg'tig** (b) self-righteous, high-handed
**eiehan'dig -e** with one's own hand
**ei'en geëien** (w) recognise; appropriate, own
**ei'enaar -s, ..nare** proprietor, owner
**eienaar'dig -e; -er, -ste** peculiar, strange, odd
**ei'endom -me** property, belongings, possession; **vaste** ~ real estate, fixed property; **~ontwikkelaar** property developer
**ei'endoms** proprietary; **~agent'** real estate agent; **~reg** right of possession
**ei'enskap -pe** feature; trait, characteristic *ook* **ken'merk**
**ei'er -s** egg; *'n halwe ~ is beter as 'n leë dop* half a loaf is better than no bread at all; **~dop** eggshell; **~kel'kie** egg cup; **~ko'kertjie** eggboiler; sandglass; **~stok** ovary; **~vrug** brinjal
**eiesin'nig** (b) wilful, obstinate *ook* **kop'pig**
**ei'etyds -e** contemporary, with-it, trendy *ook* **bydertyds'**
**eiewys'** conceited, headstrong
**ei'keboom** (s) oak tree
**ei'land -e** island, isle
**ei'na** (b, bw) weak; painful; small; *sy kennis van Grieks is maar ~* his knowledge of Greek is scanty; (tw) ouch! oh! ow! **~broe'kie** minipants; scantypanty
**ein'de -s** end, conclusion, termination
**eind'eksamen -s** final examination
**ein'delik** at last, finally, at length
**ein'deloos ..lose** endless, infinite
**ein'dig** (w) **geëindig** end, conclude, terminate; **boek'jaar ~ende 31 Maart** financial year ending 31 March
**eind: ~punt** terminus, end; **~rond(t)e** final; **~tel'ling** final score
**ein'ste** same; *die ~ man* the very same man
**eint'lik** (b) **-e** proper, real, actual; (bw) properly, actually; *nie ~ nie* not exactly
**eis** (s) **-e** demand, claim, requirement; (w) demand, claim
**ei'ser -s** plaintiff, claimant (person)
**eistedd'fod -au, -s** eisteddfod, song/singing festival *ook* **sang'fees** (Wallies)
**ek** I; *~ en my vriend* my friend and I
**ek'ke** I (with stress); **~rig** egotistic, self-centred
**ekologie'** ecology *ook* **omge'wingsleer**
**ekonomie'** (s) economy; economics
**ekono'mies** (b) economic(al) *ook* **spaar'saam**

**ekonoom' ..nome** economist (person)
**ekosisteem'** ecosystem
**ekotoeris'me** (s) ecotourism
**eksa'men -s** examination; *~ aflê (doen, skryf)* sit for an examination; *sy ~ sak (dop, druip)* fail his examination; *(in) sy ~ slaag* pass his examination; **~vraag** examination question; **~vra'estel** examination paper
**eksamina'tor -s, -e** examiner (person)
**ekseem'** eczema
**eksekuteur' -s, -e** executor (of an estate)
**eksellen'sie -s** excellency (person)
**eksemplaar' ..plare** specimen, copy
**eksentriek' -e; -er, -ste** eccentric, odd
**ek'sie-perfek'sie** perfect, very particular
**eksklusief' ..siewe; ..siewer, -ste** exclusive
**ekskur'sie -s** excursion, outing
**ekskuus' ..kuse** excuse, pardon; *~ maak* apologise *kyk* **versko'ning**
**ekskuus'!** pardon me! sorry!
**ek'sodus** exodus *ook* **uit'tog**
**ekso'ties -e** exotic, foreign
**ekspedi'sie -s** expedition *ook* **(veld)tog**
**eksperiment'** (s) **-e** experiment; **~eel'** experimental; **~eer'** (w) experiment
**eksta'se** ecstasy; *in ~ raak* go into raptures
**eksta'ties -e** ecstatic
**ekstern' -e** extern; **~e stu'die** external study *kyk* **af'standonderrig**
**ek'stra** extra, additional; spare
**ekstremis' -te** extremist (person)
**ekume'nies** (b) **-e** ecumenical, universal
**ekwa'tor** equator; **~iale stil'tegordel** doldrums
**ekwivalent' -e** equivalent
**el -le** ell; **el'lelang verdui'deliking** too long an explanation
**e'land -e** eland (SA); elk (Europe); moose (America)
**elas'ties** (b) **-e** elastic; flexible *ook* **fleksiel'**
**el'ders** elsewhere
**elegant'** (b) elegant *ook* **sjiek** (mode)
**elegie' -ë** elegy *ook* **treur'sang**
**elek'tries -e** electric(al); **~e stoel** electric chair; **elektrotegniese ingenieur'** electrical engineer
**elektrisiën' -s** electrician (person)
**elektrisiteit'** electricity
**elek'trokardiogram (EKG)** electrocardiogram (ECG)
**elektro'nies** (b) electronic; **~e beheer'** electronic control; **~e pos (e-pos)** electronic mail (e-mail/email); **~e re'kenaar** computer

**element′ -e** element; ~**êr′** (b) elementary
**elf**[1] (s) **elwe** elf, fairy
**elf**[2] (s) **elwe** shad, chard (fish)
**elf**[3] eleven; *ter ~der ure* at the eleventh hour; ~**de** eleventh; ~**tal** team (cricket)
**elimineer′** (w) ~, **geël-** eliminate *ook* **uit′skakel**
**elk -e** each, every; ~**een** everybody, everyone *ook* **ie′dereen**
**ellen′de** misery, wretchedness, distress
**ellen′dig -e; -er, -ste** wretched, miserable
**elm′boog ..boë** elbow
**eloku′sie** elocution *ook* **spraak′kuns**
**emal′je/enem′mel** enamel; ~**verf** enamel paint *ook* **glans′verf**
**embar′go -'s** embargo, prohibition
**embleem′ ..bleme** emblem
**em′brio -'s** embryo
**emeritaat′ ..tate** clergyman's retirement
**emigrant′ -e** emigrant (leaving country)
**em′mer -s** pail, bucket
**emo′sie -s** emotion *ook* **gevoel′**
**emosioneel′** (b) **..nele** emotional
**en** and; *én . . . én* both . . . and
**end ente** end *ook* **ein′de**; termination; extremity
**endosseer′** (w) ~, **geën-** endorse
**endossement′ -e** endorsement
**e′ne** one, a certain; ~ **mnr. X** a certain Mr X
**energie′** energy; ~**bespa′ring** energy saving
**eng -er, -ste** narrow, tight; narrow-minded
**en′gel -e** angel
**En′geland** England
**en′gelebak -ke** upper gallery, gods (theatre)
**En′gels** (s) English; *suiwer ~* good English; the King's English; (b) English; ~**e sout** Epsom salts (idiom.)
**En′gelsman Engelse** Englishman
**eng′te -s** strait, defile, isthmus; difficulty; ~**vrees** claustrophobia
**e′nig -e** only, sole, any; unique; ~ *in sy soort* unique; the only of its kind
**e′nigsins** somewhat; *as dit ~ kan* if at all possible
**e′nigste** only, sole
**enjambement′ -e** enjambment
**en′jin -s** engine; *die ~ kets* the engine backfires; *die ~ staak* the engine stalls; ~**dry′wer** engine driver
**en′kel**[1] (s) **-s** ankle
**en′kel**[2] (b) **-e** single
**en′kel**[3] (bw) solely, merely, only
**en′kel:** ~**bed** single bed; ~**geslag′** unisex; ~**ing** individual (person); ~**reis** single journey; ~**spel** singles, single game; ~**voud** singular; ~**vou′dige ren′te** simple interest
**enorm′ -e** enormous, immense *ook* **ys′lik**
**ensiklopedie′ -ë** encyclopaedia
**ent**[1] (s) **-e** graft; (w) graft
**ent**[2] (s) distance, length; end; *dis 'n hele ~ hiervandaan* it is quite a distance from here
**entoesias′ -te** enthusiast, fan (person); ~**me** (s) enthusiasm *ook* **gees′drif**
**entomoloog′ ..loë** entomologist (person)
**entrepreneur′** (s) entrepreneur *ook* **onderne′mer/sa′keman**
**ent′stof ..stowwe** serum, vaccine
**epide′mie** (s) **-s** epidemic
**epide′mies -e** epidemic; *kinderverlamming het ~e afmetings aangeneem* infantile paralysis (poliomyelitis) has assumed epidemic proportions
**epigram′ -me** epigram *ook* **punt′dig**
**epilep′sie** epilepsy *ook* **val′lende siek′te**
**episo′de -s** episode *ook* **voor′val**
**e′pos** (s) epic (poem)
**e-pos** (s) e-mail/email (electronic mail)
**erbarm′** ~ have pity; *jou ~ oor* have pity on
**er′de:** ~**skot′tel** earthenware basin; ~**wa′re** ceramics *ook* **keramiek′**; ~**werk** earthenware, pottery; crockery
**erd:** ~**vark** ant eater; ~**wurm** earthworm
**e′re** honour; *ter ~ van* in honour of; ~**bur′ger** freeman; ~**bur′gerskap** freedom of the town/city; ~**diens** divine service; ~**graad** honorary degree; ~**lid** honorary member
**ê′rens** somewhere
**e′re:** ~**sekreta′ris** honorary secretary; ~**wag** guard of honour; ~**woord** word of honour
**erf**[1] (s) **erwe** plot, stand
**erf**[2] (w) **geërf** inherit *ook* **er′we**; ~**enis′** inheritance, heritage; **E~enisdag** Heritage Day (holiday); ~**geld** inherited money; *~geld is swerfgeld* lightly come, lightly go; ~**genaam′** heir; ~**por′sie** inheritance, share of inheritance; ~**stuk** heirloom
**erg** (b) bad; evil; (bw) severely, extremely; *wat te ~ is, is te ~* this is really too bad
**er′gernis -se** annoyance, nuisance; *al die ~* all the annoyance/hassles
**erg′ste** worst; *op die ~ voorberei* prepare for the worst
**erken′** (w) ~ acknowledge, own up, admit; ~**ning** acknowledgement, admission

**erkent'lik -e; -er, -ste** grateful, thankful
**erns** earnest(ness), seriousness, gravity
**ern'stig -e; -er, -ste** serious, grave; earnest; *iets ~ opneem* take a serious view of
**ero'sie** erosion
**ero'ties -e** erotic; sensual
**er'tappel -s** potato; **~sky'fie** (potato) chip *ook* **aar'tappel**
**er'tjie -s** pea; **~sop** pea soup
**erts -e** ore; **~af'setting** ore deposit
**ervaar'** (w) ~ experience, undergo
**erva're** experienced; skilled *ook* **kun'dig**
**erva'ring -s, -e** experience; ~ *opdoen* gain experience
**e'sel -s** ass, donkey; mule; easel; blockhead
**eska'der -s** squadron (navy, airforce)
**eskadron' -ne, -s** squadron (cavalry)
**eskaleer'** (w) ~ escalate, increasing progressively
**essensieel' ..siële** essential *ook* **noodsaak'lik**
**este'ties -e** aesthetic(al)
**e'te -s** meal, dinner *ook* **maal(tyd)**; food
**e'ter[1] -s** eater
**e'ter[2]** ether, upper air; **~golf** ether wave
**etiket'[1]** etiquette
**etiket'[2] -te** label; tag; docket
**etimologie' -ë** etymology *ook* **woord'afleiding**
**et'maal** 24 hours, full day; **~diens** 24-hour service
**et'nies** ethnic; **~e tale** ethnic languages
**ets** (s) **-e** etching; (w) etch
**et'ter** (s) matter, pus; (w) fester
**eufemis'me** euphemism *ook* **versagting**
**Eu'romark** Euromart
**Euro'pa** Europe
**Europeaan' ..peane/Europe'ër -s** European (person)
**Europees' ..pese** European (a)
**eu'wel -s** evil *ook* **boos'heid**
**evalueer' ~, geëv-** evaluate, assess
**evange'lie -s** gospel, evangel
**evangelis' -te** evangelist (person)
**evolu'sie/ewolu'sie** evolution
**e'we** just as, even, equally; ~ *groot* of the same size
**e'we: ~beeld** likeness, counterpart; **~kan'sig** random (stats.); **~knie** equal, peer; counterpart *ook* **amps'genoot**
**e'wenaar[1]** (s) equator, line; **(-s)** differential (car)
**ewenaar'[2]** (w) **geëw-** equal, rival; *niemand kan hom ~ nie* no one can match/rival him
**e'weneens** similarly, in the same manner, likewise
**ewere'dig -e** proportional, pro rata
**e'wewig** (s) equilibrium, balance; poise
**ewewy'dig -e** parallel, equidistant
**e'wig** (b) **-e** eternal, everlasting, perpetual
**e'wigheid** eternity *ook* **hierna'maals**

# F

**faal** (w) **ge-** fail, be unsuccessful
**fa'bel -s** fable; legend, fiction
**fabriek' -e** factory
**fabrieks': ~af'val** factory waste/effluent; **~ar'beider** factory hand; **~wer'ker** factory worker
**fabrikaat ..kate** manufacture, make, brand; *ook* **produk'**; **nuwe ~ mo'tor** new make of car
**fabrikant' -e** manufacturer *ook* **vervaar'diger** (mens)
**fak'kel -s** torch; **~loop** torchlight procession
**faks** (s, w) fax (facsimile)
**fak'sie** (s) faction, clique; **~geveg'** faction fight
**fakto'tum -s** factotum, handyman *ook* **nuts'man**
**faktuur' ..ture** invoice; bill
**fakulteit' -e** faculty (of university)
**fami'lie -s** family; relations, relatives; *aangetroude ~* relations by marriage; *verlangs ~* distantly related; **~kring** family circle *kyk* **(huis)gesin'**; **~kwaal** hereditary malady; **~lid** member of a family; **~wa'pen** family coat of arms
**fantasie' -ë** imagination, phantasy, fancy; **~kostuum'** fancy dress
**fantas'ties -e; -ste** fantastic *ook* **denkbeel'dig**
**farise'ër -s** pharisee, hypocrite
**farmaseu'ties -e** pharmaceutical
**fa'se -s** phase, stage
**faset' -te** facet (of a diamond); **~ryk** multifacetted; versatile
**fasiliteit' -e** facility; comfort *ook* **gerief'**

**fat** (s) **-te** dandy, swell (person)
**fatsoen'** **-e** shape, form; fashion, manners, good form
**fatsoen'lik** decent, respectable, proper
**Fe'bruarie** **-s** February
**federa'sie** **-s** federation
**fee** **feë** fairy; elf, pixie
**feeks** **-e** vixen, shrew, bitch (woman)
**fe'ë:** ~**ryk** fairyland; ~**verha'le** fairy tales
**fees** (s) **-te** feast, festival, fête; ~ *vir die oë* a treat for the eyes; (w) ~**vier** celebrate; feast; ~**maal** banquet; ~**re'de** (festive) oration; inaugural speech
**fees'telik** **-e** festive; ~ *onthaal* entertain lavishly
**fees'vier** **-ge-** feast, celebrate; ~**ing** festival, feast; celebration, merrymaking
**feit** **-e** fact; *deur ~e gestaaf* supported by facts
**fei'te:** ~**ken'nis** knowledge of facts; ~**materiaal'** body of facts; ~**sen'ding** factfinding mission
**feit'lik** factual(ly); actually, practically; *hy het ~ geen familie nie* he has practically no relatives; ~**e gege'wens** factual details
**fel** (b) **-le; -ler, -ste** fierce, sharp, severe
**ferm** **-e; -er, -ste** firm, solid, strong; ~**e op'trede** firm action
**ferweel'** corduroy; ~**broek** corduroy trousers *kyk* **fluweel'**
**fias'ko** **-'s** fiasco, wash-out; collapse, flop
**fie'mies** (s) capriciousness, freakishness; nonsense; *vol ~ wees* finicky, fussy, faddish
**fier** **-e; -der, -ste** proud, bold
**fiets** (s) **-e** bicycle; (w) **ge-** cycle; ~**ry'er,** cyclist; ~**er** biker
**figuur'** **figure** shape, figure; *'n droewige ~ slaan* cut a sorry figure; ~**lik** (b) figurative(ly)
**fiks** **-e; -er, -ste** healthy, robust, fit; *die rugbyspeler is nou weer ~* the rugby player is fit again; ~**heidtoets'** fitness test
**fik'sie** **-s** fiction; **we'tenskap**~ science fiction (sci-fi)
**filet'** **-te** fillet (meat, fish)
**filharmo'nies** **-e** philharmonic (orchestra)
**filatelie'** philately, stamp collecting
**filiaal'** (s) **filiale** subsidiary; branch office; ~**maatskappy'** subsidiary company
**film** (s) **-s** film; (w) film; ~**er** film producer; ~**oteek'** film library; ~**ster'** film star
**filosofie'** (s) philosophy *ook* **wys'begeerte**
**filosoof'** **..sowe** philosopher *ook* **wys'geer**

**fil'ter** **-s** filter, percolator
**filtreer'** **ge-** filter; ~**kof'fie** filter(ed) coffee
**finaal'** **finale** final, total
**fina'le:** ~ **wed'stryd** final match *ook* **eind'wedstryd**
**finansieel'** **..siële** financial, monetary
**finansier'** (s) **-s** financier, banker; (w) finance; *'n projek ~* finance a project
**finan'sies** finances *ook* **geld'sake**
**finans'komitee** **-s** finance committee
**fineer'** (s, w) veneer
**fir'ma** **-s** firm; house; *die ~ Brits & Bell* Messrs Brits & Bell; ~**blad** house journal/magazine; ~**mo'tor** company car
**firmament'** firmament, sky
**fisant'** **-e** pheasant
**fisiek'** (s) physique; (b) physical; *sy ~e toestand* his physical/bodily condition
**fi'sies** **-e** physical; ~**e aard'rykskunde** physical geography
**fi'sika** physics *ook* **natuur'kunde**
**fisiologie'** physiology
**fisioterapeut'** physiotherapist (person)
**fisioterapie'** physiotherapy
**fiskaal'** (s) **..kale** fiscal; bailiff; butcherbird; **..ka'le beleid'** fiscal/taxation policy
**flad'der** **ge-** flutter, flit, flap
**flamink'** **-e** flamingo
**flank** **-e** flank, side; ~**aan'val** flank attack
**flankeer'** ~, **ge-** flank; gad about; *met die nooiens ~* flirt with the girls
**flap** (s) **-pe** widowbird, sakabula; flap; iris (flower); (w) **ge-** flap
**flap'pertjie** **-s** crumpet, flapjack
**flap'teks** **-te** blurb (of a book)
**fla'ter** **-s** blunder, mistake, slip-up *ook* **blaps**; *'n ~ begaan* make a blunder
**flen'nie** flannel; ~**bord** flannel graph/board
**flen'ter** (s) **-s** rag, tatter; *g'n ~ omgee nie* not care a snap of the fingers
**flen'ters** in tatters; *iets fyn en ~ slaan* smash to smithereens
**fler'rie** **-s** flirt, good-time girl
**fles** **-se** bottle, flask
**fleur** prime, bloom; *in die ~ van sy lewe* in the prime of life
**fliek** (s) **-e** bioscope/movies/cinema *ook* **bioskoop'**; (w) go to the bio; *kom ons gaan ~* let's go to the movies/flicks; ~**gan'ger** cinema goer; ~**vlooi** flick fan (person)
**flik'flooi** (w) **ge-** coax, fawn, flatter
**flik'ker** **ge-** glitter, sparkle, twinkle; ~**gram**

brainscan *ook* **breintas'ting**; ~**lig** flicker=light, flashlight
**flik'kers** leaps (dancing); pranks; ~ *maak/gooi by 'n nooi* dance attendance on a girl
**flink** (b) **-e; -er, -ste** energetic; brisk, vigor=ous; (bw) soundly, vigorously, firmly
**flits** (s) **-e** (lightning) flash; (w) flash; ~**berig'** news flash (radio); ~**lig** flashlight, torch
**flon'ker ge-** sparkle; twinkle; ~**ing** sparkling
**flo'ra** flora, plant life; vegetation
**floreer'** ~, **ge-** flourish, thrive
**flore'rend** flourishing, thriving (business)
**flou** (b) faint, weak, dead-tired; insipid; *geen ~e benul hê nie van* not have the vaguest idea of; ~ *val* have a fainting fit
**flous** (w) **ge-** cheat, deceive, trick, fox
**flou'te -s** swoon, fainting fit, blackout *ook* **brein'floute**
**fluister ge-** whisper
**fluit** (s) **-e** flute, whistle; (w) whistle, play on the flute; zip (of bullets); piddle, urinate; ~**-fluit** easily; *hy het ~-~ (in) sy eksamen geslaag* he passed his examination without effort; ~**spe'ler** flutist
**fluks -e; -er, -ste** hardworking; willing
**fluweel'** velvet; *so sag soos* ~ velvety soft/smooth
**foe'fie** (s) trick; gimmick, ploy *ook* **truuk**
**foe'lie** tin(foil)
**foen'die** (s) fundi, expert *ook* **ken'ner**
**foe'ter** (w) **ge-** bother; beat, thrash, wallop
**fo'kus -se** focus, focal point
**folk** (s) folk (music)
**folk'lore** folklore *ook* **volks'kunde**
**fol'ter ge-** torture, torment; **ba'bafoltering** baby battering ~**ka'mer** torture chamber
**fondament' -e** foundation; bottom
**fonds -e** fund; ~**in'sameling** fundraising *ook* **geld'insameling**
**fonetiek'** phonetics *ook* **klank'leer**
**fone'ties -e** phonetic
**fontein' -e** fountain, spring
**fooi** (s) **-e** tip; professional fee; gratuity
**foon fone** phone; ~**fler'rie**/~**snol** callgirl
**fop** (w) **ge-** hoax, cheat, fool; ~**dos'ser** (s) drag queen (male transvestite); ~**myn** booby trap; ~**-op'roep** hoax (telephone) call
**fop'speen ..spene** baby's dummy, comforter
**forel' -le** trout (fish)
**formaat' ..mate** size, shape; format
**formaliteit' -e** formality, matter of form
**formeel' ..mele** formal
**formu'le -s** formula
**fors' -e; -er, -ste** robust, strong, powerful, vigorous; ~ *gebou* sturdily built
**forseer'** ~, **ge-** force, compel *ook* **dwing**
**fort -e** fortress, fort *ook* **ves'ting**
**fortuin'** luck, fortune; wealth; ~**hou** hole-in-one (golf); ~**le'ser** *kyk* **waar'sêer**; ~**soe'ker** fortune hunter; adventurer
**fossiel' -e** fossil
**fo'to -'s** photo(graph); ~**al'bum** photo(graph) album; ~**beslis'sing** photo finish (races); ~**ge'nies** (a) photogenic (person); ~**kopie'** photocopy (s)
**fotograaf' ..grawe** photographer (person)
**fotografeer ge-** photograph, take a photo; *jou laat* ~ have one's photo taken
**fotografie'** photography
**fout** (s) **-e** mistake, error, fault *ook* **fla'ter, blaps**; ~**vry** foolproof *ook* **fla'tervry**
**foutief' ..tiewe** faulty, erroneous
**fout'speurder -s** troubleshooter
**fraai** (b) fine, handsome *ook* **sier'lik**
**fragment' -e** fragment, piece
**frai'ing -s** fringe, tassel
**framboos' ..bose** raspberry
**Frank'ryk** France
**Frans** (b) **-e** French
**Frans'man Franse** Frenchman
**fra'se -s** phrase
**fraseer'** ~, **ge-** phrase
**frats -e** freak, caprice, whim; *vol ~e wees* be mischievous; ~**on'geluk** freak accident
**fregat' -te** frigate (skip)
**frekwen'sie** frequency; ~**modula'sie** fre=quency modulation (FM)
**fres'ko -'s** fresco, mural (painting)
**fret -te** ferret (rodent)
**frikkadel' -le** minced-meat ball, rissole, frica=del; ~**brood'jie** hamburger *ook* **ham'burger**
**fris'** (b) cool; strong, stout, healthy; ~ *gebou* well-built
**frok'kiehemp ..de** T-shirt *ook* **T-hemp**
**from'mel** (w) **ge-** fumble, crease, rumple
**frons** (s) **-e** frown; (w) **ge-** frown
**front -e** front; ~**bot'sing** head-on collision *ook* **kop-teen-kop-bot'sing**; ~**li'niesta'te** front=line states; (w) front (bv. noord)
**frustra'sie -s** frustration
**frustreer'** ~, **ge-** frustrate *ook* **dwars'boom**
**fud'ge** fudge (sweets)
**fuif** (s) spree, carousal; (w) carouse, spree; ~**party'** drinking/booze party

**fundamenteel′ ..tele** fundamental **~te′le reg′te** fundamental/human rights
**fungeer′ ~, ge-** act, officiate, perform duties; **funge′rende voor′sitter** chairman/chairperson for the time being
**funk′sie -s** function *ook* **onthaal′** (s)
**fusilleer′ ge-** execute (by firing squad)
**fut** mettle, dash, vim, zip; *sy ~ is uit* he has lost his spirit
**futiel′ -e** futile *ook* **vrug′teloos**
**fyn -e; -er, -ste** fine, delicate; refined, subtle; *~ en flenters breek* smash completely; *~ oplet* pay careful attention
**fyngevoe′lig -e; -er, -ste** sensitive, delicate
**fyn: ~kam** search thoroughly; **~proe′wer** connoisseur, epicure, gourmet; **~stop** invisible mending; **~tuin** herb/kitchen garden
**fyt -e** whitlow, felon

# G

**gaaf** good, nice, pleasant; undamaged; *'n gawe kêrel* a fine fellow, a decent chap/guy
**gaan ge-** go; move; walk; *hoe ~ dit?* how do you do? *ook* **Aan′genaam!**
**gaan′deweg** gradually, by degrees
**gaap** (s) **gape** yawn; (w) yawn; gape; *so warm dat die kraaie ~* very hot
**gaar** (b) sufficiently cooked; done; dressed
**gaar′der** (s) receiver of revenue *ook* **belas′tinggaarder**
**gaas** gauze, netting
**ga′de -s** spouse, consort *ook* **eg′genoot**
**gal** gall, bile
**ga′la -s** gala, festive show
**gal: ~bitter** bitter as gall; **~blaas** gallbladder
**galant′** (b) gallant, polite *ook* **hof′lik**
**galery′ -e** gallery; loft
**galg -e** gallows; *so slim soos die houtjie van die ~* as sharp as a needle
**gal′gemaal** last/parting meal
**galm** (s) **-e, -s** peal, clangour; (w) resound
**galop′** (s, w) gallop
**gal: ~siek′te** gall sickness; **~steen** gallstone
**gang** (s) **-e** gait, walk; pace (horse); course (meal); passage, corridor (in a house)
**gang: ~baar** passable, current; feasible; **~baarheidstu′die** feasibility study *ook* **uit′voerbaarheidstudie**; **~bare ken′nis** working knowledge
**gangreen′** gangrene *ook* **kou′evuur**
**gans**[1] (s) **-e** goose; *~e aanja* be tipsy
**gans**[2] (b) **-e** whole, entire, all; *~ anders* totally different; *die ~e dag* the whole day
**gans′loper -s** jaywalker (person)
**ga′ping -s, -e** gap, hiatus; *die ~ vernou* narrow the gap
**gara′ge -s** garage *ook* **mo′torhawe/vul′stasie** (publiek); **mo′torhuis** (privaat)
**garan′sie -s** guarantee *ook* **waar′borg**
**garde′nia -s** gardenia *ook* **katjiepie′ring** (blom)
**ga′re/ga′ring** thread, yarn; **tol′letjie ~** reel of cotton
**garnaal′ ..nale** shrimp; **steur~** prawn
**garnisoen′ -e** garrison
**gars** barley; **~kof′fie** barley coffee
**gas**[1] **-te** guest
**gas**[2] **-se** gas; *op ~ kook* cook by gas
**gas′heer ..here** host; *ons is ~ vir die geleentheid* we are hosting the event
**gas: ~lamp** gaslamp; **~mas′ker** gas mask, respirator; **~spre′ker** guest speaker *ook* **geleent′heidspreker**
**gas′tehuis -e** guesthouse, lodge
**gas: ~vrou** hostess; **~vry′heid** hospitality
**gat**[1] **-e** hole, gap
**gat**[2] **-te** anus, arse (*vulgar*)
**ga′we -s** gift, donation; talent; *van gunste en ~ leef* live on charity
**geag′ -te** respected; esteemed; **Geag′te Heer** Dear Sir; **Geag′te Heer/Da′me** Dear Sir/Madam
**gebaar′ ..bare** gesture; gesticulation
**gebak′** pastry, cake; *met die ~te pere bly sit* be left holding the baby
**geba′ker:** *kort ~ wees* be short-tempered
**gebed′ -e** prayer; *'n ~ doen* say/offer a prayer
**gebed′(s)roeper -s** muezzin (person)
**gebeur′ ~** happen, occur, come to pass; *wat ook al ~* come what may; **~likheid′** possibility; contingency; **~likheidsplan′** contingency plan; **~tenis′** event, occurrence
**gebied′**[1] (s) **-e** territory, area, domain
**gebied′**[2] (w) **~** command, order, direct; *iem. hiet en ~* order someone around
**gebit′ -te** set of teeth; dentures
**gebod′ ..booie** commandment; command,

order, decree; *iem. die tien gebooie voorlees* bring someone to book
**gebooi'e** marriage banns
**geboor'te -s** birth; ~**beper'king** birth control, family planning; ~**dag** birthday *ook* **verjaar'(s)dag;** ~**sy'fer** birth rate
**gebo're** born; née; ~ *en getoë* born and bred
**gebou' -e** building, construction
**gebrek' -e** defect, fault; lack, want; ~ *ly* suffer want; ~**kig** defective, faulty; *sy kennis van Engels is ~kig* his English is poor; ~**lik** disabled *kyk* **gestrem'**; infirm; ~**like kind** crippled/deformed child
**gebroe'ders** brothers; ~ **Jones** Jones Bros
**gebro'ke** broken; ~ **gesin/huis** broken home
**gebruik' (s) -e** use; usage; practice, habit, custom; *in ~ neem* put into service; (w) use, employ, enjoy; ~**s'aanwysing** directions for use; ~**te mo'tor** used car; ~**ervrien'delik** userfriendly
**gedaan' ..dane** done, finished; exhausted; *gedane sake het geen keer nie* it is no use crying over spilt milk
**gedag'te -s** thought, idea, notion, opinion; *~s wissel oor* exchange views on; ~**nis'** remembrance, memory; keepsake; *ter ~nis aan* in memory of
**gedeel'te -s** part, section, portion, share, instalment; ~**lik** partly, partially
**gedek' -te** covered (head); pregnant (animal); secured (debts)
**gedemp' -te** filled up; dim; *op ~te toon* in a muffled voice
**gedenk'** ~ remember, commemorate; *ons ~ sy geboorte* we commemorate his birth; ~**boek** memorial volume, album; ~**diens** memorial service; ~**naald** obelisk; ~**pen'ning** medal(lion); ~**plaat** plaque; ~**skrif** memoir; ~**te'ken** monument, memorial
**gedenkwaar'dig -e; -er, -ste** memorable; ~**e dag** memorable day
**gedig' -te** poem
**geding' -e** lawsuit, case *ook* **hof'saak**
**gedissiplineer' -de** disciplined
**gedoen'te -s** fuss, noise; happening
**gedra'** ~ behave, conduct, act; *hy ~ hom goed* he behaves well
**gedrag'** (s) behaviour, conduct; ~**s'kode** code of conduct/ethics; ~**sielkunde** behavioural psychology; ~**s'lyn** line of conduct
**gedrog' -te** monster, monstrosity
**gedug' -te** formidable, tremendous, severe; ~**te span** formidable team
**geduld'** patience, forbearance; *my ~ is op* my patience is exhausted; ~**ig** (b) patient
**gedu'rende** during *ook* **ty'dens**
**gedu'rig** (b) **-e** constant, continual, incessant; (bw) constantly, continually
**gedwee'** (b) submissive, meek, docile
**gedwon'ge** compulsory, (en)forced; ~ **fout** forced error (tennis)
**gee ge-** give, confer, present with, yield; *dit gewonne ~* yield the point; *te kenne ~* notify, intimate
**geëer' -de** honoured; ~**de gas'te** honoured guests
**geel** yellow; ~**bek** Cape salmon; ~**hout** yellowwood; ~**slang** yellow cobra; ~**sug** jaundice; ~**vink** yellow finch; ~**wor'tel** carrot
**geen[1]** none; no; ~ *van beide* neither of the two
**geen[2]** (s) **ge'ne** gene *ook* **erf'likheidsbepa'ler** (biol.) *kyk* **gene'tiese manipule'ring**
**geeneen'** no one, not one
**geen'sins** by no means, not at all
**gees -te** spirit, ghost; mind, wit, intellect; *die ~ is gewillig maar die vlees is swak* the spirit is willing but the flesh is weak; *teenwoordigheid van ~* presence of mind; ~**drif'** enthusiasm *ook* **entoesias'me**
**geesdrif'tig** (b) enthusiastic, keen
**gees'telik -e** spiritual; intellectual; religious; ~**e** clergyman/cleric, minister, parson
**gees'tes:** ~**gesteld'heid** state of mind, mentality; ~**we'tenskappe** human sciences
**gees'tig** (b) witty, bright, smart
**gege'we** given; *op 'n ~ uur* at a given hour
**gege'wens** data, information *ook* **da'ta**; **nadere/meer** ~ further details
**gegig'gel** giggling, tittering
**gegradueer'de -s** graduate (person) *ook* **graduaat'**
**gegroet'!** greetings! hail! *ook* **groet'nis, dag'sê!**
**gegrond' -e** well-founded; ~**e re'des** sound reasons
**gehal'te** quality, standard *ook* **kwaliteit'**; *hoë ~* high standard; ~**beheer'** quality control
**geha'wend** (b) **-e** battered, dilapidated
**geheel'** (s) whole; entireness/entirety; *oor die ~* on the whole; (b) whole, entire, complete; (adv) all, entirely; quite; ~ *en al* completely; ~**onthou'er** teetotaller
**geheg' -te** attached; fond of; ~ *aan* attached/devoted to

**geheim′** (s) **-e** secret; *'n ~ verklap* let the cat out of the bag; (b) secret; **~hou′ding** secrecy, concealment
**geheimsin′nig** mysterious *ook* **raaiselag′tig**; **~heid** mystery
**geheu′e -s** memory; **~verlies′** loss of memory; amnesia
**gehoor′** hearing; **..hore** audience; *die ~ toespreek* address the audience; **~appa=raat′** hearing aid; **~buis** receiver (tel.) *ook* **hoor′stuk**
**gehoor′saam** (w) ~ obey, submit; (b) obedi=ent, submissive
**gehuud′ gehude** married; **on′gehude moe′der** unmarried mother
**gei′gerteller -s** geiger counter
**geil -er, -ste** rank; rich, fertile; lush *ook* **we′lig**; **~jan** fatcat (person)
**geïllustreer′ -de** illustrated; pictorial
**geïnteresseer′ -de** interested; *hy is ~ (stel belang) in musiek* he is interested in music
**gei′ser -s** geyser
**geit′jie -s** small lizard; shrew (woman)
**gek** (s) **-ke** fool, madman, guy; *vir die ~ hou* make a fool of; *die ~ skeer* poke fun at; (b) foolish, mad, queer, crazy
**gekeur′: ~de spe′ler** seeded player (sport)
**gek′heid** folly, foolishness, madness; *alle ~ op 'n stokkie* all joking aside
**gek′ke: ~getal′** fool's number, number ele=ven; **′~paradys′** fool's paradise
**gek′ko** (s) gecko *ook* **boom′geitjie**
**geklets′** (s) tattle, twaddle
**geklik′**[1] (s) clicking; *sy kantoor is ~* his office is bugged
**gek′lik**[2] (b) silly, foolish .
**geknoei′** (s) messing; plotting, scheming
**gekompliseer′ -de** complicated
**gekonfyt′:** *~ wees in* be well versed in
**gekon′kel** (s) scheming
**gekruis′ -te** crossed; **~te tjek** crossed cheque
**gek′skeer -ge-** jest, joke, fool; *hy laat nie met hom ~ nie* he is not to be trifled with
**gekwalifiseer′ -de** qualified, certificated
**gekwes′ -te** wounded; disabled; **~te bok** wounded buck
**gekwets′ -te** hurt, offended; **~te gevoe′lens** hurt feelings
**gelaat′ gelate** face, countenance *ook* **gesig′**; **~s′kleur** complexion
**gelag′**[1] (s) laughter, laughing
**gelag′**[2] score, bill; *die ~ betaal* pay the piper/bill

**gelang:** *na ~ van* according to
**gelas′** (w) ~ order, instruct, command; *~ die soektog af* call off the search
**geld**[1] (s) **-e** money, cash; *~ soos bossies* money like dirt; *~ wat stom is, maak reg wat krom is* money works wonders
**geld**[2] (w) **ge-** be in force, be valid, concern, apply to
**gel′delik -e** monetary, financial, pecuniary; **~e verknor′sing** financial dilemma
**geldgie′rig** covetous, miserly *ook* **hebsug′tig**
**gel′dig -e** legal, valid, binding; *die koepons is ~ vir een maand* the coupons are valid for one month; **~e re′des** valid/acceptable reasons
**geld: ~in′sameling** fundraising; **~stuk** coin; **~trom′mel** moneybox/cashbox; **~wolf** moneygrabber, miser
**gele′de** ago, past; (b) articulated (vehicle) *kyk* **kop′pellorrie**; *vyftig jaar ~* fifty years ago; *tot kort ~* until recently
**gele′ë** situated; convenient; *ter geleëner tyd* in due course
**geleent′heid ..hede** opportunity; occasion; **~spre′ker** guest speaker *ook* **gas′spreker**
**geleerd′** (b) learned, scholarly; trained; **~e** scholar, learned person
**geleerd′heid** learning, erudition
**gelei′: ~delik′** gradually; **~er** guide; conduc=tor (material)
**gelid′ geledere** rank, file
**gelief′ -de** dear, beloved; **~de** beloved one, dearest, sweetheart
**gelief′koosde** favourite *kyk* **gun′steling**
**gelie′we** please; *~ kennis te neem van 'n vergadering* notice is hereby given of a meeting; *~ my te laat weet* please let me know
**gelof′te -s** vow, solemn promise
**Gelof′tedag** Day of the Vow (hist.)
**geloof′** (s) religion, faith; credo; trust; **..lowe** belief, creed
**geloofs′: ~bely′denis** credo, confession of faith; **~brie′we** credentials, letters of cre=dence; **~gene′ser** faith healer; **~vry′heid** freedom of faith/worship
**geloofwaar′dig -e; -er, -ste** trustworthy, credible, authentic; **~heid** credibility
**gelo′wig -e; -er, -ste** believing, faithful, pious; **~e** true believer (person)
**geluid′ -e** sound, noise
**geluk′** (s) **-ke** joy, happiness; good luck; fortune; *veels ~* hearty congratulations;

*veels* ~ *met u/jou verjaardag* many happy returns; ~**brin'ger** mascot *ook* **ta'lisman**
**geluk'kig -e; -er, -ste** happy; fortunate, lucky
**geluk'**: ~**skoot** windfall, fluke; ~**soe'ker** adventurer, fortune hunter; ~**s'pakkie** lucky dip/packet
**geluk'wens** (w) congratulate; ~**ing** congratulation(s)
**gelyk'** (b) **-e; -er, -ste** equal, even, similar; deuce (tennis)
**gely'ke -s** equal, like; peer *ook* **portuur'**; ~**nis** resemblance, likeness; parable
**gelyk'heid** equality; similarity, evenness *ook* **pariteit'**
**gelyk'maak -ge-** level; raze; equalise
**gelyk'op** equally, fifty-fifty; ~ *speel* play to a draw/tie; ~ *verdeel* divide equally
**gelykty'dig -e** simultaneous, concurrent
**gemaak' -te** affected, forced; *so ~ en so laat staan* beyond redemption; ~**t'heid** affectation, pretence
**gemak'** ease, convenience, comfort; *op sy (dooie)* ~ at ease; ~**hui'sie** toilet, loo; ~**lik** easy; convenient; comfortable
**gemas'ker -de** masked; ~**de bal** masked (fancy dress) ball *ook* **mas'kerbal**
**gema'tig** (b) **-de** moderate (person); temperate (climate)
**gemeen'** (b) common; mean, vulgar, *niks ~ hê nie* have nothing in common; **geme'ne spel** foul play; ~**plaas** (s) commonplace; platitude, cliche; ~**skap** community; intercourse; *in/met ~skap van goed* in community of property
**gemeen'skap**: ~**sbou** community development; ~**sen'trum** community centre
**gemeen'te -s** (church) congregation, parish
**geme'nereg/geme'ne reg** common law
**gemeng' -de** mixed, miscellaneous
**gemeubeleer'/gemeubileer'** furnished
**gemid'deld** (b) **-e** average, mean; ~**e temperatuur'** mean temperature
**gem'mer** ginger; ~**bier** ginger beer; ~**lim(ona'de)** ginger ale
**gemoed' -ere** mind, heart; *sy ~ lug* vent one's feelings
**gemoe'delik** (b) good-natured, genial
**gemoeid'** concerned, at stake; *baie geld is daarmee* ~ a big sum is involved
**gemors'** mess, waste; hash
**gems'bok -ke** gazelle, roebuck (Bible); gemsbuck, oryx
**gena'de** mercy, grace, clemency; ~**brood** bread of charity; ~**dood** euthanasia/mercy killing; ~**lap'pie** G-string *ook* **deur'trekker**; ~**slag** deathblow, coup de grâce
**gena'dig -e; -er, -ste** merciful, lenient
**gene'ë meer** ~, **mees** ~ inclined, disposed
**genees'** ~ cure, heal; recover; *iem. ~ van* cure a person of; ~**heer** physician, doctor, family practitioner *kyk* **huis'arts**
**genees'kunde** medical science, medicine
**geneeskun'dig -e** medical; ~**e on'dersoek** medical examination; ~**e** physician
**genees'middel -s** remedy, medicine, drug
**geneig'** inclined, prone; ~ *tot die verkeerde* prone to wrong; **on'geluks**~ accident prone
**ge'ner**: *van nul en ~ waarde* null and void
**generaal'** (s) **-s** general; **direkteur'-**~ director-general
**genera'sie -s** generation *ook* **geslag'**; ~**ga'ping** generation gap
**gene'ries**: ~**e medisy'ne** generic medicines
**gene'sing** recovery, restoration to health
**ge'nesis** genesis, origin *ook* **wor'ding**
**gene'ties -e** genetic; ~**e manipule'ring** genetic engineering
**genie' -ë** genius (person)
**geniep'sig -e; -er, -ste** underhand; spiteful, malicious *ook* **veny'nig**
**genië'ring** engineering (process)
**geniet'** ~ enjoy, possess; *ek het die aand* ~ I enjoyed the evening
**genoe'ë -ns** pleasure, delight; joy; *dit doen my* ~ it gives me pleasure
**genoeg'** enough, sufficient *ook* **voldoen'de**
**genoot' ..genote** fellow (of a society); ~**skap** society *ook* **vere'niging**
**genot'** (s) enjoyment, pleasure; ~**vol** delightful, enjoyable
**genug'tig**: *my goeie ~!* good gracious
**geografie'** geography *ook* **aard'rykskunde**
**geologie'** geology *ook* **aard'kunde**
**geoloog' ..loë** geologist (person)
**geometrie'** geometry *ook* **meet'kunde**
**gepaard' -e** coupled, in pairs; ~ *gaan met* coupled with, accompanied by
**gepas'** (b) **-te** becoming, suitable, seemly
**gepensioeneer' -de** pensioned; ~**de** (s) pensioner *ook* **pensioena'ris/pensioen'trekker**
**gepeu'pel** mob, populace, rabble
**geraam'te -s** skeleton, carcass; framework
**geraas'** noise; ~**bestry'ding** noise abatement

**geraffineer′ -de** refined; consummate; ~**de sui′ker** refined sugar
**gereed′** ready, prepared; ~**skap** tools, imple⸗ments
**gere′ël -de** arranged, adjusted; *alles is ~* everything has been arranged
**gereeld′ -e; -er, -ste** regular, orderly; *hy kom ~ laat* he is always late
**gereg′**[1] **-te** dish, course, meal *ook* **maal′tyd**
**gereg′**[2] justice; court; *voor die ~ verskyn* appear before court; ~**s′bode** messenger of the court; sheriff; ~**telik′** judicial, legal
**gereg′tig -de** entitled, qualified; *~ op* entitled to; ~**heid** justice
**gerei′: eet~** cutlery; **hen′gel~** fishing tackle; **huis~** household appliances; **skryf~** sta⸗tionery *ook* **skryf′ware/skryf′goed**
**gerf gerwe** sheaf
**gerief′ ..riewe** comfort, convenience; facility; loo, closet; ~**lik′** convenient, comfortable; commodious; ~**s′hal′we** for the sake of convenience
**gering′ -e; -er, -ste** small, slight, trifling; *weg van die ~ste weerstand* line of least resistance
**gerog′gel** rattling (in throat); death rattle *ook* **doods′roggel**
**geroos′ter -de** roasted, toasted; ~**de brood** toast *ook* **roos′terbrood**
**gerug′ -te** rumour, report; *~te versprei* spread rumours
**gerui′me:** *'n ~ tyd* a considerable time
**gerus′** (b) **-te** quiet, calm, peaceful; (bw) safely, really; *jy kan dit ~ doen* you can safely do it; *kom ~* do come
**gerus′stel** (w) **-ge-** reassure, soothe, relieve
**gesaai′de -s** crop(s) *ook* **gewas′**
**gesag′** authority, power, influence; ~**voer′der** commander *ook* **bevel′hebber**
**gesa′mentlik** (b) **-e** total (amount); collective; united (forces); joint (owners)
**gesang′** (s) **-e** song, hymn
**gesant′ -e** ambassador; minister plenipoten⸗tiary; envoy, emissary
**gese′ën -de** blessed, fortunate; ~**de Kers′fees** Merry Christmas
**geseg′de** (s) **-s** saying, expression
**gesel′**[1] (s) **-le** mate, companion; ~**lin′neklub** escort agency
**ge′sel**[2] (s) **-s** scourge, whip; (w) scourge, whip; flagellate
**gesel′lig -e; -er, -ste** sociable, homelike, cosy, comfy; ~**heid** social function/party
**gesels′** ~ chat, talk
**gesel′skap -pe** company; party; (artistic) group; ~**sda′me** hostess
**geset′** (b) **-te** stout, corpulent, stocky
**gesien′:** *'n ~e man* an esteemed man
**gesig′ -te** face, sight, view; vision; eyesight; ~**gie** little face; pansy (flower)
**gesig′(s):** ~**bedrog′** optical illusion; ~**ein′der** horizon; ~**kuur** facelift *ook* **ontrim′peling**; ~**punt** viewpoint; ~**sne′sie** facial tissue
**gesin′ -ne** household, family *ook* **huis′gesin**; ~**smoord** family killing
**gesind′** (b) **-e** disposed, minded; ~**heid** atti⸗tude, disposition, inclination
**gesins′beplanning** family planning
**Gesins′dag** Family Day (holiday)
**geskei′** (b) separated, parted; divorced
**geskenk′ -e** present, gift; ~**bewys** gift voucher
**geskied′** ~ happen, occur, take place; *U wil ~* Thy will be done
**geskie′denis -se** history
**geskiedkun′dig -e** historical
**geskied′skrywer -s** historian
**geskik′ -te; -ter, -ste** fit, suitable *ook* **bruik′⸗baar**; proper; capable, appropriate
**geskil′ -le** quarrel, difference, dispute; *'n ~ besleg/bylê* settle a dispute
**geskool′ -de** trained, schooled, skilled; ~**de ar′beiders** skilled labourers
**geskree(u)′** shouting, crying, shrieking; *veel ~ en weinig wol* much ado about nothing
**geskrif′ -te** writing, document
**geskut′** cannon, artillery
**geslaag′:** ~**de kandidaat′** successful candi⸗date *ook* **sukses′vol**
**geslag**[1] (s) **-te** gender, sex; lineage, race; generation; species; *die skone ~* the fair sex; ~**siekte** venereal disease
**geslag′**[2] (b) **-te** slaughtered; butchered
**geslags′:** ~**drang/~drif** sex drive/urge; ~**gelyk′heid** gender equity; ~**orga′ne** geni⸗tals, sexual organs; ~**regis′ter** genealogical register; ~**voor′ligting** sex education
**geslag′telik -e** sexual
**gesle′pe** sly, cunning *ook* **skelm, slu**; cute
**geslo′te** closed, shut; reticent; *agter ~ deure* privately, in camera; ~ **gele′dere** closed shop (trade unions)
**gesofistikeerd** (b) sophisticated
**gesog′ -te** contrived, far-fetched; in demand
**gesond′ -e; -er, -ste** healthy, sound; whole⸗

some; sane; ~**e verstand**′ common sense; ~**heid** health, soundness; ~**heidsorg**′ health care; ~**heid!** cheers!; *op iem. se ~heid drink* drink to someone's health
**gesout**′ **-e** salted; seasoned; immune (horse)
**gespan′ne** tense, strained
**ges′pe** (s, w) **-s** buckle, clasp
**gespesifiseer**′ **-de** specified (account)
**gespik′kel/gesprik′kel -de** speckled, spotted
**gesprek**′ **-ke** conversation, discourse; **ver=trek**′~ exit interview
**gespuis**′ rabble, scum, riffraff *ook* **gepeu′pel**
**gestal′te -s** build; stature, figure; size
**gestel**′ (s) body, system; (vgw) supposing, assuming
**geste′wel -de** booted; ~ *en gespoor* ready, booted and spurred
**gestig**′ **-te** institution, establishment; asylum
**gestrem**′ (b) handicapped, disabled; ~**de** (s) disabled/handicapped person
**gesuk′kel** botheration; bungling
**geswel**′ **-le** swelling, tumour, growth
**getal**′ **-le** number; **gely′ke** ~ even number
**getjank**′ (s) yelping, whining
**getrou**′ (b) faithful; true, reliable, trusty
**getroud**′ **-e** married; **kwartie′re vir** ~**es** married quarters
**getui′e** (s) **-s** witness; ~**nis** evidence, testi=mony; *~nis aflê* give evidence
**getuig**′ ~ testify, bear witness; give evidence; ~**skrif** testimonial, reference
**gety**′ **-e** tide; *as die ~ verloop, versit 'n mens die bakens* one must set one's sails to the wind; ~**poel** tidal pool
**geur** (s) **-e** fragrance; scent, odour, aroma, essence; flavour
**geu′rig** (b) fragrant *ook* **welrie′kend**
**geut -e** gutter; sewer, drain; duct
**gevaar**′ **geva′re** danger, peril, risk; *buite* ~ out of danger (patient); ~**lik** dangerous, peri=lous; ~**like af′val** toxic waste; **-te** colossus, monster
**geval**′ (s) **-le** case, event, matter; *in alle* ~ in any case; ~**lestudie** case history
**gevan′gene** (s) **-s** prisoner, captive (person)
**gevan′genis -se** prison, jail, gaol
**gevat**′ **-te; -ter, -ste** shrewd, clever, smart, quick; *~te antwoord* witty reply/retort
**geveg**′ **-te** fight, battle, combat; *buite ~ stel* put out of action; ~**s′linie** battle zone
**geveins**′ **-de** feigned, false, pretending, hypo=critical
**gevoel**′ (s) **-ens** feeling, sentiment, sense, sen=sation, emotion
**gevoe′lig -e; -er, -ste** tender, sensitive; ~**e slag** severe blow
**gevolg**′ **-e** consequence, result; retinue, fol=lowers; suite; *ten ~e van* as a result of *ook* **weens**; *die ~e dra* bear the consequences; ~**lik** consequently, hence
**gevolg′trekking** conclusion; deduction; *oor=haaste ~ maak* jump to conclusions
**gevolmag′tigde -s** plenipotentiary; proxy
**gevor′der -de** advanced; *op ~de leeftyd* at an advanced age
**gevreet**′ gnawing pain; gorging; **..vre′te** face, mug, phiz *ook* **bak′kies**
**gewaag** (b) **-de** risky, dangerous, bold, hazar=dous; ~**de stap** bold decision
**gewaar′merk -te** hallmarked; certified; ~**te af′skrif** certified copy
**gewaar′word -ge-** become aware of, perceive, notice; ~**ing** perception, sensation
**gewa′pen -de** armed, prepared
**gewas**′ (s) **-se** crop(s), harvest; growth, tu=mour; **kwaadaar′dige** ~ malignant growth
**geweer**′ **-s ..were** rifle, firearm, gun; *pre=senteer ~ !* present arms!
**ge′wel -s** gable; ~**huis** gabled house
**geweld**′ force, violence
**geweldda′dig -e** violent; ~**e dood** violent death
**gewel′dig** (b) **-e; -er, -ste** violent, severe; (bw) dreadfully, awfully; ~ *duur* extremely ex=pensive
**geweld′pleging** (public) violence
**ge′wer -s** giver; donor *ook* **sken′ker**; **donateur**′
**gewer′skaf** (s) bustle, to-do, fuss
**gewe′se** late, former; ex-; ~ **ko′ning** former king *ook* **voorma′lige ko′ning**
**gewe′te -ns** conscience; *sy ~ kwel hom* his conscience pricks him
**gewe′tens:** ~**beswaar**′ conscientious scruple/objection; ~**wroe′ging** qualms of con=science
**gewig**′ **-te** weight/mass; importance, moment; **soort′like** ~ specific gravity; ~**op′teller** weightlifter *ook* **krag′opteller**
**gewild**′ **-e** wished-for, popular, in demand *ook* **populêr**′
**gewil′lig** (b) willing, ready *ook* **bereid**′
**gewis**′ (b) **-se** sure, certain; ~**se dood** certain death; (bw) certainly, surely
**gewoel**′ (s) bustle, tumult, stir; crowd
**gewon′ne** won; *dit ~ gee* yield the point

**gewoon′** common, ordinary, usual; ~**d′** accus⸗tomed, used; ~**lik** usually, ordinarily; ~**te** habit, custom, practice; *ouder ~te* accord⸗ing to custom
**gewoon′temisdadiger** habitual criminal
**gewrig′ -te** joint, wrist
**gewyd′ -e** sanctified, consecrated, sacred; ~**e oom′blik** sacred moment
**ghan′tang -s** suitor, lover *ook* **vry′er**
**ghitaar′ -s ..tare** guitar *ook* **kitaar′**
**ghoen -e, -s** shooting (big) marble
**ghoe′roe** (s) mentor, (spiritual) leader, guru *ook* **leer′meester**
**gholf** golf; ~**baan** golf course; ~**jog′gie** cad⸗die; ~**klub′** golf club; ~**stok** golf club
**ghong -s** gong
**ghries** (s) grease; (w) lubricate, grease
**gids -e** guide; directory; ~**aan′leg** pilot plant; ~**hond** guide dog
**gier** (s) **-e** fancy, whim, caprice *ook* **gril**; *die ~ kry* get a sudden fancy
**gie′rig -e; -er, -ste** avaricious, miserly; ~**aard** miser (person)
**giet ge-** pour; cast, found; ~**ende reën** pouring rain; ~**er** watering can; ~**ys′ter** cast iron
**gif**[1] poison, venom *ook* **gif′stof**
**gif**[2] **-te** present, gift, donation *ook* **geskenk′**
**gif:** ~**stof** poison; ~**tand** poison fang; ~**tig** poisonous, venomous
**gig′gel ge-** giggle; snigger
**gig′olo** (s) gigolo, toyboy
**gil** (s) **-le** yell, scream, shriek; (w) yell, scream
**gil′de -s** guild; fraternity
**gimka′na** gymkhana *ook* **rui′tersport**
**gimnas′ -te** gymnast
**gimna′sium -s** gymnasium
**gimnastiek′** gymnastics; ~**verto′ning** gym⸗nastics display
**ginekoloog′ ..loë** gynaecologist (doctor)
**gips** gypsum, plaster of Paris
**giraf′ -fe, -s** giraffe *ook* **kameel′perd**
**gis**[1] (s) yeast; (w) ferment, rise
**gis**[2] (w) **ge-** guess, conjecture
**gis′ter** yesterday; *nie ~ se kind nie* no chicken
**gisteraand′** yesterday evening, last night
**gistermô′re/gistermo′re/gisterog′gend** yes⸗terday morning
**gits!** *o ~!* oh dear! oh my!
**git′swart** jet-black
**glas′oog ..oë** artificial eye
**glad** (b) **-de; -der, -ste** smooth; slippery *ook* **gly′erig;** sleek; *so ~ soos seep* very slippery; (bw) quite, altogether; even; *~ nie* not at all
**glans** (s) gloss, lustre; brilliancy; (w) shine, gleam, glitter; ~**geleent′heid** glittering/grand occasion; ~**kring(e)** high society; ~**punt** highlight, crowning feature; ~**tyd′⸗skrif** glossy magazine; ~**verf** gloss/enamel paint
**glas -e** glass, tumbler; **geslyp′te** ~ cut glass; ~**bla′ser** glassblower
**glas′helder** clear as crystal
**glasuur′** enamel (teeth); glazing (pottery)
**glet′ser -s** glacier
**gleuf gleuwe** groove; slot; **tyd~** time slot
**glib′berig -e; -er, -ste** slippery, slimy
**glim′lag** (s) **-te** smile; (w) **ge-** smile
**glim:** ~**drag** safety clothing; ~**verf** luminous paint; ~**wurm** glowworm, firefly
**glin′ster ge-** glitter, glisten, sparkle
**glip ge-** slip, slide; **die ~pe** the slips (cricket)
**glips -e** slip, slip-up, mistake *ook* **blaps**
**glip′weg ..weë** slipway, filter (traffic)
**glo** (w) **ge-** believe, credit, trust; *~ aan spoke* believe in ghosts; *~ in God* believe in God
**gloed** glow, heat; ardour, fervour, passion
**gloei ge-** glow, be red-hot; ~**end** glowing; scorching; ~**lamp** (electric) bulb
**glo′rie** glory, lustre, fame
**gly ge-** glide, slide, slip; ~**erig′** slippery; ~**ket′ting** choke chain (dog); ~**skaal** slid⸗ing scale
**g′n** no; not *ook* **geen**
**God** God; *~ sy dank* thank God; *as ~ wil* God willing
**god -e** idol, god
**god:** ~**dank** thank God; ~**delik′** divine, sublime, glorious
**goddeloos′** godless, wicked, sinful
**godin′ -ne** goddess
**godlo′ënaar -s** atheist, unbeliever
**gods′diens -te** divine worship, religion, faith; ~**on′derrig** religious instruction
**godsdiens′tig** (b) religious, pious; devout
**godslas′terlik -e; er, -ste** blasphemous
**gods′naam:** *in ~* for Heaven's sake
**godvre′send** God-fearing; pious
**goed**[1] (s) **-ere** goods, stuff, property, things; *getroud in gemeenskap van ~* married in community of property
**goed**[2] (b) **goeie; beter, beste** good, kind, well, proper; *iets ~s* something good
**goed:** ~**aar′dig** good-natured; ~**bedeeld′**

buxom, full-bosomed (woman); ~**doen** do good; cheer up; ~**dun'ke** opinion, discretion; *na ~dunke* at will/discretion
**goe'dere:** ~**loods** goods shed; ~**trein** goods train
**goed:** ~**gaan!** goodbye, cheerio!; ~**guns'tig** well-disposed; ~**har'tig** kind-hearted; ~**heid** kindness, goodness
**goe'dig -e** good-natured, kind *ook* **meegaan'de**
**goed'keur -ge-** approve, confirm, consent; ~**ing** approval, consent; *sy ~ing wegdra* meet with his approval
**goed:** ~**koop** (b) cheap, inexpensive; *~koop is duurkoop* a bad bargain is dear at a farthing
**goed'vind -ge-** think fit, approve of
**goeie:** ~**middag!** good afternoon! ~**môre!/** ~**mo're!** good morning! ~**nag'!** good night!
**goei'en:** ~**aand!** good evening *ook* **naand'sê**; ~**dag!** good day! ~**dag sê** greet; say good day *ook* **dag'sê!**
**Goeie Vry'dag** Good Friday
**goei'ste:** *my ~!* dear me! *~ weet!* goodness knows!
**go'ël ge-** juggle, conjure; ~**aar** juggler, magician *ook* **kul'kunstenaar**
**goewerment' -e** government *ook* **rege'ring**
**goewernan'te -s** governess (lady)
**goewerneur' -s** governor
**gog'ga -s** insect, vermin; bogey
**goi'ingsak -ke** gunny/jute bag
**golf**[1] (s) **golwe** bay, gulf
**golf**[2] (s) **golwe** wave, billow; (w) wave; ~**leng'te** wavelength
**gom** gum, glue; ~**snuif** (w) glue sniffing
**gomlastiek'** Indiarubber, elastic
**gom'pou -e** kori bustard (bird)
**gom'tor -re** clodhopper, uncouth person, lout *ook* **ghwar, tak'haar**
**gon'del (-s)** gondola
**gons ge-** buzz, hum, drone; ~**er** buzzer; ~**groep** buzz/discussion group; ~**woord** buzz word *ook* **mo'dewoord/refrein'woord**
**gooi** (w) **ge-** throw, cast, fling
**goor -der, -ste** dirty; nasty; rancid (food)
**gord** (s) band, girdle, belt; (w) gird; *~ vas!* belt/buckle up!
**gor'del -s** belt, girdle; zone (geography); ~**roos** shingles
**gordyn' -e** curtain, blind; *die ~ gaan op* the curtain rises; ~**kap** pelmet
**gor'rel** (s) **-s** throat; (w) gargle, gurgle; waffle (in exam.)
**gort** groats, grits; barley; *die ~ is gaar* the fat is in the fire
**gou -er, -ste** quick, rapid, soon
**goud** gold
**gou'dief ..diewe** pickpocket, sneak thief *ook* **gryp'dief, sak'keroller**
**goud:** ~**myn** goldmine; ~**prys** gold price; ~**rif** gold reef; ~**smid** goldsmith; ~**snee** gilt edge (of book); ~**vis** goldfish
**gou'e** golden, gold; ~ **brui'lof** golden wedding; ~ **ou'es** golden oldies
**gou'-gou** very soon, in a moment, quickly, in a trice/jiffy *ook* **tjop-tjop**
**gous'blom -me** calendula; **Namak'walandse** ~ Namaqualand daisy
**graad grade** degree; stage, grade: **graad 12** grade 12 (former matric); ~**kur'sus** degree course
**graaf**[1] (s) **grawe** spade; (w) dig, burrow *ook* **gra'we/grou**
**graaf**[2] (s) earl (England); count; ~**skap** county, shire; earldom
**graag liewer, liefste [graagste]** gladly, readily, willingly; *ek wil ~ weet* I would like to know
**graan grane** grain, corn; cereal
**graan:** ~**kor'rel** grain seed; ~**si'lo** grain elevator *ook* ~**sui'er;** ~**sor'ghum** (grain) sorghum; ~**sui'er** grain elevator; ~**vlok(kie)** cornflake
**graat grate** fishbone
**graat'jiemeerkat -te** true meercat; suricat
**gra'de:** ~**dag** honours day; ~**pleg'tigheid** graduation ceremony
**gradueer' ge-** graduate (at university)
**graf -te** grave, tomb
**grafiek' -e** graph
**grafiet'** graphite *kyk* **pot'lood**
**graf:** ~**kel'der** vault; ~**skrif** epitaph; ~**steen** tombstone
**grag -te** canal, ditch; moat (round castle)
**gram -me** gram
**gramadoe'las** rough country, outback, bundu *ook* **boen'doe**
**gramma'tika -s** grammar
**grammofoon' ..fone** gramophone; ~**plaat** gramophone record
**granaat' ..nate** pomegranate (fruit); grenade, shrapnel; garnet (gem)
**graniet'** granite
**grap -pe** joke, jest; fun; ~**jas** joker, merry andrew; ~**pig** (b) funny, comic(al), amusing

**gras -se** grass
**gra'sie** grace, favour; *by die ~ Gods* by the grace of God
**grasieus'** (b) graceful, elegant *ook* **sier'lik**
**gras:** **~perk** lawn; **~sny'er** lawnmower; **~we'duwee** grass widow
**gra'tis** gratis, free; ~ **mon'ster** free sample
**graveer'** **~, ge-** engrave
**gravin'** **-ne** countess
**greep grepe** grasp, grip; hilt; byte (comp.); *'n ~ uit die geskiedenis* a dip into history
**grein -e** grain; **~tjie** particle; *geen ~ nie* not an atom
**grenadel'la -s** grenadilla (fruit)
**gren'del** (s) **-s** bolt, bar; (w) bolt, bar
**grens**[1] (s) **-e** boundary, border, limit, frontier; *aan die ~* on the border; **~oor'log** frontier war
**grens**[2] (w) **ge-** cry; **~ba'lie** crybaby *ook* **tjank'balie**
**grens:** **~(e)loos'** boundless, infinite; **~oor'log** frontier war; **~voor'dele** fringe benefits *ook* **by'voordele**
**gre'tig** (b) **-e; -er, -ste** eager, keen; greedy
**grief** (s) **griewe** grievance
**griep** (s) influenza, flu
**grie'selig -e; -er, -ste** creepy, gruesome, grisly
**grif'fel grif'fie -s** slate pencil
**griffier -s** registrar, recorder (in law)
**gril**[1] (s) **-le** caprice, whim, freak
**gril**[2] (w) **ge-** shudder; **~lig** whimsical, fanciful; eerie, creepy
**grimeer'** **~, ge-** make up (face)
**grin'nik ge-** sneer, mock, grin, snigger
**groef** (s) **groewe** groove, flute; *in 'n ~ raak* get into a rut
**groei** (s) growth; (w) grow; **~fonds** growth fund; **~koers** growth rate; **~py'ne** growing pains; **~sel** growth, tumour
**groen** green; verdant; unripe
**groen'te -s** vegetables, greens
**groen'tjie -s** fresher/freshette; novice
**groep** (s) **-e** group; **~dina'mika** group dynamics; **~verkrag'ting** gang rape
**groepeer'** **~, ge-** group, form groups; assort
**groet** (s) **-e** salute, greeting; (w) greet, salute, shake hands, say goodbye; **~e/~nis'** regards, greetings; *groete van huis tot huis* love to all at home
**grof growwe; growwer, -ste** coarse; rough; rude, gruff; **~smid** blacksmith
**grom ge-** grumble, growl, grouse
**grond** (s) **-e** ground, soil; reason; *te ~e gaan* be ruined; *op ~ van* by virtue of; (w) found, ground, base; **~belas'ting** land tax; **~bewa'ring** soil conservation; **~boon(tjie)** peanut, monkeynut; **~gebied'** territory
**gron'dig -e; -er, -ste** thorough, searching; *~e ondersoek* thorough investigation
**grond:** **~laag** bottom layer; first coat (paint); **~leg'ging** foundation; **~reëls** constitution (of an association/club); **~slag** foundation, basis; **~stof** element, raw material
**grond'waardin -ne** ground hostess
**grond'wet** (written) constitution, fundamental law (of a country) *ook* **konstitu'sie**; **~ge'wende verga'dering** constitutional assembly; **~like hof** constitutional court
**groot groter, -ste** great, large, big, tall; vast; grown-up, adult; *grote genugtig!* good gracious!; *soos 'n ~ speld verdwyn* disappear on the sly; **~bek** braggart; **~boek** ledger
**Groot-Brittan'je** Great Britain
**groot'handel** wholesale trade; **~aar** wholesaler
**groothar'tig -e; -er, -ste** magnanimous
**groot'heid** greatness, magnitude; grandeur; quantity (maths.); *die ~ van Napoleon* the greatness of Napoleon; **~(s)waan'** megalomania, delusions of grandeur
**groot'jie -s** great grandmother/father; *loop na jou ~* go to blazes
**groot:** **~liks** greatly, to a great extent; **~maak** rear, bring up; **~man:** *jou ~man hou* pretend, show off; **~mens** adult, grown-up (person); **~moe'der** grandmother; **~moe'dig** magnanimous; **~oë:** *~oë maak* show disapproval; **~ouers** grandparents; **~pad** highroad, main road; **~praat** brag, boast
**groot:** **~skaals** on a large scale; extensive; **~skeeps** grandiose; on a large/grand scale
**groot'te -s** size, extent; *die ~ van die kamer* the size of the room
**groot:** **~va'der** grandfather; **~wild** big game
**gros** gross; majority; **~lys** shortlist
**grot -te** cave, grotto; **~bewo'ner** cave dweller/troglodyte; **~kun'de** speleology
**gro'tendeels** for the greater part, chiefly
**gru ge-** shudder; **~moord** gruesome murder
**gruis** gravel; crushed mealies
**gru'wel -s** horror, abomination, crime; **~daad** crime, atrocity, outrage; **~grot** chamber of horrors
**gru'welik -e; -er, -ste** horrible, gruesome *ook* **afsku'welik, afgrys'lik**

**gryns** (s) **-e** grin, sneer; (w) grin, sneer; ~**lag** grin, sneer
**gryp ge-** seize, snatch, grab, clutch; ~**dief** snatch and grab thief, bag snatcher
**grys -e; -er, -ste** grey; *die ~e verlede* hoary antiquity, dim past; ~**aard** old man, grey=beard
**guerril'la -s** guerrilla (war)
**guilloti'ne -s** guillotine *ook* **val'byl**
**gul'de** (b) golden; *'n ~/goue geleentheid* a golden opportunity
**gulp -e** fly (of trousers)
**gul'sig -e; -er, -ste** gluttonous, greedy
**gun ge-** grant, allow; not grudge; *ek ~ jou dit* you are welcome to it
**guns -te** favour, goodwill; *'n ~ bewys* do a favour; *ten ~te van* in favour of; ~**bus(sie)** courtesy bus; ~**loon** kickback, unofficial commission; ~**teling'** favourite: *my gunste=lingskrywer* my favourite author; ~**tig** favourable, advantageous; ~**tige lig'ging** favourable site/situation
**guur -der, -ste** bleak, cold, harsh; **gu're weer** inclement/rough/foul weather
**gy'selaar -s** hostage; *vrylating van ~s* release of hostages (people)

# H

**haai**[1] (s) **-e** shark (sea fish)
**haai!**[2] (tw) heigh! I say!
**haai**[3] bleak, barren; *die ~ Karoo* the barren Karoo
**haak** (s) **hake** hook, hasp, bracket; (w) hook; heel (ball); *alles in die ~* everything OK
**haaks -e** right-angled, square; *hulle is altyd ~* they are continually at loggerheads
**haak'speld -e** safety pin
**haal** (s) **hale** stroke, lash; (w) fetch, reach, catch; *die trein ~* catch the train; ~**-en-betaal'** cash-and-carry *ook* **koop-en-loop'**; ~**baar** (b) feasible, viable, attainable
**haan hane** cock, rooster; *geen ~ sal daarna kraai nie* nobody will be the wiser
**haar**[1] (s) **hare** hair; *hare kloof* split hairs
**haar**[2] (vnw) her
**haar**[3] (b) right; *hot en ~* left and right
**haard -e** hearth, fireside
**haar:** ~**fyn** in detail *ook* **presies'**; ~**kap'per** barber, hairdresser; ~**knip'per** (pair of) hairclippers; ~**lint** hair ribbon; ~**lok** lock of hair; ~**mid'del** hair restorer; ~**naald** hairpin
**haar:** ~**sny'er** hairdresser *ook* **haarkap'per**; ~**sproei** hairspray; ~**stileer'der** hair stylist
**haas**[1] (s) haste, hurry; *hoe meer ~ hoe minder spoed* more haste, less speed
**haas**[2] (s) **hase** hare; rabbit *ook* **konyn'**
**haas**[3] (bw) almost, nearly *ook* **am'per**; *hy is ~ daar* he must have nearly arrived
**haas:** ~**bek** gap-toothed; ~**lip** cleft lip, harelip
**haas'tig** (b) **-e; -er, -ste** hasty, in a hurry
**haat** (s) hatred; (w) hate, detest
**haat'draend** revengeful, resentful
**haat'lik -e; -er, -ste** hateful, malicious
**ha'el** (s) hail; shot; (w) hail; ~**geweer'** shotgun; ~**kor'rel** grain of shot; hailstone; ~**steen** hailstone; ~**verse'kering** hail insurance/cover
**hak**[1] (s) **-ke** heel; hock (animal)
**hak**[2] (w) **ge-** cut; mince; *~ die knoop deur* cut the (Gordian) knot
**ha'ker -s** hooker (rugby)
**ha'kie -s** bracket; little hook; *tussen ~s* in brackets, in parenthesis; by the way
**hak'kejag** hot pursuit (military)
**hak'kel ge-** stammer, stutter *ook* **stot'ter**; ~**aar** stammerer
**hak'skeen ..skene** heel
**half halwe** half
**halfag(t)** half past seven
**halfe'del** (b) semiprecious; ~**ste'ne** semipre=cious stones
**half'eindronde -s** semifinal (sport)
**halfmaan' ..mane** crescent; semicircle
**halfne'ge/halfne'ë** half past eight
**half:** ~**pad** halfway; ~**slyt** partly worn (clothes); ~**stok** halfmast; ~**uur** half an hour; ~**vol** half-full
**half'weekliks -e** bi-weekly, twice weekly
**hallelu'ja -s** hallelujah
**hallusina'sie -s** hallucination *ook* **sins'bedrog**
**hals -e** neck; *jou iets op die ~ haal* bring trouble on oneself; ~**band** collar (dog); ~**doek** neckcloth; ~**ket'ting** necklace, neck=chain; ~**mis'daad** capital crime/offence; ~**oorkop'** head over heels, hurry-scurry;

~**horlo'sie/~oorlo'sie** pendant watch; ~**snoer** necklace; ~**snoermoord'** necklace murder
**halsstar'rig -e; -er, -ste** obstinate, headstrong, stubborn *ook* **kop'pig**
**hal'te -s** halt; siding
**hal'ter -s** halter
**halveer'** (w) ~, **ge-** halve, divide into halves
**ham -me** ham
**ha'mel -s** wether, hamel (sheep)
**ha'mer** (s) **-s** hammer; mallet (of wood); (w) hammer; *altyd op dieselfde aambeeld* ~ keep on harping on the same string
**ham'burger -s** hamburger
**hand -e** hand; *iets aan die* ~ *gee (doen)* suggest something; *die ~e uit die mou steek* put the shoulder to the wheel; ~**boei'e** handcuffs; ~**boek** manual, handbook, text=book *ook* **hand'leiding**
**hand:** ~**doek** towel; ~**druk** handshake, handclasp
**han'dearbeid** manual labour
**han'del** (s) trade, commerce, business; ~ *dryf (drywe)* carry on a trade; ~ *en wandel* conduct in life; (w) act; deal, carry on a business; ~**aar** merchant, dealer; ~**ing** action, conduct
**han'dels:** ~**arti'kel** commodity; ~**balans'** bal=ance of trade; ~**bank** commercial bank; ~**belan'ge** commercial interests; ~**betrek'=king** commercial relation, trade connection
**han'delsender -s** commercial transmitter (broadcasting)
**han'delsfirma -s** trading firm *ook* **sa'keonder=neming**
**han'del:** ~**skip** merchantman; ~**skool** com=mercial school
**han'dels:** ~**kor'ting** trade discount; ~**kuns'te=naar** commercial artist; ~**merk** trademark; ~**mis'daad** white-collar crime; ~**onder=ne'ming** commercial firm; commercial un=dertaking/venture; ~**reg** mercantile/com=mercial law; ~**rei'siger** commercial travel=ler; ~**re'kene/~re'kenkunde** commercial arithmetic
**han'del(s)wyse** procedure, line of action
**hande-vier'voet** on all fours
**hand'gekeur** handpicked; ~**de personeel'** handpicked staff
**hand'gemeen** (s) hand-to-hand fighting; (bw): ~ *raak* come to blows
**hand:** ~**granaat'** handgrenade; ~**haaf** main=tain, uphold; *standaarde ~haaf* maintain standards
**han'dig** useful; skilful *ook* **knap** (mens)
**hand:** ~**ky'kery** palmistry; ~**lan'ger** helper, handyman; ~**lei'ding** textbook, manual (of instruction); ~**perd** led-horse; mistress; ~**pop** puppet; ~**rug** backhand (tennis); ~**skoen** glove: *met die ~skoen trou* marry by proxy; ~**skrif** handwriting; manuscript
**hand:** ~**tas** handbag; ~**te'kening** signature *ook* **naam'tekening;** ~**ves** charter; ~**wa'=pen** handgun; ~**werks'man** artisan, work=man; ~**woor'deboek** concise dictionary
**ha'ne:** ~**geveg'** cockfight; ~**spoor** cock's spur; ~**tree'tjie** short distance, stone's throw
**hang** (s) **-e** slope (of mountain); (w) hang, suspend
**han'gar -s** hangar *ook* **vlieg'tuigloods**
**hang'brug ..brûe** suspension bridge
**hang:** ~**kas** wardrobe; ~**mat** hammock; ~**slot** padlock; ~**sweef** hanggliding *kyk* **vlerk'=sweef**; ~**verband'** sling (broken arm)
**hans** orphan; ~ *grootmaak* bottle rearing; ~**lam** pet lamb, orphan lamb
**hans'wors -te** clown *ook* **nar**
**hanteer'** ~, **ge-** handle, manage, cope (with)
**hap** (s) **-pe** bite, piece; (w) bite, snap
**haraki'ri** harakiri; happy despatch (suicide)
**hard** hard; loud; stern; ~**e koeja'wel** tough customer (person) *ook* **har'dekwas**
**har'der -s** Cape herring; mullet
**har'deskyf:** ~**aan'drywer** hard drive (comp.)
**har'deware** hardware goods *ook* **ys'terware**; hardware (comp.)
**hardhan'dig** (b) rough, rude, hardhanded
**hardho'rig/hardho'rend** hard of hearing, deaf
**hardkop'pig -e; -er, -ste** obstinate, stubborn *ook* **hardnek'kig**
**hard'loop ge-** run, hurry, make haste
**hardly'wig -e** constipated, costive
**hard'op** aloud, in a clear voice; ~ *lees* read aloud
**hardvog'tig** callous, cruel, heartless
**hardwer'kend -e** hardworking, industrious
**ha'rem -s** harem, seraglio
**ha'ring -s** herring; **gerook'te** ~ kippered her=ring
**hark** (s) **-e** rake; (w) rake
**harlekyn' -e** harlequin, clown *ook* **hans'wors**
**harmonie' -ë** harmony; unison
**harmo'nika -s** harmonica, concertina
**har'nas -se** armour, cuirass; *iem. in die* ~ *ja(ag)* antagonise someone

**harp -e** harp
**harpoen' -e** harpoon
**harpuis'** resin, rosin (from fir trees)
**hars** resin, rosin *ook* **harpuis'**
**har'sing:** ~**s** cerebrum, brains; ~**skande'ring** brainscan; ~**skud'ding** concussion of the brain; ~**vliesontste'king** meningitis
**hart -e** heart, mind; core; courage; ~**aan'val** heart attack
**har'te:** ~**(ns)aas** ace of hearts; ~**(ns)boer** knave/jack of hearts
**hart(e)'bees -te** hartebees (antelope); ~**huis(ie)** wattle-and-daub hut
**har'te:** ~**lus** heart's desire; *na ~lus* to one's heart's content
**har'tens** hearts (cards) *ook* **har'te**
**har'tewens** fondest wish
**hart:** ~**jie** little heart; darling; *in die ~tjie van die winter* in midwinter; ~**klop'pings** palpitations; ~**lam** darling, dearest *ook* **lief'ling, skat'(tie)**
**hart'lik -e; -er, -ste** hearty, sincere, cordial; *~e groete* sincere greetings to all (at home)
**hart:** ~**om'leiding** heart/cardiac bypass; ~**oor'planting** heart transplant; ~**-pas'aangeër** heart pacemaker; ~**roe'rend** touching, pathetic; ~**'seer** (s) grief, sorrow; (b) heartsore, sad; ~**sken'ker** heart donor
**harts'tog** (s) **-te** passion *ook* **pas'sie, drif**
**hartversa'king** cardiac/heart failure
**hartverskeu'rend -e** heartrending
**ha'sepad:** *die ~ kies* take to one's heels
**ha'we**[1] goods, property, stock; **le'wende** ~ livestock
**ha'we**[2] **-ns** port, harbour; ~**hoof** pier, jetty
**ha'wer** oats; ~**mout** oatmeal
**hê had, gehad** have, possess
**hè!** oh! my!; not so! *jy kom bedel weer, ~!* you are begging again, you ..!
**heb'sug** covetousness, greed, greediness
**he'de**[1] (s) the present, this day; *die ~ en die verlede* the present and the past; (bw) today, at present
**he'de!**[2] (tw) *o ~!* oh my! oh goodness!
**he'dendaags -e** modern, presentday, nowadays; trendy *ook* **bydertyds'**
**heel**[1] (w) **ge-** heal, cure
**heel**[2] (w) **ge-** receive (stolen property); *die heler is so goed as die steler* the receiver (of stolen goods) is as bad as the thief
**heel**[3] (b) **hele; heler, -ste** whole, entire
**heel**[4] (bw) very, quite; *~ in die begin* at the very outset; *~ eenvoudig* quite simple; *~ waarskynlik* most probably
**heelal'** universe
**heel:** ~**dag** the whole day; ~**huids** unscathed; *daar ~huids/ongedeerd van afkom* get off unscathed/unharmed
**heel'temal** quite, altogether, entirely, severely; *~ alleen* all alone
**heel'tyds** fulltime *ook* **vol'tyds**
**heel'wat** quite a lot, a good deal
**heen** away, thither, thence; *~ en weer* to and fro
**heen:** ~**gaan** go away, depart; die; ~**ko'me** refuge, escape; *êrens 'n ~kome vind* find a refuge somewhere
**Heer**[1] the Lord, God
**heer**[2] **here** gentleman; lord, master; *die ~ des huises* master of the house; *Geagte Heer/heer* Dear Sir
**heer'lik** (b) glorious, delightful, delicious
**heers ge-** reign, govern, rule; prevail; ~**ende pry'se** ruling prices; ~**er** ruler
**heerskappy' -e** power, reign, authority
**heerssug'tig** imperious, despotic
**hees** (b) **heser, -ste** hoarse, husky
**heet**[1] (w) **ge-** be called; name; *hy ~ na sy pa* he is called after his father; *hy ~ hom welkom* he welcomes him
**heet**[2] (b) **hete; heter, -ste** hot, burning; ~**hoof** hothead (person) *ook* **ekstremis'**
**hef**[1] (s) **-te, hewwe** handle; *die ~ in hande hê* control a situation
**hef**[2] (w) **ge-** raise, lift; levy, impose; *belastings ~* impose/levy taxes
**hef'boom ..bome** lever
**hef'fing -s, -e** levy; surtax
**hef'tig** violent, vehement *ook* **opvlie'ënd**
**heg** (w) **ge-** fasten, attach; *geen waarde ~ nie aan* attach no value to
**heg:** ~**pleis'ter** sticking plaster; ~**tenis'** custody; detention; *in ~tenis neem* arrest/detain (a person)
**hei'den -e, -s** heathen, pagan *ook* **ongelo'wige**
**heil** welfare, good, bliss, prosperity; *alle ~ en seën!* best wishes!
**Hei'land** Saviour
**heil'dronk -e** toast; *die ~ instel* propose the toast
**hei'lig** (w) **ge-** sanctify, consecrate, hallow; (b) holy, sacred; ~**dom** sanctuary, holy shrine
**hei'lige -s** saint (person)
**hei'lig:** ~**sken'nis** blasphemy, sacrilege; ~**verkla'ring** canonisation

**Heils'leër** Salvation Army
**heil'wens -e** good wish(es) *ook* **seënwens(e)**
**heim'wee** (s) homesickness, longing
**hei'ning -s** fence, hedge, enclosure
**hek -ke** gate; railing; hurdle; turnpike
**he'kel**[1] (s) dislike, aversion; *'n ~ aan iem. hê* dislike someone intensely
**he'kel**[2] (w) **ge-** heckle; crochet; satirise; **~dig'ter** satirist; **~werk** crochet work
**hek'geld** gate money; admission
**hek'kiesloop** (s) **..lope** hurdle race
**heks -e** witch, hag, vixen
**hek'sluiter -s** lastcomer; youngest child *ook* **laat'lammetjie**
**hek'stormer -s** gatecrasher *ook* **in'dringer**
**hektaar' ..tare** hectare
**hek'to: ~gram** hectogram; **~li'ter** hectolitre; **~meter** hectometre
**hek'wagter -s** gatekeeper
**hel**[1] (s) hell; inferno
**hel**[2] (w) **ge-** lean, slant, slope; incline
**helaas'!** alas! alack
**held -e** hero
**hel'de: ~ak'ker** heroes' acre; **~daad** heroic deed; **~dig** heroic poem; **~dood** hero's death; **~moed** heroic courage/heroism; **~ontvangs'** hero's welcome
**hel'der** clear, bright, serene; (b) sonorous; *so ~ soos kristal* as clear as crystal; **~sien'de** (b) clear-sighted; clairvoyant
**heldhaf'tig -e; -er, -ste** heroic, brave
**he'ler**[1] **-s** receiver (of stolen property)
**he'ler**[2] **-s** healer *ook* **heel'meester**
**helf'te -s** half; *die ~ minder* less by half
**helikop'ter -s** helicopter/chopper; **~blad** heliport, helipad
**hel'levaart** descent into hell
**hel'leveeg ..veë** hellcat, termagant, shrew *ook* **hel'pen** (vrou)
**hel'ling -s, -e** slope, incline, declivity; gradient (of a road)
**helm -s** caul; helmet; *met die ~ gebore* born with a caul *kyk* **val'helm**
**hel'met -s** helmet (against sun)
**help ge-** help, assist, aid; *alle bietjies ~* many a mickle makes a muckle; **~er** helper; **~-my-krap'winkel** junk shop
**hels -e** hellish, devilish, infernal; *'n ~e lawaai* a hell of a noise
**he'mel** (s) **-e** heaven, sky; **~bed** fourposter; **~lig'gaam** heavenly/celestial body; **~poort** pearly gate; **~ruim** sky; outer space
**he'mels** (b) **-e** heavenly, celestial; *in ~naam/om ~wil* for heaven's/goodness' sake
**He'melvaart** Ascension; **~dag** Ascension Day (previously a holiday)
**hemp hemde** shirt; *die ~ is nader as die rok* charity begins at home
**hen -ne** hen; **~-en-kui'kens** nest of tables
**hends'op** put up one's hands; surrender
**hen'gel** (w) angle, fish; **~aar** angler; **~gerei'** fishing tackle; **~stok** fishing rod
**hen'nep** hemp
**her:** *~ en derwaarts* hither and thither
**heraldiek'** heraldry *ook* **wa'penkunde**
**her'berg** (s) **-e** inn, hotel, tavern; (w) shelter, lodge, accommodate *ook* **huis'ves**
**herbergier' -s** innkeeper, host
**herbo're** (b) reborn, born again; regenerate
**herdenk'** ~ commemorate, remember; **~ing** commemoration, remembrance
**her'der -s** shepherd, herd; clergyman; **~staf** shepherd's crook; (bishop's) crosier
**her'druk** (s) **-ke** reprint; new edition; (w) ~ reprint
**He're** the Lord, God, the Almighty
**he'rehuis -e** mansion, manor house
**her'eksamen -s** re-examination
**here'nig** ~ reunite
**he'reregte** transfer duty/dues
**herfs -te** autumn; **~nage'wening** autumn equinox; **~tint** autumnal tint *ook* **herfs'kleur**
**herhaal'** ~ repeat, recapitulate; **~delik** repeatedly, over and over
**herha'ling -s, -e** repetition; recurrence
**herin'ner** ~ remember, remind; *~ aan* remind of; **~ing** memory; remembrance, recollection; *ter ~ing aan* in memory of
**herken'** (w) recognise; identify
**herkies'** ~ re-elect; **~baar** eligible for re-election; *hy is en stel hom ~baar* being eligible he offers himself for re-election
**her'koms** (s) origin, descent; derivation
**herkou'** ~ chew the cud, ruminate; repeat; *'n saak ~* ponder over a matter
**herlaai'baar** (b) rechargeable
**herlei'** ~ reduce; convert; simplify
**hermelyn'** ermine, miniver (fur)
**herneu'termes -se** big hunting knife, bowie-knife
**hernieu'/hernu'we/hernu'** ~ renew (a subscription); renovate
**hernu'wing** renewal, renovation; **~ken'nisgewing -s** renewal notice

**hero'ïes -e** heroic; ~**e stryd** heroic struggle
**her'oorweeg** (w) ~ reconsider
**her'open** (w) ~ reopen
**herout' -e** herald *ook* **bood'skapper**
**her'rie** confusion, noise, rumpus, row; *iem. op sy ~ gee* thrash someone
**herroep'** ~ revoke, repeal, rescind, annul, recall, retract; *die ordonnansie is ~* the ordinance has been repealed
**her'senskim -me** figment of the imagination; phantasm, chimera; hallucination
**hersien'** ~ revise, update; reconsider; ~**ing** revision, review
**hersikleer'** (w) ~ recycle *ook* **herwin'**
**herskep'** ~, **herskape** re-create, regenerate, transform
**her'soneer** ~ rezone (a suburb)
**herstel'** (s) reparation; repair; redress; recovery; (w) rectify; restore; repair, mend; ~**oord** convalescent home; hospice *ook* **hos'pies**; ~**verlof'** convalescent leave
**hert -e** stag, deer
**her'tog hertoë** duke
**hertogin' -ne** duchess
**her'vestig** resettle; ~**ing** resettlement
**hervorm** ~ reform, reshape; **die H~de Kerk** the Reformed Church; ~**ing** reformation; reform
**hervul'ling** refill (for pen)
**herwin'** ~ regain, recover; recycle; *sy bewussyn ~* recover his consciousness; ~**ning** recovery, recycling (glass, paper)
**heterdaad'/heter daad:** *(op) ~ betrap* catch redhanded
**hetsy'** either; whether; ~ *warm of koud* either hot or cold
**heug** (s): ~**like/gedenkwaar'dige dag** memorable day
**heu'ning** honey; ~ *om die mond smeer* softsoap a person
**heup** (s) **-e** hip; ~**fles** hipflask
**heu'wel -s** hill; mound
**he'wel** (s) **-s** siphon; (w) siphon; *petrol uit die tenk ~* siphon petrol out of the tank
**he'wig -e; -er, -ste** severe, violent, fierce, vehement; ~ *ontstel* violently upset
**hiasint' -e** hyacinth *ook* **na'eltjie** (blom)
**hiberneer'** ~, **ge-** hibernate *ook* **oorwin'ter**
**hidrou'lies -e** hydraulic
**hiel -e** heel; bead(s) (of tyre); ~**kus'sing** heelpad
**hië'na -s** hyena
**hiep-hiep-hoera'!** hip, hip hurrah!
**hier** here; ~ *te lande* in this country
**hiërargie'** hierarchy *ook* **gesags'lyn**
**hier:** ~**bene'wens** besides this, in addition to; ~**by** herewith; enclosed, included; ~**die** this, these; ~**deur** through this (means), by this; ~**heen** this way, to this side; ~**in** in this, herein
**hier'jy!** (s) lout; (tw) hallo! I say!
**hier:** ~**mee** with this, herewith; ~**na** after this, hereafter
**hierna'maals** (s) (the) hereafter, in the beyond
**hier'natoe** this way
**hiëroglief' ..gliewe** hieroglyph *ook* **beeld'skrif**
**hier:** ~**oor** about this, over this; ~**so** here, at this place; *kom ~so!* come here; ~**teen** against this; ~**teenoor'** opposite; against this; ~**uit** from this, out of this, hence; ~**van** herefrom, of this, about this; ~**vandaan'** from here; ~**voor** for this, in return (for this)
**hiet ge-** order; *iem. ~ en gebied* order someone about, push him around
**higië'nies** (b) **-e** hygienic
**hik** (s) **-ke** hiccup; (w) hiccup
**him'ne -s** hymn *ook* **lof'sang**
**hin'der** (s) trouble, impediment, obstacle; (w) hinder, annoy, hamper; ~**laag** ambush; ~**lik** annoying, troublesome; inconvenient; ~**nis** obstacle, obstruction; impediment; ~**niswed'loop** obstacle race
**hings -te** stallion, stud horse
**hing'sel -s** handle, hinge
**hink ge-** limp; halt, vacillate; *op twee gedagtes ~* halt between two opinions
**hiperbool' ..bole** hyperbole, exaggeration; hyperbola (geom.)
**hi'perintelligent** hyperintelligent
**hi'permark -te** hypermarket
**hiperten'sie** hypertension, high blood pressure *ook* **hoë bloed'druk**
**hipno'se** hypnosis
**hipokon'ders/ipekon'ders** (s) whims, caprices; imaginary ailments; *hy is 'n regte hipokonder/ipekonder* he is a real hypochondriac
**hip'pie -s** hippie
**histerektomie'** hysterectomy, removal of womb *ook* **baar'moederverwydering**
**histe'ries -e** hysterical
**histo'ries -e** historic(al) *ook* **geskiedkun'dig**
**histo'rikus ..rici, -se** historian (person)
**hit'te** heat; *in die ~ van die stryd* in the heat of

battle; *op* ~ on heat (animal); ~**golf** heatwave; ~**steek** heatstroke
**hit'tete:** *so ~!* nearly, touch and go
**hit'te-uitputting** heat exhaustion
**hob'bel ge-** rock, go seesaw; (s) hump (speed-breaker); ~**perd** rocking horse
**ho'bo -'s** oboe (mus. instrument)
**hoe** how; what; ~ *eerder* ~ *beter* the sooner the better
**hoed**[1] (s) **-e** hat, bonnet
**hoed**[2] (w) **ge-** guard, protect, tend
**hoeda'nig -e** how, what kind of; ~**heid** quality, capacity; *in die ~heid van* in the capacity of
**hoe'de** guard, care, protection; *op jou ~ wees* be on the alert/your guard
**hoëdigt'heidsbehuising** high-density housing
**hoef**[1] (s) **hoewe** hoof
**hoef**[2] (w) need; *jy ~ nie te kom nie* you need not come; *jy ~ nie te gekom het nie* you need not have come
**hoef:** ~**smid** farrier; ~**ys'ter** horseshoe
**hoe'genaamd:** ~ *niks* nothing whatever; ~ *geen voorraad nie* no stocks at all
**hoek -e** corner, angle; hook
**hoe'ka:** *van ~ se tyd af* from time immemorial *ook* **toe'ka**
**hoe'kie -s** little corner, nook; bar (shop); *uit alle ~s en gaatjies,* from every nook and corner
**hoe'kig -e** angular, rugged
**ho'ëklas:** ~ **buurt/voor'stad** upmarket suburb
**hoe'kom** why, for what reason, wherefore *ook* **waar'om**
**hoek'steen ..stene** corner/foundation stone; ~**leg'ging** laying of the foundation/corner stone
**hoe lank** how long, till when
**hoen'der -s** fowl; chicken; *die ~s in wees* be furious; *mal Jan onder die ~s* a thorn among the roses; ~**kop** drunk, tipsy; ~**vel** gooseflesh: *ek kry ~vel daarvan* it gives me gooseflesh; ~**vleis** chicken; gooseflesh/pimples
**hoe'pel -s** hoop; ~**been** bandyleg
**ho'ëpriester -s** high priest
**ho'ër** higher; ~**hof** high court; ~ **on'derwys** higher/tertiary education; ~ **seun'skool/mei'sieskool** boys'/girls' high school
**hoer -e** prostitute, whore, hooker *ook* **prostituut'/seks'werker**
**hoera'!/hoerê!** hurrah!
**ho'ërskool ..skole/hoër skool hoër skole** high/secondary school *ook* **sekondê're skool**
**ho'ërskoolleerling -e** high school pupil
**hoes** (s) cough; (w) **ge-** cough; ~**mid'del** cough remedy; ~**tablet'** cough lozenge
**ho'ëskool ..skole** university, academy
**ho'ëtrou** high fidelity; ~**stel** hi-fi set
**hoeveel'** how much/many; ~**heid** quantity
**hoe'veelste:** *die ~ van die maand?* what day of the month? what is the date?
**Ho'ëveld** Highveld
**hoever'/hoevêr'/hoever're:** *in* ~ to what extent, (as to) how far
**hoë'vlak** (b): ~**sa'mesprekings** high-level talks
**hoe'we -s** smallholding *ook* **klein'hoewe**; plot
**hoewel'** though, although
**hof' howe** court; garden; *'n meisie die ~ maak* court a girl; **appèl**~ appeal court; ~**leweransier'** purveyor (by royal appointment)
**hof'lik -e; -er, -ste** courteous, obliging, polite; ~**heidsbesoek'** courtesy visit
**hof:** ~**nar** court fool, jester; ~**saak** court case, lawsuit *ook* **regs'geding**
**hok** (s) **-ke** pen (fowl); sty (pig); hutch (rabbit); cage (bird); (w) enclose, shut in; gate (scholars); *die meisies is ge~* the girls have been gated
**hok'kie**[1] hockey (game)
**hok'kie**[2] **-s** small shed, cubicle; pigeonhole
**hol'**[1] (s) **-e** cave, den; anus, arse (*vulgar*); (b) hollow, empty
**hol**[2] (s): *iem. op ~ jaag* distract/confuse someone; (w) run, rush, bolt
**holderstebol'der** topsy-turvy, head over heals
**Hol'land** Holland, the Netherlands
**Hol'lands** (b) Dutch *ook* **Ne'derlands**
**hom** (vnw) him, it
**hom(e)opaat' ..pate** hom(o)eopath
**hom(e)opa'ties -e** hom(o)eopathic
**ho'mo** (s, b) homosexual, gay
**homogeen'** (b) **..gene** homogeneous, of the same kind/level
**homoniem'** (s) **-e** homonym; (b) **-e** homonymous
**homoseksueel'** (s, b) homosexual; gay
**hond -e** dog, hound
**hon'de:** ~**her'berg** kennel; ~**hotel'** kennel *ook* **woe'fietuiste**; ~**le'we** wretched life
**hon'derd -e** hundred; ~**ja'rig** centennial, centenary; ~**ste** hundredth; ~**tal** a hundred; century (cricket)

**hon'djie -s** pup(py); *nie so erg vir die ~ as die halsbandjie nie* not as disinterested as it would appear

**honds -e** brutal, churlish, cynic; **~dol'heid** rabies; hydrophobia (humans)

**hon'ger** (s) hunger; *~ ly* starve; *sy ~ stil* appease one's hunger; (w) hunger; (b) hungry; **~s'nood** famine, dearth; **~sta'king** hunger strike *ook* **eet'staking**

**honneurs'** honours; **~graad** honours degree

**honora'rium ..ria, -s** honorarium, fee, royalty

**honoreer'** (w) **ge-** honour (a bill)

**hoof -de** head; chief, leader; principal (school); *die ~ van die gesin/die ~ des huises* the head of the family; *iets oor die ~ sien* overlook something; **~arti'kel** leader, editorial; **~be-stuur'** top management *ook* **top'bestuur**; **~bestuur'der** general manager; **~bestuurs'-leier** chief executive; **~bre'kens/~bre'kings** brainracking; **~doel** main object

**hoof: ~kantoor'** head office; **~kwartier'** head-quarters; **~let'ter** capital letter; **~onder-wy'ser** headmaster, principal; **~pyn** head-ache; **~raamre'kenaar** mainframe computer; **~redakteur'** editor in chief; **~reg'ter** chief justice; **~re'kene/~re'kenkunde** mental ar-ithmetic; **~rol** leading role/part

**hoof'saak** main point, gist

**hoofsaak'lik** chiefly, mainly, principally

**hoof: ~sekreta'ris** general secretary; **~sin** principal sentence/clause; **~stad** capital, metropolis; **~stuk** chapter; **~vak** main/ major subject

**hoog hoë; hoër, -ste** high, tall, lofty; *dit is ~ nodig* it is absolutely necessary; **~ag** (w) esteem highly, respect; *~agtend die uwe* yours faithfully; **hoë bloeddruk** high blood-pressure, hypertension

**hoogdra'wend -e; -er, -ste** bombastic, pom-pous, stilted, highflown

**hooge'dele** right honourable

**hoogeerwaar'de** right reverend

**hooggeplaas'te** (s) dignitary (person)

**hoog'geregshof ..howe** supreme court

**hooghar'tig** proud, haughty

**hoog: ~land** highland, plateau; **~le'raar** professor *ook* **profes'sor**

**Hoog'lied** Song of Solomon, Canticles

**hoogmoe'dig -e; -er, -ste** proud, haughty

**hoog: ~no'dig** most necessary, urgently needed; **~oond** blast furnace *ook* **smelt'-oond; ~seisoen'** high season; **~span'ning** high tension; **~ste** highest, senior; **~stens** at most, at best

**hoogs' waarskynlik** most probably

**hoog'te -s** height, altitude; hill; *op die ~ hou* keep posted; **~punt** highlight *ook* **glans'-punt**; zenith; pinnacle; **~vrees** acrophobia, fear of heights

**hoog'ty:** ~ *vier* reign supreme

**hoog: ~verraad'** high treason; **~waar'dig-heidsbekleër** dignitary, VIP *ook* **hoogge-plaas'te**

**hooi** hay; *te veel ~ op sy vurk* too many irons in the fire; **~koors** hay fever

**hool hole** hovel, den, unsavoury dwelling

**hoop**[1] (s) **verwagtings** hope; *~ koester* cherish hope

**hoop**[2] (s) **hope** heap; crowd

**hoop'vol -le; -ler, -ste** hopeful, confident

**hoor** (s): *'n lawaai dat ~ en sien vergaan* a deafening noise; (w) hear, listen, heed, learn; *horende doof wees* wilfully deaf; **~apparaat'** hearing aid; **~baar** audible; **~beeld** feature programme (radio)

**hoor'spel ..ele** radio play/drama

**hoor'stuk -ke** receiver (tel.) *ook* **hand'stuk**

**hoort ge-** belong, be proper, ought; *dit ~ nie so nie* it is not done

**hop** (w) bounce (ball, cheque) *ook* **bons**

**ho'peloos** hopeless; desperate

**ho'ring -s** horn; *die huis op ~s neem* create an uproar; *~oud* very old

**ho'rinkie -s** little horn; (icecream) cone

**ho'rison -ne, -te** horizon, skyline

**horisontaal' ..tale** horizontal, level; **..ta'le kommunika'sie** horizontal communication

**horlo'sie -s/oorlo'sie** watch; clock *ook* **uur'-werk**

**hormoon'** (s) hormone

**hor'relvoet -e** clubfoot *ook* **klomp'voet**

**hor'ries** (s) delirium tremens (have the jumps)

**hor'tjie -s** wire blind, shutter; **~blin'der/ ~blin'ding** (Venetian) blind

**hos'pies** (s) hospice; convalescent home *ook* **herstel'oord**

**hospitaal' ..tale** hospital

**hostel' -le** (mine) hostel

**hot** left (team of animals); *~ en haar stuur* send from pillar to post; *dit ~agter kry* have a difficult time

**hotel' -le, -s** hotel; **~hou'er/~ier'** hotelkeeper; **~jog'gie** pageboy

**hot'klou** southpaw (lefthander)

**hou**[1] (s) **-e** blow, cut, stroke, lash; (w) cut, hack; strike

**hou**[2] (w) **ge-** keep, hold; contain; *links* ~ keep left; ~ *van* like; ~**ding** bearing, attitude, deportment; *'n ~ding aanneem* strike a pose; ~**er** container; ~**er'diens** container service *ook* **behou'ering**; ~**er'skip** container vessel

**hout -e** wood, timber; ~**han'delaar** timber merchant

**hou'tjie -s** bit of wood; *iets op eie ~ doen* do something off one's own bat

**houts'kool** charcoal

**hout'snee ..sneë** woodcut; ~**kuns/hout'sny=kuns** art of wood engraving

**hu ge-** marry, wed; ~**baar** marriageable

**huid -e** hide, skin

**hui'dige** present, current; modern; ~ **le'wens=duurte** present cost of living

**hui'gel ge-** pretend, feign, sham; ~**aar** hypo=crite

**huigelary'** hypocrisy/duplicity *ook* **skynhei'=ligheid**

**huil ge-** cry; weep; howl

**huis -e** house, dwelling, household; *die ~ op horings neem* turn the house upside down; *elke ~ het sy kruis* there is a skeleton in every cupboard; ~ *toe* home(wards); ~**arts** family practitioner; ~**braak'** housebreak=ing, burglary; ~**bre'ker** burglar; ~**dier** domestic animal; ~**dok'ter** family doctor *ook* **huis'arts**; ~**genoot'** house mate; inmate (of the same house); ~**gesin'** family, house=hold

**huishou'delik -e** economical, domestic; ~**e aan'geleentheid** domestic/internal affair

**huis:** ~**hou'ding** household, housekeeping; ~**houdkun'de** domestic science, home eco=nomics; ~**hulp** domestic/domestic servant; ~**huur** house rent; ~**in'wyding** house=warming

**huis'lik -e; -er, -ste** domestic, homely; ~**e plig'te** household duties/chores

**huis'ves ge-** house, lodge, board; ~**ting** accommodation *ook* **verblyf'**; *~ting verskaf* provide boarding/accommodation

**huis:** ~**vlyt** home craft industry; ~**vrou** housewife; ~**werk** homework *ook* **tuis'werk**

**hui'wer ge-** shiver, tremble *kyk* **aar'sel**

**hul** (pers. vnw) they, them; (besit. vnw) their *ook* **hul'le**

**hul'de** homage, tribute; ~ *betuig/bring aan* pay homage to; ~**blyk** mark of respect

**hul'le** they; their, them; *Jan-~* John and his party

**hulp** help, aid, support; assistant; ~ *verleen* render assistance; ~**bron** resource

**hul'peloos** helpless *ook* **mag'teloos**

**hulp:** ~**mid'del** aid, means; makeshift, ex=pedient; ~**troe'pe** auxiliary troops

**hulpvaar'dig** (b) helpful, obliging

**hulp'werkwoord -e** auxiliary verb

**humeur' -e** temper, mood; *jou ~ verloor* lose one's temper

**hu'mor** humour: ~**sin** sense of humour

**humoris'ties** (b) humorous *ook* **grap'pig**

**hun'ker ge-** long for, hanker for

**hup'pel ge-** skip, hop; gambol; ~**tuig** jolly jumper

**hup'stootjie -s** a helping push/shove

**hur'ke** haunches; *op sy ~ sit* squat

**hus'se:** *dis ~ met lang ore* curiosity killed the cat

**hut -te** hut, cabin, cottage; shanty, shack

**huur** (s) **hure** rent, hire, lease, tenancy; *die ~ opsê* give notice; (w) hire, rent, charter; *te ~* to let; ~**der** tenant, lessee; ~**geld** rental, rent; ~**koop** hire purchase; ~**moor'denaar** hitman, assassin; ~**mo'tor** hired car, rent-a-car; ~**pag** leasehold; ~**soldaat'** mercen=ary; ~**tol** royalty *ook* **vrug'reg**; ~**vlug** chartered flight

**hu'welik -e** marriage, wedding, wedlock; *in die ~ tree* enter into matrimony

**hu'weliks:** *in die ~bootjie stap* get married; ~**bera'der** marriage counsellor

**hu'weliks:** ~**gebooie** banns; ~**onthaal'** wed=ding reception; ~**reis** honeymoon (trip); ~**voor'waarde(s)** antenuptial contract

**hy** he; it; ~ **self/hyself** he himself

**hyg ge-** pant, gasp for breath; ~**roman'** erotic fiction

**hys ge-** hoist; ~**bak** skip, lift; elevator; ~**er** lift, elevator, ~**kraan** crane; ~**vurk** front=loader

# I

**ideaal′ ideale** ideal
**idealis′** idealist (person); ~**me** idealism; *ook* **doel′wit, stre′we**; ~**ties** idealistic
**idee′ ideë, -s** idea, notion, concept
**iden′ties -e** identical *ook* **e′ners**
**identifiseer′ ~, geïd-** identify; *die probleme ~* identify the problems
**identiteit′** identity; ~**s′dokument′** identity document
**idil′le -s** idyll
**idioma′ties -e** idiomatic
**idioom′ idiome** idiom *ook* **segs′wyse**
**idioot′ idiote** idiot, imbecile *ook* **swaksin′nige**
**ie′der -e** each, every one, every; ~**een** everybody, everyone *ook* **elk′een**
**ie′mand** someone, somebody
**iesegrim′mig** surly, grumpy *ook* **knor′rig**
**ietermago′/ietermagô′/ietermagog′** pangolin, scaly anteater
**iets** something, anything; *~ moois* something beautiful
**ie′wers** somewhere *ook* **ê′rens**
**ignoreer′ ~, geïg-** ignore *ook* **verontag′saam**
**illustra′sie -s** illustration
**imbesiel′ -e** imbecile *ook* **idioot′** (mens)
**im′mer** every, always; ~**groen** evergreen
**im′mers** yet, but, indeed; *hy behoort ~ beter te weet* he should have known better
**immigrant′ -e** immigrant (person)
**immigra′sie** immigration
**immoraliteit′** immorality
**immoreel′ ..rele** immoral
**immuun′ immune** immune
**imperialis′ -te** imperialist (person)
**im′pie -s** impi
**implement′ -e** (s) (farm) machinery, tools *ook* **plaas′gereedskap**
**implementeer′ ~, geïm-** (w) implement *ook* **toe′pas, uit′voer**
**improviseer′, geïm-** improvise
**impuls′ -e** impulse *ook* **stu′krag**
**impulsief′ ..siewe** impulsive; impetuous
**in**[1] (w) **geïn** gather, collect; *belastings ~* collect taxes
**in**[2] (vs) in, into, within, during; *~ stukke sny* cut to pieces
**in ag neem in ag ge-** consider, take account of
**in′asem -ge-** inhale, breathe in
**in′begrepe** included; *alles ~* everything included, all told *ook* **altesa′me**
**in′begrip** inclusion; *met ~ van* including
**in′bel:** ~**program′** phone-in program(me)
**in′boet -ge-** plant in between; lose; *die lewe ~* pay with one's life
**in′boorling -e** native, aborigine
**in′bors** character, nature *ook* **aard/karak′ter**
**in′bou -ge-** build in; **in′geboude kas′te** built-in wardrobes
**in′braak inbrake** housebreaking, break-in; burglary *ook* **huis′braak**
**in′breek -ge-** break into, burgle
**in′breker -s** housebreaker, burglar
**in′breuk** infringement, transgression; *~ maak op* encroach upon
**in′deel -ge-** divide, classify
**in′deks -e** index
**in′deling -s -e** division, classification
**indemniteit′** indemnity *ook* **vry′waring**
**inderdaad′** indeed, really, in fact
**indertyd′** at the time, formerly *ook* **des′tyds**
**Indiaan′ Indiane** Indian (person, America)
**in′dien**[1] (w) **-ge-** hand in, lodge, tender, present, submit; *'n klag ~* lay a complaint
**indien′**[2] (vgw) if, in case; *hy sal kom ~ dit nie reën nie* he will come if it isn't raining
**indiens′:** ~**ne′mer** employer; ~**ne′ming** employment; ~**op′leiding** inservice/incompany training; ~**pla′sing** job placement
**In′diër -s** Indian (person)
**In′dies -e** Indian; ~**e rys** Indian rice
**in′ding:** *die ~* the inthing, trendy thing (to do)
**in′direk -te** indirect *ook* **on′regstreeks**
**individu′/indiwidu′** individual (person)
**individualis′ -te** individualist; ~**me** individualism; ~**ties** individualistic
**indoe′na -s** induna, tribal councillor
**indoktrineer′** (w) indoctrinate; brainwash
**in′dring -ge-** penetrate, intrude, force in; ~**er** intruder; gatecrasher
**in′druk** (s) **-ke** impression; *die ~ wek* create the impression
**indrukwek′kend** impressive *ook* **tref′fend**
**industrieel′** (b) **..riële** industrial
**ineens′** at once, suddenly *ook* **skie′lik**
**ineen′stort -gestort** fall in, collapse *ook* **in′stort**
**in′ent ingeënt** inoculate, vaccinate; ~**ing** vaccination, inoculation

**infanterie′** infantry *ook* **voet′soldate**
**infanteris′ -te** infantryman, foot soldier
**infek′sie** infection *ook* **besmet′ting**; **~siek′te** infectious disease *ook* **aansteek′like siek′te**
**infinitief′ ..tiewe** infinitive
**inflamma′sie** inflammation
**infla′sie** inflation; **~spiraal′** inflation(ary) spiral
**influen′sa** influenza *ook* **griep**
**informant′** informer *ook* **verklik′ker**
**informa′sie** information *ook* **in′ligting**
**informa′tika** information studies
**informeel′ ..mele** informal; **..me′le drag** informal attire/dress; **..me′le sek′tor** informal sector
**infrastruktuur′** (s) infrastructure
**in′gaan -ge-** enter; go in for; ~ *op iets* consider/study/examine something
**in′gang -e** entrance, entry; doorway; *met ~ 5 Junie* with effect from 5 June
**in′gebore** inborn, innate *ook* **aan′gebore**
**ingedag′te** (b) absent-minded *ook* **verstrooid′**
**in′gee -ge-** give in; inspire; administer; stop; yield, surrender
**in′gelê ingelegde** inlaid; canned, preserved; **ingeleg′de/ingemaak′te pers′kes** canned peaches
**in′gelyf -de** incorporated, embodied
**in′gemaak -te** canned (peaches)
**ingenieur′ -s** engineer; **raadge′wende** ~ consulting engineer; **~s′we′se** engineering (subject) *kyk* **genië′ring**
**in′genome** pleased, taken up with; *met jouself ~ wees* be pleased with oneself
**in′geperk** (b) restricted; confined
**in′gerig -te** arranged, prepared, organised; furnished; *hy het sy kantoor pragtig ~* he has equipped his office beautifully
**in′geskrewe** enrolled; registered; conscript; ~ **klerk** articled clerk *kyk* **leer′klerk**; ~ **student′** registered student
**in′geval** in case; ~ *dit gebeur* if it should happen
**ingevol′ge** in terms/pursuance of, as a result, in consequence of
**in′gewande** (s) bowels, intestines, entrails
**in′gewikkel(d) -de** complicated, intricate
**in′gewing -s, -e** inspiration; suggestion; *skielike ~* sudden (bright) idea *ook* **blink gedag′te**
**ingrediënt′** (s) ingredient *ook* **bestand′deel**
**in′haal -ge-** overtake, catch up with; make up for
**inha′lig** (b) greedy, covetous *ook* **hebsug′tig**
**in′ham -me** inlet, creek, bay
**inheems′ -e** indigenous; native; home; endemic; **~e taal** local/community language
**inheg′tenisne′ming** (s) arrest *ook* **arresta′sie**
**inhibi′sie** inhibition, hang-up, phobia
**in′hou -ge-** restrain, keep in check; contain; retain; *jou ~* control one's temper
**in′houd** contents; capacity *ook* **volu′me**
**in′houds: ~maat** cubic measure; **~op′gawe** table of contents, index
**in′huldig -ge-** inaugurate, install (mayor)
**inisiatief′** initiative
**ink** (s) ink; *skryf met ~* write in ink
**in′keep -ge-** notch, indent (paragraph)
**in′keer** repentance; *tot ~ kom* repent
**in′klaar -ge-** clear in, clear (goods)
**inkluis′** included *ook* **in′begrepe**
**inklusief′..siewe** inclusive; *BTW ~* VAT inclusive
**in′kom -ge-** come in(to), enter
**in′komste** (s) income, earnings; ~ **en uit′gawes** revenue and expenditure; **~belas′ting** income tax; **~diens′te** revenue services
**in′koop** (s) **..kope** purchase(s); buying; (w) buy, purchase; **~prys** cost price
**in′kopie:** *~s doen* go shopping
**in′kort** (w) shorten, curtail; *sy uitgawes ~/afskaal* reduce/curtail his expenses
**in′laat** (s) **inlate** inlet, intake; (w) let in, admit; *jou ~ met* have dealings with
**in′lae -s** enclosure (document) *ook* **by′lae**; deposit (money)
**in′lê -ge-** can (fruit) deposit, invest; inlay
**in′leg: ~geld** stakes; entrance money; investment; **~stro′kie** deposit slip
**in′lei -ge-** introduce, preface; usher in; **~ding** introduction, preface, preamble
**in′lewer -ge-** deliver up, send in, hand in; submit; *taak ~* hand in assignment
**in′lig -ge-** inform, enlighten
**in′ligting** information/info *ook* **da′ta**; intelligence; *~ inwin* obtain information; **meer/na′der(e)** ~ further information
**in′lyf -ge-** incorporate; **in′gelyfde ver′eniging son′der wins′oogmerk** incorporated association not for gain
**in′lynskaat′se** in-line skates, rollerblades *ook* **(rol)lem′skaatse**
**in′maak -ge-** can, preserve; **~bot′tel** canned-fruit bottle; **~fabriek′** cannery
**in′meng -ge-** meddle, interfere; *in 'n ander se sake ~* meddle in/with another's business

**in'name** (s) capture; collection
**in'neem -ge-** take, take in; conquer
**inne'mend** endearing, attractive (person)
**in'nerlik -e** inner; internal, intrinsic
**in'nig** (b) cordial, sincere, fond; intrinsic; *~e meegevoel/simpatie* sincere sympathy
**in'pak -ge-** pack; *jou koffers ~* pack one's suitcases/bags
**in'palm -ge-** haul in; grab (money, goods)
**in'pas -ge-** fit in
**in'perk -ge-** restrict, confine, ban
**in'plof** (w) implode; **~fing** implosion
**in'prent -ge-** imprint, impress, inculcate; *hom allerlei bogstories ~* stuff his head with all kinds of nonsense
**in'rig -ge-** arrange, organise; fit up, equip
**in'rigting -s, -e** arrangement; establishment, institution *ook* **in'stelling**
**in'roep -ge-** call in *ook* **ontbied'**
**in'ruil -ge-** exchange, barter; **~waar'de** trade-in value (car)
**in'ry -ge-** ride/drive in; **~fliek** drive-in flick *ook* **veld'fliek**
**in'sae** inspection, perusal; *ter ~* for perusal; on appro(val)
**in'samel -ge-** gather, collect; **~ing** collection; **~ing(s)veld'tog** fundraising campaign/drive
**in'sek -te** insect; **~do'der** insecticide, pesticide
**in'sekte: ~kun'de** entomology; **~kun'dige** entomologist (person)
**insemina'sie** insemination; **kunsma'tige ~ (K.I.)** artificial insemination (A.I.)
**in'send -ge-** send in, contribute
**in'set -te** stakes (gambling); pool; input; *'n ~ lewer* make an input *kyk* **uit'set**
**in'sien -ge-** look into; understand, realise
**in'sig -te** insight, view, opinion; *iem. met ~* a man of discernment; **~ge'wend** informative, instructive *ook* **leer'saam**
**in'sink -ge-** sink in, sag, subside; **~ing** subsidence, collapse; relapse (illness)
**in'sit -ge-** strike up; begin (song); install; put in; set in; be inside
**in'skakel -ge-** tune in (radio); insert; connect up; put into gear; join
**in'skep -ge-** ladle into; dish up
**in'skerp -ge-** inculcate, impress; reinforce; *die oefening ~* repeat/drill the exercise
**inskik'lik** (b) **-e; -er, -ste** complying, yielding, willing, affable *ook* **toegeef'lik, meegaan'de**
**in'skink -ge-** pour in
**inskrip'sie -s** inscription *ook* **in'skrywing**
**in'skryf/in'skrywe -ge-** inscribe; subscribe; enrol, enlist, enter; tender; **~geld** entrance fee; **~vorm** entry form
**in'skrywing -s, -e** subscription; enrolment, registration, entry, tender
**in'slaan -ge-** drive in, smash, strike; *~ by die publiek* catch the popular fancy
**in'sleep -ge-** drag in(to); tow; **~diens** breakdown service; tow-away service; **~wa** breakdown van/lorry
**in'sleutel** (w) **-ge-** feed, key in (comp.)
**in'sluimer -ge-** doze off, fall asleep
**in'sluit -ge-** enclose; include, shut in, contain, embrace; *hierby ingesluit* enclosed herewith
**in'sluk -ge-** swallow
**in'smokkel -ge-** smuggle/sneak in
**insolvent'** insolvent, bankrupt *ook* **bankrot'**
**in'span -ge-** exert; inspan; *jou ~* exert oneself; **~ning** exertion, strain, effort
**inspek'sie** (s) **-s** inspection, check-up
**inspekteer' ~, geïn-** inspect
**inspekteur' -s** inspector
**inspira'sie** inspiration *ook* **besie'ling**
**inspireer'** (w) **~, geïn-** inspire *ook* **besiel'**
**in'spraak** dictate(s) (of one's heart); joint consultation, participation *ook* **me'deseg'genskap**; *hulle leiers wil ~ hê in landsake* their leaders want a say in national issues
**in'spring -ge-** jump in(to); indent (lines)
**in'spuit -ge-** inject; **~ing** injection; **skraag-in'spuiting** booster injection
**in'staan -ge-** guarantee, warrant, vouch for; *vir die waarheid ~* vouch for the truth
**installa'sie -s** installation, (factory) plant *ook* **aan'leg**
**installeer' geïn-** install; inaugurate
**instand'houding** maintenance, upkeep
**instan'sie** instance; body, person (in power) *ook* **organisa'sie, lig'gaam**; *in eerste ~* in the first place; *verwys na ander ~s* refer to other bodies/parties
**in'stel -ge-** institute, establish, introduce; **on'dersoek ~** conduct an inquiry, investigate; **~ling** institution, establishment
**in'stem -ge-** agree, concur; tune in; **~mer** tuner (radio); **~ming** agreement, accord; assent; *met algemene ~ming* by common consent
**in'stink -te** instinct *ook* **natuur'drif**
**instinkma'tig/instinktief'** (b) instinctive

**instituut′** (s) **..tute** institute
**in′stort -ge-** collapse, tumble down; relapse; **~ing** relapse; collapse
**instruk′sie** instruction, direction *ook* **op′drag**
**instrukteur′ -s** instructor *ook* **leer′meester**
**instrument′ -e** instrument, tool, implement; **~paneel′** dashboard
**in′studeer -ge-** study; practise (songs)
**insurgen′sie** (s) insurgence *ook* **op′stand, op′roer**
**in′sypel -ge-** infiltrate; **~aar** infiltrator/insurgent; **~ing** infiltration
**inteen′deel** on the contrary; *hulle is nie arm nie; ~, hulle is skatryk* they are not poor; on the contrary, they are very well-off *kyk* **daarenteen′**
**integra′sie** integration, combination of parts
**integriteit′** integrity *ook* **eer′baarheid**
**in′teken -ge-** subscribe; *op 'n maandblad ~* subscribe to a monthly (magazine); **~aar** subscriber; **~geld** subscription; **~lys** subscription list
**intellek′ -te** intellect *ook* **verstand′**
**intellektueel′** (s, b) **..tuele** intellectual
**intelligen′sie** intelligence; **~diens** intelligence service; **~kwosiënt′** intelligence quotient
**intelligent′ -e; -er, -ste** intelligent, bright *ook* **skran′der, slim**
**intensief′** intensive; **(intensie′we) sorg′eenheid/waak′eenheid** intensive care unit
**interessant′ -e; -er, -ste** interesting *ook* **boei′end, tref′fend**
**interesseer′ geïn-** interest, be interested in; *hy is geïnteresseer (stel belang) in tuinmaak* he is interested in gardening
**in′terim** interim *ook* **tus′sentyds** (dividend)
**intermediêr′ -e** intermediate (bv. eksamen)
**intern′ -e** intern, internal; **~e beheer′** internal control; **~e eksa′men** internal examination; **~e kontro′le** internal check
**internasionaal′ ..nale** international **..na′le bemid′deling** international mediation
**Internet** Internet
**internis′ -te** specialist physician
**interplanetêr′ -e** interplanetary; **~e vlug′te** interplanetary flights
**interpreta′sie -s** interpretation *ook* **vertol′king**
**interprovinsiaal′ ..siale** interprovincial
**interpunk′sie** punctuation, interpunction
**intiem′ -e; -er, -ste** intimate; **~e vriend** close/intimate friend
**intimida′sie** (s) intimidation *ook* **vrees′aanjaging**
**intona′sie -s** intonation *ook* **stem′buiging**
**in′trede** entry, entrance; induction
**in′tree** (w) **-ge-** enter, go in; *hiermee het 'n nuwe tydperk ingetree* this marks a new era; **~geld** admission/entrance fee; **~preek** induction sermon; **~re′de** inaugural address; maiden speech (parliament)
**in′trek** (w) move in (house); draw in (smoke); repeal (an act); cancel (leave); revoke (an edict); **nu′we ~kers** new occupants/neighbours
**intri′ge -s** intrigue, plot, scheme *ook* **komplot′**
**introduk′sie -s** introduction *ook* **in′leiding**
**intuï′sie** (s) intuition
**intuïtief′ ..tiewe** intuitive *ook* **instinktief′**
**intus′sen** meanwhile, in the meantime
**in′val** (s) **-le** idea, thought; raid, invasion; (w) collapse; occur; join in
**invali′de -s** invalid (person)
**inventa′ris -se** inventory; *die ~ opmaak* take stock *ook* **voor′raadopname**
**in′vloed -e** influence; **~ryk** influential; **~wer′wing** canvassing (for a job)
**in′vloei -ge-** flow in(to)
**in′voeg -ge-** put in, insert
**in′voer** (s) import(ation); (w) import; **~der** importer (of); **~reg** import duty
**in′vorder** (w) **-ge-** collect (taxes) *ook* **in′samel**; demand (payment)
**in′vul -ge-** fill in, fill up; *'n vorm ~* complete a form
**in′wendig -e** internal, inner; *nie vir ~e gebruik nie* not to be taken (medicine)
**in′willig -ge-** grant, consent, agree; accede
**in′win -ge-** obtain/gather (information)
**in′wissel -ge-** exchange, cash (a cheque)
**in′woner -s** inhabitant *ook* **bur′ger**, **on′derdaan**; resident (city)
**in′woning** (board and) lodging
**in′wy -ge-** open, initiate; ordain, consecrate; **~ding** opening, inauguration
**ipekon′ders/hipokon′ders** whims, caprices; imaginary ailments
**i′ris -se** iris
**iro′nies** (b) **-e** ironical
**isola′sie** isolation *ook* **af′sondering**
**i′tem** item *ook* **nom′mer** (on programme)
**ivoor′** ivory; **~to′ring** ivory tower

# J

**ja** yes; *op alles ~ en amen sê* agree to every= thing
**ja(ag) ge-** chase, pursue; race; *iem. die skrik op die lyf ~* give someone a terrible fright
**jaag: ~dui'wel** helldriver, speed merchant; **~strik** speed trap *ook* **snel'strik**
**jaar jare** year; **~boek** yearbook **~ein'de** year-end; **~geld** annuity; **~gety'** season; **~liks** yearly, annual; **~sy'fer** year mark, record
**jaart -s** yard (measure)
**jaar: ~tal** date; **~tel'ling** era *ook* **tyd'vak**; **~verga'dering** annual (general) meeting; **~verslag'** annual report
**ja'broer -s** yes-man *ook* **krui'per**
**jag**[1] (s) **-te** yacht *ook* **seil'jag**
**jag**[2] **-te** hunt, chase (of game); *die ~ na rykdom* the pursuit of wealth; (w) **ge-** hunt; **~gesel'skap** hunting party
**jag'ter -s** hunter, huntsman
**jakaran'da -s** jacaranda
**jak'kals -e** jackal; sly person; *~ prys sy eie stert* he blows his own trumpet; *die ~e trou* the fairies are baking; **~draai'e** clever excuses
**jak'ker** (w) gallivant, career along *ook* **rond~**
**Ja'kob:** *die ware ~* the real Mackay
**jakope'weroë** protruding eyes
**jaloers'** (b) jealous, envious *ook* **afguns'tig**
**jaloesie'** jealousy, envy *ook* **af'guns**
**jam'mer** (s) pity; misery; (b) sorry; *hoe ~!* what a pity!; **~har'tig** (b) compassionate
**jam'mer: ~lap'pie** damp serviette/napkin; **~lik** miserable, pitiable; **~te** sorrow
**Jan** John; ~ **Bur'ger** John Citizen; ~ **Pam= poen'** idiot, fool, dunce; ~ **Rap en sy maat** rag-tag and bobtail; ~ **Sa'lie** stick-in-the-mud *ook* **lam'sak**; ~ **Taks** Receiver of Revenue; ~ **Tuis'bly:** *met ~ Tuisbly se karretjie* have to stay at home
**ja-nee'!** sure! indeed!
**janfiskaal'** butcherbird, fiscal shrike
**janfre'derik** Cape redbreast, robinchat
**jangroen'tjie -s** malachite sunbird
**Jan'tjie/Jannetjie** Johnie; ~ *wees* be jealous
**Janua'rie -s** January
**ja'pie -s** johnny; bumpkin, clodhopper
**jap'piegriep** yuppie flu *ook* **chro'niese uit= puttingsindroom'**
**japsnoet' -e** inquisitive/impertinent child *ook* **snip;** wise-acre, know-all
**jap'trap:** *in 'n ~* in a jiffy, in two ticks
**ja'relange** long-continued; *ons ~ vriendskap* friendship of many years' standing
**jare lank** for years (on end)
**jas -se** coat, greatcoat
**jasmyn'** jasmine
**ja'vel/ja'fel** lout, bumpkin *ook* **gom'tor**
**ja'woord** consent, permission, promise; *die ~ kry* be accepted (as lover)
**jeans** (s) jeans
**jel'lie -s** jelly
**jene'wer** gin
**jeremia'de** (s) **-s** jeremiad, woeful tale
**Je'sus** Jesus
**Jeug'dag** Youth Day (holiday)
**jeug** youth; *in sy prille ~* in his early youth
**jeug'dig -e** young, youthful; **~e** (s) youth; juvenile (person)
**jeug: ~her'berg** youth hostel; **~lektuur'** juvenile literature; **~mis'daad** juvenile crime; **~misda'digheid/~wan'gedrag** juve= nile delinquency
**jeuk/juk** (w, s) itch
**jig** gout *ook* **wyn'toon**
**jo'del ge-** yodel (falsetto singing)
**jo'dium** (s) iodine
**joernaal'** journal, newspaper; logbook
**joernalis' -te** journalist, pressman; reporter
**joernalistiek'** journalism
**jog'gie -s** caddie (golf); lad(die)
**jog'urt** yoghurt
**jok** (w) **ge-** lie, tell stories/fibs
**jo'ker** (s) joker *ook* **as'jas** (kaartspel)
**jok'kie -s** jockey (horse racing)
**jol ge-** make merry, make fun; spree
**jo'lig** (b) **-e** jolly, merry, gay
**jolyt'** merry-making, revelry; **~ma'ker** reveller
**jong** (s) **-es** young (animal): (w) bring forth young; (b, attributief) young; *van ~s af* from an early age; *die ~ste berigte* the latest news/intelligence
**jong'getroude -s** newly married person; ~ **paar** newly-married couple
**jong: ~kêrel** bachelor *kyk* **ou'jongkêrel**; young man; **~leur** juggler *ook* **wig'gelaar**; **~mei'sie** young girl, lass; **~span** young people *ook* **jong'klomp**

**jonk**[1] (s) **-e** junk (sailing vessel)
**jonk**[2] (b, predikatief) **jong′er, jong′ste** young
**jon′ker -s** squire; *hoe kaler ~, hoe groter pronker* great boast, small roast
**Jood Jo′de** Jew; *die wandelende ~* the wandering Jew
**jool jole** (students') rag; fun, jollification; ~**blad** rag magazine; ~**koningin′** rag queen; ~**op′tog** rag procession
**jou**[1] (w) **ge-** boo *ook* **uit′jou, boe**
**jou**[2] (pers. vnw), you; (besit. vnw) yours
**jou′e/jou′ne** yours; *dis ~* it is yours
**joviaal′** jovial, jolly, cheerful *ook* **op′gewek**
**ju′bel** (w) **ge-** rejoice, cheer, exult
**jubile′um -s** jubilee *ook* **gedenk′dag**
**juf′frou** miss, young lady; (lady) teacher
**juig ge-** rejoice, exult, cheer *ook* **ju′bel**
**juis** (b) **-te; -ter, -ste** exact, correct *ook* **presies′**; (bw) exactly, precisely; *~ wat nodig is* exactly what is needed
**juist′heid** correctness, exactitude
**juk′skei -e** yokepin/yokeskey; jukskei (game); *′n orige ~* a fifth wheel to the coach
**Ju′lie -s** July
**jul′le** (pers. vnw) you; (besit. vnw) your
**Ju′nie -s** June
**ju′nior** (s) **-s** junior; (b) junior
**ju′rie -s** jury
**justi′sie** justice *ook* **die reg, gereg′tigheid**
**ju′te/juut** jute *ook* **goi′ing**
**juweel′ juwele** jewel, precious gem/stone
**juwelier′ -s** jeweller; ~**s′wa′re** jewellery
**jy** you; *~ kan nooit weet nie* one never knows

# K

**kaai -e** wharf, quay *ook* **ha′wehoof**
**kaai′man -ne, -s** alligator, cayman
**kaak**[1] **kake** jaw
**kaak**[2] **kake** pillory; *aan die ~ stel* expose to public contempt
**kaal kale; kaler, -ste** bald, bare, naked; *daar ~ van afkom* come off second best; ~**bas** nudist *ook* **naak′loper/hol′ler**; ~**baai′er** nude bather; ~**buus** topless; ~**hol** streak; ~**hol′ler** streaker *ook* **kaal′naeler, stry′ker**; ~**kop** baldpate, baldhead; *iem. ~kop die waarheid sê* go for a person baldheaded; ~**pers′ke** nectarine; ~**stroop** (w) clean(ed) out (housebreaking); ~**voet** barefoot
**Kaap**[1] Cape; Cape Town
**kaap**[2] (s) **kape** cape, promontory, headland
**kaap**[3] (w) **ge-** practise piracy, hijack/carjack *ook* **mo′torkaping; ontvoer′/skaak**
**Kaaps -e** Cape; *die ~se dokter* the south-easter; *~e draaie maak* take sharp turns; *so oud soos die ~e wapad* as old as the hills; ~**e vlak′te** Cape Flats
**Kaap′stad** Cape Town
**kaart -e** map, chart; ticket; ~ **en transport′** title deed; ~**foon** card (tele)phone
**kaar′tjie -s** ticket; card
**kaart:** ~**man′netjie** jack-in-the-box; ~**speel** play cards
**kaas kase** cheese; ~**en-wyn′onthaal′** cheese and wine reception; ~**bur′ger** cheeseburger
**kaat′jie:** *~ van die baan wees* be cock of the walk
**Kaat′jie:** ~ **Kek′kelbek** chatterbox
**kaats ge-** play (at) ball; ~**er** reflector
**kabaal′** noise, hubbub, clamour *ook* **her′rie, rumoer′**; *~ maak/opskop* raise Cain
**kabaret′ -te** cabaret; ~**lied′jie** cabaret song, ditty
**kab′bel ge-** babble, ripple
**ka′bel** (s) **-s** cable; *′n kink(el) in die ~* a hitch; (w) cable
**kabeljou′ -e** cod (fish); Cape salmon
**ka′bel:** ~**spoor** cableway *ook* **sweef′spoor**; ~**televi′sie** cable television
**kabinet′ -te** cabinet, case; ministry, cabinet; ~**minis′ter** cabinet minister
**kabou′ter -s** gnome, elf, imp; ~**man′netjie** hobgoblin, elf
**ka′der -s** cadre; framework; skeleton; ~**personeel′** skeleton staff *ook* **ska′dupersoneel′**
**ka′det -te** cadet; trainee
**kaf** chaff; nonsense, tommyrot *ook* **bog, twak**; *~ verkoop* talk nonsense; *iemand ~loop* knock spots off someone
**kafee′ -s** café
**kafete′ria -s** cafeteria
**kag′gel -s** fireplace/chimney piece; range
**kai′ing -s** greave(s), browsel(s); crackling(s)
**kajuit′ -e** cabin; ~**personeel′** cabin crew (airliner)

**kak** (*kru*) (s, w) shit (*vulgar*), dung
**kaka′o** cocoa
**ka′kebeen** jaw, jawbone; ~**wa** Voortrekker oxwagon
**kaketiel′/kokketiel′** cockatiel (bird)
**ka′kie -s** khaki; tommy; ~**bos** khakibos
**kakkerlak′ -ke** cockroach *ook* **kokkerot′**
**kak′tus -se** cactus
**kalan′der -s** weevil
**kalant′ -e** rogue, scamp; old hand, sly fox
**kalbas′ -se** calabash, gourd; ~**kop** skinhead (person) *ook* **been′kop**
**kalbas′sies** orchitis *ook* **bal′ontsteking**
**kalen′der -s** calendar, almanac *ook* **almanak′**
**kalf** (s) **kalwers** calf; (w) calve
**kalfs′vleis** veal
**kali′ber** calibre; bore (of gun)
**kalk** lime; **geblus′te** ~ slaked lime
**kalkoen -e** turkey; *hy is nie onder 'n ~ uitgebroei nie* he is not as green as he looks
**kalm -e; -er, -ste** calm, quiet; composed
**kalmeer′ ge-** calm, soothe, allay *ook* **sus, bedaar′** (w); ~**mid′del** sedative, tranquilliser
**kalorie′ -ë** heat unit, calorie
**kal′wer:** ~**hok** kraal for calves; *tot by oom Daantjie in die ~hok* go the whole hog; ~**lief′de** boy-and-girl-love, puppy love
**kam** (s) **-me** comb; crest; *almal oor dieselfde ~ skeer* treat all alike; (w) comb (your hair); card
**kamas′ -te** gaiter, legging
**kameel′ kamele** camel; ~**perd** giraffe *ook* **giraf′**
**ka′mer -s** room, chamber; *K ~ van Koophandel* Chamber of Commerce; *K~ van Mynwese* Chamber of Mines
**ka′mera -s** camera; ~**man** cameraman (media) *ook* **fotograaf′** (mens)
**kameraad′ ..rade** comrade, companion, mate; ~**skap** companionship
**ka′mer:** ~**jas** dressing gown; ~**musiek′** chamber music
**kam′ma/kammakas′tig/kammalie′lies** quasi, so-called, as if (it were); bogus; *hy het ~ geleer* he pretended to be studying
**kam′mahortjie -s** mock shutter
**kam′makreef** mock lobster
**kamoefleer′** (w) camouflage *ook* **vermom′**; ~**drag** camouflage uniform
**kamp** (s) **-e** camp, encampment; (w) camp *ook* **uit′kamp**; ~**bed** stretcher *ook* **vou′katel**
**kampeer′** camp *ook* **uit′kamp**; ~**terrein′** camping site; ~**wa** caravan *ook* **woon′wa**
**kampioen′ -e** champion; ~**skap** championship
**kam′pus -se** campus
**kamp′vegter -s** fighter (for a cause), champion; ~ *vir vryheid* champion/advocate of liberty/liberation
**kan**[1] (s) **-ne** can, jug; *die wysheid in die ~* be tipsy
**kan**[2] (w) **kon** be able, can
**kana′rie -s** canary; ~**kou′(tjie)** (s) canary cage
**kandidaat′ ..date** candidate, applicant
**kaneel′** cinnamon
**kan′fer** camphor
**kanferfoe′lie** honeysuckle
**kangaroe′ -s** kangaroo
**kan′ker** cancer, carcinoma *ook* **karsinoom′** (tumor)
**kan′netjie -s** small boy, kid, chappy; small jug, cannikin
**kannibaal′ ..bale** cannibal *ook* **mens′vreter**
**kan′niedood** (s) diehard; persister; variegated aloe; *hy is 'n regte ~* he is everlasting; (b) indestructible
**kano′ -'s** canoe; ~**wed′vaart** canoe race
**kanon**[1] **-ne** (big) gun; cannon (obsolete)
**ka′non**[2] canon (chain music)
**kans -e** chance, opportunity, prospect; *'n ~ waag* take a chance; ~**vat′ter** chancer
**kan′sel -s** pulpit; chancery
**kanselier′ -s** chancellor (person)
**kanselleer′** (w) **~, ge-** cancel
**kant**[1] (s) lace (fabric)
**kant**[2] (s) **-e** side, edge, brink; margin; *jou ~ bring* do one's share; *~ kies* side with; *~ en klaar* quite ready; *aan ~ maak* tidy (up)
**kan′tel ge-** topple, fall, capsize, tilt; ~**dem′per** anti-roll bar (car)
**kantien′ -e** canteen; bar, pub *ook* **kroeg**; tin can
**kant′lyn -e** margin line; sideline
**kantoor′ ..tore** office; ~**u′re** office hours
**kant′:** ~**ruim′te** margin; ~**stro′kie** counterfoil; ~**te′kening** marginal note; ~**werk** lacework, lace
**kap**[1] (s) **-pe** shade; bonnet (of engine); cart hood; truss/principal of roof; hatch
**kap**[2] (s) cut, chop (with axe); (w) fell, cut wood, chop; paw (horse)
**kap**[3] (w) **ge-** cut, dress (hair)
**kapasiteit′ -e** capacity *ook* **vermo′ë**; **in′houdsmaat**; **bak′maat** (dam)

**kapel′**[1] **-le** chapel *ook* **be′dehuis**
**kapel′**[2] **-le** cobra *ook* **koperkapel′**
**kapelaan′ -s** chaplain; padre
**ka′per -s** privateer, pirate, freebooter *ook* **see′rower**; hijacker, carjacker
**kapitaal′** (s) **..tale** capital; ~ *en rente* principal and interest; (b) capital, splendid; **~uit′breiding** capital expansion
**kapitalis′me** capitalism
**kapitalis′ties: ~e stel′sel** capitalist system
**kapituleer′ ge-** capitulate *ook* **oor′gee**
**kapok′** (s) snow; wadding; capoc; (w) snow; **~gewig′** bantam weight **~haan′tjie** bantam cock; cheeky fellow; **~hoen′der** bantam fowl
**kap′per -s** hairdresser, barber
**kap′pertjie -s** nasturtium (flower)
**kap′pie -s** sunbonnet; canopy (of a bakkie); circumflex
**kap′sel -s** hairdress, coiffure; **~para′de** hairstyle parade
**kap′sie:** ~ *maak teen/op* raise objections
**kap: ~ste′wel** topboot, jackboot; **~stok** hall stand, hat rack
**kapsu′le -s** capsule
**kaptein′ -s** captain *ook* **gesag′voerder**; chief(tain)
**kap′werf** chopshop (for stolen cars)
**kar -re** cart; (motor)car *ook* **mo′tor**
**karaat′ karate** carat
**karak′ter -s** character, nature; **~trek** trait; **~(uit)beelding** portrayal of character
**karavaan′** caravan *kyk* **woon′wa**
**karba′ -'s** wicker bottle, demijohn
**kardinaal′** (s) **..nale** cardinal (person); (b) cardinal, chief, vital
**kardoes′ -e** paperbag; cartridge; **~broek** plusfours, knickerbockers
**ka′rig** (b) sparing, skimpy, scanty; frugal; **~e maal′tyd** scanty meal
**kariljon′ -s** carillon, chimes *ook* **klok′kespel**
**karkas′** (s) **-se** carcass
**karkat′jie -s** sty (on the eye)
**karnal′lie -s** rogue, scamp, rascal (person)
**karnaval′ -s** carnival *ook* **ker′mis**
**karnuf′fel ge-** hug, cuddle; manhandle/bully
**karos′ -se** skin rug, kaross
**karp(er)** carp (fish)
**kar′ring** (s) **-s** churn; (w) churn; **~melk** buttermilk
**karton′** cardboard, pasteboard; carton; **~boks** cardboard box
**karwats′ -e** riding crop, horsewhip *ook* **peits**
**karwei′ ge-** ride transport, cart; **~er** transport rider; cartage/removals contractor; carrier, haulier, trucker
**kas**[1] (s) **-te** box; case; cupboard, chest; cabinet
**kas**[2] (s) **-se** socket (eye) *ook* **oog′kas**
**kas**[3] cashbox/till; treasury; (w) deposit
**kas′boek -e** cashbook
**kaser′ne -s** barracks, (army) camp
**kasi′no/casi′no** casino *ook* **dob′belhuis**
**kaska′de -s** cascade
**kas′kar** (s) soapbox cart, go-cart
**kaskena′de** prank, mischievous trick, antic
**kas′register -s** cash register/till
**kasset′speler -s** cassette player
**kassier′ -s** cashier; teller (in bank)
**kastai′ing -s** chestnut; **~bruin** (b) auburn
**kasteel′ kastele** castle, citadel *ook* **ves′ting**
**kas′terolie** castor oil
**kastreer′** (w) **~, ge-** castrate *ook* **ontman′**
**kastrol′ -le** stewpan, saucepan
**kasty′ ge-** castigate, chastise, punish
**kat -te** cat; *die ~ uit die boom kyk* wait and see which way the cat jumps; *die ~ in die donker knyp* do things on the sly
**kata′logus -se** catalogue *ook* **prys′lys**
**kat′apult** (s) catapult *ook* **ket′tie**; slingshot
**katar′** catarrh
**katarak′ -te** cataract
**katastro′fe -s** catastrophe *ook* **ramp**
**katedraal′ ..drale** cathedral *ook* **dom′kerk**
**kategorie′ -ë** category
**ka′tel -s** bedstead *ook* **ledekant′**
**katjiepie′ring -s** gardenia (flower)
**katkisant′ -e** candidate for confirmation
**kat′lagter -s** babbler (bird)
**katoen′** cotton
**katoe′ter -s** gadget *ook* **katot′ter**
**Katoliek′ -e** (Roman) Catholic
**katoliek′** (b) universal, all-embracing
**kat′oog ..oë** cat's eye; reflectorised stud (on roads)
**katrol′ -le** pulley; **~stel** block and tackle
**kats** (s) **-e** cat-o'-nine-tails; (w) thrash, lash, whip
**kats′wink** dazed *ook* **dis′nis**; *slaan iem. ~* knock someone unconscious
**kat′te: ~bak** dickey seat, rumble seat; **~kroeg** milk bar; **~kwaad** mischief, tricks; **~ry** cattery (cat kennels)
**keel kele** throat; *sy eie ~ afsny* cut one's own throat

**ke'ël -s** cone; icicle; ~**vor'mig** conical
**keep** (s) **kepe** notch, indentation, nick
**keer** (s) **kere** turn; time; *drie* ~ three times; (w) turn; prevent; ~**dag** return day/date; ~**kring** tropic (line); ~**punt** turning point; ~**sy** other/reverse side; ~**tyd** return day/date; ~**weer** cul-de-sac, blind alley *ook* **dood'loopstraat**
**kees kese** monkey; *dis klaar met* ~ he is a goner
**ke'gel -s** skittle, pin; ~**spel** skittles; tenpin bowling
**kei'ser -s** emperor
**keiserin' -ne** empress
**kei'ser:** ~**ryk** empire; ~**snee** Caesarian section
**kek'kel ge-** cackle; ~**bek** chatterbox
**kel'der** (s) **-s** cellar; bottom of the sea; *na die* ~ *gaan* go to Davy Jones's locker; (w) sink; ~**verdie'ping** basement
**kelk -e** chalice, calyx; cup
**kel'kie -s** wineglass
**kelkiewyn' -e** Namaqua sandgrouse (bird)
**kel'ner -s** waiter, steward
**ken**[1] (s) **-ne** chin
**ken**[2] (w) **ge-** know; recognise; understand; *van buite* ~ know by heart; *te* ~*ne gee* give to understand; indicate
**ken:** **-letter(s)** designatory initials/title; ~**merk** (s) characteristic; feature *ook* **ei'enskap**; (w) ~**merk** characterise; ~**ner** (s) expert; fundi, boffin (person)
**ken'nis** knowledge; consciousness; acquaintance; ~ *gee* give notice; ~ *maak met* make acquaintance with; *in* ~ *stel* notify; ~**ge'wing** notice, announcement
**ken:** ~**stro'kie** name tag (at conferences) *ook* **naam'plaatjie**; ~**te'ken** distinctive mark; badge; ~**wy'sie** theme/signature tune
**keramiek'** ceramics *ook* **er'dewerk**
**ke're:** *te* ~ *gaan* make a fuss; rave
**kê'rel -s** fellow, chap; bloke, guy; *'n gawe* ~ a decent/fine chap; *haar* ~ her suitor/boyfriend *ook* **vry'er**; *hulle is* ~ *en nooi* they are on courting terms; going steady
**kerf** (s) **kerwe** notch, incision; (w) notch; cut (tobacco); ~**stok** nickstick
**kerk -e** church, chapel; congregation; *die koeël is deur die* ~ the die is cast
**ker'ker -s** dungeon
**kerk'hof ..howe** churchyard, cemetery *ook* **begraaf'plaas**
**kerk:** ~**klok** church bell; ~**muis** church mouse: *so arm soos 'n* ~*muis* as poor as a church mouse; ~**plein** church square; ~**to'ring** church tower, steeple
**kerm** (w) **ge-** lament, groan, whine
**ker'mis -se** fair, fête; carnival
**kern -s** kernel; core, pith; gist; nucleus; *die* ~ *van die saak* the gist of the matter; ~**aan'gedrewe** nuclear powered; ~**af'val** atomic waste
**kernag'tig** (b) pithy, terse
**kern:** ~**-as** nuclear fallout; ~**krag** nuclear power; ~**reak'tor** nuclear reactor, cyclotron; ~**silla'bus** core syllabus; ~**tyd** core time *kyk* **skik'tyd** (kantoor)
**ker'rie** curry; ~**-en-rys** curry and rice
**kers -e** candle; ~ *opsteek* learn the tricks of the trade
**Kers:** ~**aand** Christmas evening/Eve; ~**boom** Christmas tree; ~**dag** Christmas Day; ~**fees** Christmas; ~**geskenk'** Christmas box/present
**ker'sie -s** cherry (fruit)
**Kers'vader** Father Christmas, Santa Claus *ook* **Va'der Kris'mis**
**Kers'vakansie** Christmas holidays/vacation
**ke'tel -s** kettle; boiler (of engine)
**ket'ter -s** heretic, unbeliever (person)
**ket'tie** (s) catapult/catty *ook* **voëlrek(ker)**
**ket'ting -s** chain; ~**reak'sie** chain reaction
**keur** (s) choice, selection; charter, *te kus en te* ~ for the choosing; (w) test, try, judge; seed (sport); *die eerste ge*~*de* the first seed; ~**der** selector (sport); ~**graad** choice grade (butter)
**keu'rig** (b) fine, exquisite, choice
**keur:** ~**komitee'** selection committee; ~**lys** grading/seeding list (sport) *ook* **rang'lys**; ~**toets** aptitude test *ook* **aan'legtoets**; ~**troe'pe** elite troops
**keu'se -s** choice, selection; *uit vrye* ~ of one's own free will; ~**vak** optional subject
**ke'wer -s** beetle
**kiaat'hout** teak (wood)
**kib'boets** (s) kibbutz *ook* **gemeen'skapplaas**
**kib'bel ge-** quarrel, squabble, bicker
**kie'kie** (s) **-s** snap, snapshot
**kiel** keel (of a ship); ~**haal** (w) keelhaul, careen
**kie'lie ge-** tickle; ~**bak** armpit *ook* **ok'sel**
**kiem** (s) **-e** germ; embryo; *in die* ~ *smoor* nip in the bud; (w) germinate
**kie'persolboom ..bome** umbrella tree
**kie'piemielies** popcorn *ook* **spring'mielies**

**kie'rie -s** (walking) stick; ~**geld** pension money (idiom); ~**wis'selaar** floorshift (car)
**kies**[1] (s) **-e, -te** cheek pouch; molar (tooth), grinder *ook* **kies'tand**
**kies**[2] (w) **ge-** choose, elect, pick
**kies**[3] (b) delicate, dainty *ook* **keu'rig**
**kies:** ~**afdeling** electoral division; constituency; ~**baar** eligible
**kie'ser -s** voter, elector; ~**slys** voters' roll
**kieskeu'rig** (b) particular, fastidious
**kies'lys** (s) menu (comp.)
**kies'tand -e** molar (tooth), grinder
**kiet(s)** quits, equal; *ons is* ~ we are quits
**kiet'siesorg** (s) cattery *ook* **kat'tery**
**kieu/kief** (s) gill (of fish)
**kie'wiet -e** lapwing, noisy plover (bird)
**kil** chilly, cold; ~**(le) ontvangs'** chilly reception
**ki'lo -'s** kilo; ~**gram** kilogram; ~**li'ter** kilolitre; ~**me'ter** kilometre
**kind -ers** child; infant, baby; *'n ~ des doods* a doomed man; *~ nog kraai hê* have neither kith nor kin; **gerem'de** ~ backward child; **gestrem'de** ~ handicapped child; **vertraag'de** ~ retarded child
**kinderag'tig** childish, silly *ook* **laf, verspot'**
**kin'der:** ~**arts** paediatrician *ook* **pedia'ter**; ~**huis** children's home *ook* **kinderha'we** *kyk* **wees'huis**; ~**ja're** childhood; ~**lik** childlike, innocent, filial; ~**mishan'deling** child abuse; ~**molesteer'der** child molester *ook* **pedofiel'**; ~**rym'pie** nursery rhyme; ~**sorg** child welfare; ~**spe'letjies** child's play; *dis nie ~speletjies nie* it is no joking matter; ~**sterf'tesyfer** infant mortality rate; ~**verlam'ming** infantile paralysis, poliomyelitis; ~**wa'entjie** perambulator (pram) *ook* **stoot'waentjie**
**kinds** (b) **-e** senile *ook* **seniel'**
**kink** (s) **-e** twist, knot, hitch; *daar is 'n ~/kinkel in die kabel* there is a hitch somewhere
**kink'hoes** (s) whooping cough
**kiosk'** kiosk, stall *ook* **kraam'pie/stal(letjie)**
**kis** (s) **-te** box *ook* **boks**; case, trunk; coffer; coffin; (w) coffin; ~**hou** winning shot, ace (sport) *ook* **kol'hou** (gholf); ~**kle're** Sunday best; Sunday-go-to-meeting
**kitaar' -s; ..tare** guitar *ook* **ghitaar'**
**kits** moment, trifle; *in 'n ~* in a jiffy; ~**bank** automatic teller machine (ATM) *ook* **OTM** (outoteller); ~**klaar** ready in an instant; ~**kof'fie** instant coffee
**kla/klae ge-** complain; *ek kan nie ~ nie* things are not too bad; *~ steen en been* complain loudly
**klaag:** ~**lied** lamentation, dirge; ~**muur** wailing wall
**klaar** (b) ready, finished; clear
**klaar:** ~**kom** get finished; get along, manage; *ek sal darem ~kom* I'll be able to manage; ~**maak** get ready, finish; prepare
**Klaas Vaak'/Klaas Va'kie** Willie Winkie, the dustman, the sandman
**klad**[1] (s) **-de** blot, stain; (w) blot
**klad**[2] (s) rough draft; blemish/stain; ~**werk** rough work
**kla'er -s** plaintiff, complainant
**klag -te/klag'te -s** complaint; *'n ~ indien* lodge a complaint; ~**staat** charge sheet
**klam -mer, -ste** damp, moist
**klamp** (s) **-e** clamp; bracket; (w) clamp
**klandi'sie** customers, patronage; clientele, custom; ~**waar'de** goodwill (business)
**klank -e** sound, tone; ~**baan** sound track; ~**dem'per** silencer (car); ~**dig** soundproof; **ho'ë** ~**getrouheid** high fidelity, hifi *ook* **klank'trou/ho'ëtrou**; ~**grens** sound barrier; ~**ie** suspicious smell (meat); ~**na'bootsing** onomatopoeia; ~**verster'ker** amplifier
**klant -e** customer; ~**bus** courtesy bus; ~**esorg** client/customer relations
**klap** (s) **-pe** slap, blow, crack; flap; (w) **ge-** smack, clap; crack
**klap'per**[1] **-s** cracker, explosive (sound)
**klap'per**[2] **-s** coconut
**klap:** ~**roos** corn poppy; ~**mus** balaclava cap
**klarinet' -te** clarinet
**klas -se** class, form; grade; category; *eerste ~* first class; ~**ka'mer** classroom; ~**kaptein'** class captain; ~**onderwy'ser** class teacher
**klassiek' -e** classic(al); ~**e musiek'** classical music
**klassifiseer' ge-** classify *ook* **in'deel**
**klassikaal' ..kale** class; **klassika'le on'derwys** teaching by groups (classes)
**klavier' -e** piano *ook* **pia'no**
**kla'wer**[1] **-s** key (piano); lever (lock)
**kla'wer**[2] **-s** clover, shamrock; ~**s** clubs (cards)
**klee(d)** (w) **ge-** clothe, dress
**kleed** (s) **klede** garment, garb; ~**ka'mer** dressing room, cloakroom; ~**repeti'sie** dress/fulldress rehearsal
**kleef ge-** cling, stick, adhere; ~**band** sticking tape; ~**myn** limpet mine; ~**plastiek'** cling/glad wrap

**klei** clay; ~*trap,* flounder; ~**duifskiet′** clay-pigeon shooting *ook* **pie′ringskiet**
**klein -er, -ste** small, little; petty; *′n ~ bietjie* a tiny/little bit; ~**boer** small-scale (new) farmer
**klein′dogter -s** granddaughter
**Klein Duim′pie** Tom Thumb
**kleineer′** (w) ~, **ge-** belittle, minimise
**kleingees′tig -e; -er, -ste** narrow-minded *ook* **bekrom′pe**
**klein′geld** small cash, change
**klein′goed** (s) small ones, children, kids
**klein′handel** retail trade; ~**aar** retail dealer; ~**prys** retail price
**klein′hoewe** (s) smallholding, plot
**klein′huisie -s** toilet, loo, lavatory
**klei′nigheid** trifle, small thing *ook* **nie′tigheid**
**klein:** ~**kind** grandchild; ~**kas** petty cash; ~**kry** understand, grasp; *ek kan dit nie ~ kry nie* I cannot understand/fathom it; ~**lik** petty, narrow-minded
**klei′nood** (s) **..node** jewel, treasure, gem
**kleinse′rig** (b) touchy, sensitive, easily hurt
**klein′seun -s** grandson
**klein:** ~**span** little ones, youngsters, kids; ~**tjie** small/little one; ~**ton′getjie** uvula; ~**vee** small livestock; ~**wild** small game
**klem** (s) stress, accent *ook* **na′druk**; clamp, binding screw; *~ in die kake* lockjaw, tetanus; *~ lê op* stress; (w) clamp, clench
**klep** (s) **-pe** flap; valve
**kle′pel -s** tongue (of a bell)
**kleptomaan′** kleptomaniac *ook* **steelsug′tige** (mens)
**klera′sie** clothing; drapery
**kle′re** clothes, clothing; ~**drag** fashion, dress, clothing; ~**kas** wardrobe; ~**ma′ker** tailor; ~**wer′ker** garment worker
**klerikaal′ ..kale** of clergy; **..ka′le drag** clerical garb (priest)
**klerk -e** clerk; ~**like werk** clerical work
**klets ge-** chatter, yap *ook* **bab′bel**; ~**kous** gossiper, chatterbox
**klet′ter ge-** clatter, patter, clash, clang
**kleur** (s) **-e** colour; *~ beken* follow suit (cards); (w) colour, stain; tone; blush; ~**baad′jie** blazer
**kleur′ling -e** coloured *ook* **bruin′man;** (pl) coloured people *ook* **bruin′mense**; ~**gemeen′skap** coloured community
**kleur:** ~**loos** colourless, drab; ~**serp** academic hood; ~**sky′fie** colourslide; ~**stof** pigment, dye
**kleu′ter -s** toddler; ~**skool** nursery school
**kliek** (s) clique, set; clan; (w) clique
**kliënt -e** client; ~**betrek′kinge** client relations; ~**(e)lok′ker** tout (person); ~**vrien′delik** client/customer friendly *ook* **gebrui′kervriendelik**
**klier -e** gland
**klik** (s) **-ke** click (with tongue); (w) tell tales; click; bug; ~**bek/**~**spaan** telltale, talebearer; ~**ker** (electronic) bug; *my kantoor is geklik′* my office is bugged *kyk* **luis′tervlooi**; ~**lig(gie)** warning light (in car); ~**toets** lie detector test
**klim ge-** climb, ascend, rise
**klimaat′** climate
**kli′maks -e** climax *ook* **hoog′tepunt**
**klim:** ~**baan** climbing lane (traffic); ~**op** ivy; creeper; ~**tol** yo-yo
**kliniek′ -e** clinic; dispensary
**kli′nies** clinical; ~**e on′dersoek** clinical examination; ~**e sielkun′dige** clinical psychologist (person)
**klink ge-** sound, ring; touch glasses; ~**er** vowel; army biscuit
**klink′nael -s** rivet; ~**broek** studded jeans
**klip -pe, -pers** stone, rock, pebble; *slaap soos ′n ~* sleeping like a top; *stadig oor die ~pe* go carefully; ~**hard** very hard
**klits**[1] (s) **-e** bur, burdock
**klits**[2] (w) **ge-** beat (eggs); whip (cream)
**kloek** (w) **ge-** cluck, chuck
**klok -ke** clock, bell; (w) *′n toespraak ~* time a speech; ~**ke′spel** chimes; carillon; ~**reël** curfew; ~**slag** striking of the clock; (bw) exactly; *~slag eenuur* one o'clock sharp
**klomp**[1] **-e** crowd, number, lot; lump; ~**voet** club foot *ook* **hor′relvoet**
**klomp**[2] **-e** wooden shoe, clog
**klont -e** lump (sugar); clod (earth); clot (blood)
**kloof** (s) **klowe** ravine, cleft, chasm, gorge; (w) cleave, split; *hare ~* split hairs; ~**paal** split pole
**kloon** (s) **klo′ne** clone (gene reproduction) *ook* **gene′tiese duplikaat′**; (w) **kloneer′** clone
**kloos′ter -s** monastery; nunnery; cloister, convent; ~**skool** convent school
**klop** (s) **-pe** knock; beat; tap, rap; (w) knock; beat; throb, tap; balance, tally; defeat, lick; *dit gaan ~disselboom* everything is in top gear; ~**dan′ser** tap dancer; ~**jag** police raid/round-up

**klos -se** bobbin, spool, reel; coil (electr.)
**klots ge-** beat, clash (water)
**klou** (s) **-e** claw, paw; talon (bird of prey); (w) cling
**klousu'le -s** clause, paragraph; *ingevolge/kragtens* ~ *6* in terms of clause 6
**klou'tang -e** vicegrip (pliers)
**klou'ter ge-** climb, clamber; ~**dief** cat burglar
**klou'tjie -s** hoof; *nie die* ~ *by die oor bring nie* unable to make a tale sound plausible
**klub -s** club
**klug -te** farce; joke, scream
**kluif** (w) **ge-** pick (~ a bone), gnaw
**kluis -e** hermitage; cell; strongroom; ~**e'naar** hermit, recluse (person)
**kluit -e** clod, lump
**klui'tjie -s** dumpling; lie; *iem. met 'n* ~ *in die riet stuur* put someone off with fair words
**kluts:** *die* ~ *kwyt raak* be at sea
**knaag ge-** gnaw; ~**dier** rodent (animal)
**knaap knape** lad, boy; chap
**knab'bel ge-** nibble, gnaw
**kna'end** (b) **-e** gnawing; nagging, boring
**knak** (s) **-ke** crack; (w) crack, snap; impair (health); ~**breuk** greenstick fracture; (w) ~**vou** jack-knife (articulated vehicle)
**knal** (s) **-le** report (of gun); clap, crack; (w) clap; explode; ~**dem'per** exhaust box, muffler, silencer; ~**dop(pie)** detonator
**knap** (b) clever, able, brainy *ook* **skran'der**; good-looking; ~**kaart** smartcard
**kna'pie** (s) **-s** small pulpit, lectern
**knap'sak -ke** knapsack *ook* **rug'sak**; kitbag
**kneg -te** servant; slave
**knel** (s) **-le** pinch, difficulty; (w) pinch; squeeze; press tightly; get jammed; ~**punt** bottleneck *ook* **verkeers'knoop, bot'telnek**; issue
**kners ge-** gnash, grind; ~**broek** ski-pants *ook* **kameel'kouse**
**knet'ter ge-** crackle (fire)
**kneu'kel** (s) **-s** knuckle
**kneus** (w) **ge-** bruise, contuse
**kne'wel -s** moustache; whopper, bouncer; *'n* ~ *van 'n leeu* a huge lion
**knib'bel ge-** haggle, higgle; quibble
**knie**[1] (s) **-ë** knee; *sy knieë dra* hurry away
**knie**[2] (w) **ge-** knead (dough)
**knie:** ~**broek** knickers, knee breeches; bloomers (for women); ~**bui'ging** genuflex-ion; curtsy; ~**diep** knee-deep; ~*diep in die moeilikheid* in real trouble; ~**hal'ter** knee-halter
**kniel ge-** kneel; ~**kus'sing** hassock
**knik** (s) **-ke** nod; rut (in a road); (w) nod; wink (at a girl)
**knip** (s) **-pe** bolt, clasp; clip; wink; (w) cut; clip; wink; ~**mes** pocket knife; *so gou as jy* ~*mes kan sê* before you can say Jack Robinson; ~**oog** (w) wink, blink; ~**pie** pinch (of salt); ~**sel** cutting, clipping; ~**seldiens** (press) cutting service; ~**speld** safety pin *ook* **haak'speld**
**knoei ge-** botch, bungle
**knof'fel** garlic
**knol -le** tuber, bulb; nag, hack; ~**skry'wer** hackwriter
**knoop** (s) **knope** button; knot, tie; curse; *die* ~ *deurhak* cut the Gordian knot; *daar sit die* ~ there's the rub; (w) tie, knot, swear; *iets in jou oor* ~ make a mental note of; ~**s'gat** buttonhole
**knop -pe** knob, pommel; bud; *'n* ~ *in die keel* a lump in the throat; ~**kie'rie** knobkerrie, club
**knor** (s) **-re** grunt, growl; (w) grumble, growl, grunt; ~**tjor** go-cart
**knou** (s) **-e** gnaw, snap, bite; injury; *'n* ~ *gee* impair (health); (w) hurt, injure
**knup'pel** (s) **-s** club, cudgel; ~**dik** gorged; ~**storm'loop** baton charge (police)
**knut'sel** (w) **ge-** tinker, trifle; ~**werk** pottering
**knyp** (s) **-e** pinch; *in die* ~ *sit* be in a fix; (w) pinch, squeeze; ~**bord** clipboard; ~**tang** (pair of) pliers/pincers
**ko'bra -s** cobra *ook* **koperkapel'**
**kod'dig** funny, comic; odd; quaint
**ko'de -s** code
**koe'doe -s** kudu (buck)
**koëd'skool ..skole** co-educational school
**koe'ël** (s) **-s** bullet (rifle); pellet (airgun); ball; *die* ~ *is deur die kerk* the die is cast; ~**vaste baad'jie** bulletproof vest/jacket
**koei -e** cow; *ou* ~*e uit die sloot haal* rake up old stories
**koeja'wel -s** guava; **har'de** ~ hard nut (person)
**koek** (s) **-e** cake; (w) knot, cluster
**koekoek' -s** cuckoo; ~**klok** cuckoo clock
**koek:** ~**poe'ding** cottage pudding; ~**struif** trifle
**koel** (w) **ge-** cool; vent; ~ *af, Jan!* cool it, John!; (b) cool, cold, fresh
**koelbloe'dig** (b) cold-blooded, savage
**koel:** ~**drank** cooldrink, soft/cold drink; ~**te** light breeze; shade; ~**to'ring** cooling tower; ~**trok** refrigerator truck

**koem'kwat -te** kumquat/cumquat (fruit)
**koepee' -s** coupé
**koe'pel -s** dome, cupola
**koeplet' -te** couplet, verse, stanza
**koepon' -s** coupon
**koer** (w) **ge-** coo
**koerant -e** newspaper *ook* **nuus'blad; ~berig'** newspaper report
**koerier'** courier/messenger; **~diens** courier service
**koers -e** course, direction; exchange rate
**koes/koets** (w) **ge-** dodge, duck down
**koesister/koeksis'ter -s** cruller
**koes'ter(tjie)**[1] (s) **-s** pipit (South African lark)
**koes'ter**[2] (w) **ge-** cherish, pamper, nurse; *'n wrok ~* bear a grudge
**koets**[1] (s) **-e** coach, carriage; **rou~** hearse
**koets**[2] (w) **ge-** dodge, duck *ook* **koes**
**koevert' -e** envelope
**koe'voet -e** crowbar; lever
**kof'fer -s** trunk, travelling box, coffer; **~dam** coffer dam
**kof'fie** coffee; **~fles** vacuum/thermos flask
**kog'gel** (w) mimic, mock; **~aar** mocking bird
**koggelman'der -s** black agama; rock lizard
**kok -ke, -s** cook; *te veel ~s bederwe die bry* too many cooks spoil the broth
**koket'** (s) **-te** coquette; flirt, vamp (girl); (b) coquettish; coy
**kokketiel' -s** cockatiel (bird)
**kok'kedoor ..dore** big wig/shot (person)
**kokkewiet' -e** bush shrike
**kokon' -s** cocoon
**ko'kosneut** (s) coconut *ook* **klap'per**
**kol -le** bull's eye; spot, stain; star (of a horse)
**ko'lera/cho'lera** (s) cholera
**kolf** (s) **kolwe** butt-end (rifle); bat (cricket); (w) bat; **~beurt** innings; **~blad** pitch
**kol'hou -e** hole in one (golf) *ook* **fortuin'hou/kis'hou**
**koliek'** colic; **~pyn** gripes
**koljan'der** coriander; *dis vinkel en ~* six of the one and half a dozen of the other
**kolk -e** abyss; whirlpool, eddy
**kollateraal' ..rale** collateral; **..ra'le sekuri=teit'** collateral security
**kolle'ga -s** colleague *ook* **amps'genoot**
**kol'lege -s** college; *op/aan ~* at college
**kollek'te -s** collection (church, street)
**kollekteer' ge-** collect; **~op'roep** collect call (tel.)
**kollektief' ..tiewe** collective; **~ie'we beding'=ing** collective bargaining
**kolom' -me** column, pillar
**koloniaal' ..niale** colonial
**kolo'nie -s** colony, settlement
**kolon'ne -s** (army) column; **vyf'de ~** fifth column
**kolossaal'** (b) colossal, gigantic *ook* **enorm'**
**kol'skoot** bull's eye
**kol'toets -e** spot check *kyk* **steek'proef**
**kom**[1] (s) **-me** basin, bowl; dale, vale
**kom**[2] (w) **ge-** come, arrive
**kombers' -e** blanket
**kombina'sie -s** combination
**kombuis' -e** kitchen; **~gerei'** kitchenware; **~tee** kitchen tea *ook* **bruids'kombuis**
**komediant' -e** comedian, actor
**kome'die -s** comedy, farce *ook* **bly'spel/klug**
**komeet' komete** comet
**ko'mies -e; -er, -ste** comic(al), funny
**komitee' -s** committee; *hy dien in/op 'n ~* he serves on a committee; **uitvoe'rende ~** executive committee
**komkom'mer -s** cucumber
**kom'ma -s** comma
**kommandant' -e** commandant, commander
**kommandeer' ~, ge-** command, commandeer; *~ jou eie honde en blaf self* do your own dirty work
**komman'do -'s** commando; **~wurm** army worm
**kom'mapunt -e** semicolon (;)
**kommentaar' ..tare** commentary, comment; *~ lewer op (maak oor)* comment upon
**kommenta'tor -s, -e** commentator (person)
**kom'mer** (s) trouble, distress, anxiety; *die toestand wek ~* the situation is causing concern; **~kra'le** worry beads; **~nis** worry, care, anxiety
**kommersieel' ..siële** commercial; **..ië'le reg** commercial law *kyk* **han'delsreg**
**kommissa'ris -se** commissioner; **K~ van E'de** Commissioner of Oaths
**kommis'sie -s** commission
**kommoditeit' -e** commodity, consumer article
**kommu'ne -s** commune
**kommunika'sie -s** communication; **~kun'de/~leer** communication (subject)
**Kommunis' -te** Communist; **~me** Commun=ism; **~ties** (b) Communistic
**kompak'skyf** compact disc (CD) *ook* **la'serskyf**
**kompanjie' -s** company
**komparatief' ..tiewe** comparative
**kompartement' -e** compartment

**kompas′ -se** compass
**kom′per** (s) computer *ook* **re′kenaar**; ~**drukstuk** computer print-out
**kompeteer′** (b) compete *ook* **wed′ywer**
**kompeti′sie -s** competition
**kompleet′ ..plete** complete *ook* **voltal′lig**
**kompleks′** (s) **-e** complex (cluster of houses/shops); idea, obsession; (b) complicated
**komplika′sie -s** complication
**kompliment′** (s) **-e** compliment; *iem. 'n ~ maak* pay someone a compliment
**kompli′menteer′** (w) ~, **ge-** compliment
**komplimentêr′ -e** complimentary; ~**e kaar′tjie** complimentary ticket
**komplot′ -te** plot, intrigue, conspiracy *ook* **sa′meswering;** *'n ~ smee* hatch a plot
**komponeer′ ge-** compose (music)
**komponis′ -te** composer (person)
**komposi′sie -s** composition *ook* **toon′setting**
**kom′pos** (s) compost
**koms** arrival, coming, advent
**kondensa′sie** condensation
**kondi′sie -s** condition *ook* **toe′stand**; **voor′waarde**; state (of health)
**kondoom′** (s) condom
**kondukteur′ -s** conductor, guard
**konfedera′sie -s** confederation
**konferen′sie -s** conference; ~**gan′ger** conference delegate
**konfidensieel′** (b) **..siële** confidential; **konfidensië′le in′ligting** confidential information *ook* **vertrou′lik**
**konfiskeer′ ge-** confiscate *ook* **beslag lê op**
**konflik′ -te** conflict; ~**situa′sie** conflict situation
**konfronta′sie** confrontation
**konfyt′**[1] (s) **-e** jam; preserve
**konfyt′**[2] (w): *ge~ wees in* be well versed in
**kongres′ -se** congress
**ko′ning -s** king
**koningin′ -ne** queen
**ko′ninklik -e** royal, regal, kingly; *van ~e afkoms* of royal descent
**ko′ninkryk -e** kingdom; empire
**kon′ka -s** empty (petrol) tin, drum, brazier; firetin
**kon′kel** (w) **ge-** plot, scheme *ook* **knoei**; botch; ~**aar** schemer (person)
**kon′kelwerk** muddling, botching; *donkerwerk is ~* a bungler/schemer works in the dark
**konklu′sie -s** conclusion *ook* **gevolg′trekking**
**konkreet ..krete** concrete *ook* **tas′baar**
**konkurren′sie** competition, rivalry *ook* **me′dedinging;** *strawwe ~* stiff competition (in business)
**konkurrent′ -e** competitor, rival
**konnek′sie -s** connection
**konnekteer′** (w) **ge-** connect
**konsensieus′ -e** conscientious *ook* **pligs′getrou**
**konsen′sus** concensus, agreement, accord
**konsentra′sie** concentration; ~**kamp** concentration camp
**konsen′tries -e** concentric
**konsep′ -te** draft, concept; ~**ordonnan′sie** draft ordinance; ~**wet′gewing** draft legislation; ~**wets′ontwerp** draft bill
**konsert′ -e** concert; recital
**konserti′na -s** concertina, squash-box; ~**hek** concertina (collapsible) gate
**konservato′rium -s** conservatoire, conservatory
**konserwatief′ ..tiewe** conservative *ook* **behou′dend**
**konses′sie -s** concession *ook* **toe′gewing**; ~**kaar′tjie** concession ticket
**konsisto′rie -s** consistory, vestry (church)
**konskrip′sie** conscription
**konsolida′sie** consolidation
**konsonant′ -e** consonant *ook* **me′deklinker**
**konsta′bel -s** constable
**konstateer′** (w) ~, **ge-** state, prove, declare
**konstella′sie -s** constellation; *~ van state* constellation of states
**konsterna′sie** consternation, turmoil *ook* **op′skudding**
**konstitu′sie -s** constitution *ook* **grond′wet/grond′reëls**
**konstrueer′ ge-** construe, construct
**konstruk′sie -s** construction
**konsuis′** quasi, as if (it were) *ook* **kam′(s)tig**
**kon′sul -s** consul
**konsulaat′ ..late** consulate
**konsul-generaal′** consul-general
**konsult′ -e** consultation; ~**ingenieur′** consulting engineer *ook* **raad′gewende ingenieur′**
**konsulta′sie -s** consultation *ook* **oorleg′pleging**
**kontak′** (s) **-te** contact; *in ~ bly met* keep in touch with; ~**lens** contact lens; (w) contact (a person)
**kontamineer′ ge-** contaminate
**kontant′** (s) **-e**; *~ by aflewering* cash on delivery; ~**stro′kie** cash slip; ~**vloei** cash flow

**kontinent' -e** continent *ook* **vas'teland**
**kontinentaal' ..tale** continental
**kontoer' -e** contour
**kontrak' te** contract; *'n ~ sluit/aangaan* enter into a contract; **~breuk** breach of contract
**kontrakteur' -s** contractor *ook* **aan'nemer** (mens)
**kontras'** (s) **-te** contrast *ook* **teen'stelling**
**kontrei' -e** region, area, (platteland) district *ook* **streek**
**kontro'le** (s) control *ook* **beheer'**
**kontroleer' ~, ge-** control, check *ook* **na'gaan, moniteer'/mo'nitor** (w)
**kontroleur' -s** controller, supervisor
**konvensioneel' ..nele** conventional
**konvoka'sie** convocation (of a university)
**konvooi'** (s) **-e** convoy
**konyn' -e** rabbit, bunny *kyk* **haas**
**kooi -e** bed; cage; *~ toe gaan* go to bed
**kook**[1] **ge-** boil, cook; do the cooking
**kook**[2] (w) falsify, cook (books); manipulate
**kool**[1] cabbage; *die ~ is die sous nie werd nie* the game is not worth the candle
**kool**[2] **kole** coal; *op hete kole sit* be on pins and needles
**kool'stof** carbon
**koop** (s) purchase, bargain; *op die ~ toe* into the bargain; (w) buy, purchase; **~brief** deed of sale; **~-en-loop** cash-and-carry; **~-en-loop'-happies** take-aways
**koöpera'sie/ko-opera'sie -s** co-operative society (co-op)
**koop: Kamer van K~handel** Chamber of Commerce; **~kontrak'** contract of sale; **~krag** purchasing/buying power; **~prys** cost, purchase price
**koöpteer'/ko-opteer'** (w) **ge-** co-opt
**koor kore** choir (of singers); chorus (of a song); **~lei'er** choirmaster
**koord -e** cord, rope; **~dan'ser** tightrope walker; **~ferweel'** corduroy
**koördina'sie/ko-ordina'sie** (s) co-ordination
**koord'lose: ~ telefoon'** cordless telephone
**koors -e** fever; **~ag'tig** hectic, frenzied
**koor'sang -e** choral song; choral singing
**koors: ~blaar** blister; **~(er)ig** feverish; **~pen'netjie** clinical thermometer
**kop**[1] (s) **-pe** cob, ear (mealie)
**kop**[2] **-pe** head; mountain peak, summit; *~ in een mus* be hand in glove (together); *op die ~ sesuur* exactly six o'clock; **~ teen ~ bot'sing** head-on collision *ook* **front'botsing/tromp'opbotsing**
**ko'per**[1] **-s** buyer
**ko'per**[2] copper; **~draad** copper wire; **~kapel'** yellow cobra
**ko'pie**[1] **-s** bargain *ook* **wins'kopie/keur'koop**
**kopie'**[2] **-ë** copy (of document); transcription
**kopieer'** (w) **ge-** copy; transcribe
**kopie'reg** copyright
**kop'krapper** (s) brainteaser *ook* **breinboe'lie**
**kop'pel** (w) **ge-** couple, tie, connect; hyphenate; **~aar'** coupler; match maker; pimp, procurer (prostitution) *ook* **pooi'er**; clutch (motor); **~lor'rie** articulated vehicle; **~te'ken** hyphen; **~uit'sending** simulcast transmission (TV); **~vlak** interface
**kop'penent -e** head (of a bed)
**kop'pesneller -s** headhunter, scalphunter
**kop'pie -s** cup; hill(ock), koppie
**kop'pig** obstinate, stubborn, headstrong
**kop: ~seer** headache *ook* **hoof'pyn**; **~speld** pin
**koraal' ..rale** coral (reef); **~boom** coral tree; **~musiek'** choral music; **~rif** coral reef
**kordaat' ..dater, -ste** brave, undaunted, bold; **Jan K~** brave fellow
**kordon'** cordon; *'n ~ trek om 'n gebied* cordon off an area *ook* **af'sper**
**korf korwe** hive; **~bal** basketball (women); **~behuis'ing** cluster housing
**ko'ring** wheat; *ook groen ~ op die land hê* have fledglings of one's own; **~kriek** corn/harvester cricket (Parktown prawn)
**koronê're trombo'se** coronary thrombosis
**korporaal' -s** corporal
**korporaat'** corporate; **~aanspreek'likheid** c. liability
**korpora'sie -s** corporation; **beslo'te ~** close corporation
**korps** (s) **-e** corps
**korrek' -te** correct, right; **~sie** correction; **~tiew'e diens'te** correctional services
**kor'rel** (s) **-s** grain; sight (rifle); bead; *met 'n ~tjie sout neem* take with a pinch of salt; (w) aim; pick off (grapes)
**korrespondeer' ~, ge-** correspond
**korresponden'sie** correspondence; **~kol'lege** correspondence college; **~kur'sus** correspondence course *ook* **af'standonderrig**
**korrespondent' -e** correspondent
**korrigeer'** (w) **ge-** correct *ook* **reg'stel**
**korrup' -te** corrupt; **~sie** corruption
**kors -te** crust

**korset' -te** corset; foundation garment

**kor'sie -s** crust (of bread)

**kors'wel/kors'wil** (s) jest, joke; (w) jest, joke; *ek ~ sommer* I'm only joking

**kort** (w) **ge-** shorten; (b, bw) short, brief; *~ en kragtig* short and sweet; **~af** abrupt, blunt; **~a'sem** short of breath *ook* **uita'sem**; **~golf=sta'sie** shortwave station; **~ing** discount, reduction *ook* **af'slag**; **~kuns** (modern) short prose; **~liks** briefly; **~om** in a word

**kortsig'tig -e; -er, -ste** short-sighted

**kort'sluiting** short-circuit

**korston'dig** short-lived, transitory; **~e vre'de** short-lived peace

**kort: ~verhaal'** shortstory; **~wiek** (w) clip the wings; thwart *ook* **in'kort**

**kos**[1] (s) **-se** food; *~ en inwoning* board and lodging

**kos**[2] (w) **ge-** cost; *dit ~ niks* no charge

**kos: ~baar** precious, dear; expensive; **~gan'ger** boarder, lodger; **~huis** boarding house

**kosme'ties: ~e veran'dering** cosmetic/super=ficial change

**kosmopoliet' -e** cosmopolitan *ook* **wêreldbur=ger**

**kos'mos** cosmos

**kos: ~skool** boarding school; **~te** expenses, costs; *ten ~te van* at the cost of; **~te=doeltref'fend/koste-effektief** cost effective; **~telik'** precious, fine, excellent, *'n ~telike grap* a priceless joke; **~teloos'** free, gratis

**kos'ter -s** churchwarden, beadle, sexton

**kostuum'** costume; **~bal** fancy-dress ball

**kosyn' -e** frame, sill; doorpost

**kot'huis -e** cottage *ook* **cot'tage**

**kots ge-** vomit *ook* **braak, op'gooi**

**kou**[1] (s) **-e** cage *ook* **kou'tjie**

**kou**[2] (s) cold *ook* **kou'e**

**kou**[3] (w) **ge-** chew, masticate; *harde bene om te ~* have a tough job

**koud** (b) cold, chilly

**kou'e** cold, chill; *~ vat* catch a chill; **~vuur** gangrene *ook* **gangreen'**

**kou'gom** chewing gum

**kou'kus -se** caucus (of political party); (v) confer, deliberate *ook* **beraad'slaag**

**kous -e** stocking, sock; **~broe'kie** pantihose

**kraag krae** collar

**kraai** (s) **-e** crow; *so maer soos 'n ~* as thin as a rake; (w) crow (rooster)

**kraak** (s) **krake** crack; **~been** cartilage

**kraal**[1] **krale** pen, kraal; tribal village; *agteros kom ook in die ~* slow but sure

**kraal**[2] **krale, ~tjie -s** bead

**kraam**[1] booth, stall *ook* **loket'/kiosk/stal**

**kraam**[2] labour (childbirth); **~in'rigting** mater=nity home; **~verlof'** maternity leave

**kraan** (s) **krane** tap, stopcock; crane

**kraan'voël -s** crane

**krab'bel** (w) **ge-** scratch, scrawl, scribble

**kraf'fie -s** waterbottle; decanter *ook* **karaf'**

**krag -te** strength, power, force, vigour; *van ~ word* come into force; **~boot** power boat

**krag: ~fiets** buzz-bike, moped; **~mas** pylon; **~me'ting** match, contest; **~op'tel** power lifting; **~op'wekker** generator; **~prop** power plug; **~rem'me** power brakes

**krag'sentrale -s** power station *ook* **krag'stasie**

**krag'tens** by virtue of, in consequence of *ook* **ingevol'ge**; *~ die ordonnansie* in terms of the ordinance

**krag'tig** powerful, strong; **~e bom** powerful bomb

**kram** (s) **-me** clamp; staple; (w) clamp; staple; **~druk'ker/~bin'der** stapler

**kram'metjie -s** (wire) staple

**kramp -e** cramp, spasm; convulsion

**krampag'tig -e** convulsive, spasmodic

**kranksin'nig -e** insane, mad, crazy, lunatic; **~e** lunatic (person); **~e'gestig'** lunatic asylum

**krans**[1] (s) **-e** wreath; (w) festoon

**krans**[2] (s) **-e** rocky ridge, krans

**krap**[1] (s) **-pe** crab

**krap**[2] (s) **-pe** scratch; (w) scratch

**kras** (b) **-ser, -ste** vigorous; drastic: *~ optree teen* take drastic steps against

**krat -te** crate, holder/container

**kra'ter -s** crater

**krediet'** credit; **~gerie'we** credit facilities; **~kaart** credit card; **~sal'do/~balans'** credit balance

**krediteer' ge-** credit; *iem. ~ met* credit a person's account with

**krediteur' -e, -s** creditor *ook* **skuld'eiser**

**kreef krewe** lobster; crayfish, crawfish

**Kreefs'keerkring** Tropic of Cancer

**kremato'rium -s** crematorium

**kremetart'** cream of tartar; **~boom** baobab tree

**krenk** (w) **ge-** offend, hurt, mortify; slander

**kreu'kel** (s) **-s** crease, fold, ruck; (w) crease, fold; **~traag** crease-resistant; **~vry** non-creasing

**kreun** (s, w) groan, moan
**kreu'pel** (b) lame, limping *ook* **krup'pel**
**kre'wel -s** prawn *ook* **steur'garnaal**
**kriek -e** cricket (insect)
**krie'ket** cricket (game); ~**bal** cricket ball; ~**kolf** cricket bat; ~**spe'ler** cricketer
**krie'wel ge-** tickle, itch; fidget; ~**rig** itchy, ticklish; fussy
**krimineel'** (b) **..nele** criminal; **krimine'le aan'klag** criminal charge
**krimp ge-** shrink, diminish; ~ *van die pyn* writhe with pain; ~**vry** shrinkproof; ~**ys'tervark** (Cape) hedgehog
**kring -e** circle; ring; circuit, orbit; *in sekere* ~*e* in certain quarters; ~**loop** cycle; *bo'se* ~*loop* vicious cycle/spiral; ~**televi'sie** closed-circuit television
**krin'kel** (s, w) crinkle; ~**papier'** crêpe paper
**krioel' ge-** swarm, abound/teem with; *dit* ~ *van die muise* the place is overrun with mice
**krip -pe** manger, crib; *aan die* ~ *staan* have a plush occupation
**krisant' -e** chrysanthemum *ook* **win'teraster**
**kri'sis -se** crisis
**Kris'mis** Christmas *kyk* **Kers'fees**
**kristal' -le** crystal; *so helder soos* ~ as clear as crystal
**krite'rium -s krite'ria** criterion *ook* **maat'staf**
**kritiek'** (s) criticism, critique; flak; review (in journal) *ook* **resen'sie**
**kri'ties -e** critical
**kri'tikus -se, kri'tici** critic (person)
**kritiseer'** (w) **ge-** criticise, slam, censure
**kroeg kroeë** pub, bar; tavern; ~**mei'sie/**~**juf'fer** barmaid; ~**vlieg** barfly
**kroepier'** (s) **-s** croupier *ook* **roelet'meester**
**kroes** curly, frizzy (hair); crisp
**krokodil' -le** crocodile
**krom** (b) crooked, curved, bent; ~ *van die lag* splitting one's sides with laughter; ~ *Afrikaans praat* speak faulty Afrikaans; ~**houtsap'** wine; ~**me** curve (maths.) *ook* **kur'we**
**kroniek' -e** chronicle
**kro'nies/chro'nies** (b) chronic (illness)
**kro'ning** coronation
**kron'kel** (w) **ge-** twist, kink, coil; meander; ~**pad** winding road
**kroon** (s) **krone** crown; (w) crown; ~**getui'e** crown witness; ~**juwe'le** crown jewels; ~**prins** crown prince
**kroos** offspring, children; progeny, descendants; ~**troos'ter** babysitter; *ons gaan vanaand* ~*troos* we will be babysitting tonight
**krop** (s) **-pe** crop, gizzard; *dwars in die* ~ *steek* go against the grain
**krot -te** hovel, den, shanty; ~**buurt** slum quarter; squatter camp (informal settlement)
**krou'kie** croquet (game)
**kru** (b) crude, coarse *ook* **grof/vulgêr**
**krui** (w) **ge-** spice, season
**kruid kruie** herb, spice *kyk* **krui'e**
**kruidenier' -s** grocer; ~**s'wa're** groceries
**kruidjie-roer'-my-nie** touch-me-not, sensitive plant; touchy fellow
**krui'e** (s) spice; ~**dok'ter** herbalist
**krui'er -s** porter (person)
**krui'e:** (s) ~**stel'(letjie)** cruet stand; ~**ry** condiment(s)
**kruik -e** pitcher, jug
**kruin** (s) **-e** top, crown, summit
**kruip ge-** creep, crawl; cringe
**kruis** (s) **-e** cross; affliction; sharp (mus.); crux; *elke huis het sy* ~ there is a skeleton in every cupboard; ~ *of munt* heads or tails; (w) cross; cruise; crucify; intersect; interbreed; **ge~te tjek** crossed cheque; ~**bande** (pair of) braces; ~**boog** crossbow
**kruisement'** mint
**krui'sig ge-** crucify; ~**ing** crucifixion
**krui'sing -s, -e** crossbreed(ing); crossing, intersection
**kruis:** ~**pad** crossroad; ~**rid'der** crusader; ~**tog** crusade; ~**verhoor'** cross-examination; ~**verwy'sing** cross-reference; ~**vra** cross-examine *ook* **ondervra'** (w)
**kruit** gunpowder; ~**bad** mineral baths; spa
**krui'wa -ens** wheelbarrow
**kruk -ke** crutch; stool; crank; ~**kelys'** casualty/injury list (sport)
**krul** (s) **-le** curl; scroll; (w) curl; wave (hair); ~**hare** curly hair; ~**tang** curling tongs
**krum'mel** (s) **-s** crumb; bit
**krup'pel/kreu'pel -er, -ste** lame, cripple(d)
**kry ge-** get, obtain, acquire, receive
**krygs:** ~**gevang'ene** prisoner of war; ~**raad** court martial; ~**wet** martial law
**krys** (w) **ge-** croak, scream, screech
**kryt**[1] ring (for boxing), arena
**kryt**[2] chalk, crayon
**ku'ber** (b) cyber; ~**kuns** cyber art; ~**ruim'te** cyberspace; ~**sluiper** cyberstalker
**kubiek' -e** cubic; ~**wor'tel** cube root
**kud'de** (s) **-s** herd, flock
**kui'er** (s) outing, visit, call; (w) visit, call; *hy*

*het 'n maand lank by sy oom ge~* he stayed with his uncle for a month; **~gas/~mens** visitor, guest; **~koop** window shopping
**kuif kuiwe** crest, tuft
**kui'ken -s** chick, young chicken
**kuil** (s) **-e** pool, dam; bunker (golf)
**kuil'tjie** (s) **-s** dimple (in cheek, chin)
**kuip** (s) **-e** coop, tub; pit (motor racing); (w) cooper; **~er** cooper (person)
**kuis -e; -er, -ste** chaste, pure, virtuous
**kuit -e** calf; **~been** fibula
**kul ge-** cheat, deceive; **~kun'stenaar** magi= cian *ook* **go'ëlaar**
**kultureel' ..rele** cultural
**kul'tus** cult, creed
**kul'tuur** culture, civilisation; cultivation
**kun'dig** (b) able, competent, skilful; **~heid** skill, ability, expertise, know-how
**kuns -te** art, skill; knack; trick; *die beeldende ~te* the plastic arts; *die skone ~te* the fine arts; **~aas** artificial bait, dummy; **~galery'** art museum, picture gallery; **~gebit'** den= ture, set of artificial teeth; **~le'demate** artificial limbs
**kunsma'tig -e** artificial; **~e insemina'sie (K.I.)** artificial insemination (A.I.)
**kuns: ~mis** fertiliser; **~skil'der** artist, painter; **~stop** invisible mending; **~stuk** work of art; clever feat; **~tenaar'** artist; **~tig** ingenious, clever, artful; **~vlieënier'** stunt flyer; **~vlyt** arts and crafts; **~wed'stryd** eisteddfod; **~werk** work of art
**kurk -e** cork; **~droog** (b) dry as a bone; **~trek'ker** corkscrew
**kur'per -s** kurper, tilapia (fish)
**kursief' ..siewe** italic, in italics
**kur'sus -se** course; *'n ~ loop/volg* attend a course
**kur'we -s** curve *ook* **boog, ron'ding**
**kus**[1] (s) **-te** coast, shore
**kus**[2] (s) **-se** kiss *ook* **soen**; (w) kiss
**kus**[3] (s): *te ~ en te keur* for picking and choosing
**kus'sing -s** pillow, cushion; **~sloop** pillow case; **~tuig** hovercraft *ook* **skeer'tuig**
**kuur** (s) cure, remedy; **gesig(s)~** facelift
**kwaad** (s) evil, mischief, wrong; *~ wees vir* be angry with
**kwaadaar'dig** malignant; malicious, vicious; **~e groei'sel/gewas'** malignant growth/tumour
**kwaad: ~doe'ner** evildoer; **~geld** mischief; *vir ~geld rondloop* gad about
**kwaai -er; -ste** vicious, wild; hot-tempered; strict; **~ hond** vicious dog
**kwaaivrien'de** bad friends
**kwaak** (w) **ge-** croak, quack
**kwaal kwale** ailment, complaint, malady
**kwa'drupleeg ..pleë** quadruplegic (person)
**kwag'ga -s** quagga; zebra
**kwa'jong -ens** mischievous boy, urchin; **~streek** monkey trick, prank
**kwak'salwer** quack, charlatan, mountebank
**kwalifika'sie -s** qualification
**kwalifiseer'** (w) **~, ge-** qualify
**kwa'lik** ill, amiss; hardly, scarcely; *hy kon ~ loop* he could hardly walk; *iem. ~ neem* blame someone
**kwaliteit' -e** quality *ook* **gehal'te**
**kwansuis'** quasi, as if (it were); so-called
**kwantiteit' -e** quantity *ook* **hoeveel'heid**
**kwarantyn'** (s) quarantine
**kwart -e** quart; quarter; *~ oor/na agt* a quarter past eight
**kwartaal' ..tale** quarter, term
**kwar'tel -s** quail; *so doof soos 'n ~* stonedeaf, as deaf as a post
**kwartet' -te** quartet
**kwartier' -e** quarter (of an hour, of the moon, battle); district; dwelling
**kwarts** quartz; **~horlo'sie** quartz watch
**kwas**[1] (s) squash (drink)
**kwas**[2] **-te** brush; tuft; knot; tassel
**kwa'sie** quasi, as if
**kweek**[1] (s) couch/quick grass
**kweek**[2] (w) **ge-** cultivate, train; grow; *vrug= tebome ~* grow fruittrees
**kweek: ~huis** hothouse; **~huiseffek'** green= house effect; **~pê'rel** cultured pearl; **~skool** seminary
**kwe'keling -e** pupil teacher; cadet; trainee
**kwe'kery -e** nursery; seedplot
**kwel ge-** worry *ook* **bekom'mer**; trouble, harass, torment
**kwe'la** (w) kwela; **~fluit** pennywhistle
**kwe'per -s** quince; **~lat** quince cane
**kwes ge-** wound, injure; *'n bok ~* wound a buck; **~baar** vulnerable
**kwes'sie -s** question, matter; issue; *buite die ~* out of the question
**kwets** (w) grieve, offend; *iem. se gevoelens ~* hurt someone's feelings
**kwê'voël** grey lourie, go-away bird
**kwik'silwer** mercury, quicksilver
**kwik'stertjie -s** wagtail, Willie Wagtail

**kwink'slag** (s) witticism, quip
**kwis'pel ge-** wag the tail
**kwis'tig** lavish *ook* **rojaal'**; prodigal
**kwitan'sie -s** receipt (for money paid)
**kwo'rum -s** quorum; *geen ~ aanwesig nie* no quorum present
**kwo'ta -s** quota
**kwota'sie -s** quotation *ook* **prys'opgawe**
**kwoteer'** (w) **~, ge-** quote; estimate
**kwyl** (s) slaver, drivel; (w) slaver, drivel
**kwyn ge-** languish, pine away, wilt
**kwyt** (w) **ge-** discharge; acquit oneself; **~skeld** (w) waive; pardon
**kyf ge-** quarrel, dispute, argue *ook* **twis**
**kyk** (s) **-e** look, view; (w) look, see, view; pry; **~er** eye; looker-on; viewer (TV); **~kas(sie)** television set; **~rit** sightseeing tour; **~weer** replay (TV)
**kys:** *hy is my ~* he is my (steady) boyfriend; *ons is ge~* we are going steady

# L

**laaf/la'we** refresh; help to recover from a swoon; **~nis/la'fenis** refreshment; relief
**laag**[1] (s) **lae** layer; coating; course (bricks)
**laag**[2] (b) **lae; laer, -ste** mean; low; vulgar; *teen 'n lae prys* at a low price
**laag'te -s** valley, dale, dell, dip
**laag'water** low tide *ook* **eb** (s)
**laai**[1] (s) **-e** drawer, till
**laai**[2] (s) **-e** trick, dodge; *dis sy ou ~* that's his old trick
**laai**[3] (w) **ge-** load; charge; **~graaf** front-end loader; **~kas** chest of drawers, tallboy; container
**laai'meester -s** checker (railways)
**laan lane** avenue, lane, alley
**laas** last; *die ~te (leste) een van julle* all of you; *ten ~te* at last; **~genoem'de** the latter; **~le'de** last, ultimo; **~te** last; **~tens** lastly
**laat**[1] (w) **ge-** let, allow, refrain from (doing); make (one) do; *in die steek ~* leave in the lurch
**laat**[2] (b) **late; later, laatste** late; **~lam'metjie** afterthought, late arrival (child)
**laborato'rium -s, ..ria,** laboratory
**la'ding -s, -e** cargo, load, shipment
**la'er**[1] (s) bearing (of engine) *ook* **koe'ëllaer**
**la'er**[2] (s) **-s** wagon encampment, laager
**la'er**[3] (b) lower, inferior
**la'erskool/la'er skool ..skole** primary school *ook* **primêre skool**
**laf lawwe; lawwer, -ste** insipid, flat; cowardly, silly; *law'we grap* silly joke; **~aard** coward *ook* **pap'broek**
**lafhar'tig -e; -er, -ste** cowardly
**lag** (s) laugh, laughter; *ek kon my ~ nie hou nie* I could not help laughing; *skater van die ~* shake with laughter; (w) laugh; *lag-lag wen* win without effort
**lagu'ne -s** lagoon *ook* **strand'meer**
**lagwek'kend -e; -er, -ste** ludicrous
**lai'tie** (s) chappie *ook* **tjok'kertjie, buk'sie**
**lak**[1] (s) sealing wax, lacquer; (w) seal; japan; **~vernis'ser** French polisher
**lak**[2] (w) **ge-** tackle *ook* **laag'vat** (rugby)
**lakei' -e** footman, lackey; henchman; stooge
**la'ken -s** cloth, sheet
**laks -e; -er, -ste** lax, indolent, slack
**lakseer'** (w) purge, open (the bowels); **~mid'del** laxative, purgative
**laks'man -ne** hangman, executioner; butcherbird, fiscal shrike
**lam**[1] (s) **-mers** lamb; (w) lamb
**lam**[2] (b) lame, paralysed; *~ geskrik* paralysed with fright
**lamel'hout** laminated wood
**lamlen'dig** lazy, indolent, miserable
**lam'mer: ~ooi** ewe with lamb; **~van'ger** golden eagle, lammergeyer
**lam'metjie/lammertjie** little lamb
**lamp -e** lamp
**lamp: ~kap** lampshade; **~o'lie** paraffin (oil)
**lam'sak** lazybones, weakling, shirker (person)
**lam: ~siek'te** lameness, paralysis; botulism; **~slaan** (w) paralyse; *dit het my lamgeslaan* it knocked me sideways
**land** (s) **-e** land; country; field; *~ en sand (see) aanmekaar praat* talk without stopping; *hier te ~e* in this country; (w) disembark, arrive, land
**land-af** offshore (winds) *ook* **see'waarts**
**land'bou** agriculture; **~er** farmer
**land: ~dros** magistrate *ook* **magistraat'**; **~e-**

**lik'** rustic, rural; ~*elike omgewing* rural environment; ~**genoot'** countryman, compatriot; ~**goed** estate, country seat
**lan'ding** (s) landing; ~**strook** airstrip
**land:** ~**kaart** map; ~**loop** cross-country race; ~**lo'per** vagrant, tramp, vagabond; ~**merk** landmark; ~**me'ter** (land) surveyor; ~**myn** landmine; ~**skap** landscape
**lands:** ~**re'ën** general rain; ~**taal** vernacular, language of the country; ~**vlag** national flag
**land:** ~**streek** region, district; ~**verhui'ser** emigrant; ~**verraai'er** traitor; ~**(s)wyd** nationwide, countrywide; *landwye veldtog* national campaign
**lan'fer** crape (crêpe); mourning
**lang** (attributief) **-er, -ste** long, tall
**langdra'dig** long-winded, wordy, prolix
**langdu'rig** long-lasting, protracted; ~**e droogte** prolonged drought
**lang'saam** slow, tardy
**lang'samerhand** gradually *ook* **gaan'deweg**
**lang:** ~**speelplaat/**~**spe'ler** LP record
**langwer'pig -e** oblong, rectangular
**la'ning -s** hedge, grove; avenue
**lank** (predikatief) **langer, langste** long, tall; ~**al** long ago; ~**laas** long time ago
**lankmoe'dig -e; -er, -ste** patient, clement
**lans -e** lance, spear
**lanseer'** ~, **ge-** launch (torpedo, spacecraft); start; lance, pierce (tumour); ~**blad** launch(ing) pad *kyk* **loods** (w)
**lantern' -s** lantern
**lap** (s) **-pe** patch; cloth; rag; *op die ~pe bring* bring to light; (w) mend; patch; **ge~te broek'** patched trousers
**la'pa** (s) lapa, meeting place
**lapel' -le** lapel; ~**wa'pen** lapel badge
**lar'we -s** larva
**las**[1] (s) **-se** seam, joint, weld; (w) join, weld; pool funds
**las**[2] (s) **-te** burden, freight; charge, order; nuisance; **op** ~ by order (legal); **ba'tes en ~te** assets and liabilities
**la'ser** laser; ~**druk'ker** laser printer; ~**skyf** compact disk (CD) *ook* **laserplaat**; ~**straal** laser beam; ~**tas'ter** laser scanner
**las'pos -te** nuisance, troublesome person
**las'ter** (s) slander; defamation, libel; (w) slander; ~**lik** (b) libellous, defamatory
**las'tig** troublesome, annoying *ook* **hin'derlik**
**las'wa** articulated vehicle *ook* **kop'pellorrie**
**lat -te** lath; stick, cane; batten
**la'ter** later; *hoe ~ hoe kwater* the longer it lasts, the worse it becomes
**Latyn'** Latin
**laven'tel** lavender, scent; ~**haan** dandy (person)
**la'wa** lava
**lawaai'** (s) noise; hubbub, tumult
**lê ge-** place, put; lay (eggs); *dit ~ voor die hand* it goes without saying; *op sterwe ~* be dying
**le'degeld -e** membership fee *ook* **lid'geld**
**le'de:** ~**lys** list of members *ook* **lid'lys;** ~**ma'te** (net in mv) limbs, parts of the body; ~**tal** number of members
**le'dig** (b) **-e** idle; vacant
**le'digheid** idleness; emptiness; ~ *is die duiwel se oorkussing* Satan finds some mischief for idle hands to do
**leed** (s) pain, sorrow, grief *ook* **verdriet'**
**leef ge-** live, exist, subsist; ~**tyd** lifetime; time of life, age; *op middelbare ~tyd* in middle life; ~**wy'se** manner of living, lifestyle *ook* **le'wenswyse**
**leeg** empty, void; vacant; ~**lê** (v) loiter; ~**lêer** vagrant, loafer
**leek leke** layman; novice
**leem'te -s** defect, gap, blank; lacuna
**leen** (w) **ge-** lend; borrow; *ek ~ van hom en hy ~ aan my* I borrow from him and he lends to me; ~**moe'der** surrogate mother
**leer**[1] (s) leather; (b) leather
**leer**[2] (s) **lere** ladder
**leer**[3] (s) **leerstel'linge** doctrine
**leer**[4] apprenticeship; (w) learn, study; teach; *van buite ~* learn by heart
**le'ër** (s) **-s** army; lair, bed (animal)
**lê'er -s** file (for papers); layer (hen); register; leaguer (for wine); sleeper (railway)
**leer:** ~**der** learner; ~**gang** syllabus *ook* **silla'bus**; ~**gie'rig** (b) studious
**leer:** ~**klerk** articled clerk; ~**krag** teacher; ~**ling** scholar, pupil; learner; ~**lingry'bewys** learner driver's licence
**leer'looier -s** tanner; ~**y** tannery
**leer:** ~**mees'ter** teacher, tutor; ~**plan** curriculum; ~**saam** instructive, informative; ~**skap** articles (accountant, attorney); ~**'skool** practice/demonstration school, workshop *ook* **slyp'skool**; ~**stoel** chair (university)
**lees**[1] (s) **-te** last; figure, waist; *op dieselfde ~ geskoei* cast in the same mould
**lees**[2] (w) **ge-** read; ~**baar** legible, readable;

~**boek** reader, reading book; ~**gebrek'** dyslexia; ~**stof** reading matter; ~**te'ken** punctuation mark *ook* **interpunk'sie**
**leeu -s** lion; ~**bek'kie** snapdragon, antirrhi= num (blom); ~**e'aan'deel** lion's share
**leeu:** ~**hok** lion's cage; ~**kuil** lions' den; ~**man'netjie** lion
**leeu'rik -ke** skylark *ook* **le'werik** (voëltjie)
**leeu:** ~**tem'mer** lion tamer; ~**wy'fie** lioness
**legenda'ries -e** legendary; ~**e figuur'** legend= ary figure
**legen'de** (s) **-s** legend
**legioen' -e** legion; ~**soldaat'** legionary
**leg'kaart -e** jigsaw puzzle
**lei**[1] (s) **-e** slate; ~ **en grif'fel** slate and slate pencil
**lei**[2] (w) **ge-** lead, conduct, guide; preside; ~**band** leash; *ook* **lei'riem**
**lei'ding** direction, management, guidance, leadership *ook* **lei'erskap**; conduit
**lei'draad ..drade** clue, lead, guide(line)
**lei:** ~**er** leader, guide; **gebo're** ~**er** born leader; ~**ers'beraad'** summit talks *ook* **spits'beraad**; ~**erskap'** leadership
**lei'klip** slate (stone)
**lei'sel -s** rein; *die* ~ *in hande neem* take charge
**lek**[1] (s) **-ke** leak(age), puncture; (w) leak
**lek**[2] (s) **-ke** lick; (w) lick
**le'keprediker -s** lay preacher
**lek'ker**[1] (s) **-s** sweet *kyk* **lek'kergoed**
**lek'ker**[2] (b) **-der, -ste** dainty, nice, sweet, palatable, savoury; tipsy; ~**bek** epicure, sweet tooth
**lek'kergoed/lek'kers** sweets, confectionery
**lek'kerlyf** (b) tipsy *ook* **aan'geklam**
**lekkerny' -e** titbit, delicacy
**lek'sikon -s** lexicon, dictionary *ook* **woor'de= boek**
**lek'tor -e, -s** lecturer *ook* **dosent'**
**lektuur'** reading matter *ook* **lees'stof**
**lel -le** lobe (of the ear); wattle (bird)
**le'lie -s** lily; ~**wit** lily-white
**le'lik -e; -er, -ste** ugly, unsightly, deformed; *so* ~ *soos die nag* as ugly as sin
**lem -me** blade (of a knife); ~**skaat'se** roller= blades, inline skates
**lem'metjie**[1] **-s** lime (fruit)
**lem'metjie**[2] **-s** (razor) blade; small blade; ~**(s)draad** razor wire
**lemoen' -e** orange; ~**konfyt'** orange jam/ preserve; ~**kwas** orange squash; ~**sap** orange juice
**len'delam** (b) hipshot, rickety; ~ **ta'fel** rickety table
**le'ner -s** borrower; lender *ook* **uit'lener**
**leng'te -s** length; longitude
**le'nig** (b) lithe, supple, agile
**le'ning** (s) loan
**lens -e** lens, optic glass
**len'sie -s** lentil; ~**sop** lentil soup
**len'te -s** spring; ~**skool** refresher course
**leo'tard** (s) leotard *ook* **lyf'kous**
**le'pel -s** spoon; ~ *in die dak steek* give up the ghost
**le'pra** (s) leprosy *ook* **melaats'heid**
**le'raar -s** minister (of religion), parson
**les**[1] (s) **-se** lesson
**les**[2] (w) **ge-** quench, slake; *jou dors* ~ quench one's thirst
**les**[3] (b): ~ *bes* last but not least
**les'biër** (s) **-s** lesbian
**le'ser -s** reader
**le'sing -s** lecture, reading *ook* **referaat'**
**les'senaar -s** desk *ook* **skryf'tafel**
**let ge-** heed, mind; ~ *wel* mind, note, N.B.
**let'sel -s** hurt, damage, injury; *sonder* ~ unscathed *ook* **ongedeerd'**
**let'ter** (s) **-s** letter; ~**dief** plagiarist (person)
**let'tere** literature; **fakulteit'** ~ faculty of arts
**let'ter:** ~**greep** syllable; ~**kun'de** literature *ook* **literatuur'**
**letterkun'dig -e** literary; ~**e** man of letters
**let'ter** ~**lik** literal(ly); *hulle is* ~*lik afgemaai* they were literally decimated; ~**naam** acronym, name compounded from initials (e.g. TELKOM, ISCOR)
**leu'en -s** lie, falsehood; *al is die* ~ *nog so snel, die waarheid agterhaal hom wel* a lie has short wings; ~**aar** liar (person)
**leu'en:** ~**taal** falsehood, untruth; ~**ver= klik'ker** lie detector
**leukemie'** leukemia *ook* **bloed'kanker**
**leun ge-** lean; ~**stoel** armchair; ~**stoelpatat'** (idiom.) couch potato (TV addict)
**leu'ning -s** support; back of a chair; rail
**leu'se -s** motto, device, slogan *ook* **slag'= spreuk**
**Leviet' -e** Levite; *iem. die L~e voorlees* rebuke a person
**le'we** (s) **-ns** life; *sy* ~ *lank* all his life; *die* ~ *skenk aan* give birth to; (w) live, exist, subsist
**le'wend -e** living, alive; ~**e ha'we** livestock; ~**e uit'sending** live broadcast

**le'wendig** alive (animal) *ook* **le'wend;** quick, lively (person); vivid (description)
**le'wens:** ~**beskry'wing** biography; ~**gehal'te** quality of life; ~**geskie'denis** life story; ~**gevaar'lik** very dangerous; ~**groot** life-size; full length
**le'wenskets -e** pen sketch (of person)
**le'wens:** ~*lange erelidskap* honorary life membership; *die ~lig aanskou* be born; ~**krag** vitality; ~**kwaliteit'** quality of life; ~**lang/**~**lank** lifelong; indeterminate; ~**loop** career
**le'wens:** ~**lus** energy, vivacity; ~**noodsaak'lik** vital; ~**red'der** lifesaver *ook* **men'seredder, strand'wag**
**lewensvat'baar** (b) viable; ~**heidstudie** viability study *ook* **gangbaar(heid)studie**
**le'wensversekering** life insurance; ~**(s)maatskappy'** life insurance company
**le'wens:** ~**verwag'ting** life expectancy; ~**wy'se** way/manner of life, lifestyle *ook* **leef'wyse**
**le'wer**[1] (s) **-s** liver
**le'wer**[2] (w) **ge-** furnish, supply; deliver
**leweransier' -s** furnisher, supplier
**le'wer:** ~**traan** cod-liver oil; ~**wors** liver sausage
**liai'son** (s) liaison *ook* **ska'keling**
**liasseer'** ~**, ge-** file; ~**kabinet'** filing cabinet
**liberalis'me** liberalism
**lid lede** member; limb; ~ *word van* become a member of; ~**geld** membership fee; ~**kaart(jie)** membership card
**lid'maat ..mate** member (of a church); ~**skap** membership *ook* **lid'skap** (van klub)
**lid'woord -e** article
**lied -ere** song; hymn
**lie'derlik** (b) filthy, dirty, debauched, dissolute
**lief** (s): *in ~ en leed* come rain, come shine; (b) dear, beloved, amiable; lovely, sweet; **lie'we mei'sie** sweet girl
**liefda'dig -e** charitable, benevolent; ~**heid** charity, benevolence
**lief'de** love; charity; *geloof, hoop en ~* faith, hope and charity; ~*groete van* yours with love; ~**rik** loving, affectionate
**lief'des:** ~**ge'dig** love poem; ~**naam:** *in ~naam* for heaven's sake; ~**verhaal** love story; ~**wil:** *om ~wil* for heaven's sake
**lief'hê ..gehad** love, care for
**liefheb'bend -e** loving, affectionate; *u ~e niggie* your loving niece
**lief'hebbery -e** hobby, favourite pursuit *ook* **stok'perdjie**
**lief:** ~**koos ge-** caress, stroke; fondle; *my ge~koosde boek* my favourite book
**lief'ling -e** darling, pet, sweatheart; favourite; ~**s'boek** favourite book
**lief'ste** (s) **-s** sweetheart, dearest, darling *kyk* **lief'ling;** (b) dearest
**lieg ge-** lie, tell lies
**lier -e** lyre
**lies -te** groin; ~**band** athletic support
**liet'sjie -s** litchi (fruit)
**lie'wer(s)** rather, preferably; *ek wil ~ hierdie een hê* I'd prefer this one
**lig**[1] (s) **-te** light, give a light; ~*te verdof* dim lights; (b) light
**lig**[2] (w) **ge-** lift; ~ *op die klip!* pick up that stone!
**lig**[3] (b) **-te; -ter, -ste** easy; mild; slight; *te ~ in die broek* not equal to the task
**li'ga -s** league
**lig'gaam ..game** body; *met ~ en siel* body and soul
**lig'gaams:** ~**bou** build of body, stature; ~**oe'fening** physical exercise; ~**op'voeding** physical education; ~**taal** body language *ook* **lyf'taal**
**liggelo'wig -e; -er, -ste** gullible, credulous
**lig'ging -s, -e** site, position; location
**lig'straal** (s) **..stra'le** ray of light
**lig'telaaie:** *in ~* ablaze, in a blaze; on fire
**likeur' -s, -e** liqueur
**likied'** liquid; ~**e ba'tes** liquid assets
**likkewaan' ..wane** iguana, leguan
**likwida'sie** liquidation
**lim'bier** (s) shandy *ook* **lim(ona'de)bier**
**limeriek'** limerick *ook* **bog'rympie**
**limona'de** lemonade
**linguis' -te** linguist *ook* **taal'geleerde**
**liniaal' liniale** ruler
**linieer'** (w) **ge-** rule (lines)
**lin'ker** left; ~**arm** left arm; ~**kant** left side; ~**stuur** lefthand drive
**links** left-handed; to/on the left; ~ *af* to the left; *iets ~ laat lê* leave something undone; ~**gesind'** leftwing (politics)
**lin'ne** linen; ~**goed** linen
**lint -e** ribbon; tape; ~**reën** (s) ticker-tape parade/procession; ~**wurm** tapeworm, taenia
**lip -pe** lip; ~**pe'diens** lip service; ~**stif'fie** (s) lipstick
**liriek'** (s) lyric poetry; lyrics
**lirie'ke** lyrics *ook* **(li'riese) teks/woor'de**

**li'ries -e** lyric(al) *ook* **melodieus'**
**lis**[1] **-te** trick, ruse, cunning, artifice
**lis**[2] **-se** noose, loop *ook* **lus** (s)
**lisensiaat'** licentiate
**lisen'sie -s** licence *ook* **liksens'**
**lis'tig -e; -er, -ste** cunning, artful, wily *ook* **slu, gesle'pe**
**lit -te** joint; internode; *uit* ~ out of joint
**li'ter -s** litre; *twee* ~ *melk* two litres of milk
**litera'tor -e, -s** literator, man of letters
**literatuur' ..ture** literature
**literêr' -e** literary
**lit'teken -s** scar, flesh mark
**loei** (w) **ge-** low, bellow, moo; ~**er** siren
**loer ge-** spy, watch, lurk; *op die* ~ *lê* lie in wait; ~**gaat'jie** peephole
**loe'rie -s** lourie (bird)
**loer:** ~**koop** window shopping; ~**ky'ker** seeing eye; ~**vink** Peeping Tom
**loe'sing -s** thrashing, hiding; *iem. 'n afgedank=ste* ~ *gee* give someone a sound thrashing
**lof** praise, eulogy; *met* ~ *slaag* pass with honours/distinction; ~**re'de** panegyric, eu=logy; ~**san'ger** praise singer (imbongi); ~**waar'dig** praiseworthy
**logarit'me -s** logarithm
**lo'gies** (b) **-e** logical
**lojaal** (b) **lojale** loyal *ook* **trou**
**lojaliteit'** loyalty
**lok**[1] (s) **-ke** curl, lock; coil
**lok**[2] (w) **ge-** decoy, entice, lure
**lokaal'** (s) **lokale** hall, room *ook* **saal, ver=trek'**; (b) **lokale** local
**lok'aas ..ase** bait, allurement, decoy
**loket' -te** ticket window, box office; ~**tref'fer** box office success
**lok'film** trailer
**lokomotief' ..tiewe** locomotive, engine
**lok'val -le** ambush, trap *ook* **hin'derlaag**
**lok'vink -e** police trap; decoy
**lol ge-** bother, trouble; *moenie heeldag met my* ~ *nie* don't pester me always; **kin'derlol'ler** child molester *ook* **pedofiel'**
**lomp -e; -er, -ste** clumsy, awkward
**lom'pe:** ~ *tot luukse* rags to riches
**long -e** lung; ~**kan'ker** lung cancer; ~**ont=ste'king** inflammation of the lungs, pneu=monia; ~**te'ring** phthisis
**lont -e** fuse; ~ *ruik* smell a rat
**lood** lead; plumb, plummet; ~**gie'ter** plumber; ~**reg** perpendicular, vertical; ~**vry(e) pet'rol** unleaded petrol

**loods**[1] (s) **-e** shed; hangar (aircraft)
**loods**[2] (s) **-e** pilot (harbour); (w) pilot; launch (a scheme/project)
**loof** (w) **ge-** praise, extol, glorify *ook* **prys** (w)
**looi ge-** tan; beat, thrash; ~**bas** wattle bark; ~**ery** tannery
**loon** (s) **lone** reward; pay; wages; *hy kry sy verdiende* ~ it serves him right; (w) pay, reward; *dit sal die moeite* ~ it will be worth the trouble; ~**ga'ping** wage gap
**loop** (s) **lope** course, run; walk; stream; barrel (gun); (w) walk; go; ~**baan** career; ~**dop** last drink, one for the road; ~**gesel'ser** walkie-talkie; ~**graaf** trench; ~**plank** gangway, footboard; ~**ring** walking ring (for child)
**loops -e** ruttish; on heat *ook* **op hit'te**
**loop:** ~**tyd** duration (of loan, etc.); currency (of bill, etc.)
**loot**[1] (s) **lote** shoot; descendant, offspring
**loot**[2] (w) **ge-** draw lots, raffle; ~**jie** lottery ticket; *die* cc~ *wen* win the toss (sport)
**lo'pend -e** current, present, running; ~**e belas'tingstelsel (LBS)** Pay As You Earn (PAYE); ~**e re'kening** current account
**lo'per -s** runner, staircarpet; walker; master=key/skeleton key
**lo'pie -s** little stream; run (cricket)
**lor'rie -s** lorry; ~**dry'wer** lorry driver
**los** (w) **ge-** loosen; free; redeem; let go; *laat my* ~! let me go!; (b) loose, free; ~ **wer'ker** casual worker
**losban'dig -e; -er, -ste** dissolute, licentious
**los'bol -le** rake, libertine, playboy (person)
**los'brand -ge-** discharge, fire off
**los'breek -ge-** break loose/away
**loseer'** ~, **ge-** lodge, board, stay at; ~**der** lodger, boarder
**los'geld** ransom money *ook* **los'prys**
**los'goed** movable property *ook* **roe'rende goed**
**lo'sie -s** lodge (Freemason); (private) suite
**losies'** lodging, boarding; ~**huis** boarding house
**los'loop -ge-** run loose, be at large; **los'loper=hond/los'loophond** stray dog
**los'lootjie -s** bye (in the draw)
**los'pitperske -s** freestone peach
**los'prys** ransom *kyk* **los'geld**
**lot**[1] fate, destiny; *hom aan sy* ~ *oorlaat* leave him to his fate
**lot**[2] **-te** lot/batch (at sale)
**lot**[3] lot; *die* ~ *laat beslis* decide by casting lots
**lo'tery -e** lottery, raffle
**lo'ting** draw, drawing of lots; ballot

**lot'jie:** *van ~ getik* mad, daft, crazy (person)
**lou -er, -ste** lukewarm, tepid
**lou'ere** laurels; *op sy ~ rus* rest on one's laurels
**lourier' -e** laurel, bay; **~krans** laurel wreath
**lo'wer/loof** (s) foliage; **~groen** quite (very) green; **lo'werstad** arbor city
**lug** (s) **-te** air, sky; smell; (w) air, ventilate; *sy gevoelens ~* vent one's feelings; *die ~ suiwer* clear the air; **~aan'val** air attack; **~akrobaat'** stunt flyer; **~ballon'** hot-air balloon; **~bombardement'** air raid; **~band** tubeless tyre; **~diens** airways/airline; **~dig** airtight; **~draad** aerial; **~druk** atmospheric pressure; **~duik** skydiving; **~fil'ter** air filter; **~fo'to** aerial photograph
**lughar'tig -e; -er, -ste** light-hearted
**lug: ~ ha'we** airport; **~le'dig** void of air; **~leë ruim'te** vacuum; **~mag** air force; **~pos** airmail; **~redery'** airline; **~ruim** atmosphere; **~sak** airbag (car); **~skip** airship, dirigible; **~spie'ëling** mirage; fata morgana; **~sui'weraar** air filter
**lug'tig -e** airy, lightly, light-hearted; afraid; *hy is maar ~ vir my* he takes no liberties with me
**lug: ~vaart** aviation, aeronautics; **~verfris'ser** air freshener; **~versor'ging** airconditioning; *die winkel is lugversorg* the shop is airconditioned; **~waardin'** air hostess (cabin crew)
**lui**[1] (w) **ge-** sound, ring, toll, peal; *hoe ~ die brief?* how does the letter go?
**lui**[2] (b) **-er, -ste** lazy, idle; slothful; **~aard** sluggard, lazybones, laggard *ook* **lui'lak**; **~dier** sloth *ook* **ai** (indien drietoon)
**luid'keels** (b) at the top of one's voice
**luid'roeper -s** loudhailer; megaphone
**luidrug'tig -e; -er, -ste** noisy, clamorous
**luid'spreker -s** loudspeaker; **~stel'sel** public address system
**lui'er**[1] (s) **-s** swaddling cloth, napkin (baby); **~diens** napkin service
**lui'er**[2] (w) **ge-** laze about; idle (engine)
**luik** (s) **-e** shutter; manhole; trapdoor; hatch (ship); **~rug** hatchback (car)
**lui'lak** (s) **-ke** sluggard, lazybones (person)
**luilek'kerland** (land of) Cocagne, fool's paradise, happy valley
**luim** (s) **-e** whim, mood; *in ligter ~* in lighter vein
**lui'perd -s** leopard; panther
**luis -e** louse, vermin; *jou lae ~!* you cad!
**lui'slang -e** python, boa constrictor
**lui'ster**[1] (s) lustre, glory, splendour
**luis'ter**[2] (w) **ge-** listen, hear; obey; *na goeie raad ~* follow good advice; **~lied'jie** light modern song; **~aar** listener (radio); **~vink** eavesdropper; **~vlooi** electronic bug *ook* **klik'apparaat**
**luit -e** lute
**luitenant' -e, -s** lieutenant
**lukwart' -e** loquat (fruit)
**lum'mel -s** boor, lout, simpleton (person)
**lus** (s) **-te** desire, appetite, inclination
**lusern'** lucerne
**lus: ~hof** pleasure garden; **~teloos'** listless, dull; **~tig** cheerful
**luuk'se** (s) luxury; *nie gewoond aan sulke ~s nie* not used to such luxuries; **~ arti'kel** luxury article; **~ bus** luxury bus; **~ mo'tor** luxury car *ook* **weel'demotor**
**ly ge-** suffer, bear, endure; *skipbreuk ~* be shipwrecked; *dit ~ geen twyfel nie* there is no doubt
**ly'delik -e** passive, submissive; **~e verset'** passive resistance
**ly'dend -e** suffering, passive; **~e vorm** passive voice
**ly'ding** suffering *ook* **pyn, ellen'de;** *'n dier uit sy ~ verlos* put an animal out of its pain
**lyf lywe** body; **~blad** house journal; **~braai** (w) tan; **~straf** corporal punishment; **~taal** body language; **~wag** bodyguard
**lyk**[1] (s) **-e** corpse, cadaver
**lyk**[2] (w) **ge-** resemble, appear, seem to be; *baie na mekaar ~* resemble each other
**lyk: ~besor'ger** undertaker; **~skou'ing** autopsy, postmortem (examination); **~stoet** funeral procession; **~verbran'ding** cremation *ook* **veras'sing**
**lyks: ~huis** mortuary, morgue; **~wa** hearse *ook* **rou'koets**
**lym** (s) glue; (w) glue/gum, paste
**lyn -e** rope, line, string; track (railway); *in ~ met* in line with
**lyn: ~o'lie** linseed oil; **~reg** straight, perpendicular; **~reg'ter** linesman, line judge; **~staan** line-out (rugby)
**lys -te** list, catalogue; frame, rail; ledge; (w) list; *~ jou vrae* list your questions
**lys'ter -s** thrush (bird)
**ly'wig -e; -er, -ste** corpulent, fat, thick; bulky; **~e verhan'deling** comprehensive thesis/dissertation

# M

**ma -'s** mother; mummy; ma (informal) *ook* **moe'der**
**maag mae, mage** stomach; *jou oë is groter as jou ~* you ask for more than you can eat
**maagd** (s) **-e** virgin, maiden
**maag: ~kan'ker** cancer in the stomach; **~koors** gastric fever; **~pyn** stomach ache; **~seer** (s) gastric/duodenal ulcer
**maai** (w) **ge-** mow, reap; *~ waar hy nie gesaai het nie* reap where he has not sown
**maak** (s) make *ook* **fabrikaat'**; (w) make, do, shape; *dit ~ geen/nie saak nie* it doesn't matter
**maal**[1] (s) **male** time *ook* **keer**; *drie ~ vier* three times four
**maal**[2] (s) **male** meal *ook* **maal'tyd, e'te**
**maal**[3] (w) **ge-** grind; paint; circle round and round; **~stroom** whirlpool; **~tyd** meal; **~vleis** minced meat, mince
**maan** (s) **mane** moon
**maand -e** month; *die ~ Maart* the month of March
**Maan'dag ..dae** Monday; *blou ~* blue Monday
**maand: ~blad** monthly magazine; **~e'liks** monthly; **~ston'de** menstruation
**maan: ~lan'ding** moon landing; **~lig** moon=light; **~sak** moonbag *ook* **pens'portefeul'je**; **~s'verduis'tering** eclipse of the moon; **~vlug** lunar flight
**maar** but, merely, only, yet, just; *toe ~!* don't mention it
**maar'skalk -e** marshal
**maat**[1] **mate** measure; dimension, size; *die ~ hou* beat time; **~band** tape measure
**maat**[2] **-s, maters** chum, mate, comrade, part=ner; *Jan Rap en sy ~* ragtag and bobtail
**maat'reël -s** measure; *~s tref* take steps
**maatskap'lik -e** social; **~e werk** social work; **~e wer'ker** social worker
**maatskappy' -e** company; society
**maat'staf ..stawwe** criterion, standard, gauge
**ma'deliefie -s** daisy *ook* **gous'blom**
**ma'er -der, -ste** lean, thin; meagre; *so ~ soos 'n kraai* as thin as a lath; **~mer'rie** shin
**mag**[1] (s) **-te** power, might, strength
**mag**[2] (w) **mog** may; *jy ~ nie steel nie* thou shalt not steal
**magasyn' -e** shop, warehouse; **~mees'ter** store=man
**magis'ter -s** master's degree
**magistraat' ..strate** magistrate *ook* **land'dros**
**magnaat' ..na'te** magnate; tycoon (person)
**magneet' ..nete** magnet
**magne'ties -e** magnetic
**mags: ~de'ling** power sharing; **~vertoon'** show of force/strength
**mag'teloos ..lose** powerless, helpless
**mag'tig** (w) **ge-** authorise, warrant, empower; (b) powerful, mighty; **skrif'telike ~ing** written authority/mandate
**ma'-hulle** mother and the rest, mum and co(mpany)
**ma'jesteit -e** majesty; splendour
**majestueus' -e** majestic (view); august
**majoor' -s** major (person)
**mak -ker, -ste** tame, docile, gentle; *so ~ soos 'n lam(metjie)* as gentle as a lamb
**makeer' ~, ge-** ail, lack, matter; be wanting; *wat ~ jou?* what are you suffering from?; *wat ~ jy?* what has come over you, what are you up to?
**ma'kelaar -s** broker (person)
**ma'ker -s** maker; creator
**makie'tie -s** feast, festivity, celebration *ook* **fees(vie'ring), jolyt'**
**mak'lik -e; -er, -ste** easy
**mak'rostraler -s** jumbo jet
**mak'simum -s** maximum
**mal -ler, -ste** mad, foolish, silly
**mala'ria** malaria; **~muskiet'** anopheles
**mal'beessiekte** mad cow disease
**Malei'er -s** Malay (person)
**mal: ~heid** madness, nonsense, foolishness; **~huis** madhouse; lunatic asylum
**mal'jan:** *~ onder die hoenders* a thorn among the roses
**mal: ~kop** madcap, tomboy *ook* **mal'trap**; **~lemeule** merry-go-round, carousel
**mals -e; -er, -ste** soft, juicy, tender
**mal'va -s** geranium; **~lek'ker** marshmallow
**mam'ba -s** mamba
**mam'ma -s** mamma
**mam'mie -s** mummy (mother)
**mampar'ra -s** ass, clot, fool
**mampoer'** peach brandy *ook* **per'skebran'de=wyn; wit'blits** (van druiwe)
**man -ne, -s** man; husband; *aan die ~ bring* sell, dispose of; *met ~ en muis vergaan* lost

with all hands on board
**mandaat′ ..date** mandate, power to act
**mand′jie -s** basket, hamper
**manel′ -le** dress coat, frock coat; *so waar soos padda ~ dra* as true as faith
**maneu′ver -s** manoeuvre
**manewa′le -s** antics, capers *ook* **kaskena′des**
**man′gel -s** tonsil; ~**ontste′king** tonsillitis
**man′go** ~**'s** mango (fruit)
**manhaf′tig -e; -er, -ste** brave, courageous
**maniak′/ma′niak -ke** maniac; crank (person)
**manier′ -e** manner, fashion, way; *op hierdie ~* in this way
**manifes′ -te** manifest(o) *ook* **cre′do**
**manipuleer′** ~, **ge-** manipulate
**mank -er, -ste** limping, lame, crippled
**man′lik -e** manly; masculine; *alle ~e afstammelinge* all male descendants
**manmoe′dig** (b) brave, manly, courageous
**man′na** manna; ~**wa′** gravy train *ook* **sous′trein/stroop′trein**
**man′nekrag** manpower/fempower; labour force
**mannekyn′ -e** mannequin
**mans′hemp ..hemde** man's shirt
**mansjet′ -te** cuff; ~**knoop** cuff link
**man:** ~**skap** crew; man, soldier; ~**slag** manslaughter, homicide *ook* **dood′slag**
**man′tel -s** mantle, cloak, cape; ~**draai′er** turncoat; ~**pak** coat and skirt (costume)
**manuskrip′ -te** manuscript
**mar′at(h)on** (s) marathon
**mar′ge** (s) margin *ook* **spe′ling**
**marionet′ -te** puppet; ~**spel** puppet show *ook* **pop′pekas**
**mark -e, -te** market; ~**aan′deel** market share
**markeer′** (w) mark; *die pas ~* mark time
**markee′tent/markies′tent** marquee (tent)
**mark:** ~**na′vorsing** market research; ~**plein** market square
**marmela′de** marmalade *ook* **lemoen′konfyt**
**mar′mer** marble
**marmot′jie -s** guinea pig
**maroen′** maroon (colour) *ook* **bruin′rooi**
**mars** (s) **-e** march
**marsjeer′** (w) ~, **ge-** march
**mar′tel ge-** torment, torture, rack; ~**aar** martyr (person); ~**ka′mer** torture chamber
**mas -te** mast, pole
**ma′sels** measles; **Duit′se** ~ German measles
**masjien′ -e** machine; engine
**masjinis′ -te** machinist; mechanic; engineer; engine driver *ook* **trein′drywer**
**maskeer′band** (s) masking tape
**mas′ker** (s) **-s** mask, disguise; (w) mask; screen; ~**bal** fancydress ball
**mas′sa -s** mass, crowd; bulk, lump; mass/weight; ~**me′dia** mass media
**mas′sa:** ~**-op′trede** mass/industrial action *ook* **protes′optrede**; ~**produk′sie** mass production; ~**verga′dering** mass meeting *ook* **mon′sterverga′dering**; ~**versen′ding** bulk posting
**masseer′** (w) ~, **ge-** massage; ~**salon′** massage parlour
**massief′ ..siewe** massive, solid
**mas′tig!** good gracious!; *ook* **gro′te genug′tig!**
**mat** (s) **-te** (door)mat; carpet; *deur die ~ val* flop (a plan/project); take a tumble
**ma′te** measure, degree, extent; *in 'n groot ~* to a large extent
**materiaal′ ..riale** material; fabric
**materialis′ -te** materialist; ~**ties** materialistic
**ma′ters** companions, chums/pals *ook* **tjom′mies**
**mate′sis** mathematics *ook* **wis′kunde**
**mat′glas** frosted glass
**ma′tig** (b) moderate; temperate; sober; *iets ~ gebruik* use/consume in moderation
**matinee′ -s** matinee *ook* **mid′dagvoorstelling**
**mat′jie -s** rug, little mat
**matras′ -se** mattress
**matriek′** matriculation, matric
**matro′ne -s** matron, housemother
**matroos′ ..trose** sailor
**me′bos** dried and sugared apricots, mebos
**medal′je -s** medal; ~**wen′ner** medallist
**medaljon′ -s** medallion; locket
**me′de** (together) with, co-; ~**bestuurder** joint manager; ~**bestuurs′hoof** joint executive; ~**bur′ger** fellow citizen
**mededeel′saam ..same** generous, charitable
**me′de:** ~**de′ling** communication; ~**din′ger** competitor, rival *ook* **teen′stander**; ~**klin′ker** consonant
**medely′de** sympathy *ook* **simpatie′**
**medeplig′tig -e** accessory to, concerned in; ~**e** accomplice, collaborator (person)
**me′de:** ~**wer′king** co-operation, collaboration; ~**we′te** knowledge: *sonder die ~wete van A* without A's knowledge
**me′dia** (s) (mv) media; ~**beamp′te** public relations officer; ~**gebrui′ker** media user; ~**sen′trum** media centre *ook* ~**teek**; ~**ska′kel** media officer

**me'dies** (b) **-e** medical *ook* **geneeskun'dig**; **~e on'dersoek** medical examination
**medika'sie** (s) medication, drugs
**me'dikus -se, ..dici** physician, doctor, medical/family practitioner *ook* **genees'heer**
**medisy'ne** medicine
**me'dium ..dia, -s** medium
**mee** with, together *ook* **saam**; also, likewise
**mee'deel -ge-** inform, impart (facts)
**mee'ding -ge-** compete *ook* **wed'ywer**
**meegaan'de** sympathetic, tolerant (person)
**mee'gevoel** sympathy *ook* **me'delye**
**meel** meal; flour; **~blom** flour
**mee'luister -ge-** listen together; monitor; tap (telephone); **~apparaat'** bugging device *ook* **luis'tervlooi**
**meen ge-** mean, intend, think; *~ jy dit regtig?* do you really mean it?
**meent** (s) commonage *ook* **dorps'grond**; **~huis** townhouse
**meer**[1] (s) **mere** lake
**meer**[2] (b) more; *niks ~ as billik nie* only fair; **~dere** superior (person)
**meer'derheid** majority, superiority; **~s'rege'ring** majority government
**meerderja'rig -e** major, of age; **~e** major (person) *ook* **volwas'sene**
**meer'kat -te, ..kaaie** meercat, suricate
**meer'min -ne** mermaid *ook* **see'vrou**
**meer'voud -e** plural
**mees** (b) most; (bw) mostly
**mees'(t)al** generally, as a rule, mostly
**mees'te** most, greatest; *die ~ mense* most people
**mees'ter -s** master; teacher; *hy is ~ van sy vak* he knows his trade/profession thoroughly
**mees'terbrein** mastermind
**mees'ter: ~lik** excellent, masterly; *hy het hom ~lik van sy taak gekwyt* he made an excellent job of it; **~stuk** masterpiece
**meet** (w) **ge-** measure, gauge; **~band** tape measure; **~kun'de** geometry
**meeu -e** seagull
**mee'val -ge-** cause surprise, succeed (beyond expectation); **~ler(tjie)** windfall, stroke of luck, bonanza
**mee'werk -ge-** co-operate, collaborate
**me'gagreep** (s) megabyte (Mb, comp.)
**mega'nies -e** mechanical
**Mei** May
**mein'eed** perjury; *~ pleeg* commit perjury
**mei'sie -s** girl, maiden
**mei'sieskool** girls' school; **Ho'ër Mei'sieskool Boks'burg** Boksburg Girls' High School
**mejuf'frou -e** miss *kyk* **juf'frou**
**mekaar'** each other, one another; *na ~* one after the other
**melaats' -e** leprous; **~heid** leprosy *ook* **le'pra**; **~e** (mens) **le'per** *ook* **le'pralyer**
**melancho'lies** (b) melancholic *ook* **neerslag'tig**
**meld ge-** mention, inform, communicate; *~ jou môre aan* report tomorrow
**mel'ding** mention; *~ maak van* make mention of; mention (v)
**melk** (s) milk; (w) **ge-** milk
**melk: ~baard** down (on the chin), soft beard; **~ery** dairy, dairy farm; milking; **~koei** milch cow; **~sak'kie** milk sachet; **~tert** milktart; **M~weg** Milky Way
**melodie' -ë** melody, tune
**melodieus' -e** melodious
**memoran'dum ..da, -s** memorandum
**memoriseer'** (w) **~, ge-** memorise
**mena'sie -s** mess (club for soldiers/sailors)
**meneer' menere** sir, mister; gentleman; **(Meneer die) Voor'sitter** Mr Chairman, Chairperson *ook* **Ag'bare Voor'sitter**
**meng ge-** mix, blend; mingle; *~ jou met semels, dan vreet die varke jou op* touch pitch and you will be defiled
**men'gel** mingle, mix; **~dran'kie** cocktail; **~moes** hotchpotch, hash
**meng'sel -s** mixture, blend; mix
**me'nige** many, several
**me'nig: ~een** many, several, many a one; **~maal** often; **~te** multitude, crowd
**me'ning -s, -e** opinion, belief, view; *'n ~ huldig* hold a belief; *na my ~* in my opinion; **~(s)op'name** opinion poll, survey; **~vor'mer** opinion former/maker
**me'ningverskil -le** difference of opinion
**me'nopouse** menopause, change of life
**mens** (s) **-e** human being, person; *die ~ wik, God beskik* man proposes, God disposes; (vnw) one, you; **~dom** humanity, mankind
**men'se: ~bron'ne** human resources *ook* **mens'like hulp'bronne**; **~ken'nis** knowledge of people/human nature; **~materiaal** human resources; **~reg'te** human/fundamental rights
**Men'seregtedag** Human Rights' Day (holiday)
**men'severhoudinge** human relations
**menslie'wend** (b) humane, philanthropic(al)
**mens'lik -e** human; **~e hulp'bronne** human resources *ook* **men'sebronne**
**mens'likheid** humanity; human kindness

**menstrua'sie** menstruation *ook* **maand'stonde**

**mens:** ~**vre'ter** cannibal, maneater; ~**waar'dig** worthy of a human being; ~**waar'digheid** human dignity

**mentaliteit'** mentality

**men'tor** (s) adviser, teacher *ook* **leer'meester**

**me'rendeel** majority; ~**s** mostly, for the greater part

**meridiaan' ..diane** meridian

**merie'te** merits; *derde op die ~lys* graded/ranked third

**merk** (s) **-e** mark; sign; token; brand; (w) **ge-** mark; observe, notice

**merk:** ~**arti'kel** brand(ed) article/goods; ~**baar** perceptible, noticeable

**merkwaar'dig** remarkable, noteworthy

**mer'rie -s** mare; ~**vul** filly

**mes -se** knife; *voor jy ~ kon sê* before you could say Jack Robinson

**mes'sel ge-** lay bricks, build; ~**aar** bricklayer

**mes'sestel** (s) set of cutlery

**met** with; ~ *geweld* by force; *~/op vakansie (sake)* on holiday (business)

**metaal' metale** metal; ~**verklik'ker** metal detector; ~**verswak'king** metal fatigue

**metafoor' ..fore** metaphor *ook* **beeld'spraak**

**meteen'** at the same time

**meteens'** all of a sudden, all at once, suddenly *ook* **skie'lik/plot'seling**

**meteoor' meteore** meteor

**me'ter -s** meter, gauge; metre

**met'gesel -le** companion, mate; consort

**me'ting -s, -e** measuring, reading

**meto'de -s** method, manner

**metodiek'** method(ics)

**meto'dies -e** methodical

**metriek'** (b) **-e** metric; ~**e stel'sel** metric system

**metrise'ring** metrification

**metronoom' ..nome** metronome *ook* **maat'meter**

**metropolitaan' ..tane** metropolitan; ~**se sub'struktuur** metropolitan substructure

**me'trum -s ..tra** metre *ook* **vers'maat**

**mettertyd'** in course of time *ook* **gaan'deweg**

**meu'bel -s** piece of furniture

**meubileer'/meubeleer' ge-** furnish; ~**der** furnisher *ook* **meubelier'** (mens)

**meul -e/meu'le -ns** mill; *water op sy ~* grist to his mill; ~**e'naar** miller

**mevrou' -e, -ens** Mrs (when addressed with surname); madam, mistress; *is ~ tuis?* is your wife at home?

**mid'byt** (s) brunch

**mid'dag ..dae** midday, noon; *'n vry ~* an afternoon off; ~**e'te** lunch, luncheon; (midday) dinner; ~**verto'ning** matinee

**mid'de** middle, midst; *te ~ van gevaar* in the midst of danger

**mid'del**[1] **-s** waist; centre, middle

**mid'del**[2] **-e, -s** means, instrument, remedy; product; *deur ~ van* by means of; ~**aar** mediator, go-between *ook* **tus'senganger** (mens)

**mid'delbaar ..bare** secondary; moderate, middle; **..ba're on'derwys** secondary education

**middeldeur'** (b) in two, asunder

**Mid'deleeue** Middle Ages

**mid'del:** ~**lyn** diameter; equator; halfway line; ~**man'netjie** hog's back (road)

**middelma'tig -e** mediocre; only average

**middelpuntsoe'kend -e** centripetal

**middelpuntvlie'dend -e** centrifugal

**mid'de(l)weg** the golden mean

**mid'delvinger -s** middle finger

**mid'dernag** midnight; ~**son** midnight sun

**mied -e** pile, heap; stack (hay)

**mie'lie -s** mealie, maize; ~**boer** maize farmer; ~**meel** mealie meal; ~**pap** mealie/maize porridge; ~**stronk** mealie cob/stalk

**mier -e** ant; *~e hê* be fidgety

**miershoop ..hope** antheap

**migraine'** migraine *ook* **skeel'hoofpyn**

**mik** (s) **-ke** forked stick; gibbet; (w) aim

**mik'punt** aim, target; objective *ook* **doel'wit**

**mikrochirurgie'** microsurgery

**mi'krofilm** microfilm

**mikrofoon' ..fone** microphone

**mi'krogolf ..golwe** microwave; ~**oond** microwave oven

**mi'kroligte:** ~ **vlieg'tuig** microlight aircraft/plane *ook* **mi'krotuig**

**mikroskoop' ..skope** microscope

**mi'kroskyfie/mi'krovlokkie -s** microchip

**mik'stok -ke** forked stick

**mild** (b) **-e; -er, -ste** generous, liberal, soft

**militant'** militant *ook* **veglus'tig**

**militêr'** (s) **-e** military man; (b) military; ~**e diens** military service, national service

**miljard' -e** billion (1 000 million) *kyk* **biljoen'**

**miljoen' -e** million

**miljoenêr -s** millionaire (person)

**mil'li:** ~**gram** milligram; ~**li'ter** millilitre; ~**me'ter** millimetre

**mimiek′** (s) mimicry; mimic art
**min**[1] (s) love; (w) **ge-** love
**min**[2] (b) **-der, -ste** little, few; (bw) minus, less; ~ *of meer* more or less
**min′ag ge-** disdain, slight; ~**ting** disrespect; ~*ting van die hof* contempt of court
**min′der** less, fewer, inferior; ~**bevoor′reg** underprivileged; ~**bevoor′regte gemeen′skap** disadvantaged community
**min′derheid** minority; inferiority
**min′derja′rig -e** under age, minor
**minderwaar′dig -e** inferior; ~**heid(s)kompleks′** inferiority complex
**mineraal′** (s) **..rale** mineral; (b) mineral; **..rale bad/bron** mineral baths *ook* **kruit′bad**
**mineur′** minor (mus.)
**mi′ni** (s) **-'s** mini; ~**bustax′i** minibus taxi
**miniatuur′ ..ture** miniature
**mi′nimum -s, ..ma,** minimum
**minire′kenaar** (s) minicomputer
**mi′nirok -ke/mi′niromp -e** miniskirt
**minis′ter -s** minister
**ministe′rie -s** ministry; cabinet
**min′naar -s** lover
**minnares′ -se** ladylove, mistress
**min′ne:** *in der ~ skik* settle amicably; ~**brief** love letter; ~**dig** love poem; ~**lied** love song; ~**san′ger** minstrel
**min′ste** least, smallest; *op sy ~* (at) the least; *sy is ten ~ eerlik* at least she is honest
**min′stens** not less than, at least; *sy is ~ veertig* she is forty if she is a day; *dit weeg ~ tien kilogram* it weighs at least ten kilograms
**mi′nus** minus, less
**minuut′ ..nute** minute; ~**wys′(t)er** minute hand
**mira′kel -s** miracle, wonder *ook* **won′derwerk**
**mis**[1] (s) **-se** mass (in church)
**mis**[2] (s) **-te** mist, fog; vapour
**mis**[3] (s) manure, dung
**mis**[4] (w) **ge-** miss; ~ *die trein* miss the train; (b, bw) amiss, wrong
**mis′bruik** (s) **-e** abuse, misuse; ~ *maak van* take advantage of
**misbruik′** (w) ~ abuse, misuse
**mis′daad ..dade** crime, offence, misdeed; *'n ~ begaan/pleeg* commit a crime; ~**voorko′ming** crime prevention
**misda′dig** (b) **-e** criminal, felonious; ~**er** criminal, evildoer *ook* **boos′wig, skurk**
**mis′dryf** (s) **..drywe** crime, offence
**misera′bel** (b) miserable *ook* **ellen′dig**
**mishan′del** ~ ill-use, maltreat, abuse
**misken′** ~ misjudge, fail to appreciate; ~**de genie′** neglected/disregarded genius
**miskien′** perhaps, maybe *ook* **dalk**
**mis′kraam ..krame** miscarriage, abortion
**mis′kruier -s** tumblebug, dung beetle
**mis′lik -e; -er, -ste** sick, qualmish, nauseous; disgusting; ~**heid** sickness, nausea
**misluk′** ~ fail, miscarry; ~*te poging* vain attempt; ~**keling** misfit; dropout; ~**king** failure, miscarriage
**mismaak′** (w) ~ deform, disfigure; (b) deformed
**mismoe′dig** (b) **-e** discouraged, dejected
**misnoe′ë** discontent, displeasure; *sy ~ te kenne gee* express his displeasure
**misre′ken** ~ be mistaken, meet with disappointment; *hy het hom ~* he backed the wrong horse
**mis′sie** (s) mission *ook* **op′drag, sen′ding**
**missiel ..e** missile
**mis:** ~**slaan** miss (when hitting); ~**stap** false/wrong step
**mis′stof ..stowwe** manure; fertiliser
**mis′tel**[1] (s) **-s** mistletoe
**mis′tel**[2] (w) **-ge-** count wrongly, miscount
**miste′rie -ë, -s** mystery *ook* **gehei′menis**
**mis′tig -e** foggy, misty
**mis′verstaan** ~ misunderstand
**mis′verstand** (s) **-e** misunderstanding, error
**misvorm′** (b) **-de** deformed, disfigured
**mi′te -s** myth
**mitologie′** mythology
**mits** provided (that); on condition (that); *ek sal jou help, ~ jy my vertrou* I shall help you if you trust me
**mobiel′ -e** mobile *ook* **beweeg′baar**
**mod′der** mud, mire, sludge; ~**ig** muddy; ~**skerm** mudguard, fender
**mo′de -s** fashion, mode, vogue; *uit die ~ raak* go out of fashion; ~**gier** whim of fashion
**model′ -le** pattern, example; model
**mo′de:** ~**maak′ster** dressmaker *ook* **kle′remaakster**; ~**ontwer′per** fashion designer; ~**pop** fop, dandy; dressy woman
**modereer′** ~, **ge-** moderate; ~**komitee′** committee/panel of moderators
**modern′ -e; -er, -ste** modern, fashionable, trendy *ook* **by′dertyds**
**mo′de:** ~**skou** fashion show; ~**woord** buzz word
**modieus′ -e** fashionable, stylish; trendy
**modis′te -s** dressmaker, modiste, milliner

**moed** courage, heart, spirit; *hou goeie ~* never say die! be of good cheer!
**moe'deloos** (b) dejected, disheartened
**moe'der -s** mother; **~lief'de** motherly/maternal love; **~maatskappy'** holding company *ook* **hou'ermaatskappy**; **~o'werste** Mother Superior; **~sielalleen'** quite alone; **~taal** mother tongue/language, vernacular
**moe'dig -e; -er, -ste** brave, courageous
**moedswil'lig** (b) wilful, mischievous, petulant *ook* **opset'lik**
**moeg moeë; moeër, -ste** tired, weary
**moei'lik -e; -er, -ste** difficult, hard, arduous, hard to handle; **~heid** difficulty, trouble; *jy soek ~heid* you are looking for trouble
**moei'te** trouble, difficulty, pains, hassle; *nie die ~ werd nie* not worth while
**moe'nie!** don't!
**moer -e** nut (with bolt)
**moeras' -se** marsh, morass, swamp
**moer'bei -e** mulberry
**moe'sie -s** mole; beauty spot (on face)
**moet** (w) **moes** must, ought, be obliged, have to; *ek moes lag/ek kon my lag nie hou nie* I couldn't help laughing
**moe'tie** (s) muti *ook* **toor'medisyne**
**mo'ker ge-** strike, beat, hammer
**mol**[1] flat (mus.)
**mol**[2] mole; *so blind soos 'n ~* as blind as a bat
**moles' -te** trouble, harm; rumpus; *~ maak* cause trouble, harm; **~ma'ker** hooligan
**molesteer' ~, ge-** molest (e.g. a child)
**mol'lig** (b) soft, plump, cuddlesome (girl)
**mols'hoop ..hope** molehill
**mol'trein -e** tube, underground train
**mom'bakkies** mask (false face)
**moment' -e** moment *ook* **oom'blik**
**mom'pel ge-** mutter, mumble, grumble
**monarg' -e** monarch; potentate
**monargie' -ë** monarchy
**mond -e** mouth; estuary (of river); *by ~e van* as cited/stated by; *nie op sy ~ (bek) geval wees nie* have a ready tongue; *hou jou ~!* shut up!
**mon'deling(s)** (b) **-e** verbal, oral; **mon'delinge eksa'men** oral examination
**mond'fluitjie -s** mouth organ
**mon'dig -e** of age, major; **~wor'ding** coming of age
**mond'jie vol mondjies vol** tiny bit; smattering; *hy ken 'n ~ Engels* he knows a little English
**monetêr -e** monetary; **Interna'sionale M~e Fonds (IMF)** International Monetary Fund (IMF)
**moniteer'** (w) monitor *ook* **mon'itor** (w), **kontroleer'**
**mon'itor** (s) **-s** monitor; prefect (person)
**mon'nik -e** monk, friar
**monoloog'** (s) **..loë** monologue, soliloquy *ook* **alleen'spraak**
**monopolie' -ë, -s** monopoly *ook* **alleen'handel**
**mon'ster**[1] (s) **-s** monster, brute
**mon'ster**[2] (s) **-s** sample; **volle'dige stel ~s** complete range of samples; (w) **ge-** compare; muster (army)
**mon'steragtig -e** monstrous
**mon'ster: ~ne'ming** sampling; **~verga'dering** mass meeting
**monteer'** (w) **~, ge-** mount, assemble, set; **~aan'leg** assembly plant; **~baan** assembly line; **~huis** prefabricated house
**monument' -e** monument *ook* **gedenk'teken**
**mooi -er, -ste** handsome, nice, fine, pretty; *~ broodjies bak* eat humble pie; **~maakgoed** cosmetics; **~praat'jies** flattery, softsoaping; **~weersvriend'** no friend in need
**moond'heid** (s) power, state *ook* **rege'ring**
**moont'lik -e** possible *ook* **haal'baar**; **~heid** possibility, likelihood
**moor** (w) **ge-** kill, commit murder; maltreat; *jouself ~* flog oneself
**moord -e** murder; **~ben'de** hit squad
**moor'denaar -s** murderer; killer
**moord: ~lys** hitlist; **~toneel'** scene of murder
**moraal'** moral; *hierdie storie hou 'n ~ in* this story has a moral lesson
**moraliteit'** morality; morality play/drama
**mô're/mo're** (s) **-s** morning; *~ is nog 'n dag* tomorrow is another day; (bw) tomorrow; **~aand** tomorrow night; **~sê!** good morning!
**moreel'** (s) morale *ook* **gees'teskrag**; (b) moral; *sy soldate se ~ verstewig* improve the morale of his soldiers; *jou morele plig* one's moral duty; **~kik'ker** morale booster
**mô're-/moreog'gend** tomorrow morning
**mô're-/mo'repraatjies:** *sy aand- en môrepraatjies kom nie ooreen nie* his word is unreliable
**morfien'/morfi'ne** morphia, morphine
**moroon'/mo'ron** moron, mentally deficient person
**mors** (w) **ge-** dirty, make a mess; waste, spill; **~dood** stone-dead
**mors: ~jors** litterbug *ook* **rom'melstrooier**;

~**jur′kie** overall (for little girl); ~**pot** dirty person, messer
**mortier′ -e** mortar
**mos**[1] (s) **-se** moss
**mos**[2] (s) must; new wine
**mos**[3] (bw) indeed, at least; *ek het ~ gesê hulle sal verloor* didn't I say they would lose?
**mosaïek′** mosaic
**mo′ses** match, superior; *sy ~ teëkom* meet one's match
**mo′sie -s** motion, vote; ~ **van wan′troue** motion of no confidence
**moskee′ -s, ..keë** mosque
**mos′konfyt** moskonfyt, grape syrup
**Mos′lem/Moes′liem** Muslim (person)
**mos′sel -s** mussel
**mos′sie -s** Cape sparrow, mossie
**mos′terd** mustard; ~ *na die maal* too late
**mot -te** moth; ~**bestand′** mothproof
**motel′ -le, -s** motel
**motief′ ..tiewe** motive *ook* **dryf′veer**
**motiveer′ ge-** motivate *ook* **staaf** (w); ~**praat′jie** peptalk
**mo′tocross** motocross (motorbike off-road racing)
**mo′tor** (s) **-s, -e** motorcar; motor (engine); ~**bestuur′der** car driver; chauffeur; ~**bom** car bomb; ~**fiets** motorcycle; ~**ha′we** garage; ~**huis** garage (private); ~**is′** motorist *ook* **motorry′er**; ~**ka′per** car hijacker, carjacker; ~**ka′ping** carjacking; ~**skui′ling** carport; ~**voer′tuig** motor vehicle
**mot′reën** drizzle
**mou -e** sleeve; *die hande uit die ~ steek* put the shoulder to the wheel; ~**ska′kel** cuff link *ook* **mansjet′knoop**
**muez′zin/mued′zin** muezzin *ook* **gebeds′roeper** (Moslem)
**muf** (b) musty, mouldy, fusty
**mug′gie -s** gnat, midge; *van 'n ~ 'n olifant maak* make a mountain of a molehill
**muil**[1] **-e** mule
**muil**[2] **-e** mouth (animal) *ook* **bek**; ~**band** (s) muzzle; (w) **ge-** muzzle
**muis -e** mouse; ball (thumb); fetlock (of horse); *klein ~ies het groot ore* little pitchers have long ears; ~**hond** skunk, polecat; mongoose; ~**nes** mousenest; (mv) musings; *die kop vol ~neste hê* have a mind full of cobwebs (when in love); ~**val** mousetrap
**muit** (w) **ge-** mutiny, revolt, rebel; ~**ery′** mutiny, sedition *ook* **op′stand**
**mul′ti:** ~**dissiplinêr** (b) multidisciplinary; ~**me′dia** multimedia (comp.); ~**miljoenêr** multimillionaire
**mum′mie -s** mummy (embalmed body)
**munisipaal′ ..pale** municipal; **..a′le veror′deninge** municipal by-laws
**munisipaliteit′ -e** municipality
**munt** (s) **-e** mint, coin; (w) **ge-** mint, coin; ~**kun′de** numismatics; ~**outomaat′** vending machine; ~**stuk** coin; ~**was′masjien** launderette *ook* **wasseret′**
**mura′sie -s** old walls, ruins (of a house)
**murg** marrow; *deur ~ en been gaan* penetrate to the marrow
**mur′mel** (w) **ge-** murmer, babble; gurgle
**murmureer′ ge-** grumble, grouse
**mus -se** cap; nightcap; teacosy; *kop in een ~* in cahoots
**muse′um -s** museum
**musiek′** music; ~ *van die meesters/klassieke ~* classical music; ~**bly′spel** musical (n); ~**sen′trum** music centre; ~**stuk** piece of music, musical composition
**musikaal′ ..kale** musical; *'n musikale gehoor hê* have an ear for music
**musikant′ -e** member of a band; music maker
**mu′sikus -se, ..ci** musician, musical expert
**muskeljaat′kat/musseljaat′kat -te** genet
**muskiet′ -e** mosquito
**muur mure** wall; *oor die ~ wees* be done for; ~**tapyt′** tapestry *ook* **tapisserie′**
**my** (pers. vnw) me; *dis vir ~ te duur* I can't afford it; *ek het ~ vergis* I was mistaken; (besit. vnw) my, mine
**myl -e** mile; ~**paal** milestone; landmark
**my′mer** (w) **ge-** ponder, meditate, muse
**myn** (s) **-e** mine; (w) **ge-** mine (e.g. gold)
**my′ne** mine; **dis ~!** it's mine!
**myn:** ~**bou** mining (industry); ~**er** miner *ook* **myn′werker**; ~**ingenieur′** mining engineer; ~**skag** shaft; ~**te′ring** miner's phthisis, pneumoconiosis; ~**veër** minesweeper; ~**werkersbond′** miners' union
**myself′** myself; *ek praat net vir ~* I speak only on my own behalf
**my′ter -s** mitre; bishop's hat

# N

**'n** a, an; ~ *mens* one, you
**na**[1] (b, bw) **nader, naaste** close, near
**na**[2] (vs) after; to; according to; on; *op een ~ die laaste* the last but one; ~ *my mening* in my opinion; ~ *skool* after school (hours); *tien ~/oor nege* ten past nine
**naaf nawe** nave, hub; ~**dop** hubcap
**naai ge-** sew; ~**masjien'** sewing machine
**naak** (b) naked, nude; ~**danseres'** stripteaser/stripper; ~**lo'per** nudist; naturist
**naakt'heid** nudity, nakedness
**naald -e** needle; spire; obelisk; ~ *en garing* needle and cotton; ~**eko'ker** needlecase; dragonfly; ~**werk** needlework
**naam name** name; ~**bord** signboard; ~**kaar'tjie** visiting/business card
**naam'lik** namely, to wit
**naam'loos ..lose** nameless, anonymous
**naam'plaatjie** name tag *ook* **ken'strokie**
**naam'tekening** signature *ook* **hand'tekening**
**naam'val -le** case
**naam'woord -e** nomen (noun, pronoun or adjective); **byvoeg'like** ~ adjective; **selfstan'dige** ~ noun
**naand!** good evening! *ook* **naandsê!**
**na'-aper -s** imitator
**naar** (b) sick *ook* **mis'lik**; dreary, sad; ~**sak'kie** air/sea-sickness bag
**naas** next to, beside, alongside of; ~**bestaan'de** next of kin, nearest relative; ~**beste** second best; ~**eergis'ter** three days ago; ~**links** second from left (photo); ~**oormô're,** ~**oormo're** three days hence
**naas'te** (s) **-s** neighbour, fellowman; (b) nearest
**naas'te(n)by** approximately, more or less
**naas'teliefde** love of one's fellowmen
**naas'wenner** (s) runner-up (competition/sport)
**naas'wit** off-white
**naat nate** seam; joint; suture; *op die ~ van jou rug lê* lie flat on your back; ~**bou'ler** seam bowler (cricket)
**na'boots -ge-** imitate, mimic; simulate, copy; ~**er** simulator (trainee pilots)
**na'by nader, naaste** near, close to; ~ *die dood omdraai* have been at death's door; ~ **fo'to** close-up photograph
**naby'geleë** adjacent, neighbouring
**na'dat** after, when
**na'deel na'dele** disadvantage; loss
**nade'lig** (b) detrimental, disadvantageous; ~**e sal'do/balans'** debit balance
**na'der** (w) **ge-** approach, come nearer; (b, bw) nearer; ~**e (meer) beson'derhede** further particulars
**na'dink -ge-** reflect, consider *ook* **oorweeg'**
**na'doods** after death; posthumous; ~**e on'dersoek** postmortem, autopsy
**na'draai** aftereffects, sequel, aftermath
**na'druk** emphasis, stress *ook* **klem**; ~ *lê op* emphasise
**na'el**[1] (s) **-s** nail; *sy ~s byt* bite one's nails
**na'el**[2] (s) **-s** navel
**na'el**[3] (w) **ge-** nail; sprint; *hy het laat ~* he took to his heels
**na'el:** ~**lo'per** sprinter (athlete); ~**ren** cycle race/sprint; ~**skraap** by the skin of the teeth: *dit het ~skraap gegaan* it was touch and go; ~**string** umbilical cord
**na'eltjies** cloves; ~**o'lie** oil of cloves
**na'elwedloop ..lope** sprint (sport)
**nag -te** night; *so lelik soos die ~* as ugly as sin
**na'gaan -ge-** trace, check *ook* **tjek** (w); run over (with the eye); monitor; *die inskrywings ~* check the entries
**nag:** ~**aap** bushbaby; ~**ad'der** night adder
**na'gedagtenis** memory, remembrance; *ter ~ aan* in memory of
**na'gemaak -te** forged, false, imitated
**na'gereg -te** dessert (course)
**na'geslag -te** descendants, offspring
**Nag'maal** Holy Communion
**nag:** ~**klub** night club; ~**mer'rie** nightmare
**na'graads** (b) **-e** postgraduate
**nag'tegaal ..gale** nightingale (bird)
**nag:** ~**te'lik** nocturnal, nightly; ~**wag** night watchman
**naïef'** (b) naive/naïve, simple, artless
**na'jaar** autumn *ook* **herfs**
**na'kend -e** naked, nude, in the buff
**na'kom -ge-** fulfil; carry out; meet (obligation); *beloftes ~* keep promises
**na'komeling -e** descendant, offspring
**na'kyk -ge-** look after; examine, revise, check; eye
**na'laat -ge-** bequeath (an inheritance); *sy oom het hom R1 000 nagelaat* he inherited R1 000 from his uncle; neglect; omit
**nala'tig** negligent, careless *ook* **agte(r)lo'sig**

**na'maak -ge-** imitate, copy; ~**sel** imitation, counterfeit
**nama'te** as, in proportion to; ~ *hy aansterk, eet hy beter* as he improves/recuperates he has a better appetite
**na'mens** in the name of, on behalf of, for
**Nami'bië** Namibia; ~**r** Namibian (person)
**na'middag ..dae** afternoon
**nar -re** fool, jester *ook* **harlekyn'/hans'wors**
**narko'se** anaesthetic *ook* **(ver)doof'middel**
**narko'tikaburo** narcotics bureau
**narkotiseur' -s** anaesthetist (specialist)
**nar'tjie -s** mandarin (orange), tangerine, naar=tjie
**na'saat nasate** descendant *ook* **na'komeling**
**na'sie -s** nation; **Vere'nigde N~s** United Nations
**na'sien -ge-** correct; mark; examine; revise, check; ~**er** marker (of scripts)
**nasionaal' ..nale** national; **..nale pad** national road
**Nasiona'le:** ~ **Raad van Provinsies** National Council of Provinces; ~ **Vroue'dag** Na=tional Women's Day (holiday)
**nasionalis' -te** nationalist; ~**me** nationalism
**nasionaliteit' -e** nationality
**na'skrif -te** postscript
**na'slaan -ge-** look up, consult (a book); ~**biblioteek'** reference library; ~**werk** ref=erence book/work
**na'sorg** aftercare, follow-up
**nat -ter, -ste** wet, moist; ~ *agter die ore* still a greenhorn
**nat:** ~**heid** moistness, wetness; ~**lei/~maak** water (garden); wet
**naturel'** (b) natural (mus.)
**natuur' nature** nature; temper, temperament; *van nature* by nature; ~**bewa'ring** nature conservation; ~**bron'ne** natural resources; ~**frats** freak of nature; ~**le'wewere'niging** wildlife society
**natuur'lik** (b) natural; ~**e aan'leg** natural bent; (bw) of course, naturally; *hy sal ~ kom* of course he will come
**natuur':** ~**oord** nature resort; ~**skoon** (nat=ural) scenery; ~**toneel'** scenic beauty
**natuurwetenskap'lik** (b) scientific, pertaining to natural science
**na'uurs** part-time (studies); after hours
**na'volg -ge-** follow, imitate
**na'vors -ge-** research; ~**er** researcher; ~**ing** (s) research
**na'vraag navrae** enquiry; query; ~ *doen* seek information
**na'week naweke** weekend
**na'wel -s** navel; ~**lemoen'** navel orange
**nè?** is it not? isn't it? yes? *dink 'n bietjie ~!* just fancy!
**ne'derig -e; -er, -ste** humble, modest
**Ne'derland:** ~**er** Dutchman, Hollander
**ne'dersetter -s** settler *ook* **set'laar**
**ne'dersetting -s, -e** settlement, colony
**nee** no; ~ *sê* say no; refuse
**neef -s** (male) cousin; nephew
**neem ge-** take, receive, accept
**neer** down, downwards; ~**kniel'** kneel down
**neer'kom -ge-** come down, fall on; *dit kom alles op dieselfde neer* it works out to the same thing
**neer'laag/ne'derlaag ..lae** defeat, reverse; *die ~ ly* suffer defeat
**neer'lê -ge-** lay down, abdicate, resign
**neerslag'tig** depressed, gloomy, despondent
**negatief'** (s, b) **..tiewe** negative
**ne'ge** nine; ~ *maal* ~ nine times nine; ~ *keer* nine times
**ne'gentien/ne'ëntien** nineteen
**neig ge-** bend, incline; *mense is ge~ om* people are apt to
**nei'ging -s, -e** inclination; tendency; trend; predisposition
**nek -ke** neck; mountain pass; *op iem. se ~ lê* abuse someone's hospitality; ~**slag** death=blow
**neologis'me -s** neologism *ook* **nuut'skepping**
**nerd** (s) nerd (asocial, bookish young man) *ook* **vaal'jan, bleek'siel, nof'fie**
**nê'rens** nowhere; ~ *voor deug nie* serve no earthly purpose
**nes**[1] (s) **-te** nest
**nes**[2] (bw) just as, just like; ~ *hy kom, sluit ons die deur* as soon as he arrives we'll lock the door
**net**[1] (s) **-te** net
**net**[2] (b) neat, clean *ook* **net'jies**
**net**[3] (bw) only, just; ~ *genoeg* just enough
**net:** ~**heid** tidiness, neatness; ~**jies** (b) neat, tidy, clean, trim; (bw) neatly, nicely; *jou werk ~jies doen* produce tidy work; ~**nou** in a moment; ~**werk** (s) network
**net'to** net; ~ **gewig'/mas'sa** net weight/mass; ~ **wins** net profit
**neuk** (*kru*) (w) **ge-** hit *ook* **foe'ter**; bother, trouble; ~**ery** annoyance, fine how-do-you-do
**neul** (w) **ge-** nag, bother, pester *ook* **sa'nik**

**neu'rie ge-** hum, croon; ~**san'ger** crooner
**neus** (s) **-e** nose; *met sy ~ in die botter val* strike oil/be in clover; *~ in die lug* conceited; haughty
**neut -e** nut; ~**kra'ker** pair of nutcrackers
**neutraal' ..trale** neutral
**ne'wel -s** mist, fog
**ne'weproduk -te** byproduct
**nie** not; *so ~* if not, failing which; *dis ~ so ~* it isn't true; ~**aan'valsverdrag** non-aggression pact; ~**beta'ling** non-payment *ook* **wan'betaling**
**nie'fiksie** non-fiction
**nie'mand** nobody, none, no one; *~ anders nie as* no other than
**nie'amptelik -e** unofficial
**nier -e** kidney
**nierassis'ties** (b) nonracial
**nies** (s) **-e** sneeze; (w) **ge-** sneeze
**nie'teenstaande** notwithstanding
**nie'temin** nonetheless *ook* **nog'tans**
**nie'tig** insignificant *ook* **onbedui'dend**; void
**nig -te/nig'gie -s** (female) cousin; niece
**nikotien'/nikoti'ne** nicotine
**niks** nothing; ~**nuts** good-for-nothing (person); ~**werd** worth nothing, worthless
**nimf -e** nymph; ~**omaan'** nymphomaniac, highly-sexed female
**nim'mer** never, never ever *ook* **nooit**
**nip'pel** (s) **-s** nipple
**nip'pertjie:** *op die ~* in the nick of time
**no'ag:** ~**kar/**~**mo'tor** vintage/veteran car
**no'dig** (b) **-e; -er, -ste** necessary
**noem ge-** call, name, mention
**noen** noon; ~**byt** brunch *ook* **mid'byt**; ~**maal** luncheon (formal)
**nog**[1] (b, bw) still, yet; *~ iets?* anything else? *~ 'n keer* once again
**nog**[2] (bw) now; *tot ~ toe* up till now
**nóg .. nóg** (vgw) neither . . . nor; *nóg die een, nóg die ander* neither the one, nor the other
**nog:** ~**al** rather, quite (so); ~**maals** once more; *~maals hartlik bedank* once again many thanks; ~**tans** yet, nevertheless
**nok -ke** ridge (of the roof); cam (of wheel); ~**as** camshaft
**nomina'sie -s** nomination
**nomineer' ~, ge-** nominate *ook* **benoem'**
**nom'mer** (s) **-s** number; size (shoe); item (concert); ~**pas** perfect fit; ~**plaat** number plate; (w) number
**non -ne** nun
**nood** need, want; distress; danger; *in geval van ~* in case of emergency; ~**berig'** emergency/distress message; ~**deur** emergency door, fire escape
**nood:** ~**hulp** first-aid; makeshift; ~**lan'ding** emergency/forced landing; ~**len'iging(s)fonds** relief fund; ~**leu'en** white lie; ~**lot** fate, destiny
**noodlot'tig -e; -er, -ste** fatal; disastrous
**nood:** ~**maatreël** emergency measure; ~**op'roep** emergency/distress call
**noodsaak'lik** (b) **-e** essential, imperative
**nood'toestand** state of emergency
**nood'weer** self-defence *ook* **selfverde'diging**
**nood'wiel -e** spare wheel
**nooi**[1] (s) **-ens** young lady; sweetheart; *by 'n ~ vlerksleep* court a girl
**nooi**[2] (w) **ge-** invite; *ook* **uit'nooi;** *ek ~ jou vir Saterdag* I am inviting you for Saturday
**nooi:** ~**ens'toe'spraak** maiden speech (parliament) *ook* **nu'welingtoespraak**; ~**ens'van** maiden name
**nooit** never; *so ~ aste nimmer!* never!
**noord** north
**Noor'delike Provin'sie** Northern Province
**noor'der:** ~**breedte** northern latitude; ~**lig** aurora borealis
**noor'dewind** north wind
**Noord-Kaap** (provinsie) Northern Cape
**noord'pool** north pole
**noordwes'** northwest; **N~(-provin'sie)** North West (Province); ~**te** north-west
**Noor'weë** Norway; ~**r** Norwegian (person)
**noot note** note
**nop'pies:** *in sy ~* as pleased as Punch
**normaal' ..male** normal; ~**kol'lege** normal college *ook* **on'derwyskollege**
**nors -e; -er, -ste** surly, grumpy; peevish
**nos'sel** (s) **-s** nozzle *ook* **spuit'kop**
**noteer' ~, ge-** jot down; quote (prices)
**note'ring -s, -e** quotation; *~ op die beurs* stock exchange listing
**no'tule/notu'le -s** minutes; *die ~ lees en goedkeur* read and approve the minutes
**notuleer** (w) **ge-** record; minute; take down
**nou**[1] (b) **[-e]; -er, -ste** narrow, tight
**nou**[2] (bw) now; *~ of nooit* now or never
**nou'geset** (b) conscientious, painstaking
**noukeu'rig** exact, accurate, precise
**nou'-nou** just now, in a moment *ook* **net'nou**
**nou'strop:** *~ trek* be under pressure

**nou'te -s** narrowness; narrow pass; ~**vrees** claustrophobia *ook* **eng'tevrees**
**novel'le -s** short novel, novelette
**nudis' -te** nudist, naturist; ~**me** nudism
**nug'ter [-e]; -der, -ste** sober, clearheaded; *op sy ~ maag* on an empty stomach
**nuk -ke** freak, whim, caprice, mood; ~**ke'rig** moody *ook* **nors/knor'rig**
**nul -le** nil, zero, nought, cipher; *van ~ en gener waarde* null and void
**numeriek' -e** numerical; ~**e volg'orde** numerical order
**nut** (s) use, benefit, avail
**nuts'man** handyman *ook* **fakto'tum**
**nuts'meisie** Girl Friday (in office)
**nut'teloos ..lose; ..loser, -ste** useless
**nut'tig**[1] (w) **ge-** partake of (meal)
**nut'tig**[2] (b) **-e; -er, -ste** useful, serviceable
**nuus** news, tidings; *die jongste ~* the latest news; ~**berig'** news item; ~**blad** newspaper; ~**brief** newsletter; ~**bulletin'** newscast
**nuuskie'rig** (b) inquisitive, curious; *~e agie* nosy parker; ~**heid** curiosity
**nuut** new, recent; ~**skep'ping** neologism
**Nuwejaars': ~dag** New Year's Day (holiday); ~**voor'neme** New Year's resolution
**nuwerwets' -e** modern; with-it, trendy *ook* **bydertyds'**
**nu'wigheid ..hede** novelty; innovation
**nyd** (s) envy, jealousy; ~**ig** angry, cross
**ny'weraar -s** industrialist (person)
**ny'werheid ..hede** industry *ook* **bedryf'**

# O

**oa'se** (s) **-s** oasis
**obelisk' -e** obelisk *ook* **gedenk'naald**
**objektief'** (b) **..tiewe** objective (e.g. opinion)
**oblie'tjie -s** (rolled) wafer
**obliga'sie -s** debenture (of a company) *ook* **skuld'brief**; obligation; bond
**obses'sie** obsession *ook* **behept'heid**
**obstruk'sie -s** obstruction *ook* **versper'ring**
**o'de -s** ode *ook* **lof'sang**
**oe'fen ge-** exercise, practise; train, coach; ~**baan** practice court/track; ~**ing** exercise, practice; ~**lo'pie** trial run; ~**skrif** exercise book *ook* **skryf'boek**
**o'ënskou:** *in ~ neem* inspect; survey
**oënskyn'lik** (b) **-e** apparent, ostensible; (bw) apparently, seemingly
**oer: ~knal** big bang (astronomy); ~**mens** first/primeval man; ~**woud** virgin forest; jungle
**oes'** (s) **-te** harvest, crop; ~**jaar** vintage year; yield *ook* **op'brengs**; (w) harvest, reap
**oes'ter -s** oyster
**o'ëverblindery** make-believe, eyewash; magic, optical illusion
**oe'wer -s** riverbank; ~**bewo'ner** riparian (dweller)
**of** or; but, if, whether; *min ~ meer* more or less; *ek weet nie ~ dit waar is nie* I don't know whether it is true
**óf .. óf** either .. or; *~ Jan ~ Piet* either John or Peter
**offensief'** (s) **..siewe** offensive
**of'fer** (s) **-s** sacrifice, offering; (w) devote, sacrifice; ~**ande** offering, sacrifice
**offisier' -e, -s** (military or naval) officer
**ofskoon'** although, though *ook* **hoewel'**
**of'te:** *nooit ~ nimmer* never (ever)
**oftewel'** that is (to say), namely
**og'gend -e** morning; ~**blad** morning paper; ~**e'te** breakfast *ook* **ontbyt'**
**o'gie -s** eyelet; *~s maak* wink, give the glad eye, ogle
**o'giesdraad** wire netting
**oka'pi -'s** okapi (buck)
**o'ker** ochre, red clay *ook* **geel'klei**
**okkerneut' -e** walnut
**oktaaf' ..tawe** octave
**oktrooi'** (s) **-e** charter, patent
**oktrooieer'** (w) **~, ge-** charter, patent; **geoktrooieer'de re'kenmeester** chartered accountant
**o'lie** (s) **-s** oil; (w) oil; ~**bak** sump; ~**bol** doughnut; ~**boor'toring** oil rig; ~**kan** oilcan
**olien'hout** wild olive
**o'lie: ~pyp'leiding** oil pipeline; ~**slik** oil slick; ~**to'ring** derrick; ~**verbruik'** oil consumption; ~**verfskildery'** oil painting
**o'lifant -e** elephant
**o'lifant(s)tand -e** elephant's tusk; ivory
**o'lik** (b) unwell, seedy, out of sorts; ~**heid** seediness: *na vrolikheid kom ~heid* after laughter come tears

**Olim'piese spe'le** Olympic games
**olm -s** elm (tree)
**olyf' olywe** olive
**om** (bw) out; round; over, up; ~ *en* ~ round and round; (vs) at, about, round; ~ *agtuur* at eight o'clock; ~ *die hoek* round the corner
**om'blaai -ge-** turn over (leaves of a book)
**om'budsman** (s) ombudsman
**om'dat** because, since, as *ook* **aan'gesien**
**om'draai -ge-** turn round, turn back; twist; revolve; *nie doekies* ~ *nie* not mince matters
**omelet' -te** omelette
**om'gaan -ge-** mix with, associate; go round
**om'gang** (s) intercourse, association
**om'gangstaal** colloquial language, common way of speaking *ook* **spreek'taal**
**om'gee -ge-** care; *nie* ~ *nie* not care/mind
**om'gekeerd** (b) **-e** turned upside down, reversed
**omge'wing -s, -e** surroundings, environment, vicinity
**omge'wings:** ~**bewa'ring** environmental conservation; ~**leer** ecology; environmental studies; ~**vrien'delik** environmentally friendly
**omhels'** (w) ~ embrace, hug
**om'kom -ge-** die, perish; come round; *in 'n ongeluk* ~ die in an accident
**om'koop -ge-** bribe, corrupt; *'n getuie* ~ bribe a witness; ~**geld** bribe/hush money
**om'krap -ge-** bring in disorder, upset; *omgekrap voel* be upset
**om'kyk -ge-** look back, look around
**om'leiding -s** bypass (heart operation)
**omlig'gende** surrounding, neighbouring; ~ **pla'se** neighbouring/adjacent farms
**om'loop** (s) circulation; **omlope** ringworm, cutaneous disease
**om'mesientjie:** *in 'n* ~ in a trice/jiffy
**om'pad ompaaie** detour
**om'praat** (w) **-ge-** persuade; dissuade
**omring'** ~ surround, encircle
**om'roep -e** broadcasting station; ~**er** (town)crier; announcer (radio)
**om'ruil -ge-** exchange, swap/swop
**om'ry -ge-** drive down; drive/ride round; knock down, run over
**om'sendbrief ..briewe** circular (letter)
**om'set** turnover; **jaar'likse** ~ annual turnover (sales)
**omsin'gel** ~ surround, encircle; *hulle het die vyand* ~ they surrounded the enemy
**om'skep -ge-** change, convert; *die tennisbaan word in 'n tuin omgeskep* the tennis court is being changed into a garden
**omskep'** ~ transform, recreate; *dit het hom* ~ *tot 'n nuwe mens* it transformed him into a new person
**omskry'wing -s, -e** description, definition
**om'slag ..slae** hem, border, cuff; wrapper; fold-over; brace
**omslag'tig** (b) wordy/verbose, digressive
**om'stander -s** bystander, onlooker
**omstan'digheid ..hede** circumstance; *onder geen ..hede nie* in/under no circumstances; **versag'tende ..hede** extenuating circumstances
**omstre'de** (b) controversial, contentious, disputed; ~ **boek** controversial book
**om'streke** (mv) vicinity, neighbourhood
**om'trek** (s) **-ke** outline, circumference; vicinity; *in die* ~ in the neighbourhood
**omtrent'** about, almost, nearly; *dis* ~ *tyd* it is just about time
**om'val -ge-** fall over/down, topple over
**om'vang** extent; scope; size; ambit
**omvat'** (w) ~ embrace, enclose, comprise; ~**tende verse'kering** comprehensive insurance
**om'wenteling -s, -e** revolution; rotation; *'n* ~ *teweegbring* revolutionise; *dertig* ~*e per minuut* thirty revolutions a minute
**onaan'genaam** unpleasant, disagreeable
**onaantrek'lik -e** unattractive
**onaf'gebroke** uninterrupted, continuous; ~ **vlug** nonstop flight
**onafhank'lik -e** independent; ~**heid** independence; ~**verkla'ring** declaration of independence
**onafskei(d)'baar ..bare/onafskei'delik -e** inseparable
**onbaatsug'tig** (b) unselfish; disinterested
**onbarmhar'tig** (b) merciless, unmerciful
**onbeant'woord -e** unanswered; unreturned (love)
**onbedag'saam ..same** thoughtless, inconsiderate
**onbedui'dend** (b) insignificant, trifling
**onbegaan'baar ..bare** impassable (road)
**onbegon'ne** impossible; ~ **taak** impossible task
**onbegryp'lik** inconceivable, incomprehensible
**onbehol'pe** awkward, clumsy (person)
**onbehoor'lik -e** improper, unseemly (behaviour); indecent
**onbekend' -e** unknown; unacquainted; unfamiliar; ~ *maak onbemind* unknown, unloved

**onbekom'merd -e** unconcerned, unworried
**onbekwaam'** incapable, incompetent *ook* **onbevoeg'**; unfit
**onbelang'rik -e** unimportant; immaterial
**onbeleef'** impolite, uncouth, uncivil
**onbelem'mer -de** unhindered, unimpeded; **~de uit'sig** unrestricted/unobscured view
**onbenul'lig -e** fatuous; trifling; *dis 'n ~heid* it is of no importance
**onbepaald' -e** indefinite, unlimited; *vir 'n ~e tyd* indefinitely
**onbeperk' -te** unlimited, boundless
**onbere'kenbaar ..bare** incalculable; **..bare ska'de** incalculable harm/damage
**onberis'pelik -e** faultless; impeccable; **~e gedrag'** exemplary behaviour
**onbeskaaf'** uncivilised, uncouth, rude
**onbeskof'** insolent, ill-mannered, impudent
**onbeskryf'lik -e** beyond description; **~e ellen'de** indescribable suffering
**onbeskut' -te** unprotected; unsheltered
**onbeslis' -te** undecided; pending; sub judice (suit); drawn (game): *die wedstryd het ~ geëindig* the match was drawn
**onbeson'ne** thoughtless, inconsiderate, foolish; ~ **daad** rash deed
**onbespro'ke** irreproachable; ~ **karak'ter** high integrity/character
**onbestre'de** undisputed, unopposed; ~ **se'tel** unopposed seat (election)
**onbetaal(d)' -de** unpaid; **~e re'kening** unpaid/unsettled account
**onbetrou'baar** (b) unreliable, untrustworthy
**onbevlek' -te** undefiled, untainted; **~te ontvan'genis** immaculate conception
**onbevoeg'** (b) **-de** incompetent, unfit
**onbevoor'oordeeld -e** unprejudiced, unbiased
**onbevre'digend** unsatisfactory
**onbewoon' -de** uninhabited, desolate
**onbewus' -te** ignorant, unaware; unconscious
**onbil'lik -e; -er, -ste** unfair, unjust
**on'dank** ingratitude, thanklessness; ~ *is wêreldsloon* the world pays with ingratitude
**ondank'baar ..bare** ungrateful, thankless
**on'danks** in spite of, notwithstanding; ~ *al sy pogings* in spite of all his efforts
**on'der** under; down; among; below; ~ *andere* inter alia; ~ *vier oë* in private; **~aan** at the foot, at the bottom
**on'der: ~af'deling** subdivision; **~baad'jie** waistcoat; **~beklem'toning** understatement; **~beman'** shortstaffed; **~bevoor'reg** disadvantaged (community)
**on'derbewus** (b) **-te** subconscious; **~syn** subconsciousness *ook* **onderbewus'te**
**onderbreek'** ~ interrupt
**onderbre'king -s, -e** interruption, break
**on'derbroek -e** pair of underpants/drawers
**on'derdaan ..dane** subject (person); national (of a country) *ook* **bur'ger**
**onderda'nig** submissive, obedient, humble
**on'derdeel ..dele** subdivision; spare part
**on'derdompel -ge-** immerse
**on'derdorp** (s) poorer part of town
**on'derdruk**[1] **-ge-** press down or under
**onderdruk'**[2] ~ oppress (a nation); suppress (feelings); repress; quell (riot)
**onderduims' -e** underhand *ook* **agterbaks'**
**on'derent -e** bottom/lower end
**ondergaan'**[1] ~ undergo, suffer; *behandeling ~* receive treatment
**on'dergaan**[2] **-ge-** go under; sink (ship); set (sun); be ruined; ~ *in die stryd* perish in the struggle
**on'dergang** (s) ruin, decline; setting (sun)
**on'dergeskik -te** subordinate, inferior; *van ~te belang* of minor importance; *jou ~tes* your subordinates (people)
**on'dergetekende -s** undersigned (person)
**ondergronds' -e** underground, subterranean; **~e spoorweg** underground railway, tube *ook* **mol'trein**
**onderhan'del** ~ negotiate, bargain; **~aar** negotiator; **~ing** negotiation *ook* **beraad'(slaging), oorleg'pleging**; *~inge aanknoop* open negotiations; *salaris ~baar/reëlbaar* salary negotiable
**on'derhemp ..hemde** vest *ook* **frok'kie**; singlet; chemise (woman's)
**onderhe'wig** liable to, subject to *ook* **onderwor'pe** (aan)
**on'derhoof -de** vice-principal
**onderhou'**[1] (w) ~ support, maintain; feed
**on'derhou**[2] **-ge-** hold down or under
**on'derhoud**[1] maintenance, support, upkeep; *betaal ~ vir kind* pay alimony for child
**on'derhoud**[2] **-e** interview *ook* **vraag'gesprek**; *'n ~ hê/voer met iem.* interview someone; **~voe'ring** interviewing
**on'derklere** underclothing
**on'derkomitee -s** subcommittee
**on'derlaag ..lae** bottom layer, substratum; undercoat (paint)
**on'derling -e** mutual; *tot ~e voordeel* to

mutual advantage/gain

**ondermyn'** ~ undermine, *ook* **dwars'boom** (w)

**onderne'mer -s** undertaker; originator, entrepreneur; **begraf'nis~** funeral undertaker

**onderne'ming -s, -e** enterprise, undertaking, venture; **vrye onderne'merskap** free enterprise; **~s'gees** spirit of enterprise; **~s'vryheid** free enterprise

**on'deroffisier -e, -s** non-commissioned officer, petty officer

**on'derpresteerder** underachiever (student)

**on'derrig** (s) instruction, tuition *ook* **op'leiding**

**onderrig'** (w) ~ instruct, teach

**onderskat'** ~ undervalue, underestimate

**onderskei'** ~ distinguish, differentiate

**on'derskeid** difference, distinction; ~ *maak tussen* distinguish between

**onderskei'delik** respectively

**onderskei'ding -s, -e** distinction; *slaag met ~/lof* pass with distinction

**onderskei'e** various, different; respective

**on'dersoek** (s) examination, inquiry, investigation, probe; ~ *instel* inquire into; *by nader* ~ on closer examination; **kommis'sie van** ~ commission/board of inquiry; **~beamp'te** investigating officer (police)

**ondersoek'** (w) ~ examine; scrutinise; inquire, investigate, probe; *die oë* ~ test the eyes

**on'derspit:** *die ~ delf* come off second best

**on'derstaande** subjoined, following

**on'derste** (s) **-s** bottom; (b) lowermost, lowest

**onderstebo'** upside-down, higgledy-piggledy; upset; *hy sit kop* ~ he feels depressed

**on'derstel** (s) **-le** undercarriage (railway truck); chassis (motorcar)

**ondersteun'** (w) ~ support, assist; sponsor; **~er** supporter; **~ing** support, relief

**onderte'ken** (w) ~ sign *ook* **te'ken**; *'n brief* ~ sign a letter; **~aar** signatory (of document); subscriber; **~ing** signature *ook* **hand'tekening/naam'tekening**

**on'dertoe** lower down, to the bottom

**ondertus'sen** meanwhile, in the meantime

**on'derverhuur** (w) ~ sublet

**ondervind'** ~ experience; **~ing** experience; *~ing is die beste leermeester* experience is the best teacher

**ondervoed'** (b) **-e** underfed; **~ing** malnutrition, underfeeding

**on'dervoorsitter -s** vice-chairman

**ondervra'** ~ interrogate, question, examine; *aangehou vir ~ging* detained for questioning

**onderweg'** on the way; in transit

**on'derwerp**[1] (s) **-e** subject, topic, theme

**onderwerp'**[2] (w) ~ subdue, subject; *aan Gods wil* ~ resign to God's will

**onderwor'pe** subject to; submissive; ~ *aan goedkeuring* subject to approval

**onderwys'** (w) ~ teach, instruct, inform

**on'derwys** (s) education, tuition, instruction; ~ *buite skoolverband* adult education; ~ *gee* teach; *hoër* ~ higher (university) education; *middelbare (sekondêre)* ~ secondary education; ~ *vir volwassenes* adult education; **~departement'** department of education; **voort'gesette** ~ continuing education

**onderwy'ser -s** teacher

**on'derwys: ~kol'lege** college of education; **~personeel'** teaching staff

**on'deug -de** vice, mischief, depravity; imp, bounder; *'n klein* ~ a little bounder/rascal (child)

**ondeund'** mischievous, naughty *ook* **onnut'sig**

**ondeursky'nend -e** opaque

**on'dier** (s) **-e** monster, brute; beast

**ondraag'baar ..bare** too heavy to be carried; unwearable

**ondraag'lik -e** intolerable, unbearable; **~e py'ne** excruciating pains

**ondubbelsin'nig** (b) **-e** unambiguous

**ondui'delik -e; -er, -ste** indistinct; not clear (meaning); illegible (handwriting)

**one'del -e** ignoble, mean; base; **~e meta'le** base metals

**oneerbie'dig** (b) disrespectful, irreverent

**oneer'lik -e; -er, -ste** dishonest, unfair, fraudulent; **~e prakty'ke** sharp practices; **~heid** dishonesty, bad faith

**oneg' -te** falsified, spurious; **~te diamant'** imitation diamond

**onein'dig -e** infinite, endless; ~ *dankbaar* extremely grateful

**one'nig** at variance, discordant; **~heid** discord; *~heid kry/haaks wees* quarrel

**onerva're** inexperienced; unskilled

**one'we** unequal, uneven; ~ **getal'** odd number

**onewere'dig -e** disproportionate

**onfatsoen'lik** (b) **-e** indecent, improper

**onfeil'baar ..bare** infallible

**ongeag' -te** unesteemed, unnoticed; irrespective of; ~ *die koste* regardless of expense/costs

**ongedeerd′ -e** uninjured; unharmed, unscathed; *daar ~ van afkom* escape unhurt
**ongedul′dig -e; -er, -ste** impatient
**ongeërg -de** imperturbed, calm, nonchalant; **~de hou′ding** don't care attitude
**ongeëwenaard′ -e** unequalled, unparalleled; unrivalled
**ongegrond′ -e** false, unfounded; **~e aan′tygings/bewe′rings** unbased accusations
**ongehoor′saam** disobedient; **~heid** disobedience
**ongehuud′ ..hude** unmarried; **ongehu′de moe′der** unmarried mother
**on′gekeur** unseeded; **~de spe′ler** unseeded player (sport)
**ongel′dig -e** invalid, null and void
**ongeleer(d)′** uneducated, illiterate *ook* **ongelet′terd;** not broken in (horse)
**ongelet′ter(d) -de** illiterate
**on′gelode: ~ pet′rol** unleaded petrol
**ongeloof′lik** incredible, unbelievable
**ongelo′wig** unbelieving, sceptical, incredulous; **~e** unbeliever (person); infidel
**on′geluk -ke** accident, mishap, misfortune; *per ~* by accident/mistake
**ongeluk′kig** unhappy; unfortunate, unlucky
**ongelyk′** (b) **-e** unequal, uneven; diverse
**on′gemak -ke** inconvenience, discomfort; **~sy′fer** discomfort index (climate), humiture (hot, humid)
**ongemak′lik -e; -er, -ste** uncomfortable; ill at ease; uneasy, inconvenient
**ongemanierd′ -e** rude, uncivil, ill-mannered *ook* **onbeskof′**
**ongena′dig -e** merciless, cruel; violent
**ongene′ë** disinclined; unwilling; *sy is hom nie ~ nie* she rather likes him
**ongenees′lik -e** incurable (illness)
**ongepoets′** uncouth, ill-mannered
**ongereeld′ -e; -er, -ste** irregular, disorderly; *op ~e tye* at odd times
**on′gerief ..riewe** inconvenience, discomfort; *~ veroorsaak* inconvenience (v)
**ongerus′ -te; -ter, -ste** uneasy, anxious; *~ oor iem.* anxious/worried about a person
**ongeskik′** unsuitable, unfit; rude/ill-mannered
**ongeskon′de** uninjured, intact
**ongeskool′ -de** untrained, unskilled; **~de ar′beid** unskilled labour
**ongesond′** unhealthy, unhygienic *ook* **onhigië′nies;** unsound
**ongetwy′feld** undoubtedly, doubtless
**on′geval -le** accident, mishap; casualty
**on′gevalleverse′kering** accident insurance
**on′geveer** roughly, approximately, about
**ongevraag′ -de** uncalled for; **~de advies′** unasked for advice
**ongewens′ -te** undesired, undesirable; **~te publika′sie** undesirable publication
**ongewoon′ ..wone; ..woner, -ste** unusual, uncommon; *iets ~s* something out of the ordinary; **~d′** unaccustomed
**ongrondwet′lik -e** unconstitutional
**on′guns** disfavour, disgrace; *in ~ raak* fall into disfavour
**onguns′tig -e; -er, -ste** unfavourable; **~e rapport′** unfavourable report
**onguur′ ongure** rough, coarse, repulsive; **..gu′re vent** unsavoury fellow
**onheilspel′lend** (b) ominous, sinister
**onherstel′baar ..bare** irreparable, irretrievable; **..bare verlies′** irreparable loss
**o′niks** (s) onyx (form of agate)
**on′juis -te** incorrect, erroneous
**on′kant** offside (sport)
**on′klaar** out of order, defective; *~ raak* break down (car)
**on′koste** expenses, charges; *na aftrek van ~* all charges deducted
**on′kruid -e** weeds; *~ vergaan nie* ill weeds grow apace; **~do′der** weedkiller, herbicide
**on′kunde** ignorance; *sy ~ openbaar* display his ignorance
**on′langs** (b) **-e** recent; (bw) recently/lately
**on′lus** dislike; disturbance, riot; **~een′heid** riot squad/unit
**onmens′lik -e** inhuman, cruel, brutal
**onmid′dellik -e** immediate(ly), direct(ly)
**on′min** disagreement, discord *ook* **on′vrede**
**on′misbaar ..bare** indispensable, essential
**onmoont′lik -e; -er, -ste** impossible
**onnatuur′lik** unnatural, artificial
**onno′dig -e** unnecessary
**onno′sel -e** silly; stupid *ook* **dom, dwaas**; **~e vent** simpleton, Simple Simon
**onomatopee′ ..peë** onomatopoeia *ook* **klank′nabootsing**
**onop′gevoed -e** uneducated, ill-bred
**onopset′lik -e** unintentional
**on′paar** odd, unmatched; **~ kou′se** odd stockings
**onparty′dig** (b) impartial, unbiased
**onplesie′rig** unpleasant, disagreeable
**on′raad** (s) danger, trouble; *~ merk* smell a rat, scent danger

**onre'delik** (b) unreasonable, unfair
**onreëlma'tig -e** irregular
**on'reg** wrong, injustice; **skrei'ende** ~ glaring injustice
**onregver'dig -e; -er, -ste** unjust, unfair
**onroe'rend -e** immovable; **~e goed'(ere)** immovable property *ook* **vas'goed**
**on'rus** unrest, anxiety; disquiet, disturbance; ~ *stook* create alarm, incite
**onrusba'rend** disquieting, alarming
**on'russtoker -s** mischief maker; agitator
**onrus'tig -e; -er, -ste** restless, uneasy, anxious; turbulent; ~ *slaap* sleep uneasily
**ons**[1] (s) **-e** ounce
**ons**[2] (pers. vnw, mv), we, us; ~ **s'n** ours
**onse'ker -e** uncertain; unsafe, insecure
**onsig'baar ..bare** invisible, unseen; **onsig'bare op'rit/in'rit** concealed onramp/entry
**on'sin** nonsense *ook* **kaf, snert**; ~ *praat* talk rubbish
**onska'delik -e** harmless, innocuous
**onskat'baar ..bare** invaluable, inestimable; **..bare waar'de** inestimable value
**on'skuld** (s) innocence
**onskul'dig -e; -er, -ste** innocent; harmless
**onsterf'lik -e** immortal; **~heid** immortality; **~e roem** immortal/lasting fame
**onstui'mig** turbulent, boisterous; rough (weather); **~e verga'dering** unruly meeting
**onsy'dig -e** impartial; neuter (gender)
**ontbied'** (w) ~ send for, summon (doctor)
**ontbind'** ~ dissolve; decay, untie, undo; *'n vennootskap* ~ dissolve a partnership
**ontbloot'** (w) ~ strip, deprive; lay bare; (b) devoid; uncovered; ~ *van alle waarheid* devoid of all truth; **ontblo'te hoof** bareheaded; **ontblo'ter** (man) exposer/flasher
**ontbon'del** (w) unbundle (a company) *ook* **ontknoop'**
**ontbreek'** ~ be wanting, be missing
**ontbyt'** (s) **-e** breakfast; ~ *nuttig* have breakfast; (w) ~ have breakfast
**ontdek'** ~ discover, find out; **~king** discovery; **~kingsrei'siger** explorer
**ontdooi'** ~ thaw (snow); unbend
**ontduik'** ~ evade, dodge; escape; *die wet* ~ evade the law; **~er** dodger
**ontevre'de -ner, -nste of meer ~, mees ~** discontented, dissatisfied
**ontgroen'** ~ initiate; **~ing** initiation; induction *ook* **in'burgering/induk'sie**
**onthaal'** (s) **..hale** reception; (w) ~ entertain; *gaste* ~ entertain guests
**onthei'lig** (w) ~ desecrate, profane *ook* **skend**
**onthoof'** (w) ~ behead, decapitate
**onthou'** ~ remember; recall; abstain, refrain; *help my* ~ remind me, please; **~er** abstainer, teetotaller (person)
**onthul'** ~ unveil; reveal; disclose
**ontken'** ~ deny; **~nend** negative
**ontken'ning -s, -e** denial; **dubbele** ~ double negative
**ontklee'** ~ undress; **~dans** striptease (act) *ook* **lok'dans**; **~danseres'** stripper
**ontknoop'** (w) unbundle (company) *ook* **ontbon'del**
**ontle'ding** (s) analysis *ook* **anali'se**
**ontlont'** (w) ~ defuse (crisis)
**ontluik'** ~ open, unfold; **~ende talent'** budding talent
**ontman'** ~ castrate, emasculate
**ontmoet'** ~ meet (with); encounter
**ontnug'ter** (b) disillusioned, disenchanted
**ontplof'** ~ explode, detonate; **~fing** explosion, blast, detonation
**ontplooi'** ~ unfurl; deploy (troops)
**ontrim'peling** facelift *ook* **gesigs'kuur**
**ontroer'** ~ move, touch, affect; **~ende ton'ele** stirring/moving scenes
**ontrou'** (b) **-e; -er, -ste** disloyal; faithless
**ontruim'** ~ evacuate; vacate; *die gebou* ~ evacuate (the people in) the building
**ontsag'** awe, respect; ~ *inboesem* stand in awe of; command respect; **~lik** (b) formidable, huge *ook* **gewel'dig**
**ontset'** (b) **-te** appalled, aghast; **~tend** terrible, awful, appalling; (w) relieve (a town)
**ontsien'** ~ respect, stand in awe of; *geen moeite ~ nie* spare no pains
**ontslaan'** ~ dismiss, discharge/axe; retrench; *iem. uit sy betrekking* ~ dismiss someone
**ontsla'e** rid; ~ *raak van* get rid of
**ontslag'** (s) release; dismissal, discharge
**ontsla'pe** dead, deceased *ook* **oorle'de**
**ontsmet'** ~ disinfect; **~ting** disinfection; **~(tings)mid'del** disinfectant, antiseptic
**ontsnap'** (w) escape; **~ping** escape; jailbreak
**ontspan'** ~ relax, divert; unbend; *tyd om te* ~ time to relax; **~gerie'we** recreational facilities/amenities
**ontspoor'** ~ derail
**ontstaan'** (s) origin; (w) ~ begin, originate, arise; *hoe het die rusie ~?* what was the cause of the argument?

**ontstel′** (w) ~ startle, upset, disturb
**onttrek′** ~ withdraw; **~king′simptoom** withdrawal symptom
**on′tug** prostitution, immorality
**on′tuis** ill at ease; ~ *voel* be ill at ease
**ontvang′** ~ receive; conceive; **~er** recipient, receiver; **~er van in′komste** receiver of revenue; **~s′** receipt; reception; takings; **~s′da′me** receptionist
**ontvoer′** ~ abduct, kidnap; **~der** kidnapper *ook* **ka′per/ska′ker**
**ontvolk′** ~ depopulate
**ontwa′pen** ~ disarm; **~ing** disarmament
**ontwa′semer -s** demister
**ontwerp′** (s) **-e** draft, sketch, design; project; (w) ~ project, plan, design; draft
**ontwik′kel** ~ develop, evolve; **~d** developed; educated; **~aar** developer (of property); **~ende lan′de** developing countries
**ontwik′keling** development; evolution
**ontwil′** sake; *om my* ~ for my sake
**ontwrig′** ~ dislocate; disrupt; *die klas* ~ disrupt the class
**ontwyk′** ~ evade, shun; **~end** evasive
**o′nus** onus, obligation; duty
**onvanpas′** (b) out of place, unsuitable
**onverantwoor′delik** (b) irresponsible
**onverbe′terlik -e** incorrigible (child)
**onverdraag′saam** (b) intolerant
**onvergank′lik -e** imperishable, undying, everlasting; **~e roem** immortal fame
**onvergeef′lik -e** unpardonable
**onvergeet′lik -e** memorable, unforgettable
**onverhoeds′** unexpectedly, unawares; ~ *betrap* caught unawares
**onverkry(g)baar ..bare** unobtainable
**onvermy′delik -e** unavoidable; inevitable
**onversig′tig** careless; imprudent
**onverskil′lig -e; -er, -ste** indifferent; rash, reckless, heedless; ~ *ry* drive recklessly
**onverskrok′ke** bold, undaunted *ook* **vrees′loos**; ~ **jag′ter** fearless hunter
**on′versoet** unsweetened
**onverstaan′baar ..bare** incomprehensible, unintelligible
**onverstan′dig -e; -er, -ste** unwise, foolish
**onverwag′ -te** unexpected; **~s′** unexpectedly, unawares, suddenly *ook* **skie′lik**
**onvoldoen′de** insufficient, inadequate
**onvoltooi′ -de** imperfect, incomplete; **~de simfonie′** unfinished symphony
**onvoorwaar′delik -e** unconditional; **~e oor′gawe** unconditional surrender
**on′vrede** discord, feud; *in ~ lewe* lead a cat-and-dog life
**onvrien′delik** unkind, unfriendly
**onvrug′baar** sterile, barren, infertile
**onwaar′ ..ware** untrue; false
**onwaarskyn′lik -e; -er, -ste** improbable
**on′weer** (s) unsettled/stormy weather
**onweerstaan′baar ..bare** irresistible
**onwet′tig -e** unlawful, illegal; **~e immigrant′** illegal immigrant
**onwil′lig -e** unwilling; loath, reluctant
**oog oë** eye; fountain, source; *met die blote* ~ with the naked eye; *uit die ~, uit die hart* out of sight, out of mind; **~ap′pel** eyeball; darling; **~arts** eye specialist, ophthalmologist; **~getui′e** eyewitness; **~haar** eyelash: *nie ~hare hê vir* not fancy (someone/something); **~knip** wink; **~kun′dige** optometrist; **~lid** eyelid; **~lo′pend** (b) obvious
**ooglui′kend** stealthily, on the sly; close an eye to; ~ *toelaat* connive at
**oog: ~merk** aim, intention; **~punt** viewpoint; **~wenk/~wink:** *in ′n ~* in a moment/jiffy; **~wim′per** eyelash
**ooi -e** ewe
**ooi′evaar -s, ..vare** stork; **~s′drag** maternity wear; **~s′tee** stork party/babyshower
**ooit** ever, at any time
**ook** also, too
**oom -s** uncle; *Liewe ~ Piet* Dear uncle Peter
**oom′blik -ke** moment, instant
**oomblik′lik -e** immediate(ly), instantly
**oond -e** oven; furnace; kiln
**oop** open; vacant; **~staan** be open (door); **~stel** throw open; *geriewe ~ vir almal* open (the) facilities for all
**oor**[1] (s) **ore** ear; *iem. ore aansit* outdo/outsmart someone
**oor**[2] (bw) over, past; ~ *en weer* to and fro, mutually; **tien ~/ná elf**; (vs) over, via, beyond, across; ~ *die geheel* on the whole
**oor**[3] (vgw) because; *hy vorder ~ hy werk* he makes progress because he works
**oor: ~beklem′toning** overstatement; **~bel** earring; earlobe; **~bevolk′** overpopulated
**oorbluf′** ~ disconcert, strike dumb; *heeltemal* ~ completely dumbfounded
**oorbo′dig -e** superfluous *ook* **oortol′lig**
**oorbrug′** ~ bridge (over); *probleme ~/uitstryk* solve (the) problems
**oord** (s) **-e** region, locality; resort

**oor'daad** (s) excess, extravagance
**oor'deel** (s) **..dele** judgment; verdict; ~ *vel* pass judgment/sentence; (w) judge
**oordeelkun'dig** (b) **-e** judicious
**oorden'king** (s) meditation; epilogue
**oordraag'baar ..bare** transferable
**oor'drag** transfer, cession
**oordre'we** (b) exaggerated; overdone
**oordryf' oordry'we** ~ exaggerate, overstate, overdo
**ooreen'** in agreement; *hulle kom* ~ they agree *ook* **akkordeer'** (w)
**ooreen'koms -te** resemblance, conformity; agreement, treaty; *'n* ~ *aangaan/sluit/tref* enter into an agreement
**ooreenkoms'tig -e** in accordance with, in terms of *ook* **vol'gens/ingevol'ge**
**ooreen'stem -gestem** agree, concur
**oorerf'lik -e** hereditary
**oor'gang** (s) transition; **-e** crossing, passage
**oor'gawe -s** surrender; transfer, cession
**oor'gee -ge-** surrender, yield; *hom* ~ *aan* surrender himself to
**oor:** ~**genoeg'** more than enough; ~**gerus'** over=confident; ~**gevoe'lig** oversensitive, hyper-sensitive; ~**gewig'** overweight; obese/obe=sity; excess weight
**oor'groot:** ~**moe'der** great-grandmother; ~**ou'ers** great-grandparents; ~**va'der** great-grandfather
**oor'haal -ge-** fetch across; persuade *ook* **oorreed'**; cock (rifle); induce
**oorhan'dig** ~ hand over, deliver; present; ~**ing** handing over, delivery; presentation (of prizes)
**oorheers'** ~ dominate *ook* **domineer'**; ~**ing** domination
**oor'hou -ge-** save, have left
**oor'kant** (s) other/opposite side; *(aan die)* ~ *(van) die straat* on the other side of the street
**oor'klank -ge-** dub; ~**ing** dubbing (radio/TV)
**oor'klere** overall(s) *ook* **oor'pak**
**oorkoe'pel** ~ cover, vault, arch; ~**ende organisa'sie** umbrella organisation
**oor'kussing** pillow; *ledigheid is die duiwel se* ~ Satan finds mischief for idle hands to do
**oorlaai'**[1] ~ overload, overcharge, overburden; *hy is met presente* ~ presents were heaped upon him
**oor'laai**[2] **-ge-** reload; transship
**oor'laat -ge-** leave over, leave (to others); *aan sy lot* ~ leave to his fate
**oorlams'** (b) **-e** clever, handy; cunning, crafty, wily, shrewd; trained
**oor'las** (s) nuisance, trouble
**oorle'de** deceased, late; ~ *Jan* the late John
**oorle'dene -s** the deceased, the departed
**oorleg'** deliberation, counsel, consideration, judgment; ~**komitee'** liaison committee *ook* **ska'kelkomitee**; ~**ple'ging** consultation, talks/negotiations
**oor'lel -le** lobe of the ear
**oorle'wing** survival *ook* **voort'bestaan**; ~ *van die sterkste* survival of the fittest; ~**(s)kur'=sus** survival course
**oor'log ..loë** war; ~ *verklaar* declare war; ~ *voer* wage war
**oor'logverklaring** declaration of war
**oor'loop** (s) overflow; **..lope** spillway; (w) desert; overflow (dam); *na die vyand* ~ defect/desert to the enemy
**oorlo'sie -s** watch, clock *ook* **hor'losie**; *my* ~ *is agter* my watch is slow; *my* ~ *is voor* my watch is fast; ~**ma'ker** watchmaker
**oormees'ter** (w) overpower; master
**oor'môre** day after tomorrow
**oor'nag** (w) ~ stay overnight; (b, bw) over=night
**oor'name** (s) **-s** takeover (of company)
**oor'neem -ge-** take over (management); as=sume; copy; borrow
**oor'pak -ke** overall
**oor'plant** (w) **-ge-** transplant (heart)
**oor'pyn** earache
**oorreed'** ~ persuade, prevail on *ook* **om'praat**
**oorrom'pel** ~ surprise, overwhelm
**oor'saak ..sake** cause, reason; ~ *en gevolg* cause and effect
**oorsees' ..sese** oversea(s), transmarine; **oor=se'se han'del** overseas/foreign trade
**oor'sig -te** survey; review, summary; view
**oor'sit -ge-** put over; translate; move up (pupils)
**oorskat'** (w) overestimate, overrate
**oor'skiet** (s) remains; rest; remnant; (w) remain; ~**kos** leftovers
**oor'skot -te** remainder, residue; remnant; sur=plus; **stof'like** ~ mortal remains; ~**waar'de** scrap value; **handels**~ trade surplus
**oorskry'** ~ exceed; surpass; *uitgawes* ~ *inkomste* expenditure exceeds income/rev=enue
**oor'sprong** (s) origin, cause, root, source

**oorspronk'lik -e** original, primary; primordial; ~**heid** originality
**oor'steek -ge-** cross (a street)
**oorstroom'** ~ overflow, inundate
**oortol'lig -e** superfluous; redundant (staff)
**oortre'der -s** trespasser, transgressor; delinquent, offender; *~s word vervolg* trespassers will be prosecuted
**oortref'** (w) surpass, outclass, excel
**oortrek'** (w) ~ cover; pull over; trace (drawing); ~**king** overdraft (bank account)
**oor'trektrui -e** pull-over, sweater
**oortuig'** (w) ~ convince *ook* **oorreed'**; ~**end** convincing
**oortui'ging** (s) conviction
**oor'tyd** overtime; ~**beta'ling** overtime pay
**oor'vloed** abundance, plenty
**oorvra'** ~ overcharge (for article); surcharge
**oorweeg'** ~ consider, deliberate; *'n voorstel ~* consider a proposal/suggestion
**oor'weg ..weë** level crossing; crossroad
**oorwe'ging -s, -e** consideration
**oorwel'dig** (w) ~ overpower, overwhelm; ~**end** overpowering, overwhelming
**oorwin'** ~ conquer, overcome; ~**naar** conqueror, victor
**oorwin'ning -s, -e** victory, conquest *ook* **triomf'**; *die ~ behaal* gain the victory
**oorwin'ter** ~ spend the winter, hibernate
**oorwo'ë** considered; contemplated; ~ **me'ning** considered opinion
**oos** east; ~ *wes, tuis bes* there is no place like home
**Oos-Kaap** (provinsie) Eastern Cape
**Oos'te** Orient, the East; **Ver're** ~ Far East
**Oos'tenryk** Austria; ~**er** Austrian (person)
**oos'tewind -e** eastwind
**op** (b) finished; (bw) up, on; (vs) on, upon; at, in; *almal ~ een na* all but one; ~ *gereedheidgrondslag* on alert; ~ *skool* at school; ~ *tyd* on time *ook* **betyds'**
**opaal' opale** opal
**op'bel** (w) **-ge-** ring up, phone *ook* **bel/ska'kel**
**op'berg -ge-** store, stock; stockpile
**op'beur** (w) **-ge-** cheer up *ook* **opkik'ker**
**op'blaas -ge-** blow up; inflate
**op'bou** (w) **-ge-** build up; ~**end** constructive; ~**ende kritiek'** constructive criticism
**op'brengs/op'brings -te** output, yield, return (econ.); proceeds
**op'daag -ge-** turn up, arrive
**op'doen -ge-** gain, acquire, obtain; overhaul *ook* **op'knap**; *kennis ~* acquire knowledge
**op'dok -ge-** pay, foot the bill; cough up
**op'domkrag opge-** jack up (a car)
**op'dons -ge-** go about carelessly, bungle; treat severely *ook* **op'foeter/op'neuk**; *iem. goed ~* give someone a drubbing
**op'draand** (s) **-e/op'draande -s** rise, slope, rising ground, uphill; acclivity
**op'drag -te** instruction, order; commission; terms of reference; dedication; *in ~ van die bestuur* by order of management
**o'pe** open; vacant; blank (line); *dis 'n ope vraag* it is a moot point; ~**/oop dag** open day
**opeens'** suddenly *ook* **skie'lik**
**opeen'volg -gevolg** follow each other; ~**end** successive, consecutive; *tien ~ende dae* ten consecutive days/ten days running
**op'eet opgeëet** eat up, finish; *alles vir soetkoek ~* believe everything
**o'pelug** open-air; ~**muse'um** open-air museum
**opelyf'** evacuation/movement of the bowels
**o'pen** (w) **ge-** open; ~**heid** transparency
**openbaar'** (s) public; *in die ~* in public; (w) make public, disclose, reveal
**openba're:** ~**besker'mer** public protector *ook* **om'budsman**; ~ **betrek'kinge** public relations; ~**ska'kelamptenaar** public relations official/officer *ook* **me'diaskakel**; ~ **vakan'siedag** public holiday
**openhar'tig -e** open-hearted, frank, candid
**o'pening -s, -e** opening; gap; vacancy
**o'penlik -e** openly, publicly
**o'pera -s** opera; ~**gebou'** opera house
**opera'sie -s** operation; *'n ~ ondergaan* undergo an operation; ~**tea'ter** operating theatre
**operateur' -s** operator (of machine)
**opereer'** ~, **ge-** operate (on)
**operet'te -s** operetta; light opera
**op'foeter** (w) let someone have it; bungle along *ook* **op'dons**
**op'gaan -ge-** go up, ascend, rise
**op'gawe/op'gaaf -s** task, assignment, brief; statement *ook* **voor'legging**; return (income)
**op'geruimd** (b) cheerful, gay, bright
**op'geskeep -te** saddled (with); at a loss
**op'geskort -e** suspended (sentence)
**op'gevoed** (b) educated; cultured
**op'gewasse** equal (to); *nie ~ vir die taak nie* not equal to the task
**op'gewek** lively, cheerful, bright *ook* **op'geruimd**; ~**te musiek'** bright/lively music

**op'gewonde** (b) excited, thrilled; ~**n'heid** excitement
**op'gooi -ge-** throw up; chuck up; vomit *ook* **braak**; *tou* ~ throw in the towel
**op'gradeer** (w) upgrade, improve quality
**op'hang -ge-** hang; suspend
**op'hef** (s) fuss; *'n groot* ~ *maak van* make a fuss about; (w) abolish, waive
**op'hoop -ge-** accumulate; heap up; **opgehoop'te verlies'e** accumulated losses
**op'hou -ge-** keep up, support; keep on; uphold; cease, stop; *die reën sal nou* ~ it will stop raining now; *hou op!* stop it!
**opi'nie -s** opinion; ~**pei'ling** opinion poll
**op'kikker -ge-** cheer up; pep up; ~**tablet'** pep pill *ook* **verbo'de stimulant'**; ~**s** steroids
**op'kikpraatjie** (s) peptalk
**op'klaar -ge-** brighten; clear (up) (weather)
**op'knap -ge-** tidy up; recondition; renovate; ~**kur'sus** refresher/crash course
**op'kom -ge-** come up, rise; occur; crop up; ~**s** rise; attendance (at meeting)
**op'laag ..lae** edition (of a book); circulation (newspaper)
**op'laai -ge-** give a lift; load
**op'lê -ge-** impose (a fine); charge
**op'lei -ge-** instruct, educate, train; ~**er** trainer; ~**kur'sus** training course
**op'leiding** education, training
**op'let -ge-** pay attention, take notice
**oplet'tend** (b) **-e; -er, -ste** attentive, observant
**op'lewing** revival; ~ *van die ekonomie* revival/upswing of the economy
**op'loop** (w) **-ge-** accumulate, accrue, increase; **op'geloopte ren'te** accrued interest
**op'los -ge-** dissolve; solve (problem)
**op'lossing -s, -e** solution; explanation
**op'meet -ge-** survey; measure
**op'merk -ge-** notice; observe; remark; ~**ing** remark, observation
**opmerk'lik -e; -er, -ste** remarkable; strange
**op'meter -s** mine surveyor
**op'name -s** recording (on tape); survey
**op'neem -ge-** take up; record; receive; shelter; *voorraad* ~ take stock
**op'offering -s, -e** sacrifice
**op'onthoud** (s) delay, stoppage *ook* **vertra'ging**
**op'pas -ge-** be careful, beware, mind; attend to, care for/nurse; *pas op!* be careful! look out!
**op'passer -s** caretaker, attendant/orderly; nurse
**op'per** (w) **ge-** suggest, moot; *besware* ~ raise objections
**op'perbevel** high/supreme command
**op'perhoof -de** (paramount) chief, chieftain
**op'perste** uppermost, highest; ~ **va'bond** archscoundrel
**op'pervlak** (s) surface; *die swemmer verdwyn onder die* ~ the swimmer disappears under the surface
**oppervlak'kig** (b) superficial, shallow; ~**e kennis** superficial knowledge
**op'pervlakte -s** area; *die wandellaan beslaan 'n* ~ *van 3 hektaar* the mall covers an area of 3 hectares
**Op'perwese** Supreme Being, God
**opportunis' -te** opportunist (person)
**opposi'sie** opposition *ook* **teen'stand**
**opreg'** sincere, genuine; ~ *die uwe* yours sincerely
**op'rig -ge-** erect; found; raise; establish; *'n maatskappy* ~ form/float a company
**op'rit -te** onramp (traffic) *ook* **in'rit**; driveway
**op'roep** (s) **-e** summons; (telephone) call; (w) call up, commandeer
**op'roer -e** revolt, insurrection, riot
**op'roermaker -s** rioter, insurgent (person)
**op'ruim -ge-** clear away, tidy; ~**verko'ping** clearance sale
**(op)rylaan** driveway *ook* **in'rit**
**op'sê -ge-** recite; dismiss, give notice
**op'set** (s) plan; purpose, intention; *met* ~ on purpose
**opset'lik -e** on purpose, deliberate(ly)
**op'sie -s** option *ook* **keu'se**
**op'siener -s** overseer, supervisor; invigilator *ook* **toe'sighouer** (eksamen); commissioner
**op'sig -te** supervision; respect; *in alle* ~*te* in all respects; ~**ter** supervisor; caretaker
**op'skeep -ge-** saddle with
**op'skop**[1] **-ge-** kick up; *'n lawaai* ~ make a fuss
**op'skop**[2] (s) **-pe** informal dance/party
**op'skort -ge-** suspend (a sentence); **op'geskorte von'nis** suspended sentence
**op'skrif -te** inscription, title, heading
**op'skudding** agitation, sensation, alarm
**op'slaan -ge-** raise; pitch (tent); lift (eyes); ~**huis** prefabricated house
**op'slag opslae** rise; glance; self-sown plants; bounce; ~**koe'ël** ricochet shot; ~**plek** supply dump/depot; ~**so'mer** Indian summer
**op'som -ge-** summarise, sum up; ~**ming** summary *ook* **sa'mevatting**; résumé

**op'spoor -ge-** track down, trace
**op'spraak** sensation, commotion; ~**wek'kend** sensational
**op: ~staan** stand up; get up; revolt; ~**stal** premises (farm), homestead
**op'stand -e** revolt, insurrection *ook* **op'roer**
**op'standing** resurrection
**op'steek -ge-** raise, put up; light; incite; prick up; *stem per/met ~ van hande* vote by show of hands
**op'stel** (s) **-le** essay, composition; (w) compose; draft; compile
**op'stoker -s** inciter, instigator, agitator
**op'stop -ge-** fill up; stuff, mount; ~**per** punch, smack; taxidermist
**op'styg -ge-** rise, ascend; ~**ing** ascent, rising; lift-off (spacecraft)
**op'sweep -ge-** whip up, incite; *die gemoedere ~* rouse the feelings/passions
**op'swel -ge-** swell; inflate
**op'tel -ge-** enumerate; add; lift; ~**fout** adding error; casting error; ~**som** addition sum
**op'ties -e** optic(al)
**optimis' -te** optimist (person); ~**me** optimism
**op'tog -te** procession; **histo'riese** ~ historical pageant
**op'tree -ge-** appear, take action/steps; *as voorsitter ~* act as chairman; ~**fooi** appearance fee (sport, social)
**opval'lend** conspicuous, noticeable, striking
**op'vang -ge-** intercept, catch up, overhear; ~**gebied'** catchment area (water)
**op'vat -ge-** understand, take up; *iets ernstig ~* regard something seriously; ~**ting** opinion, idea, conception, view
**op'veil -ge-** sell by auction
**opvlie'ënd -e** quick-tempered, irascible
**op'voed -ge-** educate, rear, bring up; ~**e'ling** educant; ~**er** educator, educationist; ~**ing** education; ~**kunde** pedagogy
**opvoedkun'dig** pedagogic, educative, educational; ~**e** educationist (person)
**op'voer -ge-** lead up to; perform, act; ~**ing** performance; production (play)
**op'volg -ge-** follow; succeed; ~**aan'val** hot pursuit *ook* **hak'kejag**; ~**on'dersoek** check-up
**op'vra -ge-** call in, demand back; withdraw; ~**ging** withdrawal (money)
**op'vreet -ge-** devour (animal); put up with
**op'was** (w) wash the dishes; (s) ~**ser** dishwasher
**op'wek -ge-** awake, stimulate, rouse; generate (electricity; steam) *kyk* **krag'opwekker**
**op'wen** (w) wind up (watch); get excited
**op'wipkieslys** (s) pop-up menu (comp.)
**o'ral(s)** everywhere
**orangoe'tang -s** orangutan
**oran'je** orange (colour)
**or'de** order, arrangement; ~**lik** orderly
**ordent'lik** (b) decent, reasonable, fair
**or'der -s** command, order
**ordinan'sie -s** ordinance (Church ruling/ritual)
**ordonnan'sie -s** ordinance (of a province)
**orent'** upright, straight up
**orgaan' organe** organ; ~**sken'ker** organ donor
**organisa'sie -s** organisation *ook* **fir'ma**
**organiseer' ~, ge-** organise; ~**der** organiser, promoter
**orgidee' ..deë** orchid (flower)
**orgie' -ë** orgy, debauching *ook* **fuif'party**
**oriënta'sie/oriënte'ring** orientation; induction (students, staff)
**o'rig** superfluous; meddlesome; flirtatious
**orkaan' orkane** hurricane *ook* **storm'wind**
**orkes' -te** orchestra, band; ~**lei'er** bandleader
**ornament'** (s) **-e** ornament *ook* **sie'raad**
**or'rel -s** organ; ~**draai'er** organ grinder
**orrelis' -te** organist
**ortodontis' -te** orthodontist (dental specialist)
**ortopeed' ..pede, ortopedis' -te** orthopaedic surgeon
**os -se** ox; *van die ~ op die esel/jas* switching the conversation
**os'braai -e** ox-braai
**oseaan' oseane** ocean
**osoon'** ozone; ~**vrien'delik** ozone friendly
**ot'jie -s** young pig; grunter (fish)
**ot'ter -s** otter
**ot'tery -e** piggery
**ou** (s) **-ens** chap, fellow, guy; *ek het nie ooghare vir daardie ~ nie* I do not fancy that guy/chap
**ou'boet -e/ou'boetie -s** eldest brother
**oud** (b) old, aged; ~ *maar nog nie koud nie* there is still a kick left in the old horse
**oud-** ex; former; retired; ~**leer'ling** ex-pupil
**ou'dergewoonte/ou'der gewoonte** as usual
**ou'derdom -me** age; ~**ga'ping** generation gap *ook* **genera'siegaping**
**ou'derling -e, -s** elder (in church)
**ouderwets' -e** old-fashioned *ook* **ou'tyds;** forward, precocious (child)
**oudiovisueel'** (b) audiovisual; **..visue'le hulp'middels** audiovisual aids

**ou'dit** (s, w) audit *ook* **ouditeer'** (w)
**ouditeur' -e, -s** auditor
**ou'ditkunde** (science of) auditing
**oudleerling -e** ex-pupil, old boy/girl (of a school)
**oud'ste -s** eldest, oldest, doyen
**oud'student' -e** ex-student, alumnus
**ou'e -s** old one; chap; *die ~s van dae* the aged; *haai, julle ~(n)s!* I say, chaps!
**ou'er -s** parent; *~s vra* ask parents' consent (to get married)
**ou'etehuis -e** old-age home, home for senior citizens *ook* **tehuis' vir bejaar'des**
**Ou'jaar** Old Year's Day; **~s'aand** New Year's Eve
**ou'jong: ~kêrel** (old) bachelor *ook* **vry'gesel**; **~nooi** spinster, old maid
**Ou'kersaand -e** Christmas Eve
**ou'laas:** *vir ~* for the last time
**ou'lik** precocious (child); tricky, nice; smart, cute; **~e kê'reltjie** smart little chap
**ou'ma -s** grandmother; **~groot'jie** great-grandmother
**ou'pa -s** grandfather; **~groot'jie** great-grandfather
**outeur' -s** author *ook* **skry'wer**
**ou'tjie -s** (old) fellow, chum, chap, chappie; *die klein ~s* the tiny tots
**outobiografie' -ë** autobiography
**outoma'ties -e** automatic
**ou'totel'ler** (s) automatic teller machine (ATM) *ook* **kits'bank**
**ou'tyds -e** old-fashioned, old-fangled
**ou'volk** spiny-tailed lizard *ook* **son'kyker**
**ou'vrou-onder-die-kombers'** toad-in-the-hole
**ovaal' ovale** oval
**o'werheid ..hede** authority; **~beste'ding** public/state expenditure/spending; **~sek'tor** public sector
**o'werspel** adultery *ook* **eg'breuk**
**o'werste -s** chief, head; superior (person)

# P

**pa -'s** pa, dad
**paad'jie** footpath, small path; parting (hair)
**paai ge-** appease, coax, soothe; **~boe'lie** bugbear, golliwog; **~pap'pie** sugardaddy
**paaiement' -e** instalment
**paal pale** pole, stake, standard; *die ~ nie haal nie* unable to make the grade; **~tjie'wag'ter** wicketkeeper
**paar** (s) **pare** couple, pair; a few; (w) match, mate, copulate; pair off
**Paas: ~fees** Easter; Passover; **~maan'dag** Easter Monday *nou* **Gesins'dag**
**pad paaie** path, road; way; *iem. in die ~ steek* send someone packing; **~blokka'de/~versper'ring** roadblock
**pad'da -s** frog, toad; *so waar as ~ manel' dra* truly; **~slag'ter** blunt knife; **~stoel** toadstool; mushroom
**pad: ~kafee'** roadhouse; **~kos** provisions (for a journey)
**pad'langs** straight *ook* **openhar'tig**
**pad: ~loop** roadrace; **~skra'per** grader; **~stal** farmstall; **~te'ken** roadsign; **~vaar'dig** ready for the road; **~vark** roadhog (motorist); **~vei'ligheid** road safety; **~verleg'ging** deviation (of road); **~versper'ring** roadblock; **~vin'der** boy scout; pathfinder; **~waar'dig** (b) roadworthy
**pa'-hulle** father and close relatives; dad and company
**paja'ma -s** pyjamas
**pak** (s) **-ke** suit (of clothes); pack, bundle; thrashing, licking; *'n ~ klere* a suit of clothes; *'n ~ slae* a thrashing; (w) pack up; seize, grasp; **~huis** warehouse
**pak'kend** (b) gripping, thrilling *ook* **boei'end**
**pakket' -te** parcel, packet; package; **~akkoord'** package deal; **~pos** parcel post
**pak'kie -s** parcel, packet
**pak: ~stap'per** backpacker; **~stuk** gasket (engine)
**paleis' -e** palace
**pa'ling -s** eel (fish)
**palm[1] -s** palm; **~boom** palm (tree)
**palm[2]** (s) palm (of the hand)
**palmiet'** bulrush
**pamflet' -te** pamphlet; brochure, handout
**pampoen' -e** pumpkin; *vir koue ~ skrik* afraid of one's own shadow; **~tjies** mumps, parotitis
**pan -ne** pan; tile; small lake
**pand -e** pledge, pawn, forfeit
**pan'dak -ke** tiled roof
**pand: ~jies'baas** pawnbroker; **~jies'win'kel** pawnshop

**paneel′ panele** panel; *die ~ beoordelaars* the panel of adjudicators; ~**kas′sie/kis′sie** cub⸗byhole/glove box; ~**wa** panel van
**paniek′ -e** panic, stampede; ~**bevan′ge** pa⸗nic-stricken, panicky; ~**knop′pie** panic button *ook* **angs′knoppie**
**pan′nekoek -e** pancake
**pantof′fel -s** slipper; ~**held** henpecked husband
**pap**[1] (s) porridge; **-pe** poultice
**pap**[2] (b) **-per, -ste** soft, weak; deflated; ~ **band** deflated/flat tyre
**papa′ja -s** papaw (fruit)
**papa′wer -s** poppy *ook* **klap′roos**
**pap′broek -e** milksop, coward (person)
**papegaai′ -e** parrot, polly; popinjay
**papier′ -e** paper; ~**lint** streamer
**pap′nat** dripping wet *ook* **sop′nat**
**pap′pa -s** papa, dad
**pap′pie -s** daddy
**paraat′** (b) **parate** ready, prepared
**para′de -s** parade; ~**pas** goose step
**paradys′** (s) **-e** paradise
**parafeer′ ~, ge-** initial; ~ *elke bladsy* initial every page
**paraffien′** paraffin oil *ook* **lamp′olie**
**parafra′se -s** paraphrase
**paragraaf′ ..grawe** paragraph
**parallel′ -le** parallel
**parame′dies** paramedical; **parame′dikus** para⸗medic (person) *ook* **me′diese ordonnans′**
**parapleeg′ ..pleë** paraplegic (person)
**parasiet′ -e** parasite; sponger
**parfuum′ -s** scent, perfume *ook* **laven′tel**
**pa′ri** par; *onder ~* below par
**park -e** park; ~**a′de** parkade
**parkeer′** (w) park; ~**me′ter** parking meter
**parkiet′ -e** parakeet; ~**tjie** budgerigar (budg⸗ie) *ook* **bud′jie**
**parlement′ -e** parliament
**parman′tig** (b) impudent, impertinent, cheeky
**parodie′ -ë** parody, travesty
**parool′** parole; watchword
**part -e** part, portion, share; trick
**party′**[1] (s) **-e** party; faction; ~ *kies* take sides
**party′**[2] (b) some, a few
**party′dig -e; -er, -ste** partial, biassed
**party′keer/party′maal** sometimes
**Parys′** Paris (France); Parys (SA)
**pas**[1] (s) **-se** pass; passage; step, gait; *die ~ aangee* set the pace; ~**aange′ër** pacemaker (heart); go-getter (person)
**pas**[2] (s) place; fit; (w) fit, suit, try on, be proper; *nie bymekaar ~ nie* not match; ~**geweer′** custom-made gun/rifle
**pas**[3] (bw) just, only; hardly; ~ **aan′gestelde hoof** newly appointed head/principal
**Pa′se** Easter *ook* **Paas′fees**
**pasiënt′ -e** patient
**pasifis′ -te** pacifist; ~**me** pacifism
**pas′klaar** (b) ready for fitting on; ready-made
**pas′lik -e** fitting, suitable, becoming
**pas′poort -e** passport
**passaat′** passage; ~**wind** trade wind
**passa′sie -s** passage; ~ *uit 'n roman* fragment/passage from a novel
**passasier′ -s** passenger; **blin′de ~** stowaway *ook* **verste′keling**; ~**stra′ler** jetliner
**pas′send -e** fitting; proper, appropriate; *daarby ~e skoene* shoes to match
**pas′ser -s** pair of compasses; ~ **en draai′er** fitter and turner (person)
**pas′sie** passion, craze
**passief′** passive; inactive
**pas′siespel -e** passion play
**pas′stuk -ke** adaptor *ook* **aan′passer** (elektr.)
**pastei′ -e** pie, pastry
**pastel′ -le** crayon, pastel
**pastoor′ -s, ..tore** pastor; priest
**pas′tor -s** clergyman, pastor
**pastorie′ -ë** parsonage, vicarage, rectory
**patat′(ta) -s** sweetpotato *ook* **soet′patat′**
**patent′** (s) **-e** patent
**pate′ties** pathetic *ook* **aandoen′lik**
**pa′tio** (s) **-'s** patio, stoep *ook* **bui′testoep**
**patrio′ties** (b) **-e** patriotic
**patrol′lie -s** patrol
**patroon′**[1] **patrone** pattern, model, design
**patroon′**[2] **patrone** cartridge (of firearm)
**patrys′ -e** partridge; ~**poort** porthole (ship)
**paviljoen′/pawiljoen′ -e** pavilion, stand
**pê** tired, worn out; *hy kan nie ~ sê nie* he can⸗not say boo to a goose
**pedaal′ pedale** pedal
**pedan′ties -e; -er, -ste** pedantic
**pedia′ter** paediatrician *ook* **kin′derarts**
**pedofiel′** child molester, paedophile
**peer pere** pear; *met die gebakte pere bly sit* be saddled with something
**peet pete** sponsor, godparent; ~**tjie:** *loop na jou ~jie* go to the devil; ~**kind** godchild; ~**ou′ers** godparents
**peil** (s) mark, gauge; standard, level; (w) sound, fathom, gauge, plumb
**peins** (w) **ge-** meditate; ponder

**pe'kel** (s) brine; difficulty; ~**wa'ter** brine
**pel'grim -s** pilgrim; ~**s'reis** pilgrimage
**pelikaan' ..kane** pelican
**peloton' -s** squad, platoon; **vuur**~ firing squad
**pels -e** fur; ~**er** pilchard *ook* **sardyn'** (vis); ~**jas** furcoat
**pen** (s) **-ne** pen; nib, quill; peg (tent)
**pena'rie** difficulty, predicament, fix
**pen'del** (w) **ge-** commute; ~**aar** commuter; ~**diens** shuttle service; ~**tuig** space shuttle
**pendu'le -s** pendulum *ook* **pendu'lum**
**pe'nis** (s) penis *ook* **fal'lus**
**pen'kop -pe** youngster, inexperienced youth
**pen'nelekker -s** clerk, penpusher
**pen'ning -s** medal, penny; ~**mees'ter** treasurer *ook* **tesourier'**
**pen:** ~**orent'** erect, straight up; ~**punt** nib; upright; ~**reg'op** perpendicular
**pens -e** belly, stomach, paunch (animal); ~ *en pootjies* bodily
**pensioen' -e** pension; retiring pay; *met* ~ *aftree* retire on pension; ~**a'ris** pensioner; ~**fonds** pension fund; ~**trek'ker** pensioner
**pens:** ~**klavier'** accordion; ~**win'keltjie** pedlar's tray
**pe'per** (s) pepper; ~**duur** sinfully dear
**peperment'/pipperment' -e** peppermint
**per** by, via, per; ~ *abuis* by mistake; ~ *adres* care of; ~ *kerende pos* by return of post
**perd -e** horse
**per'de:** ~**by** wasp; hornet; ~**krag** horsepower; ~**rui'ter** horseman, equestrian; ~**sport** showjumping *ook* **rui'terkuns**
**perd:** ~**fris** hale and hearty; ~**jie** small horse, pony; *gou op sy ~jie wees* quickly steamed up
**pê'rel -s** pearl; *~s voor die swyne werp/gooi* cast pearls before swine; **gekweek'te** ~ cultured pearl; *~snoer* string of pearls
**perfek' -te** perfect; ~**sie** perfection
**perio'de -s** period *ook* **tyd'perk, termyn'**
**periodiek'** periodic(al), from time to time
**perk -e** limit; ~**tyd** deadline *ook* **sper'tyd**
**perlemoen'** mother of pearl, abalone
**permanent' -e** permanent *ook* **bly'wend**
**permissiwiteit'** permissiveness
**permit' -te** permit, pass
**perron'** platform (railway) *ook* **plat'form**
**pers**[1] (s) printing press; ~**fotograaf'** press photographer (person)
**pers**[2] (b) purple (colour)
**perseel' ..sele** lot; plot, stand; premises
**persent'** per cent; 10 ~ **sty'ging** 10 per cent increase
**persenta'sie -s** percentage
**persep'sie** (s) perception *ook* **idee'**
**pers'ke -s** peach; ~**bran'dewyn** peach brandy *ook* **mampoer'**
**personeel' ..nele** staff, personnel; ~**agent'skap** employment agency
**personifika'sie -s** personification
**persoon' ..sone** person; *die aangewese* ~ the right person; ~**lik** personal; ~**like re'kenaar** personal computer (PC); ~**likheid'** personality; **gesple'te** ~**likheid** split personality
**pers:** ~**verkla'ring** press release; ~**vry'heid** press freedom
**pervert'** (s) pervert (person); (a) perverted
**pes** (s) **-te** pest, plague
**pessimis' -te** pessimist; ~**me** pessimism; ~**ties** pessimistic *ook* **neerslag'tig**
**pet -te** cap
**petal'je** (s) **-s** affair *ook* **bohaai'**; to-do
**peti'sie -s** petition *ook* **versoek'skrif**
**pe'trol** petrol; ~**jog'gie** pump attendant; ~**pomp** petrol pump, bowser; ~**tenk** petrol tank
**petro'leum** petroleum, rock oil
**peul** (s) **-e** pod, husk, shell
**peu'sel ge-** nibble, pick; piffle; ~**hap'pie** snack; ~**kroeg** snackbar; ~**wer'kie** odd job
**peu'ter** (s) toddler *kyk* **kleu'ter**; ~**vry** (b) foolproof; tamperproof
**pianis' -te** pianist *ook* **klavier'speler**
**pia'no -'s** piano/klavier
**piek -e** peak, pinnacle; (w) peak
**piek'fyn** spick-and-span; grand, snazzy
**piek'niek -s** picnic; ~**oord** picnic/pleasure resort
**pienk** (b) pink (colour) *ook* **ligroos'**
**piep'erig** (b) sickly, weak, thin, squeaky
**pie'pie** (w) **ge-** make water (nursery term); pee, piddle
**piep'jong/piep'jonk** very young, tender
**pie'rewaaier -s** playboy, goodtimer *ook* **swier'bol; dar'teldawie** (idiom.)
**pie'ring -s** saucer; ~**skiet** clay pigeon/skeet shooting
**pie'sang -s** banana
**pietersie'lie** parsley
**piet-my-vrou' -e** red-chested cuckoo
**piets** (w) **ge-** whip lightly, flick
**pigmee' ..meë** pygmy (dwarf)
**pik** (s) pitch; (w) peck; nag, find fault; bite (snake); ~**don'ker** pitch dark
**pikkewyn' -e** penguin

**pik'swart** black as pitch, pitch black
**pil -le** pill; *die ~ verguld* sugar a pill
**pilaar' pilare** pillar, column
**Pila'tus** Pilate; *van Pontius na ~* from pillar to post
**pim'pel:** *~ en pers* black and blue
**pin'kie -s** little finger
**Pink'ster: ~fees** Whitsuntide, Pentecost
**pinset'** (s) **-te** forceps; tweezers *ook* **haar'tangetjie**
**pint -e** pint
**pion' -ne** pawn (chess); stooge (person)
**pionier' -s, -e** pioneer *ook* **baan'breker**
**piou'ter** (s) pewter
**pirami'de/piramied'** pyramid
**pis** (s) piss, urine; (w) urinate, piss, piddle
**pistool' pistole** pistol
**pit -te** kernel (nut); core (tree); stone (peach); pip (orange); wick (lamp)
**pit'tig** (b) **-e; -er, -ste** pithy; terse, snappy
**pla** (w) **ge-** tease, annoy, vex, worry
**plaag** (s) **plae** plague, pest; affliction; **~beheer'** pest control; **~do'der** pesticide, insecticide, herbicide; **~gees** tease *ook* **terg'gees**; tormenting fiend (person)
**plaak** plaque (teeth); fatty deposit
**plaas** (s) **plase** place; farm; (w) put, place, locate; **~ja'pie** (country) bumpkin, yokel; **~kiosk'** farm stall *ook* **pad'stal**; **~lik** local; *~like bestuur* local government; *~like owerheid* local authority; **~vervan'ger** substitute, deputy; proxy
**plaat plate** plate; slab; sheet; stake (races); **~kompeti'sie** plate event (sport)
**plafon' -ne** ceiling
**plagiaat'** plagiarism *ook* **let'terdiefstal**
**plak[1]** (s) **-ke** ferule; slab; ~ **sjokola'de** slab of chocolate *ook* **blok sjokola'de**
**plak[2]** (w) **ge-** paste, paper, stick; squat (on land); **~boek** scrapbook
**plakkaat' ..kate** placard, poster, billboard
**plak: ~ker** paper hanger; sticker; squatter (person); **~papier'** wallpaper; **~ers'kamp'** squatter camp, informal settlement; **~kery'** squatting
**plak'kies** (s) beach thongs, slip-slops
**plan -ne** plan, scheme, project, intention
**planeet' ..nete** planet
**planeta'rium -s** planetarium
**plank -e** plank, board; **~e'vrees** stage fright
**plant** (s) **-e** plant; (w) plant
**planta'sie -s** plantation
**plant: ~egroei** vegetation; **~e'tend** herbivorous; **~kun'de** botany
**plas** (s) **-se** pool, puddle; (w) paddle, splash; **~poel** paddling pool
**plastiek'** plastic; plastic art; **~be'ker** plastic mug; **~sak'kie** plastic bag; (milk) sachet
**plas'ties -e** plastic; **~e sny'kunde/~e chirurgie'** plastic/cosmetic surgery
**plat -ter, -ste** flat, level; slangy, vulgar
**plataan' platane** plane tree
**platan'na -s** spur-toed frog, platanna
**pla'tejoggie** disc jockey (radio)
**plat'form -s** platform (at station); stage *ook* **verhoog'**
**plat'jie -s** rogue; mischievous fellow
**plato' -'s** plateau *ook* **hoog'land**
**plato'rand -e** escarpment
**plat'riem -e** ferule, strap
**plat'sak** (b) hard up, broke, penniless
**plat'teland** country, rural districts, platteland
**plat'voet -e** flat foot
**plavei' ge-** pave; **~sel** pavement
**pleeg ge-** commit, perpetrate; *selfmoord ~* commit suicide; **~ou'ers** foster parents; **~sorg** foster care
**pleg'tig -e; -er, -ste** solemn, ceremonious
**pleidooi'** (s) **-e** plea, argument, defence
**plein -e** square
**pleis'ter[1]** (s) **-s** poultice
**pleis'ter[2]** (s) **-s** plaster; (w) plaster, stucco; **~aar'** plasterer
**pleit** (s) plea; (w) plead; intercede
**plek -ke** place; spot; room, space; position; **~bespre'king** booking/reservation
**pleks** instead of
**plesier' -e** pleasure, enjoyment, fun; **~kie'rie** (idiom.) floorshift (car)
**plesie'rig** (b) pleasant, happy; merry, jolly
**plesier'oord** pleasure resort
**plig -te** duty, obligation; **~s'getrou** dutiful
**ploeg** (s) **ploeë** plough; gang, shift
**plof** (s) thud, thump
**plof'stof** (s) **..stowwe** explosives; **~deskun'dige** explosives expert
**plomp** (b) stout, awkward, clumsy
**plons** (s) **-e** splash; (w) splash; **~lan'ding** splash landing (spacecraft)
**plooi** (s) **-e** fold, wrinkle, crease; plea; (w) fold; **~baar** amenable (person)
**plot'seling** (b) sudden, abrupt *ook* **skie'lik**; (bw) suddenly, all of a sudden
**pluim -e** plume, feather; **~bal** badminton;

~**pie** plumelet; compliment: *'n ~pie kry* be complimented; ~**vee** poultry

**pluis:** (s) ~**ie** plug, wad; ~**keil** tophat; (w) ~**kam** tease (girl's hair); (b) in order

**pluk ge-** pick, gather

**plun′der ge-** plunder, ransack, loot

**plus** plus; ~**mi′nus** about, more or less

**poe′del -s** poodle; ~**hond** poodle; ~**naak/** ~**na′kend** stark-naked; ~**prys** booby prize

**poe′ding -s** pudding

**poei′er** (s) **-s** powder; (w) powder

**poel -e** pool; puddle; pond; (w) pool (funds)

**poe′ma -s** puma *ook* **berg′leeu**

**poens′kop -pe** hornless animal

**poësie′** poetry *ook* **dig′kuns**; ~**waarde′ring** poetry appreciation

**poë′ties -e** poetic(al)

**poets**[1] (s) **-e** trick, prank; *iem. 'n ~ bak* play a trick on someone

**poets**[2] (w) **ge-** polish, rub; ~**katoen′** cottonwaste

**pof:** ~**ad′der** puff adder; ~**broek** plusfours; ~**fer′tjie** fritter, puffcake

**po′ging -s, -e** effort, attempt, endeavour; *'n ~ aanwend* make an attempt

**pok′ke/pok′kies** smallpox

**pol -le** tuft of grass

**po′lis -se** insurance policy

**poli′sie** police; *die ~ ontbied* call the police; ~**beamp′te** police officer; ~**dien′ste** police services; ~**hond** police dog; ~**kantoor′** charge office; ~**man** policeman, constable; ~**-on′dersoek** police investigation; **polisië′ring** policing; ~**soek′tog** manhunt

**politiek′** (s) politics; (b) political; politic

**poli′tikus ..tici, -se** politician (person)

**politoer′** (s) **-e** polish; (w) polish

**po′lo** polo; ~**nek′trui** polo-neck sweater

**pols** (s) **-e** pulse; (w) feel the pulse; sound; *iem. ~* sound someone; ~**horlo′sie/**~**oorlo′sie** wristwatch

**pome′lo -'s** grapefruit, pomelo

**pomp** (s) **-e** pump; (w) pump; ~**jog′gie** pump attendant; ~**sto′fie** pressure stove

**pond -e** pound, sovereign

**pondok′ -ke** hovel, hut; shack (squatters)

**po′nie -s** pony; ~**koerant′** tabloid newspaper

**pons** (s, w) punch

**pont -e** ferryboat *ook* **veer′boot**; pontoon, pont

**Pon′tius** Pontius; *iem. van ~ na Pilatus stuur* send someone from pillar to post

**poog ge-** try, attempt *ook* **probeer′**

**pooi′er -s** pimp, procurer *ook* **kop′pelaar** (vir prostitute)

**pook** (s) **poke** poker *ook* **vuur′yster**; (w) poke

**pool**[1] **pole** pole (of earth; battery)

**pool**[2] (s) pile (of carpet)

**poort -e** gate, gateway; poort, defile

**poot pote** foot, leg, paw; *op eie pote staan* be independent

**poot′jie** (w) **ge-** trip someone

**poot′uit** down, done for; deadbeat

**pop**[1] **-pe** doll; puppet; *die ~pe is aan die dans* the fat is in the fire

**pop**[2] pop, popular; ~**musiek′** pop music

**pop′pekas -te** puppet show, Punch and Judy show

**populariteit′** popularity *ook* **gewild′heid**

**populêr′** popular *ook* **gewild′**

**populier′** (s) **-e** poplar (tree)

**por** (w) **ge-** poke, jab; urge, egg on

**por′noboek/**~**film** porn book/film

**pornogra′fies -e** pornographic *ook* **obseen′**

**porselein′** (real) china; porcelain

**por′sie -s** portion, share; helping (of food)

**portaal′ ..tale** porch, lobby; (entrance) hall

**portefeul′je -s** portfolio; wallet

**portier′** doorman, commissionaire *ook* **deur′wagter**

**portret′ -te** portrait, picture

**portuur′ porture** match, equal, peer; ~**groep** peer group

**pos**[1] (s) **-te** post (office); (w) post

**pos**[2] (s) **-te** entry; (w) enter; *in die grootboek ~* enter in ledger

**pos**[3] (s) **-te** job, post, position

**pos:** ~**beskry′wing** job description; ~**bestel′ler** postman; ~**bus** Post Office box; letterbox; ~**diens** postal service; ~**duif** homing/carrier pigeon

**poseer′ ~, ge-** pose (for photo)

**pos:** ~**geld** postage; ~**gids** postal guide

**posi′sie -s** position

**positief′ ..tiewe** positive

**pos:** ~**kantoor′** post office; ~**lo′tery** sweepstake; ~**mees′ter** postmaster; ~**or′der** postal order; ~**seël** postage stamp; ~**seëlversa′melaar** philatelist; ~**tarief′** postal rates

**postuur′ ..ture** posture, figure; ~**drag** foundation garment *ook* **vorm′drag**

**pot -te** pot; jar; game (tennis); *die ~ aan die kook hou* be able to make ends meet

**pot:** ~**dig** airtight; very reserved; ~**doof** stonedeaf

**potensiaal′ ..siale** potential

**pot'jiekos** (s) potjiekos, iron-pot stew *ook* **ys'terpotbre'die**
**pot'lood** (lead) pencil; ~**skerp'maker** pencil sharpener
**potsier'lik** (b) farcical, droll *ook* **kod'dig**
**pot'tebakker -s** potter, ceramist; ~**y** pottery
**pot'yster** cast iron *ook* **giet'yster**
**pou -e** peacock
**pous -e** pope, pontiff; ~**dom** papacy
**pou'se -s** interval, pause, break, recess
**po'wer -e** poor, miserable *ook* **armsa'lig**
**praal** (s) pomp, magnificence; ~**graf** mausoleum
**praat ge-** talk, chat, converse
**prag** (s) splendour, magnificence; ~**stuk** stunningly beautiful (object); ~**tig** beautiful, magnificent; ~**werk** thing of beauty
**prakseer'** ~, **ge-** think, consider, plan
**prak'ties** (b) practical; (bw) practically, virtually
**praktiseer'** (w) ~, **ge-** practise
**praktisyn' -s** practitioner; **al'gemene** ~ general practitioner *ook* **huis'arts**
**praktyk' -e** practice; procedure
**predikant' -e** minister, parson *ook* **le'raar**
**pre'diker -s** preacher
**preek** (s) **preke** sermon; (w) preach; ~**stoel** pulpit
**prefek' -te** prefect *ook* **klas'voog**
**pre'mie -s** premium; bounty; bonus
**premier' -s** premier; prime minister
**prent -e** picture; illustration, ~**e'boek** picturebook; ~**(e)stro'kies** comic strips
**presen'sie** (s) presence; ~**lys** attendance register
**present'** (s) **-e** present, gift *ook* **geskenk'**
**president' -e** president; staatshoof
**presies'** (b) exact, precise; particular *ook* **noukeu'rig;** (bw) precisely
**presta'sie -s** performance, achievement; feat; ~**me'ting** performance appraisal
**presteer'** (w) ~, **ge-** achieve, perform; ~**der** achiever (person)
**presti'ge** prestige, influence *ook* **aan'sien** (s)
**pret** pleasure, fun; ~**beder'wer** spoilsport, killjoy; ~**draf** jogging; ~**loop** funrun; ~**park** amusement park
**preuts -e; -er, -ste** coy, prudish, pert
**pre'wel** (w) **ge-** mutter; mumble
**prieel' priële** pergola, arbour, bower
**pries'ter -s** priest
**prik** (s) **-ke** prick; puncture; (w) prick
**prik'kel** (s) **-s** stimulus; (w) irritate, excite; stimulate; ~**baar** irritable; ~**end** irritating; stimulating; ~**lektuur'** soft pornography; ~**pop** glamour girl, pin-up
**pri'ma** prima, first-rate; ~ **uit'leenkoers** prime lending rate
**primêr' -e** primary; ~**e gesond'heidsorg** primary health care; ~**e on'derwys** primary education
**primitief'** (b) primitive
**prins -e** prince
**prinses' -se** princess
**prinsipaal' ..pale** principal, head(master)
**prioriteit'** priority; **top**~ top priority
**pris'ma -s** prism
**prisonier' -s** prisoner *ook* **gevang'ene**
**privaat**[1] (s) **..vate** lavatory, privvy, loo
**privaat**[2] (b) ~, **..vate** private; ~ **sek'tor** private sector; ~ **skool** private school
**privatise'ring** privatisation
**probeer'** ~, **ge-** try, attempt; ~ *is die beste geweer* there is nothing like trying
**probleem' ..bleme** problem; ~ *oplos/uitstryk* solve a problem
**produk' -te** product, produce; ~**sie** production, output/yield *ook* **op'brengs**
**produktiwiteit'** productivity
**produsent' -e** producer
**proe ge-** taste, sample; *hy ~ die wyn en dit smaak lekker* he tastes the wine and it tastes nice
**proef** (s) **proe'we** experiment, test, trial; specimen, proof, sample; ~**arts** houseman; ~**balans'** trial balance; ~**beamp'te** probation officer; ~**buisba'ba** testtube baby; ~**ne'ming** experiment; ~**konyn'** experimental guinea pig; ~**on'derwys** practical teaching; ~**plaas** experimental farm; ~**skrif** dissertation/thesis
**proes ge-** sneeze aloud, snort
**profeet' ..fete** prophet
**profesie' -ë** prophecy *ook* **voorspel'ling**
**profes'sie -s** profession *ook* **beroep'**
**professioneel' ..nele** professional
**profes'sor -e, -s** professor
**profiel' -e** profile; **le'wens**~, CV *ook* **bioda'ta**
**profyt' -e** profit, gain *ook* **wins**
**program' -me** programme; ~**matuur'** computer software *ook* **sag'teware**; ~**meer'der** programmer (comp.)
**progressief' ..siewe** progressive
**projek'** (s) **-te** project; ~**tor** projector
**proklama'sie -s** proclamation

**prokura'sie -s** power of attorney *ook* **vol'mag**
**prokureur' -s** solicitor, attorney
**promes'se -s** promissory note, IOU
**promo'sie -s** promotion/product launch; graduation
**promo'tor -s** promoter; sponsor *ook* **borg**
**pronk** (w) show off, display; ~**er'tjie** sweetpea; ~**poppie** show/chorus girl
**pront** exact, pure; ~**uit** straight out
**prooi -e** prey; *ten ~ val* fall prey to
**prop -pe** stopper, plug, cork, gag, wad
**propagan'da** propaganda
**pro'sa** prose *ook* **roman'kuns**
**prosaïs' -te/pro'saskrywer -s** prose writer
**prosedu're -s** procedure *ook* **werk'wyse**
**proses' -se** process; ~**sie** procession
**prospekteer'** (w) **ge-** prospect; ~**der** prospector (person)
**prospek'tus -se** prospectus
**prostituut' ..tute** prostitute, hooker *ook* **straat'hoer**, **seks'werker**
**proteïen'/proteï'ne** protein
**protes' -te** protest; ~**op'trede** industrial action, mass action; ~**verga'dering** protest meeting
**provinsiaal' ..siale** provincial
**provin'sie -s** province
**pruik -e** wig, peruke; hairpiece
**pruim**[1] (s) **-e** plum; prune
**pruim**[2] (s) **-e** quid; (w) chew (tobacco)
**pruim'boom ..bome** plum tree
**pruimedant' -e** prune
**prul -le** trifle, trash, rubbish; ~**kos** junk food
**prut'kis(sie)** haybox *ook* **hooi'kis**
**pryk** (w) **ge-** shine, look fine, show off
**prys**[1] (s) **-e** price, value; *tot elke ~* at all costs; *op ~ stel* esteem, value; (w) price; ~**beheer'** price control
**prys**[2] (s) **-e** prize, award
**prys**[3] (s) praise; (w) praise
**prysenswaar'dig -e; -er, -ste** praiseworthy
**prys:** ~**fees** sale (for shoppers); ~**gee** abandon, give up; ~**geld** prize money; ~**lys** price list; ~**skiet** bisley; ~**sty'ging/~verho'ging** price increase; ~**uit'deling** prize-giving, awards ceremony; ~**vraag** competition
**psalm -s** psalm; ~**boek** psalm book/psalter
**psigia'ter -s** psychiatrist (person)
**psigologie'** psychology *ook* **siel'kunde**
**psigopaat' ..pate** psychopath (person)
**puberteit'** puberty; ~**s'jare** age of puberty
**publiek'** (s) public; (b) **-e** public
**publika'sie -s** publication
**publiseer'** (w) ~, **ge-** publish *ook* **uit'gee**
**publisiteit'** publicity; ~**s'buro** publicity bureau
**puik** (b) excellent, splendid, choice; ~ **diens** sterling service
**puim'steen** pumice
**puin** ruins, debris
**puis -te** pimple, pustule; ~**ie -s** pimple
**punt**[1] **-e** point, tip; *~e aanteken* score points; *hoë ~e in die eksamen* good marks in the examination; ~**diens** point duty (traffic officer)
**punt**[2] **-e** stop, fullstop; period
**pun'telys -te** marksheet *ook* **pun'testaat**; log
**puntene'rig/punteneu'rig** (b) touchy, easily offended; particular
**pun'tetelling** score
**pupil' -le** pupil (of eye) *ook* **ky'ker**
**purgeer'mid'del** purgative, laxative
**pur'per** purple *ook* **pers**; ~**win'de** morning glory (flower)
**put** (s) **-te** well; pit; cesspool; (w) draw (knowledge); ~**tjie** hole (golf)
**puur** (b) pure, excellent; *pure onsin* sheer/absolute nonsense
**pyl -e** (s) arrow, dart; *soos 'n ~ uit die boog* like an arrow from a bow; (w) dart, go straight; ~**reg'uit** straight as an arrow; ~**tjie** dart (game); ~**tjiebord'** dartboard; ~**vak** home stretch/straight (athletics)
**pyn**[1] (s) **-e** pine/fir tree *ook* **den'neboom**
**pyn**[2] (s) **-e** pain, ache; *ineenkrimp van ~* writhe with pain; (w) ache, smart; ~**do'der** painkiller *ook* **pyn'stiller**; ~**lik** painful; distressing; ~**stil'ler** analgesic
**pyp -e** pipe; leg (of trousers); *na iem. se ~e dans* dance to someone's tune; ~**kan** (s) feeding bottle; (w) cheat, fool; (sell a) dummy (rugby); ~**lei'ding** pipeline; ~**steel** pipe stem; panhandle (street)

# Q

**quidproquo′** something for something, counter-performance, quid pro quo

**quis′ling -s** quisling, traitor *ook* **(land)verraai′er**

# R

**raad**[1] **rade** council, board *ook* **bestuurs′liggaam**; ~**(s)ka′mer** boardroom

**raad**[2] **-gewinge, -gewings** advice, counsel; *met ~ en daad* with words and deeds; *ten einde ~ wees* be at one's wits' end; ~**ge′wend** advisory; consulting (engineer); ~**op** at one's wits' end; ~**pleeg** consult, take counsel with; *die dokter ~pleeg/sien* consult/see the doctor

**raad′saal ..sale** council chamber

**raads:** ~**′besluit′** decision/resolution of the council; ~**heer** alderman *ook* **ol′derman**; ~**lid** councillor

**raai ge-** guess; advise; spot (a question)

**raai′sel -s** riddle, puzzle, enigma; ~**ag′tig** mysterious

**raak** (w) **ge-** hit; touch; concern

**raam**[1] (s) **rame** window frame; (w) frame

**raam**[2] (w) **ge-** estimate, calculate; *hy ~ die koste op* he estimates the cost at

**raap**[1] (s) **rape** turnip; rape, cole

**raap**[2] (w) **ge-** gather, pick up; *~ en skraap* scrape together

**raar [rare]** funny, strange, odd, queer; *~ maar waar* believe it or not

**raas** (w) **ge-** make a noise, scold; rave

**raat rate** (traditional) remedy; **boe′re~** home medication

**rabar′ber** rhubarb

**rabbedoe′** (s) tomboy; don't care (person)

**rab′bi -'s/rabbyn′ -e** rabbi

**ra′dar** radar, radio location

**ra′dio -'s** radio, wireless; broadcasting; ~**aktief′** radio-active; ~**dra′ma** radio drama/play

**radioloog′ ..loë** radiologist (person)

**ra′dio:** ~**-om′roeper** announcer; ~**program′** radio program(me)

**radys′ -e** radish

**ra′fel** (s) **-s** fray, thread; (w) fray out

**raffina′dery -e** refinery (sugar, oil) *ook* **raffineer′dery**

**rak -ke** rack, shelf; web

**raket′ -te** racket (tennis) *ook* **spaan**

**rak′ker -s** little bounder, rascal *ook* **va′bond**

**rak′leeftyd** (s) shelf life (fruit)

**ram -me** ram

**ra′ming -s, -e** estimate, forecast

**ram′mel ge-** rattle, clatter, clank

**ramp -e** disaster, calamity, catastrophe

**ram′party -e** stag party

**rampok′ker -s** gangster, gunman; racketeer

**rand**[1] (s) rand (monetary unit); *dit kos twaalf ~* it costs twelve rand(s)

**rand**[2] (s) **-e** brim (hat); edge, margin; verge (disaster); ~**apparatuur′** peripherals (comp.); ~**ei′er** outsider; ~**sny′er** weedeater; ~**steen** kerb, kerbstone

**rang -e** rank, class, grade; ~**lys** ladder (sport), grading, order of merit; *derde op die ~lys* ranked/seeded third

**rang′skik ge-** arrange, tabulate, classify; ~**king** (flower) arrangement; classification

**rang′telwoord -e** ordinal number

**rank** (s) **-e** tendril; shoot, sprout; (w) sprout; reach high (rugby); ~**boon(tjie)** runnerbean

**rant′ -e** hill, ridge; reef

**rantsoen′ -e** ration, allowance

**rapport′ -e** report, statement; dispatch

**rapport′ryer -s** dispatch rider

**raps** (s) **-e** blow, flick; (w) strike, flick

**rap′sie -s** a little, a bit; slight blow/cut

**rapsodie′ -ë** rhapsody

**rariteit′ -e** curiosity, rarity; curio

**ras** (s) **-se** race; breed; *van suiwer ~ (perd)* thoroughbred

**ras′eg -te** pure bred, thoroughbred

**ra′send** (b) **-e** furious, raving *ook* **brie′send**

**ra′sieleier -s** cheerleader (sport meeting)

**ras′se:** ~**haat** race hatred, racialism; ~**ha′ter** racialist (person)

**ras:** ~**sis′** racist; ~**sis′ties** racial (a)

**rat -te** gear, (cog)wheel

**ra′tel**[1] (s) **-s** rattle; (w) rattle

**ra'tel**[2] (s) **-s** Cape (honey) badger
**ra'telslang -e** rattlesnake, rattler
**rat'kas -se** gearbox
**rats -er, -ste** nimble, swift, quick, agile
**ravyn' -e** gorge, canyon, ravine
**reageer' ~, ge-** react
**reak'sie -s** reaction; **~maatskappy'** reaction company (security)
**realis'ties -e** realistic
**rebel' -le** rebel *ook* **op'standeling**
**red** (w) **ge-** save, rescue
**redak'sie -s** editorial staff
**redakteur' -s** editor (both sexes)
**red'dings: ~boei** lifebuoy; **~boot** lifeboat; **~vlot** life raft
**re'de -s** sense; speech; address, oration; reason, cause; *sonder (enige) ~* without any reason; *iem. in die ~ val* interrupt someone; **direkte ~** direct speech
**re'dedeel ..dele** part of speech
**re'dekawel ge-** argue, reason
**re'delik** reasonable, tolerable, fair
**re'denaar -s** orator; **~s'kuns** public speaking
**redeneer' ~, ge-** reason, argue
**re'dery -e** shipping/airline/transport firm; air=line *ook* **lug'diens**
**re'devoering** (s) public speaking; discourse
**red'gordel -s** safety belt; life belt
**reduplika'sie** reduplication
**reeds** already; *~ jare gelede* many years ago
**reëel reële** real, genuine; **reë'le groei** real growth
**reeks -e** series, row, sequence; **~moor'denaar** serial killer
**re'ël** (s) **-s** rule; line; *'n gulde ~* a golden rule; *tussen die ~s lees* read between the lines; (w) regulate, arrange; **~aar** governor (en=gine); **~baar** negotiable (salary)
**re'ëling -s, -e** regulation, adjustment; **~(s)ko=mitee'** organising/steering committee
**reëlma'tig -e; -er, -ste** regular
**re'ën** (s) **-s** rain; (w) rain; *dit ~ dat dit giet* it is raining cats and dogs; **~boog** rainbow; **~bui** shower (of rain); **~jas** raincoat, mack=intosh; **~me'ter** rain gauge
**reep repe** string, strip; **~/blok sjokola'de** slab of chocolate
**referaat' ..rate** lecture, paper, treatise
**referen'dum** referendum *ook* **volk'stemming**
**referent' -e** lecturer; reporter, informer; ref=eree (for testimonial)
**refleks' -e** reflex; **~bewe'ging** reflex action
**refrein' -e** chorus, refrain
**reg**[1] (s) **-te** right, title; claim; law, justice; *in die ~te studeer* study/read law
**reg**[2] (b) **-te** right, correct, straight; **~af** straight down; sheer
**regat'ta** (s) regatta *ook* **roei'wedstryd/wed'=vaart**
**regeer' ~, ge-** rule, govern, reign *ook* **heers**
**rege'ring -s, -e** government *ook* **staat**; regime, reign (of)
**reghoe'kig -e** rectangular
**regie'** stage management; *onder ~ van* pro=duced by
**regiment' -e** regiment
**regisseur' -s** stage manager; producer (of a play, film)
**regis'ter -s** register, record, index
**registra'sie** registration
**registrateur' -s** registrar (person)
**registreer' ~, ge-** register *ook* **in'skryf**
**reglement' -e** rules, regulations, by-laws; **~ van or'de** standing orders
**reg'maak -ge-** put right; square up; repair; castrate (male animal); spay (female ani=mal); neuter (cat); sterilise
**regma'tig -e** rightful, lawful, fair; **~e ei'enaar** rightful/legal owner
**reg'op** erect, perpendicular, straight (up)
**regs** (b) right-handed; of the right; (bw) to the right
**regs: ~advies'** legal advice; **~geleer'de** jurist, lawyer
**regska'pe** righteous, honest (person)
**reg'soewereiniteit'** rule of law
**regs: ~persoon'likheid** body corporate; in=corporation; **~ple'ging** administration of justice; **~praktyk'** legal practice
**reg'stel** (w) rectify, amend, adjust; **~ak'sie, ~lende/beves'tigende/herstellende optre=de** affirmative action; **~ling** correction
**regs'term** law/legal term
**reg'streeks** (b) **-e** direct; **~e bewys'** direct evidence; **~ en on'regstreeks** direct(ly) and indirect(ly)
**reg'te**[1] (s) rights; law; *in die ~ studeer* study/read law
**reg'te**[2] (bw) truly, quite so, really; *na ~* really, by right(s)
**reg'te**[3]**: ~ hoek** right angle
**reg'ter**[1] (s) **-s** judge, justice
**reg'ter**[2] (b) right; **~hand** right hand; **~kant** right side

**reg'tig** (b) **-e** true; (bw) really *kyk* **rê'rig**
**reg'uit** (b) straight, honest, candid; (bw) straight, openly, candidly
**regula'sie -s** regulation; by-law (local govt.)
**regver'dig** (w) ~, **ge-** justify; (b) just, fair, righteous
**reg voor** right in front
**rehabiliteer'** ~, **ge-** rehabilitate; discharge
**rei'er -s** heron, egret
**reik ge-** reach, extend to; *iem. die hand ~* lend someone a helping hand; **~af'stand** range *ook* **~wyd'te**
**rein** (s): *in die ~e bring* put right; (b) pure, clean, chaste; *die ~e waarheid* the gospel truth
**rei'nig** (w) **ge-** purify, cleanse; **~ing** purifica= tion, cleaning/cleansing; **~ingsdiens'** sani= tary department, street cleaning
**reïnkarna'sie** (s) reincarnation
**reis** (s) **-e** journey, trip, voyage; (w) **ge-** travel; *~ en verblyf* transport and subsistence; **~agent'skap/~buro'** travel agency; **~be= skry'wing** account of a journey, travelogue; **~de'ken** (travelling) rug; **~genoot'** fellow traveller; **~gids** traveller's guide *ook* **toer'= gids**
**re(i)'sies** races; **~baan** racecourse; **~perd** racehorse *ook* **ren'perd**
**rei'siger -s** traveller; tourist
**reis: ~in'drukke** impressions of travel; **~plan** itinerary; **~tjek** traveller's cheque
**reis'verhaal ..hale** account of (one's) travels; travelogue (in book)
**rek** (s) elasticity; **-ke** catapult, elastic; (w) stretch, extend; protract; *jou bene ~* stretch one's legs
**re'ken** (w) **ge-** calculate, compute; reckon; do sums; **~aar** computer; reckoner; **~aar'= bedre'we/~aarvaar'dig/~aarbevoeg'** com= puter literate; **~aarstu'die/~aarwe'tenskap** computer science
**re'kene** arithmetic *ook* **re'kenkunde**
**re'kening -e, -s** bill, account; statement; **lo'pende ~** current account; **~kunde** ac= counting/accountancy; **~kun'dige** accoun= tant *ook* **re'kenmeester**
**re'kenkunde** arithmetic
**re'ken: ~mees'ter** accountant; **~skap** ac= count: *~skap gee van* account for
**rekla'me** advertising *ook* **adverteer**; **~agent'skap** advertising agency/firm
**rekonsilia'sie** reconciliation *ook* **versoe'ning**
**re'kord -s** record; *die ~ slaan/verbeter/breek* beat/break the record (sport); **~hou'ding** keeping of records; **~s** office records/ documents
**rekruut' rekrute** recruit (person)
**rek'spring** (w) bungee jump(ing); **~er** bungee jumper
**rek'stok -ke** horizontal bar (gymnastics)
**rek'tor -e, -s** rector; principal (university)
**religieus' -e** religious *ook* **godsdiens'tig** (b)
**re'ling -s** railing
**rem** (s) **-me** brake; (w) brake; **~pedaal'** brake pedal; **krag~** power brake(s)
**remedië'rend** remedial; **~e on'derwys** reme= dial education
**ren ge-** race, run; **~baan** racecourse, race= track; speedway; **~bo'de** courier *ook* **koe= rier'**; **~dier** reindeer
**renegaat'** renegade *ook* **oor'loper** (mens)
**ren'jaer -s** racing driver
**ren'motor -s** racing car
**renons'** (s) dislike, antipathy *ook* **teen'sin**
**renos'ter -s** rhinoceros
**ren'perd -e** racehorse
**rens** (b) sour, rancid *ook* **gal'sterig**
**ren'stel -le** dragster; **~ja'ery** drag racing *kyk* **versnel'renne**
**ren'te -s** interest; **~koers** rate of interest
**rep** (s) commotion; *in ~ en roer* in commo= tion; (w) hurry up; mention; *niks daarvan ~ nie* keep mum about it
**repara'sie -s** repair; **~ko'ste** cost of repair *ook* **herstel'koste**
**repatrieer'** (w) repatriate (to own country)
**repeteer' ge-** repeat, recur; rehearse
**repeti'sie -s** repetition; rehearsal (stage)
**reptiel' -e** reptile
**republiek -e** republic
**republikein -e** republican (person)
**reputa'sie -s** reputation *ook* **aan'sien**; **ge= ves'tigde ~** established reputation
**rê'rig** really, truly *kyk* **reg'tig**
**res** (s) **-te** rest, remainder
**resensent' -e** reviewer; critic (person)
**resen'sie -s** review (books, plays) *ook* **(boek)= bespre'king**
**resep' -te, -pe** recipe; prescription *ook* **voor'= skrif**; **~te'rende dok'ter** dispensing doctor
**reservoir' -s** reservoir *ook* **op'gaartenk/dam**
**reser'we -s** reserve; **~fonds** reserve fund
**reses' -se** recess; **termyn'~** mid-term break
**reses'sie -s** recession, economic slump

**resita'sie** recitation; ~ *opsê* recite (a poem)
**resiteer'** (w) ~, **ge-** recite (a poem)
**respek'** (s) respect, esteem *ook* **ag'ting**
**respekta'bel -e; -er; -ste** respectable
**respekteer'** ~, **ge-** respect, hold in respect
**restourant'/restaurant' -e, -s** restaurant
**resultaat' ..tate** result, outcome
**retoer' -e** return; ~**reis** return journey
**reto'ries -e** rhetorical
**reuk -e** scent, smell, odour; ~**orgaan'** olfactory organ; ~**wa'ter** perfume, scent; ~**weer'der** deodorant
**reun -s, -e** male dog; gelding (horse)
**reünie/reu'nie -s** reunion
**reus -e** giant
**reusag'tig** gigantic *ook* **enorm'**
**reu'se:** ~**gebou'** huge building; ~**krag** strength of a giant
**reu'se:** ~**skre'de** giant stride; *met ~skredes vooruitgaan* progress by leaps and bounds; ~**taak** gigantic task
**revolu'sie/rewolu'sie -s** revolution
**rewol'wer -s** revolver
**rib -bes** rib; ~**be'been** rib; ~**be'kas** thorax, thoracic skeleton; ~**be'tjie** rib; cutlet; ~**stuk** rib, chop *ook* **tjop**
**rid'der -s** knight, chevalier; *tot ~ slaan* knight (v); ~**or'de** order of knighthood; ~**spoor** larkspur; ~**roman'**/~**verhaal'** tale of chivalry
**riel -e** reel, old-fashioned dance
**riem**[1] **-e** oar (rowing)
**riem**[2] **-e** ream (paper)
**riem**[3] **-e** strap, thong; riem; belt; *'n ~ onder die hart steek* put fresh heart into someone; *hy het sy ~e styfgeloop* he has come to the end of his tether; ~**spring** skip; *iem. laat ~spring* give someone a hiding; ~**telegram'** unfounded rumour *kyk* **bos'tamboer'**
**riet -e** reed, rush; cane; thatch; ~**blits** cane spirits; ~**dak** thatched roof; ~**skraal** as thin as a rake; ~**stoel** wicker chair; ~**sui'ker** cane sugar
**rif riwwe** reef
**rif'fel** (s) **-s** ripple, wrinkle; corrugation (road); (w) wrinkle; corrugate; ~**strook** jiggle bar (on road)
**rif'rug** ridgeback (dog)
**rig ge-** direct, address; aim; *die woord ~ tot* address (an audience)
**rig:** ~**lyn** guideline; ~**prys** recommended price; ~**snoer** rule of conduct; ~**ting** direction; trend; ~**tingflits'er**/~**tingwy'ser** flash indicator
**ril ge-** shiver, shudder; ~**ler** thriller (book, film) *ook* **sensa'sieverhaal**
**rim'pel** (s) **-s** wrinkle, fold, crease; (w) wrinkle, ripple; ~**effek'** ripple effect
**ring -e** ring; circle; church district
**ring:** ~**muur** circular wall; ~**vinger** ring finger
**rin'kel ge-** jingle, tinkle
**rink'halsslang -e** ringed cobra, rinkhals
**rinkink'** (w) ~, **ge-** gambol, make merry *ook* **baljaar'/ravot'**
**rinneweer'** ~, **ge-** ruin, destroy
**riole'ring** sewerage, drainage
**riool' riole** drain, sewer; ~**slyk** sludge
**ri'siko -'s** risk; venture; *op jou ~* at your risk
**ris'sie -s** cayenne pepper, chilli
**rit -te** (s) ride, drive, spin
**rit'mies -e** rhythmic(al)
**rits -e** string, series; zip fastener; *'n hele ~ name* a whole string of names
**rit'sel ge-** rustle; ~**ing** rustling, rustle
**rits'sluiter -s** zip fastener
**rit'tel ge-** shake, shiver, tremble, quiver; ~**dans** (s) jive session
**ritteltit':** *die ~(s) kry* go into hysterics
**ritueel'** ritual; **ritue'le moord** ritual murder
**rivier' -e** river; ~**bed'ding** river bed; ~**mond** estuary, river mouth
**rob -be** seal
**ro'bot -s** robot; mechanical man
**robyn' -e** ruby
**rock** (s) rock (mus.)
**roe'de -s** rod, birch *ook* **rot'tang**; rood; *wie die ~ spaar, bederf die kind* spare the rod and spoil the child
**roei** (w) **ge-** row; *~ met die rieme wat jy het* manage with the tools at one's disposal; ~**boot'jie** rowing boat; ~**er** rower; ~**spaan/riem** oar; ~**wed'stryd** boatrace, regatta
**roe'keloos** reckless, rash; dare-devilish; **roe'kelose bestuur'der** reckless driver
**roelet'/roulet'te** roulette *ook* **dob'belwiel**
**roem** (s) glory, renown, fame *ook* **faam**; (w) praise, extol, laud; ~**ryk** glorious, famous
**roep ge-** call, cry, shout; *om hulp ~* cry for help; ~**baar/op roep** on call (doctor)
**roe'ping -s, -e** calling, vocation
**roep'radio** (s) radio pager *ook* **spoor'der**
**roep'soek** (w) page (someone) *ook* **spoor**

**roer**[1] (s) **-s** gun, rifle *ook* **geweer**
**roer**[2] (w) **ge-** stir, move; ~ *jou (riete)* get a move on; ~**ei'ers** scrambled eggs; ~**end** touching; movable; ~**ende goed** movables *ook* **losgoed**; ~**ende verhaal'** moving/poign= ant story; (bw) quite; *hulle is dit ~end eens* they agree in all respects
**roer**[3] (s) rudder (ship); helm
**roer'loos ..lose** motionless
**roes**[1] (s) rust; blight; (w) rust; *ou liefde ~ nie* first love never dies
**roes**[2] (s) drunken fit; ecstasy, frenzy
**roes:** ~**vlek** rust stain; ~**vry** rustproof, stain= less; ~**we'rend** (b) rust resistant
**roet** soot
**roe'te -s** route, road
**roeti'ne** routine; ~**-on'dersoek** (medical) check-up; ~**taak** chore(s)
**rof'stoei** (s) all-in wrestling; ~**er** all-in wrestler
**rog** rye; ~**brood** rye bread
**rog'gel** (s) **-s** ruckle; rattle, phlegm; (w) rattle (in the throat); ruckle
**rojaal'** royal; generous, lavish; ~ *lewe* live extravagantly
**rok -ke** skirt *ook* **romp**; costume, dress; *die hemp is nader as die ~* charity begins at home; ~**band** waist band; apron strings (idiom.); ~**jag'ter** womaniser
**ro'ker -s** smoker (person)
**rol** (s) **-le** roll, list; roller; part, role; scroll; *van die ~ skrap* strike off the roll; *'n ~ speel* play/act a part; (w) **ge-** roll
**rol:** ~**bal** bowls; ~**beset'ting** cast (of a play); ~**lem'skaatse** rollerblades *ook* **in'lynskaat= se;** ~**lo'per** travelator (airport); ~**prent** film, motion picture, movie; ~**prentster'** film star; ~**saag** circular saw; ~**skaats** roller skate; ~**spe'ler** role player; ~**stoel** wheelchair *ook* **ry'stoel;** ~**tabak'** rolled tobacco; ~**trap** escalator; ~**verde'ling** cast
**roman' -s** novel (book)
**roman':** ~**se** romance; ~**skry'wer** novelist (both sexes)
**roman'ties -e** romantic; glamorous
**Romein'** (s) **-e** Roman; ~**s'** (b) Roman; **Romeins'-Hol'landse Reg** Roman-Dutch Law; ~**se sy'fers** Roman numerals
**rom'mel**[1] (s) lumber; rubbish; junk, litter
**rom'mel**[2] (w) **ge-** rumble
**rom'mel:** ~**strooi'er** litterbug *ook* **mors'jors;** ~**veld'tog** anti-littering campaign; ~**verko'= ping** jumble sale
**romp -e** trunk, torso; hull; fuselage; skirt
**romp'slomp** red tape (official); fuss/bother
**rond -e; -er, -ste** round; ~**e jaar** a full year; ~**e som** lump sum; round figures
**ronda'wel -s** round hut, rondavel
**ron'de -s** round (boxing) *ook* **rond'te**; *die gerug doen die ~* there is a rumour abroad
**rond'gaan -ge-** go about; ~**de hof** circuit court
**rond:** ~**jak'ker** (w) gallivant *ook* **rondrits'**; ~**kyk** look about; ~**lei'ding** guided tour (museum); ~**loop** stroll, loaf; ~**lo'per** tramp, vagrant; gadabout; ~**lo'perhond** stray dog
**rond'om** all round, on every side
**rondomta'lie** round about, merry-go-round *ook* **mal'lemeule**; round robin (sport)
**rond'reis** (w) **-ge-** travel about, tour
**rond:** ~**strooi** scatter/strew about; ~**swerf/** ~**swer'we** roam/wander about
**rond'te -s** round; circumference; lap (motor sport); *die ~ van Vader Cloete doen* do the rounds; *in die ~* in a circle
**rond'vaar** (w) **-ge-** cruise; ~**t** (s) cruise
**roof** (s) plunder, booty; scab *ook* **ro'fie;** (w) rob, loot; ~**bou** overcropping; ~**dier** beast of prey, predator; ~**ky'ker** pirate viewer; ~**on'derdeel** pirate part (motor trade); ~**tog** heist (bank); robbery; marauding/looting expedition; ~**voël** bird of prey, raptor
**rooi -er, -ste** red; ~**bek'kie** waxbill; ~**bok** impala; ~**bor'sie** robin redbreast; ~**bostee'** redbush/rooibos tea
**Rooi'kappie** Little Red Riding Hood
**Rooi'nek -ke** Englishman (nickname from Anglo-Boer War)
**rooi:** ~**vonk** scarlatina, scarlet fever; ~**wa'ter** redwater (cattle); bilharziase (humans)
**rook** (s) smoke; fume(s); ~**mis** smog; ~**skerm** smokescreen; ~**(ver)klik'ker** smoke detec= tor; ~**wors** smoked sausage
**room** cream *ook* **ro'mer**; ~**afskei'er** (cream) separator; ~**kan** cream can
**Rooms-Katoliek' -e** Roman Catholic
**room:** ~**tert** cream tart; ~**ys** icecream
**roos**[1] erysipelas, eczema (skin disorder)
**roos**[2] **rose** rose; *'n ~ tussen die dorings* a rose among thorns
**roos:** ~**kleu'rig** rose-coloured; ~**kleu'rige toe'koms** bright future; ~**knop** rosebud
**roos'ter -s** gridiron, grate, griller; timetable; ~**brood** toast: *~brood met kaassous* rarebit;

~**vlug** scheduled flight
**roos'tuin -e** rose garden
**ro'sekrans -e** rosary *ook* **bid'snoer**
**roset' -te** rosette *ook* **kokar'de/strik'kie**
**ros'kam** (w) **ge-** currycomb (horse); criticise severely
**rosyn' -e** raisin
**rot**[1] **-te** rat
**rot**[2] (bw): *iem.* ~ *en kaal steel* strip someone bare
**Rota'riër -s** Rotarian (person)
**roteer'** (w) ~, **ge-** rotate *ook* **wen'tel**
**rot'ren** (s) **-ne** rat race, hectic rush
**rots -e** rock, cliff
**rotsag'tig -e; -er, -ste** rocky
**rots:** ~**stor'ting** rockfall; ~**tuin** rockery; ~**vas** firm as a rock
**rot'tang -s** cane, rattan; wicker
**rot'te:** ~**gif** rat poison; ~**kruid** arsenic, ratsbane; ~**plaag** rat plague
**rot'(te)vanger -s** rat catcher; ~ **van Hameln** Pied Piper of Hamelin; rodent eradicator
**rou**[1] (s) mourning; (w) **ge-** mourn *ook* **treur**; ~**bekla'er** mourner
**rou**[2] (b) **-er, -ste** raw; hoarse
**rou:** ~**brief** death notice; ~**diens** memorial service *ook* **gedenk'diens**; ~**dig** elegy; ~**koets** hearse *ook* **lyk'wa**
**ro'wer -s** robber, pirate, highwayman; ~**ben'=de** band of robbers
**ru** (b) **-we; -wer, -uste** rough, rude, crude
**rub'ber** rubber; ~**boot'jie** dinghy
**rubriek' -e** column, rubric, category; ~**skry'=wer** columnist
**rug rûe** back; *dis gelukkig agter die* ~ fortunately that is over
**rug'by** rugby; ~**spe'ler** rugby player; ~**wed'=stryd/kragme'ting** rugby match
**rug'graat ..grate** backbone, spine
**rug:** ~**murg** spinal cord; ~**pyn** backache; ~**sak** rucksack; ~**steun** (s, w) support; back (up)
**ruig** (b) bushy, shrubby; ~**ryp** hoarfrost; ~**te** undergrowth, copse, jungle
**ruik** (s) = **reuk**; (w) smell, scent; *sterk* ~ *na drank* smell strongly of liquor; *lont* ~ smell a rat
**rui'ker -s** bouquet; nosegay; ~**tjie** posy; button=hole
**ruil** (w) **ge-** exchange, swop; barter
**ruim** (s) **-e** hold (ship) *ook* **vrag'ruim**; (b, bw) ample, wide, spacious; ~**(e) keu'se** wide choice
**ruim'te -s** room; scope; space; ~**rom'mel** space debris; ~**tuig** spacecraft; ~**vaar'der** spaceman, astronaut; cosmonaut; ~**vaart** space travel
**rui'ne -s** ruins *ook* **bou'val(le)**
**ruis ge-** rustle, murmur
**ruit -e** (window)pane; rhombus
**rui'tens** diamonds (cards)
**rui'ter -s** horserider, equestrian; ~**lik** frank, straight out, chivalrous; ~**sport** showjump=ing, (horse) riding competition; ~**(stand)'=beeld** equestrian statue; ~**y** cavalry
**ruit'veër -s** windscreen wiper
**ruk** (s) **-ke** pull, tug, jerk; while; (w) pull, tug, jerk; ~**kie** little while; ~**stopgor'del** inertia reel safety belt; ~**wind** squall, gust
**rum** rum
**rumatiek'** (s) rheumatism; ~**koors** rheumatic fever
**rumoer'** (s) **-e** uproar, turmoil; noise
**run'nik** (w) **ge-** neigh, whinny (horse)
**ru'olie -s** crude oil
**rus** (s) rest, repose; calm; rest (mus.); ~ *roes* to rest is to rust; (w) rest, repose; ~**bank** couch, sofa
**ru'sie -s** quarrel, dispute, brawl; ~**ma'ker/** ~**soe'ker** brawler, troublemaker; bully
**rus'kamp -e** rest camp
**rus'pe(r) -s** caterpillar; ~**trek'ker** caterpillar tractor
**rus'teloos** restless *ook* **ongedu'rig**
**rus'tend -e** retired; ~**e vennoot'** retired/in=active partner
**rus:** ~**tig** calm, placid; ~**tyd** time of rest; interval, halftime; ~**versteu'ring/**~**versto'=ring** breach of the peace
**ry**[1] (s) **-e** row, series; *almal in 'n* ~ all in a row
**ry**[2] (w) **ge-** ride, drive; ~**bewys'** driver's licence
**ryk**[1] (s) **-e** empire, kingdom, realm
**ryk**[2] (b) rich, wealthy *ook* **wel'af**; ~**dom** wealth, riches; profusion
**ry:** ~**laan** drive; ~**loop** hitchhike *ook* **duim'=gooi**; ~**lo'per** hitchhiker
**rym** (s) **-e** rhyme; (w) rhyme; tally, agree; *dit* ~ *nie met die feite nie* this does not tally with the facts
**ryp**[1] (s) (hoar)frost; (w) frost
**ryp**[2] (b) **-e; -er, -ste** ripe, mature
**ry'perd** (s) **-e** riding/saddle horse; (tw) splendid!
**ry'plank -e** surfboard *ook* **bran'derplank**; scooter
**rys**[1] (s) rice

**rys**[2] (w) **ge-** rise; ferment
**ry'skool ..skole** riding school
**rys: ~kor'rel** grain of rice; **~kultuur'** rice culture
**rys'mier** (s) **-e** white (flying) ant; termite; (w) undermine, infiltrate
**ry: ~tuig** (railway) coach; vehicle, carriage; **~wiel** bike, bicycle *ook* **(trap)fiets**

# S

**sa!** catch him! tally-ho!
**saad** (s) semen (human); sperm (animals); progeny, offspring; germ; **sa'de** seed (plants) *ook* **saat**
**saag** (s) **sae** saw; (w) **ge-** saw, cut; *balke ~* snore loudly; **~meul/meule** sawmill; **~sel** sawdust
**saai**[1] (w) **ge-** sow; scatter; **~boer** grain/crop farmer
**saai**[2] (b) **-e; -er, -ste** dull, tedious, drab
**saak sake** affair, thing, matter; business, concern; action, case; *bemoei jou met jou eie sake* mind your own business; *dit maak geen ~ nie* it does not matter
**saak'lik** (b) businesslike, precise, succinct
**saal**[1] **sale** hall; *vol sale trek* draw full houses
**saal**[2] **-s** saddle; *iem. uit die ~ lig* oust (from a post); **~ma'ker** saddler
**saam** together, (con)jointly, between them
**saam'gaan -ge-** go with, accompany; agree
**saam'gesteld: ~e ren'te** compound interest
**saamho'righeid** solidarity, coherence
**saam'ryklub -s** liftclub
**saam: ~smelt** merge, amalgamate; **~'span** conspire, plot together; unite; **~'stel** compose; compile; **~'stem** agree, concur
**saam'trek** (s) **-ke** rally; gathering
**saam: ~val** happen simultaneously, synchronise; **~werk** co-operate, work in concert
**saans** in the evening, at night
**Sab'bat -te** Sabbath; *die ~ ontheilig* desecrate the Sabbath
**sa'bel**[1] **-s** sword *ook* **swaard**; sabre
**sa'bel**[2] **-s** sable (animal); **~bont** sabeline
**sabota'sie** sabotage *ook* **ondermy'ning**
**saboteur' -s** saboteur (person)
**sadis'me** sadism
**safa'ri -'s** safari, hunting trip
**saffier' -e** sapphire
**sag -te; -ter, -ste** soft; **~te tei'ken** soft target; low; mild; sweet
**sa'ga -s** saga (Scandinavian epic tale of heroism)
**sa'ge -s** legend, myth; romantic folktale
**sag'geaard -e** gentle, kind, meek
**sag'gies** gently, softly, quietly
**sagmoe'dig -e; -er, -ste** sweet, mild
**sag'te: ~bal** softball (game); **~wa're** soft goods; software (comp.)
**sak**[1] (s) **-ke** bag, sack; pocket; pouch; *sy hand in sy ~ steek* bear the expense; *~ Sarel!* less exaggeration, please!
**sak**[2] (w) **ge-** sink, subside; fail (in examination) *ook* **dop/druip**; go flat
**sak: ~boek** pocket book; **~doek** handkerchief, hanky
**sa'ke:** *ter ~* to the point, relevant; **~brief** business letter; **~ka'mer** chamber of commerce; **~kern** central business area/district; **~lui** business men (pl); **~lys** agenda *ook* **agen'da**; **~man** businessman; **~vernuf'** expertise, know-how
**sak: ~ke'roller** pickpocket; **~mes** pocket knife *ook* **knip'mes**; **~horlo'sie** pocket watch; **~pas** (b) pocket-size *ook* **sak'formaat**; affordable; **~re'kenaar** calculator
**sal** (w) **sou** shall, will; *hy sou dit agterlaat* he was to have left it behind
**sala'ris -se** salary; **~kerf** salary notch; **~pakket'** salary package; **~skaal** salary scale; **~verho'ging** increment, salary increase
**sal'do -'s** balance (of account) *ook* **balans'**
**salf** (s) **salwe** ointment, salve; balm
**sa'lie** salvia, sage (plant)
**sa'lig** (b) **-e; -er, -ste** blessed, blissful
**Sa'ligmaker** Saviour (Christ)
**salm -s** salmon
**salon' -s, -ne** drawing room, saloon; **skoon'heid~** beauty parlour
**salpe'ter** (s) saltpetre; **~suur** nitric acid
**salueer'** (w) **~, ge-** salute
**saluut'** (s) **salute** salute
**sambok'** (s) **-ke** sjambok
**sambreel' ..brele** umbrella
**sa'me: ~koms** gathering, meeting; **~le'wing**

society, community *ook* **gemeen'skap**
**sa'meloop** (s) concourse (of people); conflu= ence (rivers)
**sa'me: ~roe'per** convener; **~smel'ting** fusion, union; amalgamation; **~span'ning** collusion
**sa'mespreking -s, -e** interview, talk(s), con= ference, discussion *ook* **beraad'slaging**; *~(s) voer* confer, deliberate, discuss
**sa'meswering -s, -e** conspiracy, plot
**sa'me: ~vat'ting** resumé, summary *ook* **op'= somming**; **~vloei'ing** confluence; concourse; **~voe'ging** union, junction; **~wer'king** co-operation; collaboration
**sampioen' -e** mushroom *ook* **pad'dastoel**
**sanato'rium -s ..ria** sanatorium
**sand** (s) sand
**sandaal' ..dale** sandal
**sand: ~korrel** grain of sand; **~lo'per(tjie)** eggtimer *ook* **uur'glas**; **~sui'ker** crystal= lised sugar
**sang** (s) **-e** song, tune, singing; canto
**san'ger -s** singer, vocalist (both sexes)
**sang: ~les** singing lesson; **~spe'letjie** action song; **~stuk** song
**sa'nik ge-** worry, bother; nag *ook* **neul**
**sank'sie** (s) sanction/approval; **~s** punitive measures
**sap -pe** juice, sap
**sardien'(tjie) -s** sardine
**sar'dyn -e** pilchard (fish) *ook* **pel'ser**
**sarkas'ties** (b) sarcastic *ook* **by'tend**
**sar'sie -s** volley (of shots)
**sat** (b) sick, satiated; fed-up with
**sata'nies -e** satanic(al), diabolical
**satelliet' -e** satellite; **~fo'to** satellite photo= graph; **~-TV** satellite TV
**Sa'terdag ..dae** Saturday
**sati'ries -e** satirical *ook* **by'tend**
**satyn'** satin
**saxofoon'/saksofoon' ..fone** saxophone
**se** of; *pa ~ hoed* father's hat
**sê** (s) say; (w) **ge-** say, speak, tell, order, state; *so ge~, so gedaan/gedoen* no sooner said than done
**sean'ce -s** seance (spiritualist meeting)
**se'bra -s** zebra; **~oor'gang** zebra crossing
**se'de -s** habit, custom, morals, manners
**se'der -s** cedar; **~boom** cedar
**se'dert** since; *~ verlede maand,* since last month
**se'dig** (b) demure, prim, coy *ook* **preuts**
**see seë** sea, ocean; *oor~ gaan* go abroad
**see: ~geveg'** naval battle; **~juf'fer** Swan (fleet); **~kaptein'** sea captain; **~kat** octopus *ook* **ok'topus**
**see'koei -e** hippopotamus; **~gat** hippo pool; **~koei** hippopotamus cow
**see: ~kus** coast, seashore; **~kwal** jellyfish
**se'ël** (s) **-s** seal; stamp; sanction; (w) seal; **~belas'ting** stamp duty
**see'leeu -s** seal; sea lion
**se'ël: ~lak** sealing wax; **~ring** signet ring
**see: ~man ..liede, ..lui** sailor, marine(r); **~meeu** seagull; **~moond'heid** naval power
**seems'leer** shammy, chamois leather
**see'myl -e** nautical mile (1 852 m)
**se'ën** (s) **-ings, -inge** benediction, blessing; *bedekte ~* blessing in disguise; (w) bless; **~wens** blessing, good wishes
**seep** soap; **~bel** soap bubble; **~so'da** caustic soda
**seer** (s) **sere** sore, wound; (b) painful, sore; **~keel** sore throat
**see'rower -s** piratē, buccaneer *ook* **ka'per**
**see: ~siek** seasick; **~skil'pad** sea turtle; **~slag** naval battle; **~soldaat'** marine; **~spie'ël** sea level *ook* **see'vlak**; **~strand** beach, seashore
**see: ~vaar'der** navigator; **~verse'kering** marine insurance
**se'ëvier** (w) **ge-** triumph *ook* **wen, triomfeer'**
**see: ~vlak** sea level; **~wier** seaweed
**se'ge** victory, triumph
**seg'genskap** say, authority; *~ hê in die saak* have a say in the matter
**segment' -e** segment
**segrega'sie** segregation *ook* **skei'ding**
**segs'man** spokesman/spokesperson *ook* **woord'= voerder**
**seil** (s) **-e** tarpaulin, sail, canvas; (w) sail; **~boot** sailing boat; **~jag** (sailing) yacht; **~plankry'** windsurfing; boardsailing; **~skip** sailing vessel; windjammer; **~skoen** tackie
**sein** (s) **-e** signal; (w) signal; **~fak'kel** flare
**seis -e** scythe *ook* **sens**
**seismograaf' ..grawe** seismograph
**seisoen' -e** season; *buite die ~* out of season; **~aal** (b) seasonal; **~kaar'tjie** season ticket
**se'kel -s** sickle
**se'ker** (b) certain; sure, positive; (bw) cer= tainly, surely; (w) make safe; *~ die pistool* put the pistol on safety
**se'kerheid** certainty; **~s'verkla'ring** security clearance; **~s'personeel'** security staff
**se'kering -s, -e** safety (cut-out) fuse

**se′kerlik** certainly, decidedly
**sekondant′ -e** second(er) (person)
**sekon′de -s** second (time)
**sekondeer′** (w) **ge-** second (a proposal)
**sekondêr -e** secondary; ~**e skool** secondary/high school
**sekon′dewyser -s** second hand (watch)
**sekretares′se -s** female secretary
**sekreta′ris -se** secretary; ~**-generaal′** secretary-general; ~**vo′ël** secretary bird
**seks** (s) sex; sensuality; (w) sex; ~**is′me** sexism; ~**ka(a)tjie** sex kitten; ~**trek** sex appeal; ~**wer′ker** sex worker, prostitute
**sek′sie -s** section *ook* **af′deling**
**seksueel′ ..suele** sexual; **seksue′le teis′tering** sexual harassment/intimidation
**sek′te -s** sect *ook* **splin′tergroep**
**sek′tor -s** sector
**sekuriteit′ -e** security; **kollatera′le** ~ collateral security; ~**s′wag** security guard
**sekuur′** (b) secure, accurate
**sel -le** cell; ~**vor′mig** cellular
**sel′de minder, minste** seldom, rarely; ~ *of (n)ooit* hardly ever
**sel(d)ery′** celery
**seld′saam** rare, scarce; **..sa′me versa′meling** rare collection
**self** self; ~**aan′sitter** self-starter; ~**beeld** self-esteem; ~**bedien′ing** self-service; ~**beskik′king** self-determination; ~**bestuur′** self-government, home rule; ~**bewus′** self-assuring; self-conscious; ~**dien** self-service
**self′moord -e** suicide; ~ *pleeg* commit suicide
**self′:** ~**op′offering** self-sacrifice; ~**respek′** self-respect; ~**sorg** self-catering (on holiday)
**sel′foon** (s) cellphone, cellular 'phone
**selfs** even; ~ *Piet het geslaag* even Peter passed
**selfstan′dig** independent, self-supporting, unaided; ~**e naam′woord** noun, substantive; ~**heid** independence
**selfsug′tig** (b) selfish, egotistic
**self:** ~**verde′diging** self-defence; ~**vertrou′e** self-confidence
**se′mels:** bran; *meng jou met ~s, dan vreet die varke jou* touch pitch and you will be defiled
**sement′** cement
**semes′ter -s** semester; halfyear; ~**kur′sus** semester course; ~**punt′** halfyearly mark
**semifinaal′ ..ale** semifinal (game) *ook* **half′eindronde**
**seminaar′** (s) seminar, course, workshop
**senaat′ senate** senate
**send ge-** send; ~**brief** letter, epistle; ~**e′ling** missionary; ~**er** sender; transmitter (person; radio)
**sen′ding** consignment; mission; fact-finding mission; ~**genoot′skap** missionary society; ~**sta′sie** mission station
**seniel′** (b) senile *ook* **kinds**
**se′ning -s** sinew
**se′nior** senior; superior; ~ **bur′ger** senior citizen
**sensa′sie -s** sensation *ook* **op′spraak**
**sensasioneel′ ..nele** sensational
**sensitief′ ..tiewe** sensitive *ook* **gevoe′lig**
**sen′sor** censor (person); sensor
**sen′sus -se** census *ook* **volks′telling**; ~**op′gawe** census return
**sensuur′** censure; censorship
**sent -e** cent
**sentimenteel′** sentimental
**sen′timeter -s** centimetre
**sentraal′ ..trale** central; **sentra′le sa′kegebied** central business district (CBD) *ook* **sa′kekern**; **sentra′le verwar′ming** central heating
**sentra′le -s** power station *ook* **krag′sentrale**; (telephone) exchange *ook* **ska′kelbord**
**sentralisa′sie** centralisation
**sen′trum -s** centre; **win′kel**~ shopping centre
**se′nuaanval -le** nervous attack
**se′nu:** ~**siekte** neurosis; ~**stel′sel** nervous system; ~**ter′gend** nerve-racking
**se′nuwee -s** nerve; *op sy ~s kry* be all nerves; ~**aan′doening** nervous attack
**senuweeag′tig** (b) **-e; -er, -ste** nervous
**se′pie** (s) soapie/soap opera *ook* **strooi′sage**
**sep′ter -s** sceptre; *die ~ swaai* rule
**serebraal′ ..brale** cerebral; ~**gestrem′** cerebral palsied
**seremo′nie -s** ceremony *ook* **pleg′tigheid**
**seremo′niemeester -s** master of ceremonies *ook* **ta′felheer**
**serena′de -s** serenade
**serfyn′ -e** harmonium *ook* **huis′orrel**
**se′rie -s** series; ~**nom′mer** serial number *ook* **volg′nommer**; ~**poort** serial port (comp.)
**sering′ -e** lilac; ~**boom** lilac tree
**serp -e** scarf, muffler *ook* **hals′doek**
**sersant′ -e** sergeant; ~**-majoor′** sergeant-major
**sertifikaat′ ..kate** certificate
**se′rum -s** serum *ook* **ent′stof**
**servet′ -te** serviette, napkin
**servies′ -e** service, set; **eet′**~ dinner service

**ses -se** six
**ses'de -s** sixth
**ses: ~hoe'kig -e** hexagonal; **~maan'deliks** halfyearly
**sessie -s** cession (in law); sitting, session
**sestet' -te** sestet (part of a sonnet)
**ses'tien -e** sixteen; **~de** sixteenth
**ses'tig -s** sixty; **~ste** sixtieth; *op sy ~ste verjaar(s)dag* on his sixtieth birthday
**ses: ~uur** six o'clock; **~voud** multiple of six
**set** (s) **-te** move; push, trick; putt (golf); (w) set up (in type); putt (golf) *ook* **put** (w)
**se'tel** (s) **-s** seat (government); chair
**set'laar -s** settler *ook* **ne'dersetter**
**set: ~perk** (putting) green (golf); **~ter** com= positor (person); putter (golf)
**seun -s** son, boy; **verlo're ~** prodigal son
**se'we -s** seven; **~jaar'tjie** everlasting (flower)
**se'wende -s** seventh
**se'wentien -e** seventeen
**se'wentig -s** seventy; **~ste** seventieth
**sex'y** (b) sexy
**sfeer sfere** sphere *ook* **bol; gebied'**
**sfinks -e** sphinx
**shan'dy** shandy (beer) *ook* **lim'bier**
**sianied'** cyanide
**sid'der** (w) **ge-** shudder, tremble
**siek -er, -ste** ill, sick; *so ~ soos 'n hond* as sick as a dog; *jou ~ lag* rock with laughter; **~bed** sickbed; illness; **~bedsjar'me** bed= side manners
**sie'ke** (s) **-s** patient, invalid; **~boeg** sickbay; **~fonds** medical aid fund
**siek'lik -e; -er, -ste** ailing, sickly
**siek'te -s** illness, malady, sickness, disease; **aansteek'like ~** infectious disease; **besmet'= like ~** contagious disease; **~simptoom'** symptom, syndrome *ook* **sindroom'**; **~ver= lof'** sick leave: *met ~verlof* on sick leave
**siel -e** soul; mind, spirit
**siel'kunde** psychology *ook* **psigologie'**
**sielkun'dig -e** psychological; **~e oor'logvoe= ring** psychological warfare; **~e** psycholo= gist (person) *ook* **psigoloog'**
**siel'siek** mentally deranged, psychopathic; **~e** mental patient, psychopath
**siel'siekehospitaal'** mental hospital
**sien ge-** see, look, view, observe; interview; *oor die hoof ~* overlook mistakes; pass someone over (for promotion)
**sie'ner -s** seer, prophet
**siens:** *tot ~!* so long!, bye-bye! *ook* **goed'gaan!**
**siens'wyse -s** opinion, view(point) *ook* **ge= sig'(s)punt**
**sie'raad ..rade** trinket, ornament
**sier: ~boom/struik** ornamental tree/shrub; **~duik** display diving
**sier'lik** (b) ornamental; elegant, graceful
**sier: ~steen** facebrick; **~struik** ornamental shrub; **~wa** float (rag); **~wa're** fancy goods
**sies!** fie! for shame! bah! pooh!; **sies tog!** shame! what a pity! *ook* **foei tog/foei'tog**
**sif** (s) **siwwe** sieve; (w) sift; **~draad** wire netting, gauze
**si'filis** syphilis *ook* **vuil'siekte**
**sig** (s) sight; visibility; **~blad** spreadsheet (comp.)
**sigaar' ..gare** cigar; **~ko'ker** cigar case
**sigaret' -te** cigarette
**sig'baar ..bare** visible; **~heid** visibility
**sigeu'ner -s** gipsy
**sigorei'** chicory
**sig'sag** zig-zag
**sikadee' sikadeë** cycad *ook* **brood'boom**
**sik'kel -s** shekel
**sikloon' siklone** cyclone
**si'klus -se** cycle *ook* **kring'loop**
**silhoeët -te** silhouette *ook* **ska'dubeeld**
**silin'der -s** cylinder
**silla'be -s** syllable *ook* **let'tergreep**
**silla'bus -se** syllabus *ook* **leer'gang**
**si'lo -'s** silo *ook* **kuil'toring**
**sil'wer** silver; **~brui'lof** silver wedding; **~doek** (cinema) screen; **~kollek'te** silver collection; **~smid** silversmith
**simbaal' ..bale** cymbal
**simbool' ..bole** symbol *ook* **sin'nebeeld**
**simfonie' -ë** symphony
**simme'tries -e** symmetric(al)
**simpatie' -ë** sympathy *ook* **mee'gevoel/me'de= lye**; *~ met jou verlies* sincere sympathy
**sim'pel -e; -er, -ste** simple, silly; plain
**simptoom' ..tome** symptom
**simuleer'** (w) simulate *ook* **na'boots**; pretend
**sin**[1] (s) **-ne** sense, mind; inclination; mean= ing; taste, fancy; *~ vir humor* sense of humor *ook* **hu'morsin**; (a) **~(ne)loos** sense= less, futile; mad, demented
**sin**[2] (s) **-ne** sentence
**sinago'ge -s** synagogue
**sin'delik** (b) clean, tidy; housetrained (animal)
**sindikaat' ..kate** syndicate
**sindroom'** syndrome (disease symptoms)
**sing ge-** sing; twitter, warble

**sin'gel -s** crescent; moat
**si'nies -e** cynic(al) *ook* **sma'lend**
**sinjaal' ..jale** signal *ook* **sein**
**sink**[1] (s) zinc; sheet iron *kyk* **sink'plaat**; galvanised/corrugated iron
**sink**[2] (w) **ge-** sink; ~**dal** rift valley *ook* **slenk'dal**; ~**gat** sinkhole
**sin'kings** rheumatic pains, neuralgia
**sink'plaat ..plate** sheet of galvanised iron; iron sheeting
**sin'nigheid** (s) liking, inclination
**sino'de -s** synod
**sinoniem'** (s) **-e** synonym; (b) synonymous
**sinop'ties** synoptic; ~**e kaart** synoptic chart
**sins'bou** construction of a sentence; syntax
**sins'ontleding** analysis (sentence)
**sint -e** saint
**sintak'sis** syntax *ook* **sins'bou**
**sinterklaas'** Santa Claus; Father Christmas
**sinte'ties** (b) **-e** synthetic(al)
**sin'tuig ..tuie** sense organ
**sin'vol** (b) meaningful *ook* **sin'ryk**
**sipier' -s, -e** jailer *ook* **tronk'bewaarder**; turnkey
**sipres' -se** cypress (tree)
**sire'ne -s** siren; ~**sang** siren's song
**sir'kel -s** circle; ~**gang** circular course; circuit; ~**saag** circular saw
**sirkoon' ..kone** zircon, near diamond
**sirkula'sie** circulation *ook* **om'set**; *in ~ bring* bring/put into circulation
**sirkuleer' ge-** circulate
**sirkulê're -s** circular *ook* **om'sendbrief**
**sir'kumfleks -e** circumflex *ook* **kap'pie** (^)
**sir'kus -se** circus
**sistema'ties -e** systematic *ook* **stelselma'tig**
**sit**[1] **ge-** sit; *aan tafel ~* sit at table; ~**beto'ging** sit-in
**sit**[2] **ge-** put, place; *op loop ~* chase away
**sit**[3] (s) sitting down; *kry jou ~!* do sit down now!
**si'ter -s** zither
**sit:** ~**ka'mer** lounge; ~**kie'rie** shooting stick; ~**kom(edie)** sitcom(edy); ~**plek** seat; ~**plek=gor'del** seatbelt
**si'trus** citrus
**sit-'sit'** sitting for a while; *~ slaap* sleep in a sitting posture
**sit'ting -s, -e** session, sitting *ook* **ses'sie**; seat
**situa'sie -s** situation
**siviel' -e** civil; ~**e ingenieur'** civil engineer
**sjaal -s** shawl *ook* **tja'lie**
**sjampan'je** champagne *ook* **von'kelwyn**
**sjampoe'** shampoo
**sjarmant' -e; -er, -ste** charming
**sjar'me** (s) charm; ~**skool** charm/finishing school; **siek'bed~** bedside manners
**sjebien' -s** shebeen *ook* **smok'kelkroeg**
**sjef -s** chief; chef *ook* **mees'terkok**
**sjeik -s** sheik; woman charmer
**sjer'rie -s** sherry
**sjiek** (b) chic, smart *ook* **uit'gevat**
**sjimpansee' -s** chimpanzee
**sjoe'broekie -s** scanty-panty; hot pants, mini=pants *ook* **am'perbroekie/ei'nabroekie**
**sjoe'sjoe** (s) shu-shu (creeper)
**sjokola'de -s** chocolate *ook* **sjok'kie**; **blok ~** slab of chocolate
**skaaf** (s) **skawe** plane; (w) plane; chafe; scrape
**skaai** (w) pilfer, pinch *ook* **vas'lê**
**skaak**[1] (s) chess; *potjie ~* a game of chess
**skaak**[2] (w) **ge-** elope (with girl); kidnap, carry off; hijack (plane/car) *ook* **kaap** (w)
**skaak:** ~**bord** chessboard; ~**mat** checkmate; ~**toernooi'** chess tournament
**skaal skale** scale, balance
**skaam** (w) **ge-** be ashamed; *~ jy jou nie?* are you not ashamed of yourself?; *~ jou!* fie!, shame on you! (b) shy, bashful, timid; ~**de'le** genitals
**skaam'te** shame, modesty; ~**loos** shameless
**skaap skape** sheep; ~**boud** leg of mutton; ~**skêr** (pair of) shears; ~**tjop** mutton chop
**skaaps'klere:** *(wolf) in ~* in sheep's clothing
**skaap:** ~**vel** sheepskin; ~**wag'ter** shepherd; ~**wag'tertjie** capped wheatear (bird)
**skaars** (b) scarce, scanty; (bw) hardly, scarcely
**skaats** (s) **-e** skate; (w) skate; ~**baan** skating rink; ice rink; ~**bord/~plank** skateboard
**skade -s** damage, loss; *~ aanrig/berokken* cause damage; *deur ~ en skande wys word* experience makes fools wise; ~**lik** harmful, injurious; ~**loosstel'ling** compensation, in=demnification; ~**vergoe'ding** compensation
**ska'du -'s** shadow, shade; ~**kant** shady/dark side; ~**personeel'** skeleton staff
**ska'duwee -s** shade, shadow
**skag -te** shaft; ~**gra'wer** shaft sinker
**ska'kel -s** link; shackle; (w) dial (tel.); link; connect; liaise; switch (electr.); ~**aar** switch; ~**amp'tenaar** public relations (liaison) officer; media liaison; ~**bord** switchboard; ~**huis** semi-detached house; ~**komitee'** liai=son committee; ~**toon** dialling tone

**ska'ker**[1] **-s** chess player

**ska'ker**[2] **-s** seducer; kidnapper; hijacker *kyk* **ka'per**

**skake'ring -s, -e** tint, shade, variegation

**skandaal' ..dale** (public) scandal, disgrace

**skan'de -s** shame, disgrace, dishonour

**skan'delik** shameful, disgraceful, outrageous *ook* **skanda'lig**

**skande'ring** scansion (poetry); scanning (radiation) *ook* **(af)tas'ting**

**skans -e** bulwark; trench

**ska're -s** crowd, multitude, host; mob

**skarla'ken** scarlet; ~**koors** scarlet fever

**skarnier' -e** hinge; (w) hinge

**skar'rel ge-** rummage; ransack; scatter

**skat**[1] (s) **-te** treasure; darling, dearest

**skat**[2] (w) **ge-** estimate; esteem, appraise; *die waarde te hoog/laag* ~ overestimate/underestimate the value

**ska'ter ge-** burst out laughing; ~**lag** (s) loud laugh; (w) laugh heartily

**skat:** ~**kis** treasury, exchequer; ~**ryk** very rich

**skat'tebol:** *my* ~ my darling/heartbeat/sweetie

**skat'tejag** treasure hunt

**skat'ting -s, -e** estimate, estimation; **globa'le** ~ rough estimate

**skavot' -te** scaffold (for executions)

**ske'del -s** skull, cranium; ~**breuk** fracture of the skull

**skeef** skew; crooked; slanting; distorted

**skeel**[1] (w) **ge-** matter; lack, ail; *wat kan dit my ~?* what does it matter to me?

**skeel**[2] (b) squinting; ~**hoof'pyn** migraine

**skeen skene** shin *ook* **ma'ermerrie**

**skeeps:** ~**beman'ning** crew; ~**kaptein'** skipper, ship's captain; ~**la'ding** cargo; ~**re'dery** shipping line; ~**ruim** ship's hold; ~**werf** dockyard

**skeep'vaart** navigation, shipping

**skeer ge-** shave, shear, trim; skim (over water); ~**boot** hydrofoil/jetfoil craft; ~**kwas** shaving brush; ~**mes** razor

**skeer'tuig ..tuie** hovercraft *ook* **skeer'boot**

**skeet skete** imaginary ailment; whim; *vol skete* have all kinds of ailments

**skei** (w) **ge-** separate; divide; sever, disconnect; divorce

**skeids'regter -s** referee; arbitrator, umpire

**skei'kunde** chemistry *ook* **chemie'**

**skeld'woord** abusive word/name *ook* **vloek'woord**

**skelm** (s) **-s** rogue, knave, rascal, crook; (b) crooked, furtive; ~**streek** sly/underhand trick

**skel'vis -se** haddock, whitefish

**ske'ma -s** scheme; sketch, outline; ~**huis** subsidised house (of housing scheme)

**ske'mer** (s) twilight, dusk; (w) grow dusky; ~**kel'kie** sundowner, cocktail; ~**party'**/~**onthaal'** cocktail party/reception

**skend ge-** violate, desecrate; mutilate; ~**ing** breach; violation; desecration (of graves)

**skenk ge-** give, endow, present, grant

**skenk: -er** donor (person); ~**ing** endowment, grant, donation

**skep**[1] (s) **-pe** scoop; spoonful; spadeful; (w) dip out, scoop

**skep**[2] (w) **geskape** create; ~**pende werk** creative work

**skep'doel -e** drop goal (rugby)

**Skep'per** Creator

**skep** ~**ping** creation; ~**sel** creature, human being; ~**skop** drop kick (rugby)

**skep'ties -e** sceptical *ook* **si'nies**

**skêr -e** (pair of) scissors/shears

**skerf** (s) **skerwe** shard, morsel, bit

**skerm**[1] (s) **-s** curtain, screen; *agter die ~s* behind the scenes

**skerm**[2] (w) **ge-** fence, spar, parry; ~**drag** protective clothing; ~**kuns** (art of) fencing; ~**maat** sparring partner (boxing)

**skermut'sel** (w) **ge-** skirmish; ~**ing** skirmish

**skerp** (b) sharp, keen, acute; severe

**skerpioen' -e** scorpion

**skerp:** ~**puntkoeëls** live ammo; ~**sin'nig** sharp-witted; ~**skutter** sniper, sharpshooter

**skerts** (s) fun, joke; legpulling *ook* **gek'skeerdery**; (w) jest, joke *ook* **kors'wel/gek'skeer**

**skets** (s) **-e** sketch, draft; (w) sketch, draw roughly; *in breë trekke* ~ sketch in broad outline; ~**boek** sketchbook

**skeur** (s) **-e** tear, rend; crack; fissure; (w) tear, rend; *die wêreld* ~ run away very quickly; ~**buik** scurvy; ~**ing** division; split; ~**kalen'der** tear-off calender; ~**stro'kie** tear-off slip

**ske'webek** wry face; ~ *trek* pull faces

**ski -'s** ski; ~**boot** skiboat; **ski'ër** skier

**skie'(r)lik** sudden(ly), unexpected(ly) *ook* **plot'seling**

**skier'eiland -e** peninsula

**skiet**[1] (s): ~ *gee* give more rope

**skiet**[2] (w) **ge-** shoot, fire; dart; blast; *met spek ~/spekskiet* tell tall stories

**skiet:** ~**baan** rifle/shooting range; ~**geveg′** shootout *ook* **skie′tery**; ~**lus′tig** (b) trigger-happy; ~**sta′king**/~**stil′stand** ceasefire
**skik**[1] (s) liking; pleasure; *in sy ~ wees* be delighted *ook* **in sy noppies**
**skik**[2] (w) **ge-** arrange, order, settle; ~ *na omstandighede* adapt to circumstances
**skik:** ~**king** agreement, settlement *ook* **akkoord′**; ~**plan** settlement plan; ~**tyd** flexitime/flextime, staggered hours
**skil** (s) **-le** peel, skin, shell, rind; (w) peel, skin; *'n appeltjie met iem. ~* pick a bone with someone
**skild -e** shield, buckler; aegis
**skil′der** (s) **-s** painter (artist) *ook* **ver′wer** (ambag); (w) paint
**skilderag′tig** (b) picturesque *ook* **kleur′ryk**
**skil′der:** ~**kuns** (art of) painting: ~**kwas** paint-brush; ~**(s)′esel -s** painter's easel; ~**stuk** picture, painting
**skildery′ -e** picture, painting (art)
**skild:** ~**vel** rawhide shield; ~**wag** sentry, guard *ook* **brand′wag** (mens)
**skil′fer(s)** (s) **-s** dandruff; mould; scab, flake, scale
**skil′pad skilpaaie** tortoise (on land); turtle (in water)
**skim -me** shadow; apparition, ghost; ~**skry′wer** ghost writer/author
**skim′mel** (s) mould, mildew; fungus
**skimp** (s) **-e** mockery, gibe, jeer, scoff; *~e gooi* throw hints; (w) mock, jeer, scoff
**skin′der** (w) **ge-** gossip, slander *ook* **kwaad′stook**; ~**bek** gossiper, slanderer; ~**praatjies** gossip
**skink ge-** pour in; *koffie ~* pour coffee; ~**bord** tray, salver; ~**juffer**/~**juffie** barmaid
**skip skepe** ship, vessel, boat; skip (mining); ~**breuk** shipwreck; *~breuk ly* be wrecked; ~**breu′keling** shipwrecked person
**skip′per** (s) **-s** captain, skipper; skip (bowls)
**ski′roei** paddle skiing; ~**er** paddle skier
**skit′ter ge-** glitter, shine, sparkle; *~ deur sy afwesigheid* conspicuous by his absence; ~**end** brilliant *ook* **uitmun′tend** (skoolrekord); sparkling, radiant
**skob′bejak -ke** rascal, scamp, rogue, lout
**skoei ge-** shoe; tread (tyre); ~**sel** footwear
**skoen -e** shoe, boot; (mv) footwear; *die stoute ~e aantrek* screw up one's courage
**skoe(n)lapper -s** butterfly *ook* **vlin′der**
**skoen:** ~**lees** (boot) last; ~**ma′ker** cobbler, shoemaker; ~**riem** shoe lace (leather); ~**ve′ter** shoe lace; ~**waks** boot polish; *die stoute ~e aantrek* pluck up courage
**skof**[1] **skowwe** shoulder (ox); withers
**skof**[2] **-te** stage; shift; lap; distance covered in one trek
**skof′fel** (s) **-s** hoe; (w) clear (weeds), hoe; dance; ~**ploeg** cultivator
**skok** (s) **-ke** shock; (w) shock, frighten; ~**dem′per** shock absorber; ~**granaat′** stungrenade
**skok′kend** (b) **-er, -ste** shocking
**skolier -e** scholar, pupil *ook* **leer′ling**; ~**patrol′lie** scholar patrol
**skol′lie -s** thug, hooligan; skollie
**skom′mel ge-** rock, shake, swing, wobble; fluctuate; ~**stoel** rocking chair
**skon -s** scone *ook* **bot′terbroodjie**
**skool′** (s) **skole** school; *die ~ sluit* the school breaks up; *op ~* at school; (w) train; **ge~de ar′beid** skilled labour
**skool**[2] (s) **skole** shoal (of fish)
**skool:** ~**biblioteek′** school library; ~**blad** school magazine
**skooleind′sertifikaateksamen -s** schoolleaving certificate examination
**skool:** ~**geld** school fees; ~**hoof** school principal; ~**hou** teach; ~**ker′mis** school bazaar; ~**kind** schoolchild, pupil; ~**raad** school board; ~**verla′ter** school leaver; ~**woor′deboek** school dictionary
**skoon**[1] (s) the beautiful; *die skone geslag* the fair(er) sex; (b) clean; beautiful; ~ **gewe′te** clear conscience; ~ **stel′le** straight sets (tennis)
**skoon**[2] (bw) quite, altogether; *~ vergeet* forgot completely
**skoon′dogter -s** daughter-in-law
**skoon′heid ..hede** beauty; ~**salon′** beauty parlour
**skoon:** ~**maak** clean; ~**ma′ker** cleaner; ~**moe′der** mother-in-law; ~**ou′ers** parents-in-law/in-laws; ~**va′der** father-in-law; ~**vang** mark (rugby); ~**veld** (s) fairway (golf); (b) clean gone, out of sight
**skoor** (s): *~ soek* look for trouble; ~**soe′ker** troublemaker
**skoor′steen ..stene** chimney, flue; ~**man′tel** mantelpiece; ~**ve′ër** chimney sweep
**skoot**[1] **skote** shot; report (of gunshot)
**skoot**[2] **skote** lap, bosom; fold; ~**hond′jie** lapdog; ~**re′kenaar** laptop computer

**skop** (s) **-pe** kick; (w) kick; recoil (rifle); **~boks** kickboxing
**skop'graaf ..grawe** shovel
**skoppelmaai'** (s) swing *ook* **swaai** (s)
**skop'pens** spades (playing cards)
**skorriemor'rie** rabble, riff-raff, hooligans
**skors** (w) **ge-** suspend (from school/membership); **~ing** suspension; **~ie** (s) gem squash
**skots** (b): ~ *en skeef* topsy-turvy
**skot'tel -s** dish, basin; satellite dish (TV); **~goed** dishes, crockery; **~goedwas'ser** dishwasher *ook* **op'wasser**
**skot'vry** (b) unpunished, untouched, scot-free
**skou -e** show, exhibition; (w) exhibit, put on show; view, inspect
**skou'burg -e** theatre, cinema; **stad~** civic theatre
**skou'er -s** shoulder
**skou: ~huis** showhouse *ook* **toon'huis; ~put** manhole; **~spel** spectacle, sight
**skraag ge-** prop, support, buttress up *ook* **stut**; **~do'sis** booster dose
**skraal** (b) meagre, thin, scanty; bleak
**skraap** (s) **skrape** scratch; (w) scrape, scratch; *raap en* ~ pinch and scrape
**skram'skoot ~skote** grazing shot; graze
**skran'der** intelligent; shrewd, clever; ~ **leer'ling** bright pupil
**skrap ge-** erase, delete, strike off; scratch out; ~ *waar nodig* delete which is not applicable; **~nel** shrapnel
**skraps** (b) poorly, scarcely, skimpy; ~ *gekleed* scantily dressed
**skre'de -s** step, tread, stride; pace
**skree(u)** (s) shout, scream; (w) scream, cry, shout; *moord en brand* ~ cry murder; ~ *soos 'n maer vark* squeal like a pig; **~ba'lie** crybaby *ook* **tjank'balie**; **~le'lik** very ugly; **~snaaks** hilariously funny
**skre'fie -s** little opening, slit; *die deur staan op 'n* ~ the door stands ajar
**skrei ge-** weep; **~ende skan'de** crying shame
**skri'ba -s** secretary of the church council; scribe
**skrif** handwriting; **-te** exercise book; **~geleer'de** learned person; scribe; **~le'sing** prayers; reading of the lesson; **~te'like eksa'men** written examination
**Skrif:** *die Heilige* ~ the Scriptures, Holy Writ
**skrik** (s) fright, terror; *die ~ op die lyf ja(ag)* give someone a fright; (w) be startled, be frightened; *hy het groot ge~* he got a big fright; **~beeld** scarecrow, bugbear, bogey; **~bewind'** reign of terror
**skrik'keljaar ..jare** leap year
**skrikwek'kend** (b) alarming, terrifying
**skril -le; -ler, -ste** shrill, piercing; glaring
**skrobbe'ring -s, -e** scolding, reprimand; dressing down
**skroef** (s) **skroewe** screw, vice; propeller (aero.); **~sleu'tel** shifting spanner
**skroei ge-** scorch, burn, singe, sear
**skroe'wedraaier -s** screwdriver
**skroom** (s) timidity, modesty; (w) hesitate; *hy sal nie ~ om moord te pleeg nie* he won't stop at committing murder
**skroot** grapeshot; scrap, scrap iron; **~werf** scrapyard *ook* **wrak'werf**
**skrop** (s) **-pe** dam scraper; (w) scrub; scratch (poultry); work (odd/casual jobs); **~bor'sel** scrubbing brush; **~hoen'der** free-range chicken *ook* **werf'hoender**
**skrum** (s, w) scrum; **~ska'kel** scrumhalf
**skryf ge-** write; *met ink* ~ write in ink; **~behoef'tes** stationery *ook* **skryf'ware/skryf'goed**; **~blok** writing pad; **~boek** exercise book; writing pad; **~goed** stationery; **~ta'fel** writing table, desk *ook* **les'senaar**; **~wa're** stationery
**skry'we** (s) letter, minute; (w) write *ook* **skryf**
**skry'wer -s** writer, author *ook* **outeur'**
**sku** (b) **-(w)er, -uste** shy, timid
**skud ge-** shake; shuffle; *hy ~ soos hy lag* he is convulsed with laughter; *kaarte* ~ shuffle the cards; **~ding** shaking; tremor *kyk* **aard'skudding**; concussion
**skug'ter -der, -ste** shy, timid, bashful; coy
**skuif** (s) **skuiwe** bolt; move; puff (pipe); (w) shove, move, push; **~deur** sliding door; **~leer** extension ladder; **~meul(e)** noughts and crosses (game); pretext, excuse; **~raam** sash window; **~speld** paperclip; **~trompet'** trombone, sliding trumpet
**skuil** (w) **ge-** hide, take shelter; **~kel'der** air-raid shelter; **~naam** pseudonym; **~plek** hiding place, hide-out; retreat
**skuim** (s) foam, scum, froth; (w) foam; **~rub'ber** foam rubber; **~wyn** sparkling wine *ook* **von'kelwyn**
**skuins -er, -ste** sloping, slanting, oblique
**skuit** (s) **-e** boat *ook* **boot**
**skui'wergat -e** drainhole; loophole
**skuld -e** debt; fault; guilt; *agterstallige* ~ arrears; *oninbare/dooie* ~ bad debts; (w) owe; **~beken'tenis** confession of guilt;

~**brief** debenture; ~**ei'ser** creditor; ~**enaar'** debtor; ~**erken'ning** admission of guilt

**skul'dig** **-e** guilty; convicted; ~ *bevind aan* found guilty of; ~ *pleit* plead guilty; ~**e** guilty person; offender

**skulp** (s) **-e** shell, conch

**skurf** scabby; chapped (hands); dirty (joke)

**skurk** **-e** rascal, rogue, scoundrel *ook* **boef**

**skut**[1] (s) **-s** shot, marksman, rifleman

**skut**[2] (s) **-te** protection; guard; pad (cricket); (w) protect

**skut**[3] (s) (animal) pound; ~**'blad** flyleaf

**skuur**[1] (s) **skure** barn, shed; hangar

**skuur**[2] (w) **ge-** polish, rub, scour; ~**papier'** sandpaper, emery paper

**skyf** **skywe** slice, disc, quoit; target; quarter (of an orange); ~**ie** (s) film slide; disc (sticker); ~**let'sel** slipped disc; ~**skiet** gun/rifle practice; bisley; ~**spa'sie** disc space (comp.)

**skyn** (s) light, glow; pretence; ~ *bedrieg* appearances are deceptive; (w) shine; seem, appear; ~**aan'val** mock attack; ~**baar** apparent(ly); ~**geveg'** mock fight

**skynhei'lig** (b) sanctimonious; hypocritical *ook* **vals, huigelag'tig**

**slaaf** (s) **slawe** slave; (w) slave, drudge, toil

**slaag** **ge-** succeed; pass; *ek het daarin ge*~ I succeeded in . . .; ~**punt** passmark

**slaags** fighting, engaged; ~ *raak* come to blows

**slaai** lettuce; salad; *in iem. se* ~ *krap* meddle with someone else's girl; **vrug'te**~ fruit salad

**slaak** **ge-** heave, utter, breathe; *'n sug (van verligting)* ~ heave a sigh (of relief)

**slaan** **ge-** beat, strike; *'n slag* ~ make a bargain; *op die vlug* ~ take to flight; ~**krag** punch(ing) power; ~**sak** punchbag

**slaap**[1] (s) **slape** temple (anat.)

**slaap**[2] (s) sleep; *aan die* ~ *raak* fall asleep; (w) sleep; ~**ka'mer** bedroom; ~**kle're** pyjamas *ook* **paja'mas**; ~**saal** dormitory; ~**sak** sleeping bag; ~**siek'te** sleeping sickness; lethargy; ~**wan'delaar** somnambulist

**sla'e** thrashing, hiding; **pak** ~ thrashing

**slag**[1] (s) **slae** battle; loss; beat (pulse); clap (thunder); blow, stroke; *'n* ~ *hê* have the knack; *op* ~ *dood* killed instantly; *'n swaar* ~ a severe blow

**slag**[2] (w) **ge-** slaughter, kill; ~**aar** artery

**slag:** ~**gat** pothole; ~**huis** butchery; ~**kreet** slogan *ook* ~**spreuk**; ~**of'fer** victim; ~**orkes'** percussion band; ~**pa'le** slaughtering place; ~**plaas** abattoir *ook* **ab'attoir**; ~**room** whipped cream; ~**spreuk** slogan; ~**tand** tusk (elephant); fang; eye tooth; ~**ter** butcher; ~**ting** slaughter, massacre; ~**veld** battlefield; ~**yster** spring trap

**slak** **-ke** snail; slag (ore smelting waste); *op 'n* ~*kegang* at a snail's pace

**slampam'per** (w) **ge-** revel; stroll; ~**lied'jie** carousal song; vagrant song/ditty

**slang** **-e** snake; serpent; hosepipe (garden); ~**besweer'der** snake charmer; ~**kuil** snake pit

**slank** (b) slender, slim *kyk* **verslank'** (w)

**slap** **-per, -ste** loose; slack, dull; supple; ~**band(boek)** paperback

**sla'per** **-s** sleeper, dreamer

**slap:** ~**gat** (*plat*) spineless fellow; ~**skyf** floppy disc/disk; ~**tjips** chips (with fish); ~**verkeer'** off-peak traffic

**slawerny'** slavery

**slee** **sleë** sledge; sleigh (for person)

**sleep** (s) **slepe** retinue; (w) drag, trail; tow; *slepende siekte* lingering disease; ~**boot** tug; ~**haak** towbar *ook* **trek'stang**; ~**hel'ling** slipway (boating); ~**ren** drag racing; ~**tou** towing rope; ~**wa** trailer *ook* **trei'ler**

**sleg** (b, bw) bad, evil, base; foul, wicked; ~**te humeur'** bad temper

**slegs** only, merely; ~ *volwassenes* adults only

**sleng/slang** (s) slang (language) *ook* **jar'gon**

**slenk'dal** rift valley

**slen'ter** (s) trick, bluff, ploy; (w) saunter; ~**broek** slacks; ~**drag** casual dress/wear

**slet** **-te** slut, bitch (woman) *ook* **sloe'rie, snol**

**sleur** (s) humdrum way, rut, routine; (w) drag; ~**fak'tor** drag factor (aerodynamics); ~**werk** routine work, chores

**sleu'tel** **-s** key (door); clef (mus.); register; wrench, spanner; ~**been** collarbone; ~**gat** keyhole; ~**pos** key position (work)

**slik** (s) silt, mire, slime *ook* **slib**

**slim** clever, intelligent; crafty, sly; *Slim het sy baas gevang* (he was) too clever for his own good; ~**kop** bright student/person; ~**praat'jies** claptrap, glib/evasive talk

**slin'ger** (s) **-s** pendulum (clock); sling; handle; crank (motorcar); (w) sling; oscillate, reel; ~**plant** creeper; ~**vel** sling(shot)

**slinks** sly, crafty, treacherous, underhand *ook* **slu, gesle'pe**
**sloer ge-** loiter, linger, dawdle; ~**sta'king** go-slow strike
**sloop**[1] (s) **slope** pillowcase
**sloop**[2] (w) **ge-** demolish; dismantle
**sloot slote** ditch, furrow, trench
**slor'dig -e; -er, -ste** careless, untidy
**slot**[1] **-te** lock; clasp; *agter ~ en grendel* under lock and key
**slot**[2] end(ing), conclusion; *per ~ van rekening* after all; *ten ~te* in conclusion
**slot**[3] **-te** castle, citadel *ook* **kasteel'/ves'ting**
**slot:** ~**ma'ker** locksmith; ~**knip'per** bolt cutter; ~**sang** final song/hymn; ~**som** result, conclusion, bottomline *ook* **somtotaal'**
**slu** (b) sly, cunning, wily *ook* **slinks**
**slui'er** (s) **-s** veil; mask
**sluik:** ~**han'del** black market *ook* **swart'mark;** ~**werk** moonlighting, double-jobbing
**slui'mer** (s) slumber; (w) slumber
**sluip ge-** steal along, sneak away; ~**moord** assassination; ~**moor'denaar** assassin; ~**sla'per** yard sneaker, sly lodger
**sluis -e** sluice, lock, floodgate
**sluit ge-** lock, close, shut; conclude; *die skole ~* the schools are breaking up; *vrede ~* conclude/make peace; ~**da'tum** closing date *ook* **sper'datum**; ~**kas** locker
**sluk** (s) **-ke** epiglottis; gulp, swallow; (w) swallow, gulp; ~**derm** gullet, esophagus
**slum -s** slum *ook* **krot'buurt**
**slurp** (s) trunk (elephant); (w) lap, gobble
**slyk** mud, mire, sludge *ook* **slik**
**slym** slime, phlegm, mucus
**slyp ge-** sharpen, whet, grind; polish; *sy tande vir iets ~* look forward to with keen anticipation; ~**skool** workshop, finishing school; ~**steen** grindstone, hone; ~**wiel** emery wheel
**slyt ge-** wear away, diminish
**slyta'sie** wear, wastage; **bil'like** ~ fair wear and tear
**smaak** (s) **smake** taste, relish, flavour; *na my ~* to my liking; (w) taste, savour; *ek proe dit en dit ~ goed* I taste it and it tastes nice
**smaak'lik** tasty, palatable; *~e ete!* enjoy your meal!
**smaak'vol -le** tasteful, elegant; *sy is ~ aangetrek* she is dressed elegantly/smartly
**smal -ler, -ste** narrow, thin
**smarag' -de** emerald
**smart** (s) **-e** grief, sorrow *ook* **verdriet'**
**smee(d) ge-** weld, forge; coin, devise; *'n komplot ~* hatch a plot
**smeek ge-** pray, beg, beseech, entreat, implore; *om genade ~* plead for mercy
**smeer ge-** grease, smear, oil, lubricate; ~**kaas** cheese spread; ~**veld'tog** smear campaign
**smee'yster** wrought iron
**smelt ge-** melt, dissolve; fuse (wire); ~**ery'** foundry; ~**oond'** furnace
**sme'rig** greasy, squalid, dirty *ook* **mor'sig**
**smet** (s) **-te** blot, stain, blemish
**smeul ge-** smoulder; ~**stoof** slow-combustion stove
**smid smede** (black)smith
**smid'dags** in the afternoon, midday
**smok'kel** (s) smuggling; (w) smuggle; ~**aar** smuggler; bootlegger; ~**kroeg** shebeen *ook* **sjebien'**
**smoor** (w) **ge-** suffocate, smother; ~**dronk** dead drunk; ~**klep** choke (engine); ~**verlief'** head over heels in love
**smo'rens/smô'rens** in the morning
**smous** (s) **-e** hawker, pedlar; (w) barter; hawk; ~**pos** junk mail
**smuk:** ~**spie'ëltjie** vanity mirror; ~**tas'sie** vanity case *ook* **tooi'tassie**
**smul** (w) feast, junket; ~**paap** gastronome, gourmand; belly worshipper; ~**party'** carousal, feast
**s'n** 's, of; *hulle ~* theirs; *pa ~* father's
**snaaks** funny, queer, strange; comical
**snaar snare** string, cord; chap, guy; lover
**snags** during the night, by night
**snap ge-** understand, comprehend, catch
**snaps** (s) **-e** drop, drink, tot *ook* **so'pie/dop**
**sna'ter** (s) **-s** mouth, mug; beak; *hou jou ~!* shut up!; (w) chatter, jibber
**sna'wel -s** beak, bill
**sneeu** (s) snow *kyk* **kapok'**; (w) snow; ~**vlok'kie** snowflake; ~**wit** snow white; **Sneeuwit'jie** Little Snowwhite
**snel** (w) **ge-** rush, hurry; (b) rapid, quick *ook* **vin'nig**; fleet, swift; ~**heid** velocity
**snel'ler -s** trigger; sprinter *ook* **na'elloper**
**snel:** ~**rat** overdrive; ~**sêer** tongue twister; ~**skrif** shorthand, stenography; ~**skriftik'ster** shorthand typist; ~**strik** speed trap *ook* **jaag'strik**; ~**trein** express train; ~**vuur** rapid fire; ~**weg** freeway (rural), highway (Am); speedway, expressway
**sner'pend -e** painful, biting, smarting *ook* **y'sig**; ~ *koud* bitterly cold

**snert** small talk, trash, tripe *ook* **kaf, bog**
**sne'sie -s** tissue; *kry 'n ~ en snuit jou neus* get a tissue and blow your nose
**sneu'wel ge-** perish, be slain, fall (in battle)
**snik** (s) **-ke** sob; (w) sob, sniffle; **~heet** (b) sweltering; **~san'ger** crooner, sobsinger
**snip'per: ~aar** shredder; **~jag** paperchase; **~mand'jie** wastepaper basket
**snob -s** snob *ook* **ploert, in'kruiper** (mens)
**snobis'me** snobbery
**snoei ge-** prune, clip, lop; **~skêr** garden/pruning shears, pruner
**snoek -e** snoek (SA); barracuda; sea pike
**snoe'ker** (s) snooker (game)
**snoep** (w) **ge-** eat dainties secretly; withhold; (b) tight-fisted; **~e'rye** snacks, dainties *ook* **peu'selhappies**; **~hoe'kie** snackbar; **~win'kel(tjie)** tuckshop
**snoer** (s) **-e** string, cord; **~ pê'rels** string of pearls; (w) silence someone
**snoet -e** snout, muzzle
**snor** (s) **-re** moustache, whisker
**snork** (s) **-e** snore; (w) **ge-** snore, snort
**snot** mucus, snot; **~neus** snotty nose (child); brat, little minx
**snou** (w) **ge-** snarl *ook* **af'snou'**; gnarl; rebuke
**snuf'fel ge-** sniff, sniffle, smell (out), ferret (out); search, investigate; **~hond** sniffer dog; **~mark** browser's market, fleamarket *ook* **vlooi'mark**
**snuif** (s) **snuiwe** snuff; (w) take snuff, sniff; **~doos** snuff box
**snuis'tery -e** novelty, trinket, bric-a-brac
**snuit** (s) **-e** snout, nose; nozzle; (w) blow the nose; **~er** little fellow/youngster; snuffer
**sny** (s) **-e** slice; cut, gash; (w) cut; castrate/geld; operate; **~dok'ter** surgeon *ook* **chirurg'/sjirurg'**; **~er** tailor; **~kunde** surgery; **plas'tiese ~kunde** plastic/cosmetic surgery
**so** so, thus, like this
**so'ber** sober; temperate; austere
**soda'nig -e** such like; *die toestand is ~ dat* the position is such that
**so'dat** so that, in order that
**so'doende** thus, in that manner
**sodomie'** (s) sodomy, homosexual intercourse
**sodra'** as soon as; the moment that
**soe'bat ge-** beg, entreat, plead *ook* **smeek**
**soek** (s): *op ~ na* in search of; (w) seek, look for, search; **~gesel'skap** search party; **~lig** searchlight/spotlight
**soen** (s) **-e** kiss; (w) **ge-** kiss *ook* **kus**
**soe'pel -er, -ste** supple *ook* **le'nig**; flexible
**soet** (s) the sweet; *die ~ en suur van die lewe* the ups and downs of life; (b) sweet; well-behaved; **~igheid** sweetness; sweet; **~jies** gently, noiselessly; **~koek** sweet cake: *alles vir ~koek opeet* swallow everything you are told; **~lief** sweetheart; **~ris'sie** green pepper; **~skeel** slightly squinting
**soewenier' -s** souvenir *ook* **aan'denking**
**soewerein'** (b) **-e** sovereign, supreme
**so'fa -s** sofa *ook* **rus'bank**
**sog -ge, sôe** sow (pig)
**so'genaamd/so'genoemd** (b) **-e** so-called
**sog'gens** in the morning
**so'heen** thither, there; **~toe** thither, that way *ook* **soontoe**
**so'jaboon(tjie) -s** soybean
**sok'ker** soccer, football; **~boe'we** soccer hooligans
**sok'kie -s** sock; **~jol** informal dance *ook* **op'skop** (s)
**solank'** for the time being, meanwhile
**soldaat' ..date** soldier
**soldeer'** (w) solder; **~bout** soldering iron
**sol'der -s** garret, loft
**soldy'** soldier's pay/wages
**solidariteit'** solidarity *ook* **saamho'righeid**
**solied' -e; -er, -ste** solid; reliable
**solis -te** soloist, solo vocalist (both sexes)
**som -me** sum, amount; problem
**som'ber** (b) **-der, -ste** sombre, gloomy
**so'mer -s** summer; *in die ~* in/during summer; **~vakan'sie** summer holidays
**som'mer** just, for no reason; *ag ~!* oh, just because; *~ huil* cry for no reason
**som'mige** some *ook* **party'** (mense)
**soms/som'tyds** sometimes *ook* **party'keer**
**son -ne** sun; *die ~ kom op/gaan onder* the sun rises/sets
**sona'te -s** sonata
**son: ~be'sie** cricket (cicada); **~bruin** (s) tan; (w) tan *ook* **lyf'brand**
**son'daar -s, ..dare** sinner; offender
**Son'dag ..dae** Sunday; *~ oor agt dae* next Sunday week
**son'de -s** sin, trespass; probe (instrument); **~bok** scapegoat, guiltless person; whipping boy
**son'der** without; **~ winsoogmerk** not for gain/profit; **~ling** (b) peculiar, queer
**sond'vloed** deluge, great flood
**so'ne -s** zone

**son:** ~**krag** solar power; ~**lig** sunlight; ~**ne'blom** sunflower
**sonnet'** **-te** sonnet *ook* **klink'dig**
**son'onder** (s) sunset; (bw) at sunset
**sonoor'** **sonore** sonorous
**son'op** (s) sunrise; (bw) at sunrise
**son:** ~**steek** sunstroke; ~**straal** sunbeam
**sons'verduistering** **-s, -e** solar eclipse
**son:** ~**verhit'ting** solar heating; ~**verwar'mer** solar heater; ~**vlek** sunspot, solar spot; ~**wy'ser** sundial
**soog** **ge-** suckle, nurse; ~**dier** mammal; ~**vrou** wet nurse *ook* **voed'ster**
**sooi** **-e** sod; ~**brand** heartburn; ~**merk** divot (golf)
**sool** **sole** sole; ~**leer** sole leather
**soölogie'** zoology *ook* **dier'kunde**
**soom** (s) **some** seam, hem; edge, border
**soon'toe** thither, that way
**soort** **-e** kind, sort; *enig in sy* ~ the only one of its kind; ~ *soek* ~ birds of a feather flock together; ~**gelyk'** similar; ~**lik** specific: ~*like gewig* specific gravity; ~**naam** common name
**soos** as, like; *so siek* ~ *'n hond* very ill/miserable; ~ *volg* as follows
**sop** soup; ~**le'pel** soup spoon/ladle
**so'pie** **-s** glass of liquor; drink, tot *ook* **dop** (s)
**sopraan'** **soprane** soprano (singer)
**sorg** (s) **-e** care, charge; trouble, anxiety; (w) care for, look after, provide for; ~ *vir die oudag* provide for one's old age; ~**een'heid** intensive care unit *ook* **intensie'we** ~**een'heid**; ~**sen'trum** frailcare unit
**sor'ghum** (grain) sorghum
**sorg:** ~**vul'dig** careful, thorough; ~**wek'kend** alarming
**sorteer'** ~, **ge-** sort, select, grade
**sosa'tie** **-s** sosatie, grilled curried meat, kebab
**sosiaal'** **sosiale** social; **sosia'le vlin'der** social climber/socialite
**sosialiet'** **-e** socialite (person)
**sosialis'** **-te** socialist; ~**me** socialism
**sosiologie'** sociology (subject)
**sot** (s) **-te** fool *ook* **idioot'** (mens); (b) foolish
**soul** soul (mus.)
**sous** (s) **-e** sauce, gravy; ~**trein** gravy train *ook* **stroop'trein/man'nawa**
**sout** (s) **-e** salt; *'n sak* ~ *saam opeet* know someone intimately; (w) salt, cure; initiate; (b) briny, salt; ~**hap'pies** savouries
**so'veel** so much, so many; ~**ste** umpteenth
**sover'/so vêr** so far; ~ *ek weet* as far as I know
**so'ver** so far, thus far; *tot* ~ as far as this
**sowaar'** truly; indeed, really *ook* **reg'tig**
**so'wat** about *ook* **ongeveer'**; ~ *vyftig rand* fifty rands odd
**sowel'** both . . . and; as well (as); ~ *hy as sy* both he and she
**spaan** (s) **spane** skimmer; oar; racket (tennis)
**spaan'der** (s) **-s** chip of wood; (w) run away; ~**bord/**~**hout** chipboard
**spaar** **ge-** save, economise; spare; ~**bank** savings bank; ~**bankboe'kie** deposit book; ~**re'kening** savings account; ~**var'kie** piggybank *ook* **ot'pot** (idiom.)
**spaar'saam** thrifty
**spalk** (s) **-e** splint; (w) splint; set (leg or arm)
**span** (s) **-ne** span; team; (w) stretch; brace; hobble; cock (gun); ~**broek** pair of tights
**spanda'bel** (b) spendthrift, extravagant
**spandeer'** ~, **ge-** spend *ook* **uit'gee** (geld)
**span'doek** **-e** wide banner/streamer
**span'gees** team spirit, esprit de corps
**span'nend** tight; exciting, thrilling
**span'ning** tension, stress; suspense; voltage
**spanspek'** **-ke** muskmelon, spanspek
**spar'tel** **ge-** sprawl, twitch; struggle
**spa'sie** **-s** space, opening *ook* **ruim'te**
**spat** (w) **ge-** splash, spatter
**spea'ker** **-s** speaker (of parliament)
**speek** **speke** spoke (of wheel)
**speek'sel** spittle, saliva
**speel** **ge-** play; trifle with; perform, act; *ek* ~ *maar* I am only joking; *jy* ~ *met vuur* you are playing with fire; ~**ding** toy; ~**goed** toys
**speels** **-e; -er, -ste** playful; merry
**speel:** ~**tyd** playtime; recess, interval; ~**vak** season, run (theatre); ~**veld:** *die* ~ *gelyk maak* level the playing field
**speen** (s) **spene** teat; nipple; (w) wean; ~**vark** sucking pig
**speer** **spere** spear *ook* **spies**
**spei** (w) spay (a bitch), neuter (a cat)
**spek** (smoked) bacon; ~ **en ei'ers** bacon and eggs; *met* ~ *skiet/spekskiet* draw the long bow
**spekta'kel** **-s** scene; row; sight *ook* **skou'spel**
**spekuleer'** **ge-** speculate; stag (stock exchange) *ook* **bespie'gel** (w)
**spek:** ~**vark** baconer, porker; ~**vet** very fat
**spel**[1] (s) **-e** game, play; *daar is baie op die* ~ there is much at stake
**spel**[2] (w) **ge-** spell; foretell

**spel: ~beder'wer/~bre'ker** killjoy, spoilsport
**speld** (s, w) pin
**spe'ler -s** player, actor
**spe'letjie -s** game, fun
**spel'fout -e** spelling error
**spe'ling** play, scope, range; clearance
**spel'letjie -s** game; *'n ~ kaart* a game of cards
**spel'ling** (s) spelling, orthography
**spelonk' -e** cave, cavern *ook* **grot**
**spens -e** pantry
**sper: ~streep** barrier (solid white) line; **~tyd** deadline *ook* **perk'tyd**
**spesery' -e** spice; **~han'del** spice trade
**spesiaal' ..siale** special *ook* **beson'der**
**spesialis' -te** specialist (medicine, etc.)
**spesialiseer' ~, ge-** specialise
**spesialiteit' -e** speciality; *brei is haar ~* she excels in knitting
**spesifika'sie -s** specification *ook* **op'gawe**
**spesmaas'** idea, notion, inkling; *ek het 'n ~ dat . . .* I have an idea/feeling that . . .
**speur ge-** track, trace, spy, ferret out; **~der** detective; **~hond** tracker dog, police dog; **~verhaal'** detective story
**spie'ël** (s) **-s** mirror, looking glass; (w) mirror; **~kas** wardrobe; **~ta'fel** dressing table
**spier -e** muscle; *geen ~ vertrek nie* without batting an eyelid; **~bou'er** bodybuilder; **~krag** muscular force; **~verslap'per** muscle relaxant; **~wit** snow-white, lilywhite
**spies -e** spear, lance; **~hen'gel** spearfishing
**spiet'kop** (s) speedcop *ook* **pad'valk**
**spik'splinternuut ..nuwe** brand-new
**spil** (s) **-le** pivot, axis; swivel; spindle
**spin ge-** spin; purr (cat)
**spina'sie** spinach
**spin'ne: ~kop** spider; **~rak** cobweb
**spioen'** (s) **-e** spy; scout, secret agent
**spioena'sie** espionage, spying
**spioeneer' ge-** spy, pry
**spiraal' ..rale** spiral; **~veer** coil spring
**spiritis' -te** spiritualist (person); **~me** spiritualism
**spi'ritus** spirit(s); alcohol
**spit**[1] (s) **-te** spadeful; spade depth; *die ~ afbyt* bear the brunt; (w) dig
**spit**[2] (s) **-te** spit (for roasting)
**spits** (s) **-e** point, top, tip, peak; spire, pinnacle; (w) point; *die ore ~* prick up the ears; (b) pointed, sharp; **~beraad'** summit talks; **~tyd** peak period; **~uur** peak hour/period, rush hour; **~verkeer'** peak traffic
**spitsvon'dig** subtle, quick-witted
**spleet splete** crevice, slit, fissure, chink
**splin'ter** (s) **-s** splinter; (w) splinter; **~nuut'** brand-new; **~vry** shatterproof
**splits ge-** split, divide; splice
**splyt ge-** cleave, split; **gesple'te lip** harelip; **~ing** splitting (atom)
**spoed** (s) **snelhede** speed, progress, haste; *hoe meer haas hoe minder ~* the more haste the less speed; (w) speed, hasten; **~hob'bel** speed hump; **~ig** soon, speedy/speedily, quick(ly)
**spoeg/spuug/spu** (s) spittle, saliva; (w) spit, expectorate *ook* **spu** (w)
**spoel**[1] (s) **-e** shuttle, spool
**spoel**[2] (w) **ge-** rinse, wash; flow; **~bak** washtub; cistern; **~diamant'** alluvial diamond
**spog ge-** boast, show off, brag
**spons** (s) **ge-** sponge; (w) sponge; **~rub'ber** foam rubber
**spontaan'** (b) spontaneous *ook* **ongedwon'ge**
**spook** (s) **spoke** ghost, apparition, spectre; (w) be very active, struggle; haunt; **~a'sem** candyfloss; **~sto'rie** ghost story
**spoor** (s) **spore** track, footprint; trail; scent; rail(way); spore; *per ~* by rail; (w) align (wheels) *kyk* **wiel'sporing**
**spoor: ~brug** railway bridge; **~loos** (b) trackless; (bw) completely; *~loos verdwyn* vanish into space; **~lyn** railway line; **~sny'er** tracker
**spoor'weg ..weë** railway; **~kaar'tjie** railway ticket
**spo'ring** wheel alignment
**sport**[1] **-e** rundle, step, rung (ladder)
**sport**[2] **-e, -soor'te** sport; **~baad'jie** sports jacket; **~grond** recreation/sports ground(s)
**sportief' ..tiewe** sportive, sportsmanlike
**sport: ~klub** sports club; **~manskap'** sportsmanship
**spot** (s) scorn, mockery; (w) jest; deride, mock, jeer; **~goedkoop'** dirt-cheap; **~prent** cartoon; caricature (newspaper)
**spraak** speech, language, tongue; **~gebrek'** speech impediment; **~saam** talkative
**spra'ke** rumour, talk; *ter ~ bring* broach a subject; *geen ~ van* no question about it; **~loos** speechless, dumb
**spran'kel** (w) **ge-** spark(le); scintillate
**spreek ge-** speak, talk, converse; *kan ek die hoof ~/(sien)?* may I see the principal?; *dit ~ vanself* it goes without saying; **~ka'mer** consulting room; **~woord** proverb, saying
**spreeu -s** starling; **In'diese** ~ (Indian) mynah

**sprei**[1] (s) **-e** counterpane; bedspread, quilt
**sprei**[2] (w) **ge-** scatter, spread out; ~**lig** flood=light
**spre′kend -e** speaking; lifelike; *'n ~e gelyke=nis* an exact/striking likeness
**spre′ker -s** speaker; orator
**spreuk -e** proverb, aphorism, maxim
**spriet -e** blade (grass); feeler (insect)
**spring** (s) **-e** leap, jump, hop; (w) jump, leap; ~**bok** springbok
**spring:** ~**jurk** gym, gymnastic costume; tunic; ~**kasteel′** jumping/bouncy castle; ~**le′wen=dig** very much alive, sprightly; ~**mat** trampoline *ook* **wip′mat**; ~**mes** flick-knife; ~**mie′lies** popcorn; ~**stof** explosive(s) *ook* **plof′stof**; ~**tou** skipping rope; ~**ty** spring=tide; ~**wer′ke** blasting operations
**sprin′kaan ..kane** locust, grasshopper; ~**vo′ël** locust bird; stork (large)
**sprin′kel ge-** sprinkle; ~**besproei′ing** spray/sprinkler irrigation
**sproei** (w) **ge-** spray, irrigate; (s) ~**er** sprayer; jet; ~**kop** nozzle *ook* **nos′sel**
**sproet -e** freckle; ~**gesig′** freckled face
**spro′kie -s** fairytale; fable
**sprong -e** jump, leap; caper, hop
**spruit** (s) **-e** shoot; offshoot; brook, stream=(let); (w) sprout; arise
**spuit** (s) **-e** syringe; squirt; sprayer; (w) inject; spout, spray, squirt; ~**fontein′** leaping foun=tain/waterfountain; ~**kan(netjie)** spray/aero=sol can; ~**stof** vaccine; ~**verf** spray paint
**spul** affair; lot; *die hele ~* the whole lot
**spy′ker -s** nail; brad, tack; ~**skoen** (mv) spikes (athletics); ~**ta′fel** pintable
**spys -e** food, victuals; ~**e′nier′** caterer; ~**e′neer/e′nier** (w) cater; ~**e′ne′ring** cater=ing; ~**kaart** menu; ~**verte′ring** digestion: *slegte ~vertering* indigestion
**spyt** (s) regret, sorrow; *ten ~e van* in spite of; (w) regret, be sorry; *dit ~ my* I am sorry *ook: ek is jammer*
**staaf**[1] (s) **stawe** bar, rod, stave
**staaf**[2] (w) **ge-** confirm, ratify; *~ u antwoord met* support your answer with
**staaf′goud** bar gold, bullion
**staak ge-** strike, cease work; discontinue; stall (car); ~**wag** picket (person)
**staal** steel; *jou ~ toon* show one's mettle
**staal′tjie -s** yarn, yoke; anecdote
**staan ge-** stand; *duur te ~ kom* pay dearly for; ~**de mag** permanent force
**staan′der -s** standard; stand (for hats)
**staan:** ~**horlo′sie** grandfather clock; ~**plek** standing room; parking area/bay
**staan′spoor** start, beginning; *uit die ~/van die ~ af* from the outset
**staar** (w) **ge-** gaze, stare
**staat**[1] **state** statement; return
**staat**[2] condition; *in ~ wees* be able
**staat**[3] **state** state; government
**staat′kunde** politics, statemanship
**staat:** ~**maak** rely (up)on; ~**ma′ker** main=stay, stalwart, reliable person
**staats:** ~**aan′klaer** public prosecutor; ~**amp′=tenaar** civil servant; ~**diens** civil service; ~**greep** coup (d'état); ~**hoof** head of state
**staat′sie** pomp; state; *in ~ lê* lie in state
**staats:** ~**koerant′** government gazette; ~**leer** political science; ~**lotery′** state lottery; ~**man** statesman, diplomat
**stabiel′ -e** solid, firm, stable *ook* **ste′wig**
**stad stede** city; ~**huis** town/city hall, muni=cipal complex
**sta′dig** slow; ~**e ak′sie** slow motion
**sta′dion -s** stadium; **S~ Boland** Boland Sta=dium
**sta′dium -s ..dia** stage, phase; *in hierdie ~* at this point *ook: op hierdie tydstip*
**stad′saal ..sale** town hall, city hall
**stads:** ~**huis** house in town; ~**kalant′** city slicker; ~**klerk** town clerk
**stad′skouburg -e** civic theatre
**stads:** ~**raad** town council; ~**wa′pen** coat-of-arms; ~**wyk** municipal ward
**staf stawe** staff; mace (parliament); baton (marshall); crozier (bishop)
**sta′ker -s** striker; ~**(s)wag** picket
**sta′king -s, -e** strike; suspension, cessation; *~ van stemme* equality of votes
**stal -le** stable; (w) stable; ~**kneg** stablehand
**stal′letjie -s** (display) stall *ook* **kiosk′**; booth
**stam** (s) **-me** trunk, stem; tribe, clan; ~**boom** genealogical tree, family tree, pedigree
**sta′mel** (w) **ge-** falter; stammer
**stam:** ~**geveg′** faction fight; ~**oor′log** tribal war
**stamp** (s) **-e** knock, stamp, bump; *met ~e en stote* by fits and starts; (w) pound, stamp, bump; ~**mo′tor** stock car; ~**vol** chockful, packed (hall)
**stand -e** standing, position; rank; stance; *~ van sake* state of affairs
**standaard′ -e** standard, criterium *ook* **maat′=staf, norm**; ~**werk** standard work

**stand'beeld -e** statue
**stan'derd -s** standard (class in school); grade
**stand:** ~**plaas** stand, erf; ~**punt** standpoint; point of view/viewpoint *ook* **siens'wyse**
**standvas'tig -e** firm, constant, steadfast
**stang -e** bit (of bridle); bar
**stank -e** stench, bad smell, stink; ~ *vir dank kry* not get as much as a ''thank you''
**stan'sa -s** stanza *ook* **stro'fe**
**stap** (s) **-pe** step, pace, stride; move; ~*pe doen* take action; (w) walk; step, stride; hike; *'n entjie gaan* ~ go for a walk
**sta'pel** (s) **-s** pile, heap, stack; *die skema van* ~ *laat loop* launch the scheme *ook* **loods**; (w) heap up, pile, stack; ~**gek** insane, raving/stark mad; ~**kos** staple food; ~**kur'sus** crash/sandwich course
**stap:** ~**per -s** walker, hiker; *met dapper en* ~*per* on foot; ~**roe'te** hiking trail *ook* **voet'slaanpad**; ~**toer** hiking trip
**sta'sie -s** station; ~**wa** station wagon
**sta'tebond** commonwealth
**sta'ties** (b) **-e** static
**sta'tig** stately, elegant; dignified
**statistiek' -e** statistics *ook* **da'ta**
**statuut' statute** statute *ook* **wet**
**steak** (s) steak *ook* **bief'stuk**
**ste'de** stead; *in* ~ *van* instead of; ~**like bevol'king** urban population; ~**like terroris'me** urban terrorism; ~**ling** townsman, city dweller
**steeds** (bw) constantly, always; ~ *kouer* colder and colder
**steeg stege** lane, alley; **blin'de** ~ blind alley
**steek** (s) **steke** prick (pin); stitch (needle); sting (bee); bite; stab; *in die* ~ *laat* leave in the lurch; (w) prick; sting; stab; ~**proef** random sample, spot check
**steeks** (b) obstinate *ook* **kop'pig**
**steel**[1] **stele** handle; stalk (flower); stem (pipe); shaft
**steel**[2] (w) **ge-** steal, thieve
**steel'kant** blind side (rugby)
**steen stene** brick; stone; bar (soap)
**Steen'bokskeerkring** Tropic of Capricorn
**steen:** ~**groef** quarry; ~**kool** coal
**steg'gie** cutting *ook* **stig'gie**
**stei'er**[1] (s) **-s** scaffold(ing)
**stei'er**[2] (w) **ge-** stagger, prance, rear
**steil** (b) steep, precipitous; sheer; ~**te** gradient, rise/slope, steepness
**stel**[1] (s) **-le** set (tennis); (dinner) service; suite (of rooms)
**stel**[2] (w) **ge-** fix; draw up; adjust; set; compose; *gestel dat* supposing that; *die wekker* ~ set the alarm (clock)
**stel'ling -s, -e** doctrine, thesis, statement; *bespreek hierdie* ~ discuss this statement/assertion
**stel'sel -s** system; **metrie'ke/tiende'lige** ~ metric system
**stelselma'tig -e** systematic(al)
**stel'skop -pe** place kick
**stelt -e** stilt; ~**lo'per** stilt walker
**stem** (s) **-me** voice; vote; ~*me uitbring* cast votes, poll; (w) tune; vote; ~**band** vocal chord; ~**brief(ie)** ballot paper; ~**bui'ging** modulation, intonation; ~**bus** ballot box; ~**lokaal'** polling station; ~**mig** sedate, sober, quiet
**stem'ming -e, -s** ballot, election, voting, poll *ook* **stem'mery**; mood; *in 'n goeie* ~ *bring* put in a good mood; *tot* ~ *oorgaan/bring* proceed/put to the vote
**stem'opnemer -s** polling officer, returning officer, scrutineer
**stem'pel -s** seal, stamp
**stem:** ~**reg** franchise; right to vote; ~**vurk** tuning fork
**ste'nig** (w) **ge-** stone
**ster -re** star; luminary
**ste'reo** stereo; ~**tiep'** stereotype
**sterf ge-** die, expire *ook* **ster'we**; ~**geval'** death; ~**lik** (b) mortal; ~**ling** mortal (being); *geen* ~*ling nie* not a living soul; *aan 'n siekte* ~ die of a disease/illness; ~**te'syfer** death rate
**steriel' -e** sterile
**steriliseer'** (w) sterilise; castrate; spay *ook* **spei** (w)
**sterk** (w) **ge-** strengthen; *iem. in sy kwaad* ~ encourage a person in wrongdoing; (b) strong, powerful; ~**te** strength; ~**te!** good luck to you!
**ster're:** ~**beeld** constellation; ~**kunde** astronomy
**sterrekun'dig** (b) astronomical; ~**e** astronomer (person)
**ster're:** ~**tjie** little star; asterisk; ~**wag** observatory; ~**wig'gelaar** astrologer
**stert -e** tail; ~**riem** loin skin
**steun**[1] (s) **-e** groan, moan; (w) groan
**steun**[2] (s) support, aid; (w) support, aid, stay; *geldelik* ~ finance (v); ~**pilaar'** pillar of support; ~**sool** arch support

**steur**[1] (s) **-s** sturgeon; ~**garnaal'** prawn *ook* **(swem)kre'wel**

**steur**[2] (w) **ge-** disturb, trouble; care for, mind; *moenie jou daaraan ~ nie* don't mind that; *atmosferiese ~ings* atmospherics; ~**end** (b) disturbing

**ste'wel -s** boot; *vier ~s in die lug lê* lie flat on the back

**ste'wig** (b) firm; thorough; solid, sound

**stie'beuel -s** stirrup

**stief** step; ~**broer** stepbrother; ~**moe'der** stepmother; ~**moe'derlik** stepmotherly

**stier -e** bull *ook* **bul**; ~**geveg'** bullfight

**stif'fie** (s) stiffy, diskette (comp.)

**stig ge-** found, establish, raise; form (a company); edify; *brand ~* raise a fire; *'n fonds ~* establish a fund

**stig'ma -s** stigma, brand *ook* **smet** (s)

**stig:** ~**ter** founder; ~**ters'lid** founder member; ~**ting** foundation; institution

**stik**[1] **ge-** embroider; stitch (by machine)

**stik**[2] **ge-** choke, suffocate; ~**sie'nig** shortsighted, myopic; ~**stof** nitrogen

**stil** (w) **ge-** calm, soothe, allay, satisfy; *honger ~* appease hunger; (b, bw) quiet, calm, peaceful; ~**bly** keep quiet

**stil'hou -ge-** stop, pull up

**stil:** ~**letjies** quietly, on the sly, secretly; ~**le'we** still-life (painting); ~**stand** truce, cessation, standstill; *tot ~stand kom* come to a stop; ~**swy'e** silence: *die ~swye bewaar* keep silent

**stil'te** quietness, calm, silence; *die ~ voor die storm* the lull before the storm

**stimuleer' ge-** stimulate *ook* **aan'spoor; op'wek**

**sting'el -s** stalk, stem

**stink** (w) **ge-** stink, reek; (b) stinking; ~**hout** stinkwood

**stip**[1] (s) **-pe** spot, dot, speck

**stip**[2] (b, bw) strict; punctual; ~**te beta'ling** prompt payment

**stip'pel** (s) **-s** spot, dot, speck; (w) spot, dot; ~**streep** dotted/broken line (traffic)

**stip'telik -e** punctually, promptly

**stoei ge-** wrestle; romp; ~**er** wrestler; ~**kryt** wrestling ring; ~**promo'tor** wrestling promoter

**stoel** (s) **-e** chair, seat, stool

**stoep -e** stoep; patio

**stoet**[1] **-e** procession; retinue, train

**stoet**[2] **-e** stud; ~**bees'te** stud/pedigree cattle; ~**ery'** stud farm

**stof**[1] **stowwe** material, matter, stuff; **plof'~** explosives

**stof**[2] **stowwe** dust; powder

**stoffeer'** (w) upholster; ~**der** upholsterer

**stof'fer -s** duster *ook* **stof'lap**

**stof:** ~**lik** mortal; material; ~**like oor'skot** mortal remains; ~**sui'er** vacuum cleaner

**stok -ke** stick, cane, staff; ~**doof** stone-deaf

**sto'ker -s** stoker, fireman; distiller

**stok:** ~**kie** little stick; *~kies draai* play truant; ~**kie'lekker** lollipop; ~**kiesdraai'er** truant; ~**oud** very old, hoary with age; ~**perd'jie** hobby; fad; ~**sielalleen'** all alone; ~**styf** stiff as a poker; ~**vel** stokvel, savings/burial society

**stol ge-** congeal, coagulate; freeze (TV)

**stom [-me]** dumb, mute; stupid; *die ~me diere* the poor animals

**stomp** (b) **-er, -ste** blunt, dull, obtuse

**stom'pie -s** cigarette end, fag-end, stub

**stonk** (w) **ge-** stump (cricket)

**stoof** (s) **stowe** stove, range; (w) warm, stew, braise, simmer

**stook ge-** stoke, fire; distil; *kwaad ~* stir up strife; instigate; ~**ke'tel** still

**stoom** (s) steam; (w) steam; ~**boot** steamship; ~**ke'tel** boiler; ~**pot** pressure cooker

**stoor** (w) **ge-** disturb *ook* **steur**; interrupt; store (away) *ook* **op'berg**; (s) storeroom *ook* **pak'kamer/skuur**

**stoot** (s) **stote** stab; poke; push; (w) poke, butt; push; thrust; ~**kar'retjie** handcart, pushcart; ~**skra'per** bulldozer

**stop**[1] (s) **-pe** pipe-fill; (w) darn; fill

**stop**[2] (w) **ge-** stop, halt

**stop'horlosie/stop'oorlosie** stopwatch

**stop:** ~**sel -s** filling (pipe; tooth) *ook* **vul'sel**; ~**straat** stopstreet; ~**verf** putty

**sto'rie -s** story, tale

**storm** (s) **-s** storm, tempest; (w) attack, storm

**stormag'tig** stormy, tempestuous, tumultuous

**storm:** ~**ja'er** dumpling; doughnut; assailant; ~**lantern'** hurricane lamp; ~**loop** (s) rush, onslaught; (w) attack, rush at; ~**wind** gale, hurricane

**stort ge-** pour, spill, shed; deposit; (take a) shower; *trane ~* shed tears; ~**bad** shower bath; ~**bui** rainstorm *ook* **stort'reën**; ~**ing** deposit; shedding; **geen** ~**ing** no dumping; ~**reën** (s) heavy shower, downpour; ~**vloed** flood, deluge; (w) come down in torrents

**stot'ter** (w) **ge-** stutter *ook* **hak'kel**

**stout** naughty; bold, brave; *die ~e skoene aantrek* take a bold step; **~erd** naughty child
**stow'werig** (b) **-e; -er, -ste** dusty
**straal** (s) **strale** beam, ray; radius (circle); jet, spurt (water); (w) beam, radiate; **~draal** jetlag *ook* **vlieg'voos**; **~ja'er/~veg'ter** jet fighter; **~jak'ker** jetsetter; **~laag** radial ply (tyres); **~vlieg'tuig** jet aircraft/plane
**straat** (s) **strate** street; strait; (w) pave; **~boef** hooligan; **~geweld'** (street) violence; **~roof** mugging; **~smous** street vendor/informal trader; **~verlig'ting** street lighting; **~vrou** prostitute
**straf**[1] (s) **strawwe** punishment, penalty; (w) punish
**straf**[2] (b) severe, rigid, stern; **straw'we droog'te** severe drought
**straf: ~baar** punishable; **~ba're man'slag** culpable homicide, manslaughter; **~skop** penalty kick; **~werk** punishment, detention work
**strak** (b) tight, taut, stiff; **~ gesig'** pokerface
**straks** perhaps; presently
**stra'lend -e** beaming, radiant; *~ van geluk* radiant with happiness
**stra'ler -s** jet (of engine); jet (plane); jetliner; **~jak'ker** jetsetter; **~kliek** jetset
**stram -mer, -ste** stiff, hard, rigid
**strand** (s) **-e** beach, shore, seaside; (w) strand, run ashore/aground; **~huis** beach cottage; **~jut** (s) brown hyena; beachcomber; **~meer** lagoon *ook* **lagu'ne**; **~oord** seaside resort; **~wag** lifesaver, lifeguard
**strategie'** strategy *ook* **krygs'kuns**
**streef/strewe ge-** strive, endeavour
**streek streke** district, region; line; tract; artifice, trick; **~nuus** regional news; **~spraak** dialect
**streel** (w) **ge-** caress, stroke; fondle; flatter
**streep** (s) **strepe** line, stroke; dash; (w) streak, line; hit; **~sui'ker** thrashing, strap oil; **~vis** seventyfour
**strek ge-** stretch, extend, reach; *dit ~ jou tot eer* it does you credit; **~king** tendency, drift; moral
**stre'lend -e** pleasant, soothing; flattering; **~e musiek'** soothing music
**streng** (b) strict, stern, rigorous; **~ vertroulik** strictly confidential
**stres** (s) stress, anxiety, tension *ook* **(werk)span'ning**; **~hante'ring** stress management
**strik**[1] (s) **-ke** bow
**strik**[2] (s) **-ke** trap, snare *ook* **wip**
**strik**[3] (b) strict; accurate, exact
**strik: ~das** bow tie; **~vraag** tricky question
**string -e** string (of pearls); trace, skein, strand
**stroef** gruff, harsh, grim
**stro'fe -s** stanza, verse; strophe
**stro'kies: ~film** strip film; **~prent/~verhaal** comic (strip)
**stronk -e** stalk; cob (mealie)
**stront** (*kru*) shit, dung; rotter (person)
**strooi**[1] (s) straw
**strooi**[2] (w) **ge-** distribute, scatter; strew; sprinkle
**strooi'biljet -te** handbill/handout; pamphlet
**strooi: ~dakhuis'** house with thatched roof; **~jon'ker** best man; **~lektuur'** light reading; **~mei'sie** bridesmaid; **~pop** puppet/stooge; **~pos** junk mail; **~sa'ge** soapie *ook* **se'pie**
**stroois -e** straw hut *ook* **struis**
**strook** (s) **stroke** strip; band; (w) agree, tally
**stroom** (s) **strome** stream, current; (w) flow, stream; **~ys** (s) soft serve
**stroop**[1] (s) syrup; treacle, molasses; **~trein** gravy train *ook* **sous'trein/man'nawa**
**stroop**[2] (s) love (in tennis)
**stroop**[3] (w) **ge-** pillage, plunder; rustle (cattle); **~tog** raid, invasion
**strop** (s) **-pe** strap, halter; **~das** stock tie/cravat
**stro'per -s** poacher (of game); plunderer; combination harvester (farming)
**strot -te** throat; **~te'hoof** larynx
**strug'gle** (s) struggle *ook* **(vryheid)stryd**; strife, conflict
**struik -e** bush, shrub
**strui'kel ge-** stumble; **~blok** stumbling block, obstacle *ook* **hin'dernis**
**struik: ~gewas'** shrubs, undergrowth; brush; **~ro'wer** highwayman, bandit; hijacker
**stru'weling** (s) dispute, wrangle *ook* **twis**
**stry** (w) **ge-** dispute, contradict, argue
**stryd** (s) fight, strife, struggle, conflict, combat; **~byl** hatchet: *die ~byl begrawe* bury the hatchet (make peace); **~dag** party rally
**stry'der -s** warrior, fighter, combatant
**stryd: ~kreet** warcry; slogan; **~vraag** question at issue, point in dispute
**stryk**[1] (s) stroke; pace (of horse); *op ~ kom* get into form; *van ~ wees* be out of form; (w) walk, stride; **~er** fiddler (violin); streaker
**stryk**[2] **ge-** iron (clothes); stroke; strike (flag)
**stryk: ~orkes'** string orchestra; **~stok** fiddle

stick; bow; ~**ys'ter** flat iron
**stu ge-** push, propel; prop; ~**dam** weir, barrage
**studeer'** ~, **ge-** study; ~ *vir onderwyser* study to become a teacher; ~**ka'mer** study
**student' -e** student (both sexes)
**studen'te:** ~**blad** students' magazine; ~**raad** students' (representative) council
**stu'die -s** study; ~**beurs** scholarship, bursary
**stug** (b) stubborn, surly, sullen, obstinate
**stuif stuiwe ge-** make dust; drizzle; ~**meel** pollen; ~**sand** drift sand
**stui'pe** convulsions; *die ~ kry* be violently upset, become livid with anger
**stuit ge-** stop, check *ook* **stop, keer** (w); ~**bed'ding** arrestor bed (heavy vehicles downhill)
**stui'tjie -s** rump, tailbone; pope's nose (fowl)
**stuk -ke** piece, fragment, oddment; document; play; part
**stuk'kend** (b) broken, torn; drunk
**stuk'kie -s** small piece, bit, morsel
**stut** (s) **-te** support, prop; truss; (w) support, prop; ~**muur** retaining wall; ~**prys** support price
**stuur** (s) **sture** steering gear, rudder, helm (ship); handle; (w) send; steer; ~**boord** starboard; ~**kajuit'** cockpit; ~**man** helmsman, chief mate; pilot; ~**outomaat'** automatic pilot
**stuurs** (b) surly, sulky, sullen *ook* **knor'rig, stug**
**stuur'wiel -e** steering wheel
**stuwadoor'** stevedore, docker
**styf** (w) **ge-** starch; stiffen; strenghten *ook* **sty'we**; (b) stiff, tight; rigid, formal
**styfkop'pig** obstinate, headstrong
**styg ge-** ascend, mount, climb, rise; ~**baan** runway *ook* **aan'loopbaan**; ~**ing** rise; increase; ascension; ~**spekulant'** bull (stock exchange)
**styl** style, manner; ~**figuur'** figure of speech; ~**e** doorpost, bedpost
**sty'sel** starch
**subjektief' ..tiewe** subjective
**sub'komitee -s** subcommittee *ook* **on'derkomitee**
**subsi'die -s** subsidy, grant-in-aid
**subskrip'sie -s** subscription *ook* **in'tekengeld, lid'geld**
**sub'struktuur** (s) substructure (metropolitan)
**subtiel' -e; -er, -ste** subtle *ook* **fynsin'nig**
**sub'tropies -e** subtropical

**suf** (w) **ge-** dote; (b) dull, stupid, beef-witted
**sug** (s) **-te** sigh; passion; *'n ~ slaak (van verligting)* heave a sigh (of relief); (w) sigh
**sugges'tie -s** suggestion *ook* **voor'stel**
**suid** south
**Suid-A'frika** South Africa (SA); ~**ner/**~**an'** (mens) South African
**sui'de** south; ~**lik** southern, southerly; ~**like half'rond** southern hemisphere
**Sui'der-A'frika** Southern Africa
**sui'derbreedte** south latitude
**Sui'derkruis** Southern Cross
**sui'dewind -e** south wind
**suid'kus -te** south coast
**suidoos' (-te)** south-east
**Suid'pool** (s) South Pole
**suidwes'telik -e** south-westerly
**sui'er -s** piston; sucker; off-shoot, sprout
**suig ge-** absorb; suck, suckle
**sui'ker** (s) **-s** sugar; (w) sugar, sweeten; ~**bek'kie** sugarbird/sunbird *ook* **jangroen'tjie**; ~**bedryf** sugar industry; ~**klon'tjie** lump of sugar; ~**oom'pie** (idiom.) sugardaddy; ~**riet** sugar cane; ~**siek'te** diabetes
**suil -e** column, obelisk *ook* **gedenk'naald**
**sui'nig** sparing, stingy; frugal, economical
**suip ge-** drink (animals); booze; ~**lap** tippler, boozer; ~**party'** binge, spree
**suis ge-** rustle, buzz; tingle (in ears)
**sui'te** (uitspr. *swiete)* suite (rooms, offices)
**sui'wel** butter and cheese, dairy products
**sui'wer** (w) **ge-** purify, refine, cleanse; purge; (b) pure (gold); clean (hands); sheer (nonsense)
**suk'kel ge-** progress poorly; trudge along; annoy someone; *hy ~ met sy gesondheid* he is in indifferent health; ~-~ struggling all along; ~**aar** bungler, stick-in-the-mud; ~**veld** rough (golf) *ook* **ru'veld**
**sukses' -se** success; *ek wens jou ~!* good luck to you!; ~**boek** bestseller *ook* **tref'ferboek/blits'verko'per**; ~**jag** rat race *ook* **rot'ren**
**sukses'vol -le; -ler, -ste** successful
**sul'ke** such; *~ domkoppe!* such fools!
**sult** brawn (meat dish) *ook* **hoof'kaas**
**summier' -e** summary, without formalities; ~**e ontslag'** summary/instant dismissal
**superintendent' -e** superintendent
**superlatief' ..tiewe** superlative
**su'permark -te** supermarket
**superso'nies -e** supersonic
**su'ring** sorrel (plant)
**sur'plus** surplus, excess *ook* **oor'skot**

**surrogaat′: ~moe′der** surrogate mother *ook* **leen′moeder**
**sus** (w) **ge-** hush, quiet (a child); pacify; soothe; *sy gewete ~* silence his conscience; **~mid′del** tranquilliser
**suspi′sie** suspicion *ook* **ag′terdog**
**sus′sie -s** little sister
**sus′ter -s** sister; **~lik** sisterly
**suur** (s) **sure** acid; (b) sour, acid, acetous; **~deeg** yeast, leaven; **~knol** sourpuss; **~lemoensap′** lemon juice: *daar loop ~lemoensap deur* there is something fishy about it; **~reën** acid rain; **~stof** oxygen
**suut′jies = soetjies**
**swaai** (s) **-e** swing *ook* **skoppelmaai′**; (w) swing; wave; *die septer ~* rule the roost
**swaan swane** swan
**swaap swape** blockhead, fool, clot, idiot
**swaar** (b) heavy; ponderous; difficult
**swaard -e** sword, rapier
**swaar′gewig** heavyweight (boxer)
**swaarly′wig** corpulent, obese *ook* **geset′/vet**
**swaarmoe′dig** melancholy, dejected
**swaar′te** weight, heaviness; **~krag** gravitation, gravity; **~punt** centre of gravity
**swa′el**[1] (s) sulphur *ook* **swa′wel**
**swa′el**[2] (s) **-s** swallow (bird); **~stert** dovetail (joint)
**swa′el**[3] (w) **ge-** drink, booze; *hy was lekker ge~* he had one too many
**swa′elsuur/swa′welsuur** sulphuric acid
**swa′er -s** brother-in-law
**swak** (s) weakness; (b) weak, infirm, delicate, feeble; faint; **~ke′ling′** weakling
**swaksin′nig -e** mentally deficient, feebleminded; **~e** mentally deficient person
**swam -me** fungus *ook* **skim′mel**; agaric
**swa′nesang -e** swan song, death song
**swang** vogue; *in ~ wees* be in fashion
**swan′ger** pregnant *ook* **verwag′tend**; **~skap** pregnancy
**swart** (s) black; (b) black
**swartgal′lig** (b) melancholy, morose
**swart: ~ man/vrou/kind** black (person); **~mark** black market; **~smeer** (w) slander
**swartwit′pens -e** sable antelope
**sweef/swe′we ge-** hover, glide; **sweef′arties** trapeze artiste; **~stok** trapeze; **~tuig** glider
**sweep swepe** whip, lash *ook* **karwats′, peits**
**sweer**[1] (s) **swere** abscess, sore, boil; ulcer *ook* **maag′seer**; (w) fester, ulcerate
**sweer**[2] (w) **ge-** vow; swear, take an oath; *hoog en laag ~* swear by all that is holy
**sweet** (s) perspiration; (w) perspire, sweat; **~pak** tracksuit
**sweis ge-** weld; **~er** welder
**swel ge-** swell, expand; **~sel** swelling; tumour
**swelg ge-** gorge, swill; guzzle (food); **~party′** booze party *ook* **dronk′nes** (s)
**swem ge-** swim; *gaan ~* go for a swim; **~bad** swimming bath; pool; **~broek** swimming trunks; **~duik** skindiving, findiving; **~mer** swimmer; **~pak** swimming costume/trunks
**swen′del** (w) swindle; **~aar** swindler, racketeer, conman; **~ary′** scam (n) *ook* **bedrog(spul)/verneuk′spul**
**swenk ge-** swerve; sidestep (rugby)
**swerf/swerwe ge-** roam, wander, rove
**swerm -s** swarm (birds, bees); flock, throng
**swer′noot ..note** rascal, rogue (person)
**swer′wer -s** wanderer, vagabond, rover; **~s′drang** wanderlust, roaming spirit
**swets** (b) **ge-** swear, curse *ook* **vloek**
**swetterjoel′ -e** crowd, caboodle, lot
**swier** (s) elegance, gracefulness; swagger; (w) loaf, be on the spree; **~bol** wild spark; playboy *ook* **pie′rewaaier, dar′teldawie** (idiom.); **~ig** elegant, stylish
**swig ge-** yield, give in
**swik ge-** sprain (ankle); twist
**swoeg ge-** drudge, toil and moil
**swoel** sultry, close, oppressive (climate)
**swoerd** (s) crackling
**swyg** (w) **ge-** be silent, keep quiet/mum; *~ soos die graf* remain silent as the grave; **~geld** hush money
**swyn -e** hog, pig *ook* **vark**; swine; *pêrels voor die ~e werp/gooi* cast pearls before (the) swine
**sy**[1] (s) silk; *~ dra ~* she wears silk
**sy**[2] (s) **-e** side; *met die hande in die ~e* with arms akimbo; *~ ~ is seer* his side is aching/sore
**sy**[3] (pers. vnw) she; (besit. vnw) its, his
**sy′fer**[1] (s) **-s** figure, number; par, bogey (golf); **~horlo′sie** digital watch
**sy′fer**[2] (w) **ge-** ooze (through); **~put** French drain *ook* **sy′pelput**
**syg ge-** strain, percolate, filter
**sy′ne** his, ’s; *dis Piet ~ (s’n)* that is Peter’s; *dis ~* that is his
**sy′paadjie -s** sidewalk, pavement
**sy′pel ge-** seep, drain; **~put/~riool′** French drain
**sy′sie -s** seed eater, siskin (small bird)
**sy′wurm -s** silkworm

# T

**'t:** *aan ~ speel* playing; *as ~ ware* as it were
**taai** tough, wiry; sticky; *so ~ soos 'n ratel* as tough as nails; ~ **wed'stryd** hard/tough match; ~**pitper'ske** clingstone peach
**taak take** task, job, duty; assignment; ~**groep** task group; ~**mag** task force
**taal tale** language, speech; ~**kunde** grammar; linguistics
**taalkun'dig -e** grammatical, linguistic
**taal:** ~**laborato'rium** language laboratory; ~**onderwy'ser** language teacher; ~**skat** vocabulary (of a language) *ook* **woor'deskat**
**taam'lik** (b) **-e** fair, tolerable; (bw) rather, fairly; ~ *goed* fairly good
**taan** tan (colour) *ook* **geel'bruin**
**T-aan'sluiting** T-junction
**tabak'** tobacco; ~**boetiek'** tobacconist's shop, smoker's emporium; ~**sak** tobacco pouch
**tab'berd -s** dress, frock *ook* **rok/japon'**
**tabel' -le** table; index
**tablet' -te** tablet, lozenge
**tablo' -'s** tableau
**taboe'** taboo *ook* **verbo'de**
**tabuleer'/tabelleer' ge-** tabulate
**ta'fel -s** table; ~ *dek* lay the table
**ta'fel:** ~**geld** service charge (restaurant); ~**heer** master of ceremonies *ook* **seremo'niemeester**; ~**re'de** after-dinner speech; ~**ten'nis** table tennis
**tafereel ..rele** scene, picture *ook* **toneel'**
**tag'tig** eighty; *die jare T~* the Eighties
**tag'tigjarige -s** octogenarian (person)
**tag'tigste -s** eightieth
**tak -ke** branch, bough; tine (antler); *van die hak op die ~ spring* jump from one subject to another; *hoog in die ~ke wees* be three sheets in the wind
**tak'bok** (n) stag, deer *ook* **hert**
**ta'kel** (s) **-s** tackle; (w) maul; rig; knock about, confront; ~**aar** rigger (person)
**tak'haar** (s) backvelder *ook* **gom'tor**
**taks** estimate, rate, share; **Jan Taks** Receiver of Revenue *ook* **Ontvan'ger van In'komste**
**takseer' ~, ge-** estimate, value, appraise
**taksidermis'** (s) taxidermist
**takt** tact; ~ *gebruik* exercise tact
**taktiek'** tactics
**takt'vol** tactful, judicious, discreet
**tal** number; ~**le voor'beelde** many examples
**talent' -e** talent, natural gift, ability *ook* **aan'leg**; (b) talented, gifted
**talm ge-** linger, loiter, dawdle; ~**lont** delayed-action fuse
**tam** tired, exhausted *ook* **uit'geput**
**tamaai'** (b) huge, colossal, enormous
**tama'tie -s** tomato; ~**pruim** persimmon
**tamboer' -e** drum, tambour; ~**nooi** drum majorette *ook* **trom'poppie**
**tand -e** tooth; cog; tine; ~**arts** dentist
**tan'de:** ~**bor'sel** toothbrush; ~**pas'ta** toothpaste; ~**vlos** dental floss
**tand:** ~**rat** cogwheel; ~**vleis** gum; ~**vul'ling** stopping, filling, plugging
**tang -e** (pair of) pliers, tongs; forceps
**tan'nie -s** auntie
**tans** now, at present; ~ *van Pretoria* presently living in Pretoria
**tant** aunt (when followed by proper name); *Liewe ~ Hester* Dear aunt Hester
**tan'te -s** aunt
**tap** (s) **-pe** tap (of a barrel); bung, spigot (hole); (w) tap, draw
**tapisserie'** tapestry *ook* **muur'tapyt**
**tap'toe** tattoo (mil.); last post
**tapyt' -e** carpet *ook* **mat**; tapestry
**tarentaal' ..tale** guinea fowl
**tarief' tariewe** tariff; rate
**tart** (w) **ge-** taunt, provoke, challenge, defy
**tas**[1] (s) **-se** bag; pouch; scan
**tas**[2] (w) **ge-** feel, touch, grope; *in die duister ~* grope in the dark
**tas'baar** (b) tangible, palpable; **tas'bare bewys'** tangible token/proof
**tatoeëer'** (w) **ge-** tattoo
**ta'xi -'s** taxi
**te** (bw) too; ~ *sleg* too bad; (vs) to, at, on, in; ~ *huur* to let; ~ *alle tye* at all times
**teak** (s) teak *ook* **kiaathout**
**tea'ter -s** theatre *ook* **skou'burg**
**ted'diebeer** (s) teddybear
**tee** tea
**te'ë** against; tired of
**teef** (s) **tewe** bitch
**te'ëhanger -s** counterpart, opposite number *ook* **amps'genoot** (mens)
**te'ël -s** tile
**teel ge-** breed, rear, raise (animals)
**tee'lepel -s** teaspoon

**teen** against, to, towards, versus
**teen′: ~aan′val** counterattack; **~deel** contrary; *die ~deel is waar* the contrary is true; **~gif** antidote; **~maat′reël** countermeasure; **~mid′del** antidote, remedy; **~offensief′** counteroffensive
**teenoor′gestel(d) -de** opposite, contrary
**teen: ~produktief′** counterproductive; **~reak′sie** backlash; **~spoed** adversity, ill-fortune; breakdown; **~spoedwa** breakdown van; **~staan** resist; **~stand** resistance, opposition: *~stand bied* offer resistance; **~stan′der** adversary, opponent (person)
**teen′stelling -s, -e** contrast, set-off; *in ~ met sy broer* unlike his brother
**teen: ~stem** (s) dissenting/negative vote; **~strib′bel** kick against, resent
**teenstry′dig** (b) **-e** contradictory, conflicting
**teenswoor′dig -e** nowadays, at present; *kos is ~ baie duur* food these days is expensive
**teen′verkeer** approaching/oncoming traffic
**teenwoor′dig** (b) **-e** present; *veertien lede is ~/ aanwesig* there are fourteen members present; **~e tyd** present tense; **~heid** presence: *~heid van gees* presence of mind
**te′ëpraat -ge-** contradict
**teer**[1] (s) tar; (w) tar; *iem. ~ en veer* tar and feather someone
**teer**[2] (w) **ge-** consume; live/sponge on
**teer**[3] (b) **-der, -ste** tender; slender; delicate; *'n ~ punt* a sore point
**teer: ~pad** tarred road; **~straat** tarred/asphalt street; **~tou** dirty fellow *ook* **tak′haar**
**te′ësin** aversion, dislike
**te′ëspoed = teen′spoed**
**te′ëvoeter -s** antipode; opposite (of)
**tef** teff (grass)
**tegelyk′** together, at the same time; *almal ~* all together; **~ertyd′** simultaneously, concurrently
**tegemoet′kom -gekom** meet halfway; **~ing** partial compensation; willingness to accommodate
**tegniek′** technique
**teg′nies -e** technical; **~e bena′minge/ter′me** technical terms; **~e uit′klophou** technical knockout (k.o.)
**teg′nikus -se** technician (person)
**tegnologie′** technology
**tehuis′ -e** hostel, home; *~ vir bejaardes* old-age home, home for senior citizens
**tei′ken -s** target *ook* **doel′wit**; *sagte ~* soft target; **~da′tum** target date; **~skiet** rifle practice
**teis′ter** (w) **ge-** afflict, ravage, scourge
**teken** (s) **-s** sign; token; signal; mark; (w) sign; draw; **~aar** draftsman, designer; **~ing** drawing, sketch; **~kryt** crayon; **~prent** comics *ook* **prent′verhaal**
**tek′kie -s** (pair of) tackies
**tekort′ -e** deficit, shortage; **~ko′ming** shortcoming, imperfection
**teks -te** text; **~boek** textbook, manual
**tekstiel′: ~goe′dere** soft goods; **~ny′werheid/ ~bedryf′** textile industry
**teks′verwerker -s** word processor *ook* **woord′verwerker**
**tel** (w) count; **~bord** scoreboard
**telefaks** telefax
**telefoneer′** (w) **~, ge-** telephone *ook* **(op)bel**
**telefonis′ -te** telephone operator
**telefoon′ ..fone** telephone; **~gids** telephone directory; **~nom′mer** telephone number; **~op′roep** telephone call; **~sentra′le** telephone exchange
**telegram′ -me** telegram, wire
**telekommunika′sie** telecommunication
**te′leks** (s) **-e** telex; (w) telex
**telepatie′** telepathy *ook* **gedag′te-oordrag**
**teleskoop′ ..skope** telescope *ook* **vêr′kyker**
**teleur′gestel(d) -de** disappointed
**teleur′stel -gestel** disappoint, baffle; **~ling -s, -e** disappointment
**televi′sie** television
**tel′kens** every time, ever and anon
**tel′ler** (s) **-s** counter; scorer; teller (bank)
**tel′ling -s, -e** score (games); census; numeration, counting
**tel′raam ..rame** abacus, ballframe *ook* **ab′akus**
**tel′woord -e** numeral
**tem** (w) **ge-** tame, break in, subdue
**te′ma -s** theme, subject
**tem′pel -s** temple; shrine
**temperament′ -e** temperament, temper
**temperatuur′ ..ture** temperature; **aan′voel~** wind-chill factor
**tem′po -'s** tempo, pace, rate; *die ~ versnel* quicken the pace
**ten** at, in; *~ behoewe van* in aid of; *~ einde (aflewering te bespoedig)* in order to (expedite delivery); *~ opsigte van* with respect to; *~ spyte van* in spite of; *~ tye/ tyde van* at the time of

**ten'der** (s) **-s** tender; offer; (w) tender
**tenk -s, -e** tank; cistern
**ten min'ste/tenmin'ste** at least
**ten'nis** tennis; ~**baan** tennis court; ~**bal** tennis ball; ~**spe'ler** tennis player
**tenniset'** tennisette *ook* **dwerg'tennis**
**tenoor' tenore** tenor (male singer)
**tensy'** unless
**tent -e** tent; hood; ~ *opslaan* pitch tent; ~**ma'ker** parttime church minister
**tentoon'stelling -s** show, exhibition *ook* **skou**
**teolo'gies -e** theological; ~**e skool** theological seminary
**teore'ties -e** theoretical
**teorie' -ë** theory
**te'pel -s** nipple, teat *ook* **tet/tiet, speen**
**ter** at, to, in; ~ *dood veroordeel* sentence to death; ~ *wille van* for the sake of
**terapie'** therapy *ook* **genees'wyse**
**terapeut' -e** therapist (person)
**terde'ë** thoroughly, duly
**tereg'** rightly, justly, in good reason; ~**stel'ling** execution; ~**wys** admonish
**terg ge-** tease, annoy, nag; ~**gees** nagging fellow, tease *ook* **plaag'gees**
**te'ring** consumption (phthisis, tuberculosis, pneumoconiosis, silicosis)
**terloops'** (b) **-e** casual, incidental; (bw) in⸗cidentally; ~, *wat doen ons môre?* by the way, what are our plans for tomorrow?
**term -e** term; *nuwe ~e vir* new terms/names for
**termiet' -e** termite, white ant
**terminaal' ..ale** terminal; **..ale pasiënt'** term⸗inal patient
**terminologie'** terminology, nomenclature
**ter'minus -se, ..ni** terminus *ook* **eind'halte**
**ter'mometer -s** thermometer
**termyn' -e** term, time, period; *binne die vasgestelde* ~ within the appointed time; ~**reses'** midterm break
**terneer'gedruk** (b) depressed, downhearted
**ternou'ernood** scarcely, hardly
**terpentyn'** turpentine, oil of terebinth
**terras' -se** terrace
**terrein' -e** building site; ground; sphere, domain; area
**terreur'** terrorism *ook* **skrik'bewind**
**terroris' -te** terrorist (person)
**tersiêr -e** tertiary; ~**e on'derwys** tertiary education
**tert -e** tart; ~**pan** pastry pan, pie plate
**terug'** back, backwards; ~**gaan** go back, retrace; ~**gee** return, restore, give back; ~**keer** return; ~**kom** come back; return; ~**reis** return journey; ~**slag** recoil; setback, reverse; ~**trek** retreat, withdraw, retract; ~**voer(ing)** feedback; ~**wer'kend:** *~wer⸗kend van* retrospective/retroactive from
**terwyl'** while, as
**te'sis -se** thesis *ook* **proef'skrif**
**tesourie'** treasury; ~**r'** treasurer (person)
**testament'** (s) **-e** testament, will
**te'tanus** tetanus *ook* **kaak'klem**
**teu'el -s** bridle, rein
**tevergeefs'** in vain, futile
**tevo're** before, previously
**tevre'de** (b) satisfied, content(ed); ~ *stel* satisfy, please; ~**nheid** satisfaction
**tien -e** ten; ~**de** tenth; *~des betaal* pay tithes; ~**de'lig** decimal; ~**er/~derja'rige** teenager; ~**er'drag** teenage dress/clothes; ~**kamp** decathlon; ~**keg'elbaan** tenpin (bowling) alley; ~**tal** decade; ~**uur** ten o'clock; ~**voud** tenfold
**tier**[1] (s) **-e, -s** tiger; SA leopard
**tier**[2] (w) **ge-** thrive, flourish; rage
**tierlantyn'tjie** (s) **-s** flourish; trifle
**tier:** ~**melk** strong drink; *hy is ge~* he is in⸗toxicated; ~**wy'fie** tigress; hellcat (woman); *so kwaai soos 'n ~wyfie* a veritable shrew
**tifoon' tifone** typhoon
**ti'fus** typhus fever *ook* **luis'koors**; camp fever
**tik** (s) **-ke** pat, touch, rap; (w) tap, rap; type; *van lotjie ge~* have a screw loose; *op die vingers* ~ reprimand; ~**masjien'** typewriter; ~**skrif** typing, typewriting; ~**poel** typing pool; ~**ster** typist
**tim'mer ge-** build, construct (by carpentry); ~**hout** timber; ~**man** carpenter
**tin** tin; pewter *ook* **piou'ter;** ~**erts** tin ore
**tin'gel ge-** tinkle, jingle
**tin'ger/ten'ger** (b) slender, frail, delicate
**tinktin'kie** (s) **-s** (Cape) warbler, wren, tink⸗tinkie
**tint -e** tinge, hue, tint
**tin'tel** (w) **ge-** twinkle, sparkle
**tip -pe** tip; point (of leaves)
**ti'pe -s** type, character
**tipeer'** (w) ~**, ge-** typify
**ti'pies -e** typical *ook* **kenmer'kend**
**tiran' -ne** tyrant *ook* **despoot'** (mens)
**ti'tel -s** title; heading; ~**ak'te** title deed; ~**rol** title role/part

**tja'lie -s** shawl, wrap *ook* **serp**
**tjank ge-** yelp, howl; ~**ba'lie** crybaby
**tjek**[1] (s) **-s** cheque; *gekruis'te* ~ crossed cheque; ~**boek** cheque book
**tjek**[2] (w) check; ~ *daardie syfers* check those figures; ~**lys** check list
**tjel'lo -'s** (violin)cello
**tjienkerientjee' -s** chinkerinchee (flower)
**tjips** (s) crisps (in packet); chips (with fish) *ook* **slap'tjips/sky'fies**
**tjoep'stil** very quiet, absolutely silent
**tjok'ker(tjie)** young chappie *ook* **kan'netjie**
**tjom/tjom'mie** chum, pal
**tjop** chop (meat)
**tjop-tjop** in no time, in a jiffy
**tjor(rie)** jalopy, old/dated motorcar
**tjor'lapper -s** backyard mechanic
**toe**[1] (b) closed; dumb, fuzzy-brained, stupid; *die winkels is* ~ the shops are closed; *hy is darem* ~ isn't he stupid?
**toe**[2] (bw) then; in those days; *van* ~ *af* since then
**toe**[3] (bw) to, towards; *sleg daaraan* ~ *wees* be badly off
**toe**[4] (vgw) when; while; ~ *ek daar kom, was hy in die bed* when I got there he was in bed
**toe**[5] (tw) do! please! ~ *maar!* never mind!; *help my,* ~? won't you please help me?
**toe'behore** (s) accessories *ook* **by'behore**; adjuncts, fittings
**toe:** ~**brood'jie** sandwich; ~**doen** assistance; aid; *deur jou* ~*doen was ek laat* through your doing I was late; ~**draaipapier'** wrapping paper; ~**drag** particulars, circumstances; *ware* ~*drag van sake* the ins and outs of the affair; ~**gang** entrance, admission; access; ~**geete'ken** yield sign; ~**gene'ë** kindly disposed, affectionate; *jou* ~*geneë vriend* yours sincerely/affectionately; ~**ge=pas'** applied; ~**gepas'te wis'kunde** applied mathematics; ~**ge'wing** concession; ~**gif** bonus; encore; ~**hoor'der** hearer; ~**hoor'=ders** audience; ~**juig** cheer, applaud, ap=prove; ~**jui'ging** (s) applause, cheer
**toe'ka** very remote; *van* ~ *se dae (af)* from time immemorial; ~**mo'tor** vintage/veteran car
**toe'ken -ge-** award; allot; ~**ning** award, prize; grant
**toe'komend -e** next, future; ~**e tyd** future tense
**toe'koms** future; *in die* ~ in future
**toe'kring-TV** closed-circuit TV *kyk* **kring'te=levisie**
**toe:** ~**laag/**~**'lae** gratification, subsidy; bonus, allowance; ~**laat** admit, permit, allow
**toe'lating** admission/admittance; permission; ~**(s)eksa'men** entrance examination
**toe'lig -ge-** illustrate, elucidate, explain
**toe'nader** (w) approach; ~**ing** friendly advance, reconciliation; ~*ing soek* make friendly over=tures; compromise
**toe'name** increase *ook* **sty'ging**
**toe'neem -ge-** increase; become worse; *toene=mende belangstelling* growing interest
**toen'tertyd** then *ook* **des'tyds**
**toe'pas -ge-** put into practice, implement
**toepas'lik** suitable, appropriate, fitting, applic=able; relevant
**toer** (s) **-e** tour, excursion; trick; (w) tour, travel; ~**bus** tourbus, motor coach
**toe'reteller -s** rev(olutions) counter
**toeris' -te** tourist (person); ~**me** tourism
**toernooi' -e** tournament
**toe'rus -ge-** equip; ~**ting** equipment
**toe'sig** supervision; surveillance; care; ~ *hou* supervise; invigilate; ~**hou'er** invigilator (exam.), supervisor (factory)
**toe:** ~**skou'er** spectator, onlooker; ~**skryf/**~**skrywe** ascribe/attribute to; ~**sluit** lock up; close; ~**spits:** ~*spits op* concentrate on; ~**spraak** address, speech: *'n* ~*spraak lewer/hou* deliver a speech; *'n* ~*spraak klok* time someone's speech; ~**spreek** address; ~**staan** allow, permit, grant; ~**stand** state, condition, circumstances; ~**stel** apparatus, appliance, device
**toe'stem** grant, consent, agree; ~**ming** con=sent, permission, approval
**toet** (w) **ge-** blow a horn, hoot *ook* **toe'ter**
**toe'ter** (s) **-s** horn, hooter; (w) hoot
**toets** (s) **-e** key (piano); test; trial; ~**bord** keyboard; (w) test, try; ~**rit** trial run; ~**saak** test case; ~**vlug** test flight; ~**wed'stryd** test match
**toe'val**[1] (s) accident, chance, coincidence; *blote* ~ (mere) coincidence
**toe'val**[2] (s) **-le** fainting fit
**toe'val**[3] (w) **-ge-** fall to the lot of; cave in
**toe'val**[4] (w) **-ge-** accrue to (interest)
**toeval'lig** (b) casual, accidental; (bw) acciden=tally, by chance
**toe'vertrou** ~ entrust; confide; *iem. 'n geheim* ~ confide a secret to a person

**toe'vlug** refuge, recourse; ~ *tot 'n vriend neem* seek a friend's aid; ~**(s)oord'** refuge, sanctuary
**toe'voer** (s) supply; (w) supply; ~**diens** feeder service; ~**pad** access road
**toe'wy -ge-** dedicate, consecrate, devote; ~**dingsformulier'** act of dedication *ook* **diens'gelofte**
**tof'fie** (s) toffee; ~**-ap'pel** toffee apple
**tog**[1] (s) **-te** draught, current of air; expedition, journey, trip
**tog**[2] (bw) yet, still, all the same; *hy is siek, ~ kom hy skool toe* he is ill, yet he comes to school
**to'ga -s** gown, robe, toga (academic)
**tog'snelheid ..hede** cruising speed
**toi'ings** rags, tatters
**toilet' -te** toilet; ~**papier'** toilet paper
**toi-toi** (w) toyi-toyi(ng)
**tok'kel ge-** touch (string of a musical instrument), strum, twang; ~**klavier'** honkytonk piano
**tokkelok' -ke** theological student (sl)
**toktok'kie -s** tapping beetle; tick-tock (boys' prank)
**tol**[1] **-le** top; (w) spin, turn; ~**dro'ër** spindrier
**tol**[2] tribute, customs; toll; ~**geld** toll, customs; ~**hek** tollgate; ~**pad** tollroad; ~**vry** tollfree
**tolk** (s) **-e** interpreter (person); (w) interpret
**tol'lenaar -s, ..nare** publican
**tol'letjie -s** reel, bobbin
**tom'be -s** tomb *ook* **graf'kelder**
**ton -ne** cask, tub; ton (weight); *~ne geld* tons of money
**toneel' tonele** scene; stage; ~**gesel'skap/~groep** theatrical company, performing group; ~**in'kleding** decor; ~**op'voering** dramatic performance; ~**skry'wer** dramatist *ook* **dramaturg'**; ~**spe'ler** actor; player; ~**stuk** play
**tong -e** tongue; sole (fish); ~**kno'per** tongue twister *ook* **snel'sêer**; ~**vis** sole
**to'nikum ..ka** tonic (medication)
**ton'nel** (s) **-s** tunnel; subway; (w) tunnel
**ton'nemaat** tonnage
**tonsilli'tis** tonsillitis *ook* **man'gelontsteking**
**tooi** (w) **ge-** adorn, decorate, array, trim; ~**tas'sie** vanity case *ook* **smuk'tassie**
**toom -s, tome** bridle
**toon**[1] (s) **tone** toe; *van kop tot ~* from head to foot
**toon**[2] (s) **tone** pitch (of voice); tone
**toon**[3] (s): *ten ~ stel* exhibit; (w) show, indicate, demonstrate
**toon:** ~**bank** counter; ~**beeld** model, example; ~**kas** display case/cabinet; ~**lad'der** scale, gamut; ~**lokaal'** showroom
**toon'set ge-** put to music, compose; ~**ting** (musical) composition
**toon'venster -s** display window
**toor ge-** conjure, practise witchcraft; ~**dok'ter** witchdoctor; ~**kuns** sorcery, magic, witchcraft; ~**kuns'tenaar** magician *ook* **kul'kunstenaar**; ~**medisy'ne** muti *ook* **moe'tie/doe'pa**
**toorn** (s) anger, wrath
**toorts -e** torch (flame)
**top**[1] (s) **-pe** summit, peak, top, tip
**top**[2] (w) **ge-** top, trim
**top:** ~**bestuur'** top management; ~**punt** summit, peak; zenith; ~**swaar** top-heavy; ~**verko'per** bestseller *ook* **blits'verkoper**
**tor -re** beetle; clodhopper (person)
**to'ring -s** tower, steeple
**torna'do -'s** tornado, whirlwind
**torpe'do -'s** torpedo
**tor'ring** (b) **ge-** rip up, unpick; pester/bother
**tor'telduif ..duiwe** turtle dove
**tot** to, until, till; ~ *dusver/dusvêr* up till now; ~ *en met* up to and including; ~ **siens!/totsiens'!** so long! *ook* **goed'gaan!**
**totaal'** (s) **tota'le** total amount; (bw) altogether
**tot'dat** until, till
**tou**[1] (s) **-e** string, twine, cord; rope
**tou**[2] (s) **-e** queue; (w) straggle after; walk in tandem; queue up
**tou:** ~**spring** skip; ~**staan** form a queue
**tou'trek** (s) tug-of-war; (w) pull at tug of war; wrangle
**tou'wys:** *iem. ~ maak* show someone the ropes
**to'wenaar -s** sorcerer, wizard; magician
**to'wer ge-** enchant, charm; ~**heks** witch; ~**staf** magic wand
**town'ship** (s) township *ook* **woon'buurt**
**traag** slow, indolent, inert; dull
**traak** concern; *dit ~ my nie* I don't care
**traan** (s) **trane** tear; *trane stort* shed tears; (w) water (eyes)
**traan'rook** tear smoke *ook* **traan'gas**
**tradi'sie -s** tradition *ook* **oor'lewering**
**tra'gies -e; -er, -ste** tragic
**trajek' -te** trajectory; stretch, stage
**traktaat' ..tate** treaty, tract
**trakteer' ~, ge-** treat, entertain; *iem. op 'n drankie ~* stand someone a drink

**tra'lie -s** trellis, lattice; *agter die ~s sit* be behind bars/in jail
**trampolien -s** trampoline *ook* **wip'mat**
**tra'ne: ~dal** vale of tears; **~trek'ker** tearjerker (film, book)
**transak'sie -s** transaction, deal *ook* **akkoord', ooreen'koms**
**transforma'sie -s** transformation
**transport' -e** transport; **~ak'te** deed of transfer; title deed (property)
**trant** manner, style; *op die ou ~* as usual
**trap**[1] (s) **-pe** trample, kick; (w) kick, tread; flee, go away, scoot; thresh
**trap**[2] (s) **-pe** staircase; step; degree; pedal; *stellende, vergrotende en oortreffende ~* positive, comparative and superlative degree
**trap: ~fiets** pushbike; **~kar** pedal car; **~leer** stepladder
**trapsoe'tjies/trapsuut'jies -e** chameleon; slowcoach (person)
**tras'sie -s** hermaphrodite; freemartin
**trau'ma/trou'ma** trauma; *'n ~tiese ondervinding* a traumatic experience
**tred** pace, tread, step; *(gelyke) ~ hou met* keep abreast of
**tree** (s) **treë** pace, step; (w) pace, tread, step; *in diens ~* enter service; *in die huwelik ~* marry; **~plank** running board, footboard
**tref ge-** hit, strike; fall in with, come across; *maatreëls ~* take steps; **~af'stand** effective range: *binne ~afstand* within range; **~-en-trap'voorval** hit and run case; **~fend** (b) striking, stirring, touching; **~fer(boek)** bestseller; **~ferpara'de** hit parade (radio)
**treg'ter -s** funnel
**treil ge-** tow; **~er** trawler *ook* **vis'treiler**
**trein -e** train; *die ~ haal* catch the train; *die ~ mis/verpas* miss the train; **~dry'wer** train driver
**trei'ter ge-** tease, taunt, torment *ook* **tart**
**trek** (s) **-ke** pull; migration; stage (bus); draught; *in breë ~ke* in broad outline; (w) pull, draw, haul; move; migrate; be draughty; *in twyfel ~* doubt; **~ar'beid** migrant labour; **~ker** puller; trekker, emigrant; tractor; **~klavier'** accordion; **~pas** dismissal: *die ~pas kry* be discharged/sacked; **~pleis'ter** drawcard; lover; **~skaal(tjie)** spring balance; **~slui'ter** zip fastener *ook* **rit(s)slui'ter**; **~vo'ël** bird of passage
**trem -s, -me** tram; **~bus** trolleybus
**treur ge-** mourn, grieve for; **~ig** sad, mournful, gloomy; **~ige verto'ning** miserable performance; **~mars** funeral march; **~sang** elegy, dirge; **~spel** tragedy; **~wilg(er)** weeping willow
**tries'tig -e; -er, -ste** gloomy, sad; dismal
**tril'ling -s, -e** vibration *ook* **vibra'sie**; tremor
**trim'park -e** trimpark
**triomf' -e** triumph, victory *ook* **oorwin'ning**
**tri'plo -'s** triplicate *ook* **drie'voud**
**trip'pel ge-** trip along; tripple (horse)
**troebadoer' -s** troubadour *ook* **min'nesanger**
**troe'bel -er, -ste** muddy, turbid *ook* **mod'derig**
**troef** (s) **troewe** trump; (w) trump
**troep -e** troop, group; troupe (actors)
**troe'pe** troops, forces; **~dra'er** troop carrier; **~mag** military force
**troe'tel** (w) **ge-** pet, fondle, caress, coddle *ook* **lief'koos**; pamper; **~dier** pet animal; **~dierwin'kel** petshop *ook* **ark'mark** (idiom.)
**trofee' trofeë** trophy *ook* **be'ker**
**trof'fel -s** trowel
**trog trôe, -ge** trough; manger
**troglodiet' -e** cave dweller, troglodyte
**trok -ke** truck
**trol'lie -s** trolley *ook* **dien'wa(entjie)**
**trom -me** drum (music)
**trombo'se** thrombosis *ook* **aar'verstopping**
**trom'mel -s** (steel) trunk; canister; tympanum, eardrum; **~dik** quite filled, with a full stomach
**trompet' -te** trumpet; **~bla'ser** trumpeter
**trom'pie -s** mouth harp, jew's-harp
**tromp'op** point-blank; close; *iem. ~ loop* rebuke someone unceremoniously; **~bot'sing** head-on collision *ook* **front'botsing**
**trom'poppie -s** drum majorette
**tronk -e** prison, jail; *van nuuskierigheid is die ~ vol* curiosity killed the cat; **~bewaar'der** prison warder *ook* **korrektie'we beamp'te**; **~vo'ël** jailbird; habitual criminal
**troon** (s) **trone** throne; **~op'volger** heir to the throne
**troos** (s) comfort, consolation; (w) console, comfort; *skrale troos* cold comfort; **~prys** consolation/booby prize
**trop -pe** flock (sheep); troop (baboons); herd (cattle); pride (lions)
**tro'pies -e** tropical
**trop'sluitertjie -s** youngest child *ook* **laat'lammetjie**
**tros** (s) bunch, cluster; (w) cluster; **~behui'sing** cluster housing *ook* **korf'behui'sing**

**trots** (s) pride, haughtiness; (b) proud, haughty
**trotseer'** (w) ~, **ge-** go against, defy, withstand, challenge; brave
**trou**[1] (s) fidelity, faith; *te goeder* ~ in good faith; ~ *sweer aan* swear allegiance to; (b) faithful, true
**trou**[2] (w) **ge-** marry, wed; *met iem.* ~ marry someone; **pas'getroude paar'tjie** newlywed couple; ~**dag** wedding day
**tru'beeld -e** replay (TV)
**trui -e** jersey
**tru:** ~**kaat'ser** reflector; ~**knal** backfire; ~**projek'tor** overhead projector; ~**rat** reverse gear; ~**spie'ël(tjie)** rearview mirror
**trust -e** trust (person); ~**ee** trustee
**tru'tol** backspin (of a ball)
**truuk -s** trick, gimmick
**tset'sevlieg ..vlieë** tsetse fly
**tug** (s) discipline, punishment; (w) punish; ~**komitee'** disciplinary committee; ~**maat'reël** disciplinary measure; ~**mees'ter** disciplinarian (person)
**tuig tuie** harness; rigging
**tui'mel ge-** tumble, topple over; ~**dro'ër** tumble dryer; ~**kar'retjie** roller coaster *ook* **wip'waentjie**
**tuin -e** garden; ~**beplan'ner/argitek'** landscape gardener; ~**bou** horticulture; ~**hulp/~ier** gardener; ~**slang** garden hose; ~**woon'stel** granny flat
**tuis** at home; ~**blad** home page (Internet); ~**land** homeland; ~**ny'werheid** home industry; ~**werk** (school) homework *ook* **huis'werk**
**tulp -e** tulip; ~**bol** tulip bulb
**turf** peat, turf
**turksvy' -e** prickly pear; tricky problem
**tus'sen** among, between; ~ *die reëls lees* read between the lines
**tus'senganger -s** (inter)mediator, go-between *ook* **bemid'delaar**
**tussenin'** in between, in among
**tus'sen:** ~**po'se** interval, pause; ~**tyd'se dividend'** interim dividend; ~**verkie'sing** by-election; ~**vloer** mezzanine; ~**werp'sel** interjection
**twaalf** twelve; ~**de** twelfth; ~**uur** twelve o'clock; lunch/dinner time
**twak** tobacco *ook* **tabak**; nonsense; piffle
**twee tweë, -s** two; ~ *maal/keer* twice
**twee'de** second; **T~ Kersdag (Welwil'lendheidsdag)** Day of Goodwill (Boxing Day); ~**hands** secondhand; ~**ns** secondly, in the second place; ~**rangs** second rate; ~ **vloer/vlak** second floor
**twee:** ~**drag** discord: ~*drag saai* sow the seeds of discord; ~**geveg'** duel; ~**klank** diphthong; ~**lettergre'pig** disyllabic; ~**ling** twin(s); ~**rom'per** catamaran (sailing boat); ~**stryd** indecision; inward conflict; ~**ta'lig** bilingual; ~**uur** two o'clock; ~**voud** multiple of two: *in ~voud* in duplicate
**twin'tig** twenty; ~**ste** twentieth
**twis** (s) **-te** quarrel, dispute, row *ook* **ru'sie**; (w) quarrel; ~**ap'pel** apple of discord
**twy'fel** (s) doubt; (w) doubt
**twyfelag'tig** (b) dubious, doubtful
**tyd tye** time; tense; *te eniger* ~ at any time; *ten tye/tyde van* at the time of; ~**(s)bere'kening** timing; ~**bom** time bomb; ~**deel** (s) timeshare
**ty'delik** (b) **-e** temporary (job)
**ty'dens** during *ook* **gedu'rende**
**tyd:** ~**genoot'** (s) contemporary (person); ~**gleuf** time slot
**ty'dig** timely, betimes; ~ *en ontydig* in season and out (of season)
**ty'ding -s, -e** news, tidings *ook* **berig'**
**tyd:** ~**perk** period; ~**ren** rally (cars)
**tydro'wend -e** time consuming
**tyd:** ~**skrif** periodical/magazine: ~**stip** point (of time): *op hierdie ~stip* now; at this point in time; ~**ta'fel** timetable *ook* **roos'ter**; ~**verdryf'** pastime *ook* **stok'perdjie**

# U

**u** (pers. vnw) you; (besit. vnw) your (singular and plural); *ek waardeer ~ hulp* I appreciate your help *kyk* **die u'we**
**ui -e** onion
**ui'er** (s) **-s** udder
**uil -e** owl; *soos 'n ~ op 'n kluit* alone and perplexed; *'n ~tjie knyp/knip* take a nap; ~**s'kuiken** dunce, stupid, numskull *ook* **dom'kop, skaap**
**uil'spieël -s** clown, wag; rogue

**uin'tjie -s** nutgrass, nutsedge, uintjie(s)
**uit** (w) **ge-** utter, voice *ook* **ui'ter**; (b, bw) over, out, off; (vs) out, out of, from
**uit'asem/uit'adem** (w) **-ge-** exhale
**uita'sem** (b, bw) out of breath
**uit'bars -ge-** burst out; explode; erupt (volcano); ~**ting** eruption
**uit'beeld -ge-** sketch, draw; depict
**uit'betaal** ~, pay out, disburse; *'n dividend ~* pay a dividend
**uit:** ~**blaas** blow out; ~**bla'ker** blurt out; ~**blink** outshine, surpass, excel *ook* **presteer'**; ~**blinker** ace, crack, topdog
**uit'braak** (s) outbreak (of epidemic) *ook* **uit'bre'king**
**uit'breek -ge-** break out; erupt, burst out
**uit'brei -ge-** extend, enlarge; spread; ~**ding** extension, enlargement
**uit'broei -ge-** hatch
**uit'buit** exploit, rip-off; take advantage of
**uitbun'dig** excessive; clamorous; ~**e vreug'de** hilarious joy
**uit'daag -ge-** challenge, defy; ~**be'ker** challenge cup
**uit'daging -s, -e** challenge
**uit'deel -ge-** distribute, mete out, portion
**uit'deler** (s) dispenser (apparatus)
**uit:** ~**delg** exterminate; ~**dos** trim out, deck out; ~**draai** turn aside; evade; turn out; ~**draaipad** turn-off
**uit'druk -ge-** express; squeeze out; ~**king** expression *ook* **geseg'de**
**uitdruk'lik** (b) **-e** emphatic, explicit
**uit'dun -ge-** thin out; eliminate; cull (animals); ~**ron'de** elimination round/bout; ~**wed'loop** heat (athletics)
**uiteen'** asunder, apart; ~**lo'pend** divergent, different; ~**set'ting** explanation; ~**sit** explain, expound
**uitein'delik** finally, at last, ultimately
**ui'ter ge-** utter, voice *ook* **uit** (w)
**uiteraard'** by the nature of *ook* **uit die aard van**
**ui'terlik** (s) outward appearance, exterior; (b, bw) outward(ly), external(ly); *~ 30 Mei* not later than 30 May/May 30
**ui'ters** exceedingly, extremely; *dis ~ jammer* it is a great pity; *~ dertig mense* thirty people at the most
**ui'terste** (s) **-s** death; extreme limit; (b) extreme, utmost, last; *jou ~ bes doen* do one's utmost
**uit'faseer** ~ phase out
**uit'gaan -ge-** go out; end in; emanate from
**uit'gang -e** exit, way out; ending; ~**s'punt** starting point *ook* **begin'punt**
**uit'gawe -s** expenditure, expenses; cost; edition (of book); issue, impression
**uit'gelate** elated, exuberant, boisterous
**uit'gelese** choice, picked; ~ **gesels'kap** select/distinguished company
**uit:** ~**gesla'pe** sly, cunning; wide awake; ~**geson'der** except, excluding; ~**gewe'kene** refugee, fugitive; expatriate (person)
**uit'gewer -s** publisher
**uit'gif -te** hand-out *ook* **strooi'biljet'**; **aan'dele-uit'gifte** shares issue
**uit'grawing -s, -e** excavation; exhumation (corpse); cutting
**uit'haler** (s) **-s** ace; showy person *ook* **uit'blinker**; (b) smart, showy; first-rate, crack; ~**spe'ler** crack player
**uitheems' -e** foreign, exotic
**uit'hou -ge-** bear, stand, endure; ~**vermo'ë** endurance; ~**wed'ren** endurance race
**ui'ting -e, -s** saying, utterance; *tot ~ kom* find expression
**uit:** ~**jou** boo, barrack, hiss at; ~**kamp** camp (out) *ook* **kampeer'**
**uit'keer -ge-** pay out, pay back, pay (dividend); ~**po'lis** endowment policy
**uit'ken** recognise, identify; ~**para'de** identification parade
**uit'klaar** check out (of army); clarify; explain
**uit'klop** (w) beat out (dent); knockout (boxing)
**uit'kyk:** *op die ~* on the lookout; (w) look out
**uit'laat** (s) **..late** outlet; exhaust (engine); (w) omit, skip, leave out; let out; express; ~**pyp** exhaust pipe
**uit'lê** (w) explain, elucidate *ook* **verklaar'**
**uit'leen -ge-** lend (out); ~**koers** lending rate
**uit'leg** layout, plan; explanation
**uit'lek** (w) leak (information)
**uit'lewer -ge-** extradite; hand over, surrender
**uit'lok -ge-** tempt, solicit; decoy; *baie kritiek ~* arouse a great deal of criticism
**uit'loof -ge-** offer (a reward); institute/promise/sponsor a prize
**uit'loop** (s) **..lope** spillway; (w) walk out; result in; *op niks ~* come to nothing
**uit'loot** (w) draw; raffle
**uit'maak -ge-** make out, settle; break off
**uit:** *~mond in die oseaan* flow/discharge into

the ocean (a river); ~**moor** massacre, butcher; ~**munt** excel, surpass
**uitmun'tend** (b) excellent *ook* **voortref'lik**
**uitne'mend** excellent; *by ~heid* par excel= lence
**uit'nodiging -s, -e** invitation
**uit'nooi -ge-** invite *ook* **nooi** (w)
**uit'oefen -ge-** practise, exercise; discharge (duties); exert *kyk* **be'oefen**
**uit:** ~**oorlê** outmanoeuvre, get the better of, outwit; ~**peul** protrude, bulge (eyes); ~**plant** plant out; transplant; ~**pluis** pick out, sift, ferret out; unravel
**uit'put -ge-** exhaust, deplete; ~**ting** exhaus= tion; ~**(tings)oor'log** war of attrition
**uit'reik -ge-** hand out, issue; *sertifikate ~* issue certificates; ~**fonds** outreach fund; ~**program'** outreach program(me)
**uit'roei -ge-** uproot; exterminate; *met wortel en tak ~* destroy altogether
**uit'roep** (s) **-e** exclamation, shout, cry; (w) call out, exclaim; *'n staking ~* call a strike; ~**(ings)te'ken** exclamation mark
**uit'ruil** (w) exchange; ~**student'** exchange student
**uit'rus**[1] **-ge-** repose, rest
**uit'rus**[2] **-ge-** equip, fit out; ~**ter** outfitter; ~**ting** outfit; equipment
**uit'saai -ge-** broadcast; ~**sta'sie** broadcasting/ radio station
**uit'sak -ge-** bulge out; fall (rain); lag behind; ~**ker** dropout (student) *ook* **skoolsta'ker**
**uit'set -te** marriage outfit, trousseau; output, yield; ~**ting** expulsion (school); eviction (from house/flat); expansion (of joints)
**uit'sien -ge-** look out for; look forward to
**uit'sig -te** view; prospect; **onbelem'merde** ~ unobstructed view; *met ~ op die see* facing the sea; ~**pad** scenic road
**uit'sit -ge-** expand, dilate; eject; evict, expel; *iem. by sy nooi ~* oust a rival; *'n dier ~* put down an animal; ~**voeg** expansion joint
**uit'skakel** eliminate; cut out, disconnect
**uit'skei -ge-** cease, stop; *met/teen ~tyd* at the close of play (cricket)
**uit:** ~**skel** (w) scold, call names, abuse; ~**skietstoel** ejection seat (aircraft); ~**skop= ska'kelaar** trip switch
**uit'skot** rejects; rabble, riff-raff
**uit'slag**[1] rash (skin)
**uit'slag**[2] **..slae** result, issue; *die ~ van die eksamen* the examination results
**uitslui'tend/uitsluit'lik** exclusive(ly); solely
**uit'smyt -ge-** eject, chuck out; ~**er** chucker-= out, bouncer (person)
**uit:** ~**soek** select, choose, have one's pick; ~**sonder** (w) except, exclude
**uit'sondering -s, -e** exception; *~ op die reël* exception to the rule
**uit'span -ge-** unharness, outspan, unyoke; ~**ning** outspan place
**uitspat'tend/uitspat'tig** dissipated; ornate/ flamboyant *ook* **swie'rig**
**uit'spraak ..sprake** pronunciation; sentence, verdict; award; *~ voorbehou* reserve judg= ment
**uit:** ~**spreek** pronounce, express; ~**spring** jump out; bail out (from aircraft)
**uit'staan -ge-** endure, withstand; stand out; bulge out; *ek kan hom nie ~ nie* I cannot bear him; ~**de** outstanding (debt; achieve= ment); projecting (rock)
**uit'stal -ge-** display, exhibit; ~**ling** display, exhibit; ~**ven'ster** show window *ook* **toon'= venster**
**uit'stap -ge-** alight, step out; ~**pie** excursion, trip, outing
**uitste'dig -e** out of town
**uit'stek:** *by ~* pre-eminently
**uitste'kend -e** excellent, superb *ook* **puik**
**uit'stel** (s) delay; postponement; *van ~ kom afstel* procrastination is the thief of time; *~ gee* grant an extension of time; (w) delay, postpone
**uit'sterf/uit'sterwe -ge-** become extinct, die out
**uit:** ~**stra'ling** radiation; emission; ~**stryk** iron out; settle problem; ~**tart** provoke, defy; ~**teer** pine away, emaciate
**uit'tog** departure, exodus; flight
**uit'trede/uit'treding** retirement (from board)
**uit'tree -ge-** retire (as chairman); withdraw; ~**pakket'** severance package *ook* **skei'= ding(s)pakket'**
**uit'trek -ge-** undress; march out (soldiers); extract, pull out (tooth)
**uit'vaagsel** scum, riff-raff *ook* **skuim** (mense)
**uit'val** (s) **-le** sally; sortie; clash/quarrel; outburst; (w) fall out
**uit:** ~**veër** eraser, rubber; ~**verkie'sing** pre= destination
**uit'verkoop** (w) sell out; *dit is ~* it is sold out
**uit'verkoping -s, -e** (clearance) sale

**uit'verkore** elect, select; *die ~ volk* the chosen people; **~ne** favourite, chosen one (person)
**uit'vind -ge-** invent, find out; **~ing** invention; **~sel** contrivance, contraption
**uit'vloei -ge-** flow out; **~sel** outcome, result
**uit'voer** (s) export; (w) execute; implement; perform; (s) **~ing** performance (music)
**uitvoer'baar ..bare** feasible, practicable *ook* **haal'baar**; **~heidstu'die** feasibility study
**uit'voerend -e** executive; **~e komitee'** executive committee; **~e kun'ste** performing arts; **~e oor'gangsraad** transitional executive council
**uit'waarts** outward; **~e beleid'** outward policy
**uit'weg ..weë** outlet, escape, way out
**uitwen'dig -e** external; outward; *vir ~e gebruik* not to be taken (medicine)
**u'nie** (s) union *ook* **een'heid**
**uniek' -e** unique *ook* **e'nig**
**u'niform** (s) **-s** uniform; (b) uniform *ook* **eenvor'mig**
**universeel' ..sele** universal, all-embracing
**universiteit' -e** university; *op/aan ~* at university; **~s'graad** university/academic degree
**uraan'** uranium; **~verry'king** uranium enrichment
**uri'ne** (s) urine *ook* **urien'**
**uur ure** hour; *om vyf~* at five o'clock; *ter elfder ure* at the eleventh hour; **~werk** timepiece, clock; **~wy'ser/wys'ter** hour hand
**u'we** yours; **(hoog'agtend/opreg) die ~** yours faithfully/sincerely

# V

**vaag** (b) vague *ook* **ondui'delik**
**vaak** (b) **vaker, -ste** sleepy, drowsy; **Klaas Va'kie** Willie Winkie, sandman
**vaal valer, -ste** tawny; pale, sallow; drab
**vaal'pens -e** nickname for Transvaaler
**vaan'del -s** standard, flag, banner
**vaar** (w) **ge-** sail, navigate
**vaar'dig** (b) skilled, handy, dexterous
**vaart -e** cruise, navigation; leap; speed; **~belyn'** streamlined
**vaar'tjie:** *aardjie na sy ~* like father like son
**vaar'tuig ..tuie** vessel; (mv) watercraft
**vaarwel'** farewell, goodbye
**vaas vase** vase, flowerpot
**vaat'jie -s** barrel, tub; fatty (person)
**va'bond -e** rogue; (little) rascal; vagabond
**va'dem -s** fathom *ook* **vaam**
**va'der -s** father; sire (animal)
**va'derland -e** native country, fatherland; **~er** patriot; **~sliefde** patriotism
**va'der: ~lik** paternal, fatherly
**va'dersnaam:** *in ~* for God's sake
**va'doek -e** dishcloth
**vag -te** fleece, pelt; fell, clipping (wool)
**vak -ke** subject; compartment, partition, pigeon hole; vocation, trade
**vakan'sie -s** holiday(s), vacation; *~ hou* be on holiday; *met/op ~* on holiday; **~oord** holiday resort
**vakant' -e** vacant; empty; **~e pos** vacancy
**vakatu're -s** vacancy
**vak'(ver)bond** trade union *ook* **vak'unie**
**vak: ~ken'nis** vocational/technical knowledge; know-how, expertise; **~leer'ling** apprentice; **~man** expert, specialist artisan; **~manskap'** workmanship; **~on'derwys** technical/vocational education/instruction; **~praat'jies** shop talk
**val**[1] (s) **-le** trap *ook* **strik**
**val**[2] (s) **-le** fall; downfall; gradient; (w) fall, drop; succumb; *in die oog ~* catch one's eye; *in die rede ~* interrupt; **~byl** guillotine; **~bylpot'** tiebraker game (tennis)
**val: ~hek** boom; **~helm** crash helmet
**valk -e** falcon, hawk; **~e'nier'** falconer
**vallei' -e** valley, dale, vale
**vall'end -e** falling; **~e siek'te** epilepsy
**val'luik -e** trapdoor; drop (gallows)
**vals** (b) false, phoney; forged, faked, artificial
**val'skerm -s** parachute; **~troe'pe** para(chute) troops, parabats; **~sprin'ger** (para)chutist
**val'strik -ke** trap, snare, pitfall
**valueer' ~, ge-** valuate, value, assess
**valu'ta** (foreign) currency; **bui'telandse ~** foreign exchange
**vampier' -e, -s** vampire *ook* **bloed'suier**
**van**[1] (s) **-ne** surname, family name
**van**[2] (vs) of, from, with, by, for; *~ jongs af* since childhood
**vanaand'** this evening, tonight

**vanaf'** from
**vandaal' ..dale** vandal *ook* **verwoes'ter**
**vandaan'** from
**vandaar'** hence, that is why
**vandag'** today
**vandalis'me** vandalism *ook* **verniel'sug**
**vandees'jaar** this year
**vandees'maand** this month
**vandees'week** this week
**vandi'sie/vendu'sie** auction (sale/mart) *ook* **vei'ling**
**vang ge-** catch, seize, capture, trap; ~**s** catch, haul
**vanjaar'** this year
**vanmekaar'** asunder, separated; to pieces
**vanmele'we/vansle'we** in earlier times, in days of yore *ook* **toe'ka se dae/tyd**
**vanmo're/vanmôre** this morning
**vannag'** tonight; last night
**vanself'** of its own accord; ~**spre'kend** obvious, self-evident, implied
**vantevo're** previous(ly), before *ook* **voor'heen**
**vanwe'ë** on account of, because of, owing to
**varia'sie -s** variation *ook* **wis'seling**
**varieer'** ~, **ge-** vary, change
**va'ring -s** fern
**vark -e** pig, hog, swine; ~**oor** pig's ear; arum lily *ook* **a'ronskelk**; ~**sog** sow; ~**vleis** pork
**vars -er, -ste** fresh; ~ **ei'ers** new-laid eggs
**vas**[1] (w) **ge-** abstain from food, fast
**vas**[2] (b) firm, fixed; permanent; ~**te ei'endom** immovable property; (bw) firmly; soundly
**vas'berade** (b) resolute, strong-minded
**vas:** ~**beslo'te** determined; ~**brand** run dry, seize; get into difficulty
**vas'goed** immovable/landed property
**vas'golf** permanent wave; *sy laat haar hare* ~ she is going to have a perm
**vas'keer** (w) **-ge-** corner; drive into a corner
**vas:** ~**klou** cling to; ~**lê** steal, pinch; pilfer; ~**maak** fasten, tie
**vas'pen -ge-** control; *pryse* ~ peg prices
**vas'stel -ge-** fix, establish, ascertain, stipulate; *die skade* ~ assess the damage
**vas'teland** continent *ook* **kontinent'**
**vas'trap** (s) popular folk dance; (w) stand firm, persevere
**vas'vra -ge-** corner, quiz; ~**wed'stryd** quiz
**vat**[1] **-e** tub, barrel; vessel; vat; cask
**vat**[2] (s) grip, hold; (w) grip, take, catch, seize; grasp, understand; *koue* ~ catch a chill; *vlam* ~ catch fire
**vee**[1] (s) livestock; cattle, sheep
**vee**[2] (w) **ge-** sweep, wipe *ook* **veeg**
**vee'arts -e** veterinary surgeon
**vee'boer -e** livestock farmer, cattle farmer, sheep farmer; ~**dery'** stock farming
**vee'dief** cattle/stock thief, rustler; ~**stal** cattle/stock rustling/raiding
**veel** (b, bw) **meer, meeste** much, many, frequently; *te* ~ too much
**veel:** ~**belo'wend** promising, hopeful; ~**bete'kenend** significant *ook* ~**seg'gend**; ~**ei'send** demanding, exacting
**veelkeu'sig** multiple choice; ~**e vra'e** multiple-choice questions *ook* **veel'keusevrae**
**veels:** ~ *geluk* hearty congratulations; ~ *te veel* altogether too much
**veelsy'dig -e** many-sided; versatile, all-round
**veelvol'kig** multinational, multiracial
**veer**[1] (s) **vere** spring; (w) spring
**veer**[2] (s) **vere** feather; (w) feather; ~**boot** ferry; ~**gewig'** featherweight; ~**kombers'** eiderdown (quilt) *ook* **ve'rekombers**
**veer'kragtig -e** elastic, resilient
**veer'pyltjie -s** dart(s) (game)
**veer'tien -e** fourteen; ~ **dae** a fortnight; ~**de** fourteenth
**veer'tig -s** forty; ~**ste** fortieth
**vee:** ~**sta'pel** (live)stock; ~**teelt** stock breeding; ~**vei'ling** cattle auction
**veg** (w) **ge-** fight, contend *ook* **baklei'**; ~**bulter'riër** pitbullterrier
**vegeta'riër -s** vegetarian (person)
**veg:** ~**gees** fighting spirit; ~**kno'per** promoter (boxing, wrestling); ~**vlieg'tuig** fighter plane
**veg'ter -s** fighter, combatant
**vei'lig** (b) **-e; -er, -ste** safe, secure
**vei'ligheid** (s) safety, security; ~**s'gor'del** safety belt *ook* **sit'plekgordel**; ~**s'hal'we** for safety's sake; ~**s'raad** Security Council (UN)
**vei'ling -s, -e** auction, sale *ook* **vandi'sie**
**vel**[1] (s) **-le** skin, hide; sheet
**vel**[2] (w) **ge-** pass (sentence); fell, cut down; *vonnis* ~ pass sentence
**veld -e** field, plain; ~**fiets** scrambler (bike); ~**fliek** drive-in theatre; ~**maar'skalk** field marshal; ~**ren'ne** scrambling; off-road racing (cars); ~**skoen** home-made shoe, velskoen; ~**slag** battle; ~**stoel** folding stool, campstool; ~**tog** campaign
**vel'ling -s** felly, rim
**vendu'sie -s** auction, sale *ook* **vandi'sie**

**vene'ries -e** venereal (disease)
**vennoot' ..note** partner; ~**skap** partnership; *die ~skap ontbind* dissolve the partnership
**ven'ster -s** window; ~**bank** window sill; ~**koevert'** window envelope
**vent**[1] (s) **-e** fellow, chap, guy, bloke; *'n gawe* ~ a decent chap; *'n snaakse* ~ a funny guy/ bloke
**vent**[2] (w) **ge-** hawk, peddle; ~**er** pedlar, hawker *ook* **smous**; informal trader
**ventila'sie** ventilation *ook* **lug'vervarsing**
**venyn'** venom, poison; ~**ig** (b) venomous *ook* **bit'sig**
**ver/vêr** far, remote, distant
**ver'af/vêr'af** far away, remote; ~ *geleë* remote
**veraf'sku** (w) ~ abhor, loathe, detest
**verag'** (w) ~ despise, disdain; ~**telik'** (b) despicable, contemptible
**veral'** especially; ~ *hy* he of all people
**veran'der** ~ change, modify; ~**ing** change, alteration; ~**lik** variable; fickle
**verantwoor'delik** (b) **-e** responsible, accountable; ~**heid** responsibility
**veras'** ~ cremate; ~**sing** cremation
**verbaal' verbale** verbal; **verba'le kommunika'sie** verbal communication
**verbaas'** (w) ~ astonish, amaze; (b) astonished, amazed
**verban'** ~ banish, exile; expel (a person)
**verband'**[1] bandage (for an arm); dressing
**verband**[2] (s) **-e** bond, mortgage; *eerste* ~ first mortgage bond; (w) bond; (b) bonded; ~**e ei'endom** bonded property; ~**ge'wer** mortgagor; ~**hou'er** mortgagee
**verband**[3] connection, context; relation; *in ~ met* in connection with
**verba'sing** astonishment, amazement
**verbas'ter** ~ degenerate; hybridise
**verbeel'** ~ imagine; represent; be proud, fancy; *hy ~ hom baie* he is very conceited; ~ *jou!* just fancy!; ~**ding** fancy, imagination; *pure* ~ all imagination
**verbe'ter** ~ correct, improve, mend, rectify; ~**(ing)skool** reformatory; ~**ing** improvement, correction *ook* **regstelling**
**verbeur'** ~ forfeit; *punte* ~ lose marks
**verbied'** ~ prohibit, forbid; *'n boek* ~ ban a book; *rook ~/verbode* no smoking
**verbind'** (w) ~ join; connect; combine; commit; bandage; ~ *tot verandering* committed to change
**verbin'ding -s, -e** connection, junction, combination; communication
**verbin'tenis -se** union, contract, agreement; ~**student'** agreement/contract student
**verbit'ter(d)** (b) embitter(ed), exasperate(d)
**verblind'** (w) dazzle, blind; ~**end** (b) glaring
**verbloem'** ~ disguise, conceal *ook* **verslui'er**
**verbly'** ~ gladden, please; ~**dend** joyous, gladdening; ~**dende te'ken** hopeful sign
**verblyf' ..blywe** residence, abode; ~**permit'** resident's permit; **reis en** ~ transport and subsistence
**verbod'** (s) prohibition; ban (on books); embargo (on imports)
**verbo'de** prohibited, forbidden; *toegang* ~ no admittance; ~ **boek** banned book
**verbo'ë** declined, inflected
**verbond' -e** treaty, league, covenant
**verbon'de** connected, linked, attached
**verbouereerd' -e** perplexed; flabbergasted
**verbrand'** (w) ~ burn; cremate (corpse); (b) burnt, charred; sunburnt/tanned
**verbrands'!** hang it all!; confound it!
**verbreek'** ~ break, bust; violate; *'n verlowing* ~ break off an engagement
**verbrou'** ~ bungle, muddle; make a mess
**verbruik'** (s) consumption; (w) consume
**verbrui'ker -s** consumer; ~**(s)prysin'deks** consumer price index; ~**vrien'delik/~gun'stig** consumer friendly
**verbruiks'artikel -s** consumer article
**verby'** past, beyond; *dis alles* ~ it is all over; ~**gaan** pass, go past; neglect; ~**pad** bypass
**verby'praat -ge-:** *sy mond* ~ let the cat out of the bag
**verby'steek** overtake (a car); (by)pass
**verby'ster(d)** perplexed, bewildered
**verdaag'** ~ adjourn (a meeting); postpone, prorogue
**verdag'** (b) **-te** suspicious, suspected; ~**te** (s) suspect (person/criminal)
**verdamp'** evaporate; ~**ing** evaporation
**verde'dig** ~ defend, stand up for; ~**er** defender; counsel for the defence
**verde'diging** defence
**verde'digingsmag** defence force *ook* **weer'mag**
**verdeel'** (w) divide, distribute; apportion
**verdeeld -e** divided; ~**heid** discord, strife
**verden'king** suspicion; mistrust; *in/onder* ~ under suspicion
**ver'der/vêrder** farther, further; again
**verderf'** (s) ruin, destruction; perdition
**verdien'** ~ earn (salary); deserve, merit

**verdien(d)′ (-de)** deserved; *dis jou ~de loon* that serves you right
**verdien′ste** merit; wages, earnings; **sertifi=kaat′ van** ~ certificate of merit; **~lik** meri=torious, deserving, creditable
**verdiep′** ~ deepen; **~ing** storey, floor; deep=ening; **onderste ~ing** ground floor; **tweede ~ing** second floor *ook* **tweede vloer/vlak**
**verdink′** ~ suspect; distrust
**verdoel′** ~ convert a try (rugby)
**verdoem′** ~ curse, damn; slam
**verdof′** (w) ~ dim; *jou ligte* ~ dim one's lights *kyk* **domp**
**verdoof′** (w) drug (anaesthetic); stun; deafen; **~mid′del** anaesthetic *ook* **narko′se**
**verdor** (w) ~ wither; (b) shrivelled up, parched, withered
**verdo′wing** stupor, numbness; anaesthesia
**verdo′wingsmiddel** anaesthetic
**verdra′** ~ bear, endure, tolerate, suffer; *ek kan hom nie ~ nie* I can't bear him
**verdraag′saam** (b) tolerant, patient
**verdraai′** ~ twist, distort, contort
**verdrag′ ..drae** treaty, convention, pact
**verdriet′** grief, sadness; **~ig** (b) sad
**verdrink′** ~ drown; be drowned
**verdruk′** ~ oppress; **~king** oppression
**verdub′bel** ~ double; redouble; *jou winste* ~ double your profits
**verdui′delik** ~ elucidate, explain; clarify *ook* **verklaar′**; **~ing** explanation
**verduis′ter** (w) ~ eclipse (sun); obscure, dim; embezzle, defalcate (money); **~ing** eclipse
**verdwaal′** ~ go astray, lose the way, get lost; *ek het skoon* ~ I got lost completely
**verdwyn′** (w) disappear, vanish
**vereensel′wig** ~ identify (with)
**vereer′** (w) honour (a person); respect, revere
**veref′fen** ~ settle (a debt); pay up; adjust
**vereis′** ~ require, demand; **~te** requirement, requisite; *aan alle ~tes voldoen* satisfy all the requirements
**ve′rekombers** (s) eiderdown (quilt) *ook* **veer′=kombers**
**vere′nig** ~ unite; reconcile; merge, amalgam=ate; **V~de Na′sies** United Nations (UN); **~baar** compatible (computers); **~ing** so=ciety, association; combination
**ver′erg** (w) ~ grow angry; *ek ~ my vir hom* he annoys me; (b) angry
**verf** (s) **verwe** paint, dye; (w) paint; **~kwas** paintbrush; **~stro′per** paint remover

**verfris′** ~ refresh; **~send** refreshing
**verfyn′** (w) refine; **~d** (b) refined, cultured
**vergaan′** ~ perish, decay; be wrecked (ship) *ook* **strand**
**vergaap′** ~: *hom ~ aan* stare in wonderment
**vergaar′** ~ collect, gather *ook* **versa′mel**
**verga′der** ~ meet, gather; assemble; **~ing** meeting, assembly; gathering; *'n ~ing (af)=sluit* close a meeting; *'n ~ing belê* convene/call a meeting; *'n ~ing verdaag* adjourn a meeting; **openba′re ~ing** public meeting
**vergas′ser -s** carburettor
**vergeef′/verge′we** (w) forgive, pardon
**vergeefs′** (b) **-e** futile *ook* **tevergeefs′**; idle; **~e po′ging** abortive attempt; (bw) in vain
**vergeet′** ~ forget; *ek het skoon* ~ I quite forgot; **~ag′tig** forgetful
**vergel′ding** (s) reprisal, retaliation, retribution
**vergele′ke** compared; ~ *met* in comparison with *ook: in vergelyking met*
**vergelyk′** (s) **-e** compromise; arrangement, agreement; (w) compare
**vergely′king -s, -e** comparison; equation
**vergesel′** (w) ~ accompany (a person); attend
**ver′gesig/vêr′gesig** view, vista
**ver′gesog/vêr′gesog** (b) far-sought, far-fetched
**verge′telheid** oblivion
**verge′we[1]** ~ forgive, forgave; ~ *en vergeet* forgive and forget
**verge′we[2]** ~ poison *ook* **vergif′tig**
**vergif′nis** pardon, forgiveness, indulgence
**vergif′tig** (w) ~ poison; (s) **~ing** poisoning
**vergis′** ~ mistake, be mistaken; **~sing** mistake, error, slip (up)
**vergoed** (w) ~ compensate; indemnify, re=imburse; *skade* ~ compensate; **~ing** com=pensation; indemnification; reimbursement
**vergroot′** ~ enlarge, magnify, increase; **ver=gro′tende trap** comparative degree; **~glas** magnifying glass
**vergro′ting -s, -e** enlargement; increase
**vergun′ning -s, -e** permission; concession, licence; *met vriendelike ~ van* by courtesy of, with kind permission of
**verhaal** (s) **..hale** narrative, story, account; (w) narrate, tell, relate; recover (a debt)
**verhe′melte** palate *ook* **gehe′melte**; **gesple′te** ~ cleft palate; **har′de/sag′te** ~ hard/soft palate
**verheug′** (w) ~ rejoice, delight; *hom ~ oor* rejoice at; (b) delighted
**verhe′we** exalted, sublime
**verhin′der** (w) ~ prevent, hinder *ook* **verhoed′**

**verhit′** (w) heat; (b) heated, hot; ~**ting** heating *kyk* **son′verhitting**
**verhoed′** ~ prevent, ward off *ook* **voorkom′**
**verho′ging -s, -e** elevation, promotion, increment, increase, rise (in salary)
**verhoog′** (s) **..hoë** stage, platform; (w) raise, elevate; enhance; ~**kun′stenaar** stage performer/entertainer
**verhoor′** (s) **..hore** examination; hearing; trial (in court); (w) interrogate, examine; *sy gebed is* ~ his prayer was answered; ~**af′wagtende** (s) person awaiting trial
**verhou′ding -s, -e** relation, proportion, ratio; (love) affair
**verhuis′** ~ move/relocate; die; ~**ing** moving; migration; ~**wa** removal van; pantechnicon
**verhuur′** (w) let, hire; ~**der** landlord/lessor
**verjaar′** ~ celebrate one's birthday; prescribe (a debt); ~**(s)′dag** birthday; ~**s′geskenk′**/~**s′present** birthday present
**verjong′** (w) rejuvenate; ~**ing(s)kuur′** facelift *ook* **ontrim′peling**
**verkeer′** (s) traffic; communication; (w) have intercourse; keep company with; ~**beheer′** traffic control; ~**dem′ping** traffic calming
**verkeerd′** (b) wrong; unreasonable
**verkeers′**: ~**beamp′te** traffic officer *vgl.* **spiet′kop**; ~**boe′te** traffic fine; ~**diens** point duty; ~**knoop** traffic jam; ~**lig** traffic light, robot; ~**te′ken** traffic sign/signal; ~**wis′selaar** traffic interchange
**verken′** ~ reconnoitre, spy; ~**ner** scout
**verkies′** ~ elect; choose, prefer; *tot die raad* ~ elected to council; *tot voorsitter* ~ elected as chairman; ~**baar** eligible; ~**ing** election; ~**lik** preferable/desirable
**verklaar′** (w) ~ explain, clarify; declare
**verklap′** ~ tell tales, tell a secret
**verkla′ring -s, -e** explanation, statement; evidence; declaration; *'n* ~ *aflê* make a statement; **be′ëdigde** ~ (sworn) affidavit
**verklein′woord -e** diminutive
**verkleur′** ~ lose/change colour; discolour; ~**man′netjie** chameleon *ook* **trapsuut′jies**; turncoat
**verklik′** ~ disclose, give away (secret); ~**ker** detector (metal, smoke)
**verkluim** ~ grow stiff/numb with cold
**verknoei′** ~ spoil, make a mess, bungle
**verknor′sing** fix, quandary, dilemma
**verkoel′** ~ cool, refrigerate; ~**er** radiator
**verkon′dig** ~ announce, proclaim
**verkoop′** (s) sale; ~**(s)bestuur′der** sales manager; ~**kuns** salesmanship
**verko′per -s** seller; vendor, salesman
**verko′ping -s, -e** sale, auction
**verkort′** (w) ~ shorten, abridge, abbreviate; (b) **-e** abridged
**verko′se** returned, elected; ~ **president′** president-elect
**verkou′e -s** cold, chill; *'n* ~ *kry* catch a cold; ~ *wees* have a cold
**verkrag′** (w) violate; rape; ~**ter** rapist (person); ~**ting** (s) rape
**verkramp′** unenlightened, verkramp
**verkry′** (w) obtain, acquire; ~**(g)′baar** obtainable
**verkwik′** ~ refresh; ~**kend** (b) refreshing
**verkwis′** ~ waste, squander, dissipate
**verkyk′** ~ stare in amazement
**vêr′kyker -s** (pair of) fieldglasses, telescope, binoculars *kyk* **teleskoop′**
**verlaat′** ~ leave, abandon, quit; forsake
**verlam′** ~ paralyse; (b) lame, cripple; ~**ming** paralysis; lameness
**verlang′** ~ desire, long for; *vurig* ~ *na* yearn for; ~**e** (s) desire, wish, longing
**ver′langs/vêrlangs:** ~ **fami′lie** distant relative(s)
**verla′te** (b) abandoned, lonely, forsaken
**verle′de** (s) past; *die grys(e)* ~ the distant past; *die* ~, *hede en toekoms* the past, present and future; (b) past; last; ~ **deelwoord** past participle; ~ **maand** last month
**verle′ë** timid; bashful, self-conscious *ook* **bedeesd′/ska′merig**
**verleen′** ~ grant, give, confer, bestow
**verleent′heid** embarrassment, quandary
**verleg′ging** deviation; detour (road)
**verlei′** ~ seduce, tempt; mislead
**verleng′** ~ lengthen, prolong, extend; ~**koord** extension cord
**verlep′** (w) fade, wilt; (b) withered
**verlief′ -de** in love, fond of, sweet on; amorous; ~ *raak op* fall in love with
**verlief′de -s** person in love, lover
**verlies′ -e** loss, defeat; bereavement
**verlig¹** (w) ~ relieve; (b) relieved
**verlig²** (w) ~ illuminate; (b) enlightened; lit up; *die* ~*te eeu* the enlightened age; ~**ting** lighting (streets), illumination
**verlof′** leave; permission *ook* **toe′stemming**
**verloof′** ~ become engaged/betrothed; ~ *raak aan* become engaged to; ~**de** fiance (man), fiancee (woman)

**verloop′** (s) course, lapse, sequel; progress
**verloor′** (w) ~ lose
**verlos′** ~ deliver; release, liberate; redeem; ~**kunde** midwifery, obstetrics *ook* **obste=trie′**
**Verlos′ser** Redeemer, Saviour
**verlos′sing** deliverance; redemption; delivery
**verlo′wing -s, -e** engagement, betrothal
**vermaak′** (s) **..make** pleasure, amusement, entertainment; (w) enjoy, amuse; mock/ridicule (someone)
**vermaak′lik** enjoyable, amusing, entertain=ing; ~**heid** amusement, entertainment
**vermaan′** (w) ~ admonish, warn; caution
**vermeen′de** alleged, supposed, reputed
**vermeer′der** ~ increase, enlarge, augment; ~**ing** increase
**vermenigvul′dig** ~ multiply; ~ *met* multiply by; ~**ing** multiplication
**verme′tel** audacious, daring *ook* **astrant′**
**vermin′der** ~ lessen, diminish, decrease; slacken (speed); ~**ing** reduction, decrease
**vermink′** (w) ~ mutilate, maim; deface
**vermis′** ~ miss; *as ~ aangegee* reported missing
**vermoed′** ~ suspect: *geen kwaad ~ nie* suspect no evil; presume, suppose
**vermoe′de -ns** suspicion, presumption
**vermo′ë -ns** fortune, wealth; ability; ~**nd** (b) wealthy, rich; influential
**vermoei′** ~ tire, weary, fatigue; ~**end** (b) tiring, wearisome
**vermom′** ~ disguise, mask
**vermoor′** ~ murder, kill
**vermors′** ~ squander, spend, spill
**vermy′** ~ avoid, shun, evade
**vernaam′** (b) important, prominent, distin=guished; (bw) especially; ~**lik** especially, mainly
**verne′der** (w) humiliate, degrade, humble; ~**end** humiliating; ~**ing** humiliation
**verneem′** ~ understand, learn; enquire
**verneuk′** ~ cheat, defraud, swindle *ook* **kul**; **bedrieg′**
**verniel′** ~ destroy, wreck (items owned)
**verniet′** in vain; free (of charge); unnecessarily
**vernie′tig** ~ annihilate; destroy (a letter)
**vernis′** (s) **-se** varnish; (w) varnish
**vernou′** ~ grow narrower, narrow; *die loon=gaping ~* narrow the wage gap
**vernuf′ -te** intelligence, talent; expertise; genius; ~**tig** ingenious, innovative
**vernu′wing -s, -e** renewal; renovation
**veron(t)ag′saam** (w) ~ ignore, disregard; neg=lect
**veronderstel′** ~ suppose, assume *ook* **gestel′** (w); ~**ling** assumption, supposition
**veron′geluk** ~ fail, miscarry; lose one's life in an accident; jeopardise (one's chances)
**verontwaar′dig -de** indignant, grieved
**veroor′deel** ~ condemn, sentence; *ter dood ~/tot die dood ~* condemn to death
**veroor′saak** ~ cause, bring about; trigger; *moeite ~* cause/give trouble
**veror′den** ~ order, enact, decree; ~**ing** (munic=ipal) by-law; decree, ordinance, statute
**verou′der** ~ grow old; become obsolete
**vero′wer** (w) conquer, capture; ~**aar** victor
**verpand′** ~ pawn; pledge; mortgage
**verplaas′** ~ remove, displace; transfer (to another post/town)
**verpla′sing -s, -e** transfer, displacement
**verpleeg′** (w) ~ nurse, tend; ~**kun′de** nursing; ~**personeel′** nursing staff; ~**ster** nurse; ~**sus′ter** nursing sister
**verple′ër -s** male nurse
**verple′ging/verpleegkun′de** nursing
**verplet′ter** ~ crush, smash *ook* **verbry′sel**
**verplig′** (w) ~ oblige, compel; (b, bw) obliged, bound; compulsory; ~**te on′der=wys** compulsory education; ~**tend** compul=sory, obligatory; ~**ting** obligation; liability: *sonder ~ting* without obligation
**verraad′** treason, treachery
**verraai′** ~ betray; ~**er** traitor
**verras′** ~ surprise, startle; ~**send** surprising; ~**sing** (s) surprise; eye-opener
**ver′regaande** outrageous, scandalous
**ver′reikend -e** far-reaching; ~**e gevolge** far-reaching consequences
**ver′reweg** by far; ~ *die beste plan* by far the better plan
**verrig′** ~ do, perform, execute; ~**tinge** pro=ceedings (at a meeting)
**verroes** ~ rust away; corrode
**verrot′** (w) ~ decay, putrefy, decompose; (b) rotten *ook* **vrot**
**verryk′** ~ enrich; ~**te uraan** enriched uranium
**vers**[1] **-e** heifer
**vers**[2] **-e** stanza, verse; *met ~ en kapittel bewys* quote chapter and verse
**versa′dig** (w) satisfy; (b) satisfied (appetite)
**versag′** ~ soften, relieve; mitigate; ~**tend** extenuating, mitigating: *~tende omstan=dighede* extenuating circumstances

**versa'mel** ~ collect, gather, mass; ~**ing** collection; compilation; gathering
**versap'per -s** liquidiser; juicer, blender
**verseg'** ~ refuse point-blank/flatly
**verse'ker** (w) ~ insure, assure; affirm; (b) assured/insured
**verse'kering** assurance, insurance; ~ *teen brand* fire insurance; *ek gee julle die* ~ I give you the assurance; ~**maatskappy'** insurance company; ~**po'lis** insurance policy
**versend'** ~ dispatch/despatch, consign
**ver'sene:** *die* ~ *teen die prikkels slaan* kick against the pricks
**verset'** (s) resistance; **ly'delike** ~ passive resistance; (w) resist
**versien'** (w) ~ service (of car) *ook* **diens** (w)
**ver'siende** far-seeing; long-sighted
**versier'** ~ adorn, decorate; ~**ing** decoration, ornament; ~**sui'ker** icing sugar *ook* **sier'suiker**
**versig'tig** careful, cautious; prudent
**verskaf'** ~ supply, furnish, provide; ~**fer** supplier
**verskei'denheid** variety, assortment, diversity
**verskei'denheidskonsert'** variety concert
**verskei'e** several, sundry, various
**verskeur'** ~ tear to pieces, lacerate
**verskil** (s) **-le** difference, disparity, discrepancy; ~ *van mening* difference of opinion; (w) differ, vary; ~**lend** different; unlike
**versko'ning -s, -e** excuse, apology
**verskoon'** ~ excuse, pardon; ~ *my* pardon/excuse me
**verskrik'** ~ terrify; ~**king** horror, terror; ~**lik** (b) terrible, horrible, dreadful
**verskroei'** ~ scorch, singe
**verskul'dig** (b) **-de** due, indebted, owing
**verskyn'** ~ appear; be published; ~**ing** appearance; publication
**verslaaf'** (w) ~ enslave; ~ *raak aan* become addicted to; hooked on *ook: versot op;* (b) addicted
**verslaan** ~ defeat (in war); conquer; beat (sport)
**verslaap'** ~ oversleep (oneself)
**versla'e** dismayed, dejected
**verslag'** **..slae** report, account; ~ *doen/lewer* give an account; (submit a) report; ~**ge'wer** reporter *ook* **joernalis'**
**verslank'** (w) slim; ~**ing** slimming
**versleg'** ~ deteriorate, grow worse
**versmaai'** ~ scorn, despise, slight; *dis nie te* ~ *nie* it is not to be scorned/sneezed at
**versmoor** ~ smother, suffocate, stifle
**versna'pering** (s) delicacy, dainty, titbit, light refreshment; ~**s** snacks
**versnel'** ~ accelerate, quicken; ~**ling** acceleration; speed; ~**ren'ne** drag racing
**versoek'** (s) **-e** request, petition; (w) request, ask, invite
**versoe'king -s, -e** temptation
**versoek'skrif -te** petition *ook* **peti'sie**
**versoen'** ~ reconcile, conciliate, placate
**Versoe'ningsdag** Day of Reconciliation (holiday)
**versoet'** ~ sweeten; (s) **-er** sweetener
**versool'** ~ resole (shoe); retread/recap (tyre)
**versorg'** ~ care for; ~**ing** maintenance, care
**versper'** ~ block, obstruct, bar, barricade; ~ *die uitsig* obscure the view; ~**ring** barricade, roadblock
**verspil'** ~ squander, waste *ook* **(ver)mors**
**verspoel'** ~ wash away; ~**ing** flood
**verspot'** (b) ridiculous, silly *ook* **laf** (b)
**versprei'** ~ spread, disperse, scatter
**ver'spring/vêrspring** (s) long jump
**verstaan'** ~ understand, comprehend; *rede* ~ listen to reason; ~**baar** intelligible, comprehensible
**verstand'** sense, intellect, intelligence; **geson'de** ~ common sense
**verstan'de:** *met dien* ~ provided that; ~*lik vertraag/gestrem* mentally retarded
**verstan'dig** (b) intelligent, sensible, wise
**verste'delik** ~ urbanise; ~**ing** urbanisation
**versteek'** ~ hide (away), stow away
**versteen'** (w) ~ petrify, turn to stone
**verste'keling -e** stowaway (on ship, plane)
**verstel'** ~ mend; readjust; change gears; ~**baar** adjustable
**versterk'** ~ fortify, strengthen, reinforce; ~**ing** support, reinforcement; ~**mid'del** tonic
**versteur'/verstoor'** (w) disturb, upset; *die (openbare) rus* ~ disturb the peace
**verstom'** (w) become/strike dumb; (b) speechless *ook* **spra'keloos**
**verstoot'** ~ disown; reject; cast out, repudiate
**verstop'** ~ plug, clog; constipate; ~**ping -s, -e** obstruction/stoppage
**versto'teling -e** outcast, pariah (person)
**verstout'** ~ make bold, take courage; *jou* ~ *om* make bold to
**verstrek'** ~ furnish, supply, provide; *besonderhede* ~ give details
**verstrooi'** ~ scatter, disperse; ~**(d)'** scattered; ~**de profes'sor** absent-minded professor

**verstryk′** ~ elapse, expire; terminate; ~**da′tum** expiry date *ook* **verval′datum**
**verstuit′** ~ dislocate, sprain (wrist/ankle); twist
**versuim′** (s) omission, neglect; default; (w) neglect; omit; *sy plig* ~ neglect one's duty
**versuip′** (w) ~ drown (animal)
**verswaar′** ~ aggravate; **verswa′rende om′stan′dighede** aggravating circumstances
**verswak′** (w) weaken; ~**te bejaar′des** frail aged; ~**te′sorg** frailcare
**verswik′** ~ sprain (ankle) *ook* **verstuit′** (w)
**verswyg′** ~ suppress, conceal, keep silent; *die feite* ~ withhold the facts
**vertaal′** ~ translate; *letterlik* ~ translate literally
**verta′ler -s** translator; **beë′digde** ~ sworn translator
**verta′ling -s, -e** translation, version
**verteenwoor′dig** ~ represent; ~**end** representing; ~**er** representative (person)
**verteer′** ~ digest; spend (wastefully)
**vertel′** ~ tell, relate, narrate; ~**ler** narrator, storyteller; ~**ling** narrative, tale
**vertikaal′ ..kale** vertical
**vertoef′** ~ stay, linger, tarry *ook* **aan′bly**
**vertolk′** ~ interpret, explain; ~**ing** interpretation, rendering
**verto′ning -s, -e** show, display; performance (of the economy)
**vertoon′** (s) show, sight; (w) show; expose; perform; exhibit, display; ~**kas** display cabinet *ook* **toonkas**; ~**wed′stryd** exhibition match
**vertraag′** ~ delay, slacken; retard; ~**de/gestrem′de kin′ders** retarded children
**vertrek**[1] (s) **-ke** room, apartment *ook* **lokaal′**
**vertrek**[2] (s) departure; *dag van* ~ day of departure; (w) leave, depart
**vertrek**[3] (w) ~ distort; *sy gesig* ~ *van die pyn* his features are twisted with pain
**vertroe′tel** spoil, (over)indulge; pamper
**vertrou′** ~ trust, confide in, rely upon; ~**baar** reliable, dependable
**vertrou′e** confidence, trust; ~**ling** confidant
**vertrou′ensgaping** credibility gap
**vertrou′eswendelaar** confidence trickster, conman, spiv
**vertrou′lik** (b) **-e; -er, -ste** confidential; private; *streng* ~ strictly confidential
**vervaar′dig** ~ make; manufacture; ~**er** manufacturer *ook* **fabrikant′**
**verval′** (s) decay, decline; maturity; (w) decline, decay; fall due, expire, mature; *die wissel* ~ *(op) 21 Maart* the bill (of exchange) matures on 21 March; ~**dag** due/expiry date
**vervals′** ~ adulterate; falsify, fake; forge; ~**ing** fake; falsification, forgery
**vervang′** (w) ~ replace, substitute
**verveel′** ~ bore, weary; *jou* ~ be bored
**verveer′** ~ moult (birds)
**vervel′** ~ cast the skin, slough (snake)
**verve′lend** (b) boring, tedious *ook* **verve′lig**; *'n* ~*e vent* a regular bore
**verve′lens:** *tot* ~ *toe* ad nauseam
**verver′sing -s, -e** refreshment
**vervlaks′!/vervloeks!** confound it!; damn it!; dash it!
**vervoer′** (s) transport, transportation; conveyance, traffic; (w) convey, carry; ~**diens′te** transport services; ~**ing** enthusiasm, rapture, ecstasy: *in* ~*ring raak* go into raptures; ~**toe′lae** transport/locomotion allowance
**vervolg′** (s) continuation, sequel, future; (w) continue; pursue; proceed against; *oortreders word* ~ trespassers will be prosecuted; *word* ~ to be continued; ~**ingswaan′** persecution mania; ~**verhaal′** serial
**vervolmaak′** (w) ~ perfect; *hy het die proses* ~ he perfected the process
**verwaand′** (b) conceited, pedantic, stuck up
**verwaar′loos** (w) neglect; (b) neglected
**verwag′** ~ expect; look forward to; ~**tende moe′der** expectant mother
**verwag′ting -s, -e** expectation, hope
**verwant′** (s) **-e** relative, relation; (b) akin, allied; related; ~**skap** relationship
**verwar(d)** (b) confused, disordered
**verwarm′** (w) ~ warm, heat; ~**ing** heating
**verwar′ring** confusion, perplexity
**verweer** (s) defence; resistance; (w) defend, resist
**verwel′kom** ~ welcome (someone); ~**ing** welcoming, welcome
**verwens′** ~ curse, execrate
**ver′wer -s** painter (by trade) *kyk* **skil′der**
**verwerf′** ~acquire, obtain (degree), gain
**verwerk′** ~ work up; process; digest; revise; ~**er** processor (data, words)
**verwerp′** ~ reject; discard; refuse; *'n voorstel* ~ reject a motion
**verwe′se** (b) disconcerted; dazed, stunned
**verwe′senlik** ~ substantiate, realise, materialise; *ambisies* ~ realise ambitions

**verwil'der** ~ grow wild; chase away
**verwis'sel** ~ exchange; alternate; commute; *die tydelike met die ewige* ~ die, pass away
**verwit'tig** ~ notify, acquaint, inform
**verwoes'** (w) ~ destroy, ruin, devastate, lay waste; (b) destroyed; ~**ting** destruction, devastation; ~*ting aanrig* play havoc
**verwon'der** ~ astonish, amaze, surprise; *jou* ~ *oor* be surprised at
**verwurg'** ~ strangle, throttle
**verwy'der** ~ remove, withdraw; alienate
**verwys'** ~ refer; ~**ing** reference; *met ~ing na* with reference to; ~**nom'mer** reference number
**verwyt'** (s) **-e** reproach, reproof; (w) reproach, blame
**very'del** ~ frustrate, baffle, shatter, foil
**ve'sel** (s) **-s** fibre, thread, filament; ~**glas** fibreglass *ook* **glas'vesel**
**ves'tig ge-** establish; settle; *die aandag op iets* ~ draw attention to something; *nywerhede* ~ establish industries
**ves'ting** (s) fortress, stronghold
**vet** (s) **-te** fat, lard, grease, suet; rich, fertile, fat, corpulent; *so ~ soos 'n vark* as fat as a pig; *so waar soos* ~ upon my word
**ve'te -s** quarrel; feud; vendetta *ook* **bloed'vete**
**ve'ter -s** lace, bootlace
**veteraan' ..rane** veteran; ~**mo'tor** vintage car; veteran car
**vet:** ~**plant** succulent; ~**sug** obesity
**vi'a** via, per
**vibreer'** ~, **ge-** vibrate *ook* **tril**
**vi'deo:** ~**band** video tape; ~**kasset'opnemer** video cassette recorder; ~**teek** video library
**vier**[1] (s) **-e** four
**vier**[2] (w) **ge-** celebrate (birthday); observe
**vier:** ~**de** fourth; ~**dens** in the fourth place
**vier'kant -e** square; ~**ig** (b) square; ~**s'wortel** square root
**vier'rigtingstop'(straat)** fourway stop (street)
**vier'uur** four o'clock
**vier'wieldryf** four-wheel drive
**vies** (b) nasty, offensive, filthy; fed-up; ~ *maak* annoy, vex
**vies'lik** dirty, filthy; smutty (joke)
**viets** spruce, smart; ~**e nooi** smart-looking girl
**vigs** (s) Aids; ~**ly'er** Aids sufferer
**vilt/velt** felt; ~**hoed** felt hat
**vin -ne** fin; *geen ~ verroer nie* not lift/stir a finger
**vind ge-** find, come across, meet with
**vin'dingryk** resourceful, inventive, innovative
**vin'duik** skindiving/findiving
**vin'ger -s** finger; *iets deur die ~s sien* overlook a mistake; ~**af'druk** fingerprint; ~**hoed** thimble; ~**spraak** sign language; ~**wy'sing** hint; pointer
**vink -e** finch, weaverbird
**vin'kel** fennel; *dis ~ en koljander* it is six of the one and half a dozen of the other
**vin'nig -e; -er, -ste** quick, fast, speedy
**viool' viole** violin; fiddle; *tweede ~ speel* play second fiddle; ~**spe'ler** violinist *ook* **violis'**; ~**tjie** violet (flower)
**vir** for, to; ~ **goed** permanently, for good
**virtuoos' virtuose** virtuoso
**vis** (s) **-se** fish
**vi'sekanselier -s** vice-chancellor
**vi'seprinsipaal ..pale** vice-principal
**vis:** ~**gerei'** fishing tackle; ~**graat** fishbone; ~**hoek** fish hook
**visier' -e, -s** visor (of helmet); elevating sight (rifle)
**visioen' -e** vision
**vis'ser -s** fisher, fisherman *ook* **vis'serman/vis'terman**
**vis'terman -ne** angler *ook* **heng'elaar**
**vi'sum** (s) **-s** visa
**vis'vang** (w) **-ge-** catch fish; nod, doze
**vitaliteit'** vitality *ook* **le'wenskrag**
**vitamien'/vitami'ne** vitamine
**vla -'s** custard
**vlaag vlae** *'n ~ van woede* a fit of anger; sudden squall, gust (of wind)
**vlag vlae** flag; standard; vane; *die ~ hys* hoist the flag; *die ~ stryk* strike one's colours; ~**hy'sing** flag-hoisting (ceremony)
**vlak** (s) **-ke** plane; level, floor; surface
**vlak'te -s** plain, flats
**vlak:** ~**vark** warthog; ~**vo'ël** spike-heeled lark
**vlam** (s) **-me** flame, blaze; *ene vuur en ~* very enthusiastic; (w) blaze, burn; ~**baar** flammable *ook* **brand'baar**
**vlas** flax
**vlees** flesh, meat; pulp *kyk* **vleis**; ~**lik** carnal, sexual/sensual
**vleg** (w) **ge-** plait, wreathe, twine; ~**sel** string, tress, braid
**vlei**[1] (s) **-e** valley, vale, meadow; vlei
**vlei**[2] (w) **ge-** flatter; cringe, coax
**vleis** meat; ~**braai(ery)** braai, barbecue, braaivleis; ~**pastei'** meat pie/patty
**vlek** (s) **-ke** blot, spot, stain; blemish; (w) soil,

blot, stain; ~**vrystaal′** stainless steel
**vlerk -e** wing, pinion; ~**sleep** (w) impress; court a girl; ~**sweef** hang gliding; ~**swe′=wer** hang glider
**vler′muis -e** bat, flitter mouse
**vleu′el -s** wing; pinion, vane; grand piano; wing threequarter; side aisle; ~**klavier′** grand/concert piano
**vlie′ënd -e** flying; ~**e pie′ring** flying saucer
**vlieënier′ -s** pilot; aviator, airman
**vlie′ër -s** kite
**vlieg**[1] (s) **vlieë** fly
**vlieg**[2] (w) **ge-** fly; aviate; ~**dekskip′** aircraft carrier; ~**masjien′** aeroplane/aircraft *kyk* **vlieg′tuig**
**vlieg′tuig ..tuie** aircraft; (jet) plane; airliner (passenger service)
**vlieg′veld -e** aerodrome *kyk* **lug′hawe**
**vlin′der -s** butterfly *ook* **skoe(n)′lapper**
**vloed -e** flood, inundation; ~**golf** tidal wave; ~**ramp** flood disaster
**vloei ge-** flow, stream; ~**baar** fluid, liquid; ~**end** flowing, fluent, smooth, easy: *~end Engels praat* be fluent in English; ~**kaart** flowchart; ~**stof** liquid, fluid
**vloek** (s) **-e** curse, oath; (w) swear, curse; ~ *soos 'n matroos/ketter* swear like a trooper; ~**woord** swearword; curse
**vloer -e** floor; *derde ~/vlak* third floor; ~**kie′rie** floorshift (car) *ook* **plesier′kierie**
**vlooi -e** flea; ~**byt** fleabite; ~**e′spel** tiddly=winks; ~**mark** fleamarket; ~**poei′er** insect powder
**vloot vlote** fleet, navy; ~**ei′enaar** fleet owner (cars); ~**soldaat′** marine
**vlot** (s) **-te** raft; float (cash); (w) succeed, go smoothly; (b, bw) fluent; afloat; ~ *praat* speak fluently; ~ *verloop* proceed smoothly; ~**ter** float (fishing)
**vlug**[1] (s) covey; bevy; *'n ~ patryse* a covey of partridges
**vlug**[2] (s) flight; escape; *op die ~ slaan* take to flight; (w) flee; **huur~** chartered flight
**vlug**[3] (b) quick; nimble; agile; ~ *van begrip* quick-witted
**vlug:** ~**bal** volleyball; ~**heu′wel** traffic island; ~**hou** volley (tennis); ~**op′nemer** flight data recorder (black box); ~**roos′ter** flight plan; ~**skop** punt(ing); ~**skrif** leaflet; hand-out; ~**sout** volatile salts; ~**te′ling** fugitive/refugee
**vlug′tig** (b) hasty, cursory, fleeting
**vly ge-** lay down, nestle *ook* **neer′vly**
**vlym -e** lancet; fleam; ~**skerp** razor-edged
**vlyt** diligence, industry; ~**ig** (b) diligent
**voed** (w) **ge-** feed, nourish
**voe′ding** feeding, nourishment, nutrition
**voed′saam** nutritious, nourishing
**voed′sel** food, nutriment; ~**vergif′t(ig)ing** food poisoning
**voeg′** (s) **voeë** joint, seam; (w) join; seam; point (bricks); ~**woord** conjunction
**voel ge-** feel, touch, grope; *tuis ~* feel at home
**vo′ël -s** bird; ~**kyk** birdwatching/birding; ~**ky′ker** birdwatcher/birder/twitcher; ~**ver=skrik′ker** scarecrow; ~**vlug** bird's-eye view
**vo′ëlvry -e** outlawed; free as a bird; ~ *verklaar* outlaw a person
**voer**[1] (s) fodder, forage; (w) feed
**voer**[2] (w) **ge-** conduct; wage (war); transport; *briefwisseling ~* conduct correspondence; *samesprekings ~* have talks; ~**band** con=veyor belt; ~**ing** lining; ~**kraal** feedlot; ~**kuil** silo; ~**taal** language medium
**voert′sek!** get away!; be off!; foot′sack!; scram!
**voer′tuig** vehicle, carriage *ook* **ry′tuig**
**voet -e** foot; footing; ~ *in die wind slaan* take to one's heels; ~**boei** leg-iron
**voet′bal** football; ~**wed′stryd** football match
**voet′brug** footbridge
**voe′tenent -e** foot, lower end (bed)
**voet′ganger -s** pedestrian; hopper (wingless locust)
**voe′tjie-voe′tjie** slowly, cautiously
**voet:** ~**heelkun′dige** chiropodist; ~**pad** foot=path; ~**skim′mel** athlete's foot; ~**slaan** hike/tramp; footslog; ~**slaanpad′** hiking/tramping trail *ook* **stap′roete**; ~**sla′ner** hiker, back=packer *ook* **pak′stapper**; ~**soolvlak′** grass=roots (level) *ook* **grond′vlak**; ~**spoor** footprint
**vog -te** liquid, moisture; ~**tig** damp, moist
**vokaal′** (s) **vokale** vowel *ook* **klin′ker**
**vol** full, filled; *ten ~le* completely, fully; ~**bloed** thoroughbred *ook* **ras′eg**
**voldoen′** ~ satisfy; pay; comply with; *aan 'n versoek ~* comply with a request
**volg ge-** follow, succeed; shadow; ~**afstand** following distance (cars); ~**ens** according to; *~ens artikel 137* under section 137; ~**e′ling** follower/adherent; ~**or′de** consecu=tive order, sequence
**volhard′** (w) ~ persevere, persist
**vol′hou -ge-** persevere, maintain, endure
**volk -e, -ere** people, nation; *die uitverkore ~*

the chosen people
**vol'ke:** ~**kun'de** anthropology, ethnology; ~**reg** international law
**volko'me** complete, quite, perfect, absolute
**volks:** ~**etimologie'** popular etymology; ~**kun'de** folklore; ~**lied** national anthem; ~**mond:** *in die ~mond* in the language of the people
**volk'spele** folk dances *ook* **volks'danse**
**volks:** ~**tel'ling** census; ~**wel'syn** social welfare
**volle'dig -e; -er, -ste** complete, entire
**vol'maak** (w) **vol ge-** fill
**volmaak'** (b) perfect; ~**te geluk'skoot** perfect fluke (golf) *ook* **kolhou**; ~**t'heid** perfection
**vol'maan** full moon
**vol'mag -te** power of attorney, proxy
**vol'op** in abundance, plentiful
**volstrek' -te** absolute; ~**te meer'derheid** absolute/clear/overall majority
**vol'struis -e** ostrich; ~**skop** flying kick; mule kick
**voltooi'** ~ complete, finish; ~**d teenwoor'dige tyd** perfect tense
**vol'treffer -s** direct hit
**vol'tyds** (b) full-time (job) *ook* **heel'tyds**
**volu'me -s** volume, bulk
**vol'vloertapyt -e** wall-to-wall carpet(ing)
**volwas'se** (b) adult, full-grown; ~**ne** (s) full-grown person, adult
**vo'meer'** ~, **ge-** vomit *ook* **op'gooi, braak**
**von'deling -e** foundling (baby)
**vonds** (s) **-te** find, discovery
**vonk -e** spark
**von'kel ge-** sparkle, emit sparks; ~**ontbyt'** champagne breakfast; ~**wyn** champagne
**vonk'prop -pe** spark plug
**von'nis** (s) **-se** sentence, judgment; (w) sentence, pass judgment
**voog -de** guardian; curator (both sexes)
**voor**[1] (s) **vore** furrow, ditch
**voor**[2] (bw, vgw, vs) before; in front of; previous to; *een putjie* ~ one hole up (golf); *jou horlosie is* ~ your watch is fast; ~**aand** eve; early evening; ~**af** previously, beforehand; *jy moet hom ~af waarsku* you should warn him beforehand; ~**arm** forehand (tennis)
**voor'baat** advance; *by ~ dank* thank(ing) you in anticipation
**voor'beeld -e** example, instance; *by~* for example
**voorbeel'dig -e; -er, -ste** exemplary (conduct)
**voor'behoedmiddel -s** contraceptive; prophylactic
**voor'behoedpil -le** contraceptive pill
**voor'behou:** *all regte* ~ all rights reserved
**voor'berei** ~ prepare; coach; ~**ding** preparation; ~**d'sels** arrangements, preliminaries
**voor:** ~**bladnooi'** cover girl (magazine); ~**bode** forerunner; omen, foreboding; ~**bok** bellwether; ringleader
**voor'brand -e** firebreak; ~ *maak* prepare, pave the way
**voor'dat** before
**voor'deel** (s) advantage, gain, benefit; ~ *van die twyfel* benefit of the doubt; ~**trek'ker** beneficiary *ook* **beguns'tigde** (mens)
**voorde'lig** profitable, beneficial
**voor:** ~**deur** front door; ~**dra** recite; ~**drag** address, speech; delivery, recital; ~**eergis'ter** three days ago; ~**gan'ger** predecessor
**voor:** ~**gee** pretend, profess to be; give odds; give a start, handicap; ~**geewed'loop** handicap race
**voor'(ge)meld -e/voor'(ge)noem -de** above-mentioned, aforesaid
**voor'gereg -te** first course, entrée
**voor'geskrewe:** ~ **boe'ke** prescribed books
**voor'gestel -de** proposed; introduced
**voor:** ~**geveg'** preliminary bout, curtain-raiser; ~**geslag'** ancestors, forefathers; ~**gevoel'** presentiment, suspicion, foreboding; ~**graads** undergraduate (student); ~**grond** foreground; ~**ha'ker** mechanical horse
**voor'heen** formerly, late; ~ *van die firma X* formerly of X's
**voor:** ~**hoe'de** vanguard, advance guard; ~**hoof** forehead; ~**huis** lounge *ook* **sit'kamer**; ~**jaar** spring; ~**kant** front, face; ~**keer** (w) prevent; bar, block
**voor'keur** preference; ~**aan'deel** preference share; ~**pos** priority/fast mail
**voorkom'** (w) ~ forestall, prevent (accident)
**voor'kome** appearance, looks; bearing
**voor:** ~**laai'er** muzzleloader (rifle); front-end loader (machine); ~**laaste** last but one, penultimate
**voor'land** fate, destiny; *dis jou* ~ that is in store for you
**voor'lê -ge-** submit *ook* **in'dien**; lie in ambush
**voor'lees -ge-** read to; *iem. die leviete* ~ reprimand someone
**voor'legging** submission (report, memorandum)
**voor:** ~**letter** initial (letter); ~**liefde** special liking, preference; ~**lig** enlighten; give information *ook* **in'lig**

**voorlo'pig** (b) preliminary, provisional(ly)
**voorma'lig -e** former, sometime; ~**e president'** former president
**voor:** ~**man** leader, foreman; ~**mid'dag** forenoon, morning; ~**naam** first name/forename; ~**naamwoord** pronoun; ~**neem** resolve, make up one's mind; ~**neme** intention; resolve: ~*nemens wees* intend
**voor'oordeel ..dele** prejudice, bias
**voor:** ~**ou'ers** ancestors; ~**portaal'** porch, lobby; foyer; ~**pos** outpost
**voor'raad ..rade** stock, provisions, supply; ~**op'name** stocktaking
**voor:** ~**reg** privilege, prerogative; ~**ruit** windscreen (car); ~**sê** (w) prompt, whisper to; ~**set'sel** preposition
**voorsien'** (w) ~ provide, furnish; foresee; anticipate; *in 'n behoefte* ~ meet a need; ~ *van* provide/supply with
**Voorsie'nigheid** Providence
**voorsie'ning** provision; ~ *maak vir* make provision for
**voor'sit -ge-** preside, take the chair; **Ag'bare** ~**ter/**~**ster** Madam Chair, Chairperson; ~**ter** chairman/chairperson/chair
**voor:** ~**skiet** (w) advance (money); ~**skoot'** apron, pinafore; ~**skot** advance/loan; ~**skrif** prescription; direction
**voor'skyn:** *te* ~ *bring* produce; bring to light; *te* ~ *kom* appear *ook* **verskyn'**
**voor:** ~**smaak** foretaste; ~**snybuffet'** carvery; ~**sorg** precaution, provision
**voor'spel**[1] (s) **-e** prelude, overture (mus.)
**voorspel'**[2] (w) predict, prophesy, foretell, forecast
**voor'speler -s** forward (football)
**voorspel'ling -s, -e** prophecy, prediction
**voor'spoed** prosperity *ook* **wel'vaart**
**voorspoe'dig** prosperous, flourishing
**voor'sprong** start, advantage; *sy* ~ *behou* retain one's lead
**voor:** ~**stad** suburb; ~**stan'der** advocate (for), proponent, upholder; ~**ste'delik** (b): ~**stedelike trein** suburban/commuter train *ook* **pen'deltrein**; ~**stel** (s) proposal; (w) propose, move; ~**stel'ling** presentation
**voort'bestaan** (s) survival *ook* **oorle'wing**
**voortdu'rend -e** continuous, incessant
**voor'teken -s** omen, augury, foretoken
**voort'gaan -ge-** continue, proceed; go on
**voort'gesette:** ~ **on'derwys** continuing/ongoing education
**voor'tou** lead: *die* ~ *neem* take the lead
**voort'plant -ge-** spread, multiply *ook* **kweek**; propagate, transmit
**voortref'lik** excellent, first rate *ook* **uitmun'tend**
**voor'trek** (w) be partial to; treat with favour
**voorts** moreover, further(more), besides
**voort'spruit -ge-** arise, spring from
**voortva'rend** (b) impulsive, impetuous
**vooruit'** beforehand, in advance; in front of, before; ~**gedateer'de tjek** postdated cheque; ~**betaal'baar** payable in advance; ~**gang** progress, advancement
**vooruit'sig** (s) **-te** prospect, outlook
**vooruit'skat -ge-** forecast; ~**ting** forecast *ook* **projek'sie**
**vooruit'streef/vooruit strewe -ge-** forge ahead, strive forward
**voor:** ~**val** (s) incident, event; (w) take place, occur; ~**verto'ning** preview (of show, event); ~**vin'ger** index finger; ~**voeg'sel** prefix
**voorwaar'** indeed, truly, surely
**voor'waarde -s** condition, stipulation; *op* ~ *dat* on condition that; *onder daardie* ~ on that condition
**voorwaar'delik -e** conditional
**voor'waarts -e** forward; ~ *mars!* quick march!
**voor'wedstryd -e** curtain-raiser
**voor'wend -ge-** pretend, make believe; ~**sel** pretext, pretence; subterfuge
**voor'werp -e** object, thing
**voor'wiel -e** front wheel; ~**aan'drywing** front-wheel drive *ook* ~**dryf**
**voor'woord -e** foreword, preface
**vor'der** (w) **ge-** make progress; demand; ~**ing** (s) progress; claim, demand
**vo'rentoe** to the fore, forward; ~ *boer* forge ahead; *dit smaak* ~ it tastes good
**vo'rige** former, past, last; *die* ~ *dag* the day before
**vorm** (s) **-s, -e** form, mould, shape; (w) shape, form, mould; *lydende en bedrywende* ~ passive and active voice; ~**brief** stock letter; ~**drag** foundation garment
**vors'telik:** ~**e belo'ning** princely reward; ~**e ontvangs'** red-carpet welcome/reception
**vort** away, gone
**vos -se** fox *ook* **jak'kals**
**vou** (s) **-e** crease, fold, ruck, pleat; (w) fold, pleat; ~**blad** folder; ~**ka'tel** stretcher *ook* **kamp'bed**; ~**stoel** folding chair/stool
**vra ge-** ask, question, enquire

**vraag vrae** question, query, request; ~ *en aanbod* demand and supply; *'n groot* ~ *na* a big demand for; ~**bank** question bank; ~**stuk** problem; ~**te'ken** question mark
**vraat vrate** glutton (person); ~**sug** gluttony
**vra'e** ~**lys** questionnaire; ~**stel** (examination) paper; set of questions
**vrag -te** load, cargo, freight; carriage; ~**brief** consignment note (rail), bill of lading (boat); ~**karwei'er** haulier, cartage contrac= tor; ~**mo'tor** lorry, truck; ~**skip** cargo vessel, freighter
**vrat -te/~jie -s** wart
**vrede** peace, calm; *rus in* ~ rest in peace
**vredelie'wend -e; -er, -ste** peace-loving
**vre'de:** ~**reg'ter** justice of the peace; ~**s'= voor'waardes** peace terms, conditions of peace
**vreed'saam** peaceful, calm; **..same naas'be= staan** peaceful coexistence
**vreemd** strange, queer, foreign, alien; *in die* ~*e* in foreign parts, abroad; ~**e'ling** stran= ger, foreigner (person)
**vrees** (s) fear, apprehension; (w) fear, dread, apprehend; *ek* ~ *dat* . . . I am afraid that . . . ; ~**aanja'(g)end** terrifying
**vrees'lik** (b) **-e; -er, -ste** terrible, horrible, dreadful; (bw) terribly, awfully
**vreet ge-** eat (animals), gorge
**vrek**[1] (s) **-ke** miser (person) *ook* **gie'rigaard**
**vrek**[2] (w) **ge-** die (animals)
**vrek**[3] (bw) extremely; *jou* ~ *werk* work oneself to death; ~**ma'er** terribly thin
**vrek'kerig/vrek'kig** miserly, avaricious, stingy *ook* **gie'rig**
**vreug'(de)** joy, gladness *ook* **blyd'skap**
**vriend -e** friend; *dik* ~*e wees* be inseparable friends
**vrien'delik -e; -er, -ste** kind, friendly
**vriendin' -ne** lady friend
**vriend'skap** friendship; favour
**vriendskap'lik** friendly, amicable, ~**e wed'= stryd/brief** friendly match/letter
**vries ge-** freeze; ~**brand** frostbite; *hy het ge~brand* he was frostbitten; ~**punt** freez= ing point
**vroed'vrou** midwife *ook* **kraam'verpleegster**
**vroe'ër** (b) former, late; (bw) formerly, earlier; ~ *of later* sooner or later
**vroeg vroeë; vroeër, -ste** early, timely; *'n vroeë dood* an untimely death; *smôrens* ~ early in the morning
**vroe'tel** (w) wallow, scratch up soil, burrow
**vro'lik -e; -er, -ste** merry, gay, cheerful
**vro'likheid** cheerfulness, gaiety, mirth; *na* ~ *kom olikheid* after laughter come tears
**vroom** (b) pious; devout, saintly, religious
**vrot** (w) **ge-** rot, putrefy, decay; (b) rotten, decayed, putrid; ~**sig** inefficient, lousy
**vrou -e, -ens** woman, wife
**vrou'e:** ~**dokter** female doctor; gynaecologist *ook* **ginekoloog'**; ~**ha'ter** woman hater, misogynist; ~**krag** woman/fem power; ~**sla'ner** wife beater (man); ~**vry'heid** women's lib(erty)
**vrou:** ~**lik** womanly; feminine; ~**mens** female
**vrug** result, effect; **-te** fruit; ~**afdry'wing** abortion *ook* **abor'sie**; ~**baar** fruitful, prolific, fertile; ~**gebruik** usufruct; ~**reg** royalty (mining)
**vrug'te** fruit; results; ~**sap** fruit juice; ~**slaai** fruit salad, angels' food
**vry**[1] (w) **ge-** woo, court, flirt; *hy* ~ *na die nooi* he is courting the girl
**vry**[2] (b) free, unconstrained; off duty; ~**bel= nom'mer** tollfree number; ~**e mark'stelsel** free enterprise
**vry'buiter -s** privateer, freebooter, buccaneer
**Vry'dag ..dae** Friday; **Goeie** ~ Good Friday
**vry'er -s** lover, suitor, wooer
**vry'etyd(s)beste'ding** recreational activities
**vryf/vry'we ge-** rub; massage; polish
**vrygesel'** bachelor *ook* **ou'jongkêrel**
**vryge'wig -e; -er, -ste** generous; liberal
**vry'heid ..hede** liberty, freedom
**Vry'heidsdag** Freedom Day (holiday)
**vry:** ~**heidsveg'ter** freedom fighter; ~**hoog'te** clearance; ~**la'ting** release, emancipation, liberation: ~*lating van gyselaars* release of hostages
**Vrymes'selaar -s** Freemason
**vrymoe'dig -e; -er, -ste** candid, frank
**vry'pos** (s) freepost
**vrypos'tig** (b) impudent, forward *ook* **astrant'**
**vry'skut** freelance; ~*werk doen* freelancing
**Vry'staat**[1] (provinsie) Free State
**Vrystaat'!**[2] (tw) press on regardless!; well done!
**vry'stel -ge-** exempt, let off; ~**ling** exemption
**vry'waar** (w) indemnify; protect, guard, guarantee; *iem. vrywaar van/teen siekte* safeguard someone against illness
**vry'wil** (w) **ge-** volunteer (for service, etc.)
**vrywil'lig** voluntary; ~**er** volunteer (person)
**vuil** dirty, nasty, smutty, foul, obscene; ~ *spel*

foul/dirty play; ~ *taal gebruik* use dirty language; ~**goed** dirt; rubbish *ook* **vul'lis**; dirty person; weeds *ook* **on'kruid**
**vuis -te** fist; *uit die ~ praat* speak extempore; ~**geveg'** boxing match; fisticuffs; ~**ys'ter** knuckle duster
**vul**[1] (s) foal; colt (male); filly (female); (w) foal
**vul**[2] (w) **ge-** fill, stuff
**vulgêr' -e** vulgar *ook* **grof, plat**
**vulkaan' ..kane** volcano; **uitgedoof'de/uitge=werk'te** ~ extinct volcano
**vul'lis** rubbish, refuse, trash
**vul:** ~**pen** fountain pen; ~**sta'sie** filling station
**vu'rig** fiery; spirited, fervent, ardent
**vurk -e** fork; ~**hy'ser** forklift
**vuur** (s) **vure** fire, flame; ardour; (w) fire
**vuur:** ~**doop** baptism of fire; crucial test; ~**hout'jie** match; ~**maakplek'** fireplace; comprehension: *dis bo(kant) my ~maakplek* it is beyond me; ~**peloton'** firing squad; ~**proef** crucial test, acid test, ordeal: *die ~proef deurstaan* stand the test; ~**pyl** sky rocket; ~**slag** flint, steel and tinder; (cigar=ette) lighter; ~**spu'wend** belching fire; volcanic: *~spuwende berg* volcano; ~**to'=ring** lighthouse; ~**vas** fireproof; refractory; ~**vre'ter** fire-eater, hothead/firebrand (per=son); ~**wa'pen** firearm; ~**warm** very hot; ~**werk** fireworks, pyrotechnics
**vy -e** fig
**vy'and -e** enemy, foe; **geswo're** ~ sworn enemy/foe
**vyan'delik** hostile; ~**e gebied'** enemy territory
**vyan'dig** antagonistic, inimical/harmful; ~**e hou'ding** hostile attitude
**vyf vywe** five; ~**de** fifth; ~**de kolon'ne** fifth column; ~**kamp** pentathlon (sport); ~**tien** fifteen; ~**tig** fifty; ~**uur** five o'clock; ~**vou'=dig** fivefold, quintuple
**vy'gie -s** several species of *Mesembryanthemum*, vygie
**vyl** (s) file (tool); (w) file (one's nails)
**vy'sel -s** mortar; ~**stam'per** pestle
**vy'wer -s** pond, ornamental pool

# W

**wa -ens** wagon; carriage; truck
**waag** (w) **ge-** venture, risk, hazard; *'n kans ~* take a chance; ~**arties'** stuntman; ~**hals** daredevil
**waaghal'sig** (b) daredevilish, reckless
**waag:** ~**hans** chancer; ~**stuk** daring feat; hazardous undertaking
**waai** (w) **ge-** blow, fan; ~**er** fan; ~**erband'** fanbelt
**waak ge-** watch, be awake; ~**een'heid** in=tensive care unit *ook* **intensie'we sorg'=eenheid**
**waansin'nig** (b) insane, deranged, demented
**waar**[1] (b, bw) **ware** true, real, genuine; *die ware Jakob* the real Mackay; *so ~ soos padda manel dra* as true as faith
**waar**[2] (bw) where; ~**aan?** by what?; to which?; *~aan dink jy?* what are you thinking about?
**waar**[3] (vgw) since, seeing that, whereas
**waarag'tig** (b) true, real, genuine; (bw) really, truly, veritably
**waar'borg** (s) **-e** guarantee, warranty
**waarda'sie** assessment, valuation
**waar'de** (s) **-s** worth, value; *ter ~ van* to the value of; ~**bepa'ling** assessment, evalua=tion *ook* **evalue'ring**
**waardeer'** ~, **ge-** value, estimate; esteem, appreciate; assess, appraise; ~**der** valuator, assessor *ook* **asses'sor**
**waarde'ring** (s) regard, appreciation, esteem; *blyk van ~* token of appreciation
**waar'de:** ~**vermin'dering** depreciation, deval=uation; ~**vol** valuable
**waar'dig** (b) worthy, dignified; *benede sy ~heid* beneath his dignity, infra dig
**waar'heen/waar heen** whither, where to
**waar'heid ..hede** truth; reality; truism; *van alle ~ ontbloot* devoid of all truth
**waar'in?** wherein?; in what/which?
**waar'mee?/waar mee?** with what/which?
**waar'merk** (s) **-e** stamp, hallmark; (w) certify, authenticate/validate
**waarna'** after what/which, whereafter
**waar'natoe?** where to?; whither?
**waar'neem** (w) **-ge-** observe; perform; depu=tise *ook* **ageer'** (w)
**waar'nemend -e** acting; ~**e direkteur'** acting/deputy director *ook* **adjunk'direkteur'**
**waar'om?** why?; wherefore? *ook* **hoe'kom?**

**waar'onder?** among which/whom?
**waar'oor?** about what?; why?
**waar'op** on what; ~ *staan jy?* what are you standing on?
**waarop'** on which, whereupon; *die stoel ~ hy sit* the chair he is sitting on
**waar'sê -ge-** tell fortunes, foretell; **~er** fortune teller, clairvoyant, soothsayer
**waar'sku ge-** warn, caution; alert; **~wing** warning; admonition
**waarskyn'lik** probable, likely; *na alle ~heid* in all probability
**waar'sonder/waar son'der** without which
**waar'teen** against what/which
**waar'uit?** out of which/what?
**waar'van**[1] from where?; of/about what? ~ *het jy gepraat?* what were you talking about?
**waarvan'**[2] of which, whose; *die motor ~ die band pap is* the car with a flat tyre
**waar'voor?** wherefore?; why?; for which?
**waat'lemoen -e** watermelon
**wa'enhuis -e** wagon house, coach house
**wa'fel -s** waffle, wafer
**wag** (s) **-te** watch; guard, sentry; (w) wait, stay; ~ *hou* be on guard
**wag'gel ge-** totter, stagger, reel
**wag:** **~hond** watchdog; **~ka'mer** waiting room *kyk* **spreek'kamer**; **~lys** waiting list; **~woord** watchword, password
**wa'kend -e** wakeful, vigilant; *'n ~e oog hou op* keep a watchful eye on
**wak'ker** (b) awake; alive, vigilant, alert
**waks** (boot) polish; (w) polish
**wal -le** bank (of river); shore, embankment
**wal'rus -se** walrus
**wals** (s) **-e** waltz; roller; (w) waltz, dance; roll (steel); **~meu'le** rolling mill
**wal'vis -se** whale
**wan:** **~aan'gepas** maladjusted; **~bestuur'** mis= management; **~beta'ling** non-payment, de= fault
**wand -e** wall; **~tapyt'** tapestry *ook* **muur'ta= pyt'**
**wan'daad ..dade** misdeed, atrocity; outrage
**wan'del** (s) walk; conduct, behaviour; *sy handel en ~* his conduct of life; (w) walk; take a walk; *gaan ~* go for a walk/stroll; **~aar** walker, pedestrian; **~ing** walk, stroll; **~laan** (pedestrian) mall; **~pad** hiking trail *ook* **voet'slaanpad/stap'roete**
**wang -e** cheek
**wan'gedrag** (s) misconduct, misbehaviour
**wan'hoop** (s) despair; (w) despair
**wan'neer** when; if
**wan'orde** disorder, confusion; **~lik'** disor= derly, chaotic
**wanska'pe** monstrous, deformed (person)
**want**[1] (s) rigging (sailing vessel)
**want**[2] (vgw) for, because *ook* **omdat'**
**wan'trou** (w) **ge-** distrust, suspect; **~e** distrust, mistrust, suspicion; **mo'sie van ~e** motion of no confidence
**wa'pen** (s) **-s** weapon, arm(s); coat of arms, crest, badge; (w) arm; **~geklet'ter** sabre rattling; **~op'slagplek** arms cache; **~stil= stand** armistice, truce; **~tuig** arms, wea= ponry; **~wed'loop** armaments race
**wap'per ge-** fly out, float; flutter (flag)
**war** (s) confusion, muddle; **~boel** confusion, muddle, mixup *ook* **deurmekaar'spul**
**wa're** wares, goods, commodities
**warm** (w) **ge-** warm; (b) warm/hot; **~bad** hot/ thermal spring(s) *ook* **kruit'bad**; **~lug= ballon'** hot-air balloon
**warm'te** heat, warmth; ardour
**war'rel ge-** whirl, swirl; reel; **~wind** whirl= wind *ook* **dwar'relwind**
**was**[1] (s) washing; (w) wash; *iem. se kop ~* give someone a bit of one's mind
**was**[2] (s) **-se** wax; **~muse'um** wax museum, chamber of horrors *ook* **gru'welgrot**
**was**[3] (w) **ge-**. grow, wax; **~sende maan** waxing moon
**was'bak -ke** sink; wash basin/tub
**wa'sem -s** vapour, steam
**was'goed** washing; **~mand'jie** laundry basket; **~masjien'** washing machine; **~pen'netjie** clothes peg *ook* **was'pennetjie**; **~poei'er** washing powder
**wasseret' -te** launderette, laundromat
**was'ter -s** washer (ring) *ook* **was'ser**
**wat** (vr. vnw) what; *alles en nog ~* all sorts of things; (betr. vnw.) who, that, which, what; (onbep. vnw.) whatever, something
**wa'ter** (s) **-s** water; *te ~ laat* launch (ship); (w) water; **~bestand'** water resistant; **~blom'= metjie** Cape pond weed; **~dig** waterproof; **~dra'er** drone; water carrier
**wa'ter:** **~hoof** hydrocephalus; **~hoos** water spout (in ocean); **~nood** need/shortage of water; **~pas** (s) spirit level; (b) level; **~pok'= kies** chicken pox; **~po'nie** wetbike; ski-jet/ jetski
**wa'tersnood** inundation, floods/flooding

**wa'ter:** ~**ste'wel** gum/rubber boot; ~**stof** hydrogen; ~**stofbom'** hydrogen bomb; ~**tand** make the mouth water; ~**val** waterfall, cataract
**wa'terverf** water colour; ~**skildery'** watercolour painting
**wa'ter:** ~**vloed** flood(s), deluge; ~**we'rend** water resistant; ~**wy'ser** water diviner, dowser (person)
**wat'te** wadding; cotton wool
**wat'ter** which; ~ *een* which (one)?
**wa'wyd ..wye** very wide; ~ *oop* wide open; ~ *wakker* wide-awake
**web -be** web *ook* **weef'sel, spin'nerak**
**web'blad/web'tuiste** (s) website (comp.)
**wed ge-** wager, bet; *ek ~ jou* I bet you; ~**denskap'** wager, bet; ~**der** punter (horse racing) *ook* **wed'renganger**
**we'derhelf(te)** (s) spouse, better half; halfsection
**wederke'rig -e** reciprocal; mutual
**wederop'standing** (s) resurrection
**we'dersyds** mutual, reciprocal
**wederva'ring -s, -e** occurrence; adventure
**wed:** ~**loop** race (athletics); ~**ren** race (cars, horses); ~**stryd** match, competition, contest *ook* **krag'meting**; ~**strydpunt'** match point; ~**vaart** boat race; ~**vlug** air race
**we'duwee -s** widow
**wed'ywer** (w) **ge-** compete, contest
**weef ge-** weave
**weeg ge-** weigh, balance; ~**skaal** balance, (pair of) scales
**week**[1] (s) **weke** week; *oor 'n ~* this day week
**week**[2] (w) **ge-** soak, steep in
**week**[3] (b) **weker, -ste** soft, tender
**week'blad** ~**blaaie** weekly (newspaper)
**week:** ~**liks** weekly; ~**loon** weekly wages; ~**s'dag** weekday
**weel'de** luxury; profusion; ~**arti'kel** luxury article; ~**mo'tor** luxury car
**wee'luis -e** (bed) bug
**weemoe'dig** sad, melancholy *ook* **droe'wig**
**ween ge-** weep, cry
**weens** (vs) owing to; on account of; ~ *gebrek aan geld* for want of money
**weer**[1] (w) weather; *swaar ~* thunder and lightning
**weer**[2] (w) **ge-** defend; exert oneself
**weer**[3] (bw) again, a second time; ~ *eens/weereens* (once) again; *heen en ~* to and fro
**weer:** ~**berig'** weather report; ~**buro'** weather bureau
**weergalm'** (w) ~ echo, resound *ook* **eg'go**
**weer:** ~**glas** barometer *ook* **ba'rometer**; ~**haan** weathercock
**weerkaats'** ~ reflect; re-echo; ~**ing** reflection
**weer:** ~**klank** echo, resonance; ~**kun'de** meteorology; ~**lig** (s) lightning; ~**loos** defenceless; ~**mag** armed forces; defence force; ~**profeet'** weather prophet
**weer'sien -ge-** meet again; ~**s:** *tot ~s!* so long!; till we meet again!
**weer'sin** repugnance, antipathy, dislike
**weers'kante** both sides
**weerspie'ël** (w) ~ mirror, reflect; ~**ing** reflection (in water)
**weerspreek'** ~ contradict, gainsay; belie
**weer'stand** resistance, opposition; *die weg van die geringste ~* the line of least resistance
**weer'standsbewe'ging** resistance movement
**weer'vas** all-weather; ~**te baan** all-weather court
**weer'voorspelling -s** weather forecast
**weer'wil:** *in ~ van* in spite of, despite
**weer'wraak** (s) retribution, reprisal *ook* **vergel'ding**
**wees**[1] (s) **wese** orphan *ook* **wees'kind**
**wees**[2] (w) **is, was, ge-** to be
**wees:** ~**huis** orphanage; ~**kind** orphan
**weet wis, ge-** know, be conscious of, have knowledge of
**weetgie'rig** eager to learn; inquisitive
**weg**[1] (s) **weë** way, road *ook* **pad**
**weg**[2] (b, bw) away, off, gone
**weg'breekvakansie** break-away holiday
**weg'doen -ge-** dispose (of); ~**baar** disposable (e.g. syringe)
**weg'kom -ge-** get away; *maak dat jy ~!* be gone; ~**mo'tor** getaway car
**weg'kruip -ge-** hide oneself; ~**ertjie'** hide-and-seek (children's game); bo-peep
**weg'neem -ge-** take away; ~**e'te** take-away (food)
**weg:** ~**skram** flinch away; evade; ~**slaan** strike/beat away; swallow (a drink)
**weg'spring -ge-** jump away; start off; *ongelyke ~* false start; ~**blok** starting block
**weg:** ~**steek** hide; retain; ~**sterf** die away
**wei** (w) feed, graze; ~**ding** pasturage, grazing *ook* **wei'veld**
**wei'er ge-** decline, refuse; ~**ing** refusal
**wei'fel ge-** waver, vacillate *ook* **aar'sel**
**wei'nig -e; minder, minste** little, few

**wei'veld -e** pasture land, meadow; grazing

**wek ge-** wake, rouse, stir; ~**ker** alarm clock; ~**roep** clarion call; slogan

**wel**[1]**:** (s) *die ~ en wee* the weal and woe; (bw) **beter bes(te)** well, all right; *~ te ruste!* good night! sleep well!

**wel**[2] (tw) well!

**wel:** ~**beha'e** feeling of comfort, pleasure; ~**bekend'** well-known, noted; ~**daad** kindness, kind action; ~**doen'er** benefactor

**weleerwaar'de** (right) reverend

**wel:** ~**geska'pe** well-formed, well-made; ~**gesteld'** affluent, well-to-do *ook* **welaf'**

**we'lig** luxuriant, exuberant *ook* **geil**

**wel'ke** which, what *ook* **wat'ter**

**wel'kom -e** welcome; acceptable; *~ heet* extend a welcome; *~ in Welkom* welcome to Welkom; *~ tuis!* welcome home!

**wellui'dend -e; -er, -ste** melodious

**wel'lus -te** sensual pleasure, lust; bliss

**welp -e** cub, whelp (animal)

**welrie'kend** (b) fragrant *ook* **geu'rig**

**wel'sand** quicksand *ook* **dryf'sand**

**wel'slae** success; *met ~ voltooi* complete successfully

**welspre'kend** (b) eloquent, articulate

**wel'syn** wellbeing; welfare; *na sy ~ verneem* enquire after his wellbeing

**wel'vaart** (s) prosperity *ook* **voor'spoed**

**welva'rend** prosperous, thriving; affluent

**welwil'lend** kindly disposed, favourable; ~**heids'besoek** courtesy visit *ook* **hof'likheidsbesoek**

**Welwil'lendheidsdag** Day of Goodwill

**we'mel ge-** swarm, teem with; *dit ~ van foute* it bristles with mistakes

**wen** (w) **ge-** win, gain; outdistance; *'n wedstryd ~* win a match

**wend** (w) **ge-** turn; *jou tot iem. ~ om raad* turn to someone for advice

**wen'ding -s, -e** turn; *'n gunstige ~ neem* take a turn for the better

**wenk -e** hint, sign, nod, tip; tip-off; ~**brou** eyebrow

**wen'ner -s** winner

**wens** (s) **-e** wish, desire; (w) wish, desire; ~**den'kery** wishful thinking

**wens'lik -e; -er, -ste** desirable

**wens'put -te** wishing well

**wen'streep ..strepe** finishing line (in a race)

**wen'tel ge-** roll over; welter, revolve, rotate; orbit; ~**baan** orbit; ~**krediet'** revolving credit; ~**trap** spiral/winding staircase

**werd** worth; *nie die moeite ~ nie* not worthwhile

**wê'reld -e** world; ~**beroemd'** world famous; ~**deel** continent *ook* **vas'teland**

**wêrelds -e** worldly, secular

**wê'reld:** ~**stad** metropolis; ~**wyd** worldwide; ~**wye web** worldwide web (comp.)

**werf**[1] (s) **werwe** (farm)yard; shipyard; premises; ~**hoen'der** free-range chicken

**werf**[2] (w) **ge-** enlist, enrol, recruit; *stemme ~* canvass (for) votes

**werk** (s) **-e** work, labour, employment; ~**blad** spreadsheet (comp.); (w) work, labour, operate, function; *~ soos 'n esel* work like a slave

**wer'ker -s** worker; ~**ska'kel** shop steward (in trade union) *ook* **vloer'leier**

**Wer'kersdag** Workers' Day (holiday)

**werk:** ~**geleent'heid** job opportunity; ~**ge'wer** employer

**wer'king -e, -s** action, working, operation; *buite ~ stel* put out of action; *in volle ~* in full swing/production

**werk'lik -e** real, true, actual; *~ waar* actually; truly; ~**heid** reality

**werk'loos ..lose** unemployed; out of work; inactive; ~**heid** unemployment

**werk:** ~**man** workman, labourer, artisan *ook* **vak'man**; ~**ne'mer** employee; ~**saam** active, industrious, effective

**werk(s)'bevre'diging** job satisfaction

**werk'sku -we** workshy

**werk:** ~**skep'ping** job creation; ~**slaaf** work addict; workaholic; ~**soe'ker** job seeker; ~**sta'king** strike; ~**tuig** tool, implement

**werktuigkun'dige** (n) mechanic(ian)

**werk:** ~**verrig'ting** performance (of work); ~**verskaf'fing**; job creation *ook* **werkskep'ping**; ~**(s)win'kel** workshop *ook* **werk'ses'sie**; ~**woord** verb; ~**wy'se** method/manner of operation *ook* **han'del(s)wyse**

**werp ge-** cast; throw; ~**skyf** quoit; discus; ~**spies** javelin; dart

**wer'skaf** (w) **ge-** do, make, be busy; *waaraan ~ jy?* what are you busy on?

**wes** west

**we'se -ns** being, nature, essence; *geen lewende ~ nie* not a living soul

**we'sel -s** weasel, mink (animal)

**wes'kus -te** west coast

**Wes-Kaap** (provinsie) Western Cape

**wesp -e** wasp *ook* **per'deby**
**wes'tergrens -e** western boundary
**wes'tewind -e** west wind
**wet** (s) **-te** law; act; *'n ~ oortree* contravene a law; *die ~ toepas* enforce the law
**we'te** knowing, knowledge; *teen jou beterwete in* against one's better judgment; *na my beste ~* to the best of my knowledge
**we'tenskap -pe** science; knowledge; **~fik'sie** science fiction, sci-fi
**wetenskap'lik -e** scientific; **~e** scientist (person)
**wet:** **~geleer'de** lawyer, jurist *ook* **regs'geleerde**; **~ge'wend** legislative; **~ge'wende verga'dering** legislative assembly; **~ge'wing** legislation
**wet'lik -e** legal; *hulle is ~ geskei* they are legally divorced; **~e voor'skrif** legal prescription/requirement
**wets:** **~gehoor'saam** law abiding; **~ontwerp'** bill, draft act; **~toe'passing** law enforcement
**wet'tig** (w) **ge-** justify; legalise; (b) lawful, legitimate; **~e eg'genoot** lawful spouse; **~e erf'genaam** heir-at-law
**we'wenaar -s** widower; blackjack (weed)
**we'wer -s** weaver; **~y** weaving/textile mill, cotton factory
**whis'ky** whisky (Scotch); whiskey (Irish)
**wie** who; whom; *~ se hoed?* whose hat?
**wieg** (s) **wieë** cradle, cot
**wie'gelied -ere** lullaby, cradle song
**wie'gie** (s): **~sterfte/dood** cot death; **~wag'ter** babysitter *ook* **kroos'trooster**
**wiel -e** wheel; *iem. in die ~e ry* put a spoke in someone's wheel; **~dop** hub cap
**wiel(i)ewa'lie** merry-go-round (game)
**wiel'sporing** wheel alignment
**wier -e** seaweed; alga
**wie'rook** incense; **~vat** thurible/censer
**wig** (s) **wîe** wedge
**wik ge-** reflect, poise; *die mens ~, maar God beskik* man proposes, God disposes
**wik'kel** (w) **ge-** wrap, wind round; wobble; *ge~ raak in* get involved in
**wil**[1] (s) will, wish, desire; *teen ~ en dank* in spite of oneself; *ter ~le van* for the sake of
**wil**[2] (w) **wou, ge-** wish, want to
**wild** (s) game; (b) wild, savage, fierce; **~dief/stro'per** game poacher
**wil'de** (b) savage; **~bees'** wildebees, gnu; **~makou'** spur-winged goose
**wil'dernis -se** wilderness, waste
**wildewrag'tig** wild-looking/scary person
**wild:** **~stro'per** poacher; **~s'vleis** venison, game; **~tuin** game reserve; **~vreemd** quite strange; totally unknown
**wilg/wil'ger/wil'gerboom** willow tree, weeping willow *ook* **treur'wilger**
**wils'krag** willpower
**wim'pel -s** pennant, pennon, streamer
**wim'per -s** eyelash *ook* **oog'haar**
**wind -e** wind, breeze; flatulence; *die ~ van voor kry* run into difficulties; **~buks** airgun, pellet gun; **~erig'** windy; **~hoos** windspout, whirlwind (in ocean); **~jek'ker** windbreaker; **~lawaai'** braggart, gasbag (person); **~me'ter** wind gauge; **~meul/meu'le** windmill: *'n klap van die ~meul weg hê* have bats in the belfry; **~skeef** (b) skew, lopsided; **~stil'te** calm; *streek van ~stilte* doldrums; **~weer'stand** wind resistance
**win'gerd -e** vineyard; **~griep** hangover
**wink** (s) **-e** wink; (w) wink, beckon; ogle
**win'kel -s** shop, store; **~dief'stal** shoplifting; **~haak** set square, try square
**winkelier' -s** shopkeeper, dealer
**win'kel:** **~sen'trum** shopping centre; **~slyt** shop-soiled; **~tan'de** dentures, false teeth; **~ven'ster** shop window *ook* **toon'venster**
**wins -te** profit, gain; *~ afwerp/oplewer* yield a profit; **~drem'pel** break-even point
**wins-en-verlies'-rekening -e, -s** profit and loss account
**wins:** **~ge'wend** lucrative, profitable; **~grens** profit margin; **~ko'pie** bargain; **~oog'merk** profit motive: *vereniging sonder ~oogmerk* association not for gain
**win'ter -s** winter; *in die ~* in winter; **~s'han'de** chilblained hands; **~slaap** hibernation
**wip** (s) **-pe** seesaw; snare, trap; (w) hop; seesaw; tilt; turn cheeky; **~mat** trampoline *ook* **trampolien'**; **~plank** seesaw; **~tuig** jolly-jumper *ook* **hup'peltuig**
**wis'kunde** mathematics *ook* **mate'sis**
**wiskun'dig -e** mathematical; **~e** mathematician (person)
**wispeltu'rig** (b) fickle, inconsistent
**wis'sel** (s) **-s** bill, draft; points, switch (railway); *'n ~ aksepteer* accept a bill; *'n ~ honoreer* honour a bill; (w) exchange, change; shed (teeth); **~aar** traffic interchange; **~bou** crop rotation; **~fonds** cash float; **~koers** rate of exchange; **~stroom**

alternating current; ~**trofee'** floating trophy
**wisselval'lig** (b) variable, uncertain, unsteady
**wis'ser -s** wiper, sponge; eraser (rubber)
**wit** (w) **ge-** whitewash; (b) white; blank; ~**blits** grape brandy *kyk* **mampoer'**
**wit'man ..mense** white South African, white
**wit:** ~**seerkeel'** diphtheria; ~**tebroods'dae** honeymoon; ~**voet** whitefooted: *~voetjie soek* curry favour
**woed ge-** rage, wreak havoc; ~**e** fury, rage; ~**e'bui** (temper) tantrum; ~**end** furious, violent, infuriated
**woe'fie -s** (pet name for) dog; ~**boetiek'** pooch parlour; ~**tuis'te** (boarding) kennels
**woek'er** (w) **ge-** make the most of; ~**wins** exorbitant/usurious profit
**woel ge-** bustle; fidget; work hard; toss about; ~**wa'ter** restless person, bustler; over-active child
**woe'ma** (s) vim, zest, muscle *ook* **fut, oemf**
**Woens'dag ..dae** Wednesday
**woes** (b) **-te; -ter, -ste** desolate, waste, wild; furious, savage, fierce, ferocious
**woestyn' -e** desert, wilderness
**wol** wool; ~**beurs** wool exchange
**wolf wolwe** wolf
**wolk -e** cloud; ~**breuk** cloudburst
**wol'kekrabber** (s) **-s** skyscraper
**wol'wegif** strychnine
**wond** (s) **-e** wound; (w) wound
**won'der** (s) **-s** wonder; (w) wonder
**won'der:** ~**kind** wonder child, infant prodigy; ~**lik** marvellous, wonderful; strange, curious; ~**werk** miracle
**wo'ning -s** dwelling, residence
**woon:** ~**buurt** residential area; ~**huis** dwelling house, residence; ~**stel** flat, maisonette; ~**stelverhuur'der** landlord; ~**vertrek'** living room; ~**wa** caravan
**woord -e** word; term; message
**woor'de:** ~**boek** dictionary; ~**lik** literal, verbatim; ~**skat** vocabulary; ~**wis'seling** dispute, argument
**woord:** ~**spe'ling** pun, quibble; ~**verwer'ker** word processor *ook* **teks'verwerker**; ~**verwer'king** word processing (comp.); ~**voer'der** spokesman/spokesperson; mouthpiece
**word ge-** become, take place; *dronk ~* get drunk; *siek ~* take ill
**wors -e, -te** sausage; *~ in 'n hondestal soek* look for a needle in a haystack; ~**brood'jie** hot dog; ~**rol'letjie** sausage roll

**wor'stel ge-** wrestle; struggle; ~**stryd** struggle for life
**wor'tel** (s) **-s** root; carrot *ook* **geel'wortel**
**woud -e** forest *ook* **bos**
**wou'terklouter** jungle-gym (play apparatus) *ook* **klim'raam**
**wraak** (s) revenge, vengeance; *~ neem* take revenge *ook* **weer'wraak**
**wrag'tie** indeed, surely, truly; *hy is ~ weg!* he is actually gone!
**wrak -ke** wreck, derelict; **liggaam'like** ~ physical wreck; ~**werf** scrap yard *ook* **skroot'werf**
**wreed wrede; wreder, -ste** cruel, barbarous; ~**aard** brute; cruel person
**wreedaar'dig -e; -er, -ste** cruel, inhuman
**wreek ge-** take revenge, avenge
**wre'wel** (s) resentment, rancour, spite
**wring ge-** wring, wrench; ~**krag** torque
**wrin'tigwaar** really, surely, truly
**wroeging -e, -s** remorse, self-reproach
**wrok -ke** grudge, rancour; *'n ~ koester* bear a grudge
**wry'wing -s, -e** friction; rubbing
**wuif/wui'we ge-** wave, beckon; *vriende tot siens ~* wave goodbye to friends
**wulps** (b) **-e; -er, -ste** lascivious, sexy
**wurg ge-** strangle, throttle, choke; ~**greep** stranglehold; ~**ket'ting** choke chain *ook* **gly'ketting**; ~**roof** mug(ging) *ook* **straat'roof**; ~**ro'wer** mugger *ook* **straat'rower**
**wurm -s** worm; maggot, grub
**wyd wye; wyer, -ste** wide, broad, spacious, ample; *~ en syd* far and wide
**wyds'been** astraddle, astride
**wyd'te -s** width, breadth
**wyf wywe** mean woman, vixen, shrew
**wy'fie -s** female (animal); hen (birds); ~**-eend** duck
**wyk**[1] (s) ward, quarter; area, district
**wyk**[2] (w) **ge-** withdraw, yield, give way; *geen duimbreed ~ nie* not budge an inch
**wy'le** late, deceased; ~ **mnr. X** the late Mr. X
**wyn -e** wine; ~**bou** viticulture; wine growing; ~**kel'der** wine cellar; winery; ~**koek** tipsy cake; ~**kraf'fie** wine decanter; ~**proe(wery)** wine tasting; ~**vaat'jie/**~**vat** wine barrel/cask
**wys**[1] (s) **-e** way, manner *ook* **wy'se**; mood (grammar); *by ~e van* by way of
**wys**[2] (w) **ge-** show, demonstrate, indicate;

direct; *iem. ~ waar Dawid die wortels gegrawe het* teach someone a thing or two
**wys**[3] (b) wise; prudent; obstinate
**wys'begeerte** philosophy *ook* **filosofie'**
**wy'se -s** way; mood (gram.)
**wy'ser/wys'ter** (s) index hand (of a clock); pointer
**wys'geer ..gere** philosopher *ook* **filosoof'**
**wys'heid** wisdom *ook* **in'sig/ken'nis**
**wy'sie** (s) **-s** melody, tune, air
**wy'sig ge-** modify, amend, alter; **~ing** amendment, modification; *die grondreëls/konstitusie ~* amend the constitution
**wys'maak -ge-** make believe; impose on; *iem. iets ~* spin someone a yarn
**wys'vinger -s** index finger, forefinger
**wyt ge-** impute, accuse, blame; *te ~e aan* owing to *kyk: te danke aan*

# X

**X'-bene** knock-knees *ook* **aan'kapknieë**
**xenograaf' ..grawe** xenographer
**Xho'sa** Xhosa
**xilofoon' ..fo'ne** xylophone *ook* **hout'harmonika**
**X'-stra'le** X-rays, röntgen rays

# Y

**y'del** idle, useless, vain, conceited; **~heid** vanity
**yk ge-** test, assize; **geyk'te uit'drukking** standing phrase
**yl'** (b) **-er, -ste** thin, rarefied (atmosphere)
**yl'** (w) be delirious *ook* **koor'sig** (b)
**ylhoof'dig -e** delirious, light-headed
**ys**[1] (s) *op gladde ~ staan* be in danger; (w) freeze, ice
**ys**[2] (w) **ge-** shudder, shiver; *ek ~ as ek dink aan* I shudder to think of
**ys: ~baan** ice/skating rink; **~beer** polar bear; **~berg** iceberg; **~ig** ice-cold; **~kas** refrigerator *ook* **koel'kas**; icebox; **~koud** cold as ice; *dit laat my ~koud* it leaves me cold
**y'sig** (b) freezing
**ys'lik** (b) **-e** enormous, tremendous *ook* **tamaai'**
**ys: ~reën** sleet; **~sak** coolbag; **~skaats** ice skating
**Ys'see** Arctic Ocean
**ys'ter -s** iron
**ys'terklou:** *~ in die grond slaan* take to one's heels; dig in one's heels
**ys'ter: ~paal** iron standard/pole; **~saag** hacksaw; **~vark** porcupine; **~wa're** hardware *ook* **har'deware**; ironmongery
**y'wer** (s) diligence, zeal *ook* **vlyt**; **~ig'** (b) diligent *ook* **vly'tig**

# Z

**ze'ro** zero, naught
**Zimbab'we** Zimbabwe; **Zimbab'wiese ekonomie'** Zimbabwe (Zimbabwean) economy
**Zimbab'wiër -s** Zimbabwean (person)
**Zoe'loe -s** Zulu *ook* **Zu'lu**; **~-im'pie** Zulu regiment; **~land** Zululand
**zoem** (s) buzz(ing), drone; (w) buzz, zoom, whizz, drone; *~ in* zoom in (phot.); *~ weg* zoom away; **~er** buzzer *ook* **gon'ser**; **~lens** zoom lens; **~pie** blue duiker (antelope)
**zom'bi** (s) zombi *ook* **le'wende lyk**

# Afkortings/Akronieme

## A

**AA**[1] Alkoholiste Anoniem □ Alcoholics Anonymous **AA**
**AA**[2] Automobiel-Assosiasie □ Automobile Association **AA**
**aa** afskrif(te) aan □ carbon copy to **cc**
**aanget.** aangeteken □ registered **regd.**
**a.asb.** antwoord asseblief □ *Répondez s'il vous plaît* please reply **RSVP**
**AD** *Anno Domini* in die jaar van ons Here □ *Anno Domini* in the year of our Lord **AD**
**ad inf.** *ad infinitum* tot die oneindige □ *ad infinitum* to infinity **ad inf.**
**admin.** administrateur/administrasie □ administrator/administration **adm.**
**adm.** admiraal □ Admiral **Adm.**
**adv.** advokaat □ Advocate **Adv.**
**ad val.** *ad valorem* volgens waarde □ *ad valorem* according to value **ad val.**
**Afr.** Afrikaans; Afrikaner; Afrikaan □ Afrikaans; Afrikaner; African **Afr.**
**AGS** Apostoliese Geloofsending □ – **AGS**
**AHI** Afrikaanse Handelsinstituut □ – **AHI**
**ANC** – □ African National Congress **ANC**
**antw.** antwoord □ answer/reply **ans.**
**AOTH** Algemene Ooreenkoms op Tariewe en Handel □ General Agreement on Tariffs and Trade **GATT**
**Apr.** April □ April **Apr.**
**Arab.** Arabies □ Arabian/Arabic **Arab.**
**art.** artikel □ article **art.**
**as.** aanstaande □ *proximo* next **prox.**
**asb.** asseblief □ please/*s'il vous plaît* **please/ s.v.p.**
**Aug.** Augustus □ August **Aug.**
**ATKV** Afrikaanse Taal- en Kultuurvereniging □ – **ATKV**
**a.w.** aangehaalde werk □ *opere citato* in the work quoted **op. cit./loc. cit.**
**AWB** Afrikaner-Weerstandbeweging □ – **AWB**
**AWS** Afrikaanse Woordelys en Spelreëls □ – **AWS**
**AZAPO** – □ Azanian People's Organisation **AZAPO**

## B

**B.A.** *Baccalaureus Artium* □ *Baccalaureus Artium* Bachelor of Arts **B.A.**
**BBP** baie belangrike persoon □ very important person **VIP**
**B.Com.** *Baccalaureus Commercii* □ *Baccalaureus Commercii* Bachelor of Commerce **B.Com.**
**B.D.** *Baccalaureus Divinitatis* □ *Baccalaureus Divinitatis* Bachelor of Divinity **B.D.**
**BD** besturende direkteur □ managing director **MD**
**bd.** boulevard □ boulevard **Bd.**
**B.Ed.** *Baccalaureus Educationis* □ *Baccalaureus Educationis* Bachelor of Education **B.Ed.**
**bet.** betaal □ paid **pd.**
**bg.** bogenoemd(e) □ above-mentioned
**bio** biografie/biografies *ook* **CV** □ Curriculum vitae **CV** *also* **biodata**
**B. Jur.** *Baccalaureus Juris* □ *Baccalaureus Juris* Bachelor of Law **B. Jur.**
**BK** beslote korporasie □ close corporation **CC**
**B.Mus.** *Baccalaureus Musicae* □ *Baccalaureus Musicae* Bachelor of Music **B.Mus.**
**bn** biljoen □ billion (Afr. miljard) **bn**
**b.nw.** byvoeglike naamwoord □ adjective **adj.**
**BO** bevelvoerende offisier □ commanding officer **CO/OC**
**b.o.** blaai om □ please turn over **PTO**
**Bpk** Beperk □ Limited **Ltd**
**bpm** bladsye per minuut □ pages per minute **ppm**
**B.Sc.** *Baccalaureus Scientiae* □ *Baccalaureus Scientiae* **B.Sc**
**BSW** buitesintuiglike waarneming □ extrasensory perception **ESP**
**BTW** belasting op toegevoegde waarde □ value added tax **VAT**
**bv.** byvoorbeeld □ *exempli gratia* for example/ instance **e.g./eg**
**b.v.p./bvp** been voor paaltjies □ leg before wicket **lbw**
**B.V.Sc.** *Baccalaureus Veterinariae Scientiae* □ *Baccalaureus Veterinariae Scientiae* Bachelor of Veterinary Science **B.V.Sc.**
**bw.** bywoord □ adverb **adv.**

**byl.** bylae/bylaag □ enclosure/annexure **encl./annex.**

## C

**C** Celsius □ Centigrade/Celsius **C/Cels.**
**c** sent □ cent **c**
**ca.** *circa* ongeveer □ *circa* about **circa/c**
**cc** kubieke sentimeter □ cubic centimetre **cc**
**CD/cd** laserplaat/laserskyf □ compact disc **CD/cd**
**cg** sentigram □ centigram(s) **cg**
**Ch.B.** *Chirurgiae Baccalaureus* □ *Chirurgiae Baccalaureus* Bachelor of Surgery **Ch.B.**
**CJMV** Christelike Jongmannevereniging □ Young Men's Christian Association **YMCA**
**cℓ** sentiliter □ centilitre **cℓ**
**cm** sentimeter □ centimetre **cm**
**Contralesa** – □ Congress of traditional leaders of SA **Contralesa**
**Cosas** – □ Congress of SA Students □ **Cosas**
**Cosatu** – □ Congress of SA Trade Unions □ **Cosatu**
**CSV** Christenstudentevereniging □ Student's Christian Association **SCA**
**CV** *Curriculum vitae* (lewensprofiel, biodata) □ *Curriculum vitae* **CV**
**cwt** sentenaar □ hundredweight **cwt**

## D

**d.** *denarius* pennie □ *denarius* penny **d.**
**D** Romeinse 500 □ Roman numeral 500 **D**
**Dalro** Dramatiese, Artistieke en Letterkundige Regte-Organisasie □ Dramatic, Artistic and Literary Rights Organisation **Dalro**
**DBV** Dierebeskermingvereniging/Dieresorg □ Society for the prevention of cruelty to animals **SPCA**
**d.d.** *de dato* gedateer □ *de dato* dated –
**D.D.** *Doctor Divinitatis* □ *Doctor Divinitatis* Doctor of Divinity **D.D.**
**DDS** doen dit self □ do it yourself **DIY**
**deelw.** deelwoord □ participle **part.**
**def.** definisie □ definition **def.**
**dept.** departement □ department **dept.**
**des.** deser □ instant **inst.**
**Des.** Desember □ December **Dec.**
**dg** desigram □ decigram **dg**
**Dg** dekagram □ decagram(s) **Dg**
**D.G.** *Dei Gratia* deur Gods genade □ *Dei Gratia* by the grace of God **D.G.**
**DG** direkteur-generaal □ Director-General **DG**
**dgl.** dergelike □ such –
**d.i.** dit is □ *id est* it is **i.e./ie**
**di** *domini* predikante □ (the) Reverends **Revs.**
**Di.** Dinsdag □ Tuesday **Tu(es)**
**DIN** Duitse Industrienorm □ (German Industrial Standard) **DIN**
**dist.** distrik □ district (of) **dist.**
**div.** dividend □ dividend **div.**
**dℓ** desiliter □ decilitre **dℓ**
**dl.** deel □ volume (of book) **vol.**
**Dℓ** dekaliter □ Decalitre **Dℓ**
**D.Litt.** *Doctor Literarum* □ *Doctor Literarum* Doctor of Literature **D.Lit(t).**
**dm.** duim □ inch **in.**
**dm** desimeter □ decimetre(s) **dm**
**Dm** dekameter □ Decametre(s) **Dm**
**dnr.** dienaar □ servant **serv.**
**do.** *ditto* dieselfde □ *ditto* the same **do.**
**Do.** Donderdag □ Thursday **Thurs.**
**dos.** dosyn □ dozen **doz.**
**DP** Demokratiese Party □ Democratic Party **DP**
**D.Phil.** *Doctor Philosophiae* □ *Doctor Philosophiae* Doctor of Philosophy **D.Phil.**
**dr** debiteur □ debtor **Dr**
**dr(.)** doktor/dokter □ doctor **Dr**
**drr(.)** dokters/doktore □ doctors **Drs**
**ds(.)** *dominus* dominee □ reverend **Rev.**
**D.Sc.** *Doctor Scientiae* □ *Doctor Scientiae* Doctor of Science **D.Sc.**
**dt.** debiet □ debit **Dr/Dt**
**DV** *Deo Volente* as God wil □ *Deo Volente* God willing **DV**
**DVD** Dekorasie vir Voortreflike Diens □ Decoration for Meritorious Service **DMS**
**dw.** dienswillig □ obedient **obed.**
**d.w.s./dws** dit wil sê □ *id est* that is **i.e./ie**
**dwt** pennyweight □ *denarius* weight **dwt**

## E

**e.a.** en ander(e) □ *et alii* and others **et al.**
**e.d.** en dergelike □ *et cetera* and so forth **etc.**
**Ed.** Edele □ Honourable **Hon.**
**Ed.Agb.** Edelagbare □ the Honourable/Your Honour (in court) **Hon./Your Hon.**
**e.d.m.** en dergelike/dies meer □ *et cetera* and so forth **etc.**
**Edms.** Eiendoms □ Proprietary **Pty**

**EG** Europese Gemeenskap *kyk* **EEG** ☐ European Community **EC**
**eerw.** eerwaarde ☐ Reverend **Rev.**
**e.g.** eersgenoemde ☐ the former –
**EEG** Europese Ekonomiese Gemeenskap ☐ European Economic Community **EEC**
**ek.** eerskomende ☐ *proximo* next **prox.**
**EKG** elektrokardiogram ☐ electrocardiogram **ECG**
**Eks.** Eksellensie ☐ Excellency **Exc.**
**Eng.** Engels ☐ English **Engl.**
**ens.** ensovoorts ☐ *et cetera* and so forth **etc.**
**e-pos** elektroniese pos ☐ electronic mail **e-mail/email**
**eresekr.** eresekretaris ☐ Honorary Secretary **Hon. Sec.**
**Eskom** – ☐ Electricity Supply Commission **Eskom**
**e.s.m.** en so meer ☐ *et cetera* and so forth **etc.**
**EU** Europese Unie *kyk* **EG** ☐ European Union **EU**

### F

**F** Fahrenheit ☐ Fahrenheit **F**
**f** *forte* luid ☐ *forte* loud **f**
**FAK** Federasie van Afrikaanse Kultuurverenigings ☐ – **FAK**
**faks** faksimilee ☐ facsimile **fax**
**fakt.** faktuur ☐ invoice **inv.**
**Feb(r).** Februarie ☐ February **Feb.**
**fig.** figuur(lik) ☐ figure/figurative **fig.**
**Finrand** finansiële Rand ☐ financial Rand **Finrand**
**FM** frekwensiemodulasie ☐ frequency modulation **FM**
**Frelimo** Frente de Libertação de Moçambique ☐ – **Frelimo**
**F en WU** foute en weglatings uitgesonder ☐ errors and omissions excepted **E & OE**
**Fr.** Frankryk/Frans ☐ France/French **Fr.**
**fr.** frank ☐ franc(s) **fr.**

### G

**g** gram ☐ gram **g**
**Gasa** – ☐ Gay Association of SA **Gasa**
**gall./gell.** gallon/gelling ☐ gallon(s) **gal.**
**geb.** gebore ☐ born, née; *natus* **b./n.**
**(ge)b. geb.** geboul ☐ bowled **b.**
**gebrs.** gebroeders ☐ Brothers **Bros**
**geïll.** geïllustreer ☐ illustrated **illus.**
**gell./gall.** gelling/gallon ☐ gallon(s) **gal.**
**genl.** generaal ☐ General **Gen.**
**Geref.** Gereformeerd ☐ Reformed **Ref.**
**get./w.g.** geteken/was geteken ☐ signed **sgd.**
**(ge)v.** gevang (krieket) ☐ caught **c.**
**GIS** Instituut van Geoktrooieerde Sekretarisse en Administrateurs ☐ Institute of Chartered Secretaries and Administrators **CIS**
**GKC** Genoot v.d. Kollege van Chirurgie ☐ Fellow of the College of Surgeons **FCS**
**Glow** – ☐ Gay and Lesbian Organisation **Glow** *see* **Gasa**
**gr**. graad (vir standerd) ☐ grade (new school years) **gr.**
**GRA** Genootskap van Regte Afrikaners ☐ – **GRA**
**GR** Geoktrooieerde Rekenmeester ☐ Chartered Accountant **CA**
**GRS** Gesagvereniging vir Reklamestandaarde ☐ Advertising Standards Authority **ASA**
**GV** Grondwetgewende Vergadering ☐ Constitutional Assembly **CA**

### H

**ha** hektaar ☐ hectare(s) **ha**
**H.d.L.** Heil die Leser ☐ *Lectori Salutem* hail the reader **L.S.**
**H.Ed.** Hoogedele ☐ Right Honourable **Rt. Hon.**
**H.Eerw.** Hoogeerwaarde ☐ Right Reverend **Rt. Rev.**
**Herv.** Hervormd ☐ Reformed **Ref.**
**hfst.** hoofstuk ☐ chapter **c/ch.**
**hg** hektogram ☐ hectogram(s) **hg**
**HKH** Haar Koninklike Hoogheid ☐ Her Royal Highness **HRH**
**hℓ** hektoliter ☐ hectolitre(s) **hℓ**
**HM** Haar Majesteit ☐ Her Majesty **HM**
**hm** hektometer ☐ hectometre(s) **hm**
**HNP** Herstigte Nasionale Party ☐ – **HNP**
**HOD** Hoër Onderwysdiploma ☐ Higher Diploma in Education **HDE**
**HOP** Heropbou- en Ontwikkelingsprogram ☐ Reconstruction and Development Programme **RDP**
**hs./ms.** handskrif/manuskrip ☐ manuscript **MS**
**h.v.** hoek van ☐ corner **cor./cnr.**

## I

**ID** identiteitsdokument □ identity document **ID**

**id.** *idem* dieselfde □ *idem* the same **id.**

**i.e.** *id est* dit is □ *id est* that is **i.e.**

**IK** intelligensiekwosiënt □ intelligence quotient **IQ**

**IMF** Internasionale Monetêre Fonds □ International Monetary Fund **IMF**

**in'fo** informasie/inligting □ information **info**

**infra dig.** *infra dignitatem* benede sy waardigheid □ *infra dignitatem* beneath his dignity **infra dig.**

**INMDC** – □ Interim National Medical and Dental Council **INMDC**

**Interpol** Internasionale Kriminele Polisiekommissie □ International Criminal Police Commission **Interpol**

**IOK** Internasionale Olimpiese Komitee □ International Olympic Committee **IOC**

**i.p.v./ipv** in plaas van □ instead of –

**IRL** Ierse Republikeinse Leër □ Irish Republican Army **IRA**

**is.** in sake/insake □ regarding **re**

**ISBN** Internasionale standaardboeknommer □ International standard book number **ISBN**

**Iscor** – □ (SA) Iron and Steel Corporation **Iscor**

**i.v.m./ivm** in verband met □ regarding **re**

**IVP** Inkatha Vryheidsparty □ Inkatha Freedom Party **IFP**

## J

**JA** Johannesburgse Aandelebeurs □ Johannesburg Stock Exchange **JSE**

**Jan.** Januarie □ January **Jan.**

**J.C.** Jesus Christus □ Jesus Christ **JC**

**jl.** jonglede □ *ultimo* last **ult.**

**jap'pie** jong opkomende professionele persoon □ young upwardly mobile professional (person) **yup'pie**

**jr.** jaar/junior □ year/junior **yr./Jun.**

**juf.** juffrou □ Miss –

**Jul.** Julie □ July **Jul.**

**Jun.** Junie □ June **Jun.**

## K

**kapt.** kaptein □ captain **Capt.**

**kar.** karaat □ carat(s) **car./ct.**

**k.a.v.** koste, assuransie, vrag □ cost, insurance, freight **c.i.f.**

**k.b.a./kba** kontant by aflewering □ cash on delivery **C.O.D./COD**

**KEEM** Kantoor vir ernstige ekonomiese misdrywe □ Office for serious economic offences **OSEO**

**kg** kilogram □ kilogram(s) **kg**

**KI** kunsmatige inseminasie □ artificial insemination **AI**

**km/h** kilometer per uur (hora) □ kilometres per hour **km/h**

**Kie.** kompanjie □ company **Co.**

**kℓ** kiloliter □ kilolitre(s) **kℓ**

**km** kilometer □ kilometre(s) **km**

**k.m.b./kmb** kontant met bestelling □ cash with order **C.W.O./CWO**

**kmdt.** kommandant □ Commandant **Comdt.**

**kol.** kolonel □ Colonel **Col.**

**koöp./ko-op.** koöperasie □ co-operative **co-op**

**KP** Konserwatiewe Party □ Conservative Party **CP**

**kpl.** korporaal □ Corporal **Cpl.**

**kr.** krediteur/krediteer □ creditor/credit **Cr.**

**KSOK** Kleinsake-Ontwikkelingskorporasie □ Small Business Development Corporation **SBDC**

**kt.** krediet □ credit **Cr.**

**kub.** kubiek(e) □ cubic **cub.**

**kW** kilowatt □ kilowatt(s) **kW**

**KWV** Koöperatiewe Wynbouersvereniging □ – **KWV**

**KZN** KwaZulu-Natal □ KwaZulu/Natal **KZN**

## L

**£** pond (geld) □ *libra* (pound, money) **£**

**l.** *lira*/links □ *lira*/left **l.**

ℓ liter □ litre(s) ℓ

**ℓ/100 km** liter per 100 km □ litres per 100 km **ℓ/100 km**

L Romeinse 50 □ Roman numeral 50 **L**

**L. Akad. (SA)** Lid van die SA Akademie vir Wetenskap en Kuns □ – **L. Akad. (SA)**

**LAN** lokaleareanetwerk □ local area network **LAN**

**Lat.** Latyn □ Latin **Lat.**

**l.a.w./LAW** ligte afleweringswa □ light delivery van **LDV**
**lb.** *libra* pond, gewig □ *libra* pound, weight **lb.**
**LBS** lopende betaalstelsel □ pay-as-you-earn **PAYE**
**lg.** laasgenoemde □ the latter –
**ll.** laaslede □ *ultimo* last **ult.**
**LL.B.** *Legum Baccalaureus* □ *Legum Baccalaureus* Bachelor of Law **LL.B.**
**l.n.r.** links na regs □ left to right **l. to r.**
**LP** Lid van die Parlement □ Member of Parliament **MP**
**LS** langspeler (plaat) □ long-playing (record) **LP**
**L.S./H.d.L.** *Lectori Salutem* heil die leser □ *Lectori Salutem* hail to the reader **L.S.**
**LSD** lisergiensuur-diëtielamide □ lysergic acid diethylamide **LSD**
**lt.** luitenant □ lieutenant **Lt.**
**lt.kol.** luitenant-kolonel □ Lieutenant-Colonel **Lt. Col.**
**lw.** lidwoord □ article (gram.) **art.**
**LW** let wel □ *nota bene* mark well **NB**

## M

**m** meter; myl □ metre(s); mile(s) **m**
**m.** manlik □ masculine **m./masc.**
**Ma.** Maandag □ Monday **Mon.**
**M.A.** *Magister Artium* □ *Magister Artium* Master of Arts **M.A.**
**maj.** majoor □ Major **Maj.**
**m.a.w./maw** met ander woorde □ in other words –
**Mb** megagreep □ megabyte **Mb**
**MBA/MBL** Magister in Besigheidsadministrasie/Bedryfsleiding □ Master(s) (degree) in Business Administration/Leadership **MBA/MBL**
**m.b.t./mbt** met betrekking tot □ with reference to –
**M.B.** *Medicinae Baccalaureus* □ *Medicinae Baccalaureus* Bachelor of Medicine **M.B.**
**M.D.** *Medicinae Doctor* □ *Medicinae Doctor* Doctor of Medicine **M.D.**
**Me/me.** (mv. **mee.**) Me(juffrou)/Me(vrou) □ Miss **Ms**
**M.Ed.** *Magister Educationis* □ *Magister Educationis* Master of Education **M.Ed.**
**Medun'sa** Mediese Universiteit van Suider-Afrika □ Medical University of Southern Africa **Medun'sa**
**mej(.)/mejj(.)** mejuffrou(e) □ Miss/Misses –
**memo.** memorandum □ memorandum **memo.**
**mev(.)** mevrou □ mistress/madam **Mrs**
**mevv(.)** mevroue □ mesdames **Mmes**
**mg** milligram □ milligram(s) **mg**
**m.i.** myns insiens □ in my view –
**mil.** militêr(e) □ military **mil.**
**min.** minister/minuut/minimum □ minister/minute/minimum **Min./min.**
**Min'tek** Raad vir Mineraaltegnologie □ Council for Mineral Technology **Min'tek**
**MIV/HIV** menslike immuniteitsmorende virus □ human immunosuppressive virus **HIV**
**MK** – □ Umkhonto we Sizwe **MK**
**mℓ** – milliliter □ millilitre(s) **mℓ**
**mm** millimeter □ millimetre(s) **mm**
**M.Net.** Elektroniese Medianetwerk □ Electronic Media Network **M-Net**
**MNR** Mediese Navorsingsraad □ Medical Research Council **MRC**
**mnr(.)** meneer □ Mister **Mr**
**mnre(.)** menere □ Messieurs **Messrs**
**m.p.u./mpu** myl per uur □ miles per hour **mph**
**MR** Metropolitaanse Raad □ Metropolitan Council **MC**
**Mrt.** Maart □ March **Mar.**
**ms.** manuskrip □ manuscript **MS**
**MSS** Metropolitaanse substruktuur □ Metropolitan substructure **MSS**
**MTN** – □ Mobile Telephone Network **MTN**
**mus.** musiek/musikaal □ music/musical **mus.**
**mv.** meervoud □ plural **pl.**
**MVSA** Mediese Vereniging van Suid-Afrika □ Medical Association of South Africa **MASA/Masa**
**MWU** Mynwerkersunie □ Mineworkers' Union **MWU**
**My./Mpy** maatskappy □ company **Co.**

## N

**N.** noord □ North **N.**
**n.** namens □ for; on behalf of –
**Nasrec** Nasionale sport-, ontspan- en uitstalsentrum □ National sport, recreation and exhibition centre **Nasrec**
**Nat.** Natuurkunde □ Physics **Phys.**
**n.a.v./nav** na aanleiding van □ with reference to **w.r.t.**

**Navo** Noord-Atlantiese Verdragorganisasie ☐ North Atlantic Treaty Organisation **Nato**
**NB** *Nota Bene* let wel ☐ *Nota Bene* mark well **NB**
**n.C./nC** na Christus ☐ *Anno Domini* of the Christian era **AD**
**Ndl.** Nederland(s) ☐ Netherland(s)/Dutch **Neth./Du.**
**N(ed). G(eref).** Nederduitse Gereformeerde ☐ Dutch Reformed **DR**
**N(ed). Herv.** Nederduits Hervormd ☐ Nederduits Hervormd **NH**
**NGK** Nederduitse Gereformeerde Kerk ☐ Dutch Reformed Church **DRC**
**nl.** naamlik ☐ *videlicet* namely **viz.**
**nm(.)** namiddag ☐ *post meridiem* in the afternoon **pm**
**no./nr.** *numero* nommer ☐ *numero* number **No.**
**NOIK** Nederlandse Oos-Indiese Kompanjie ☐ Dutch East India Company **DEIC**
**NOK** Nywerheidontwikkelingskorporasie ☐ Industrial Development Corporation **IDC**
**NOKSA** Nasionale Olimpiese Komitee van SA ☐ National Olympic Committee of SA **NOCSA**
**Nov.** November ☐ November **Nov.**
**NP** Nasionale Party ☐ National Party **NP**
**nr./no.** *numero* nommer ☐ *numero* number **No.**
**NRP** Nasionale Raad van Provinsies ☐ National Council of Provinces **NCOP**
**Ns.** naskrif ☐ *post scriptum* postscript **PS**
**NT** Nuwe Testament ☐ New Testament **NT**
**NUM** Nasionale Unie van Mynwerkers ☐ National Union of Mineworkers **NUM**
**nv.** naamval ☐ case **c.**
**n.v.t./NVT** nie van toepassing ☐ not applicable **n.a./NA**
**nw.** naamwoord ☐ noun **n.**

## O

**o./ons.** onsydig ☐ neuter **n./neut.**
**O.** oos ☐ east **E.**
**o.a.** onder ander(e) ☐ *inter alia* –
**OAE** Organisasie vir Afrika-Eenheid ☐ Organisation for African Unity **OAU**
**OB** Openbare Beskermer ☐ Public Protector **PP**
**OBSA** Ontwikkelingsbank van Suider-Afrika ☐ Development Bank of Southern Africa **DBSA**
**oef.** oefening ☐ exercise **ex.**
**o.i.** onses insiens ☐ in our view
**Okt.** Oktober ☐ October **Oct.**
**OLP** ongelode (loodvrye) petrol ☐ unleaded petrol **ULP**
**o.l.v./olv** onder leiding van ☐ under direction of **u.d.o.**
**o.m.** onder meer ☐ *inter alia* –
**ong.** ongeveer ☐ *circa* about **c.**
**oorl.** oorlede ☐ *obiit* died, late **d.**
**opm.** opmerking(e) ☐ remark(s) **rem.**
**OPUL/OPEC** Organisasie van Petroleum-Uitvoerlande ☐ Organisation of Petroleum Exporting Countries **OPEC**
**ord.** ordonnansie ☐ ordinance **Ord.**
**ost.** onderstaande ☐ following **fol.**
**OT** Ou Testament ☐ Old Testament **OT**
**OTM** outomatiese tellermasjien/kitsbank ☐ automatic teller machine **ATM**
**Oudl.** ouderling ☐ elder –
**OUO** Onafhanklike uitsaai-owerheid ☐ Independent broadcasting authority **IBA**
**OW/ow** ontvangwissel ☐ Bill Receivable **B/R**
**oz** ons ☐ ounce(s) **oz**
**Oz** Australië (doeronder) ☐ Australia (down under) **Oz**

## P

**p./bl.** *pagina* bladsy; *per* vir; met ☐ page; per **p.**
**p.** paaltjie (krieket) ☐ wicket **w.**
**p** *piano* sag ☐ *piano* softly **p**
**p.a./p.j.** *per annum* (per jaar) ☐ *per annum* (per year) **p.a.**
**p.a.** per adres ☐ care of **c/o**
**PAC** – ☐ Pan Africanist Congress **PAC**
**par.** paragraaf ☐ paragraph **par.**
**PANSAT** Pan-Suid-Afrikaanse Taalraad ☐ Pan South African Language Board **PANSAT**
**PBO** Palestynse Bevrydingsorganisasie ☐ Palestinian Liberation Organisation **PLO**
**pd.** pond gewig; geld ☐ *libra* pound weight **lb**
**PG/prok.genl.** prokureur-generaal ☐ Attorney-General **AG**
**Ph.D.** *Philosophiae Doctor* ☐ *Philosphiae Doctor* Doctor of Philosophy **Ph.D.**
**p.j./p.a.** per jaar/annum ☐ *per annum* yearly **p.a.**
**pk** perdekrag ☐ horse power **h.p.**

**Pk.** poskantoor □ Post Office **PO**
**p.m.** per maand/per minuut □ *per mensem* per month; per minute **p.m.**
**POPCRU** – □ Police and Prisons Civil Rights Union **POPCRU**
**pp** *pianissimo* baie sag □ *pianissimo* very softly **pp**
**p.p./per pro.** *per procurationem* by volmag □ *per procurationem* by procuration **p.p./ per pro.**
**PR** persoonlike rekenaar □ personal computer **PC**
**pres.** president □ President **Pres.**
**prof.** professor □ Professor **Prof.**
**PS** *post scriptum* (naskrif) □ *post scriptum* postscript **PS**
**Ps.** psalm □ Psalm **Ps.**
**ps.** privaat(pos)sak □ private/postal bag **P/B**
**PU vir CHO** Potchefstroomse Universiteit vir Christelike Hoër Onderwys □ Potchefstroom University **PU**

**Q**

**q.e.d.** *quod erat demonstrandum* wat bewys moes word □ *quod erat demonstrandum* which was to be demonstrated **QED**

**R**

**R** Rand □ Rand(s) **R**
**RAU** Randse Afrikaanse Universiteit □ Rand Afrikaans University **RAU**
**rdh(.)** raadsheer □ alderman **ald.**
**rdl(.)** raadslid □ councillor **clrs(.)**
**red.** redakteur/redaksie □ editor **Ed.**
**rek.** rekening □ account **a/c**
**RGN** Raad vir Geesteswetenskaplike Navorsing □ Human Sciences Research Council **HSRC**
**RGO/RO** rekenaargesteunde onderrig □ computer-aided instruction **CAI**
**RIP** *requiescat in pace* rus in vrede □ *requiescat in pace* rest in peace **RIP**
**RK** Rooms-Katoliek □ Roman Catholic **RC**
**rln.** rylaan □ drive **dr.**
**r/min (opm)** omwentelinge per minuut □ revolutions per minute **r/min**
**RNE** Regering van Nasionale Eenheid □ Government of National Unity **GNU**
**ROEP** red ons eensame platteland □ rescue our endangered platteland **ROEP**
**RSA** Republiek (van) Suid-Afrika □ Republic of South Africa **RSA**
**RSVP/a.asb.** *rèpondez s'il vous plaît* antwoord asseblief □ *rèpondez s'il vous plaît* please reply **RSVP**
**RU** Rhodes Universiteit □ Rhodes University **RU**

**S**

**S.** suid(elik) □ south(ern) **S.**
**SA** Suid-Afrika □ South Africa **SA**
**Sa.** Saterdag □ Saturday **Sat.**
**SAA** – □ South African Airways **SAA**
**SABC** – □ South African Broadcasting Corporation **SABC**
**SABEK** SA Besigheidskamer □ SA Chamber of Business **SACOB**
**SABS** Suid-Afrikaanse Buro vir Standaarde □ South African Bureau of Standards **SABS**
**SAGTR** *kyk* **INMDC**
**SAID** SA Inkomstedienste □ SA Revenue Services **SARS**
**SAKD** Suid-Afrikaanse Kommunikasiedienste □ South African Communication Services **SACS**
**SAKP** SA Kommunisteparty □ SA Communist Party **SACP**
**SAL** *kyk* **SAA**
**SALM** Suid-Afrikaanse Lugmag □ South African Air Force **SAAF**
**Samro** SA Musiekregte-Organisasie □ SA Music Rights Organisation **Samro**
**SANW** Suid-Afrikaanse Nasionale Weermag □ South African National Defence Force **SANDF**
**SAPD** Suid-Afrikaanse Polisiedienste □ South African Police Services **SAPS**
**Sapa** Suid-Afrikaanse Pers-Assosiasie □ South African Press Association **Sapa**
**Sasol** Suid-Afrikaanse Steenkool-, Olie- en Gaskorporasie □ South African Coal, Oil and Gas Corporation **Sasol**
**SAUK** *kyk* **SABC**
**SBSS** Skielike Babasterftesindroom □ Sudden Infant Death Syndrome **SIDS**
**S. Ed.** Sy Edele □ the Honourable **the Hon.**
**S. Ed. Agb.** Sy Edelagbare □ the Honourable **the Hon.**

**sek.** sekonde(s) ☐ second(s) **sec.**
**sekr.** sekretaris ☐ secretary **Sec.**
**S. Eks.** Sy Eksellensie ☐ His Excellence **HE**
**sen.** senator/senaat ☐ senate/senator **Sen.**
**Sep(t).** September ☐ September **Sep(t).**
**sers.** sersant ☐ Sergeant **Sgt.**
**sert.** sertifikaat ☐ certificate **cert.**
**s.g.** soortlike gewig ☐ specific gravity **sp. gr./SG**
**sg.** sogenaamd(e)/sogenoemd(e) ☐ so-called
**SH** Sy Heiligheid/Hoogheid ☐ His Holiness/Highness **HH**
**S.H. Ed.** Sy Hoogedele ☐ the Right Honourable **the Rt. Hon.**
**sitkom** situasiekomedie ☐ situation comedy **sitcom**
**SKH** Sy Koninklike Hoogheid ☐ His Royal Highness **HRH**
**sktr.** skutter ☐ gunner/rifleman **gnr./rfn.**
**s.nw.** selfstandige naamwoord ☐ noun **n.**
**So.** Sondag ☐ Sunday **Sun.**
**Soekor** Suidelike Olie-Eksplorasiekorporasie ☐ Southern Oil Exploration Corporation **Soekor**
**sos** sien ommesy ☐ please turn over **PTO**
**SOS** internasionale noodsein ☐ international distress signal **SOS**
**SR** Studenteraad ☐ Students' Representative Council **SRC**
**sr.** senior ☐ senior **Sen.**
**SSG** Sentrale Sakegebied *ook* **sa'kekern** ☐ Central Business District **CBD**
**st.** standerd (nou graad) ☐ Standard (now grade) **Std.**
**St.** *Sint* Heilige ☐ Saint **St.**
**str.** straat ☐ street **St.**
**subj.** subjek/subjunktief ☐ subject/subjunctive **subj.**
**supt.** superintendent ☐ Superintendent **Supt.**
**s.v.p.** *s'il vous plaît* asseblief ☐ *s'il vous plaît* please **s.v.p.**
**Swapo** – ☐ South West African People's Organisation **Swapo**

## T

**t** ton (metriek) ☐ ton(s) **t**
**t.** *tarra* eiegewig ☐ *tare* own weight **t.**
**t.a.p.** ter aangehaalde plaatse ☐ *loco citato* in the place cited **loc. cit.**
**t.a.v.** ten aansien van ☐ in respect of **i.r.o**
**tel.** telefoon ☐ telephone **tel.**
**Telkom** telekommunikasiedienste ☐ telecommunication services **Telkom**
**telw.** telwoord ☐ numeral **num.**
**t.o.v./tov** ten opsigte van ☐ with regard to –
**t.t.** *totus tuus* geheel die uwe ☐ *totus tuus* faithfully yours **t.t.**
**TV** televisie ☐ television **TV**
**tw.** tussenwerpsel ☐ interjection **int(erj).**
**t.w.** te wete ☐ *vedelicet* namely **viz.**

## U

**U Ed.** U Edele ☐ Your Honour **Yr. Hon.**
**uitbr.** uitbreiding ☐ extension **ext.**
**UK** Universiteit (van) Kaapstad ☐ University of Cape Town **UCT**
**ult.** *ultimo* laaste ☐ *ultimo* last **ult.**
**UN** Universiteit (van) Natal ☐ University of Natal **UN**
**Unesco** – ☐ United Nations Educational, Scientific and Cultural Organisation **Unesco**
**Unisa** Universiteit van Suid-Afrika ☐ University of South Africa **Unisa**
**Unita** – ☐ União Nacional para a Independencia Total de Angola **Unita**
**Unitra** – ☐ University of the Transkei **Unitra**
**UP** Universiteit (van) Pretoria ☐ University of Pretoria **UP**
**UPE** Universiteit (van) Port Elizabeth ☐ University of Port Elizabeth **UPE**
**US** Universiteit (van) Stellenbosch ☐ University of Stellenbosch **US**
**UVS** Universiteit van die Vrystaat ☐ University of the Free State **UFS**
**UW** Universiteit van die Witwatersrand ☐ University of the Witwatersrand **UW/Wits**
**UWK** Universiteit Wes-Kaap ☐ University of the Western Cape **UWC**
**UZ** Universiteit (van) Zoeloeland ☐ University of Zululand **UZ**

## V

**v./vr.** vroulik ☐ feminine **f(em).**
**VAE** Verenigde Arabiese Emirate ☐ United Arabic Emirates **UAE**
**vb.** voorbeeld ☐ example **ex.**
**v.C.** voor Christus ☐ before Christ **BC**
**v.d.** van die; van der; van den ☐ of the –

**veldm.** veldmaarskalk ☐ Field Marshal **FM**
**verklw.** verkleinwoord ☐ diminutive **dim.**
**verl.** verlede ☐ past –
**verl.dw.** verlede deelwoord ☐ past participle **p.p.**
**verw.** verwysing ☐ reference **ref.**
**Vetsak** Vrystaatse en Transvaalse Sentrale Aankoopkoöperasie ☐ – **Vetsak**
**VF** Vryheidsfront ☐ Freedom Front **FF**
**VGA** videografika-aanpasser ☐ videographics adapter **VGA**
**vgl.** vergelyk ☐ *confer(atur)* compare **cf./cp.**
**vgw.** voegwoord ☐ conjunction **conj.**
**vh.** voorheen ☐ late/former(ly) –
**vigs** verworwe immuniteitgebreksindroom ☐ acquired immunodeficiency syndrome **Aids**
**vk.** vierkant ☐ square **sq.**
**VK** Verenigde Koninkryk ☐ United Kingdom **UK**
**VKV** Veelkeusevraag ☐ Multiple Choice Question **MCQ**
**vlg.** volgende ☐ following **seq./fol.**
**vm.** voormiddag ☐ *ante meridiem* before noon **am/a.m.**
**VN** Verenigde Nasies ☐ United Nations **UN**
**vnw.** voornaamwoord ☐ pronoun **pron.**
**v(oe)gw.** voegwoord ☐ conjunction **conj.**
**Vodacom** – ☐ Voice and data communication **Vodacom**
**vol.** volume ☐ volume **vol.**
**v(oor)s.** voorsetsel ☐ preposition **prep.**
**voorv.** voorvoegsel ☐ prefix **pref.**
**voorw.** voorwerp ☐ object **obj.**
**VR** vrederegter ☐ Justice of the Peace **JP**
**vr./v.** vroulik ☐ feminine **f(em).**
**Vr.** Vrydag ☐ Friday **Fri.**
**VS** Vrystaat ☐ Free State **FS**
**vs./v.** *versus* teen ☐ *versus* against **v./vs.**
**VSA** Verenigde State van Amerika ☐ United States of America **USA**
**VSR** Verteenwoordigende Studenteraad ☐ Students' Representative Council **SRC**
**vt.** voet ☐ foot, feet **ft.**
**VT** verwys na trekker ☐ refer to drawer **R/D**
**VVV** vreemde vlieënde voorwerp ☐ unidentified flying object **UFO**

## W

**w.** woord; week ☐ word; week **w.**
**W.** Wes(te)/westelik(e) ☐ West **W.**
**WAT** Woordeboek van die Afrikaanse Taal ☐ – **WAT**
**wdb.** woordeboek ☐ dictionary/lexicon **dict./lex.**
**wed.** weduwee ☐ widow –
**w.g./get.** was geteken/geteken ☐ signed **sgd.**
**wisk.** wiskunde ☐ mathematics **maths.**
**wnd.** waarnemende ☐ acting (deputy) **actg.**
**WNNR** Wetenskaplike en Nywerheidnavorsingsraad ☐ Council for Scientific and Industrial Research **CSIR**
**Wo.** Woensdag ☐ Wednesday **Wed.**
**WRK** Wêreldraad van Kerke ☐ World Council of Churches **WCC**
**Wo.** Woensdag ☐ Wednesday **Wed.**
**WV** Wetgewende Vergadering ☐ Legislative Assembly **LA**
**WVK** Waarheid- en Versoeningskommissie ☐ Truth and Reconciliation Commission **TRC**
**ww.** werkwoord ☐ verb **v./vb**
**WWW** Wêreldwye Web ☐ Worldwide Web **WWW**

## X

**X** Romeinse 10 ☐ Roman numeral 10 **X**

## Y

**Yskor** (SA) *kyk* **Iscor**

## Z

**Zim.** Zimbabwe ☐ Zimbabwe **Zim.**

# Provinsies van Suid-Afrika

**Gauteng** □ Gauteng
**KwaZulu-Natal** □ KwaZulu-Natal
**Mpumalanga** □ Mpumalanga
**Noordelike Provinsie** □ Northern Province
**Noord-Kaap** □ Northern Cape
**Noordwes** □ North West
**Oos-Kaap** □ Eastern Cape
**Vrystaat** □ Free State
**Wes-Kaap** □ Western Cape

# Ampstale van Suid-Afrika

Die **vet gedrukte** vorme is só in die Grondwet van die Republiek van Suid-Afrika (1994) aangegee. Dié tussen hakies is die algemeen gebruikte vorme.

**Afrikaans** □ **Afrikaans**
**Engels** □ **English**
**isiNdebele** (Ndebele) □ **isiNdebele** (Ndebele)
**Sepedi/Sesotho sa Leboa** (Noord-Sotho) □ **Sepedi/Sesotho sa Leboa** (Northern Sotho)
**Sesotho** (Suid-Sotho) □ **Sesotho** (Southern Sotho)
**Setswana** (Tswana) □ **Setswana** (Tswana)
**siSwati** (Swazi) □ **siSwati** (Swazi)
**Tshivenda** (Venda) □ **Tshivenda** (Venda)
**isiXhosa** (Xhosa) □ **isiXhosa** (Xhosa)
**Xitsonga** (Tsonga) □ **Xitsonga** (Tsonga)
**isiZulu** (Zulu, Zoeloe) □ **isiZulu** (Zulu)

# ENGLISH – AFRIKAANS

# Abbreviations and signs

The following abridged abbreviations appearing after a headword indicate its part of speech:

(a) = adjective
(adv) = adverb
(conj) = conjunction
(interj) = interjection
(n) = noun
(num) = numeral
(prep) = preposition
(pron) = pronoun
(v) = verb

Other abbreviations used in this dictionary include: (aero.) aeronautics; (Am.) America/=n; (anat.) anatomy; (biol.) biology; (comp.) computer/computer science; (derog.) derogatory; (econ.) economy; (e.g.) for example; (electr.) electricity/electrical; (exam.) examination(s); (fem.) feminine; (fig.) figurative; (govt.) government; (gram.) grammar.grammatical; (hist.) historical; (idiom.) idiomatic; (maths.) mathematics; (mil.) military; (mus.) music; (phot.) photography; (pl) plural; (pron.) pronounced/pronunciation; (Prot.) Protestant; (R.C.) Roman Catholic; (SA) South Africa/=n; (S.Am.) South America/=n; (sing) singular; (stats.) statistics; (sl) slang; (tel.) telephone.

1. **Tilde** or **swung dash** (~) replaces the headword as it stands:
   a) **acid:** as a separate word: ~ **test** means: **acid test.**
   b) **ill:** with a hyphen: **~-tempered** means **ill-tempered.**
   c) **bush:** when joined: **~baby** means **bushbaby.**
2. **Double dots (..)** are used where the last syllable of a word changes for the plural: **agency ..ies** means **agency, agencies.**
3. **Hyphen (-):**
   South African English has a strong tendency to diminish hyphens. The trend is **jaw bone > jaw-bone > jawbone**, but:
   a) Avoid ambiguity, therefore: **rugby-mad** schoolboy.
   b) Use hyphens in linked adjectives: **red-tailed** jack; **well-meant** effort.
   c) Words starting wih **self-** are always hyphenated: **self-satisfied; self-control; self-medication.**
4. **Semicolon (;):** While a comma in the initial translated version separates words/phrases of similar meaning, a semicolon denotes a secondary or quite different meaning.
5. **Double hyphens** (=) are used at the end of a line to denote that the word must be written as one word and not hyphenated.
6. The **stress mark** ( ′ ) indicates that in pronouncing the word the stress falls on the syllable preceding the mark: **ab′dicate; jet′set; reconcilia′tion.**
7. The **solidus** or **slash** ( / ) denotes optional use: **wish** or **want** in **wish/want; revamp** or **refurbish** in **revamp/refurbish; hijacking** or **carjacking** in **hijacking/carjacking.**

# A

**a, an** 'n
**aback'** terug, agteruit; *taken* ~ oorbluf, verstom, verras
**ab'acus ..ci** telraam, rekenbord; abakus
**ab'alone** (n) perlemoen *also* **perlemoen'**
**aban'don** (n) oorgawe; onverskilligheid; (v) opgee; verlaat; in die steek laat *also* **desert'** (v); ~**ed** verlate, oorgegee; losbandig
**ab'attoir** (n) **-s** abattoir, slagplaas
**abb'ey -s** abdy, klooster(kerk)
**abb'ot** ab, kloostervoog
**abbre'viate** afkort *also* **abrid'ge**
**abbrevia'tion** afkorting, verkorting
**ab'dicate** afstand doen (van die troon), abdikeer
**abdom'en** buik, onderbuik, abdomen
**abduct'** (v) ontvoer, kaap *also* **kid'nap/hi'jack**
**abey'ance** opskorting, stilstand; *in* ~ opgeskort, oorgestaan *also* **pen'ding**
**abid'ing** duursaam, ewig; ~ **love** ewige/durende liefde
**abil'ity ..ties** bekwaamheid, vermoë, knapheid; (pl) geestesgawes, talente; *to the best of my* ~ na my beste vermoë
**ablaze'** aan die brand, in ligte laaie
**a'ble** bekwaam, knap; bevoeg; ~ **sea'man** bevare/vol matroos
**ablu'tion** reiniging; ~ **block** ablusieblok
**abnorm'al** abnormaal; onreëlmatig; gestrem
**abol'ish** afskaf, ophef, intrek *also* **can'cel**
**abom'inable** afskuwelik, gruwelik, walglik
**abori'ginal** (n) inboorling (mens)
**abort'ion** (n) miskraam; vrugafdrywing/aborsie; misgewas (mens)
**about'** (adv, prep) ongeveer, omtrent; aangaande, rakende, met betrekking tot
**above'** (adv, prep) bo, meer; bokant; ~ *all* bowenal, veral; ~*-average intelligence* bogemiddelde intelligensie; ~**men'tioned** bogenoemde
**abracadab'ra** abrakadabra; wartaal
**abra'sive** (n) skuurmiddel; (a) skurend; kwetsend (iem. se houding)
**abreast'** langs mekaar, in gelid; ~ *of* op (die) hoogte van
**abridge'** verkort, beperk; beknopter maak
**abroad'** buitekant; buitelands, oorsee
**abrupt'** (a) afgebroke; plotseling, kortaf
**ab'scess -es** geswel, ettersweer, abses
**ab'seil** (v) abseil; ~**er** abseiler (mens)
**ab'sence** afwesigheid; gebrek
**absent'**[1] (v) (jou) verwyder; wegbly
**ab'sent**[2] (a) afwesig; verstrooid; ~**ee'** afwesige; ~**-min'ded** afgetrokke; ~**-min'ded profes'sor** verstrooide professor
**ab'solute** volstrek, onbeperk, volkome; absoluut; ~ **majo'rity** volstrekte meerderheid
**absorb'** opsuig, absorbeer; ~**ing** (a) boeiend
**abstain'** afskaf; ~**er** onthouer, afskaffer; **to'tal** ~**er** geheelonthouer (van drank)
**ab'stract**[1] (n) uittreksel; opsomming; (a) diepsinnig; abstrak
**abstract'**[2] (v) aftrek, abstraheer; ~**ion** abstraksie
**absurd'** (a) verspot, dwaas, absurd *also* **cra'zy**
**abun'dant** oorvloedig, volop *also* **am'ple**
**abuse'** (n) mishandeling; **child** ~ kindermishandeling/kindermolestering; (v) mishandel; uitskel, beledig
**abus'ive** beledigend, lasterend
**abyss' -es** afgrond; (bodemlose) poel/kolk
**aca'cia -s** akasia, doringboom/struik
**academ'ic(al)** akademies; onprakties
**aca'demy** akademie; studie; genootskap
**accede'** toestem; toestaan, instem, toegee
**accel'erate** versnel; verhaas; bespoedig
**accel'erator** versneller (motor); dryfspier
**ac'cent** (n) nadruk, klem(toon); stembuiging, tongval; aksent, klemteken
**accept'** (v) aanneem, aanvaar; aksepteer (wissel); ~**able** (a) aanneemlik, aanvaarbaar
**ac'cess** toegang; ~ **con'trol** toegangbeheer; (v) ~ **informa'tion** inligting bekom
**acces'sible** (a) toeganklik; genaakbaar
**acces'sion** toetrede/toetreding; aanwins; ampsaanvaarding; troonbestyging
**acces'sory** (n) **..ries** medepligtige (mens); bykomstigheid; (pl) toebehore, bybehore; (a) bykomstig; medepligtig
**ac'cident** ongeluk, ongeval; toeval; ~ **insur'ance** ongevalleversekering; ~ **prone** ongeluksgeneig
**acclama'tion** toejuiging; byval, akklamasie
**accom'modate** (v) aanpas, skik; akkommodeer; huisves, herberg *also* **board**
**accommoda'tion** skikking; huisvesting, verblyf(plek); akkommodasie
**accom'paniment** begeleiding (op klavier)
**accom'pany** (v) vergesel, begelei; saamgaan; ~**ing let'ter** bygaande brief

**accom'plice** (n) medepligtige (in misdaad); handlanger
**accom'plish** uitvoer, tot stand bring; ~**ed** volstooid; bedrewe; begaaf *also* **tal'ented**
**accord'** (n) ooreenstemming; verdrag; harmonie; akkoord; (v) ooreenstem; akkordeer; ~**ance** ooreenstemming: *in ~ance with* ooreenkomstig; ~**ing** volgens, namate, ooreenkomstig: *~ing to* volgens, ingevolge; ~**ingly'** ooreenkomstig, gevolglik, dus
**accor'dion** akkordeon, trekklavier
**account'** (n) rekening; berig, verslag; rekenskap; ~ *rendered* gelewerde rekening; *on ~ of* weens, vanweë; (v) rekenskap gee, verantwoord
**accoun'tancy** rekeningkunde
**accoun'tant** rekenmeester
**accoun'ting** rekeningkunde; ~ **po'licy** reken(ing)kundige beleid, boekhoubeleid
**accounts' exec'utive** (n) kliënteskakel (reklamewese)
**accrue'** aangroei, toeneem; oploop; ~**d in'terest** opgeloopte rente
**accu'mulate** ophoop, opgaar; oploop; ~**d lea've** opgehoopte/opgegaarde verlof
**acc'uracy** (n) noukeurigheid, stiptheid, juistheid, presiesheid, akkuraatheid
**acc'urate** (a) noukeurig, nougeset, akkuraat
**accusa'tion** beskuldiging; aantyging
**accuse'** beskuldig, aankla; verkla; ~**d'** beskuldigde, aangeklaagde (mens)
**accus'tom** gewoon(d) maak; *~ed to* gewoond aan
**ace** bobaas, uitblinker; aas; kishou (sport)
**ache** (n) pyn; (v) pyn, seer wees, pyn ly
**achieve'** behaal, verrig, presteer *also* **accom'plish;** ~**r** presteerder; ~**ment** prestasie
**a'cid** (n) suur; (a) suur, bitter, wrang; ~ **drop** suurklontjie; ~ **rain** suurreën; ~ **test** vuurproef
**acknow'ledge** erken, beken; berig; beantwoord; ~ *receipt of* ontvangs erken van
**acknow'ledgment** erkenning; berig; dankbetuiging *also* **apprecia'tion**
**ac'me** toppunt *also* **peak, sum'mit**
**ac'ne** (vet)puisie, aknee; puisiesiekte
**ac'orn** akker (aan eikeboom)
**acous'tics** (n) geluidsleer, akoestiek
**acquaint'** bekend maak, berig, meedeel; ~**ance** bekendheid; kennis (mens)
**acquire'** verkry, verwerf; aanleer; aankoop; ~**d tas'te** aangeleerde smaak
**acquisi'tion** aanskaffing; aanwins (vir biblioteek)
**acquit'** vryspreek; kwytskeld
**a'cre** acre (± 4 000 m$^2$); ~**age** oppervlakte; grootte in acres
**ac'robat** akrobaat; ~**ic/stunt flier** kunsvlieënier
**ac'ronym** letternaam (bv. SANLAM)
**ac'rophobia** hoogtevrees
**across'** (adv) dwars; (prep) oor; dwars; oorkruis; *come* ~ teëkom, ontmoet
**act** (n) daad, handeling; akte; wet; bedryf (toneelstuk); *caught in the* ~ op heter daad/heterdaad betrap; ~ **of dedica'tion** toewydingsformulier/diensgelofte; (v) handel, doen, te werk gaan; optree
**act'ing** (n) voordrag; (toneel)spel; (a) waarnemend, agerend; ~ **reg'istrar** waarnemende registrateur
**act'ion** handeling, verrigting; geveg, aksie; *killed in* ~ gesneuwel; ~ **song** sangspeletjie
**act'ive** werksaam, bedrywig, besig; ~ **voice** bedrywende vorm
**ac'tivist** (n) aktivis (mens)
**activ'ity ..ties** werksaamheid, bedrywigheid, doenigheid, aktiwiteit
**ac'tor** toneelspeler, akteur; bewerker
**ac'tress -es** toneelspeelster, aktrise
**ac'tual** (a) werklik, wesenlik, feitlik
**ac'tually** regtig, werklikwaar; eintlik
**ac'tuary ..ries** aktuaris; griffier
**acute** skerp; fyn; vlug; gevat, skerpsinnig
**acupunc'ture** akupunktuur, naaldprikking
**Ad'am** Adam; ~**'s ap'ple** adamsappel
**ad'amant** onwrikbaar *also* **firm**
**adapt'** aanpas; aanwend; ~**able** plooibaar; aanwendbaar; ~**er** passtuk; aanpasser (elektrisiteit)
**add** byvoeg, optel, vermeerder
**adden'dum ..denda** bylae, toevoegsel *also* **appen'dix/an'nexure**
**add'er** adder, pofadder
**add'ict** (n) verslaafde (mens)
**addict'** (v) toewy, oorgee aan; ~**ed** verslaaf; *~ed to drink* aan drank verslaaf
**addi'tion** byvoeging, optelling; *in ~ to* boonop; behalwe, benewens; ~**al** bykomend, addisoneel; ~ **sum** optelsom
**address'** (n) adres; toespraak, rede; (v) adresseer; wend/rig (tot); ~ *a problem* 'n probleem aanpak/aanspreek; ~**ee'** geadresseerde (mens)

**ad′equate** (a) voldoende *also* **suffi′cient**
**adhere′** aanhang, bly by; ~ *to the rules* die reëls nakom/eerbiedig
**adhe′sive** vasklewend; ~ **plas′ter** hegpleister; ~ **tape** kleefband
**adja′cent** aangrensend, naasgeleë, naby; ~ **inte′rior** aangrensende binneland
**ad′jective** (n) byvoeglike naamwoord; (a) byvoeglik; ondergeskik
**adjoin′** aanheg; grens aan
**adjourn′** opskort, verdaag; ~ *a meeting* 'n vergadering verdaag; ~**ment** verdaging
**adju′dicate** (be)oordeel, uitspraak gee *also* **jud′ge** (v)
**adju′dicator** beoordelaar
**adjust′** in orde bring, reël, vereffen; aansuiwer; ~**able** verstelbaar; ~**ment** skikking/reëling; aansuiwering (boekhou)
**ad′jutant** adjudant; hulp
**admin′ister** bestuur, beheer; toedien
**administra′tion** beheer; administrasie
**admin′istrative** besturend, administratief; ~ **staff** klerklike personeel
**admin′istrator** administrateur; administreerder, administrator (mens)
**ad′mirable** (a) bewonderenswaardig
**ad′miral** admiraal
**admira′tion** bewondering, verering *also* **praise**
**admire′** bewonder, vereer; ~**r** bewonderaar, aanhanger/aanbidder
**admis′sion** toelating, toegang; erkenning; ~ *free* vry(e) toegang; ~ *of guilt* skulderkenning; ~ **tick′et** toegangskaartjie
**admit′** toelaat; opneem (hospitaal); ~**tance** toegang; toelating
**admon′ish** vermaan, teregwys *also* **reprimand′**
**ado′** ophef, gedoente; *much ~ about nothing* veel geskree(u) en weinig wol
**adoles′cence** puberteitsjare, adolessensie
**adoles′cent** (n) jongeling/jongmeisie; jeugdige; (a) jeugdig; opgroeiend, adolessent *also* **ju′venile** (a)
**adopt′** aanneem, aanwend; ~**ed** aangenome: *~ed child* aangenome kind
**adore′** aanbid, vereer; vurig liefhê
**adorn′** versier, verfraai *also* **dec′orate**
**adren′alin(e)** adrenalien, bynierstof
**ad′ult** (n) grootmens, volwassene; (a) volwasse
**adul′terer** egbreker, owerspeler (mens)
**adul′tery** owerspel, egbreuk; ontug
**advance′** (n) vooruitgang; voorskot; (v) bevorder; voorskiet (geld); ~ *money* geld voorskiet; ~ *the date* die datum vervroeg; ~**d′** gevorder(d); ver
**advan′tage** (n) voordeel *also* **ben′efit;** baat
**adven′ture** (n) avontuur; waagstuk; (v) waag, onderneem; ~**r** waaghals *also* **da′redevil**; avonturier, geluksoeker
**adven′turous** avontuurlik, ondernemend
**ad′verb** bywoord
**adver′bial** bywoordelik
**ad′versary** (n) **..ries** teenstander, opponent
**ad′verse** teenstrydig; vyandig; ongunstig; ~ **com′ment** ongunstige kommentaar
**adver′sity** teenspoed, ongeluk
**ad′vertise** adverteer; bekend maak
**adver′tisement** advertensie, reklame
**ad′vertiser** adverteerder; aankondiger
**ad′vertising** reklamewese; ~ **a′gency** reklameagentskap, advertensieburo
**advice′** (n) raad; advies *also* **coun′sel**
**advi′sable** (a) raadsaam, gerade
**advise′** (v) aanraai, adviseer; ~**r** raadsman/raadgewer; berader
**advi′sory** raadgewend, adviserend; ~ **coun′cil** adviesraad
**ad′vocate** (n) advokaat; pleitbesorger; (v) bepleit, verdedig
**ae′rial** (n) lugdraad, antenne; ~ **pho′tograph** lugfoto; ~ **rail′way** lugspoor
**a′erobat** kunsvlieënier, fratsvlieër
**a′erodrome** vliegveld, vliegbaan *see* **air′port**
**a′eronaut** ruimtevaarder *also* **as′tronaut**
**a′eroplane** (obsolete) *see* **air′craft**
**a′erosol** aerosol; ~ **can/contai′ner** spuitkan(=netjie)
**aesthet′ic(al)** esteties, skoonheids=
**aff′able** vriendelik, minsaam, inskiklik
**affair′** saak, aangeleentheid, besigheid, affêre; (liefdes)verhouding
**affect′** (v) werk op, aantas; raak, affekteer
**affec′ted** aangedaan, aanstellerig; aangetas
**affec′tionate** toegeneë, liefhebbend; hartlik
**affida′vit** (n) beëdigde verklaring
**affilia′tion** aansluiting, affiliasie
**affirm′** bevestig; bekragtig; ~**ative** bevestigend: *answer in the ~ative* bevestigend antwoord; ~**ative ac′tion** regstellende/bevestigende/herstellende aksie/optrede, regstelaksie
**af′fluence** oorvloed, rykdom, weelde
**af′fluent** (a) oorvloedig; ryk, welgesteld; ~ **soci′ety** welvarende/gegoede gemeenskap

**afford′** bekostig, bybring; *he can* ~ *to* hy kan dit bekostig; **..able** bekostigbaar, sakpas
**afoot′** te voet; op die been; op tou
**afore′** (adv, prep) voor, vantevore; ~**going** voorgaande; ~**men′tioned** voorgenoemd, voorgemeld; ~**said** voorgenoemd
**afraid′** bang, bangerig, bevrees; ~ *of* bang vir; ~ *to* bang om
**afresh′** opnuut, van voor af, weer
**Af′rica** Afrika
**Af′rican** (n) Afrikaan (mens van Afrika); (a) van Afrika; Afrikaans; ~ **lan′guages** Afrikatale; **South** ~ Suid-Afrikaner
**Africa′na** Africana
**Afrikaans′** Afrikaans (taal)
**Afrika′ner** (n) **-s** Afrikaner; afrikanerbees; (a) Afrikaans
**Af′ro-A′sian** Afro-Asiaties
**af′ter**[1] (a) later; (prep) agter; naderhand; na, daarna, later; ~ *all* tog, darem, per slot van rekening, op stuk van sake; *enquire* ~ vra na; *look* ~ kyk na, sorg vir
**af′ter**[2] (conj) nadat
**af′ter:** ~**care** nasorg; ~**-dinner speech** tafelrede; ~**-effect′** nawerking, gevolg; ~**noon′** namiddag, agtermiddag; ~**thought** nagedagte; laatlammetjie, heksluiter (kind); ~**wards** naderhand, daarna
**again′** weer, opnuut; aan die ander kant; vir die tweede maal; *now and* ~ af en toe; *time and* ~ herhaaldelik
**against′** teen, strydig met
**age** (n) ouderdom, leeftyd; eeu; *coming of* ~ mondig; **Middle A~s** Middeleeue; (v) oud word, verouder; ~**d** oud, bejaard; afgeleef; ~ **lim′it** ouderdomsgrens
**a′gency ..cies** agentskap; bemiddeling; **ad′vertising** ~ reklameagentskap; **employ′ment** ~ personeelagentskap; **tra′vel** ~ reisburo, reisagentskap
**agen′da** (n) agenda, sakelys
**a′gent** agent; rentmeester; bewerker; middel
**agg′ravate** (v) verswaar, vererger; verbitter; terg; **ag′gravating cir′cumstances** verswarende omstandighede
**agg′regate** (n) totaal, geheel; aggregaat; (v) versamel; beloop; (a) gesamentlik
**aggress′** aanval; ~**ion** aanval, aggressie; ~**ive** strydlustig, aggressief *also* **hos′tile**; ~**or** aggressor, aanvaller
**ag′ile** rats, lenig, behendig *also* **nim′ble**
**agita′tion** opskudding, agitasie
**ag′itator** opruier, oproermaker, agitator (mens)
**ago′** gelede; *a week* ~ 'n week gelede
**ag′ony** (n) doodsangs; kwelling *also* **an′guish**
**agree′** ooreenstem; toestem; ~ *on* saamstem; ~ *with* akkordeer met; ~**able** aangenaam, welgevallig, behaaglik; ~**d′!** top!, afgespreek! ~**ment** ooreenkoms; verdrag; vergelyk; akkoord; ~**ment stu′dent** verbintenisstudent
**agricul′tural** landboukundig, landbou-; ~ **day** boeredag; ~ **jour′nal** landboutydskrif, landboublad
**agricul′ture** landbou
**ahead′** vooruit, vooraan; voorwaarts
**aid** (n) hulp, bystand; subsidie; hulpmiddel; *in* ~ *of* ten bate van, ten behoewe van; (v) help, steun; bydra; **hea′ring** ~ hoortoestel
**Aids** (n) vigs; ~ **suf′ferer** vigslyer
**ail** makeer, sukkel, siek wees; ~**ing** sieklik; ~**ment** siekte, kwaal *also* **disor′der**
**aim** (n) doel(wit), oogmerk, doelstelling, plan; *take* ~ korrelvat op; (v) doel; korrel; beoog, mik; ~ *at* mik op; ~**less** doelloos
**air** (n) lug, windjie; lied, melodie; *on the* ~ oor die radio, uitgesaai (word); (v) lug; ~ *one's views* jou mening gee; (a) lugwind-; ~ **alarm′** lugalarm, koe(t)stoeter; ~ **appren′tice** lugvakleerling; ~**bag** lugsak (motor); ~**brick** lugrooster; ~**condi′tioning** lugversorging: *these premises are airconditioned* hierdie winkel is lugversorg
**air′craft** vliegtuig, vliegmasjien; ~ **car′rier** vliegdekskip
**air:** ~**filter** lugsuiweraar, lugfilter; ~ **force** lugmag; ~ **fresh′ener** lugverfrisser; ~**gun** windbuks; ~ **hos′tess** lugwaardin (kajuitpersoneel); ~**lift** lugbrug; ~**line** lugredery; ~**li′ner** passasierstraler; ~**mail** lugpos; ~ **mechan′ic** lugwerktuigkundige; ~ **pi′lot** vlieënier; ~**port** lughawe; ~ **raid** lugaanval; ~**shel′ter** skuilkelder; ~**ship** lugskip; ~**-sick′ness bag** naarsakkie; ~**strip** landingstrook; ~**tight** lugdig; ~**ways** lugdiens/lugredery *also* **air′line**; ~**y** vrolik; yl
**aisle** vlerk, vleuel (van 'n gebou); paadjie (tussen stoele of banke) *also* **cor′ridor**
**ajar′** half oop, op 'n skrefie
**akin′** verwant *also* **rela′ted**
**alarm′** (n) alarm; ~ **clock** wekker; ~**ing** verontrustend; onrusbarend
**alas′!** helaas! *also* **alack!**

**al′batross -es** albatros, stormvoël
**albe′it** alhoewel, hoewel
**albi′no -s** albino
**al′bum** album; gedenkboek
**al′cohol** alkohol, wyngees
**alcohol′ic** alkoholies, bedwelmend; dranksug⸗tig; (n) alkoholis; ~ **blues** dronkverdriet
**al′coholism** alkoholisme
**al′cometer** alkometer, asemtoetser *also* **breath′⸗alyser**
**al′derman** raadsheer, olderman (in stadsrade)
**ale** Engelse bier; ~ **house** tappery
**alert′** (n) alarm(sein); (v) aansê, waarsku; (a) waaksaam, wakker; *on* ~ op gereedheid⸗grondslag
**al′ga** (n) **-e** seegras, seewier, alge
**al′gebra** algebra, stelkunde
**al′ibi** alibi; uitvlug
**al′ien** (n) vreemdeling, uitlander; (a) vreemd, uitlands; ~**ate** vervreem; afkonkel; ~**a′tion** vervreemding
**align′** rig, op een lyn bring; spoor (wiel); ~**ment** linie, riglyn; sporing (van wiele)
**alike′** gelyk, eenders/eners
**alive′** (a) lewend; lewendig/wakker; gevoelig; wemelend
**all** (pron) almal, algar; *not at* ~ glad nie, geen⸗sins; ~ *day* heeldag; (adv) heeltemal, totaal; ~ *the better* des te beter; ~ *the same* darem, tog; ~**-see′ing eye** alsiende oog
**all′-bran** volsemel
**all′-comers** almal; iedereen
**allega′tion** aanklag/aantyging; beskuldiging
**allege′** (v) aanvoer, beweer; ~**d mur′derer** beweerde/vermeende moordenaar
**alle′giance** getrouheid, onderdanigheid
**al′legory ..ries** sinnebeeld, allegorie
**all′-embracing** alomvattend
**aller′gic** allergies *also* **suscep′tible**
**all′ey -s** steeg, laning; gang
**alli′ance** (n) verbond, bondgenootskap, alli⸗ansie *also* **u′nion, pact**
**al′ligator** kaaiman, alligator
**all′-in:** ~ **wrest′ling** rofstoei
**allitera′tion** alliterasie, stafrym
**all′ocate** (v) aanwys, toewys, toedeel
**alloca′tion** plekaanwysing; toewysing
**allot′** aanwys, toemeet, toeken
**all′-out** uit alle mag
**allow′** (w) toelaat; bewillig; ~**ance** toelating; toelae; *make* ~*ance(s) for* in aanmerking neem; rekening hou met
**al′loy/alloy′** (n) mengsel; gehalte; allooi
**all′right** goed, reg, in orde; *I am* ~ ek is orraait
**all′round** (a) veelsydig *also* **ver′satile**; (adv) oor die algemeen; ~**er** veelsydige sport⸗man/sportvrou
**alluv′ial** uitgespoel, alluviaal, spoel⸗; ~ **di′a⸗monds** spoeldiamante
**all′-weather** weervas; ~ **ten′nis court** weer⸗vaste tennisbaan
**al′ly** (n) **allies** bondgenoot, geallieerde
**al′manac** almanak, kalender
**Almi′ghty:** *the* ~ *God* die Almagtige
**alm′ond** amandel
**al′most** amper, byna
**alms** (n) aalmoes, liefdegawe
**al′oe -s** aalwyn/aalwee, garingboom
**alone′** (a) alleen; eensaam; (adv) net, enkel, alleen; *leave* ~ alleen laat, uitlos
**along′** langs, deur; met; *all* ~ die hele tyd; ~**side** naas, langsaan
**aloof′** afsydig (mens); op 'n afstand
**aloud′** hardop; *read* ~ hardop lees, luidlees
**al′pha** alfa
**al′phabet** abc, alfabet
**alread′y** al, reeds, alreeds
**al′so** ook, eweneens *also* **as well as**
**alt** alt, hoë noot
**al′tar** altaar
**al′ter** (v) verander, wysig; ~**a′tion** verande⸗ring, wysiging *also* **amend′ment**
**alter′nate** (n) plaasvervanger (mens); (a) (af)wisselend, alternatief
**al′ternate** (v) (af)wissel; verwissel
**al′ternating** (af)wisselend; ~ **cur′rent** wissel⸗stroom
**altern′ative** (n) keuse, alternatief *also* **op′tion**
**although′** hoewel, alhoewel
**al′titude** hoogte (bo seespieël); diepte; **high** ~ **ten′nis balls** hoëvlak-tennisballe
**altogeth′er** almal; heeltemal, tesame; *in the ~/ buff* poedelnakend
**altruis′tic** (a) onbaatsugtig, altruïsties
**al′lum** aluin
**alumin′ium** aluminium
**al′ways** altyd, gedurig *also* **fore′ver**
**amalgama′tion** samesmelting, amalgamasie *also* **mer′ger**
**am′ateur** amateur, beginner *also* **lay′man**
**amaze′** verbaas; ~**d** verbaas *also* **aston′ished**
**amaz′ing** (a) verbasend, wonderlik
**Am′azon** Amasone; manhaftige vrou

**ambass'ador** ambassadeur; gesant (mens)
**am'ber** amber, barnsteen; ~ **traf'fic light** amber/geel verkeerslig
**ambidex'trous** (a) ewehandig, gelykhandig
**ambig'uous** (a) dubbelsinnig; duister
**ambi'tion** eersug, ambisie
**ambi'tious** eersugtig, eergierig, ambisieus
**am'bulance** ambulans
**am'bush** (n) hinderlaag; lokval, strik
**amen'/a'men** amen
**amend'** (v) verbeter, wysig; ~**ment** wysiging; amendement (op 'n mosie)
**amends'** vergoeding; *make* ~ goedmaak
**amen'ity** minsaamheid, innemendheid; **..ties** geriewe, fasiliteite; beleefdhede
**Amer'ica** Amerika; ~**n** Amerikaner (mens)
**am'iable** (a) beminlik, lief, lieftallig
**am'icable** (a) vriendelik, vriendskaplik
**ammon'ia** ammoniak
**ammuni'tion** ammunisie, skietgoed; ~ **dump** ammunisieopslagplek
**am'nesty** vrywaring, kwytskelding, amnestie; *grant* ~ amnestie verleen
**amok'** amok; *run* ~ amok maak
**among'** onder, tussen, by; ~ *ourselves* onder ons
**am'orous** verlief, liefdes=, minne=
**amount'** (n) bedrag, opbrengs; hoeveelheid; *expenses ~ing to* uitgawes ten bedrae van; (v) bedra
**amphib'ia** amfibieë, tweeslagtige diere
**am'phitheatre** amfiteater; strydperk
**am'ple** ruim; oorvloedig *also* **plen'tiful**
**am'plifier** klankversterker; vergroter
**am'plify** (v) uitbrei; toelig, vergroot, versterk
**am'putate** (v) afsit, amputeer (been)
**am'ulet** amulet, geluksteentjie *also* **charm** (n)
**amuse'** vermaak, amuseer; ~**ment** vermaak; ~**ment park** pretpark *also* **fun fair**
**amus'ing** (a) vermaaklik, onderhoudend, amu=sant
**an** 'n
**anabol'ic ste'roid** (n) (op)kikker, sluipkikker *also* **pep pill**
**anach'ronism** tydteenstrydigheid, tydverskui=wing, tydverrekening, anachronisme
**anaem'ic** bloedloos, bloedarm
**anaesthet'ic** (n) (ver)doofmiddel/narkose
**anaes'thetist** narkotiseur (mediese spesialis)
**analges'ic** (a) pynstillend; (n) pynstiller
**analphabete'** ongeletterde, analfabeet (mens)
**an'alyse** (v) ontleed, oplos, analiseer
**anal'ysis ..lyses** ontleding, analise
**an'archist** anargis, oproermaker
**an'archy** regeringloosheid, anargie
**anat'omy** ontleedkunde, anatomie
**ances'tral** (a) voorvaderlik (bv. geeste)
**an'cestry** voorouers, afkoms, afstamming
**an'chor** (n) anker (skip); steun; (v) anker
**anchov'y** ansjovis
**an'cient** oud, outyds; antiek *also* **archa'ic**
**ancill'ary** ondergeskik; ~ **sub'jects** byvakke
**and** en
**an'ecdote** anekdote, staaltjie *also* **yarn**
**anem'one** anemoon *also* **wind'flower**
**anew'** opnuut; weer
**an'gel** engel; serafyn
**an'ger** (n) toorn, gramskap *also* **fu'ry/rage**; (v) vertoorn, vererg, kwaad maak
**an'gle**[1] (n) vishoek; haak; (v) visvang, hengel
**an'gle**[2] (n) hoek; gesig(s)punt; ~ **i'ron** hoek=yster
**an'gler** hengelaar; visvanger
**An'glicism** Anglisisme, Engelse uitdrukking
**An'glo-** Engels, Anglo-; **A~-Boer War** An=glo-Boereoorlog, Engelse Oorlog, Twee=de Vryheidsoorlog *also* **South Af'rican War**
**angor'a:** ~ **goat** angorabok, sybok
**an'gry** kwaad, boos *also* **annoy'ed**; ~ *about* kwaad oor; ~ *with* kwaad vir
**an'gular** hoekig, hoek=, puntig
**an'imal** (n) dier, bees; (a) dierlik; sinlik; ~ **hus'bandry** veeteelt; ~ **king'dom** die diere=ryk; ~ **lov'er** diereliefhebber
**animos'ity** verbittering, wrok *also* **grud'ge**
**an'iseed** anyssaad
**an'kle** enkel; ~ *deep* tot aan die enkels
**ann'als** jaarboeke, annale, kronieke
**annex'** (v) annekseer; inlyf; ~**a'tion** inlywing, anneksasie
**ann'ex** (n) aanhangsel, bylae; bygebou
**an'nexure** aanhangsel, bylae *also* **appen'dix**
**anni'hilate** (v) vernietig, verdelg, uitdelg
**anniver'sary ..ries** verjaardag; jaarfees; ge=denkdag; bestaansjaar (organisasie)
**announce'** aankondig, bekend maak; aanmeld; ~**ment** aankondiging; bekendmaking; ~**r** omroeper (radio); aankondiger
**annoy'** (v) lastig val, hinder, pla; ~**ed** omge=krap, vererg; ontstig; ~**ing** lastig, vervelig, hinderlik
**ann'ual** (n) jaarboek; eenjarige plant; (a) jaar=liks, jaar=; eenjarig; ~ **gen'eral meet'ing**

algemene jaarvergadering
**annu'ity ..ties** jaargeld, annuïteit; **reti'rement** ~ aftree-annuïteit
**anom'aly ..lies** ongerymdheid, anomalie
**anon'ymous** naamloos, anoniem
**anorex'ia nervo'sa** aptytverlies, anoreksie
**anoth'er** 'n ander; nog een; ~ *year of inflation* nog 'n inflasiejaar; *one* ~ mekaar
**an'swer** (n) antwoord; oplossing; (v) antwoord, beantwoord; ~ *the telephone* die telefoon beantwoord; ~**able** verantwoordelik, aan=spreeklik; ~**ing machi'ne** antwoordmasjien
**ant** mier
**antag'onism** vyandskap, antagonisme
**antag'onist** teenstander, teenparty
**Antarc'tic** suidelik; Suidpool-; ~ **Cir'cle** Suidpoolsirkel; ~ **O'cean** Suidelike Yssee
**Antarc'tica** Suidpoolstreek, Antarktika
**ant: ~bear/~ea'ter** erdvark, miervreter
**an'telope** wildsbok, antiloop
**anten'na -e** voelhoring, voelspriet; lugdraad, antenne
**antenup'tial** van voor die huwelik, huweliks=; ~ **con'tract** voorhuwelikse kontrak
**an'them** lofsang; **nat'ional** ~ volkslied
**ant'hill** mier(s)hoop *also* **ant'heap**
**anthol'ogy ..gies** bloemlesing (van gedigte)
**an'thracite** antrasiet
**anthropol'ogist** antropoloog (mens)
**anthropol'ogy** menskunde, antropologie
**an'ti** teen=, anti=, strydig met
**an'ti-aircraft gun** lugafweergeskut
**antibiot'ic** (n) antibiotikum; (a) antibioties
**antic'ipate** verwag; voorsien/vooruitloop
**anticipa'tion** voorgevoel, verwagting; voor=smaak; *in* ~ by voorbaat
**anticlim'ax** antiklimaks
**anti-clock'wise** linksom, antikloksgewys
**an'tics** (pl) kaskenades, manewales
**an'tidote** teengif, antidoot
**an'ti-littering campaign'** rommelveldtog
**antip'athy** teensin, renons, antipatie
**antiquar'ian** (n) oudheidkenner (mens); (a) oudheidkundig, antikwaries
**antique'** (n) antieke kunswerk; (a) antiek; ~ **dea'ler (shop)** antiekwinkel
**antisep'tic** antisepties, ontsmettend
**an'us** (n) anus, aars, agterent
**an'vil** aambeeld
**anxi'ety** angs, kommer, besorgdheid, stres *also* **distress'**
**an'xious** bekommerd, besorg; verlangend; ~ *to help* gretig om te help
**an'y** elke, enige; iedereen, elkeen, enigiemand; *applicants for the post, if any* aansoekers om die pos, as daar is; *in* ~ *case/at* ~ *rate* in alle geval; ~ *person who* elkeen wat
**any'body** enigeen, elkeen, iedereen
**an'yhow** (adv) in elk geval; hoe dan ook
**an'yone** enigeen, iedereen *also* **an'ybody**
**an'ything** enigiets; ~ *but* alles behalwe
**an'ywhere** oral, op enige plek
**apart'** afsonderlik, alleen; apart; ~ *from* af=gesien van; *jesting* ~ gekheid op 'n stokkie; ~**heid** apartheid (politieke stelsel)
**apart'ment** vertrek, apartement
**ap'athy** onverskilligheid, apatie *also* **indif'fe=rence**
**ape** (n) aap; koggelaar; (v) na-aap, (uit)koggel
**aph'orism** (n) aforisme, (leer)spreuk
**a'piary** (n) byeboerdery/byery *also* **bee farm**
**ap'iculture** byeteelt
**apoc'alypse** openbaring, apokalips
**apol'ogise** (v) verskoning maak vir; veront=skuldig; apologie aanteken
**apol'ogy ..gies** verskoning, apologie
**apos'tle** apostel, godsgesant
**apostol'ic** apostolies
**apos'trophe** afkap(pings)teken, apostroof
**appal'** verskrik, ontstel; ~**ling** verskriklik, ontsettend *also* **hor'rifying**
**apparat'us -es** toestel, apparaat; orgaan
**appar'ent** blykbaar, duidelik; skynbaar; ~**ly** klaarblyklik, vermoedelik; oënskynlik
**appari'tion** spook; gedaante *also* **phan'tom**
**appeal'** (n) appèl, hoër beroep; aantreklikheid; (v) appelleer; ~ *to* 'n beroep doen op
**appear'** verskyn, optree; lyk, blyk
**appear'ance** verskyning; skyn, voorkoms; ~ **fee** optreefooi (sport, sosiaal)
**appease'** bevredig; paai; bedaar; ~**ment** ver=soening; *policy of* ~*ment* paaibeleid
**appendicit'is** blindedermontsteking, appendisitis
**appen'dix -es, ..ices** aanhangsel, bylae/bylaag *also* **an'nexure**; blindederm
**app'etiser** eetluswekker(tjie)
**app'etite** eetlus, aptyt; begeerte, lus
**applaud'** (v) toejuig; prys, apploudeer
**applause** (n) toejuiging, applous
**a'pple** appel; oogappel; ~ *of discord* twis=appel; *an* ~ *a day keeps the doctor away* 'n appel 'n dag laat die dokter wag
**appli'ance** (n) toestel, apparaat; **hou'sehold** ~**s** (pl) huisbehore, huisgerei

**applic'able** (a) toepaslik
**app'licant** aansoeker, applikant
**applica'tion** aanwending, toepassing; applika= sie; aansoek; ~ **form** aansoekvorm
**applied'** toegepas; ~ **mathema'tics** toegepaste wiskunde
**apply'** aanwend; toepas/implementeer; aan= soek doen; ~ *for a post* aansoek doen om/ vir 'n betrekking
**appoint'** bepaal, vasstel; aanstel, benoem
**appoint'ment** afspraak; aanstelling, benoe= ming; *keep an* ~ 'n afspraak hou/nakom; ~**s reg'ister** aanstellingregister, vakaturelys
**apprec'iable** merkbaar; aansienlik
**appre'ciate** (v) waardeer, op prys stel; appre= sieer/styg (aandele)
**apprecia'tion** waardering; waardevermeerde= ring, appresiasie (boekhou); *token of* ~ blyk van waardering
**apprehend'** (v) aanhou, gevange neem; begryp
**appren'tice** (n) vakleerling; leerklerk; (v) inboek; ~**ship** leerskap, leerjare
**approach'** (n) nadering; **-es** toegange; (v) nader, naderkom; benader; ~**able** toegank= lik *also* **access'ible**; genaakbaar
**appro'priate**[1] (v) toewys, toedeel; afsonder
**appro'priate**[2] (a) gepas, paslik; geskik
**appropria'tion** toewysing; ~ **account'** (wins)= verdelingsrekening
**appro'val** goedkeuring, byval; *on* ~ op sig
**approve'** goedkeur; bevestig; bekragtig
**approx'imate** (v) benader; (a) by benadering, naaste(n)by; ~**ly** omtrent, naaste(n)by
**ap'ricot** appelkoos
**Ap'ril** April, Aprilmaand
**Ap'ril fool** Aprilgek
**ap'ron** voorskoot; deklaag; *tied to the* ~ *strings of* onder die plak van
**apt** geskik, paslik; geneig; onderhewig aan
**ap'titude** geskiktheid; bekwaamheid, aanleg; ~ **test** aanlegtoets
**aq'ua:** ~**lung** duiklong; ~**plane** ski/brander= plank
**aquar'ium ..ria, -s** akwarium
**aq'ueduct** (n) watergang, akwaduk
**Ara'bia** Arabië; ~**n** (a) Arabies
**arbitra'tion** arbitrasie
**ar'bitrator** skeidsregter, arbiter (mens)
**ar'bor:** ~ **city** lowerstad; ~ **day** boomplantdag
**arc** boog
**arcade'** deurloop, arkade *see* **mall**
**arch**[1] (n) **-es** boog, gewelf/verwelf; (v) buig, krom (rug); ~ **support'** steunsool
**arch**[2] (a) aarts=, opperste (vyand, skelm)
**archaeol'ogist** oudheidkundige, argeoloog
**arch'angel** aartsengel
**arch'bishop** aartsbiskop
**arch'en'emy ..mies** aartsvyand
**arch'er** boogskutter; ~**y** boogskiet
**arch'itect** argitek, boumeester
**architec'ture** boukunde, argitektuur
**ar'chives** argief (bewaarplek)
**Arc'tic** noordelik; Noordpool
**ard'ent** (a) gloeiend; ywerig; hartstogtelik
**ard'uous** steil; moeilik, opdraand, swaar
**are** *see* **be**
**ar'ea -s** oppervlakte; streek, wyk, gebied; area; ~ **commit'tee** streekkomitee
**aren'a -s** strydperk, arena
**Argenti'na** (n) Argentinië; **Ar'gentine** (a) Ar= gentyns
**ar'gue** redeneer; stry; betoog, argumenteer
**ar'gument** bewysgrond/beweegrede; argument *also* **quar'rel**; debat; stelling
**ar'ia** aria, lied; melodie
**ar'id** dor, droog
**arise'** oprys, ontstaan; opstaan; herrys; ~ *from* (voort)spruit uit
**aristoc'racy** aristokrasie, adelstand
**ar'istocrat** aristokraat (mens)
**arith'metic** rekenkunde, rekene
**ark** ark; *A~ of the Covenant* Verbondsark; *Noah's* ~ Noag se ark
**arm**[1] (n) (pl) wapens; wapentuig; *take up* ~*s* die wapens opneem; (v) wapen; ~**ed rob'= bery** gewapende roof; ~**s cache** wapenop= slagplek
**arm**[2] (n) arm; been (van 'n hoek); *infant/baby in* ~*s* suigeling; ~**pit** oksel
**arm'ament** bewapening, krygstoerusting; swaargeskut; ~**s race** wapenwedloop
**arm'chair** leunstoel, armstoel
**arm/In'dian:** ~ **wrest'ling** armdruk (wedstryd)
**arm'istice** wapenstilstand *also* **truce**
**arm'oured** gepantser, pantser=; ~ **car** pantser= motor; ~ **divi'sion** pantserdivisie
**arm'oury ..ries** arsenaal, wapenhuis, wapen= kamer; magasyn
**arm'y armies** leër; weermag/krygsmag; ~ **pay** soldy; ~ **worm** kommandowurm
**aro'ma -s** geur, aroma *also* **fra'grance**
**around'** om, rondom, in die rondte
**arouse'** (v) opwek, aanspoor *also* **inci'te**
**arrange'** skik, rangskik; reël, inrig; ~**ment**

skikking, rangskikking; **flo′wer/flor′al ~ment** blommerangskikking
**arrear′(s)** agterstallige gelde; **arrear′ instal′ments** agterstallige paaiemente
**arrest′** (n) inhegtenisneming, arres; *under ~* onder arres; in aanhouding; (v) in hegtenis neem, arresteer; aanhou; **car′diac ~** hartstaking
**arres′tor: ~bed** stuitbedding (swaar voertuie)
**arriv′al** aankoms; aangekomene (mens)
**arrive′** aankom, land, arriveer; bereik
**a′rrogant** aanmatigend, verwaand, arrogant
**a′rrow** (n) pyl
**ars′enal** wapenhuis, magasyn, arsenaal
**ars′enic** (n) arseen, rottekruid/rotgif
**ars′on** (moedswillige) brandstigting; **~ist** brandstigter (mens)
**art** kuns; lis, bedrog; (pl) lettere, kunste; **~s and crafts** kunsvlyt; bedryfskennis; **commer′cial ~** handelskuns; **fine ~s** skone kunste
**art′ery ..ries** slagaar
**art: ~ful** kunstig; listig *also* **craf′ty, cun′ning**; **~ gal′lery** kunsgalery
**arthri′tis** gewrigsontsteking, artritis
**art′icle** (n) lidwoord; artikel; voorwaardes; klousule; *serve one's ~s* jou leerskap uitdien; **~d clerk** leerklerk (prokureur)
**artic′ulate**[1]**: ~d truck/ve′hicle** koppellorrie
**artic′ulate**[2] (a) welsprekend
**articula′tion** (n) stembuiging, artikulasie
**artifi′cial** kunstig; kunsmatig; vals; oneg; **~ insemina′tion (A.I)** kunsmatige inseminasie/bevrugting (K.I.); **~ limbs** kunsledemate; **~ teeth** kunsgebit; winkeltande
**artill′ery** geskut, artillerie
**ar′tisan** ambagsman; vakman *also* **crafts′man**
**art′ist** kunstenaar; arties
**artis′tic** kunsvol, artistiek, kunssinnig
**as** (adv, conj) as, soos; net soos; aangesien; namate; terwyl; *~ soon ~* sodra; *~ the population increases* namate die bevolking aangroei
**asbes′tos** gareklip, asbes
**Ascen′sion Day** Hemelvaartdag (voorheen vakansiedag)
**ascertain′** (v) bepaal, vasstel *also* **deter′mine**
**ascribe′** toeskryf (aan)
**asep′tic** (n) ontsmetmiddel; (a) ontsmettend, asepties, kiemvry
**ashamed′** beskaam, skaam; *are you not ~ of yourself?* skaam jy jou nie?
**ash′es** as
**ash′tray -s** asbakkie
**A′sia** Asië; **~tic** Asiaties
**ask** vra; versoek *also* **request**; eis; *~ for trouble* moeilikheid/skoor soek
**asleep′** aan die slaap; *fall ~* aan die slaap raak
**aspa′ragus** aspersie; **wild ~** katdoring
**as′pect** aspek; kant; gesig(s)punt; uitsig
**as′phalt** (n) asfalt; (v) asfalt lê, teer
**as′pirant** aspirant, kandidaat
**ass -es** esel, donkie; *make an ~ of* 'n gek maak van
**assass′in** sluipmoordenaar *also* **hit′man**; **~ate** vermoor; **~a′tion** (sluip)moord
**assault′** (n) aanval, aanranding; (v) aanrand; bestorm, aanval
**ass′egai -s** asgaai/assegaai
**assem′ble** versamel, vergader *also* **con′gegrate**; inmekaarsit, monteer
**assem′bly ..blies** byeenkoms, vergadering; montering (masjien); **Leg′islative A~** Wetgewende Vergadering; **~ line** monteerlyn; **~ plant** monteeraanleg
**assent′** (n) toestemming, goedkeuring
**assert′** (v) laat geld; handhaaf; bevestig
**assess′** skat; belas, aanslaan, bepaal, evalueer; **~ment** skatting, waardebepaling, evaluering; **~ment rate** eiendomsbelasting, erfbelasting; **~or** taksateur, waardeerder; assessor (mens)
**ass′et** besit, bate; aanwins; **~s** bates; boedel, nalatenskap; **~s and liabil′ities** bates en laste
**assign′ment** opdrag; werkstuk, studiestuk, opgaaf/opgawe; taak; bestemming
**assist′** (v) help, bystaan, steun; **~ance** hulp, bystand *also* **help, aid** (n); **~ant** (n) helper; assistent; (a) behulpsaam
**asso′ciate** (n) maat; assosiaat (van 'n vereniging); vennoot; medepligtige; (v) verenig; omgaan met, assosieer; **~d** bybehorende; gepaardgaande; **~ mem′ber** assosiaatlid
**associa′tion** vereniging; assosiasie; **~ foot′ball** sokker(voetbal)
**assort′** uitsoek, sorteer; **~ment** verskeidenheid *also* **vari′ety**
**assume′** aanneem; aanvaar; veronderstel; *~ responsibility* verantwoordelikheid aanvaar
**assump′tion** veronderstelling
**assur′ance** versekering; assuransie
**assure′** verseker; **~d** versekerde (persoon); **~r** versekeraar/onderskrywer *also* **un′derwriter**

**as'ter** aster (blom)
**as'terisk** (n) sterretjie, asterisk
**asth'ma** asma; ~**t'ic** aamborstig
**aston'ish** verbaas, verwonder; ~**ing** verbasend; ~**ment** verbasing *also* **ama'zement**
**astray'** verdwaal; *lead* ~ verlei; op 'n dwaalspoor bring
**astrol'oger** sterrewiggelaar, astroloog (mens)
**as'tronaut** ruimtevaarder, ruimtereisiger
**astron'omer** sterrekundige, astronoom (mens)
**astronom'ical** astronomies; sterrekundig
**astron'omy** sterrekunde, astronomie
**astute'** skerpsinnig *also* **sharp**; geslepe; slu
**asyl'um -s** toevlugsoord; skuilplek, asiel; gestig; **men'tal** ~ sielsiekegestig
**at** tot; te, op, in; aan, by; teen, met; na; oor; *not ~ all* glad nie, heeltemal nie; ~ *present* teenswoordig, nou; ~ *school, college and university* op skool, op/aan kollege en op/aan universiteit
**ath'eist** godloënaar, ateïs (mens)
**ath'lete** atleet, sportman; ~**'s foot** voetskimmel
**athlet'ic** frisgebou(d), sterk, atleties; ~ **support'** liesband
**at'las -es** atlas
**at'mosphere** atmosfeer, dampkring
**atmospher'ic** (n, pl) lugsteuring; (a) atmosferies
**at'om** atoom; ~**/atom'ic bomb** atoombom
**atom'ic** atomies, atoom; ~ **age** atoomeeu; ~ **fis'sion** atoomsplitsing, atoomsplyting; ~ **fu'sion** atoomfusie
**atro'cious** (a) gruwelik, afgryslik *also* **hor'rible, ter'rible**
**atro'city ..ties** gruweldaad, afgryslikheid
**attach'** vasmaak, aanheg; in beslag neem
**atta'ché** (gesantskaps)attaché; ~ **case** briewetas, aktetas *also* **brief'case**
**attack'** (n) aanval; (v) aanval; **mock** ~ skynaanval
**attain'** bereik; verkry; ~**able** haalbaar, bereikbaar; ~**ment** bereiking *also* **accom'plishment**
**attempt'** (n) probeerslag, poging; (v) probeer/poog *also* **try** (v); onderneem
**attend'** ag gee, oppas; bywoon; oplet; ~ **clas'ses** klasloop; ~ *to* aandag gee aan; let op; oppas
**attend'ance** bywoning, teenwoordigheid; *in* ~ ampshalwe teenwoordig (vergaderings); ~ **reg'ister** presensielys
**atten'tion** aandag, oplettendheid, sorg; *pay ~ to* aandag gee aan
**atten'tive** oplettend *also* **alert**; beleefd
**att'ic** solderkamer, dakkamer
**att'itude** gesindheid; gestalte, houding
**attor'ney -s** prokureur; regsverteenwoordiger; **po'wer of** ~ volmag, prokurasie
**attract'** (v) aantrek; aanlok; boei
**attrac'tion** aantreklikheid; aantrekkings(krag); *next* ~ volgende vertoning
**attrac'tive** aantreklik, aanvallig; bekoorlik
**att'ribute**[1] (n) eienskap, hoedanigheid; kenmerk, attribuut
**attrib'ute**[2] (v) toeskryf; wyt; *attributable to* toeskryfbaar aan
**au'burn** donkerbruin, goudbruin
**auc'tion** vandisie/vendusie, veiling; *sell by* ~ opveil
**auctioneer'** afslaer (by vandisie)
**aud'ible** hoorbaar
**aud'ience** gehoor, toehoorders; oudiënsie
**aud'io-visual** (a) oudiovisueel; ~ **educa'tion** oudiovisuele onderwys/onderrig
**aud'it** (n) oudit, ouditering; (v) oudit, ouditeer; ~**ing** ouditkunde (vak)
**aud'itor** ouditeur (mens)
**auditor'ium** gehoorsaal, ouditorium
**augment'** (v) vermeerder, vergroot, aanvul
**Au'gust**[1] Augustus
**august'**[2] (a) verhewe, groots, vernaam
**aunt** tante, tannie; tant (voor haar naam)
**aus'pices** bystand, beskerming; *under the ~ of* onder beskerming van
**auster'ity** strengheid; eenvoud, soberheid
**Austra'lia** Australië
**Aus'tria** Oostenryk
**authen'tic** eg, opreg, outentiek *also* **gen'uine**
**auth'or** skrywer, outeur (albei geslagte)
**autho'rity ..ties** gesag; mag; mandaat, vergunning; outoriteit
**auth'orise** magtig; wettig; ~**d cap'ital** gemagtigde kapitaal
**autobiog'raphy ..phies** outobiografie
**aut'ograph** (n) eie handskrif/outograaf; (v) teken, outografeer; ~ **hun'ter** handtekeningjagter
**automat'ic** (n) outomatiese pistool; (a) outomaties; ~ **pi'lot** stuuroutomaat; ~ **tel'ler machine'** (**ATM**) outoteller, kitsbank (OTM)
**auton'omous** selfbesturend, outonoom
**autop'sy ..sies** lykskouing, outopsie
**aut'umn** herfs, najaar
**auxil'iary** (n) helper, bondgenoot; **..ries** hulp-

troepe; (a) hulp=; ~ **ser′vice** hulpdiens; ~ **verb** hulpwerkwoord
**avail′** (n, v) baat, nut; ~**able** verkry(g)baar, beskikbaar
**av′alanche** sneeustorting, lawine
**avari′cious** (a) gierig, hebsugtig, vrekkerig
**avenge′** wreek, wraak neem; ~**r** wreker
**av′enue** laning, laan; toegang
**av′erage** (n) gemiddelde; awery (skeepvaart); (a) gemiddeld
**aver′sion** afkeer (van); teensin; walging
**a′viary aviaries** voëlhok
**avia′tion** lugvaart; vliegkuns
**avoca′do -s** avokado(peer)
**avoid′** (v) vermy; ontwyk
**await′** verwag, afwag; ~*ing trial* verhoorafwagtend
**awake′** (v) wek; ontwaak, wakker word; (a) wakker; opgewek, lewendig; *be ~ to* besef; op die hoede wees teen
**award′** (n) uitspraak, beslissing; beloning; toekenning, prys, bekroning *also* **pri′ze**; (v) toeken; bekroon *also* **confer′/bestow′**
**aware′** bewus; versigtig; bedag; *be ~ of* bewus wees van
**away′** weg; vo(o)rt; **right** ~ dadelik, onmiddellik/oombliklik *also* **imme′diately/in′stantly**
**awe** (n) ontsag, eerbied; vrees
**aw′ful** vreeslik; verskriklik; ontsettend, skrikwekkend *also* **ter′rible**
**awk′ward** onhandig, lomp *also* **clum′sy**
**awl** (n) els (gereedskap)
**awn′ing** seilkap, sonskerm; agterdek
**axe** byl; hatchet; *have an ~ to grind* bybedoelings ('n grief) hê; eiebelang soek
**ax′le** as; ~ **pin** luns, lunspen
**aza′lea -s** asalea, bergroos
**az′ure** (a) hemelsblou, asuur

# B

**baa** (n) geblêr; (v) blêr *also* **bleat**
**bab′ble** (n) gepraat, gebabbel, geklets; (v) babbel; murmel (water); ~**r** babbelaar; verklikker
**babe** kindjie, babatjie *also* **ba′by**
**baboon′** bobbejaan
**bab′y babies** baba(tjie); ~ **bat′tering** babafoltering; ~ **sho′wer** ooievaarstee; ~**sit′ter** babawagter, kroostrooster: *she will be ~sitting tonight* sy gaan vanaand kroostroos
**bach′elor** vrygesel; oujongkêrel; ~ **flat** eenpersoonwoonstel; ~ **girl** jong selfstandige, ongetroude vrou
**back** (n) rug, agterkant; agterspeler; (v) wed op; ondersteun; ~ *a horse* op 'n perd wed; ~ *up* ondersteun, rugsteun; (a) agterste; agterstallig; (adv) terug, agteruit; gelede; ~**fire** truknal/truplof (enjin); ~**ground** agtergrond; ~**hand** handrug (tennis); ~**lash** teenreaksie; ~**log** agterstand, ophoping; ~**pac′ker** pakstapper; rugsaktoeris; ~**seat dri′ver** bekdrywer; ~**spin** trutol (bal); ~**-up** (nood)bystand; ~**veld** agterveld; ~**ward** agterlik; dom; ~**wash** terugspoeling; ~**yard mechan′ic** tjorlapper
**bac′on** (n) (vark)spek; ontbytspek/bacon
**bad** (a) **worse, worst** sleg; stout; nadelig; ~ **debts** dooieskuld, oninbare skuld; ~ **luck** teenspoed; ~ **tem′per** slegte bui, kwaai humeur
**badge** (n) kenteken, wapen; kleurteken
**badg′er** (n) ratel (dier)
**bad′minton** pluimbal
**bag** (n) sak, tas; *in the ~* uitgemaakte saak
**bagg′age** bagasie, reisgoed *also* **lug′gage**
**bag′pipe** doedelsak; *play the ~* doedel
**bag snat′cher** handsakrower
**bail** (n) borg, borgtog; *released on ~* op borgtog vrygelaat; (v) borg staan; ~ *out* uitborg
**bait** (n) aas (vis); lokaas (mense/diere); (v) aanhits; terg; **artifi′cial** ~ kunsaas
**bake** bak; hard word; ~**r** bakker; ~**r's dozen** dertien; ~**ry** bakkery
**bak′ing** baksel; ~ **pow′der** bakpoeier
**bak′kie** bakkie, ligte bestelwa *also* **light deliv′ery van (LDV)**
**balacla′va:** ~**cap** klapmus, balaklawamus
**bal′ance** (n) balans, ewewig; saldo; (weeg)skaal; (v) weeg; vereffen, balanseer, saldeer (boeke), klop (syfers); ~ **of po′wer** magsewewig
**bal′cony ..nies** balkon
**bald** (a) kaalkop; ~ **facts** naakte feite
**bal′derdash** geklets, onsin, kaf(praatjies)
**bale**[1] (n) baal; (v) in bale pak
**bale**[2] (v) uitskep (water uit bootjie)
**ball**[1] dansparty, bal
**ball**[2] koeël, bal, bol; kluit; oogappel

**ball'ad** ballade; lied (in digvorm)
**ball'bearing** (koeël)laer
**ball'et** ballet, toneeldans; ~ **dan'cer** balletdanser
**balloon'** (lug)ballon; ~ **tyre** kussingband
**ball'ot** (n) stembrief; stemming; *vote by* ~ met/per geslote stembrief stem
**ball'point pen** balpunt(pen), rolpunt(pen)
**ballroom** danssaal, balsaal; ~ **dan'cing** baldans
**balm** (n) balsem; ~**y** mild (weer); simpel, getik *also* **cra'zy**
**bamboo' -s** bamboes
**bamboo'zle** (v) kul, verneuk *also* **swin'dle/con**
**ban** (n) ban; verbod; (pl) huweliksgebooie; (v) verban, ban; inperk; ~ *a book* 'n boek verbied; ~ *a person* iem. verban/inperk
**ban'al** (a) banaal, afgesaag, alledaags
**bana'na -s** piesang
**band** (n) bende; orkes; band
**ban'dage** (n) verband; (v) verbind
**ban'dit** voëlvryverklaarde, rower; **ar'med** ~ gewapende rower
**band'master** kapelmeester, orkesdirigent
**bandoleer'** (n) bandelier
**band'saw** bandsaag, lintsaag
**band'wagon:** *jump on the* ~ oorloop na die wenparty
**ban'dy:** ~ *about with someone's name* met iem. se naam smous; ~**-legged** hoepelbeen=
**bang** (n) slag, knal; *go* ~ ontplof
**ban'gle** armband *also* **bra'celet**
**ban'jo -s** banjo
**bank** (n) bank; (v) geld in die bank sit (deponeer); **commer'cial** ~ handelsbank; **mer'chant** ~ aksepbank; ~ *on* staatmaak op; ~**er** bank, bankier; ~**ing** bankiersake, bankwese; ~**note** banknoot; ~ **rate** bankkoers; ~ **rob'bery** bankroof *also* **heist**
**bank'rupt** (a) bankrot, insolvent; *go* ~ bankrot speel; ~**cy** bankrotskap
**bann'er** banier, vaandel; spandoek
**banns** huweliksgebooie
**ban'quet** (n) feesmaal, banket
**ban'tam** kapokhoendertjie; ~ **weight** bantamgewig (boks)
**ba'obab** kremetartboom, baobab
**bap'tise** (v) doop; onderdompel
**bap'tism** doop; ~ *of fire* vuurdoop
**bap'tist** (n) doper; wederdoper
**bar** (n) regbank, balie; kantien, kroeg; maatstreep (mus.); (v) uitsluit, belet; ~ *one* op een na
**barb** (n) weerhaak; ~**ed wire** doringdraad
**barbar'ian** (n) barbaar; wreedaard
**barbar'ic** (a) barbaars *also* **bar'barous**
**bar'becue** braaihoek, braaiplek, braaistel
**barb'el** baber (vis)
**barb'er** haarsnyer, haarkapper; barbier
**bare** (v) ontbloot; (a) bloot, kaal; ~**fa'ced lie** onbeskaamde leuen; ~**foot(ed)** kaalvoet; ~**ly** ternouernood, skaars
**bar'fly** kroegvlieg
**bar'gain** (n) winskoop, (wins)kopie, keurkoop; *into the* ~ op die koop toe; *strike a* ~ 'n slag slaan; (v) kwansel, knibbel; ~**ing po'wer** bedingingsmag/bedingvermoë
**barge** (n) trekskuit, sloep; (v) bons
**ba'ritone** bariton
**bark**[1] (n) bas; (v) bas afmaak; 'n kors vorm
**bark**[2] (n) bark, skuit
**bark**[3] (n) geblaf; (v) blaf
**bar'keeper** kroegbaas, kroeghouer
**bar'ley** gars; ~ **wa'ter** gortwater
**bar'maid** skinkjuffie, kroegjuffrou, tapster
**bar'man** kroegman, tapper
**barn** skuur, loods *also* **shed**
**barom'eter** weerglas, barometer
**ba'ron** baron, vryheer
**ba'rrack** (n) barak; hut; leërkamp; (pl) kaserne, barakke; (v) uitjou
**ba'rrage** (n) studam, keerwal, afsluitdam; spervuur (mil.)
**ba'rrel** (n) vaatjie; geweerloop; (v) inkuip; ~ **or'gan** draaiorrel
**ba'rren** bar, dor; onvrugbaar; kaal; skraal
**barricade'** (n) versperring; (pad)blokkade *also* **road'block**; (v) versper, verskans
**ba'rrier** (n) slagboom, verskansing, versperring; (v) afsluit; ~ **line** (solid white line) sperstreep; ~ **reef** koraalrif
**ba'rrow** burg (vark)
**bart'er** (n) ruilhandel; (v) (uit)ruil, verruil
**base**[1] (n) grondslag, basis; voetstuk; (v) baseer, grond; ~ *their opinion on* grond hulle mening op
**base**[2] (a) sleg, laag *also* **depra'ved**; onedel (metale)
**base'ball** bofbal
**base'ment** kelder(verdieping)
**bash'ful** skaam; verleë *also* **tim'id, shy**
**bas'ic** basies, grond=; ~ **En'glish** basiese Engels; ~ **prin'ciples** grondbeginsels
**bas'in** kom, skottel, wasbak; hawekom
**bas'is bases** grondslag; basis
**bask** (v) koester, stoof/stowe (in die son)

**bas′ket** mandjie, korf; ~**ball** korfbal
**bass -es** basstem, bas; basviool
**bast′ard** (n) baster; vuilgoed (mens); onegte kind (veroud.); (a) baster=; buite-egtelik; ~**ise** verbaster
**bat**[1] (n) vlermuis
**bat**[2] (n) knuppel; krieketkolf; *off his own* ~ op eie houtjie; (v) kolf, slaan (bal)
**batch -es** klomp; baksel (brood); broeisel (eiers); besending (goed); lot (veiling)
**bath** (n) bad; badkamer; (v) bad
**bathe** (v) bad, baai; besproei
**bath′ing:** ~ **cos′tume** baaikostuum; ~ **trunks** swembroek(ie)
**bat′on** dirigeerstok; knuppel; ~ **charge** knup=pelstormloop
**bats′man ..men** kolwer, slaner
**battal′ion** bataljon
**batt′ery** (n) **..ries** battery; aanranding; ~ **chic′kens** batteryhoenders
**batt′le** (n) veldslag, stryd; (v) veg; ~**-axe** strydbyl; kwaai vroumens, feeks; ~ **dress** gevegstenue, vegklere; ~**field** slagveld
**bay**[1] (n) baai; inham (see)
**bay**[2] (n) blaf, geblaf (hond); *keep at* ~ op 'n afstand hou; (v) blaf, aanblaf
**bay**[3] (n) nis *also* **ni′che, recess′**; uitbousel
**bay**[4] (n) bruin perd; (a) bruin
**bay′onet** (n) bajonet
**bazaar′** basaar/bazaar; markwinkel *also* **mart**
**be** wees; bestaan; ~ *gone!* trap!; *don't* ~ *long* moenie lank wegbly nie
**beach -es** kus, strand; wal; ~**bug′gy** duinebesie; ~**com′ber** lang golf (strand); strandsnuffelaar (vir wrakgoed); strandjut (aaswolf); ~ **cot′tage** strandhuis; ~ **thongs** plakkies *also* **slip-slops**
**beac′on** (n) baken; vuurtoring; (v) afbaken
**bead** (n) kraal; pêrel; sweetdruppel; blasie; korrel (geweer); (pl) rosekrans; (v) inryg
**bea′gle** jaghond; speurhond; spioen
**beak** bek, snawel; kromneus; tuit (ketel)
**beak′er** (n) beker
**be′-all** einddoel; alles; wese; *the* ~ *and end-all* die begin en die einde
**beam** (n) balk; juk (skaal); straal; (v) straal; skyn; ~**ing** (a) stralend (van geluk)
**bean** boon(tjie); (pl) pitte, geld; *full of* ~*s* op sy stukke; ~**stalk** boontjierank
**bear**[1] (n) beer (dier); lomperd
**bear**[2] (n) daalspekulant (effektebeurs)
**bear**[3] (v) **bore, born** baar, voortbring; dra; ver=dra, duld; ~ *in mind* onthou asseblief; ~**able** draaglik, redelik
**beard** baard; weerhaak
**bear′er** draer, bringer; toonder (tjek); lyk=draer; ~ **certi′ficate** toondersertifikaat
**bear′ing** houding; gedrag; peiling; ~**s** rigting
**beast** bees, dier; ~**ly** beesagtig, dierlik
**beat** (n) patrollie, rondte; slag; tik; ritme; (v) klop, slaan; kneus; uitklop; oortref, wen; *that* ~*s me* dit slaan my dronk; ~ *your opponent* jou teenstander klop/wen
**beat′ing** slanery, kloppery; loesing *also* **hi′ding**
**beauti′cian** (n) skoonheidkundige
**beaut′iful** mooi, pragtig, fraai, sierlik
**beaut′y** skoonheid; ~ **par′lour** skoonheid=salon; ~ **queen** skoonheidskoningin; ~ **spot** moesie; pronkpleistertjie; mooi plekkie
**beav′er** bewer (dier)
**because′** omdat, want, daar (vgw)
**beck′on** (v) wink, knik, wuif
**become′** (v) word; betaam; pas
**becom′ing** (a) betaamlik; netjies, passend
**bed** bed, kooi; bedding (rivier); ~ *and break=fast* bed en ontbyt
**bed′lam** deurmekaarspul *also* **cha′os**
**bed:** ~**rid′den** bedlêend; ~**room** slaapkamer; ~**side man′ners** siekbedsjarme
**bee** by; byeenkoms
**beef** beesvleis; ~**steak** biefstuk, steak
**bee:** ~**hive** byekorf, by(e)nes; ~**line** reguit lyn, luglyn; ~**kee′per** byeboer
**beer** bier; ~**hall** biersaal; taphuis
**beet′le** (n) kewer, tor
**beet′root** beet; ~ **su′gar** beetsuiker
**before′** voor, vooruit, vantevore; vooraf, vroeër; ~ *long* binnekort
**before′hand** vantevore, vooraf
**beg** versoek; smeek/soebat; bid; bedel; ~ *par=don* verskoning vra
**begg′ar** (n) bedelaar; *little* ~ klein vabond
**begin′** begin, 'n aanvang neem; ~**ner** begin=ner; leerling; groentjie
**begin′ning** begin, aanvang; aanhef; *from the* ~ uit die staanspoor, van meet af
**begone′!** voort!; trap!; voert!
**behalf′** ontwil; namens; *in/on* ~ *of* ten be=hoewe van; namens
**behave′** gedra; ~ *oneself* jou gedra
**behav′iour** gedrag, houding
**behead′** onthoof *also* **decap′itate** (v)
**behind′** agter; van agter, agteraan
**behold′** (v) aanskou, sien, beskou
**be′ing** aansyn, bestaan; wese; skepsel; *for the*

*time* ~ voorlopig, intussen
**belch** (v) wind opbreek *also* **burp**; uitbraak
**bel'fry belfries** kloktoring
**belief'** (n) geloof *also* **faith**; mening
**believe'** (v) glo, vertrou, meen; ~ *it or not* raar maar waar; **make-~** (n) skyn, wysmakery
**believ'er** gelowige *also* **disci'ple**
**belit'tle** (v) verklein, verkleineer; gering ag
**bell** klok, bel; *answer the* ~ maak die deur oop
**bell'buoy** klokboei, belboei
**bell'ow** (n) geblêr; gebulk; (v) blêr; bulk
**bell'ows** (n) blaasbalk
**bell:** ~**ring'er** klokluier; ~**weth'er** belhamel, voorbok
**bell'y** (n) buik, maag *also* **abdo'men**; ~**dan'cer** buikdanseres
**belong'** behoort; *he ~s to a church* hy behoort tot 'n kerk; ~**ing** behorend; ~**ings** (pl) be= sittings, goed
**beloved'** (n) beminde, geliefde; (a) bemind
**below'** onder, benede, omlaag
**belt** (n) lyfband/belt; gordel; dryfband; (v) omgord; ~ *up!* gord/gespe vas!; **fan**~ waaierband; **seat**~ sitplekgordel
**bench -es** bank, sitbank; regbank
**bend** (n) buiging; (v) buig; draai
**bends** (n) borrelsiekte
**beneath'** onder, benede, onderaan
**benedic'tion** (n) seëning; gebed, seënwens
**benefac'tor** weldoener (mens)
**benefi'ciary** begunstigde (in 'n erflating)
**ben'efit** (n) voordeel; voorreg; ~ *of the doubt* voordeel van die twyfel; **fringe** ~ byvoor= deel *also* **perk(s)**; (v) bevoordeel; bevorder; ~ **socie'ty** bystand(s)vereniging
**benev'olent** (a) welwillend; goedgunstig; wel= dadig; ~ **fund** bystand(s)fonds
**benign'** (a) goed, minsaam, goedaardig
**bequeath'** (v) bemaak, nalaat (in testament)
**bequest'** (n) bemaking, erfporsie, erflating
**berea've** berowe; ontneem; *the ~d parents* die bedroefde ouers; ~**ment** sterfgeval; verlies
**be'ret** baret
**berg** berg, ysberg; ~**wind** bergwind
**be'riberi** berrie-berrie
**ber'ry** bessie; viseier
**ber'serk** rasend; ~**er** berserker (mens)
**berth** (n) ankerplek; kajuit; (v) vasmeer (skip)
**besi'de** langs, naas; by; behalwe, buiten; ~ *the point/question* nie ter sake nie
**besi'des** bowendien, behalwe, buiten
**besiege'** (v) beleër (stad)
**best** beste; *do your* ~ jou beste doen/lewer; *to the ~ of my ability/knowledge* na my beste vermoë/wete
**bes'tial** (a) dierlik, beesagtig; sinlik
**best'man** strooijonker
**bestow'** (v) skenk, bestee, verleen
**best'seller** (n) topverkoper, blitsverkoper; tref= fer(boek)
**bet** (n) weddenskap; (v) wed, verwed; *you ~!* dit kan jy glo!
**betray'** (v) verraai; mislei, bedrieg; ~**al** ver= raad, troubreuk
**betroth'** verloof; toesê; ~**al** verlowing *also* **enga'gement;** ~**ed'** verloofde (mens)
**bet'ter** (n) voordeel; oorhand; meerdere; *for ~, for worse* in lief en leed; (v) verbeter; (a) beter; *you had ~ go* jy moet liewer gaan; ~ **half** (n) wederhelf
**between'** tussen, tussenin; ~ *ourselves* onder (ons)
**beware'** oppas; op jou hoede wees
**bewil'der** verwar, verbyster; ~**ed** deurmekaar
**beyond'** (n) oorkant; (adv, prep) bo; buite; verby; oorkant; anderkant; *that is ~ me* dis bokant my vuurmaakplek
**bi'as** (n) oorhelling; neiging; ~**sed** (a) be= vooroordeel(d), partydig
**bib** (n) borslappie
**Bi'ble** Bybel *also* **Scriptures**
**bib'lical** Bybels, Bybel=
**bibliog'raphy ..phies** bronnelys, bibliografie
**bi'ceps -es** biseps, boarmspier
**bick'er** (v) kibbel, twis; flikker (skerp lig)
**bi'cycle** (n) fiets, rywiel; (v) fiets, fiets ry
**bid** (n) bod; (v) beveel; nooi; sê; bie; ~**der** bieër (veiling); ~**ding** bieëry (vandisie)
**bifo'cal** bifokaal; ~ **spec'tacles/bifo'cals** bifo= kale bril, dubbeldoorbril
**big** groot, swaar, dik; ~ **bang** oerknal (sterre= kunde); ~ **shot** groot kokkedoor; ~ **stick** magsvertoon
**big'amist** bigamis, tweewywer
**bi'ker** (n) fietser (wedrenne)
**bile** (n) gal; humeurigheid
**bilhar'zia** bilharzia-parasiet, slakwurm
**bilharzias'is** bilharziase, rooiwater (siekte)
**bil'iary** (n) gal=; ~ **fe'ver** galkoors
**bilin'gual** tweetalig; ~**ism** tweetaligheid
**bil'ious** (a) gallerig, mislik
**bilk** bedrieg, fop; **hotel'** ~**er** glyjakkals
**bill**[1] (n) wetsontwerp
**bill**[2] (n) bek; snawel; (v) met die bek streel

**bill**[3] (n) rekening *also* **account′**; bewys; plakkaat; ~ **of exchan′ge** wissel; ~ **pay′able** betaalwissel; skuldwissel; ~ **recei′vable** ontvangwissel
**bill′iard:** ~ **cue** biljartstok; ~**s** biljart(spel)
**bill′ion** miljard (1 000 miljoen)
**bill′ygoat** bokram
**bin** meelkas, kis; bak, bien
**bind** (v) **bound, bound** verbind (wond); bind; verplig; ~**er** binder; verband
**bin′ge** (n) fuifparty, dronknes *also* **spree**
**binoc′ular** (pl) verkyker/vêrkyker
**biochem′istry** biochemie
**bi′odata** (n) biodata, lewensprofiel *also* **curri′culum vitae (CV)**
**biodegra′dable** bio-afbreekbaar
**biog′raphy ..phies** lewensbeskrywing, biografie *also* **life story/pro′file**
**biol′ogy** biologie
**bio′nic:** ~ **man** bioniese mens
**bi′oscope** bioskoop *also* **cin′ema/mo′vie**; *going to* ~ bioskoop toe gaan, gaan fliek
**bird** voël; ~ *of prey* roofvoël; ~**ie** voëltjie (ook gholfterm); ~**lime** voëllym, voëlent; ~**watch′er** voëlkyker *also* **bir′der/twit′cher**; ~**watch′ing** voëlkyk *also* **bir′ding**
**birth** geboorte; ontstaan; *give* ~ *to* die lewe skenk aan; ~ **certi′ficate** geboortebewys; ~ **control′** geboortebeperking *also* **fam′ily plan′ning**; ~**day** verjaar(s)dag; ~**mark** moedervlek/geboortemerk; ~**rate** geboortesyfer
**bis′cuit** soetkoekie, droëkoekie
**bisex′ual** (a) dubbelslagtig, biseksueel
**bish′op** biskop; raadsheer (skaak)
**bis′ley** (n) prysskiet; bisley
**bit**[1] (n) bietjie, stukkie; bis (rek.)
**bit**[2] (n) stang; (v) 'n toom aansit
**bitch -es** teef (wyfiehond); feeks; hoer; ~**y** (a) katterig, venynig *also* **nas′ty, spi′teful**
**bite** (n) byt; hap; (v) byt; kwes; bedrieg
**bitt′er** (a) bitter; skerp
**black** (n) swart; rouklere; *in* ~ *and white* swart op wit; (v) swart maak; ~**ball** (v) uitstem, veto; ~**board** skryfbord, skoolbord; (v) ~**mail** afdreig; afpers; swartsmeer; ~ **man/woman/child** swart man/vrou/kind; ~**mar′ket** (n) swartmark/sluikhandel; ~**-out** verdonkering; breinfloute; ~**smith** grofsmid; ~**wattle** watelboom/looibasboom
**blad′der** (n) blaas; windsak; binnebal
**blade** lem, skeerlemmetjie; halm; blaadjie
**blame** (n) blaam; (v) blameer, verkwalik
**blank** (n) leegte, leemte; nul; (a) wit; blank, bleek; onbeskrewe; rymloos (verse); ~ **cart′ridge** loskruitpatroon
**blank′et** (n) kombers; **wet** ~ pretbederwer
**blas′phemous** godslasterlik *also* **profa′ne**
**blas′phemy** godslastering; heiligskennis
**blast** (n) wind, rukwind; ontploffing; (v) uitbars; skiet (dinamiet); vervloek; ~*ed fellow* vervloekste vent; ~**er** (dinamiet)skieter; ~**-fur′nace** smeltoond; hoogoond; ~**ing certif′icate** skietsertifikaat; ~**ing opera′tions** springwerke
**blaze**[1] (n) bles (van perd); ~ *a trail* die weg baan
**blaze**[2] (n) vlam, vuurgloed; gerug; *in a* ~ in ligte laaie; (v) vlam, brand; skitter
**blaz′er** kleurbaadjie, sportbaadjie
**bleach** bleik; ~**ing pow′der** bleikpoeier
**bleak** (a) kaal, verlate, koud *also* **bar′ren**
**bleat** (n) geblêr; (v) blêr, bulk
**bleed** bloei; bloedlaat; ~**er** bloeier
**bleep′er -s** blieper (vir boodskappe)
**blem′ish** (n) **-es** vlek, smet *also* **blot**; skande
**blend** (n) mengsel; (v) meng, vermeng
**bles′bok** blesbok
**bless** (v) seën, loof; wy
**bless′ed** (a) geseën, gelukkig; saliger; *of* ~ *memory* saliger nagedagtenis
**bless′ing** (n) seën, seëning; (tafel)gebed; ~ *in disguise* bedekte seën
**blind**[1] (n) (rol)gordyn, blinding/blinder; skerm
**blind**[2] (v) verblind, blind maak; (a) blind, donker; verborge; ~ **al′ley** blinde steeg, keerweer; doodloopstraat; ~ **date** blinde afspraak/ontmoeting; ~ **rise** blinde hoogte; ~ **side** skeelkant; steelkant (rugby); ~**fold** (v) blinddoek; (a) geblinddoek; ~**ly** blindelings; ~**man's buff** blindemannetjie, blindemolletjie (kinderspel)
**blink** (n) flikkering; (v) knipoog, gluur
**blink′ers** oogklappe
**bliss** (n) saligheid, geluk, heil; ~**ful** salig
**blis′ter** (n) blaar; blaas (aan voete, hande); (v) afdop (verf)
**blizz′ard** (n) sneeustorm, sneeujag
**block** (n) blok; hindernis; (v) afsluit, versper; dwarsboom; ~ **and tack′le** katrol(stel)
**blockade′** (n) blokkade *see* **roadblock**; (v) blokkeer
**block:** ~**head** domkop, uilskuiken; ~**house** blokhuis; ~**man** blokman (in slaghuis)
**blo′ke** kêrel, vent, ou *also* **guy**
**blond** (a) blond, lig

**blonde** (n) blondine, witkop (vrou)
**blood** (n) bloed; verwantskap; *blue* ~ aristokratiese bloed; *in cold* ~ koelbloedig; **~bath** bloedbad; ~ **do'nor** bloedskenker; ~ **poi'soning** bloedvergift(ig)ing; ~ **pres'sure** bloeddruk; ~ **transfu'sion** bloedoortapping; **~y** bloeddorstig, bloederig; vervloekte, vervlakste
**bloom** (n) bloeisel, blom; fleur, bloei; (v) bloei, voorspoedig wees *also* **flou'rish**; blom
**bloom'ing** bloeiend; blosend; vervlakste
**bloss'om** (n) bloeisel; (v) bloei, blom
**blot** (n) klad, vlek; skandvlek; (v) beklad
**blott'ing paper** vloeipapier; kladpapier
**blouse** (n) bloes(e); hempbaadjie
**blow**[1] (n) slag, klap; hou, raps; ramp; *come to ~s* handgemeen raak
**blow**[2] blaas, waai; **~gun/~pipe** blaaspyp
**blue** (n) blousel; blou, lug; (a) blou; neerslagtig; *out of the* ~ uit die bloute; **~gum** bloekom(boom); **~stock'ing** bloukous, geleerde vrou
**bluff**[1] (n) grootpratery, bluf *also* **preten'ce**; (v) uitoorlê, wysmaak; grootpraat
**bluff**[2] (n) steil voorgebergte; (a) grof; steil
**blun'der** (n) flater, blaps; fout; **~er** knoeier, ploeteraar, sukkelaar
**blunt** (v) stomp/ongevoelig maak; afstomp; (a) stomp; bot; nors, kortaf
**blur** (n) vlek, smet; (v) beklad
**blurb** (s) flapteks (boek); reklameteks
**blurt:** ~ *out* uitblaker, uitflap, uitbasuin
**blush** (n) **-es** blos; gloed; **~ing** blosend
**bo'a -s** boa; ~ **constric'tor** (S. Am.) luislang
**boar** beer; wilde swyn
**board** (n) plank; tafel; boord (skip); raad; kommissie; losies; karton; ~ **of inqui'ry** ondersoekraad; ~ **and lod'ging** kos en inwoning; (v) inwoon, loseer; **~er** loseerder; **~ing** losies; **~ing house** losieshuis; **~ing school** kosskool; ~ **mee'ting** direksievergadering; **~room** raad(s)kamer, raadsaal; **~sail'ing** seilplankry
**boast** (n) grootpratery; (v) spog *also* **brag**; **~er** grootprater
**boat** (n) boot, skuit, skip; **~race** wedvaart
**bobb'y bobbies** konstabel (polisie)
**bob'tail** stompstert; *ragtag and* ~ Jan Rap en sy maat
**bod'y** (n) **bodies** liggaam, lyf; persoon; lyk/stoflike oorskot; bak(werk) (motor); ~ **corporate** beheerliggaam (deeltitels); (v) beliggaam; **~buil'der** liggaamsbouer, spierbouer; **~guard** lyfwag; ~ **lan'guage** lyftaal
**bof'fin** uitvinder; kenner *also* **ex'pert**
**bog** (n) moeras, vlei; (v) ~ **down** vasval
**bog'ey -s** baansyfer (gholf)
**bog'us** vals, oneg; ~ **collec'tor** kammakollektant; ~ **com'pany** swendelmaatskappy
**bog'y bogies** paaiboelie, spook, skrikbeeld
**boil**[1] (n) pitsweer, bloedvin(t) *also* **furun'cle**
**boil**[2] (v) kook; **~er** (stoom)ketel; **~erma'ker** ketelmaker; **~ing point** kookpunt
**bois'terous** onstuimig, wild *also* **noi'sy**
**bold** vrypostig; dapper; vermetel; *I make ~ to say* ek verstout my om te sê
**bol'ster** (n) kussing; stut; (v) ondersteun/rugsteun; opvul; ~ *up* steun, stut
**bolt**[1] (n) pyl; grendel; bout; skuif; bliksemstraal; ~ **cut'ter** boutknipper
**bolt**[2] (v) weghol; op loop sit (perd)
**bomb** (n) bom, granaat; **at'om(ic)** ~ atoombom; ~ **blast** bomontploffing; (v) bombardeer
**bombard'** bombardeer; **~ment** bombardement
**bomb:** **~er** bomwerper (vliegtuig); ~ **shel'ter** bomskuiling
**bonan'za** meevaller(tjie), gelukslag
**bond** (n) band; verband; obligasie; verbintenis; ooreenkoms; (v) verpand; verband, beswaar; **~ed prop'erty** verbande/beswaarde eiendom; **~hol'der** verbandhouer; **~s** skuldbriewe, obligasies
**bone** (n) been; (pl) gebeente; ~ *of contention* twisappel; *pick a ~ with* 'n appeltjie skil met (iem.)
**bon'fire** vreugdevuur
**bonn'et** mus, kappie, hoedjie; kap (motor)
**bonn'y** (a) lief, aanvallig, fraai; vrolik, dartel
**bon'us -es** bonus, premie
**bon'y** (a) benerig, beenagtig; vol grate (vis)
**boo** (v) uitjou, boe *also* **bar'rack**
**boob'y boobies** lummel, domoor; ~ **prize** poedelprys, troosprys; ~ **trap** fopmyn
**book** (n) boek; geskrif; Bybel; ~ *of reference* naslaanboek; bewysboek; (v) inboek; opskryf; **~ie** beroepswedder; boekie/boekmaker; **~ing of'fice** loket, kaartjieskantoor; **~kee'ping** boekhou; **~mark** bladwyser; **~sel'ler** boekhandelaar; **~to'ken** boekbewys
**boom**[1] (n) sluitboom, valhek
**boom**[2] (n) gedreun; gebulder (kanon); (v) bulder, dreun
**boom**[3] (n) welvaart; oplewing, boom (in ekonomie)

**boom'erang** boemerang, werphout
**boon** (n) geskenk; guns; genade; uitkoms; (a) vrolik, vriendelik; weldadig (mens)
**boor** lummel, lomperd (mens); ~**ish** onbeskof
**boost** (v) ophemel; aanjaag; versterk; ~ *one's ego* jou ego streel; ~**er** aanjaer; ~**er ca'ble** aansitkabel *also* **jum'per lead**; ~**er dose** skraagdosis
**boot**[1] (n) stewel; bagasieruim; *get the* ~ uit=geskop word; (v) uitskop
**boot**[2] (n) wins, voordeel; *to* ~ op die koop toe
**booth** hut; stalletjie/kraampie; afskorting
**boot:** ~**lace** skoenveter/skoenriem; ~**leg'ger** (drank)smokkelaar; ~**po'lish** waks, skoen=smeer; ~ **spoi'ler** drukvin, blitsvlerk (mo=tor); ~ **tree** skoenlees
**boot'y** (n) **booties** buit, roof *also* **loot**
**booze** (n) drinkgoed; *on the* ~ aan die fuif; (v) suip, swier, boemel
**bord'er** (n) rand; kant; grens (land); soom; (v) omsoom; begrens; ~ *on* grens aan; *on the* ~ aan die grens; ~**line case** grensgeval
**bore**[1] (n) boor; boorgat; kaliber (geweer); wydte; (v) boor; uitboor
**bore**[2] (n) vervelende mens of saak; (v) ver=veel, neul
**bor'ing** (a) vervelend/vervelig; saai
**born** gebore; ~ *and bred* gebore en getoë; ~ *in the Karoo* 'n boorling v.d. Karoo
**borne** gedra *see* **bear**
**bo'rough** stad, dorp; munisipaliteit
**bo'rrow** (v) leen (van iem.); ~**er** lener
**bos'beraad** bosberaad *also* **bun'du con'fer=ence/lekgot'la/inda'ba**
**bo'som** (n) boesem, bors; ~ **friend** boesem=vriend
**boss** (n) **-es** baas, meester; (v) bestuur, baas=speel; (a) ~**y** baasspelerig, dominerend
**bot'any** plantkunde, botanie
**both** beide, albei, altwee; ~ *Ann and Mary* sowel Ann as Mary; ~ *languages* albei tale; ~ *of us* ons albei
**both'er** (n) moeite, kwelling; (v) neul, lastig val; moeite maak; bodder
**bot'tle** (n) bottel, fles; (v) bottel; inlê; ~**neck** knelpunt/bottelnek; ~**store** drankwinkel
**bott'om** (n) boom; grond(slag); onderkant; (v) grondves; steun; (a) onderste; ~*less pit* bodemlose put; ~**line** slotsom/konklusie/deurslaggewende faktor *also* **fundamen'tal factor, gist**; wins/verlies (boekhou)
**bought** *see* **buy**
**boul'der** rotsblok, groot klip
**bounce** (n) slag, opslag, hou; grootpraat; (v) (op)spring; bons; hop (ook 'n tjek); ~**r** uit=smyter *also* **chuck'er-out**; windmaker; lig=ter (krieket)
**bound**[1] (n) grens; *out of* ~*s* buite perk(e)
**bound**[2] (a) verbonde, verplig; bestem; ~/*com=mitted to* verbind tot
**boun'dary** grens; grenshou (sport)
**bout** beurt; wedstryd; ronde *also* **round** (boxing)
**bouti'que** boetiek
**bow**[1] (n) buiging; (v) buig, buk
**bow**[2] (n) boeg (van skip)
**bow**[3] (n) strykstok; strik (strikdas)
**bow'els** ingewande; gevoel
**bowl** (n) skaal; kom; beker
**bow'legged** hoepelbeen=
**bow'ler** bouler (krieket)
**bow'ling:** ~ **al'ley** kegelbaan; ~ **green** rolbal=baan
**bowls** rolbal
**bow'string** boogsnaar, boogpees
**bow'tie** (n) strikdas, vlinderdas
**box**[1] (n) opstopper, klap; boks; (v) boks
**box**[2] (n) **-es** boks, houer; kas, kis; (pos)bus, briewebus; ~**er** bokser/vuisvegter *also* **pu'=gilist**; ~**ing** boks; ~**ing glo'ves** bokshand=skoene; ~ **of'fice** loket; ~ **of'fice success'** lokettreffer
**boy -s** seun, knaap, jongetjie *also* **lad**
**boy'cot** (n) boikot; (v) boikot
**boy:** ~**s' high school** hoër seunskool; ~ **scout** padvinder
**bra** (n) buustelyfie, bra
**braai/braai'vleis** (n) braaivleis
**brace'let** armband *also* **ban'gle**
**brac'es** kruisbande
**brack'et** (n) klamp; (v) klamp; *in* ~*s* tussen hakies
**brack'ish** (a) brak, souterig
**brag** (v) spog, grootpraat *also* **show off, boast**; ~**gart** grootprater, grootbek; ~**ging** (n) grootpraat
**braid** (n) vleg, haarvleg; koord, omboorsel
**braille** puntskrif, blindeskrif, brailleskrif
**brain** brein, harsings; verstand; ~**child** uit=vindsel, geesteskind; ~**drain** breinerosie; ~**scan** breintasting/breinskandering; ~**tea'=ser** kopkrapper/breinboelie; ~**wash'ing** brein=spoeling; ~**wave** blink gedagte; ~**y** skrander, knap, slim
**brake** (n) remskoen, rem, briek; (v) rem,

briek; ~ **li′ning** remvoering
**bram′ble** braam (struik)
**bran** semels
**branch** (n) **-es** tak; vertakking; takkantoor; (v) vertak
**brand** (n) merk, brandmerk; handelsmerk; (v) brandmerk; kenmerk; ~**ed goods** merk= artikels
**brand′-new** (spik)splinternuut
**bran′dy ..dies** brandewyn, hardehout (idiom.)
**brass** geelkoper; geld; skaamteloosheid; ~ **band** blaasorkes
**brass′ière** buustelyfie, bra *also* **bra**
**brava′do** (n) grootpratery, bluf, bravade
**brave** (v) uitdaag; tart; (a) dapper, moedig
**bra′vo** (interj) bravo!; mooi skoot!; skote P(r)etoors! *also* **well done!**
**brawl** (n) rusie, bakleiery; (v) twis, rusie maak; ~**er** molesmaker (mens)
**brawn** sult, hoofkaas (vleisgereg); ~**y** gespier(d)
**bray** (v) balk (donkie); runnik
**braze** (v) sweissoldeer, braseer; hard maak
**braz′en-faced** onbeskaamd
**breach** (n) **-es** breuk, verbreking; bres, skeur; oortreding; ~ *of contract* kontrakbreuk; ~ *of the peace* rusverstoring
**bread** brood; *quarrel with your ~ and butter* in jou eie lig staan
**breadth** breedte, wydte
**bread′winner** broodwinner (mens)
**break** (n) steuring; breuk; pouse; blaaskans; (v) breek, verbreek; vernietig; ~ *off an engagement* 'n verlowing verbreek; ~ *a record* 'n rekord slaan/oortref; ~**-away holiday** wegbreekvakansie; ~**down** instor= ting; onklaarraking; ongeluk; ontleding (van syfers); ~**down lor′ry** insleepwa; ~**down ser′vice** insleepdiens
**break′er** brander (see)
**break-e′ven point** winsdrempel, gelykbreek= punt
**break′fast** ontbyt, oggendete; **champag′ne** ~ vonkelontbyt
**break:** ~**-in** inbraak, huisbraak; ~**through** deurbraak; ~**wa′ter** hawehoof; golfbreker
**breast** (n) bors; boesem, skoot; ~ **fee′ding** borsvoeding (baba)
**breath** asem; luggie, windjie; *out of* ~ uit= asem; ~**aly′ser** alkotoetser
**breathe** (v) asem, asemhaal; adem (fig.); ~**r** blaaskans
**breed** (n) geslag, ras, soort; (v) (aan)teel; (uit)= broei; voortbring; ~**er** teler; ~**ing** teelt; beskawing, verfyndheid
**breeze** (n) luggie, windjie, bries
**brew** (n) brousel; (v) brou, gis; ~**ery** brouery
**bri′ar** wilde roos; rooshout
**bribe** (n) omkoopgeld; (v) omkoop; ~**ry** om= kopery
**brick** (n) baksteen; staatmaker (mens); (a) baksteen=; ~**lay′er** messelaar
**brid′al** (a) bruids=; ~ **coup′le** bruidspaar
**bride** bruid; ~**groom** bruidegom; ~**smaid** strooimeisie; ~**sman** strooijonker *also* **best′= man**
**bridge**[1] (n) brug (kaartspel); (v) brugspeel
**bridge**[2] (n) brug; vioolkam; rug (neus); (v) oorbrug; ~**head** brughoof
**brid′ging:** ~ **cap′ital** oorbruggingskapitaal; ~ **course** oorbruggingskursus
**bri′dle** (n) toom, teuel; (v) beteuel
**brief**[1] (n) **-s** samevatting; opdrag, voorskrif, volmag, mandaat; ~**case** aktetas, briewetas
**brief**[2] (a) kort, beknop
**brigadier′** brigadier; ~**-gen′eral brigadiers-general** brigade-generaal
**bright** (a) helder, skitterend; skrander; ~ **fu′ture** blink toekoms; ~ **stu′dent** slimkop, knap student
**brill′iant** (a) glinsterend, skitterend; briljant
**brim** (n) rand, kant
**brine** (n) pekel; (v) insout
**bring** (v) bring, saambring; veroorsaak; ~ **about** teweegbring; ~ *down the house* algemene byval vind
**brin′jal** (n) eiervrug, brinjal
**brink** rand; waterkant; *on the ~ of* aan die rand van
**brisk** (a) lewendig, wakker; kragtig
**bris′tle** (n) varkhaar; borsel; ~ *with* wemel/ krioel van
**Brit′ain** Brittanje
**Brit′ish** (a) Brits
**brit′tle** bros, breekbaar
**broach** (v) ter sprake bring, opper; ~ *a subject* 'n saak aanroer/opper
**broad** breed, wyd; ~**bean** tuinboon, boer= boon(tjie)
**broad′cast** (v) uitsaai
**broad′casting** uitsaaiwese; ~ **corpora′tion** uitsaaikorporasie; ~ **pro′gramme** radiopro= gram; ~ **sta′tion** radio-omroep
**broad:** ~**en** breed maak, verbreed; ~**-mind′= ed** onbekrompe, verlig

**bro'chure** (n) brosjure; pamflet, bladskrif
**broil'er** (n) braaihoender, braaikuiken
**broke** (a) gebreek; platsak, bankrot
**brok'en** gebreek, stukkend; verslae, moede⸗loos; gebroke (hart); ~ **home** gebroke gesin/huis; ~ **line** stippelstreep (pad)
**bro'ker** makelaar (mens, firma)
**bronchi'tis** lugpypontsteking, brongitis
**bronze** (n) brons; bronsfiguur; (v) (ver)brons
**brooch -es** borsspeld
**brood** (n) broeisel; gespuis; (v) broei, uitbroei; ~**y** broeis (hen)
**brook** (n) spruit(jie), driffie *also* **stream**
**broom** besem; veër; **hard** ~ skropbesem
**broth** dun vleissop, kragsop; *too many cooks spoil the* ~ baie koks bederf die bry
**broth'el** (n) bordeel, hoerhuis
**broth'er -s, brethren** broer, boet; ~**hood** broe⸗(de)rskap; ~**-in-law brothers-in-law** swaer
**brow** winkbrou, wysbrou
**brown** bruin; donker
**browse** rondkyk, rondblaai; (deur)blaai (van Internet); ~**r's mar'ket** snuffelmark
**bruise** (n) kneusplek; (v) kneus
**brunch** (s) noenbyt, midbyt, brunch
**brunette'** brunet, swartkop (vrou)
**brunt** skok, heftigheid, skerpte; *bear the* ~ *of* die spit afbyt
**brush** (n) **-es** borsel, kwas; (v) borsel
**bru'tal** wreedaardig, dierlik, onmenslik
**brute** (n) redelose dier; onbeskofte mens; (a) dierlik, ru, onbeskof
**bub'ble** (n) lugbel, borrel; (v) (op)borrel; blaas; ~**gum** blaasgom, borrelgom
**bubon'ic pla'gue** builepes
**buccaneer'** seerower, vrybuiter, boekanier
**buck** (n) bokram; modegek
**buck'et** emmer; bak; *kick the* ~ lepel in die dak steek
**buc'kle** (n) gespe; (v) vasgespe; ~ *up!* gord vas!
**bud** (n) knop, bot; ent; *nip in the* ~ in die kiem smoor; (v) bot, uitloop
**budge** (v) wyk, verroer, beweeg
**bud'ge(rigar)'** parkietjie, budjie (voël)
**budg'et** (n) begroting; leersak; (v) begroot
**buff'er** stootkussing, buffer
**bug**[1] (n) luis, weeluis; (elektroniese) klikker/klikapparaat, luistervlooi
**bug**[2] (v) meeluister/afluister *also* **tap** (v) (tel.); *his office was bugged* sy kantoor was geklik
**bug'bear** skrikbeeld; paaiboelie; wildewragtig (mens) *also* **bugaboo'**
**bu'gle** beuel; horing; ~**r** trompetter
**build** (n) bou, vorm, liggaamsbou; (v) bou; stig; oprig
**buil'der** bouer; boumeester
**buil'ding** (n) gebou; bouery; ~ **contrac'tor** bouaannemer, boukontrakteur; ~ **socie'ty** bouvereniging
**built-up area** beboude gebied
**bulb** bol; gloeilamp(ie); blombol
**bulge** (n) knop; (v) swel, uitsit; uitpeul (oë)
**buli'mia** bulimie, geeuhonger *see* **anorex'ia**
**bulk** (n) omvang, grootte, klomp; ~ **pos'ting** massapos; ~**y** lywig
**bull**[1] stygspekulant (effektebeurs)
**bull**[2] bul; ~**bar** bosbreker/bosbuffer; ~**calf** bulkalf; ~**dog** boelhond; ~**do'zer** stootskra⸗per
**bull'et** koeël; ~**proof** koeëlvas
**bull'etin** daaglikse verslag, bulletin/boeletien
**bull'fight** stiergeveg
**bull'terrier** bulterriër (hond)
**bull'y** (n) **bullies** afknouer, boelie, bullebak; (v) treiter, baasspeel; afknou, boelie
**bum** (n) agterent, agterste; skobbejak (mens)
**bump** (n) slag, stamp; (v) stamp
**bum'per** (n) stamper, buffer; ligter/opslagbal (krieket); (a) oorvloedig; ~ **crop** rekordoes
**bump'kin** lummel, lomperd, (plaas)japie
**bun**[1] bolletjie; **must** ~ mosbolletjie
**bun**[2] bolla (hare)
**bunch -es** bos, bondel; tros
**bun'dle** (n) bondel, gerf; (v) saambind
**bun'du** gramadoelas, agterveld, boendoe; ~ **bash'ing** boendoebaljaar; ~ **con'ference/sum'mit** bosberaad *also* **lekgot'la**
**bung'alow** bungalow; **sea'side** ~ strandhuis
**bun'gle** (v) knoei; konkel; ~**r** knoeier, ploe⸗teraar, sukkelaar (mens)
**bun'gee:** ~ **jum'ping** rekspring; ~ **jum'per** rekspringer
**bun'ion** eelt
**bunk**[1] (n) slaapbank, kooi
**bunk**[2] (n) kaf, twak, onsin *also* **trash**
**bunk**[3] (v) stokkies draai, wegbly (van skool)
**bun'ker** (n) kolehok; hindernis; bunker; (sand)⸗kuil (gholf); (v) kole laai, bunker
**bunk'um** onsin, bog, kafpraatjies
**bun'ny** troetelnaam vir hasie/konyntjie
**buoy** (n) **-s** baken (in see); boei
**burd'en** (n) las, vrag, pak; refrein (lied); hooftema; **beast of** ~ lasdier
**bureau' -x** kantoor, buro

**bu'reaucrat** burokraat (mens)
**burg'lar** inbreker, huisbreker *also* **hou'se=breaker**; ~**y** inbraak; huisbraak; ~ **alarm'** diefalarm; ~ **bars** diewetralies; ~ **guard/~proo'fing** diefwering
**bu'rial** begrafnis; ~**/memo'rial ser'vice** rou=diens; ~ **socie'ty** begrafnisklub, stokvel
**burn** (n) brandplek; (v) brand; gloei
**burs'ar** penningmeester; beurshouer; ~**y** stu=diebeurs
**burst** (n) bars, skeur; (v) bars
**bu'ry** (v) begrawe; ~ *the hatchet* die strydbyl begrawe, vrede maak
**bus -es** bus; *catch the* ~ die bus haal; *miss the* ~ die bus mis; ~ **dri'ver** busdrywer/busbestuurder; ~ **ser'vice** busdiens
**bush -es** bos, bossies; bosveld; ~**ba'by** nag=apie; ~ **ran'ger** boswagter; ~ **shrike** bok=makierie; ~**tick** bosluis
**bus'iness -es** besigheid, sakeonderneming, be=dryf; ~ **col'lege** handelskollege; ~ **lea'der=ship** bedryfsleiding; ~ **let'ter** sakebrief; ~**man** sakeman (mv. sakelui, sakemanne)
**bust** (n) borsbeeld; buuste, bors
**bu'stle** (n) gewoel, lewe, rumoer
**bus'y** (a) besig, woelig, bedrywig; ~**bod'y** be=moeial, kwaadstoker (mens)
**but** (n) maar; (prep) maar, dog, egter; behal=we; *the last* ~ *one* die voorlaaste
**butch'er** (n) slagter; (v) slag; vermoor; ~**bird** laksman; ~**y** slaghuis
**but'ler** (oorspr.) bottelier; hoofbediende
**butt'er** (n) botter; (v) met botter smeer; ~**fly** skoe(n)lapper, vlinder; ~**milk** karringmelk
**butt'ock** boud, agterste/agterstewe
**butt'on** (n) knoop, knop; (v) toeknoop; ~**hole** knoopsgat; ruikertjie
**bux'om** (a) lewendig; goedbedeeld, mollig (meisie)
**buy** koop, inkoop; ~**er** koper; aankoper (vir firma)
**buzz** (v) gons, brom; ~ **bike** kragfiets; ~**er** gonser; zoemer (tegn.); ~ **group** gonsgroep; ~ **word** gonswoord/modewoord/refreinwoord
**by** deur; tot, met; na; by, op; ~ *far the best dictionary* verreweg die beste woordeboek; ~ *mistake* per ongeluk/abuis; ~ *no means* glad nie
**bye** loslopie (krieket)
**bye-bye!** wederom!; tot siens!; goedgaan!
**by'-election** tussenverkiesing
**by'-law** munisipale verordening
**by:** ~**pass** (n) verbypad; omleiding (hart); (v) verbysteek; ~**pro'duct** neweproduk; ~**stan'=der** omstander, toeskouer
**byte** (n) greep (rek.)

# C

**cab'aret** (n) kabaret
**cabb'age** (kop)kool
**cab'in** (n) kajuit; hut; ~ **crew** kajuitpersoneel
**cab'inet** kabinet, ministerie; kas; **display'** ~ toonkas
**ca'ble** (n) kabel; kabeltou; (v) kabel; vasmaak; ~**way** kabelspoor/sweefspoor
**cac'kle** (n) gekekkel; (v) kekkel
**cac'tus -es ..ti** kaktus
**cad** gemene vent, ploert, skobbejak *also* **bum**
**cadd'ie** joggie (gholf)
**cadd'y caddies** teebus
**cadet'** kadet
**ca'dre** (n) kader, soldate-eenheid
**Caesa'rean section** keisersnee (med.)
**caf'é** kafee; koffiehuis
**cafeter'ia** kafeteria
**cage** (n) koutjie, kooi, voëlhok; kooi (myn=bou), hysbak, hyshok; (v) opsluit
**cake** (n) koek
**cal'abash -es** kalbas
**calam'ity** (n) ramp, onheil *also* **disas'ter**
**cal'culate** (v) bereken, reken; ~**d** voorbedag, berekend, koelbloedig; ~**d in'sult** bereken=de affront
**calcula'tion** berekening
**cal'culator** sakrekenaar; berekenaar
**cal'ender** (n) kalender, almanak; rol
**calen'dula** gousblom
**calf[1] calves** kuit (been)
**calf[2] calves** kalf; ~ **love** kalwerliefde
**cal'iber** deursnee; gewig; gehalte, kaliber
**call** (n) beroep; kuier; gefluit; oproep (foon); vraag; lokstem; bod (kaarte); (v) roep; noem; beroep (predikant); besoek; kuier; bel, lui, skakel (foon); ~ *off* afgelas; *on* ~ op roep; ~**er** roeper; besoeker; ~**girl** foon=snol/loknooi

**call′ing** (n) roeping; beroep; geroep

**call′us** (n) **-es** eelt

**calm** (n) kalmte, windstilte; (v) kalmeer, bedaar; (a) kalm, rustig, stil

**cal′orie** kalorie, warmte-eenheid

**cam** nok; ~**shaft** nok-as (enjin)

**cam′el** kameel

**camell′ia** japonika, kamelia (blom)

**ca′meo** kamee

**cam′era -s** kamera (fot.); *in* ~ in camera (hofsaak); agter geslote deure

**cam′ouflage** (n) kamoeflage; vermomming; kamoefleerdrag; (v) vermom, kamoefleer; ~ **u′niform** kamoefleerpak/kamoefleerdrag

**camp** (n) kamp; (v) kampeer, uitkamp

**campaign′** (n) veldtog, kampanje

**campanile′** kloktoring

**camp:** ~**bed** veldbed, voukatel; ~**fire** kampvuur

**cam′phor** kanfer; ~**ated** kanfer=

**cam′ping:** ~ **site** kampeerterrein

**cam′pus** kampus, (universiteits)terrein

**can**[1] (n) kan, blik; (v) inmaak (in bottels); inlê; ~**ned fruit** ingemaakte/ingelegde vrugte

**can**[2] (v) **could** kan

**canal′** kanaal; buis; groef; ~**ise** kanaliseer

**canar′y ..ries** kanarie (voëltjie)

**can′cel** kanselleer; herroep; skrap; ~ *an appointment* ’n afspraak afsê/afstel; ~**la′tion** kansellasie

**can′cer**[1] kanker/karsinoom; ~**ous** kankeragtig

**Can′cer**[2] Kreef; **Trop′ic of** ~ Kreefskeerkring

**can′did** (a) eerlik, opreg, openhartig, padlangs

**can′didate** kandidaat; aansoeker

**can′dle** kers; ~**stick** blaker, kandelaar; ~ **wick** kerspit

**can′dy** (n) **..dies** kandy, sukade; suikerklontjie; ~**floss** spookasem

**cane** (n) riet, rottang, lat; suikerriet; kierie, wandelstok; (v) slaan, pak gee; mat (stoel); ~ **spir′its** rietblits/rietsnaps

**can′ned** ingelê, ingemaak; ~**-fruit bott′le** inmaakbottel; ~ **pea′ches** ingelegde/ingemaakte perskes

**cann′ibal** mensvreter, kannibaal

**cann′on** kanon, geskut *see* **gun**

**cann′ot** kan nie

**cann′y** (a) versigtig, slim, oulik; uitgeslape

**canoe′ -s** kano; ~**ist** kanovaarder; ~ **ra′ce** kano(wed)vaart

**can′on** (n) kanon, kerkwet; reël

**can′opy** (troon)hemel; kap(pie) (op bakkie)

**cantank′erous** (a) vitterig, prikkelbaar, suur

**canteen′** kantien, kroeg; verversingslokaal; veldkombuis; ~ **of cut′lery** messestel

**can′ter** (n) kort galop, handgalop; *win in a* ~ fluit-fluit wen; (v) op ’n kort galop ry

**can′tilever** vrydraer, vrydraend

**can′tor** kantor, voorsinger (Joods)

**can′vas** (n) seil(doek); skilderdoek; *under* ~ in tente

**can′vass** (v) (stemme) werf; kolporteer; ~**er** (stemme)werwer; ~**ing** invloedwerwing (vir ’n betrekking)

**can′yon** bergkloof, ravyn *also* **gorge**

**cap** (n) mus, hoed, pet, baret; *a feather in his* ~ ’n pluimpie; *if the* ~ *fits* as die skoen pas

**cap′able** (a) bekwaam, geskik; vatbaar

**capa′city** (n) bekwaamheid, bevoegdheid; vermoë, lewering; bakmaat (dam); kapasiteit; *in the* ~ *of* in die hoedanigheid van

**cape**[1] (n) mantel; kraag

**cape**[2] (n) kaap

**cap′er** sprong, kaperjol; *cut a* ~ flikkers gooi; (v) rondspring; bokspring

**Cape Town** Kaapstad

**cap′ita:** *per* ~ per hoof/kop/capita

**cap′ital** (n) hoofstad; kapitaal; hoofletter; (a) belangrik; hoof=; ~ **crime/offen′ce,** halsmisdaad; ~ **let′ter** hoofletter; ~ **punishment** doodstraf

**cap′italism** kapitalisme

**capitula′tion** kapitulasie, oorgawe

**caprice′** luim, gril, gier, nuk; fiemies

**Cap′ricorn** Steenbok; **Trop′ic of** ~ Steenbokskeerkring

**capsize′** omval, omslaan (boot)

**cap′sule** saadhuisie; kapsule; omhulsel

**cap′tain** (n) kaptein; aanvoerder

**cap′tion** (n) opskrif, byskrif; titel

**cap′tivating** (a) betowerend; boeiend, pakkend

**cap′tive** (n) gevangene; (a) gevang; geboei; ~ **au′dience** gedwonge/vasgekeerde gehoor

**captiv′ity** gevangenskap

**cap′ture** (n) vangs, roof; inname; gevangeneming; buit; (v) vang; buitmaak

**car** (motor)kar, motor; *by* ~ per motor, met die kar; ~ **bomb** motorbom; ~**jack′er** motorkaper; ~**jack′ing** motorkaping *see* **hi′jacking**; **com′pany** ~ firmamotor

**ca′rat** karaat

**ca′ravan** karavaan; woonwa, kampeerwa

**carb′ide** karbied

**carb′on** koolstof; ~ **pa′per** koolpapier

**carb′uncle** karbonkel, negeoog, steenpuis
**carb′urettor** vergasser (motor)
**car′cass** karkas, geraamte, romp
**card** (n) kaart; program; spyskaart; ~**board** karton, bordpapier; ~**board box** kartonboks; ~ **'phone** kaartfoon
**card′iac** kardiaal, hart=; ~ **by′pass** hartomleiding; ~ **fail′ure** hartversaking; ~ **pa′tient** hartpasiënt
**card′iogram** kardiogram (lesing)
**card′iograph** kardiograaf (apparaat)
**card′inal** (n) kardinaal (mens); (a) kardinaal, vernaamste, hoof=
**care** (n) sorg; oplettendheid, sorgvuldigheid; bekommernis; ~ *of the aged* bejaardesorg; ~ *of* per adres; *take* ~ oppas; (v) sorg dra, omgee; besorg wees; **pri′mary health** ~ primêre gesondheidsorg
**career′** (n) loopbaan; beroep; (v) rondhardloop, kerjakker; ~**s advi′ser** beroepsvoorligter; ~**s exhibi′tion** loopbaanuitstalling; ~ **gui′dance/coun′selling** beroepsleiding, loopbaanvoorligting; ~ **path** beroepsbaan
**care:** ~**ful** versigtig, oppassend; ~**less** nalatig, agte(r)losig
**caress′** (v) liefkoos, streel
**care:** ~**ta′ker** opsigter, oppasser; ~**worn** uitgeput, afgesloof
**carg′o -es** skeepslading, vrag
**ca′ricature** (n) karikatuur, spotprent
**car′rillon** kariljon, klokkespel; ~ **play′er** beiaardier
**car′nage** (n) slagting, bloedbad *also* **mas′sacre**
**carn′al** (a) vleeslik, wellustig
**carna′tion** angelier (blom)
**carn′ival** karnaval
**carniv′orous** (a) vleisetend
**ca′rol** (n) lofsang, lied; voëlsang; **Christ′mas** ~**s** Kersliedere
**carousel′** (n) mallemeule *also* **mer′ry-go-round**
**carp**[1] (n) karp (vis)
**carp**[2] (v) vit, brom
**car′penter** timmerman
**car′pet** (n) tapyt; mat; **wall-to-wall** ~ volvloertapyt
**car′port** motorskuiling, motorafdak
**ca′rriage** wa, rytuig; ~ *paid* vragvry
**ca′rrier** transportryer; (vrag)karweier; draer; bagasierak; ~ **pi′geon** posduif
**ca′rrot** (n) (geel)wortel
**ca′rry** dra, vervoer; bring; verdien (rente); ~ *through* voltooi; ~ *weight* gesag hê; ~**cot** drawieg(ie)
**cart** (n) kar; voertuig; (v) vervoer, ry; ~**age** vraggeld; ~**age con′tractor** vervoerkontrakteur, karweier
**cart′ilage** kraakbeen
**cartog′rapher** kartograaf (mens)
**cartoon′** (n) spotprent; tekenprent
**cart′ridge** patroon; ~ **belt** bandelier
**carve** (v) uitsny, houtsny, graveer; voorsny; ~**ry** voorsnybuffet/voorsnygereg
**case**[1] (n) kis, kas; boks; handkoffer; sloop; boeksak
**case**[2] (n) geval, saak; naamval; *in any* ~ in alle geval; *in every* ~ in elke geval; *in* ~ in geval
**case his′tory** gevallestudie; siekteverslag
**cash** (n) kontant(geld); ~ *on delivery* kontant by aflewering; *hard* ~ kontant; (v) (in)wissel, kleinmaak; trek; ~**book** kasboek; ~**box** geldtrommel; ~ **dis′count** kontantkorting; ~ **float** wisselfonds, kontantvlot; ~**-and-car′ry** koop-en-loop, haal-en-betaal; ~ **flow** kontantvloei
**cashier** (n) kassier (mens)
**cash:** ~ **reg′ister** kasregister *also* **till**; ~ **slip** kontantstrokie; ~ **till** kasregister
**cas′ing** oortreksel; voering (boorgat)
**casi′no -s** casino/kasino, dobbelhuis
**cask** vat, vaatjie, kuip
**cask′et** kissie (juwele), boksie; urn
**cassette′** kasset; ~ **play′er** kassetspeler
**cast** (n) gooi; vorm; soort; rolbesetting (drama); gietvorm; (v) gooi, werp; uitwerp; neergooi; optel (syfers); uitbring (stem); giet (metaal); ~ *lots* loot; ~ *a spell on* betower
**cast′away** (n) skipbreukeling; verworpeling; (a) onbruikbaar, oud
**caste** (n) klas, kaste
**cast′ing vote** beslissende stem
**cast i′ron** gietyster, potyster
**ca′stle** kasteel; ~ *in the air* lugkasteel
**cas′tor oil** kasterolie
**castrate′** (v) sny, ontman, regmaak, kastreer
**ca′sual** toevallig, terloops, los, kasueel; *smart* ~ deftig informeel (gekleed); ~ **la′bour** los arbeid; ~ **wear** slenterdrag
**ca′sualty ..ties** ongeval; (pl) ongevalle (hospitaal); ongeluk; gesneuwelde; (pl) verliese, gesneuweldes; ~ **list** ongevallelys; krukkelys

**cat** kat; kats (strafsweep); *let the ~ out of the bag* die aap uit die mou laat; *rain ~s and dogs* ou vroue met knopkieries reën; **fat ~** dikvreter *see* **gra′vy train**
**cat′alogue** (n) katalogus, pryslys
**catamaran′** katamaran, tweeromper (seilboot)
**cat′apult** slingervel, katapult; voëlrek, kettie
**cat′aract** waterval; oogpêrel, katarak
**catarrh′** katar
**catas′trophe** ramp, onheil; katastrofe
**cataw′ba** catawba/katôba (druif)
**cat: ~ bur′glar** klouterdief, sluipdief; **~call** kattegetjank; fluitroep
**catch** (n) **-es** vangs, buit; vanghou; voordeel; (v) vang, gryp; vat; haal (trein); betrap (dief); *~ a chill* koue vat; *~ a cold* verkoue kry; *~ up (with)* inhaal; *~ a train* 'n trein haal
**catch′ment area** opvanggebied (van water)
**catch′y** aantreklik; aansteeklik; **~ que′stion** strikvraag
**cat′egory ..ries** kategorie, klas, soort
**cat′er** (v) verskaf, voorsien; spyseneer/spyse=nier; **~er** (n) spysenier; leweransier; **~ing** spysenering/spyseniering, spysverskaffing; **~ing depart′ment** verversingsdepartement
**cat′erpillar** ruspe(r); **~ trac′tor** kruiptrekker
**cat′erwauling** katmusiek, kattegeskree(u)
**cathe′dral** domkerk, katedraal
**cath′olic** algemeen *also* **univer′sal**; katoliek; **~ taste** veelsydige/omvattende smaak
**cat′napping** indommel, 'n uiltjie knip/knap
**cat-o'-nine′-tails** kats (strafsweep)
**cat′tery** (n) kattery, kietsiesorg
**catt′ish** katterig; **~ wo′man** snip
**catt′le** vee, grootvee, beeste
**cat′walk** (n) stapvlak (vir modelle)
**cauc′us** (n) **-es** koukus, partyvergadering; (v) koukus
**caul** net; helm; agterstuk; *born with a ~* met die helm gebore
**caul′dron** groot ketel, kookpot
**caul′iflower** blomkool
**cause** (n) oorsaak; beweegrede; rede; (v) ver=oorsaak, teweegbring; *~ damage* skade aan=rig
**cause′way** spoelbrug
**caus′tic** bytend, brandend; **~ so′da** seepsoda
**caut′erise** (v) uitbrand, toeskroei
**cau′tion** (n) omsigtigheid/versigtigheid; seker=heid; waarskuwing; (v) waarsku; berispe
**cau′tious** (a) versigtig, behoedsaam, omsigtig
**cavalcade′** ruiterstoet, kavalkade
**cav′alry** ruitery, kavallerie
**cave** (n) grot; spelonk; *~ in* instort; **~dwel′ler** grotbewoner, troglodiet; **~man** oermens
**cavia′re** kaviaar
**cav′ity ..ties** holtes; **~ wall** holmuur
**cay′man/cai′man** kaaiman, alligator (dier)
**CD-ROM drive** CD-ROM-aandrywer (rek.)
**cease** (v) ophou, laat staan, staak; **~fire** (n) skietstaking, skietstilstand
**ced′ar** seder (boom)
**cede** (v) afstaan, opgee; sedeer, afstand doen
**ceil′ing** solder(ing), plafon; hoogtegrens
**cel′ebrate** (v) vier, besing; herdenk
**celebra′tion** (n) (fees)viering, herdenking; makietie
**cel′ery** seldery (groente)
**celes′tial** (n) hemelbewoner; (a) hemels; **~ bod′ies** hemelliggame
**cel′ibacy** ongetroude staat, selibaat
**cell** sel; kamertjie; hokkie
**cell′ar** (n) kelder
**cell′o -s** tjello, violonsel
**cell′phone** (n) selfoon *also* **cell′ular tel′ephone**
**cement′** (n) sement; band (fig.); (v) saamvoeg
**cem′etery** kerkhof, begraafplaas
**cen′otaph** praalgraf; gedenksuil, senotaaf
**cen′sor** (n) sensor; sedemeester; (v) sensureer; **~ship board** sensuurraad
**cen′sure** (n) sensuur, berisping, bestraffing; (v) onder sensuur sit; bestraf; afkeur
**cen′sus -es** volkstelling, sensus
**cent** sent; *per ~* persent, per honderd
**cente′nary ..ries** eeufees, honderdste bestaans=jaar
**cen′tigrade** honderdgradig; *4 degrees ~* 4 grade Celcius
**cen′timetre** sentimeter
**cen′tipede** duisendpoot
**cen′tral** sentraal, middelste; vernaamste; **~ bus′iness dis′trict (CBD)** sentrale sake=gebied, sakekern
**cen′tralise** (v) sentraliseer
**cen′tre** (n) middel(punt); sentrum; senter (voetbal); *~ of gravity* swaartepunt; (v) ver=enig; **~ punch** kornael, senterpons
**centrif′ugal** middelpuntvliedend, sentrifugaal
**centrip′etal** middelpuntsoekend, sentripetaal
**cen′tury ..ries** eeu, honderd jaar; honderdtal (krieket); *turn of the ~* eeuwisseling
**ceram′ics** keramiek, erdeware
**cer′eal** (n) graan; (a) graan=
**ce′rebral** harsing=, serebraal=; **~-pal′sied**

chil′dren serebraalgestremde kinders
**ce′remony** seremonie, plegtigheid; **mas′ter of ce′remonies** seremoniemeester, tafelheer
**cer′tain** seker, gewis; **~ly** sekerlik, beslis; **~ty** sekerheid
**certif′icate** sertifikaat, verklaring; diploma
**cert′ify** (v) sertifiseer, verklaar
**chafe** (n) skaafplek; wrywing; (v) vryf/vrywe, skuur, skaaf; irriteer
**chaff** (n) kaf; skerts; (v) liggies terg/pla
**chain** (n) ketting; reeks; (pl) boeie; (v) bind, boei, in kettings slaan; ~ **reac′tion** kettingreaksie
**chair** (n) stoel; setel; leerstoel; *take the ~* die voorsitterstoel inneem; (v) voorsit; **~man** voorsitter *also* **chair′person/chair**; Mr **~man** (Meneer die) Voorsitter; **Ma′dam** ~ Agbare Voorsitter; *she is ~ of the new commit′tee* sy is die nuwe komitee se voorsitter
**cha′let** (n) berghut; chalet
**chal′ice** kelk, Nagmaalsbeker
**chalk** (n) kryt; ~ *up* opskryf
**chall′enge** (n) uitdaging; aansporing; (v) uitdaag; ~ **cup** uitdaagbeker; **~r** uitdager
**cham′ber** kamer; vertrek; grot; ~ **of com′merce** kamer van koophandel, sakekamer; ~ **of hor′rors** gruwelgrot; ~ **of mines** kamer van mynwese
**chame′leon** trapsoetjies/trapsuutjies, verkleurmannetjie, kameleon
**cham′ois** gems(bok); ~ **lea′ther** seemsleer
**champagne′** sjampanje, bruiswyn, vonkelwyn; ~ **break′fast** vonkelontbyt
**cham′pion** (n) kampioen; kampvegter (vir 'n saak); (v) verdedig; bepleit; ~ **play′er** baasspeler; **~ship** kampioenskap
**chance** (n) kans; toeval; waarskynlikheid; vooruitsig; *stand a good ~* 'n goeie kans hê; *take a ~* 'n kans waag; (v) waag
**chan′cellor** kanselier (mens)
**chan′cer** (n) waaghans; kansvatter; opportunis
**chandelier′** (n) kandelaber, kroonlugter
**change** (n) verandering; kentering; kleingeld; (v) verander; ruil; (ver)wissel; kleinmaak (geld); ~ *one's mind* van plan verander; **~room** kleedkamer *also* **cloak′room**
**chann′el** (n) kanaal, seestraat; (v) kanaliseer
**cha′os** (n) chaos, warboel, baaierd
**chao′tic** chaoties, deurmekaar(spul)
**chap**[1] (n) bars, skeur; (v) bars, skeur
**chap**[2] (n) kêrel; ou *also* **guy**; *a decent ~* 'n gawe vent/kêrel/ou; **~pie** tjokkertjie; laitie, tjommie
**cha′pel** (v) kapel, kerkie; bidhuisie
**chap′eron** (n) begeleidster, chaperone; (v) begelei, beskerm, chaperonneer
**chap′lain** kapelaan, veldprediker
**chap′ter** hoofstuk, kapittel; ~ **and verse** vers en kapittel
**char** (v) verkool, brand, skroei; (n) skropvrou (huishulp)
**cha′racter** karakter; aard; kenmerk; letter; naam, reputasie; rol (toneel)
**characteris′tic** (n) karaktertrek; kenmerk; (a) karakteristiek; kenmerkend
**char′coal** houtskool
**charge** (n) opdrag *also* **brief**; bewaring; beskuldiging; aanklag; stormloop; ~ **sheet** klagstaat; (v) opdra; aanval; beskuldig; hef (gelde)
**charge′ of′fice** aanklagkantoor (polisie)
**chargé d'affaires′** saakgelastigde
**cha′riot** strydwa, triomfwa
**cha′rity ..ties** liefdadigheid; barmhartigheid *also* **compas′sion**; ~ *begins at home* die hemp is nader as die rok
**charm** (n) betowering; sjarme; gelukbringer; (v) betower, bekoor; verruk; toor; **~er** sjarmiet (mens); **~ing** betowerend, bekoorlik; sjarmant; ~ **school** sjarmeskool
**chart** (see)kaart, tabel
**chart′er** (n) oktrooi, handves; oorkonde; (v) oktrooieer; huur; **~ed flight** huurvlug; **~ed plane** huurvliegtuig; **~ed sec′retary** geoktrooieerde sekretaris, oktrooisekretaris
**chase** (n) jag; agtervolging; (v) jag, agtervolg; jaag; ~ *away* wegjaag
**chasm** (n) afgrond, kloof
**chass′is** (sing and pl) onderstel; raamwerk
**chaste** (a) kuis, rein, vlekloos
**chastise′** (v) kasty, tugtig
**chat** (n) praatjie/geselsie; gesels, babbel; **~line** inbelprogram (radio); kletslyn (Internet); **~show** geselsprogram (radio, TV)
**chatt′er** (v) babbel, klets, snater; **~box** babbelkous (vrou)
**chauffeur′** motorbestuurder, chauffeur
**chauv′inism** (v) nasionale eiewaan, chauvinisme
**cheap** goedkoop *also* **inexpen′sive**
**cheat** (n) bedrieër; (v) bedrieg, kul
**check**[1] (n) geruite materiaal, ruitgoed
**check**[2] (n) kontrole, verifikasie; beperking;

*keep in* ~ in toom hou; (v) nagaan, tjek, verifieer; ~ *out* uitklaar; ~ *up* optel, vergelyk; (medies) ondersoek/optjek; ~**er** laaimeester; ~**list** tjeklys; ~**mate** skaakmat; ~**up** (n) roetine-ondersoek, opvolgonder=soek, optjek
**cheek**[1] parmantigheid, vermetelheid
**cheek**[2] wang; ~**bone** wangbeen, kakebeen
**cheek'y** (a) parmantig, astrant, vermetel
**cheer** (n) toejuiging; vrolikheid; (v) opvrolik, toejuig; ~**ful** vrolik, opgeruimd; ~**lea'der** rasieleier; dirigent; ~**s!** gesondheid!
**cheese** kaas; ~ *and wine reception* kaas-en-wyn-onthaal; ~**bur'ger** kaasburger; ~ **spread** smeerkaas
**cheet'ah** jagluiperd, cheetah
**chef -s** hoofkok, sjef
**chem'ical** skeikundig, chemies; ~ **war'fare** chemiese oorlogvoering; ~ **weed control'** chemiese onkruidbeheer; ~**s** chemikalieë
**chem'ist** apteker *also* **phar'macist**; skeikun=dige, chemikus
**chem'istry** skeikunde, chemie
**cheque** tjek, wissel; **blank** ~ blanko tjek; ~**book** tjekboek
**che'rish** (v) koester, liefkoos, liefhê
**che'rry** (n) **cherries** kersie; kersieboom
**chess** skaakspel; *play at* ~ skaakspeel
**chest** bors; kis; ~ **of dra'wers** laaikas
**chest'nut** (n) kastaiing; sweetvos(perd)
**chev'ron sign** chevronteken/sjevronteken
**chew** (n) koutjie; pruimpie; (v) kou; pruim; nadink, oordink; ~ *the cud* herkou; bepeins; ~**ing gum** kougom
**chic** (a) sjiek, elegant *also* **smart**
**chick -ens, -s** kuiken(tjie); kind
**chick'en -s** hoender, hoendervleis; snuiter; *a mere* ~ 'n piepjong ventjie; ~**feed** hoen=derkos; kleinigheidjie; ~**-hearted** lafhartig; ~ **mash** kuikenmeel; ~ **pox** waterpokkies
**chic'ory** sigorei
**chief** (n) **-s** hoof, kaptein; (a) vernaamste, hoogste, senior, opperste; ~ **exe'cutive** hoofbestuursleier; senior bestuurshoof; ~ **gen'eral man'ager** senior hoofbestuurder; ~ **jus'tice** hoofregter; ~**ly** hoofsaaklik, vernaamlik
**chil'blain** winterhande, wintervoete
**child -ren** kind; *backward* ~ geremde kind; *handicapped* ~ gestremde kind; *retarded* ~ vertraagde kind; ~ **abu'se** kindermishande=ling/kindermolestering *also* ~ **molesta'tion**; ~**birth** bevalling; ~**hood** kinderjare; ~**ish** kinderagtig *also* **friv'olous**; ~ **moles'ter** kindermolesteerder *also* **pae'dophile**; ~**ren's books** kinderboeke; ~**ren's home** kinderhuis/kinderhawe *see* **or'phanage**; ~ **wel'fare** kindersorg
**chill** (n) koue, koudheid; kilheid; *catch a* ~ kou(e) vat; (v) verkoel
**chil'li** (n) (brand)rissie; ~ **bite** brandhappie
**chil'ly** (a) koel, natterig, kil, kouerig
**chime** (n) klokkespel; welluidendheid
**chim'ney -s** skoorsteen; lampglas; ~**piece** skoorsteenmantel; ~ **sweep** skoorsteenveër
**chimpanzee'** sjimpansee
**chin** (n) ken; *double* ~ onderken
**chin'a** porselein, breekgoed *also* **por'celain**
**Chi'na** China (land)
**Chine'se** (n, a) Chinees/Sjinees
**chip** (n) spaander, splinter; skyfie/tjip; tjip (rek.); ~ *of the old block* aardjie na sy vaartjie; *he has had his* ~*s* sy doppie het geklap; *fish and* ~*s* vis en skyfies/slaptjips; (v) afsplinter; ~ *in* in die rede val
**chirop'odist** voetheelkundige *also* **po'diatrist**
**chi'ropractor** chiropraktisyn (mens)
**chis'el** (n) beitel; **cold** ~ koubeitel
**chiv'alrous** (a) ridderlik *also* **gal'lant**
**chlor'oform** (n) chloroform
**chlor'ophyll** bladgroen, chlorofil
**choc'olate** sjokolade, sjokkie; **slab of** ~ blok sjokolade
**choice** (n) keus(e); keur; ~ **gra'de** keurgraad
**choir** koor
**choke** (n) smoor(klep); demper; (v) stik, wurg, verstik; ~ **chain** glyketting/wurgketting
**chol'era** cholera/kolera
**choles'terol** cholesterol, galsteenvet
**choose** (v) kies, verkies; *for choosing* te kus en te keur
**chop** (n) hou, kap, slag; tjop (vleis); (v) kap, slaan; ~**shop** kapwerf (gesteelde motors)
**chop'per** (n) helikopter *also* **he'licopter**
**chor'al** (a) koraal; koor=; ~ **i'tem** koorsang
**chord** snaar; lyn, tou, koord; akkoord (mus.); **spi'nal** ~ rugmurg; **vo'cal** ~ stemband
**chore** werkie; ~**s** huispligte, sleurwerk
**choreog'rapher** choreograaf, dansontwerper
**chor'us -es** koor, refrein, rei; ~ **girl** koormei=sie; kabaretsangeres
**cho'se(n)** (a) uitverkore *see* **choo'se**
**Christ** Christus
**chri'sten** (v) doop, naam gee

**Chris′tian** (n) Christen; (a) Christelik; ~ **e′ra** Christelike jaartelling; ~ **name** voornaam *also* **first name**
**Chris′tmas** Kersfees; ~ *greetings and good wishes for the New Year* Kers- en Nuwe⸗jaarsgroete; ~ **box** Kersgeskenk; ~ **card** Kerskaart(jie); ~ **Day** Kersdag; ~ **Eve** Ou⸗kersaand; ~ **ho′liday** Kersvakansie; ~ **night** Kersaand; ~ **par′ty** Kersparty(tjie); ~ **sea′⸗son** Kerstyd/Kersgety; ~ **tree** Kersboom
**chron′ic** (a) chronies/kronies (siekte)
**chronolog′ical** chronologies, in tydsorde
**chrysan′themum -s** krisant (blom)
**chuck** (n) gooi; (v) gooi; opgee, laat staan; ~ *up* in wanhoop opgee; **chuck′er-out** uit⸗smyter *also* **boun′cer** (person)
**chuc′kle** (n) onderdrukte lag; gekloek; (v) lag; kloek
**chum** (n) maat, vriend, tjom *also* **pal**
**church -es** kerk; ~ **square** kerkplein; ~**war′⸗den** koster; ~**yard** kerkhof
**chute** glybaan, glygeut; waterval
**chut′ney** blatjang
**cid′er** appelwyn
**cigar′** sigaar; ~**band collec′tor** vitolfilis
**cigarette′** sigaret
**Cinderell′a** Aspoestertjie
**cin′der track** asbaan
**cin′ema -s** bioskoop, fliek; ~ **fan** fliekvlooi; ~**go′er** bioskoopganger/fliekvlooi
**cinn′amon** kaneel
**cir′cle** (n) sirkel; ring; kring; kroon; galery (teater); geselskap; (v) ronddraai; omsluit; **vi′cious** ~ bose kringloop
**cir′cuit** rondgang; kringloop; reeks (sport); stroombaan (elektr.); **short** ~ kortsluiting
**cir′cular** (n) omsendbrief, sirkulêre; (a) sirkel⸗vormig
**cir′culate** (v) sirkuleer, in omloop bring
**circula′tion** (n) sirkulasie; oplaag (koerant)
**circumci′sion** besnyding, besnydenis
**circum′ference** omtrek
**circ′umflex -es** kappie, sirkumfleks (ˆ)
**cir′cumstance** omstandigheid; *in the ~s* on⸗der/in die omstandighede
**circ′us -es** sirkus
**ciss′y** (n) **cissies** verwyfde mens, papbroek
**cis′tern** (n) vergaarbak, spoelbak; dam; kuip
**cita′tion** aanhaling, sitaat; dagvaarding
**cit′izen** burger; stadsbewoner; **John C**~ Jan Burger; ~ **band ra′dio** burgerbandradio, kletsradio; ~**ship** burgerskap
**cit′ron** (n) sitroen
**cit′rus** sitrus, lemoenvrug
**cit′y cities** stad; ~ **coun′cil** stadsraad; ~ **hall** stadhuis (gebou); stadsaal (saal); ~ **slick′er** stadskalant, stadskoejawel (mens)
**civ′et (cat)** muskeljaatkat/musseljaatkat
**civ′ic** burgerlik, burger⸗; ~ **cen′tre** burger⸗sentrum; ~ **recep′tion** burgerlike onthaal; ~ **thea′tre** stadskouburg
**ci′vil** burgerlik; siviel; beleef; ~ **avia′tion** burgerlugvaart; ~ **defen′ce** burgerlike be⸗skerming; ~ **ser′vant** staatsamptenaar; ~ **war** burgeroorlog
**civil′ian** (n) burger; burgerlike (mens); (a) burgerlik, burger⸗; ~ **blind** burgerblindes
**civilisa′tion** beskawing
**claim** (n) eis, vordering; (v) eis, opvorder
**clairvoy′ant** heldersiende; fortuinverteller
**clamm′y** (a) klam, vogtig *also* **moist**
**clam′our** (n) geskree(u), geroep; (v) skree(u); ~ *for* roep om, aandring op
**clamp** (n) kram, klem; (v) klamp, vasklem
**clan** stam; familiegroep, clan; kliek
**clap** (n) klap, slag; donderslag; knal; (v) klap, toeslaan; ~**trap** mooipraatjies
**cla′rify** (v) verklaar/uiteensit; uitklaar
**cla′rinet/clarionet′** klarinet
**clash** (n) **-es** stamp; botsing *also* **con′flict**; (v) stamp, bons, bots; stry
**clasp** (n) haak, gespe, kram; omhelsing; (v) vashaak, toegespe; omhels; omarm
**class** (n) **-es** klas; orde; stand; (v) rangskik, orden; klassifiseer; klasseer (wol)
**class′ic** (n) klassieke werk/skrywer; (a) klas⸗siek; ~**al** klassiek (musiek); ~**s** klassieke
**classifica′tion** klassifikasie, indeling
**class′ify** klassifiseer, indeel
**clause** sinsdeel; klousule; artikel; bysin
**claustropho′bia** engtevrees, noutevrees
**claw** (n) klou, poot; haak; (v) vasklou
**clay** (n) klei; (a) klei⸗; ~ **pig′eon shoot′ing** pieringskiet, kleiduifskiet
**clean** (v) skoonmaak, reinig; *make a ~ sweep* skoonskip maak; ~ *up* opruim; (a) skoon, sindelik; (adv) heeltemal, totaal; ~**er** skoonmaker (mens)
**clear** (v) reinig; ophelder; ooptrek (weer); (a) helder, duidelik; (adv) skoon; duidelik; ~**ance** vryhoogte; ~**ance sale** opruimver⸗koping; ~**ing bank** verrekeningsbank; ~**ly** duidelik, onomwonde; ~ **majo′rity** vol⸗strekte meerderheid

**cleave** (v) kloof/klowe; splits; **cleft pal′ate** gesplete verhemelte/gehemelte
**clem′ency** (n) begenadiging; goedertierenheid; sagtheid (die weer)
**clench** (vuiste) bal; omklink; vasbyt
**cler′gy** (pl) predikante, leraars; ~**man** predikant, geestelike
**cler′ical** geestelik, klerikaal; klerklik; ~ **er′ror** skryffout; ~ **work** klerklike werk
**clerk** klerk; winkelbediende; opsigter
**clev′er** slim; handig; knap, oulik *also* **bright**
**clich′é** afgesaagde uitdrukking, cliché
**click** (n) tik, klink; klapklank; (v) tik, klink; klik (rekenaarmuis)
**cli′ent** kliënt (van geleerde beroep); klant (van winkel); ~**ele** klandisie; ~ **rela′tions** kliëntebetrekkinge/klantesorg
**cliff** krans, rotswand
**clim′ate** klimaat
**clim′ax** hoogtepunt, klimaks *also* **zen′ith**
**climb** (n) klim; (v) klim, klouter; ~**ing lane** klimbaan (pad)
**clinch** (v) vasklem; omklink; beklink; beseël; ~ *a deal* 'n transaksie beklink
**cling** vashou, vaskleef; ~ *together* aanmekaarklou; ~′**stone** taaipit (perske); ~**wrap** kleefplastiek *also* **glad′wrap**
**clin′ic** (n) kliniek; (a) klinies
**clin′ical** klinies; ~ **examina′tion** kliniese ondersoek; ~ **psychol′ogist** kliniese sielkundige; ~ **thermom′eter** koorspennetjie
**clip** (n) knipsel, skeersel; (v) knip, snoei, skeer; kortwiek
**clip:** ~**board** knypbord; ~**per** knipper; skeermasjien; skêr; ~**ping** (n) (uit)knipsel
**clique** (n) kliek, aanhang
**cloak** (n) mantel; dekmantel; ~**room** kleedkamer; bewaarkamer
**clock** klok, horlosie; ~**wise** kloksgewys; ~**work** uurwerk
**clod** kluit, klont; domkop *also* **fat′head**; ~**hop′per** gomtor, lummel, gaip (mens)
**clog** (n) blok, hindernis; klomp (houtskoen); (v) verstop; belemmer
**clois′ter** klooster *also* **con′vent**; suilegang
**clo′ne** (n) kloon (genetiese duplikaat); (v) kloneer; **clo′ning** kloning
**close** (n) end, sluiting; slot; *at the ~ of play* met/teen uitskeityd (krieket); (v) sluit, toemaak, toesluit; afsluit; (a) dig, diep (geheim); *a ~ friend* 'n intieme vriend; ~**d-cir′cuit TV** kringtelevisie, kabel-TV; ~ **corpora′tion** (**CC**) beslote korporasie (BK); ~**-fis′ted** inhalig; vrekkerig
**clos′et** (n) kabinet; kleinhuisie; (v) opsluit
**close′-up** (n) digby-opname, nabybeeld
**clos′ing** sluiting; ~ **date** sluitdatum; ~ **hour** sluitingsuur; ~ **stage** eindstadium; ~ **time** sluittyd
**clot** (n) klont, kluit; **blood** ~ bloedklont
**cloth** kledingstof, laken
**clothe** (v) klee, beklee, bedek; inklee
**clothes** klere; ~ **peg** was(goed)pennetjie
**cloth′ing** kleding, klere; inkleding; ~ **in′dustry** die klerebedryf
**cloud** (n) wolk; *be in the ~s* in vervoering wees; ~**burst** wolkbreuk; ~**y** bewolk
**clout** (n) lap, vadoek; hou; (v) iem. klap
**clove** (n) naeltjie
**clov′er** klawer; *live in ~* lekker lewe; ~**leaf** klawerblad
**clown** (n) grapmaker, hanswors, harlekyn, nar
**club** (n) knuppel, knopkierie; klub; klawer (kaartspel); (v) doodslaan; saamwerk; ~**foot** klompvoet; horrelvoet; ~**house** klubhuis; ~**s** klawers (kaarte)
**clue** leidraad, spoor, aanduiding; ~*d up* gekonfyt in; goed op hoogte wees van
**clum′sy** (a) onhandig, lomp; onhanteerbaar
**clus′ter** tros; trop, hoop, swerm; ~ **hou′sing** korfbehuising/trosbehuising
**clutch**[1] (n) greep, klou; koppelaar (motor); (v) gryp, vashou
**clutch**[2] (n) broeisel (eiers)
**coach** (n) rytuig, koets; passasierswa; afrigter, breier (sport); (v) afrig, brei
**coal** (n) steenkool
**coali′tion** verbond, samesmelting, koalisie
**coarse** kru, ru; grof; lomp *also* **rude**
**coast** (n) kus, strand; (v) luier, vry loop (motor); ~**er** kusboot; biermatjie/drupmatjie; ~**guard** kuswag
**coat** (n) baadjie; jas; skil; laag (verf); ~ *of arms* wapenskild; familiewapen; ~**ing** laag (verf), aanpaksel
**coax** (v) vlei, pamperlang, mooipraat, paai
**cob** mieliekop; ponie; mannetjieswaan
**cob′ble** (n) straatsteen; stuk steenkool; (v) lap; saamflans; ~**r** skoenmaker
**cob′ra** koperkapel, geelslang, kobra; **brown** ~ bruinkapel; **Cape** ~ geelslang; **ringed** ~ bakkopslang
**cob′web** spinnerak
**cocaine′** kokaïen/kokaïne

**cochineal′** cochenille/kosjeniel (karmynkleur-stof; Mexikaanse luis)
**cock**[1] (n) haan; haan (geweer); mannetjie
**cock**[2] (v) oorhaal (geweer); spits (ore)
**cockateel′** kaketiel/kokketiel (voël)
**cock:** ~**-eyed** skeel; dwaas; ~**fight** hanege-veg; ~**pit** stuurkajuit (vliegtuig); ~**roach** kakkerlak, kokkerot
**cock′tail** skemerkelkie/mengeldrankie; kewer; ~ **bar** kelkiekroeg; ~ **par′ty** skemerparty/skemeronthaal
**cock′y** (a) verwaand, eiewys, hanerig
**coc′oa** kakao (warm sjokoladedrank)
**co′co(a)nut** (n) kokosneut; klapper
**cocoon′** papie, kokon
**cod** kabeljou (vis)
**code** wetboek, kode; ~ **of eth′ics** gedragsko-de; (v) (en)kodeer
**cod′ling moth** appelmot
**cod′liver oil** lewertraan, visolie
**coeduca′tion** koëdukasie; ~**al school** koëd-skool
**coff′ee** koffie; boeretroos (idiom.)
**coff′er** kis, kas, koffer; skatkis; ~ **dam** kof-ferdam, afsluitdam
**coff′in** (n) dood(s)kis; (v) kis
**cog** (kam)rat, tand (van 'n wiel)
**cog′nisance** kennisname; *take* ~ *of* kennis neem van; erkenning; kenmerk
**cohab′it** saamwoon, saamhuis; ~**a′tion** saam-bly(ery)
**coil** (n) kronkeling; draai; klos; (v) inmekaar-kronkel, opdraai
**coin** (n) muntstuk; *pay one in his own* ~ iem. in sy eie munt betaal; (v) (aan)munt; versin; ~ *new words* nuwe woorde skep
**coin′cidence** (n) sameloop; toeval(ligheid)
**coir** klapperhaar
**coke** kooks
**cold** (n) koue; verkoue; *bitterly* ~ snerpend koud; *catch* ~ koue vat; (a) koud, koel; on-verskillig; *in* ~ *blood* koelbloedig; ~**-blood′ed** koudbloedig; koelbloedig; ~ **sweat** angssweet
**cole** kool; ~**rape** koolraap
**collab′orate** saamwerk *also* **conspi′re**
**collab′orator** medewerker; medepligtige (in misdaad); meeloper (met vyand)
**collapse′** (n) instorting, mislukking; (v) instort, inval; verslap; misluk
**coll′ar** (n) boordjie; kraag; halsband; (v) vang; ~**bone** sleutelbeen
**collat′eral** sydelings; bykomend; ~ **secu′rity** kollaterale sekuriteit (vir lening);
**coll′eague** kollega, ampsgenoot (mens)
**collect′** (v) versamel, kollekteer; ~ *money* geld insamel/in; ~ **call** kollekteeroproep; ~**ion** versameling; kollekte; ~**ive bar′gaining** kol-lektiewe bedinging; ~**or** versamelaar
**coll′ege** kollege; raad; ~ **of educa′tion** onder-wyskollege; **elec′toral** ~ kieskollege
**collide′** bots, teen mekaar stamp
**coll′iery** steenkoolmyn
**colli′sion** botsing; **head-on** ~ trompop botsing
**collo′quial** alledaags, gemeensaam; ~ **lan′-guage** gebruikstaal, gewone omgangstaal
**collude** (v) heul; saamspan, kop in een mus wees
**collu′sion** (n) samespanning, geheul
**co′lon**[1] dubbelpunt (:)
**co′lon**[2] dikderm
**colonel** (*pron.* **ker′nl**) kolonel
**colo′nial** (n) kolonis; kolonialer; (a) koloniaal
**col′onist** nedersetter, kolonis
**col′ony** kolonie; nedersetting; wingewes
**coloss′al** (a) kolossaal, reusagtig, tamaai
**col′our** (n) kleur, tint; (v) verf; kleur; ~**-blind** kleurblind; ~**ed** gekleur; ~**ed peo′ple** kleur-linge, bruin mense; ~**ful** kleurryk; ~**slide** kleurskyfie
**colt** jong hings; jong perd; groentjie
**col′umn** kolom; suil; rubriek (koerant)
**co′ma** (n) diep slaap; bedwelming, koma
**comb** (n) kam, haarkam; heuningkoek; (v) kam; kaard (wol)
**com′bat** (n) geveg; ~ **troops** vegtroepe
**combina′tion** (n) verbinding, kombinasie
**combine′** (n) vereniging; trust, sindikaat; stro-per (graan); (v) verbind, kombineer
**combus′tion** verbranding; **slow** ~ **stove** smeul-stoof
**come** kom, aankom; ~ *of age* mondig word; ~ *in handy* te pas kom
**comed′ian** komediant, grapmaker *also* **jes′ter**
**com′edy** komedie, blyspel
**come′ly** (a) aanvallig/bevallig; knap, gepas
**co′met** komeet, stertster
**com′fort** (n) troos; gemak, gerief; (v) troos, opvrolik/opbeur; ~**able** gemaklik, gerieflik; ~**er** trooster, fopspeen
**com′fy** (a) gesellig, snoesig *also* **cudd′ly**
**com′ic** grapperig, komies, snaaks; ~**s,** ~ **strips** prentverhaal, strokiesprent, strokies
**comm′a -s** komma (,)

**command′** (n) bevel, gebod; opdrag; *be in* ~ die bevel voer; (v) beveel, gebied
**commandant′** kommandant, bevelvoerder
**commandeer′** (v) kommandeer, oproep
**comman′der** bevelhebber; **~-in-chief commanders-in-chief** opperbevelhebber
**command′: ~ing of′ficer** bevelvoerende offisier; **~ment** gebod, bevel; **the Ten Command′ments** die Tien Gebooie
**comman′do** kommando
**commem′orate** (v) herdenk, gedenk; vier
**commence′** (v) begin, aanvang; **~ment** begin
**commend′** aanbeveel, prys, opdra; **~able** hoflik, prysenswaardig; **~a′tion** aanprysing, eervolle vermelding
**comm′ent** (n) aanmerking, kommentaar; uitleg(ging); (v) kritiseer; verklaar; ~ *on* kommenteer/kommentaar lewer oor/op; **~ary** uitleg, kommentaar; **~ator** kommentator (radio); verklaarder
**comm′erce** handel, verkeer; **cham′ber of** ~ kamer van koophandel, sakekamer
**commer′cial** handels-, kommersieel; ~ **ar′tist** handelskunstenaar; ~ **bank** handelsbank; ~ **law** kommersiële reg; handelsreg; ~ **trav′eller** handelsreisiger
**commi′ssion** (n) kommissie; opdrag; (v) opdra, magtig; aanstel; **~aire′** deurwagter, portier; opsigter; **~er** kommissaris, kommissielid; opsiener; **~er of oaths** kommissaris van ede; **high ~er** hoë kommissaris
**commit′** bedryf, uitvoer; *~ted to change* verbind tot verandering; ~ *murder* moord pleeg
**commit′ment** verpligting; verbintenis; ~ **fee** bindgeld
**committ′ee** komitee; *he serves on the* ~ hy dien in/op die komitee
**commod′ity ..ties** gebruiksartikel, kommoditeit; (pl) koopware, kommoditeite
**comm′on** (n) dorpsgrond; *have much in* ~ baie (met mekaar) gemeen hê; ~ *law* (die) gemenereg; (a) gemeenskaplik; **~age** dorpsgrond, meent; ~ **room** geselskap(s)kamer; personeelkamer; **~place** (n) gemeenplaas; (a) alledaags, gewoon; ~ **sen′se** gesonde verstand; **~wealth** gemenebes
**commo′tion** beroering, drukte, opskudding
**comm′une** (n) gemeenskap; kommune
**commu′nicate** (v) meedeel, kommunikeer
**communica′tion** mededeling; kommunikasiekunde/kommunikasieleer (as vak)
**commun′ion** gemeenskap, kommunie; **Ho′ly C~** Nagmaal
**com′munist** kommunis (mens)
**commu′nity ..ties** gemeenskap, maatskappy; ~ **cen′tre** gemeenskapsentrum; ~ **devel′opment** gemeenskapsbou; ~ **health** gemeenskap(s)gesondheid; ~ **ser′vice** gemeenskap(s)diens
**commute′** pendel; verwissel, verruil; versag (vonnis); **~r** pendelaar; **~r train** pendeltrein; voorstedelike trein
**compact′** (v) kompakteer, aaneensluit; verkort; (a) dig; beknop; kompak; ~ **disc (CD)** laserskyf/laserplaat, kompakskyf, CD
**compan′ion** maat, metgesel; **~ship** geselskap
**com′pany ..nies** geselskap; maatskappy, firma; organisasie; *keep* ~ *with* omgaan met; ~ **car** firmamotor; **hol′ding** ~ houermaatskappy; **subsi′diary** ~ filiaal(maatskappy)
**compar′ative** vergelykend; betreklik; ~ **degree′** vergrotende trap
**compare′** (v) vergelyk; gelyk wees
**compar′ison** vergelyking; *in* ~ *with* vergeleke met, in vergelyking met, teenoor
**compart′ment** kompartement; afdeling
**com′pass** (n) omtrek; omvang; **-es** kompas; **pair of ~es** passer
**compa′ssion** deernis, medelye, erbarming *also* **sym′pathy/em′pathy**
**compat′ible** (a) verenigbaar (rekenaars)
**compel′** (v) dwing, verplig, noodsaak, noop
**com′pensate** (v) vergoed, kompenseer
**compensa′tion** (skade)vergoeding, kompensasie
**compete′** (v) wedywer, meeding; kompeteer
**com′petence** (n) bevoegdheid, bekwaamheid
**com′petent** (a) bevoeg, bekwaam; geskik
**competi′tion** (n) mededinging, wedywer(ing); wedstryd, kragmeting; kompetisie
**compet′itor** mededinger; deelnemer (aan wedstryd/wedloop)
**compile′** saamstel, bymekaarmaak, versamel, kompileer; **~r** samesteller, kompilator
**complain′** kla; **~ant** klaer, eiser; **~er** klaer
**complaint′** klag; kwaal, ongesteldheid; beskuldiging; *lay a* ~ 'n klag indien
**com′plement** (n) aanvulling, komplement; volle getal; (v) aanvul; **~ary** (a) aanvullend
**complete′** (v) voltooi; invul ('n vorm); (a) volkome; volledig, kompleet
**com′plex** (n) kompleks (winkels, woonstelle); samestel; (a) ingewikkeld; ~ **sen′tence** saamgestelde sin

**comple′xion** (n) gelaatskleur; voorkoms; aard

**com′plicate** (v) kompliseer, ingewikkeld maak

**complica′tion** (n) verwikkeling; komplikasie

**compli′city** medepligtigheid (in misdaad)

**com′pliment** (n) kompliment; pluimpie; (pl) groete; *the ~s of the season* geseënde Kersfees en 'n voorspoedige Nuwe Jaar: *with ~s of* met (die) komplimente van; (v) gelukwens, komplimenteer

**complimen′tary** komplimenteus; vry=; ~ **tick′et** komplimentêre kaartjie

**comply′** nakom, inwillig, toestem; ~ *with* voldoen aan

**compon′ent** (n) bestanddeel, komponent

**compose′** (v) saamstel; opstel; komponeer; toonset (mus.); **~d′** kalm, bedaard; **~r** komponis, toonsetter; samesteller

**composi′tion** samestelling; opstel; toonsetting (mus.); komposisie; aard; skikking

**com′post** (n) kompos; mengsel

**compo′sure** (n) kalmte, bedaardheid

**com′pound** (n) samestelling; (v) verbind; skik; (a) saamgestel(d); ~ **in′terest** saamgestelde rente; ~ **sen′tence** veelvoudige sin

**comprehen′sion** begrip; bevatlikheid; omvang

**comprehen′sive** (veel)omvattend; ~ **insur′ance/pol′icy** omvattende versekering/polis

**compress′** (v) saamdruk, saampers; **~ed air** druklug

**comprise′** bevat, omvat, insluit

**com′promise** (n) skikking, kompromis; kompromie; (v) skik

**compul′sory** (a) gedwonge, verpligtend; ~ **educa′tion** verpligte onderwys

**compute′** bereken, skat, uitreken

**compu′ter** (n) rekenaar, komper; blikbrein (idiom.); ~ **disc/disk** rekenaardisket; ~ **hard′ware** apparatuur/hardeware; **~ise** rekenariseer, komp; ~ **lit′erate** rekenaarbedrewe/rekenaarvaardig; **per′sonal** ~ **(PC)** persoonlike rekenaar (PR); ~ **print-out** rekenaardrukstuk/komperdruk; ~ **science** rekenaarwetenskap, komperkunde; ~ **soft′ware** (rekenaar)programmatuur/sagteware

**com′rade** kameraad; maat

**con** (n): **pros and ~s** voor- en nadele; (v) kul, bedrieg, swendel *see* **con′man**

**conceal′** (v) wegsteek, verberg

**concede′** toestem, toegee, inwillig

**conceit′** eiewaan, inbeelding, verwaandheid, trots; **~ed** (a) verwaand, eiewys

**con′centrate** (n) kragvoer; pitkos; (v) konsentreer; saamtrek; ~ *on* konsentreer/toespits op

**concentra′tion** sametrekking, konsentrasie

**concen′tric** konsentries

**con′cept** (n) denkbeeld, begrip, konsep

**concern′** (n) besigheid; onderneming, organisasie; besorgdheid; (v) betref, raak; **~ed′** besorg; betrokke; **~ing** aangaande, betreffende, met betrekking tot

**con′cert**[1] (n) ooreenstemming; konsert

**concert′**[2] (v) beraadslaag; skik; **~ed** beraam; geskik; **~ed ac′tion** gesamentlike optrede

**concerti′na** (n) konsertina; donkielong, kriswurm (idiom.)

**conce′ssion** (n) toegewing, konsessie

**concilia′tion** versoening, konsiliasie

**concise′** (a) kort, bondig, beknop, saaklik

**conclude′** (v) besluit, beslis; aflei; sluit; **~d** geëindig, beslis; *to be ~d* slot volg

**conclu′sion** (n) besluit; gevolgtrekking, konklusie; afloop, end; *in* ~ ten slotte

**conclus′ive** (a) oortuigend, beslissend; ~ **ev′idence/proof** afdoende getuienis/bewys

**concoct′** smee; brou; versin; **~ion** fabrikasie, verdigsel; konkoksie

**conc′rete** (n) beton; **re′inforced** ~ gewapende beton

**con′cubine** bywyf, houvrou; handperd (idiom.)

**concu′ssion** (n) skok, botsing, skudding; ~ *of the brain* harsingskudding

**condemn′** (v) veroordeel; afkeur; **~ed′** (n) veroordeelde (mens); (a) veroordeel

**condensa′tion** (n) kondensasie, verdigting

**condense′** kondenseer, verdik; **~d milk** blikkiesmelk, kondensmelk

**condescend′** verwaardig/verwerdig; **~ing** neerbuigend

**con′diment** kruiery/kruidery

**condi′tion** (n) voorwaarde; kondisie; **~al** voorwaardelik, kondisioneel; **~s of ser′vice** diensvoorwaardes

**condole′** (v) betreur, kondoleer; **~nce** roubeklag, deelneming; **letter of ~nce** brief van deelneming/meegevoel/simpatie

**con′dom** (n) kondoom *see* **fem′idom** (for women)

**condone′** vergewe, kwytskeld, kondoneer

**con′dor** kondor (voël)

**con′duct** (n) gedrag; houding; handelwyse

**conduct′** (v) lei, aanvoer; bestuur; gelei; ~ *an interview* 'n onderhoud lei/voer; **~ed tour** (be)geleide toer; rondleiding; **~or** geleier; kondukteur (trein); dirigent

**con'duit** leipyp; waterleiding, buis
**cone** keël; dennebol; konus
**confec'tion** banket, suikergoed; ~**er** banketbakker; ~**ery** soetgebak, banket
**confedera'tion** konfederasie, verbond
**confer'** (v) verleen, toeken ('n graad); beraadslaag, samespreking(s) voer
**con'ference** konferensie; byeenkoms
**confess'** bely, erken; bieg; ~**ion** belydenis; bieg; ~**ional po'etry** biegpoësie
**confet'ti** (n) confetti/konfetti
**con'fidence** vertroue, geloof, sekerheid; oormoedigheid; ~ **trick'ster** vertroueswendelaar, kulman/kulkalant *also* **con'man**
**con'fident** (a) vol vertroue, hoopvol; oortuig
**confiden'tial** (a) vertroulik, konfidensieel; geheim; *stric'tly* ~ streng vertroulik
**confine'** (v) begrens, beperk; opsluit; ~ *oneself to* jou bepaal/beperk tot
**confined'** eng, nou; gevang; *be* ~ 'n bevalling hê; ~ *to one's house* huisarres
**confine'ment** beperking; bevalling (kindergeboorte)
**confirm'** bevestig, bekragtig; versterk; ~**a'tion** bevestiging; aanneming (in kerk)
**con'fiscate** konfiskeer, beslag lê op
**con'flict**[1] (n) botsing, stryd, konflik, geskil
**conflict'**[2] (v) bots, stry, worstel; ~**ing** teenstrydig; ~**ing in'terests** strydige/botsende belange
**con'fluence** sameloop, samevloeiing (riviere)
**conform'** (v) vorm/skik na; instem met; konformeer; ~**ist** konformis
**confound'** verwar; ~ *it!* verbrands!; ~**ed** vervloek, verdeksels
**confront'** (v) konfronteer; ~**a'tion** konfrontasie
**confuse'** (v) verwar, verbyster; ~**d'** (a) verwar; deurmekaar
**confus'ion** verwarring
**congest'** ophoop; **traf'fic** ~**ion** verkeersophoping, verkeersdrukte
**congrat'ulate** (v) gelukwens, felisiteer
**congratula'tion** gelukwensing; ~*s!* veels geluk!
**con'gregate** vergader, bymekaarkom
**congrega'tion** gemeente; vergadering
**con'gress -es** kongres, vergadering
**con'ifer** naaldboom (denneboom)
**con'jugate** (v) vervoeg; saamvloei; (a) verwant; toegevoeg; ooreenkomstig
**conjuga'tion** (n) vervoeging; verbinding
**conjunc'tion** verbinding, vereniging; voegwoord; sameloop; *in* ~ *with* saam met
**con'jure** (v) besweer; toor, goël
**con'jurer** kulkunstenaar, goëlaar *also* **magic'ian**
**con'man** swendelaar *also* **swind'ler**
**connect'** verbind, konnekteer; aansluit
**connec'tion** verbinding; aansluiting; konneksie; familie; *in* ~ *with* in verband met
**connoisseur'** kenner, fynproewer (mens)
**con'queror** oorwinnaar, veroweraar
**con'quest** oorwinning; verowering
**con'science** gewete, konsensie; *guilty* ~ skuldige gewete
**conscien'tious** (a) nougeset, konsensieus, pligsgetrou; ~ **objec'tor** diensweieraar
**con'scious** bewus; ~ *of* bewus van
**concrip'tion** konskripsie, diensplig
**con'secrate** (v) wy, inseën, heilig
**consec'utive** opeenvolgend, gereeld, volgend; ~ **num'ber** volgnommer; ~**ly** agtereenvolgens, opeenvolgend
**consen'sus** (n) ooreenstemming; akkoord, konsensus *also* **agree'ment**
**consent'** (n) toestemming; (v) inwillig
**con'sequence** gevolg, uitwerking; *in* ~ *of* as gevolg van, ten gevolge van; weens
**conser'vancy** (n) bewarea/bewaararea; natuurreservaat
**conserva'tion** behoud, bewaring; **na'ture** ~ natuurbewaring
**conserv'atism** konserwatisme; behoudendheid
**conserv'ative** (n) preserveermiddel; (a) konserwatief, behoudend
**conserve'** (n, pl) ingelegde vrugte; (v) bewaar, behou
**consid'er** oorweeg, beredeneer; beskou
**consid'erable** aanmerklik, aansienlik, beduidend; *a* ~ *time* 'n geruime tyd
**consid'erate** (a) sorgvuldig; omsigtig; bedagsaam *also* **mind'ful**; hoflik; weloorwoë
**considera'tion** oorweging; konsiderasie; vergoeding, teenprestasie; *take into* ~ in aanmerking neem
**consign'** versend; ~**ee'** geadresseerde; agent; ~**ment** besending/lading
**consist'** bestaan; ~ *of* bestaan uit
**consist'ent** bestendig, konsekwent; *she plays a* ~ *game* sy speel bestendig
**consola'tion** troos, vertroosting; ~ **prize** troosprys
**console'** (v) troos, bemoedig; (n) konsool

**consol'idate** (v) konsolideer *also* **amal'gamate**
**con'sonant** (n) medeklinker, konsonant
**con'sort** (n) maat; metgesel; gade
**consor'tium** konsortium; sindikaat
**conspic'uous** opsigtig; beroemd; ~ *by one's absence* skitter deur afwesigheid
**conspir'acy ..cies** sameswering, komplot
**conspir'ator** samesweerder (mens)
**conspire'** saamsweer, 'n komplot smee
**con'stable** konstabel, polisieman, geregsdie=naar
**con'stant** (a) standvastig, konstant; getrou
**con'stantly** voortdurend, onafgebroke
**constella'tion** (n) sterrebeeld; konstellasie; ~ **of sta'tes** konstellasie van state
**consterna'tion** (n) ontsteltenis, konsternasie
**constipa'tion** hardlywigheid, konstipasie
**constit'uency ..cies** kiesafdeling; kiesers
**con'stitute** (v) saamstel; vorm, konstitueer
**constitu'tion** grondwet (van 'n land), konsti=tusie; grondreëls (van 'n klub/vereniging); gestel, konstitusie (iem. se liggaam)
**constitu'tional** grondwetlik, konstitusioneel; ~ **assem'bly** grondwetgewende vergade=ring; ~ **court** konstitusionele/grondwetlike hof; ~ **devel'opment** grondwetlike ontwik=keling
**construct'** bou, oprig, saamstel; ~**ion** kon=struksie; uitleg; ~**ive** opbouend
**con'sul** konsul; ~**ate** konsulaat
**consult'** (v) raadpleeg; beraadslaag, oorleg pleeg; ~**a'tion** raadpleging, konsultasie; ~**ing** (n) raadpleging; (a) raadplegend; raadgewend; ~**ing engineer'** raadgewende ingenieur; ~**ing hours** spreekure; ~**ing room(s)** spreekkamer
**consume'** (v) verteer, verbruik, opgebruik
**consum'er** verbruiker; ~ *friendly* verbruiker=vriendelik/verbruikergunstig; ~ **goods** ver=bruiksgoedere; ~ **price in'dex** verbrui=kersprysindeks; ~ **spen'ding** verbruiker(s)=besteding
**consump'tion** (n) verbruik; tering, uittering
**con'tact** (n) aanraking, voeling, kontak; ~ **len'ses** kontaklense; (v) (iem.) kontak
**conta'gious** besmetlik (deur aanraking), aan=steeklik *also* **infec'tious**
**contain'** bevat, insluit, behels; ~**er** houer; blik; ~**er ves'sel** houerskip; ~**erisa'tion** behouering
**contam'inate** besoedel, bevlek, besmet
**contem'porary** (n) tydgenoot (mens); (a) tydgenootlik, eietyds, kontemporêr
**contempt'** veragting, minagting; ~ *of court* minagting v.d. hof; ~**ible** veragtelik
**contend'** betwis, bestry; beweer; ~**er** aan=spraakmaker (op 'n titel)
**content'** (n) tevredenheid; *to one's heart's* ~ na hartelus; (a) voldaan, vergenoeg
**conten'tious** kontensieus, omstrede (boek)
**con'tents** inhoud; omvang
**con'test**[1] (n) twis; (wed)stryd; kragmeting *also* **match** (n), **tri'al**
**contest'**[2] (v) betwis; wedywer; ~ *a seat* 'n setel betwis; ~**ant** deelnemer, mededinger; ~**ed** bestrede
**con'tinent** (n) vasteland, kontinent
**continen'tal** kontinentaal, vastelands=
**contin'gency ..cies** gebeurlikheid, toevallig=heid; ~ **fund** gebeurlikheidsfonds
**contin'gent** (a) gebeurlik; ~ **liabil'ity** voor=waardelike aanspreeklikheid
**contin'ual** (a) aanhoudend, onafgebroke
**continua'tion** voortsetting; verlenging
**contin'ue** voortsit; aanhou; vervolg; verleng; *to be* ~*d* word vervolg; ~**d support'** vol=gehoue steun; **contin'uing/on'going educa'=tion** voortgesette onderwys
**contin'uous** voortdurend, deurlopend
**con'tour** omtrek, hoogtelyn; kontoer
**contracep'tive** voorbehoedmiddel
**con'tract** (n) verdrag, ooreenkoms; kontrak; ~ **stu'dent** verbintenisstudent
**contract'** (v) inkrimp, saamtrek; ~ *out* uit=kontrakteer; ~**ion** sametrekking, verkorting; ~**or** kontrakteur/kontraktant; aannemer; le=weransier
**contradict'** (v) weerspreek, weerlê; ~**ion** teen=spraak, weerspreking
**contrapt'ion** uitvindsel *also* **gad'get**; kontrep=sie
**con'trary:** *on the* ~ inteendeel; ~ *to* in stryd met; strydig met; (a) teenoorgestel(d), stry=dig; eiesinnig, dwars (mens)
**con'trast** (n) teenstelling, kontras
**contrast'** (v) teenstel, kontrasteer
**contraven'tion** oortreding; teenstand
**contrib'ute** (v) bydra, bevorder; meewerk
**contribu'tion** (n) bydrae, kontribusie; inset
**contri'vance** (n) uitvindsel, kontrepsie *see* **contrap'tion**
**contrive'** (v) uitvind; beraam, versin, prakseer; ~**d** bedag; gesog
**control'** (n) bestuur; beheer, kontrole; (v)

kontroleer; beheer; monitor/moniteer; ~**ler** kontroleur; ~**ling** beherend; ~**ling com'=pany** beheermaatskappy
**controver'sial** omstrede, tendensieus, kontro=versieel; ~ **book** omstrede boek
**con'troversy** (n) dispuut; strydpunt; polemiek
**convales'cent** (a) genesend; ~ **home** herstel=oord; ~ **leave** aansterkverlof
**convene'** (v) saamroep, belê; *notice convening the meeting* byeenroepende kennisgewing; ~**r** sameroeper (mens)
**conven'ience** gemak, gerieflikheid; *for the sake of* ~ geriefshalwe
**conven'ient** gemaklik; geskik; gerieflik
**con'vent** (nonne)klooster *also* **nun'nery**
**conven'tion** (n) byeenkoms, konvensie; ge=bruik; ~**al** gebruiklik, konvensioneel
**conversa'tion** gesprek, konversasie
**converse'**[1] (v) gesels, omgaan met, verkeer
**con'verse**[2] (a) teenoorgestelde, omgekeerde; ~**ly** omgekeerd
**conver'sion** omkering; omsetting; bekering; omrekening; doelskop (rugby)
**con'vert** (n) bekeerling, bekeerde (mens)
**convert'** (v) verdoel (rugby); bekeer
**con'vex** bolrond, konveks
**convey'** (v) vervoer, oordra; ~**ancer** akte-uit=maker; ~**er belt** (ver)voerband
**con'vict** (n) bandiet, prisonier (mens)
**convict'** (v) vonnis, veroordeel; ~**ed** gevonnis
**convic'tion** skuldigbevinding
**convin'cing** oortuigend
**convoca'tion** konvokasie; sameroeping
**con'voy** (n) **-s** konvooi, geleide
**coo** (v) koer, kir (duif)
**cook** (n) kok; (v) kook; ~ *the books* die boeke/syfers kook/vervals; ~**ery** kookkuns; ~**ery book** resepteboek; ~**ing uten'sils** kookgerei
**cool** (v) afkoel; bedaar; (a) koel; kalm; fantasties (studentetaal); ~ *it, John!* koel af, Jan!; ~**bag** koelsak, yssak; ~**ing to'wer** koeltoring
**coop** (n) fuik; hoenderhok; (v) opsluit; ~**er** vatmaker, kuiper (mens)
**co-op'erate** saamwerk, koöpereer
**co-opera'tion** samewerking; koöperasie/ko-=operasie
**co-op'erative** (n): ~ **soci'ety** koöperasie/ko-=operasie
**co-opt'** byvoeg, koöpteer/ko-opteer
**cope** (v) hanteer, cope *also* **man'age/han'dle**; ~ *with* regkom (met); opgewasse teen/vir
**copp'er** (n) koper; kopergeld; (a) koper=
**cop'ulate** kopuleer, paar; koppel, verbind
**cop'y** (n) **copies** kopie, afskrif; eksemplaar (boek); (v) afskryf, kopieer; ~**right** kopie=reg, outeursreg; ~**wri'ter** kopieskrywer (ad=vert.)
**co'ral** koraal; ~ **is'land** koraaleiland; ~ **reef** koraalrif; ~ **tree** koraalboom
**cord** (n) band, tou, lyn, koord; ~**less tel'e=phone** koordlose telefoon; **spi'nal** ~ rug=murg; **umbi'lical** ~ naelstring
**cor'dial** (a) hartlik; hartsterkend; ~ **rela'tions** hartlike betrekkinge/samewerking
**cor'don** kordon; snoer; ~ *off* afsper (straat)
**cord'uroy** ferweel; (pl) ferweelbroek
**core** kern, hart, pit; ~ **syl'labus** kernsillabus; ~ **time** kerntyd *see* **flex'time**
**corian'der** koljander
**cork** (n) kurk; prop; (v) toekurk; (a) kurk=; ~**screw** (n) kurktrekker
**corn**[1] (n) graan; koring; korrel; ~**fla'kes** graanvlokkies
**corn**[2] (n) liddoring; *tread on one's ~s* iem. op die tone trap
**corn'ea -s** horingvlies, kornea (oog)
**cor'ner** (n) hoek, hoekpunt; (v) vaskeer; vas=vra; ~**stone** hoeksteen
**cor'onary** koronêr, hart=; ~ **thrombo'sis** koro=nêre trombose, kroonaarverstopping
**corona'tion** kroning
**corp'oral**[1] (n) korporaal (soldaat)
**corp'oral**[2] (a) liggaamlik/lyflik; persoonlik; ~ **pun'ishment** lyfstraf
**cor'porate** korporaat/korporatief; **bod'y** ~ regspersoon; beheer/bestuursraad; ~ **strat'=egy** korporaatstrategie
**corpora'tion** stadsbestuur, korporasie; **close** ~ beslote korporasie; **Small Bu'siness Devel'=opment C~ (SBDC)** Kleinsake-Ontwikke=lingskorporasie (KSOK)
**corpse** lyk (dooie liggaam)
**correct'** (v) verbeter; nasien; (a) presies, juis, noukeurig, korrek
**correc'tion** verbetering; korreksie; regstelling; ~**al ser'vices** korrektiewe dienste
**correla'tion** korrelasie, verband
**correspond'** (v) korrespondeer; ooreenstem/saamval; ~**ence** briefwisseling, korrespon=densie; ~**ence col'lege** korrespondensiekol=lege; ~**ent** (n) korrespondent; beriggewer
**corro'sion** korrosie, wegvreting
**cor'rugate** rimpel, golf; ~**d i'ron** gegolfde

sinkplaat; ~**d road** sinkplaatpad
**corrupt′** (v) bederf; omkoop; (a) bedorwe; korrup; ~**ion** korrupsie
**cors′et** korset, borsrok; ~**ry** postuurdrag/vormdrag
**cosmet′ic(s)** kosmetiek, skoonheidsmiddel; (pl) mooimaakgoed; ~ **change** kosmetiese/oppervlakkige verandering; ~ **sur′gery** plastiese snykunde
**cos′monaut** (n) ruimtevaarder, ruimteman
**cosmopol′itan** (n) wêreldburger; kosmopoliet; (a) kosmopolities
**cos′mos**[1] wêreldorde, kosmos, heelal
**cos′mos**[2] nooientjie-in-die-groen, kosmos (blom)
**cost** (n) prys; (on)koste; (pl) onkoste; *at all ~s* tot elke prys; ~ **of li′ving allo′wance** duurtetoeslag; ~**-effec′tive** kostedoeltreffend/kostelonend; (v) kos
**cos′ting** koste(be)rekening
**cost:** ~**ly** duur; kosbaar; ~ **price** (in)koopprys
**cost′ume** kleredrag, kostuum; pak
**cos′y** (n) **cosies** teemus; (a) gesellig, knus; snoesig
**cot** kinderkateltjie, bababed; hut; ~ **death** wiegiedood/wiegiesterfte
**cott′age** cottage, kothuis; ~ **cheese** maaskaas; ~ **in′dustry** tuisnywerheid; ~ **loaf** toringbrood; ~ **pie** herderspastei
**cott′on** katoen; garing; ~ **waste** poetskatoen; ~ **wool** watte
**couch** (n) **-es** rusbank, sofa; (v) inklee; uitdruk; ~ **pota′to** leunstoelpatat (voor TV)
**cough** (n, v) hoes, kug; ~ **loz′enge** hoesklontjie; ~ **rem′edy** hoesmiddel
**coun′cil** raad; raad(s)vergadering; ~ **cham′ber** raadsaal; ~**lor** raadslid
**coun′sel** (n) beraadslaging; raadgewer; (v) raad gee; aanraai; ~**lee** beradene (mens); ~**ling** berading; ~**lor** berader
**count**[1] (n) graaf (titel)
**count**[2] (n) telling; rekening; (v) tel; aftel; *~ on* reken op; *~ out* uittel; ~**down** aftelling (ruimtelansering)
**coun′ter** (n) toonbank; teller
**coun′ter:** ~**attack′** teenaanval; ~**-clock′wise** teen die wysers in; links om
**coun′terfeit** (n) namaaksel, vervalsing; (v) namaak; vervals; (a) nagemaak, oneg; ~**er** vervalser
**coun′terfoil** (n) teenblad, kantstrokie
**coun′ter:** ~**mea′sures** teenmaatreëls; ~**offen′sive** teenoffensief; ~**part** eweknie; ampsgenoot; ~**produc′tive** teenproduktief; ~**sig′nature** medeondertekening
**coun′tess -es** gravin
**count′less** talloos, ontelbaar
**coun′try ..ries** land; platteland; buitedistrik; country (sangstyl); ~ **club** buiteklub; ~**man** landgenoot; ~**wide** land(s)wyd
**coun′ty ..ties** graafskap (Engeland)
**coup (d'état′)** staatsgreep, bewindoorname
**coup de grâce′** genadeslag
**coupé′** koepee
**cou′ple** (n) tweetal, paar; egpaar; (v) saamvoeg; koppel; paar
**coup′let** koeplet, tweereëlige vers
**coup′on** koepon
**cou′rage** (n) moed, dapperheid *also* **val′our**
**courag′eous** (a) moedig, dapper, heldhaftig
**cou′rier** koerier, renbode; ~ **ser′vice** koerierdiens
**course** (n) loop; loopbaan; baan; kursus (studie); gang (ete); ~ **of ac′tion** gedragslyn, handelwyse
**court**[1] (n) (geregs)hof; landdroshof; baan; ~ *of justice* geregshof; *settle out of ~* buite die hof skik; ~ **case** hofsaak, regsgeding; **high** ~ hoërhof; **supre′me** ~ hooggeregshof
**court**[2] (v) vry, kuier; ~ *a girl* 'n meisie/nooi die hof maak, by haar vlerksleep
**court′eous** (a) hoflik, beleef(d) *also* **poli′te**
**court′esy ..sies** hoflikheid, beleefdheid; *by ~ of* met goedkeuring van; goedgunstig geleen/geplaas/verskaf deur; ~ **bus/car** klantebus/motor; ~ **stand** selfdienstal(letjie); ~ **vi′sit/call** welwillendheidsbesoek, hoflikheidsbesoek
**court:** ~ **mar′tial** krygsverhoor; militêre hof; ~ **mes′senger** geregsbode
**court′yard** binneplaas *also* **enclo′sure**
**cous′in** neef, niggie; *first* ~ volle neef/niggie; *second* ~ kleinneef, kleinniggie
**co′venant** (n) verdrag, verbond; handves; *Day of the C~* Geloftedag *now* **Day of Reconcilia′tion**
**co′ver** (n) deksel; bedekking; dekking (assuransie); omslag (van boek); buiteblad (boek); *seek ~* skuiling soek; (v) bedek, oordek; dek; oortrek (kussing); aflê (afstand); bestryk (kanon); *~ up* bedek; verswyg, geheim hou; ~**age** dekking (nuus); ~ **charge** tafelgeld; ~ **girl** voorbladnooi (tydskrif); ~**ing** bedekking, omhulsel; ~**ing bond** dekverband; ~**ing let′ter** begeleidende brief/dekbrief
**cow** (n) koei; ~**dung** beesmis; ~**'s milk** bees-

melk; ~**pea** akkerboon(tjie)
**cow'ard** lafaard, bangbroek; ~**ly** lafhartig
**coy** (a) sedig; verleë, bedees *also* **tim'id**
**crab** krap; kreef
**crack** (n) kraak, knak, bars; knal; (v) kraak; knak, bars; skeur; ~ *jokes* grappe verkoop; (a) beste, uithaler=, knap; ~**er** klapper
**crac'kle** (v) knetter, rinkel, kraak
**crack'ling** swoerd (gebraaide varkvel); ~**s** kaiings
**cra'dle** (n) wieg; bakermat; (v) wieg
**craft** (n) lis, sluheid; vaartuig; ~**s** (n) ambags=kunste; ~**s'man** ambagsman; ~**y** behendig; slu, geslepe *also* **sly, cun'ning**
**cram** (v) volprop, vasdruk; blok, inpomp (stu=die); ~ **col'lege** drilkollege
**cramp** (n) kramp; (v) beperk; ~**ed** nou; vas=gedruk
**crane** (n) kraanvoël; kraan, hysmasjien
**crank**[1] (n) slinger; (v) draai, slinger
**crank**[2] (n) gek; (a) gek *also* **cran'ky, cra'zy**; lendelam; los
**crape** *see* **crêpe**
**crash** (n) botsing; instorting; ramp; (v) kraak; instort; ~ **course** stapelkursus; ~ **hel'met** valhelm; ~ **lan'ding** buiklanding; ~ **tack'le** plettervat (rugby)
**crate** hok; krat; mandjie
**crat'er** krater
**crave** (v) smeek, eis; hunker
**crav'ing** (n) hunkering, begeerte
**crawl** (n) gekruip; kruipslag (in swem); (v) kruip, aansukkel; ~**er** kruiper
**cray'fish** varswaterkreef/rivierkreef; (see)krap
**cray'on** (n) tekenkryt
**craze** (n) manie, hartstog; mode
**craz'y** (a) gek, mal, kranksinnig; ~ **pa'ving** klipplaveisel, lapbestrating
**creak** (n) gekraak, geknars; (v) kraak
**cream** (n) room; ~ **of tar'tar** kremetart; (v) afroom; (a) liggeel; ~**ery** botterfabriek; sui=welfabriek; ~ **puff** roomsoes(ie); ~ **se'pa=rator** roomafskeier/romer
**crease** (n) vou, plooi, kreukel; kolfkampie (krieket); (v) kreukel, vou; ~**-resis'tant** kreukeltraag
**create'** (v) skep; vorm; voortbring, wek; ~ *the impression* die indruk wek
**crea'tion** skepping *also* **gen'esis**; heelal
**creat'or** skepper, maker
**crea'ture** skepsel; kreatuur; bees
**crèche** kinderhawe, bewaarskool, crèche
**creden'tials** (n) geloofsbrief
**credibil'ity** geloofwaardigheid, geloofbaar=heid; ~ **gap** vertrouensgaping
**cre'dit** (n) krediet; vertroue; *get ~ for* erken=ning kry vir; (v) krediteer; ~ **bal'ance** kredietsaldo/kredietbalans; ~ **card** krediet=kaart; ~**or** krediteur, skuldeiser (mens)
**cre'do -s** geloofsbelydenis, credo *also* **belief**
**creed** geloof, godsdiens *also* **faith/belief**
**creek** inham *also* **cove**; draai; spruit
**creep** kruip, sluip; seil; ~**er** klimop, slinger=plant, ranker; ~**y** grieselig, grillerig
**cremat'e** (v) veras/kremeer; *I want to be ~d* ek wil veras word
**crema'tion** verassing/kremasie; lykverbranding
**cremator'ium -s** krematorium
**crêpe** crêpe/kreip, lanfer; ~ **pa'per** krinkelpa=pier
**cres'cent** (n) (Turkse) halfmaan; singel (straat)
**cress** bronskors
**crest** kuif; kam; maanhaar; wapen
**crev'ice** skeur, bars, spleet
**crew** skeepsbemanning; trop; *a ~ of fifteen on the island* vyftien man op die eiland; **cab'in** ~ kajuitpersoneel (vliegtuig)
**crib** (n) krip; kinderbedjie; stal; (v) afkyk (in eksamen); bedrieg
**crick'et**[1] kriek (insek); **ground** ~ koringkriek
**crick'et**[2] krieket; ~ **enthu'siast** krieketgees=driftige (mens); ~ **bat** kolf; ~ **match** krie=ketwedstryd
**crime** misdaad; gruweldaad; ~ **preven'tion** misdaadvoorkoming; ~ **rate** misdaadsyfer
**crim'inal** (n) misdadiger; ~ **law** strafreg; **habit'ual** ~ gewoontemisdadiger; (a) mis=dadig, krimineel; ~ **proce'dure** strafproses=reg
**crim'son** karmosyn, dieprooi
**cringe** (v) ineenkrimp, kruip; ~**r** witvoetjie=soeker, kruiper
**crip'ple** (n) kreupele (mens); (a) kruppel/kreu=pel, mank
**cris'is crises** keerpunt, toppunt, krisis
**crisp** (n) kroes, krul; (v) krul; (a) kroes; bros; krakerig; ~**s** (n) tjips (in pakkie); ~**y** krul=lerig; bros
**criter'ion ..teria** maatstaf, norm, kriterium *also* **norm**; kenmerk
**crit'ic** beoordelaar, kritikus; ~**al** kritiek, hag=lik; krities; vitterig; ~**ism** kritiek, beoorde=ling; ~**ise** kritiseer, beoordeel
**croak** (v) kwaak, kras

**cro'chet** (n) hekelwerk; (v) hekel
**crock** (n) krukker; sukkelaar; knol; *old ~s* ou knolle; (v) seermaak
**crock'ery** (n) breekgoed, erdewerk, porselein= ware
**croc'odile** krokodil; ~ **tears** krokodiltrane, bob= bejaanhartseer
**cron'y ..nies** trawant; tjom(mie); kornuit
**crook** (n) boef, skelm, kroek, skurk; haak, staf
**croon** (v) neurie; ~**er** neuriesanger, sniksanger
**crop** (n) oes; gewas, gesaaide; krop (voël); ~ **far'mer** saaiboer; ~ **rota'tion** wisselbou; ~**per** knipper; kropduif; mislukking
**cro'quet** (n) kroukie (spel)
**cross** (n) **-es** kruis; moeite; kruising; baster (van diere); (v) kruis; *a ~ed cheque* 'n gekruiste tjek; ~ *out* skrap *also* **dele'te**; (a) dwars; kwaad; ~**bow** kruisboog; ~**coun'try race** landloop; ~**examina'tion** kruisverhoor; ~**-exam'ine** kruisvra, onder/in kruisverhoor neem; ~**-eyed** skeel; ~**ing** kruising; oorweg; ~**-ref'erence** kruisverwys(ing); ~**road** kruis= pad, tweesprong; *at the ~roads* op die keerpunt; ~ **sec'tion** deursnee; ~**-street** dwars= straat; ~**word puzzle** blok(kies)raaisel
**crouch** (v) hurk, laag buk; kruip
**crou'pier** croupier/kroepier *also* **roulette' mas'ter**
**crow** (n) kraai; *as the ~ flies* reguit; (v) kraai; pronk; spog; ~**bar** koevoet, breekyster
**crowd** (n) skare; menigte, klomp; gepeupel
**crown** (n) kroon; kruin; (v) kroon
**crow's-foot** oogrimpel, lagplooitjie
**cru'cial** kritiek, beslissend *also* **criti'cal**
**cru'cifix** (n) **-es** kruis, kruisbeeld
**crucifi'xion** kruisiging, kruisdood
**cru'cify** (v) kruisig
**crude** ru, kru; onafgewerk; ongesuiwer; rou; ~ **oil** ruolie
**cru'el** wreed, wreedaardig, hardvogtig; ~**ty** wreedheid, onmenslikheid
**cru'et stand** sout-en-peperstel, kruiestel(letjie)
**cruise** (n) (rond)vaart; tog; (v) kruis, rondvaar; ~**r** kruiser; ~**rweight** ligswaargewig
**cruis'ing speed** togsnelheid
**crul'ler** (n) koe(k)sister *also* **koe(k)'sister**
**crumb** krummel, brokkie
**crum'pet** plaatkoekie, flappertjie
**crunch** (v) kraak, hard kou; knars
**crusa'de** kruistog; ~**r'** kruisvaarder
**crush** drukgang; (v) verpletter, saampers; ~**ing** (a) verpletterend, vernietigend
**crust** (n) kors, korsie; roof (van seer)
**crutch -es** kruk, stut
**crux** (n) crux/kruks; kern; knoop
**cry** (n) **cries** skree(u), gil; (v) skree(u); uit= roep; huil; ~ *for joy* van vreugde huil; ~**ba'by** tjankbalie
**crypt** grafkelder; ~**ogram'** geheimskrif
**cry'stal** kristal; ~**lise** kristalliseer, versuiker; ~**lised fruit** suikervrugte
**cub** (n) welp; klein padvinder(tjie)
**cubb'yhole** paneelkassie, mossienes (idiom.)
**cube** (n) kubus; derde mag; ~ **root** derde= magswortel
**cu'bic** kubiek, van die 3e mag
**cu'bicle** afskorting; kleedhokkie
**cuck'oo -s** koekoek; idioot (mens)
**cu'cumber** komkommer
**cud** herkoutjie; *chew the ~* herkou
**cud'dle** omhels; liefkoos; lepel lê
**cudd'ly** (a) gesellig, snoesig
**cud'gel** (n) (knop)kierie; knots
**cue**[1] biljartstok
**cue**[2] wenk, aanwysing; wagwoord (toneel)
**cuff** (n) vuisslag; omslag; mouboordjie; (v) klap; ~ **link** mouskakel, mansjetknoop
**cul-de-sac' culs-de-sac** keerweer, doodloop= straat, keerom
**cul'inary** kombuis=, kook=; ~ **art** kookkuns
**cull** (v) uitdun; ~**ing** uitdun (van wild)
**cul'minate** (v) 'n toppunt bereik, kulmineer
**culp'able** strafbaar, toerekenbaar; ~ **hom'i= cide** strafbare manslag
**cul'prit** skuldige; oortreder, kwaaddoener
**cul'tivar** (n) kultivar; kweekvariëteit
**cul'tivate** (v) verbou, kweek (gewasse); teel (diere); kultiveer; beoefen; aanplant
**cul'tural** kultureel, beskawings=
**cul'ture** (n) kultuur; beskawing; **phys'ical** ~ lig= gaamsopvoeding/beweegkunde; ~**d pearls** kweekpêrels
**cul'vert** riool; stormsloot: duiker (onder 'n pad)
**cum'ber** (n) las, hindernis; ~**some** lastig, hinderlik; log, lomp
**cum'quat/kum'quat** koemkwat (vrug)
**cu'mulate** (v) ophoop, opstapel, kumuleer
**cu'mulative** ophopend, toenemend; kumula= tief, oplopend; ~ **prefe'rence shar'es** ku= mulatiewe voorkeuraandele
**cunn'ing** (n) lis, sluheid; (a) geslepe; uitge= slape, slinks, slu; behendig
**cup** (n) koppie; beker (sport); kelk (blom)

**cup'board** koskas; **built-in** ~ muurkas
**cura'tor** voog, kurator; opsigter (mens)
**curb** (n) kenketting (aan toom); bedwang; randsteen; (v) beteuel; bedwing
**cure** (n) geneesmiddel, kuur; genesing; (v) genees, gesond maak; ~ *skins* velle brei
**cur'few** (n) klokreël; aandklokreël(ing)
**curios'ity** nuuskierigheid, weetgierigheid; ~ *killed the cat* van uitvra is die tronk vol
**cur'ious** (a) nuuskierig; sonderling, snaaks
**curl** (n) krul, haarlok; kronkeling; (v) krul; oprol; kronkel; ~**ing iron,** ~**ing tongs** krul=yster, krultang; ~**y'head** krulkop
**cu'rrant** korent/korint
**cu'rrency** betaalmiddel, valuta, geld; looptyd (van 'n verband); koers (geld)
**cu'rrent** (n) stroom, stroming; (a) lopend; ~ **as'sets** bedryfsbates; ~ **liabil'ities** bedryfs=laste; ~ **price** heersende/huidige prys
**curric'ulum -s** kurrikulum, leerplan (van vak=ke); ~ **vi'tae** (CV) curriculum vitae, lewens=profiel, biodata
**cu'rry**[1] (n) **curries** kerrie
**cu'rry**[2] (v) roskam, brei; afransel; ~ *favour* witvoetjie soek; ~**comb** (n) roskam (perd)
**curse** (n) vloek; (v) vervloek, verwens; ~**d** vervloek; ~*d with* opgeskeep/gestraf met
**curt** (a) kortaf, bits(ig), kortweg
**curtail'** besnoei, verkort, verminder
**curt'ain** (n) gordyn; skerm; ~ **call** buiging; ~ **lec'ture** bedsermoen, bedpredikasie; ~**rais'er** voorstuk; voorwedstryd
**curt'sy** (n) **..sies** kniebuiging, knieknik
**curve** (n) boog; ronding; kromme/kurwe (stat.)
**cu'shion** kussing (vir op/teen sit); biljartband
**cus'tard** vla
**cus'tody** aanhouding; voogdy; *in* ~ in aanhou=ding; *safe* ~ veilige bewaring
**cus'tom** gewoonte, gebruik; (pl) doeane; in=voerregte; ~**ary** gebruiklik; ~**er** klant, koper; klandisie; ~**-made/**~**ised** doelgebou; ~**-made gun** pasgeweer; ~**s du'ty** doeaneregte
**cut** (n) sny; hou, raps; keep; *short* ~ kort=paadjie; (v) sny; afsny; kap; kerf; raps; knip (hare); besnoei (salaris); verlaag (pryse); ~ *back* besnoei, inkort; ~ *and dried* kant en klaar; ~ *short a visit* 'n besoek kortknip
**cute** oulik (kindjie); skerpsinnig, skerp, fyn
**cut'lery** eetgerei, messeware; **canteen' of** ~ messestel
**cut'let** (n) kotelet (vleis)
**cut:** ~**throat** (n) moordenaar; barbier= (skeer)=mes; (a) genadeloos; ~**-throat competi'tion** genadelose mededinging
**cut'ting** uitgrawing; (uit)knipsel; stiggie/steg=gie; ~ **edge** voorpunt *also* **fo'refront**; ~ **ser'vice** knipseldiens; ~ **torch** blaasvlam
**cy'ber** kuber; rekenaarskepping; ~ **art** kuber=kuns; ~**punk** kubersluiper *also* **cy'berstalk'=er;** ~**space** kuberruimte
**cy'cad** sikadee, broodboom
**cica'da** (n) sonbesie, boomsingertjie, sikade
**cy'cle** (n) kringloop; siklus; sirkel; rywiel; reeks; (v) fiets; ~ **ra'cing** naelry, naelren
**cy'clist** fietsryer, fietser (mens) *also* **bi'ker**
**cy'clone** werwelstorm, tornado, sikloon
**cyl'inder** (n) silinder
**cym'bal** simbaal
**cyn'ic** (n) sinikus; ~**al** (a) sinies, smalend
**cy'press** sipres (boom)

# D

**dachs'hund** dachshund, worshond(jie)
**dab** (n) tikkie; vlekkie; (v) aanraak; smeer
**dab'ble** sprinkel; plas; bolangs besig hou (met)
**dad/dadd'y daddies** pa, pappie, paps
**daff'odil** môresterretjie, affodil (blom)
**daft** (a) dwaas, mal *also* **mad, cran'ky**
**dagg'er** dolk, kris; kruisie
**dahl'ia -s** dahlia (blom)
**dail'y** (n) dagblad; (a) daagliks
**daint'y** (a) kieskeurig; fyn, sierlik; fraai
**dair'y dairies** melkery; ~ **pro'duce** suiwel=produkte
**dais** (n) podium; verhoog
**dais'y daisies** madeliefie; ma(r)griet (blom)
**dale** dal, laagte, kom
**dam**[1] (n) moer (diere); moeder
**dam**[2] (n) dam; (v) opdam
**dam'age** (n) skade; (pl) skadevergoeding; *cause* ~ skade aanrig; (v) beskadig
**dame** (adellike) dame; huisvrou, mevrou
**damn** (n) vloek; *not worth a* ~ geen flenter werd nie; (v) veroordeel, vloek, verdoem; ~**ed** verdoem; vervloek; ~**ed nui'sance** vervlakste ergernis/oorlas

**damp** (n) damp, vogtigheid; (a) klam
**dam'sel** (n) meisie, maagd; jonkvrou
**dance** (n) dans(party), bal; ~ **mu'sic** dansmusiek; ~**r** danser(es)
**dan'druff** (n) skilfers
**dan'dy** (n) modegek, laventelhaan, fat; (a) windmakerig, spoggerig
**dan'ger** gevaar, onraad; ~**ous** gevaarlik
**dapp'er** (a) agtermekaar; lewendig, fiks, viets
**dare** durf, waag; uitdaag; ~**de'vil** waaghals
**dar'ing** (n) durf; vermetelheid, astrantheid; (a) onverskrokke, waaghalsig; vermetel
**dark** (n) duisternis; (a) donker; somber; **D~ A'ges** Middeleeue; ~ **hor'se** onbekende mededinger; ~**ness** duisternis, donkerte
**darl'ing** (n) liefling, hartlam; skat, skattebol; (a) geliefde, liewe
**darn** (v) stop; ~**ing needle** stopnaald
**dart** (n) pyl(tjie); spies; veerpyltjie; sprong; (v) gooi; wegspring, pyl; *play ~s* (veer)pyltjie speel; ~**board** pyltjiebord
**dash** (n) slag; aandagstreep; swier; (v) stoot; slaan; ~ *it!* vervlaks!; ~ *off* weghol; ~**board** paneelbord; ~**ing** (a) swierig, vurig
**dat'a** data, gegewens; ~ **bank** databank; ~**ba'se** databasis; ~**base ser'ver** databasisbediener; ~ **pro'cessing** dataverwerking
**date**[1] (n) dadel
**date**[2] (n) datum; *a blind ~* 'n molafspraak; *out of ~* ouderwets; *up to ~* modern; byderwets; *what is the ~?* die hoeveelste is dit?; (v) dateer; dagteken; *it dates from the 12th century* dit dagteken van die 12e eeu; ~ **rape** afspraakverkragting
**daught'er** dogter; ~**-in-law** skoondogter
**daw'dle** (v) teuter, lanterfanter; talm, sloer
**dawn** (n) dagbreek; (v) lig word, daag; *it ~ed upon me* dit het my bygeval
**day** (n) dag; daglig; *all ~ long* die hele dag; *~s of grace* uitsteldae, respytdae; *~ of the Mutt* Brakdag; *that will be the ~!* dank jou die duiwel!; *the ~ after tomorrow* oormôre; *the ~ before yesterday* eergister; ~**break** dagbreek, rooidag; ~ **la'bourer** dagloner; ~ **schol'ar** dagskolier
**Day of Reconcilia'tion** Versoeningsdag
**daze** (n) verbystering, bedwelming; (v) verbyster; verblind, in verwarring bring
**daz'zle** (v) blikker; verblind *also* **glare**; verbyster
**deac'on** diaken, armeversorger; deken
**dead** (n) gesneuwelde; dooie; (a) dood; dooierig; ~ *as a doornail* so dood soos 'n mossie; *a ~ heat* gelykop; (adv) in ergste graad; ~ *sure* so seker as wat; ~ **beat** doodmoeg, boeglam; ~ **drunk** smoordronk; ~**-end street** doodloopstraat; keerweer; ~**line** spertyd/perktyd; ~**lock** dooiepunt; ~**ly** dodelik
**deaf** (a) doof; ~ *and blind person* doofblinde; ~**-mute** doofstom
**deal** (n) deel; transaksie, akkoord; *make a ~* akkoord sluit; *new ~* nuwe bedeling; (v) deel; sake doen; onderhandel; ~ *in* handel dryf in; ~**er** winkelier, handelaar
**dean** deken (in sekere kerke); dekaan (universiteit)
**dear** (n) hartjie; (a) lief, dierbaar; geagte; duur, skaars; **D~ Sir/Mad'am** Geagte Heer/Dame
**death** (n) dood, uiteinde; sterfgeval; afsterwe; *condemn to ~* ter dood veroordeel; ~ **du'ties** boedelbelasting; ~**rate** sterftesyfer; ~ **sen'tence** doodsvonnis; ~ **toll** dodetol
**debate'** (n) debat; (v) debatteer; bespreek
**debat'ing society** debatsvereniging
**deben'ture** (n) skuldbrief, obligasie *also* **bond**
**deb'it** (n) debiet; (v) debiteer; belas; ~ **or'der** debietorder
**deb'ris** puin; opdrifsels; oorskot; **nu'clear ~** kernafval, kernoorskot
**debt** skuld; ~ *of honour* ereskuld; ~ **collec'tor** skuldinvorderaar; ~**or** skuldenaar, debiteur
**de'but** (n) debuut, buiging, eerste optrede
**dé'butante** debutante (jong dame)
**dec'ade** tiental, dekade
**dec'adent** (a) in verval, dekadent
**decant'** (v) oorskink; ~**er** karaf/kraffie
**decap'itate** (v) onthoof *also* **behead'**
**decath'lon** tienkamp, dekatlon
**decay'** (n) verval; verrotting; (v) verval; verswak; verrot, vrot
**decease'** (v) sterf, doodgaan; ~**d'** (n) oorledene; afgestorwene; (a) oorlede; ~**d esta'te** bestorwe boedel
**deceit'** bedrog, lis, misleiding
**deceive'** bedrieg, mislei *also* **defraud**; verlei
**Decem'ber** Desember
**de'cency** (n) ordentlikheid, fatsoenlikheid
**de'cent** (a) fatsoenlik, ordentlik, betaamlik
**decen'tralise** desentraliseer
**decep'tive** misleidend
**dec'ibel** desibel (geluid-eenheid)
**decide'** (v) beslis; bepaal, vasstel; besluit; ~**d'** beslis, nadruklik; ~**dly** beslis
**decid'uous** bladwisselend (boom)

**de'cimal** (a) tientallig; desimaal; ~ **com'ma** desimaalkomma
**deci'sion** (n) beslissing, besluit; ~ **ma'ker** besluitnemer
**deci'sive** beslissend; deurslaggewend
**deck** (n) dek; (v) oortrek; bedek; versier; ~ **quoits** skyfgooi
**declara'tion** verklaring, deklarasie; ~ **of in=tent'** verklaring van voorneme
**declare'** verklaar; aankondig; ~ *war* oorlog verklaar
**decline'** (n) verval; afname; afdraand; daling (pryse); (v) verval; verwerp; verbuig (gram.)
**deco'der** (n) dekodeerder
**decompress'ion** (n) dekompressie, drukverlig=ting
**dé'cor** (n) dekor, toneelinkleding
**dec'orate** versier, dekoreer, optooi *also* **adorn'**
**decora'tion** versiering; ereteken, dekorasie
**decoy'** (n) lokaas, lokmiddel; lokvink (poli=sie); (v) aanlok; mislei; bedrieg
**de'crease** (n) vermindering, afname
**decrease'** (v) verminder, afneem
**decree'** (n) dekreet; (v) verorden, bepaal
**decrep'it** (a) afgeleef, oud, gebreklik *also* **in=firm', disa'bled**
**ded'icate** toewy; opdra; ~**d stu'dent** toege=wyde/konsensieuse student
**deduct'** aftrek, verminder; ~**ion** aftrekking; gevolgtrekking *also* **conclu'sion**
**deed** daad; akte; ~**s' office** aktekantoor
**deem** (v) beskou, oordeel, goeddink
**deep** (n) diepte; see; (a, adv) diep, diepsinnig; grondig; ~**free'ze** vrieskas
**deer** (n) takbok, hert
**defama'tion** (n) belastering, laster; ~ **of char'=acter** karakterskending
**default'** (n) versuim; gebrek; nalatigheid; wanbetaling; ~ *of payment* wanbetaling; *win by* ~ wen by verstek (sport)
**defeat'** (n) neerlaag; vernietiging; (v) verslaan, verydel; klop (sport)
**de'fect** (n) gebrek; fout; defek; tekort; ~**ive** (a) gebrekkig, onklaar, defek
**defect'** (v) oorloop (na vyand); afvallig word; ~**or** (n) oorloper, afvallige
**defence'** verdediging; verweer; ~ **for'ce** weer=mag; ~**less** weerloos, onbeskerm
**defend'** (v) verdedig, beskerm; ~**ant** verdedi=ger; verweerder/aangeklaagde (in hof)
**defer'** (v) uitstel; onderwerp aan
**defi'ant** (a) uitdagend, tartend
**defi'cient** gebrekkig; ontoereikend; *mentally* ~ geestelik gestrem; swaksinnig
**def'icit** (n) tekort, nadelige saldo (boekhou)
**defile'** (v) besmet, besoedel
**define'** bepaal, omskryf, definieer; omlyn
**def'inite** bepaald. definitief; ~**ly** beslis, op=sluit; ~*ly not!* volstrek nie!
**defini'tion** definisie, omskrywing
**defla'tion** deflasie; prysdaling
**deform'** (v) mismaak, skend, vervorm; ~**ed'** mismaak, wanskape; ~**ity** mismaaktheid, wanstaltigheid
**defraud'** bedrieg, kul *also* **cheat, con** (v)
**defrost'** ontvries (van koelkas); ontdooi (van voedsel)
**defu'se** (v) ontlont (krisis)
**defy'** (v) uitdaag, tart, trotseer *also* **confront'**
**degen'erate** (v) ontaard, versleg; verbaster
**degrade'** verneder, verlaag; degradeer
**degra'ding** (a) vernederend *also* **humil'iating**
**degree'** graad; rang; *to a certain* ~ in sekere mate; **hon'orary** ~ eregraad; ~ **course** graadkursus
**dehyd'rate** (v) ontwater, dehidreer
**deject'** ontmoedig; ~**ed** neerslagtig, bedruk
**delay'** (n) uitstel, oponthoud; *without* ~ onmiddellik/oombliklik; (v) uitstel; ver=traag; versuim; talm; weifel
**del'egate** (n) afgevaardigde, gevolmagtigde; kursusganger, kongresganger; (v) afvaardig; delegeer (pligte)
**delega'tion** afvaardiging, deputasie; ~ **of po'wers** delegering van magte/bevoegdhede
**delete'** skrap; uitkrap, uitwis; ~ *which is not applicable* skrap waar nodig
**delib'erate** (v) beraadslaag; (a) opsetlik; ~**ly** opsetlik, aspres/ekspres *also* **inten'tional**
**delibera'tion** oorlegpleging, beraadslaging
**del'icacy** keurigheid; ~**cies** lekkerny; ver=snapering
**del'icate** fyn; broos; tinger *also* **frail**; delikaat
**delicates'sen** delikatesse, fynkos
**deli'cious** (a) heerlik, verruklik; smaaklik
**delight'** (n) genoeë, genot, behae; (v) verheug, behaag; verruk; ~**ed** verruk, bly, opgetoë; ~*ed with* ingenome met; ~**ful** genotvol, genoeglik
**delin'quency** misdaad, vergryp; **ju'venile** ~ jeugwangedrag, jeugmisdadigheid
**delin'quent** (n) kwaaddoener, oortreder, skul=dige; **ju'venile** ~ jeugoortreder
**delir'ious** ylhoofdig, deliries

**deliv′er** aflewer; bevry; oorlewer
**deliv′ery ..ries** aflewering; lewering; verlossing; *cash on* ~ kontant by aflewering; ~ **van** bestelwa, bakkie
**demand′** (n) vraag; aanvraag; ~ *for* vraag na; *supply and* ~ vraag en aanbod; (v) vra; eis
**dem′i** half; ~**john** karba, mandjiefles
**demise′** (n) (af)sterwe, oorlyde; bemaking
**demist′er** (n) ontwasemer
**demobilisa′tion** demobilisasie
**democ′racy ..cies** volksregering, demokrasie
**democrat′ic** demokraties
**demol′ish** (v) afbreek, sloop; ~**er** sloper
**dem′on** bose gees, duiwel, demon/demoon
**dem′onstrate** bewys, uitlê; betoog (politiek); demonstreer (nuwe masjien)
**demonstra′tion** betoging, protesoptog (politiek) *also* **dem′o**; demonstrasie
**dem′onstrator/dem′o** betoger (mens)
**demure′** (a) stemmig, sedig, preuts *also* **coy**
**demur′rage** lêgeld, staangeld
**den** (n) lêplek; hool, hol
**de′nim** denim; ~**s** denims, slenterdrag
**denomina′tion** benaming; kerkverband; klas; soort; ~**al** kerklik
**denom′inator** noemer
**denounce′** (v) veroordeel, afkeur; betig
**dense** (a) dig, dik; suf, dom, toe; ~**ly pop′ulated** digbevolk
**dent** (n) duik; kerf, kepie; (v) duik, inkeep
**den′tal** tand=; ~ **floss** tandegare, tandevlos; ~ **sur′geon** tandarts
**dentist** tandarts
**den′ture(s)** (kuns)gebit, vals tande; winkeltande (idiom.)
**deny′** (v) ontken; weerspreek *also* **contradict′**; misgun; ontsê
**deo′dorant** reukweerder, deodorant
**depart′** vertrek, verlaat; afwyk van; sterf; ~**ment** departement, afdeling; ~**ment of educa′tion** onderwysdepartement
**depar′ture** vertrek, trek; afsterwe
**depend′** (v) afhang; vertrou; ~ *upon* reken op (iemand); ~**able** vertroubaar/betroubaar; ~**ant** (n) afhanklike (mens); ~**ent** (a) afhanklik: ~*ing on* afhangende van; na gelang van
**deploy′** (v) ontplooi, versprei; ~ *troops* troepe ontplooi
**deport′** (v) deporteer; (jou) gedra; ~**a′tion** verbanning, deportasie; ~**ment** houding, gedrag; houdingsleer (vak)
**depos′it** (n) storting, deposito; afsetting (geol.); (v) stort, deponeer
**depos′it book** bankboek(ie); depositoboek
**depos′itor** belegger (mens); deposant (bank)
**depos′it slip** inlegstrokie
**dep′ot** bêreplek, opslagplek; depot
**depre′ciate** (v) depresieer; in waarde verminder; minag
**deprecia′tion** depresiasie (boekhou); waardevermindering
**depress′** (v) (ter)neerdruk; verneder; ~**ed** (a) neerslagtig, bedruk; ~**ion** neerslagtigheid; depressie, slapte (sake); insinking
**deprive′** ontneem; ontroof; ~**ed child** verwaarloosde kind; ~**d/disadvan′taged commu′nity** agtergeblewe gemeenskap
**depth** diepte; diepsinnigheid, *a study in* ~ dieptestudie; ~ **charge** dieptebom
**deputa′tion** afvaardiging, deputasie
**dep′uty ..ties** plaasvervanger; adjunk=; ~ **may′or** onderburgemeester; ~ **pres′ident** adjunkpresident
**derail′** ontspoor; ~**ment** ontsporing
**deregula′tion** (n) deregulering
**de′relict** (n) verlate skip; (a) verlate, opgegee, prysgegee
**deriva′tion** afleiding, afkoms/herkoms
**derive′** (v) aflei, afstam; ontleen aan
**dermatol′ogist** huidarts, dermatoloog
**derog′atory** kleinerend, neerhalend; ~ **remarks′** kwetsende aanmerkings
**der′rick** boortoring; hyskraan, hysbalk
**descend′** (v) (af)daal; afstam; (n) ~**ant** afstammeling, nasaat (mens)
**descent′** (n) (neer)daling; afkoms; afdraand
**describe′** beskryf, omskryf, aandui
**descrip′tion** beskrywing; aard, klas
**des′ecrate** (v) ontheilig; ontwy (grafte)
**des′ert**[1] (n) woestyn; woesteny
**desert′**[2] (n) verdienste; (pl) verdiende loon; *get one's* ~*s* jou verdiende loon kry
**desert′**[3] (v) verlaat; wegloop, (weg)dros; ~**er** droster
**deserve′** verdien; ~**d′ly** na verdienste
**deserv′ing** (a) verdienstelik
**design′** (n) ontwerp, plan; voorneme; (v) ontwerp, skets; beoog
**des′ignate** aanwys; bestem; noem; **des′ignatory title/ini′tials** kenletters
**designa′tion** (n) betiteling; ampsbenaming
**design′er** ontwerper; sketstekenaar
**desir′able** (a) wenslik; begeerlik
**desire′** (n) begeerte, verlange, wens; (v)

begeer, verlang, wens; *leave much to be ~d* veel te wense oorlaat
**desk** lessenaar, skryftafel; skoolbank; ~**top pub'lishing (DTP)** tafeltopdrukwerk, DTP
**des'olate** (a) verlate, eensaam, troosteloos
**despair'** (n) wanhoop; vertwyfeling; (v) wan= hoop, moed opgee/verloor
**despatch'** *see* **dispatch**
**des'perate** (a) wanhopig; radeloos, desperaat
**despera'tion** wanhoop, vertwyfeling, rade= loosheid; *in ~* uit wanhoop
**despic'able** (a) veragtelik, laag, gemeen
**despise'** verag, verfoei
**despite'** (prep) nieteenstaande, ondanks/ongeag
**despond'** (v) wanhoop; ~**ent** (a) moedeloos
**des'pot** despoot, dwingeland, tiran (mens)
**des'potism** despotisme, dwingelandy
**dessert'** (n) nagereg, dessert
**destina'tion** (n) bestemming
**des'tiny** (nood)lot; bestemming, voorland
**des'titute** (a) behoeftig, arm *also* **poor**
**destroy'** verniel, vernietig; verdelg
**destruc'tion** vernietiging, verwoesting
**destruc'tive** vernielend, afbrekend; ~ **crit'i= cism** afbrekende/neerhalende kritiek
**detach'** losmaak, afsonder
**de'tail** (n) besonderheid, detail; *further ~s* meer besonderhede; omstandigheid; uiteen= setting; *in ~* breedvoerig
**detail'** (v) omstandig vertel; opsom; aanwys/ aansê
**de'tailed** breedvoerig, uitvoerig; ~ **report'** uitvoerige verslag
**detain'** aanhou, gevange hou; terughou; ~**ee** aangehoudene (mens)
**detect'** (v) uitvind, betrap, ontdek; ~**ive** speur= der; ~**or** ontdekker; opspoorder; verklikker
**deten'tion** aanhouding, gevangehouding; de= tensie; skoolbly; ~ *without trial* aanhouding sonder verhoor
**deter'gent** (n) suiweringsmiddel, detergent
**deter'iorate** ontaard; agteruitgaan, versleg
**determina'tion** (n) bepaling, beslissing; vas= beradenheid, beslistheid, wilskrag
**deter'mine** bepaal, besluit; beslis; eindig
**deter'mined** (a) vasberade (van aard); vas= beslote (om iets te doen)
**dete'rrent** (n) afskrikmiddel
**detest'** (v) verfoei, verafsku; ~**able** verfoeilik
**de'tour** ompad, (pad)verlegging; omweg
**detrimen'tal** (a) nadelig, skadelik
**deuce**[1] twee; gelykop (tennis)
**deuce**[2] joos, duiwel; drommel; *what the ~ ?* wat die/de drommel?
**deval'uate** (v) devalueer, in waarde verminder
**devasta'tion** verwoesting
**devel'op** (v) ontwikkel, ontvou, ontplooi; ~**ed coun'tries** ontwikkelde lande; ~**ing coun'= tries** ontwikkelende lande; ~**er** ontwikke= laar (mens/toestel); ~**ment** ontwikkeling
**dev'iate** afwyk, afdwaal; verlê
**devia'tion** verlegging (pad); afwyking; syspoor
**device'** (n) oogmerk; leus(e); ontwerp, uitvind= sel, apparaat; lis
**dev'il** duiwel; *between the ~ and the deep sea* tussen twee vure; ~**ish** duiwels; ~**ry** dui= welskunste; slegtigheid; terglus; ~**'s bones** dobbelstene; ~ **wor'ship** duiwelaanbidding
**devote'** (toe)wy; oorlewer; ~ *attention to* aandag skenk/gee aan; ~**d** toegewy, toege= neë, geheg; verslaaf: *a ~d husband* 'n toegewyde eggenoot/man
**devo'tion** toewyding; vroomheid *also* **pie'ty**; (pl) godsdiensoefening, gebede
**devour'** verslind, verteer
**devout'** (a) vroom, godsdienstig *also* **pi'ous**
**dew** (n) dou; (v) dou; ~**drop** doudruppel
**diabet'ic** (n) suikersiektelyer (mens)
**diabol'ic** duiwelagtig, duiwels
**diae'resis** deelteken (¨)
**di'agnose** (v) diagnoseer, vasstel
**diag'onal** (a) diagonaal, oorhoeks
**di'agram** (n) figuur, skets, tekening, diagram
**di'al** (n) sonwyser *also* **sun'dial**; wyserplaat; (v) skakel (foon); ~**ling tone** skakeltoon
**di'alect** (n) dialek, tongval, streekspraak
**di'alogue** tweegesprek; dialoog
**diam'eter** middellyn, deursnee
**di'amond** diamant; ~**s** ruitens (kaartspel)
**diarrhoe'a** maagwerking, appelkoossiekte, diar= ree; **ver'bal** ~ woordskittery (kru)
**di'ary diaries** dagboek
**dice** (n) dobbelstene; (v) dobbel; uitdaag
**dictate'** (v) dikteer; gebied; voorskryf
**dictat'or** diktator; ~**ship** diktatuur
**dic'tion** (n) voordrag; styl, diksie
**dic'tionary ..ries** woordeboek/leksikon
**didac'tic** (a) didakties, lerend
**die**[1] (n) matrys; muntstempel; *the ~ is cast* die besluit is (onherroeplik) geneem
**die**[2] (v) sterf, doodgaan; sneuwel; vrek (diere)
**diet** (n) dieet; leefreël; **slim'ming** ~ verslan= kingsdieet
**dietic'ian** dieetkundige, voedselkundige (mens)

**diff′er** verskil; *I beg to* ~ ek is dit nie daarmee eens nie; moenie glo nie
**diff′erence** (n) verskil, onderskeid
**diff′erent** verskillend, onderskeie
**diff′icult** moeilik, swaar; ~**y** moeilikheid, moeite, haakplek; beswaar
**diff′ident** (a) verleë, skaam *also* **shy**; nederig
**dig** (n) stoot; (v) graaf/grawe, grou, delf, spit
**di′gest**[1] (n) opsomming, oorsig; keurblad
**digest′**[2] (v) verteer; oordink; verwerk; ~**ion** spysvertering *see* **in′digestion**
**digg′er** delwer (mens)
**digg′ings** delwery
**di′git** vinger; toon; syfer; **five** ~**s** vyfsyfer
**di′gital** (a) vinger=; toon=; syfer=; ~ **sound system** digitale klankstelsel; ~ **watch** syfer=horlosie, digitale horlosie
**dig′nified** (a) waardig, deftig; verhewe
**dig′nitary ..ries** hooggeplaaste, (hoog)waar=digheidbekleër, dignitaris (mens)
**dig′nity** waardigheid, deftigheid; *beneath one's* ~ benede jou waardigheid
**digs** blyplek, losies *also* **board, dig′gings** (sl)
**dike** damwal, dyk; gang (geol.)
**dilap′idated** (a) bouvallig, vervalle
**dilemm′a** verknorsing, penarie, dilemma
**dilettan′te ..ti** dilettant, leek, amateur
**dil′igent** (a) ywerig, fluks, vlytig
**dill** dille, vinkel
**dilute′** (v) verdun, verslap, verwater
**dim** (v) demp; benewel; verdonker; ~ *head=lights* hoofligte domp; (a) dof, skemerig; suf; wasig
**dimen′sion** afmeting, grootte, dimensie
**dimin′ish** verminder, verklein
**dimin′utive** (n) verkleinwoord; (a) klein; ver=kleining=; ~ **form** verkleinvorm
**dim′ple** (wang)kuiltjie
**din** (n) geraas, lawaai; (v) raas, baljaar
**dingh′y** rubberbootjie, opblaasbootjie
**din′ing:** ~ **car** eetsalon, eetwa; ~ **room** eet=kamer
**dinn′er** (n) aandete (meestal) *also* **sup′per**; middagete (soms) *also* **lunch**; dinee (for=meel); ~ **jack′et** aandbaadjie; ~ **ser′vice/**~ **set** eetservies
**dip** (n) dip; indompeling; duik; (v) dip (vee); indompel; *take a* ~ in die water spring
**diphther′ia** witseerkeel, difterie
**diph′thong** tweeklank, diftong
**diplo′ma -s** diploma; sertifikaat; getuigskrif
**diplom′acy** diplomasie; behendigheid, takt
**dip′lomat** diplomaat
**diplomat′ic** diplomaties *also* **tact′ful**; oulik
**direct′**[1] (v) rig; bestuur; adresseer; vestig op (aandag); beveel; aanstuur
**di′rect**[2] (a) regstreeks, direk; dadelik; ~ **hit** voltreffer; ~ **speech** direkte rede
**direc′tion** (n) rigting; leiding; bevel; direksie
**direct′or** direkteur; ~**-general directors-gen=eral** direkteur-generaal/hoofdirekteur; ~**y** adresboek
**dir′igible** (n) bestuurbare lugballon, lugskip *also* **air′ship**; (a) bestuurbaar
**dirt** (n) vuilgoed, vuilis; (v) vuil maak, be=smeer; ~**box** vullisbak *also* **trash can**; ~**-cheap** spotgoedkoop; ~**track** asbaan
**dirt′y** (v) bevuil, bemors, besmeer; (a) vieslik; morsig, smerig; gemeen
**disabil′ity** gebrek; ongeskiktheid (vir werk)
**disa′ble** onbekwaam maak; buite geveg stel; vermink; ~**d** gestrem; gebreklik; ~**d per′=son** (liggaamlik) gestremde; ~**d sol′dier** in=valide/gewonde soldaat
**disadvan′tage** nadeel; skade; verlies; ~**d commu′nity** agtergeblewe/onderbevoorreg=te gemeenskap *also* **depri′ved commu′nity**
**disagree′** nie ooreenstem nie, verskil; vassit (oor iets); *it* ~*s with me* dit akkordeer nie met my nie; ~**able** onaangenaam *also* **un=plea′sant**; ~**ment** verskil, onenigheid
**disappear′** verdwyn, wegraak; ~**ance** ver=dwyning
**disappoint′** teleurstel; verydel; ~**ed** teleurge=stel(d); ~**ment** teleurstelling
**disapprove′** (v) afkeur, verwerp *also* **reject′**
**disarm′** ontwapen; ~**ament** ontwapening
**disas′ter** (n) ramp, ongeluk, onheil; ~ **a′rea** rampgebied; ~ **fund** rampfonds
**disas′trous** (a) noodlottig, rampspoedig
**disburse′** voorskiet; uitbetaal; ~**ment** voor=skot, uitbetaling; uitgawe, onkoste
**disc** skyf; rekenaarskyf; werpskyf; ~ **drive** skyfaandrywer; ~ **jock′ey** platejoggie
**discard′** (v) afdank; verwerp; weggooi
**discharge′** (n) ontslag; kwytskelding; betaling; (v) ontslaan; afdank; vervul (plig); betaal, delg (skuld)
**disci′ple** leerling, volgeling, dissipel (mens)
**disciplinar′ian** tugmeester, ordehouer
**dis′ciplinary** tug=, dissiplinêr=; ~ **commit′tee** tugkomitee
**dis′cipline** (n) tug, dissipline; (v) tugtig
**disclose′** (v) onthul, openbaar (maak), blootlê

**disconnect′** diskonnekteer; loskoppel
**discontin′ue** eindig/beëindig, ophou, staak
**dis′cord** (n) wanklank; tweedrag, onvrede; **ap′ple of** ~ twisappel
**discotheque** diskoteek; **dis′co dan′cing** diskodans
**dis′count** (n) korting; afslag, diskonto; *at a* ~ teen afslag; ~ **store** afslagwinkel
**discou′rage** (v) ontmoedig, afraai; afskrik
**discourt′eous** (a) onmanierlik; onbeleef
**disco′ver** ontdek, uitvind; onthul; ~**y** ontdekking
**discreet′** oordeelkundig; beskeie; tak(t)vol
**discrep′ancy ..cies** verskil, teenstrydigheid; wanverhouding
**discre′tion** diskresie, oorleg, goeddunke; *use one's* ~ na goeddunke handel
**discrim′inate** (v) onderskei, diskrimineer
**discrim′inating** (a) skerpsinnig, onderskeidend *also* **discer′ning**
**discrimina′tion** diskriminasie; benadeling
**dis′cus -es, disci** werpskyf, diskus
**discuss′** bespreek; beraadslaag; ~**ion** samespreking(s), bespreking, diskussie; ~**ion group** besprekingsgroep, diskussiegroep, gonsgroep
**disease′** siekte, kwaal *also* **ill′ness, ail′ment**
**disgrace′** (n) skande, ongenade; (v) te skande maak; ~**ful** skandelik/skandalig
**disguise′** (n) vermomming, masker; voorwendsel; *a blessing in* ~ 'n bedekte seën; *in* ~ vermom; (v) vermom; verbloem
**disgust′** (n) afkeer, walging, teensin; *be* ~*ed with* walg van; ~**ing** walglik, stuitlik
**dish** (n) skottel; gereg; (pl) skottelgoed; (v) opskep; ~**cloth** vadoek
**dishon′est** oneerlik, bedrieglik *also* **croo′ked**; ~**y** oneerlikheid, bedrog
**dishon′our** (n) oneer, skande; (v) onteer; ~ *a cheque* 'n tjek dishonoreer
**dish′washer** opwasser, skottelgoedwasser
**disinfect′** ontsmet; ~**ant** ontsmetmiddel; ~**ion** ontsmetting
**disinforma′tion** (n) waninligting/fopinligting; disinformasie
**disin′tegrate** ontbind; verval; disintegreer, verbrokkel
**disin′terested** belangeloos; onpartydig
**disket′te** (n) disket, slapskyf *also* **flop′py disc**
**dislike′** (n) afkeer, teensin; (v) 'n afkeer hê van
**dis′locate** (v) ontwrig; verskuif, verstuit
**disloy′al** ontrou, dislojaal
**dis′mal** (a) somber, treurig, droewig, aaklig
**disman′tle** afbreek (stellasie); sloop
**dismay′** (n) skrik, ontsteltenis; (v) bang maak; ontmoedig; onthuts; ~**ed′** verslae
**dismiss′** (v) ontslaan, afdank; verdaag (mil.); ~**al** ontslag, afdanking
**dismount′** afklim, afstyg (van perd)
**disobe′dience** (n) ongehoorsaamheid
**disobe′dient** (a) ongehoorsaam
**disord′er** (n) wanorde, verwarring; oproer; ongesteldheid; ~**ly** wanordelik
**dispa′rity** ongelykheid, verskil, wanbalans
**dispa′ssionate** (a) bedaard, kalm, nugter
**dispatch′/despatch′** (n) afsending, versending; (v) versend; afstuur; doodmaak; ~ **ri′der** rapportryer
**dispen′sary ..ries** mengapteek/reseptering
**dispensa′tion** bedeling; vrystelling; stelsel; **new** ~ nuwe bedeling
**dispense′** uitdeel; ~ *with* daarsonder klaarkom; ~**r** uitdeler (apparaat); toediener/resepteur (mens); **dispen′sable** weggooibaar; **dispen′sing doc′tor** resepterende dokter
**disperse′** (v) verstrooi/versprei; uiteenjaag
**displace′** verplaas; vervang; ~**d per′son** ontwortelde/ontheemde persoon
**display′** (n) uitstalling; vertoning; (v) tentoonstel, vertoon; ~ **ca′binet/case** (ver)toonkas; ~ **di′ving** sierduik; ~ **room** toonlokaal *also* **show′room**; ~ **win′dow** toonvenster
**dispos′al** beskikking, skikking; reëling; *at your* ~ tot u beskikking
**dispose′** beskik; reël, orden; ~ *of* vervreem, verkoop; **dispo′sable** weggooibaar (inspuitnaald); ~**d′** geneig, gestem
**disposi′tion** aard, gesindheid; gesteldheid
**dispute′** (n) twis; geskil, dispuut; *the matter in* ~ die geskilpunt; *settle the* ~ die geskil besleg/bylê; (v) betwis; redetwis; ~**d** (a) betwis
**disqualifica′tion** ongeskiktheid, diskwalifikasie; uitsluiting
**disqual′ify** diskwalifiseer; ongeskik verklaar; uitsluit
**disregard′** (n) veron(t)agsaming; (v) veron(t)agsaam *also* **igno′re**; geringskat
**disrep′utable** berug; ~ **char′acter** ongure vent (mens)
**disrepute′** (n) skande, berugtheid; diskrediet, oneer; *fall into* ~ 'n slegte naam kry
**disrespect′** (n) oneerbiedigheid, disrespek
**disrupt′** ontwrig; verbrokkel; ~ *the class* die klas ontwrig

**dissatisfac'tion** ontevredenheid
**dissect'** dissekteer; ontleed
**dissent'** verskil van opinie; ~**er** afgeskeidene, andersgesinde; ~**ing vote** teenstem
**disserta'tion** verhandeling, dissertasie, proefskrif, tesis *also* **the'sis, trea'tise**
**dissolve'** (v) oplos; ontbind; ~ *a partnership* 'n vennootskap ontbind
**dissuade'** (v) afraai, afskrik *see* **persuade'**
**dis'tance** (n) afstand, distansie; (v) distansieer; ~ **educa'tion/tea'ching** afstandonderrig
**dis'tant** ver/vêr weg; afgeleë; uit die hoogte
**distaste'** teensin, walging; ~**ful** (a) onsmaaklik, afstootlik
**distil'** (v) distilleer, stook
**distinct'** onderskeie; bepaald; eie
**distinc'tion** (n) onderskeiding/lof; aansien; eerbetoon; *with* ~ met onderskeiding/lof
**distin'guish** (v) onderskei; ~**ed** beroemd, vernaam; *our ~ed guests* ons geëerde/vername/uitgelese gaste
**distort'** verdraai; verwring; ~**ion** verdraaiing; ~**ionist** lyfwringer, slangmens
**distract'** aftrek; aflei; ~**ed** afgetrokke
**distress'** (n) ellende; nood; *a damsel in* ~ 'n nooientjie in nood; ~**ed** behoeftig; ~ **call** noodroep; ~ **sig'nal** noodsein; ~ **syn'drome** noodsindroom
**distrib'ute** (v) uitdeel, verdeel, versprei
**distribu'tion** verspreiding, distribusie
**distrib'utor** (n) verspreider (van ware); vonkverdeler (motor)
**dis'trict** distrik; streek, gebied; ~ **sur'geon** distriksgeneesheer
**distrust'** (n) wantroue; argwaan; (v) wantrou; verdink
**disturb'** (v) steur/stoor (iem.); versteur; ~**ance** versteuring; opskudding; (pl) onluste
**ditch** (n) **-es** sloot, voor; (v) oorboord gooi
**dith'er** (v) weifel, talm *also* **daw'dle**; bibber, beef/bewe
**ditt'y ditties** liedjie, deuntjie
**divan'** sofa, divan, rusbank
**dive** (n) duik; (v) duik; ~ **bom'ber** duikbomwerper; ~**r** duiker (mens)
**diver'sify** (v) afwisselend maak; verander, wysig, diversifeer
**divers'ity** verskeidenheid, verskil; diversiteit; ~ *of opinion* mening(s)verskil
**divert** (v) aflei; wegkeer; verlê (pad)
**divide** (v) deel, verdeel; skei
**divid'ed** (ver)deel, afgeskei; onenig
**div'idend** dividend; deeltal; *pay a* ~ 'n dividend uitbetaal; **in'terim** ~ tussendividend
**divine'** (v) voorspel; (a) goddelik; verruklik; ~**r** waarsêer; waterwyser; ~ **ser'vice** erediens (in kerk), huisgodsdiens
**divin'ing rod** (n) wiggelroede, waterstok
**divin'ity** (n) godheid; godgeleerdheid
**divi'sion** deling; verdeling; afdeling; verdeeldheid; divisie (leër); ~ **sum** deelsom
**divorce'** (n) egskeiding; ~**e'** geskeide vrou/persoon
**divulge'** (v) onthul, openbaar *also* **disclo'se**
**dizz'y** duiselig, lighoofdig *also* **gid'dy**
**do** (v) **did, done** doen, maak, verrig; ~ *for* deug vir; *how ~ you ~?* hoe gaan dit?; ~ *mischief* kattekwaad aanrig
**dock** (n) skeepsdok; getuiebank (in hof)
**dock'et** dossier; faktuur; strook/strokie
**dock'yard** skeepswerf
**doc'tor** (n) dokter, geneesheer; arts; doktor (in die regte, lettere, ens.); (v) medies behandel, dokter; opknap
**doc'torate** (n) doktoraat; (v) doktoreer
**doc'trine** leer, leerstelling, doktrine
**doc'ument** (n) dokument, geskrif, bewysstuk; (v) dokumenteer
**documen'tary** dokumentêr; ~ **film** dokumentêre film, feitefilm
**dodge** (v) ontwyk; ontglip, uitoorlê; ~**r** ontduiker; draaijakkels
**dog** (n) hond; *let sleeping ~s lie* moenie slapende honde wakker maak nie; *top* ~ uitblinker, bobaas; ~**fight** hondegeveg; ~**ged** (a) stuurs, koppig; vasberade *also* **deter'mined**
**dog'gybag** (n) brakkiesakkie (idiom.)
**dog'kennel** hondehok; (pl) hondehotel, woefietuiste (idiom.)
**dog'ma** leerstuk, dogma *also* **doc'trine**
**doil'y doilies** melklappie, kraaldoekie, doilie
**do'ing** doen, werk, doenigheid; ~**s** besigheid, bedryf; gedrag; doenigheid
**dol'drums** (streke van) windstilte
**doll** (n) (speel)pop
**dol'phin** dolfyn
**domain'** gebied; domein; heerskappy
**dome** koepel, dom
**domes'tic** (n) huishulp; (a) huislik, huishoudelik; binnelands; ~ **an'imal** huisdier; ~ **scien'ce** huishoudkunde; ~ **ser'vant** huishulp/huisbediende; ~ **tra'de** binnelandse handel
**dom'icile** (n) woonplek, verblyf; (v) woon

**dom'inant** (a) (oor)heersend; dominant
**dom'inate** (v) heers; oorheers; domineer
**don** (n) don, hoof; **D~ Ju'an** pierewaaier; rokjagter, opperste vryer *also* **wo'maniser**
**dona'te** (v) skenk, gee; bydra
**dona'tion** skenking, donasie *also* **gift**
**done** (a) gedaan; gekook, gaar; klaar
**don'ga -s** spoelsloot, donga
**don'key -s** donkie, esel; domkop; *for ~'s years* jare lank, van toeka se dae af
**don'or** gewer; skenker, donateur (mens)
**don't = do not** moenie
**doom** (n) noodlot; ondergang; (v) verdoem; *prophet of ~* doemprofeet
**door** deur, ingang; **~bell** deurklok(kie); **~kee'per/man** portier, deurwagter
**dope** (n) dwelmmiddel; toorgoed, doepa; (v) bedwelm; opkikker
**dorm'itory ..ries** slaapsaal, slaapvertrek
**dose** (n) dosis; (v) doseer, medisyne ingee, dokter; **boos'ter ~** skraagdosis
**doss'ier** (n) dossier, lêer; strafregister
**dot** (n) punt, stippel; stip; (v) stippel; **~ted line** stippellyn; stippelstreep (pad)
**dott'y** gestippel; versprei; suf, onnosel
**dou'ble** (n) duplikaat; dubbelganger; (pl) dubbelspel; (v) verdubbel; (a) dubbel; tweevoudig; **~ stan'dards** dubbele standaarde/maatstawwe; **~-barrel** dubbelloop (geweer); **~-fa'ced** huigelagtig, vals; **~sto'rey** dubbelverdieping(huis)
**doub'let** doeblet; onderkleed
**doubt** (n) twyfel; argwaan; *give the benefit of the ~* die voordeel van die twyfel gee; *beyond a ~/no ~/without ~* ongewyfeld; (v) twyfel, weifel; **~ful** twyfelagtig, onseker; **~less** ongetwyfeld
**dough** (n) deeg; **~nut** oliebol; stormjaer
**dour** (a) streng, stug, stroef; hardnekkig
**dove** duif; **~tail** (n) swaelstert(voeg)
**down**[1] (n) dons; melkbaard
**down**[2] (n) teenslag; *ups and ~s* wederwaardighede; (v) neergooi; neerslaan; *~ tools* staak; (a) afdraand; neerslagtig; (adv) ondertoe; *knock ~* platslaan; omry; *run ~* inhaal; sleg maak; omry; **~cast** neerslagtig, mismoedig; **~fall** instorting, ondergang; **~hear'ted** neerslagtig, bedruk; **~hill** afdraand; bergaf; **~load** (v) aflaai (rek.); **~pipe** afvoerpyp; **~pour** stortbui, stortreën; **~right** pure; gewoonweg: *a ~right lie* 'n onbeskaamde leuen; **~town** sakekern *also* **CBD**
**dowr'y ..ries** bruidskat; talent
**do'yen** doyen, oudste lid, nestor (mens)
**doze** (n) dutjie; (v) sluimer, dut, dommel
**do'zen** dosyn; **ba'ker's ~** dertien
**drab** (a) vaal, ligbruin; saai, eentonig
**draft** (n) skets, plan; ontwerp; (v) ontwerp; opstel; **~ bill** konsepwetsontwerp; **~ constitu'tion** konsepgrondwet; **~ legisla'tion** konsepwetgewing
**drag** (n) rem; sleepnet; (v) sleep; sleur; talm; **~ queen** fopdosser (manlike transvestiet) *also* **cross-dresser**; **~ ra'cing** versnelrenne; **~ster** renstel
**drag'on** (n) draak
**drain** (n) riool; (v) dreineer; **~age** dreinering, riolering *also* **se'werage**
**drake** (n) mannetjieseend
**dra'ma -s** toneelstuk, drama
**dramat'ic** (a) dramaties
**dra'ma: ~tist** dramaskrywer; toneeldigter; dramaturg; **~tise** (v) dramatiseer
**dras'tic** drasties, kragtig *also* **rad'ical**
**draught** (n) trek; teug, sluk; drankie; **~ beer** vatbier; **~ horse** trekperd; **~s** dambord/damspel; **~y** trekkerig/togtig
**draw** (n) trek; gelykopspel; loot/loting (sport); skyfie; skuifie (rook); (v) trek, sleep; teken; gelykop speel; onbeslis eindig (krieket); trek (wissel); *~ comparisons* vergelykings tref; *~ level* kop aan kop; **~back** nadeel; **~brid'ge** ophaalbrug; **~er** trekker (van tjek); tekenaar; laaitjie; **~ers** onderbroek; **chest of ~ers** spieëlkas, laaikas
**draw'ing** tekening, skets; **~ board** tekenbord; **~ pin** duimspyker(tjie); **~ room** sitkamer
**drawn** getrek; onbeslis (geëindig), gelykop
**dread** (n) skrik, vrees, ontsetting; (v) vrees; **~ful** verskriklik, ontsettend *also* **aw'ful**
**dream** (n) droom; hersenskim; (v) droom; **~er** dromer (mens); **~y** dromerig, vaak
**drear'y** (a) aaklig, somber *also* **dis'mal, gloo'my**
**dredge** (n) sleepnet; baggermasjien; (v) (uit)bagger; **~r** baggerboot
**drench** (v) drenk; deurweek; (a) **~ed** sopnat
**dress** (n) **-es** rok; tabberd; (v) aantrek; afrig; dresseer (dier); verbind (wond); kap (klip); **~ed chick'en** bevrore hoender; **~ cir'cle** voorbalkon; **~coat** manel *also* **tail'coat**
**dress'er** kombuiskas, spenskas
**dress'ing** (n) toebereiding, verband; loesing; **~ gown** kamerjas; **~ room** kleedkamer; **~ table** spieëltafel

**dress:** ~**maker** kleremaakster; modiste; ~ **rehear'sal** kleedrepetisie; ~ **suit** aandpak; ~**y** keurig gekleed; smaakvol, swierig
**drib'ble** (n) druppel; motreën; (v) dribbel (voetbal); druppel; kwyl
**drift** (n) neiging, tendens *also* **trend**; drif (spruit); (v) wegdryf; aanspoel; rondswalk
**drill** (n) boor; (v) dril, oefen; boor
**drink** (n) drank, sopie; *stand a* ~ (op) 'n glasie trakteer; (v) drink; ~ *to* drink op; ~**er** drinker, dronklap; ~**ing par'ty** drinkparty
**drip** (n) gedrup; drup (med.); jandooi (mens); (v) drup, lek; ~**ping** (n) braaivet; druipvet; lek: ~*ping wet* papnat, sopnat
**drive** (n) ritjie; oprypad; rylaan; dryfhou (gholf); dryfkrag, stukrag; klopjag; (v) dryf, dwing; bestuur (motor), dryf (lorrie); ~ *to despair* tot wanhoop bring
**drive'-in** inrit; ~ **bank** inrybank; ~ **bi'oscope/** ~ **the'atre** inrybioskoop, veldfliek
**dri'ver** drywer; masjinis; bestuurder (motor); ~**'s licence** rybewys
**dri'veway** (op)rylaan, oprit/inrit (by huis)
**dri'ving range** dryfbaan/dryfbof (gholf)
**driz'zle** (n) motreën(tjie), stuifreën
**drone** (n) hommel, waterdraerby; luiaard; (v) gons, brom, zoem; ~**fly** brommer
**droop** (v) neerhang, kwyn; sink; ~**ing shoul'=ders** hangskouers
**drop** (n) druppel; skepskop; val; (v) drup; neerval, ophou; neerlaat; daal; ~ *a hint* 'n wenk gee; ~ *a line* 'n brief skryf; ~**kick** skepskop; ~**out** skoolstaker, uitsakker; mis=lukkeling; ~**per** stutpaaltjie, spar (vir draad=heining); ~**shot** valhou (tennis)
**drop'sy** watersug, water (siekte)
**drought** (n) droogte; (a) ~**-strick'en** droogte=geteister
**drown** (v) verdrink (mens); versuip (dier)
**drow'sy** (a) slaperig; vaak, soeserig, lomerig
**drudge** (n) slaaf, werkesel; (v) swoeg, afsloof, ploeter; ~**ry** sleurwerk
**drug** (n) geneesmiddel, medikasie (medies); dwelmmiddel, verslaafmiddel, dwelms; (v) verdoof; bedwelm; ~ **abu'se** dwelmmisbruik; ~ **ad'dict** dwelmslaaf; ~ **addic'tion** dwelm=verslawing; ~ **depen'dence** dwelmafhanklik=heid; ~**gist** drogis, apteker; ~**lord** dwelm=baas; ~ **ped'lar/pus'her** dwelmsmous; ~ **traff'icker** dwelmhandelaar (mens)
**drum** (n) tamboer, trom; konka, drom; ~ **majorette'** trompoppie, tamboernooi; ~**mer** tamboerslaner
**drunk** (a) dronk, besope, beskonke, gekoring, getier, hoenderkop *also* **tip'sy**; ~**ard** dronk=aard, dronklap; ~**(en) dri'ving** dronkbestuur
**dry** (v) verdroog; opdroog; (a) droog, dor; ~**clea'ner** droogskoonmaker; ~**dock** droog=dok; ~ **rot** molm; houtswam
**du'al** (n) tweevoud, tweetal; (a) tweeledig; ~**-me'dium** dubbelmedium
**dub** (v) tot ridder slaan; verhef tot; noem; smeer; oorklank (TV); ~**bin** leervet; ~**bing** oorklanking (TV)
**du'bious** (a) twyfelagtig; onseker *also* **doubt'ful**
**duch'ess -es** hertogin
**duck** (n) (eend)voël; nul (krieket); liefling; (v) duik; koe(t)s *also* **dod'ge**; ~**ling** eendjie; ~**tail** eendstert
**duct** pyp, geleibuis; kanaal; ~**ile** rekbaar
**dud** (n) toiing, flenter; domkop (mens); (a) dom; nikswerd, onbruikbaar
**due** (a) skuldig, betaalbaar; *in* ~ *course* met=tertyd; ~ *date* vervaldatum; *money* ~ *to him* geld aan hom verskuldig
**du'el** (n) tweegeveg, duel; (v) duelleer
**duet'** duet; paar
**dug** (v) *see* **dig;** ~**-out** uitgrawing; boomkano; skuilplek
**duke** hertog
**dull** (v) dof maak; (a) dom; toe (mens); saai, eentonig; onnosel; ~**-wit'ted** dom
**du'ly** behoorlik, noukeurig; op tyd; ~ **com=ple'ted** behoorlik ingevul/voltooi
**dumb** stom; stemloos; stilswygend; *don't be so* ~ moenie so toe wees nie; ~**found** (v) dronkslaan, verstom, oorbluf; ~ **show** ge=barespel
**dumm'y** (n) **dummies** fopspeen; figurant; (a) nagemaak; (v) pypkan (rugby)
**dump** (n) mynhoop; opslagplek; (v) stort; dump (mark); *no* ~*ing* stort(ing) verbode; ~**ing site** stortterrein
**dump'ling** kluitjie *also* **dough'boy**
**dumps** (pl) bedruktheid; *down in the* ~ mis=moedig, op moedverloor se vlakte
**dum'py le'vel** (n) nivelleerder, bukswaterpas
**dune** duin
**dung** (n) mis; ~ **beetle** miskruier
**dun'geon** (n) kerker, ondergrondse sel
**dunk** (v) doop (beskuit in koffie)
**du'plex** (n) dupleks, tweevloerwoning
**du'plicate** (n) duplikaat, afskrif; *in* ~ in twee=voud; (v) dupliseer

**du'rable** (a) duursaam
**du'ring** gedurende, tydens
**dusk** (n) skemering; (a) skemer, duister
**dust** (n) stof; gruis; saagsel; (v) afstof; opvee; uitlooi; ~**bin** vullisblik; ~**cov'er** omslag (boek); ~**er** stoffer, stoflap; ~**man** Klaas Vakie; ~ **storm** stofstorm; ~**y** stowwerig
**Dutch** (n, a) Nederlands, Hollands; *we are going* ~ elkeen betaal vir homself; *Cape* ~ Kaaps-Hollands; ~**man** Hollander, Nederlander
**dut'y duties** plig; diens; belasting; *be off* ~ van diens af wees; *be on* ~ diens hê; op/aan diens wees
**dwarf** (n) **-s** dwerg; (v) verdwerg
**dwell** (v) woon, bly; ~**ing** woning, woonhuis
**dwin'dle** (v) inkrimp, verminder, wegkwyn
**dye** (n) kleursel, kleurstof; (v) kleur, tint
**dy'ing** (n) dood, (af)sterwe; (a) sterwende
**dynam'ics** bewegingsleer, dinamika
**dy'namite** (n) dinamiet, plofstof; (v) opblaas
**dys'entery** disenterie (siekte by mense); bloedpersie (diere)
**dyslex'ia** (n) disleksie, leergestremdheid

# E

**each** elk(een), iedereen; ~ *other* mekaar
**eag'er** (a) gretig, begerig; ywerig, vurig
**eag'le** arend, adelaar; ~**t** jong arend
**ear**[1] (n) aar (koring); kop (mielie)
**ear**[2] (n) oor; *prick up one's* ~*s* die ore spits; ~**a'che** oorpyn; ~**drum** trommelvlies; ~ **guard** oorskut, oorskerm
**earl** graaf; ~**dom** graafskap
**earl'y** (a) vroeg, tydig; *at your earliest convenience* spoedig, so gou moontlik; ~ **bird** doutrapper (mens)
**ear'mark** (n) merk; (v) merk (dier); afsonder; bestem, oormerk, bewillig (fondse)
**earn** (v) verdien, verwerf
**earn'est** (n) erns; (a) ernstig, ywerig
**earn'ings** verdienste, loon, besoldiging
**ear'ring** oorbel, oorkrabbetjie
**earth** (n) aarde, grond; (v) aard (elektr.); ~**enwa're** breekgoed, erdewerk; ~**quake** aardbewing; ~ **trem'or** aardskok/aardtrilling
**ease** (n) gemak; (v) gerusstel; versag; lenig
**eas'el** (n) (bord)esel
**eas'ily** maklik; fluit-fluit, tjop-tjop
**east** oos; ooste; *the E*~ die Ooste; ~ **coast** ooskus; ~**coast fe'ver** ooskuskoors
**Eas'ter** Pase, Paasfees; ~ **egg** Paaseier
**East'ern Cape** (province) Oos-Kaap
**eas'y** maklik; lig; *take it* ~ dit kalm opneem; ~ **chair** leunstoel
**eat ate, eaten** eet, opeet; ~**ery** (n) eetplek, restourant
**eaves** dakrand; ~**drop'per** luistervink (mens)
**ebb** (n) eb; ~ *and flow* eb en vloed; (v) afloop, eb; verval; ~ *away* wegvloei
**eccen'tric** (n) sonderling (mens); (a) snaaks, eksentriek, sonderling *also* **queer/odd**
**ec'ho** (n) **-es** weerklank, eggo
**eclipse'** (n) verduistering; **lu'nar** ~ maan(s)verduistering; **so'lar** ~ son(s)verduistering
**ecol'ogy** (n) ekologie, omgewingsleer
**econom'ical** (a) spaarsaam, ekonomies
**econ'omist** ekonoom (mens)
**econ'omise** (v) spaar, bespaar, besuinig
**econ'omy** (n) ekonomie, staatshuishoudkunde; **..mies** spaarsaamheid; besuiniging
**e'co:** ~**sys'tem** ekosisteem/ekostelsel; ~**tour'ism** ekotoerisme
**ec'stasy** verrukking, opgetoënheid, geesdrif, ekstase *also* **rap'ture**
**ec'zema** uitslag, ekseem; roos
**edd'y** (n) maalstroom; dwarrelwind
**edge** (n) kant, rand; skerp kant (mes); *be on* ~ gespanne wees; (v) ~ *on* aanhits
**ed'ible** eetbaar
**ed'ict** gebod, edik
**ed'ifice** imposante gebou/struktuur
**ed'it** redigeer, persklaar maak
**edi'tion** uitgawe, edisie *also* **is'sue**; oplaag
**ed'itor** redakteur (koerant); ~**-in-chief** hoofredakteur; redigeerder (film)
**editor'ial** (n) hoofartikel; (a) redaksioneel
**ed'ucate** (v) opvoed; onderwys; grootmaak
**educa'tion** opvoeding; opleiding, onderwys, onderrig; opvoedkunde; ~**al** opvoedkundig; ~**ist** opvoeder, opvoedkundige (mens)
**eel** (n) paling, aal (vis)
**effect'** (n) uitwerking, gevolg; (pl) bates, besittings; *take* ~ in werking tree; *with* ~ *from 3 March* met ingang 3 Maart; (v) bewerk, teweegbring; ~**ive** doeltreffend, effektief;

~**ual** doeltreffend
**effi′ciency** (n) doeltreffendheid; bekwaamheid
**effi′cient** doeltreffend; bekwaam *also* **ca′pable**
**eff′igy ..gies** afbeeldsel, beeld, beeltenis
**eff′luent** (n) syrivier; afstroming; uitloop; afwater (fabriek)
**eff′ort** (n) poging, inspanning, probeerslag; ~**less** speel-speel, sonder inspanning
**egg** (n) eier; **bad** ~ vrot eier; niksnut (mens); **new′laid** ~**s** pasgelegde/vars eiers; **scram′bled** ~**s** roereiers; ~ **flip** advokaat (drankie); ~**ti′mer** sandloper(tjie)
**eg′o** ek, ego; eie ek ~**ism** selfsug/egoïsme; ~**ist** egoïs; ~**tis′tical** selfsugtig, egoïsties
**eid′er** eidereend; ~**down (quilt)** donskombers, verekombers
**eight** ag(t); ~**een** ag(t)tien; ~**eenth** ag(t)tiende; ~**h** ag(t)ste; **the E~ies** die jare (dekade van) Tagtig, die tagtigerjare; ~**ieth** tagtigste; ~**y** tagtig
**eistedd′fod** (n) **-au** sangfees, eisteddfod *also* **song/sin′ging fes′tival**
**ei′ther** (a, pron) albei; (adv, conj) of; ~ **or** óf . . . óf
**eject′** uitgooi; ~**ion seat** (uit)skietstoel
**elab′orate** (v) noukeurig uitwerk, verwerk; ~ *on* uitbrei op; (a) uitvoerig
**el′and** eland (bok)
**elas′tic** (n) rek, gomlastiek; (a) rekbaar, elasties; veerkragtig
**el′bow** (n) elmboog; (v) stoot, stamp (met die elmboog); ~ **chair** armstoel; ~ **grease** spierkrag; ~ **room** speling, staanplek
**el′der** (n) ouer persoon; ouderling; (a) ouer; **the** ~**ly** oumense, bejaardes; ~**ly** bejaard
**el′dest** oudste
**elect′** (v) uitverkies; (ver)kies; (a) uitgekies; verkose; *~ed to council* tot die raad verkies/benoem; ~**ion** verkiesing, eleksie; ~**ion day** stemdag
**elec′toral district** kiesdistrik, kiesafdeling
**elec′tric** elektries; ~ **bulb** gloeilamp; ~ **cur′rent** elektriese stroom; ~ **plug** kragprop
**electri′cian** ekektrisiën (mens)
**electri′city** elektrisiteit
**elec′trocardiogram (ECG)** elektrokardiogram (EKG) *see* **car′diograph**
**elec′trocute** (v) doodskok; elektries teregstel
**electro′nic** (a) elektronies; ~ **control′** elektroniese beheer; ~ **mail (e-mail/email)** elektroniese pos (e-pos)
**el′egant** sierlik, bevallig, smaakvol, elegant
**el′egy elegies** elegie, treursang/treurdig
**el′ement** element; (pl) elemente, beginsels
**elemen′tary** elementêr, eenvoudig
**el′ephant** olifant; ~ **tusk** olifanttand
**el′evate** (v) ophef, verhef; veredel; (a) verhewe, hoog; ~**d** verhewe
**el′evator** hyser/hysbak; graansuier, silo
**elev′en** elf; elftal (krieket); ~**th** elfde
**elf′ elves** kaboutermannetjie, dwerg
**el′igible** (a) verkiesbaar, geskik; *being ~, he offers himself for re-election* hy is en stel hom herkiesbaar; ~ **bach′elor** hubare/gesogte (oujong)kêrel/vrygesel
**elim′inate** weglaat, elimineer; uitdun
**eli′te** (a) deftig *also* **smart**; (n) elite (mens); ~ **troops** keurtroepe
**ell** el *see* **el′bow**
**ellipse′** (n) ellips, ovaal
**elocu′tion** voordrag(kuns), elokusie
**elope′** (v) wegloop, dros; skaak
**el′oquent** welsprekend; veelseggend
**else** anders; *anyone ~?* iem. anders?, nog iem.?; ~**where** êrens anders, elders
**e-mail/email** e-pos
**emancipa′tion** vrymaking, vrywording, emansipasie
**emas′culate** (v) ontman, kastreer, sny
**embank′** indyk, opdam; ~**ment** dyk; afdamming; skuinste; wal
**embar′go** (n) verbod, embargo *also* **ban**
**embark′** inskeep; aanvaar; aanpak
**embar′rass** verleë maak; embarrasseer; *you ~ me* jy bring my in die verleentheid; ~**ment** verleentheid
**em′bassy embassies** ambassade
**embez′zle** (v) verduister, steel (geld, fondse)
**embitt′er** verbitter, versuur
**em′blem** (n) sinnebeeld, simbool, embleem
**embrace′** (v) omhels; omvat
**embroid′er** borduur
**em′bryo -s** vrug, embrio
**em′erald** (n) smarag; (a) smaraggroen
**emerge′** (v) opkom, te voorskyn kom, oprys
**emer′gency ..cies** nood(geval) *also* **cri′sis**; ~ **brake** noodrem; ~ **ex′it** nooduitgang; ~ **fund** (nood)hulpfonds; ~ **lan′ding** noodlanding (vliegtuig)
**em′ery**: ~ **pa′per** skuurpapier *also* **sand′paper**; ~ **wheel** slypwiel
**em′igrant** (n) emigrant, landverhuiser (mens)
**em′inent** (a) verhewe; voortreflik
**em′issary ..ries** gesant, afgesant (mens)

**emit′** uitstraal; uitvaardig
**emol′ument** besoldiging; salaris, loon
**emo′tion** aandoening, emosie, ontroering; ~**al** aandoenlik, emosioneel, roerend; ~**al sce′nes** roerende tonele
**em′peror** keiser
**em′phasis** (n) nadruk; klem *also* **stress**
**em′phasise** (v) benadruk, beklemtoon, uitlig *also* **high′light** (v)
**em′pire** keiserryk
**employ′** (n) diens; (v) gebruik; werk gee; besig hou; ~**ee′** werknemer; ~**er** werkgewer; ~**ment** werk, werkverband; werkverskaffing; indiensplasing, indiensneming; ~**ment a′gency** personeelagentskap, werkverskaffingsburo; **condi′tions of** ~**ment** diensvoorwaardes
**empo′wer** (v) mag gee/bemagtig; ~**ment** (n) bemagtiging
**emp′ty** (v) leegmaak; (a) leeg; ydel; ~**-headed** dom, onnosel
**em′ulate** (v) oortref *also* **surpass′, out′perform**
**ena′ble** in staat stel, bekwaam maak, help
**enam′el** (n) glasuur; emalje/enemmel; erd; ~ **paint** glansverf *also* **gloss paint**
**enchant′** (v) bekoor, betower; ~**ed** betowerd, verruk; ~**ing** betowerend, bekoorlik
**enclose′** insluit; omhein, inkamp
**enclo′sure** omheining; kamp; bylae
**encode′** (v) (en)kodeer; kodifiseer
**encore′** (n) toegif (by opvoering); herhaling
**encoun′ter** (n) skermutseling/botsing; kragmeting; ontmoeting; (v) tref, slaags raak
**encou′rage** (v) aanmoedig, aanspoor; ~**ment** aanmoediging, aansporing
**encyclopaed′ia** ensiklopedie
**end** (n) end, einde; afloop; *be at one's wits′* ~ raadop wees; (v) end, eindig; ophou
**endan′gered:** ~ **spe′cies** bedreigde spesies
**endeav′our** (n) poging; strewe; (v) probeer
**endem′ic** inheems, endemies (siekte)
**end′ing** end, uiteinde, slot, einde
**endorse′** (v) endosseer; bevestig; ~**ment** endossement; goedkeuring
**endow′ment** skenking, bemaking; gawe, talent; ~ **pol′icy** uitkeerpolis
**endur′ance** uithouvermoë
**endure′** (v) verduur; uitstaan, verdra; volhou
**en′ema** (n) lawement, enema
**en′emy** (n) **..mies** vyand; teenstander
**energet′ic** (a) kragtig, energiek; deurtastend
**en′ergy ..gies** energie; arbeidsvermoë; krag
**enforce′** (af)dwing; deurdryf; ~ *the law* die wet toepas/uitvoer; ~**ment** toepassing
**engage′** (v) verloof; aanpak; aanneem; ~*d to* verloof aan; ~**ment** verlowing; ~**ment ring** verloofring
**en′gine** (n) enjin; motor (elektr.); ~ **dri′ver** enjindrywer, masjinis
**engineer′** (n) ingenieur; **civ′il** ~ siviele ingenieur; **elec′trical** ~ elektrotegniese ingenieur; **mechanical** ~ meganiese/werktuigkundige ingenieur; (v) bewerk; bou; genieer; ~**ing** ingenieurswese (vak); geniëring (proses)
**Eng′land** Engeland
**Eng′lish** Engels; ~**man ..men** Engelsman
**engrave′** graveer; inprent; ~**r** graveur (mens)
**engrav′ing** gravure, kunsplaat
**enhance′** (v) verhoog, verhef; verbeter
**enjamb′ment** enjambement, deurloop (versreël), oorvloeiing
**enjoy′** (v) geniet, vermaak; ~ *yourself (at the party)* geniet (die partytjie); ~**able** aangenaam, genotvol; ~**ment** genot, vermaak, plesier, pret *also* **fun**
**enlarge′** vergroot; ~**ment** vergroting
**enlight′en** verlig; voorlig; ~**ed** verlig
**enorm′ous** (a) ontsaglik, enorm, tamaai
**enough′** genoeg, voldoende
**enquire′** (v) navraag doen, verneem, informeer; ~ *after* verneem/vra na
**enquir′y ..ries** navraag; (pl) navrae; *make enquiries* navraag doen *see* **in′quiry**
**enrich′** (v) verryk; vrugbaar maak
**enrol′** inskryf/registreer; aansluit; in diens neem; ~**ment** inskrywing
**ensure′** waarborg; verseker, seker maak
**entail′** (v) meebring; behels; veroorsaak
**en′ter** ingaan, intree; inskryf, registreer; aangaan; sluit (kontrak); ~ *for a race* inskryf vir 'n wedren
**enter′ic fever/enteri′tis** ingewandskoors
**en′terprise** onderneming; *free* ~ vrye ondernemerskap, vrye markstelsel
**entertain′** (v) onthaal; vermaak; ~ *guests* gaste onthaal; ~**er** vermaaklikheidskunstenaar; ~**ing** onderhoudend, vermaaklik; ~**ment** onthaal; vermaaklikheid
**enthu′siast** entoesias; **sport/spor′ting** ~ sportliefhebber (mens)
**enthusias′tic** (a) geesdriftig, entoesiasties
**entice′** verlok, verlei, in versoeking bring

**entire′** volledig, volkome; ~**ly** heeltemal, geheel en al *also* **comple′tely**
**enti′tle** betitel, noem; reg gee op; ~**d** geregtig op; *be ~d to* geregtig wees op
**en′tity entities** wese, entiteit
**entomol′ogist** entomoloog, insektekundige
**en′trance** (n) ingang, toegang; intrede
**en′trance:** ~ **examina′tion** toelaateksamen; ~ **fee** intreegeld, inskryfgeld; ~ **require′ments** toelaatvereistes
**en′trant** kandidaat, nuweling, deelnemer
**entreat′** (v) smeek, bid, soebat *also* **beseech′**
**entrench′** verskans; ~**ed clau′ses** verskanste klousules
**entrepreneur′** (sake)ondernemer, entrepreneur
**en′try entries** ingang, intrede; inskrywings; pos; ~ **form** inskryfvorm
**enum′erate** (v) opnoem; tel; lys (w)
**en′velope** koevert; omslag, omhulsel
**en′vious** (a) afgunstig, naywerig, jaloers
**envir′on** omring, omsingel; ~**ment** omgewing, milieu; ~**men′tal conserva′tion** omgewingsbewaring; ~**men′tally friend′ly** omgewingsvriendelik/omgewingsgunstig; ~**men′tal stud′ies** ekologie; omgewingsleer; ~**men′talist** omgewing(s)bewaarder
**envi′sage** beskou; beoog; voor die gees roep
**en′voy -s** gesant, afgesant *also* **go-between′**
**en′vy** (n) afguns, nyd; (v) beny, misgun
**ep′ic** (n) heldedig, epos; (a) epies, verhalend
**epidem′ic** (n) epidemie; (a) epidemies
**ep′igram** (n) puntdig, epigram
**ep′ilepsy** vallende siekte, epilepsie
**epilep′tic** (a) epilepties
**ep′ilogue** (n) narede, slottoespraak; oordenking *also* **medita′tion**
**ep′isode** voorval, episode; tussenverhaal
**ep′itaph** (n) grafskrif
**ep′os -es** heldedig, (mondelinge) epos
**eq′ual** (n) gelyke; weerga; (v) ewenaar; (a) dieselfde, gelyk; ~ *to* gelyk aan; opgewasse teen/vir; *on ~ footing* op gelyke voet
**eq′ualise** gelyk maak; gelykstel; ewenaar; ~**r** gelykmaker (van punte); effenaar (radio)
**equal′ity** (n) gelykheid; ~ *of votes* staking van stemme
**eq′ually** gelyk, eenders/eners, net so
**equa′tion** vergelyking; ewewig
**equat′or** ewenaar/ekwator; sonlyn, linie
**eques′trian** (n) perderuiter, ruiter; ~ **stat′ue** ruiterstandbeeld
**equilib′rium** (n) ewewig
**eq′uinox -es** dag- en nagewening
**equip′** (v) toerus, uitrus; voorsien
**equip′ment** uitrusting, toerusting *also* **out′fit**
**eq′uitable** (a) billik, redelik, regverdig
**eq′uity ..ties** billikheid, onpartydigheid; (pl) ekwiteite, gewone aandele
**equiv′alent** ekwivalent; ~ *to* gelyk aan
**er′a -s** tydvak, era; jaartelling
**erad′icate** uitroei, verdelg; ontwortel
**eras′e** (v) skrap *also* **dele′te**; uitwis, uitvee; ~**r** uitveër, wisser
**erect′** (v) oprig, stig, bou; (a) (pen)regop, penorent; ~**ion** oprigting, stigting; ereksie
**erf erven** erf; standplaas
**erm′ine** hermelyn
**ero′sion** (n) wegvreting, erosie, verwering, (grond)verspoeling
**erot′ic** eroties; ~ **film** hygfliek
**err** (v) fout maak, fouteer; dwaal, sondig
**e′rrand** boodskap; opdrag
**errat′ic** wisselvallig; onbestendig (sport)
**errat′um errata** drukfout, skryffout
**erron′eous** (a) verkeerd, onjuis, foutief
**e′rror** fout, dwaling, vergissing; *commit an ~* ′n fout/flater begaan/maak; **un′forced** ~ ongedwonge fout (sport)
**e′rudite** (a) geleerd, belese *also* **lear′ned**
**erupt′** uitbars (vulkaan); uitbreek; ~**ion** uitbarsting; uitslag
**es′calate** (v) eskaleer, progressief toeneem
**es′calator** (n) roltrap
**escape′** (n) ontsnapping; **nar′row** ~ noue ontkoming; (v) ontsnap; ontkom
**escarp′ment** platorand/eskarp; skuinste
**es′cort** (n) begeleier; vrygeleide
**escort′** (v) begelei, vergesel; ~ **a′gency** gesellin(ne)klub, huurmeisieklub
**espe′cial** besonder; ~**ly** veral, vernaamlik
**espiona′ge** spioenasie, bespieding; **indus′trial** ~ nywerheidspioenasie
**esplanade′** (gras)plein, esplanade, wandelbaan
**ess′ay** (n) opstel, verhandeling, essay; ~**ist** essayis (mens)
**ess′ence** (n) wese, essensie; grondbestanddeel
**essen′tial** (a) essensieel, noodsaaklik
**essen′tially** hoofsaaklik, in hoofsaak/wese
**estab′lish** (v) vasstel; oprig, stig, vestig; ~**ed** gevestig, opgerig; ~**ment** oprigting; vestiging; saak, onderneming
**estate′** (n) besitting(s), eiendom; landgoed; boedel; ~ **du′ty** boedelbelasting; **real** ~

vaste eiendom
**esteem′** (n) agting; waardering; (v) ag, hoog≈ag; ~**ed** geag, gesien
**es′timate** (n) (be)raming, skatting, waardering; (v) raam, skat, waardeer, begroot; *an ~d R5 million* ′n geraamde R5 miljoen; ~ *the cost at* raam die koste op
**es′tuary ..ries** riviermond, monding
**et cet′era (etc.)** ensovoort (ens.)
**etch -es** ets; ~**er** etser (mens); ~**ing** ets
**etern′al** (a) ewig, ewigdurend
**etern′ity** (n) ewigheid
**eth′ics** sedeleer, sedekunde, etiek; **code of** ~ gedragskode
**eth′nic** volkekundig; etnies
**e′tiquette** (n) etiket, wellewendheidsvorme
**etymol′ogy** woordafleiding, etimologie
**eucalyp′tus ..ti** bloekom(boom)
**eu′logy** (n) lofrede/lofspraak; lykrede
**euph′emism** (n) eufemisme, versagting
**eupho′ria** geluksgevoel, euforie
**Eur′omart** (n) Euromark
**Eu′rope** Europa
**Europe′an** (n) Europeaan, Europeër (mens); (a) Europees
**euthanas′ia** (n) genadedood, eutanasie *also* **mer′cy kil′ling**
**evac′uate** ontruim, verlaat; ~ *the building* die gebou ontruim; ~ *the inhabitants* die in≈woners na veiligheid bring
**evade′** ontwyk; ontduik; ontgaan
**evaluat′ion** evaluering, waardebepaling
**evan′gel:** ~**isa′tion** evangelisasie; ~**ist** evan≈gelis
**evap′orate** (v) verdamp, vervlieg; uitwasem
**eva′sive** ontwykend, ontduikend; vaag
**eve** aand: vooraand; **Christ′mas E~** Oukers≈aand; **New Year's E~** Oujaarsaand; *on the ~ of* op/aan die vooraand van
**e′ven**[1] (v) gelykmaak; gelykstel; (a, adv) glad, effe, egalig, reëlmatig; *odd and ~* gelyk en ongelyk; *we are ~/quits* ons is kiets; ~**-tem′pered** gelykmoedig *also* **plac′id**
**e′ven**[2] (adv) selfs, ook, eweneens; *not ~* nie eers/eens nie; ~ *now* selfs nou
**eve′ning** aand; ~ **dress** aanddrag; aandrok
**event′** gebeurtenis, voorval; (pl) gebeure; by≈eenkoms *also* **hap′pening**; *in the ~ of* in geval van
**even′tual** moontlik, gebeurlik; toevallig
**even′tually** ten slotte; uiteindelik
**ev′er** ooit; steeds, altyd; *for ~* ewig; *thank you ~ so much* hartlike dank; baie, baie dankie; ~**green** immergroen; ~**last′ing** ewigdu≈rend; ~**last′ings** sewejaartjies (blomme); ~**more** vir altyd, ewig
**ev′ery** elke, ieder, alle; ~ *other day* al om die ander dag; ~ *person who* elkeen/iedereen wat; ~ *time* telkens; ~**bo′dy** elkeen, ieder≈een; ~**day** daagliks; alledaags; ~**one** elk≈een, iedereen, almal; ~**thing** alles; ~**where** oral(s)
**ev′idence** (n) bewys; getuie; getuienis; *give ~* getuienis aflê
**ev′ident** (a) duidelik, klaarblyklik; ~**ly** blyk≈baar
**ev′il** (n) kwaad, euwel; (a) kwaad, sleg, son≈dig; ~**do′er** boosdoener
**evolu′tion** (n) ontwikkeling, evolusie/ewolusie
**ewe** ooi; ~ **lamb** ooilam
**ex-** gewese, oud≈; ~**pu′pil** oudleerling
**exact′**[1] (v) afdwing, afpers *also* **force** (v)
**exact′**[2] (a) noukeurig, juis, presies, eksak
**exa′ggerate** oordryf, vergroot; ~**d** oordrewe
**examina′tion/exam′** eksamen, ondersoek; *pass an ~* (in) ′n eksamen slaag; *sit for an ~* eksamen doen; ~ **pa′per** eksamenvraestel
**exam′ine** (v) ondersoek, eksamineer, onder≈vra; uitvra; verhoor; ~**r** eksaminator
**exam′ple** voorbeeld; monster, proef; eksem≈plaar; *for ~* byvoorbeeld
**exaspera′tion** gramskap *also* **an′ger**; terging; verbittering; *in ~* tot frustrasie gedryf
**excava′tion** uitgrawing; opgrawing
**exceed′** (v) oortref; oorskry; *losses ~ revenue* verliese oorskry inkomste; ~**ing(ly)** buiten≈gewoon, uitermate
**excel′** (v) oortref, uitmunt; ~ *in tennis* in ten≈nis uitmunt
**ex′cellence** voortreflikheid, uitmuntendheid
**ex′cellency ..cies** eksellensie (mens)
**ex′cellent** (a) uitstekend, voortreflik, uitmun≈tend, puik *also* **outstan′ding, superb′**
**except′** (v) uitsonder, uitsluit; (prep) uitge≈sonder(d), behalwe
**excep′tion** (n) uitsondering; *take ~ to* aanstoot neem aan; ~**al** buitengewoon, besonder, uitsonderlik
**excess′ -es** oordaad, oormaat; ~**ive** oormatig, buitensporig
**exchange′** (n) ruiling; wisselkoers, valuta; telefoonsentrale; **bill of** ~ (geld)wissel; ~ **control′** valutabeheer; (v) wissel; ruil; ~ **rate** wisselkoers; ~ **stu′dent** (uit)ruilstudent

**excite′** (v) aanspoor; opwen; ~**d** opgewonde; ~**ment** opwinding; opgewondenheid
**excit′ing** (a) opwindend, spannend
**exclama′tion** uitroep, skree(u); ~ **mark** uitroepteken
**exclude′** (v) uitsluit, uitsonder
**exclus′ive** (a) uitsluitend, eksklusief; deftig, kieskeurig; ~ *of* met uitsluiting van; ~ **residential area** spog(woon)buurt; ~ **suburb** deftige voorstad *also* **up′market a′rea**
**excru′ciating** martelend, folterend (pyn)
**excur′sion** uitstappie, ekskursie; uitweiding; ~ **tick′et** ekskursiekaartjie
**excuse′** (n) verskoning, ekskuus; (v) verskoon, ekskuseer; ~ *me!* ekskuus (tog)!; pardon!
**ex′ecute** (v) uitvoer, voltrek; verrig, vervul; teregstel, ophang, onthoof, fusilleer
**execu′tion** uitvoering; voltrekking (doodstraf); teregstelling; onthoofding; beslaglegging; ~**er** laksman, beul
**exec′utive** (n) bestuurshoof, bestuursleier; bedryfsleier; (uitvoerende) bestuur; **chief** ~ hoofbestuursleier; **op′erating** ~ bedryfshoof; (a) uitvoerend; ~ **commit′tee** uitvoerende komitee; dagbestuur; ~ **direc′tor** uitvoerende direkteur; ~ **suite** bestuurstel
**exec′utor** eksekuteur (van boedel)
**exem′plar** voorbeeld; toonbeeld; ~**y** (a) voorbeeldig, navolgenswaardig
**exempt′** (v) vrystel, ontslaan; ~ *from a subject* van 'n vak vrystel; (a) vrygestel, uitgesonder(d); ~**ion** vrystelling
**ex′ercise** (n) oefening; (v) oefen, dril; ~ **book** skryfboek, oefenskrif, skrif
**exert′** (v) aanwend; inspan; beywer; ~ *oneself* jou inspan; ~**ion** inspanning
**exhale′** uitasem; uitdamp/uitwasem
**exhaust′**[1] (n) uitlaatpyp; knaldemper (motor)
**exhaust′**[2] (v) uitput, afmat; leegmaak; ~**ed** gedaan, kapot, uitgeput; ~**ion** uitputting, afmatting; **heat** ~**ion** hitte-uitputting; ~**ive** (a) volledig, grondig
**exhib′it** (n) insending; uitstalling; bewysstuk; (v) vertoon, ten toon stel, uitstal; ~ *one's cattle* jou beeste skou
**exhibi′tion** tentoonstelling, skou; vertoning
**exhil′arating** verfrissend, opwekkend
**ex′ile** (n) ballingskap; banneling/balling (mens); (v) verban
**exist′** bestaan, lewe
**exist′ence** bestaan, lewe; **preca′rious** ~ sukkelbestaan
**exist′ing** bestaande; aanwesig
**ex′it** (n) deur, uitgang; (v) (gaan) af (toneel); ~ **in′terview** vertrekgesprek (met personeel)
**ex′odus** (n) uittog, eksodus
**exorb′itant** buitensporig, erg, verregaande
**exot′ic** (a) uitheems, vreemd, eksoties
**expand′** uitsprei (plant); uitbrei; uitsit; swel
**expan′sion** (n) uitsetting; uitbreiding; swelling, ontwikkeling; toename; ~ **joint** uitsitvoeg
**expat′riate** (n) banneling; uitgewekene (mens)
**expect′** (v) verwag; veronderstel, vermoed; **life** ~**ancy** lewensverwagting; ~**ant** verwagtend; swanger (vrou) *also* **preg′nant**
**expecta′tion** verwagting; vooruitsig
**exped′ient** (n) hulpmiddel, noodhulp; (a) geskik, dienstig *also* **appro′priate**
**ex′pedite** (v) bespoedig; afstuur; verhaas
**expedi′tion** veldtog, ekspedisie
**expel′** verdryf; uitsit (uit skool); verban
**expend′** bestee, verkwis; ~**able** afskryfbaar
**expen′diture** (n) uitgawe, onkoste, besteding; **in′come and** ~ inkomste en uitgawes
**expense′** koste, onkoste
**expen′sive** duur *also* **cost′ly**; kosbaar
**exper′ience** (n) ondervinding, ervaring; (v) ondervind, ervaar; ~**d** (a) ervare (mens)
**expe′riment** (n) proefneming, eksperiment; (v) beproef, eksperimenteer
**experimen′tal** proefondervindelik, eksperimenteel; ~ **farm** proefplaas
**ex′pert**[1] (n) deskundige, vakkundige, kundige/kenner, ekspert; ~**ise** (sake)vernuf, kundigheid *also* **know′-how**
**ex′pert**[2] (a) bedrewe; deskundig, vakkundig
**expir′e** uitasem, sterf; verval, verstryk; **expi′ry date** vervaldatum/verstrykdatum
**explain′** (v) uitlê, verklaar, verduidelik
**explana′tion** uitleg(ging), verklaring, verduideliking *also* **clarifica′tion**
**expli′cit** uitdruklik, stellig *also* **express′**
**explode′** ontplof, bars, spring; laat ontplof
**exploit′** (v) uitbuit; ontgin, bewerk
**explora′tion** (n) navorsing, eksplorasie; ontdekking/ontginning
**explore′** ondersoek, navors, naspoor; ~**r** ontdekkingsreisiger; navorser
**explo′sion** ontploffing, uitbarsting, slag, knal *also* **blast**; ~ **shot** plofhou (gholf)
**explos′ive** (n) plofstof; (pl) plofstof, springstof; (a) (ont)plofbaar; opvlieënd; ~**s ex′pert** plofstof(des)kundige

**ex′po** (n) uitstalling, skou, ekspo
**ex′port**[1] (n) uitvoer; uitvoerartikels
**export′**[2] (v) uitvoer, eksporteer
**ex′port:** ~ **du′ty** uitvoerreg; ~**er** uitvoerder (mens); ~ **trade** uitvoerhandel
**expose′** ontbloot, blootstel; openbaar; ~**d** onbeskut; ~**r** ontbloter *also* **flash′er** (man)
**expo′sure** blootstelling; gevaar
**express′** (v) uitdruk; uit; betuig; (a) spoed=; opsetlik, uitdruklik; ~**ion** uitdrukking, ge=segde; *beyond ~ion* onbeskryflik; ~**ive** uit=druklik, betekenisvol; veelseggend; ~ **mail/post** spoedpos; ~ **way** snelweg
**expro′priate** (v) onteien, ontvreem (eiendom)
**expul′sion** uitsetting (uit skool); verdrywing
**ex′quisite** (a) keurig, voortreflik
**extend′** (v) uitstrek; uitbrei; verleng; ~ *our best wishes* die allerbeste toewens
**exten′sion** (n) uitbreiding; verlenging; bylyn (telefoon), verlengstuk; **Eloff Street E~** Eloffstraatverlenging; **Parkwood E~** Park=wood-uitbreiding; ~ **cord** verlengkoord; ~ **lad′der** skuifleer; ~ **of′ficer** voorlig(tings)=beampte, veldbeampte
**extent′** uitgestrektheid, omvang; *to the ~ of* tot die bedrag/omvang van; *to some* ~ in sekere mate
**exten′uating** versagtend; ~**/mit′igating cir′=cumstances** versagtende omstandighede
**exter′ior** (n) uiterlike, voorkome; buitekant; (a) uitwendig; uiterlik; buite=
**exterm′inate** (v) uitroei, verdelg *also* **destroy′**
**extern′al** (n) uiterlike; (pl) uiterlikhede; by=komstighede; (a) uitwendig, ekstern, buite=; ~ **stu′dies** eksterne studie
**extinct′** dood; uitgeblus; uitgesterf; uitgedoof, uitgewerk (vulkaan)
**exting′uish** (v) doodblaas, uitdoof, blus (vuur); ~**er** blusser; domper
**extort′** afpers, afdreig; ~**ion** afpersing
**ex′tra** (n) toegif, ekstratjie; *no ~s* alles in=begrepe; (a) buitengewoon, ekstra; ~**cur=ric′ular** buitekurrikulêr
**ex′tract** (n) uittreksel; ekstrak; aftreksel
**extract′** (v) uittrek; 'n uittreksel maak; ~**ion** afkoms, afstamming (familie)
**extradi′tion** (n) uitlewering
**extramur′al** buitemuurs (studie)
**extraor′dinary** (a) buitengewoon, sonderling
**extrasens′ory:** ~ **percep′tion (ESP)** buitesin=tuiglike waarneming
**extrav′agance** (n) buitensporigheid; verkwis=ting, oordaad
**extrav′agant** (a) buitensporig, uitspattig; on=matig; verkwistend, spandabel
**extravagan′za** musikale kykspel, extravaganza
**extre′me** (n) uiterste; ~**ly** uiters, uitermate
**ex′trovert** (n) ekstrovert (mens); (a) ekstrovert
**eye** (n) oog; lus (in tou); *turn the blind ~* oogluikend toelaat; *see ~ to ~ with* dit vol=kome eens wees met; (v) dophou, bekyk, beskou, gadeslaan; ~**brow** wenkbrou; ~**hole** kykgaatjie/loerkyker(tjie) (in deur); ~**lash** ooghaar, wimper; ~**lid** ooglid; ~**-o′pener** openbaring; verrassing; ~**sight** gesig; ~**sore** onooglik(heid); ~**wash** oogwater; oëverblin=dery (fig.), kaf; ~**wit′ness** ooggetuie *also* **wit′ness**

# F

**fa′ble** (n) fabel, sprokie; verdigsel
**fab′ric** weefstof; bou; maaksel, fabrikaat; ~**a′tion** verdigsel, versinsel
**fab′ulous** (a) fabelagtig *also* **fantas′tic**
**face** (n) gesig, gelaat; voorkoms; ~ *the music* die gevolge dra; ~ *to* ~ onder vier oë; ~**brick** siersteen; ~ **cream** gesigroom; ~**lift** ontrimpeling, gesig(s)kuur; verjongingskuur
**fa′cet** (n) vlak, faset
**face′tious** (a) grappig, geestig *also* **wit′ty**
**face val′ue** nominale waarde, sigwaarde
**fa′cial** gesig(s)=; ~ **tis′sue** gesigsnesie
**facil′itate** vergemaklik, (aan)help, fasiliteer; verlig; ~ *matters* sake vergemaklik
**facil′ity** (pl) ~**ties** geriewe, fasiliteite
**facsim′ile** reproduksie, faksimilee *see* **fax**
**fact** (n) feit; daad; werklikheid; *in ~* inder=daad; ~**find′ing mis′sion** feitesending
**fac′tion** party, partyskap; faksie, kliek; (poli=tieke) groep; ~ **fight** stamgeveg/faksiegeveg
**fac′tor** faktor, agent; oorsaak
**fac′tory ..ries** fabriek; ~ **waste** fabrieksafval; ~ **overheads′** fabrieksbokoste
**facto′tum** (n) handlanger, knaphand, faktotum
**fac′ulty ..ties** vermoë, bekwaamheid, talent; fakulteit (van 'n universiteit)

**fad** (n) gier, idee *also* **cra′ze/fan′cy**; stokperd=jie
**fade** (v) verwelk; verlep; kwyn, verflou
**fail** (n) fout; *without* ~ seker; (v) misluk/faal; sak/dop/druip (eksamen)
**fail′ing** (n) fout, gemis; tekortkoming; ~ **subject** 'n druipvak
**fail′ure** (n) mislukking; gebrek; druipeling (in eksamen); ~ **rate** druipsyfer
**faint** (n) floute; (v) flou val, verwelk; (a) swak, onduidelik; dof; ~**-heart′ed** halfhartig
**fair**[1] (n) kermis, jaarmark *also* **fê′te**
**fair**[2] (a) fraai, skoon; blond, lig; *the ~(er) sex* die skone geslag; ~ **play** (n) eerlike spel; (a) regverdig, reg, eerlik; ~**way** skoonveld (gholf)
**fair′y fairies** fee; ~ **tale** sprokie, feëverhaal
**faith** (n) geloof; vertroue; (interj) regtig, so=waar; ~**ful** getrou; ~ **heal′er** geloofsge=neser
**fake** (n) vervalsing; bedrog *also* **for′gery**; (a) vervals, namaak
**fakir′** (n) fakir, bedelmonnik (Indies)
**fal′con** valk; ~**er** valkenier (mens)
**fall** (n) val; daling; ondergang; (v) val, daal, sink; ~ *due* verval; ~ *in love* verlief raak
**fall′ible** (a) feilbaar *also* **imper′fect**
**fall′-out** uitval; kern-as (atoombom)
**false** (a) vals, skynheilig; ~**hood** valsheid; leuen, bedrog
**fal′sify** vervals *also* **forge**; namaak
**fal′ter** hakkel, stamel; strompel, struikel
**fame** roem, beroemdheid; **house of ill-**~ bor=deel, hoerhuis
**famil′iar** (a) vertroulik, eie; vrypostig; ~ *surroundings* bekende/vertroude omgewing; ~ *with the facts* vertroud met die feite
**fam′ily ..lies** familie, gesin; geslag; stam; *be in the ~ way* in geseënde omstandighede wees; ~ **cir′cle** familiekring; ~ **kil′ling** ge=sinsmoord; ~ **plan′ning** gesinsbeplanning; ~ **practi′tioner** huisarts; ~ **tree** stamboom
**Fam′ily Day** Gesinsdag (vakansie)
**fam′ine** hongersnood; gebrek
**fam′ous** (a) beroemd, vermaard
**fan**[1] (n) bewonderaar, aanhanger; entoesias; ~**mail** bewonderaarsbriewe, dweeppos
**fan**[2] (n) waaier; wan; (v) koel waai; aanwak=ker; ~**belt** waaierband
**fanat′ic** (n) dweper, fanatikus (mens); ~**al** dweepsiek, fanatiek
**fan′cy** (n) **..cies** verbeelding, inbeelding, gril, nuk, gier; fantasie; *take a ~ to* aangetrokke voel tot, hou van; (v) verbeel, baie hou van; (interj) dink net!; ~ **dress** fantasiekostuum; ~**dress ball** kostuumbal, maskerbal; ~ **goods** snuisterye/sierware
**fang** slagtand; giftand (van slang)
**fan′tail** (n) waaierstert, pronkduif (pigeon)
**fantas′tic** grillig, fantasties *also* **fab′ulous**
**fan′tasy** inbeelding; fantasie; gril, inval
**far** (n): *by* ~ verreweg; (a) ver/vêr, afgeleë; (adv) baie, veel; ver, ver(re)weg
**farce** (n) grap, klug *also* **com′edy**
**fare** (n) reisgeld, passasiersgeld; kos
**farewell′** vaarwel, afskeid; ~ **din′ner** af=skeid(s)dinee; ~ **gift/pres′ent** afskeid(s)ge=skenk
**farm** (n) plaas, boerdery; (v) boer; ~**er** boer, landbouer; ~**stall** plaaskiosk, padstal(le=tjie); ~**stead** (plaas)opstal
**far-reach′ing** verreikend/vêrreikend; groot
**far′-sighted** versiende/vêrsiende
**farth′er** (a) verder; (adv) verder/vêrder
**fas′cinating** (a) boeiend; bekoorlik
**fa′shion** (n) mode; drag; fatsoen; maaksel; *out of* ~ uit die mode; (v) fatsoeneer, vorm; ~**able** modies, modieus; deftig; fatsoenlik; ~ **design′er** mode-ontwerper; ~ **para′de** mo=departade; ~ **show** modeskou
**fast**[1] (n) vas; (v) vas, sonder kos bly
**fast**[2] (a, adv) vinnig; vas, standvastig, sterk; *the clock is too* ~ die klok loop voor; ~ **bowler** snelbouler; ~ **col′our** vaste kleur; vaskleur=; ~ **foods** kitskos, prulkos *also* **junk food**
**fas′ten** (v) vasmaak; bevestig
**fat** (n, a) vet; ~ **cat** geiljan, dikvreter (mens)
**fa′tal** noodlottig, dodelik; fataal; ~ **ac′cident** noodlottige ongeluk
**fate** (n) noodlot; lot, bestemming
**fat′head** domkop, skaap, pampoen *also* **clod**
**Fa′ther Christ′mas** Kersvader, Vader Krismis *also* **San′ta Claus**
**fa′ther** (n) vader; (v) verwek; ~**-in-law** skoon=vader; ~**land** vaderland; ~**ly** vaderlik
**fath′om** (n) vaam/vadem; (v) omvat, deur=grond; *I can't ~ it* ek kan dit nie kleinkry nie
**fatigue′** (n) moegheid, vermoeienis, afmatting; **met′al** ~ metaalverswakking
**fat:** ~**ten** vet maak; ~**ty** (n) vetsak; potjierol (kind); (a) vetterig
**fault** fout, gebrek; skuld; *find ~ with* vit;

~**find'er** foutvinder, vitter; ~**less** onberis=pelik; foutloos; ~**y** gebrekkig, foutief, defek
**faun** (n) sater, bosgod, faun
**faun'a -e** dierewêreld, fauna
**fav'our** (n) guns; *by ~ of* deur (vriendelike) bemiddeling van; *curry ~* witvoetjie soek; *do one a ~* iem. 'n guns bewys; *in ~ of* ten gunste van; (v) begunstig; ~**able** gunstig; welwillend; ~**ite** (n) gunsteling; liefling; kansperd; (a) lieflings=; geliefkoosde: *my ~ite poet* my gunstelingdigter; *my ~ite dog* my lieflingshond; ~**itism** voortrekkery
**fax** (n, v) faks (telef. faksimilee)
**fear** (n) vrees, angs; *for ~ of* uit vrees vir; (v) bang wees, vrees; ~**less** onbevrees, onver=skrokke *also* **undaun'ted**
**fea'sible** (a) uitvoerbaar, haalbaar; prakties
**feasibil'ity** uitvoerbaarheid; ~ **study** uitvoer=baarheidstudie, haalbaarheidstudie
**feast** (n) fees, feesmaal; (v) feesvier; fuif
**feat** (n) kordaatstuk, prestasie; heldedaad
**feath'er** (n) veer; *a ~ in one's cap* 'n pluim=pie; ~**-brain'ed** dom; ~**weight** veergewig
**fea'ture** (n) gelaatstrek; hooftrek; kenmerk; (pl) gelaatstrekke; (v) uitbeeld; ~ **pro'=gramme** glansprogram; hoorbeeld (radio)
**Feb'ruary** Februarie
**fed** gevoed; ~ *up* vies, keelvol; gatvol (*kru*)
**fed'eral** federaal
**federa'tion** federasie; verbond
**fee** (n) fooi *also* **tip**; professionele fooi/ver=goeding; honorarium; **medi'cal** ~**s** dokters=gelde, mediese koste
**fee'ble** (a) swak, kleinmoedig, halfhartig; ~**-min'ded** swaksinnig; ~**ness** swakheid
**feed** (n) voer, kos; (v) voer, voed; insleutel (rek.); ~**back** terugvoer(ing); ~**er ser'vice** toevoerdiens; ~**ing bottle** bababottel; ~**lot** voerkraal
**feel** (n) gevoel; aanvoeling; (v) voel; bevoel; ~**er** voelhoring, voelspriet, ~**ing** (n) ge=voel, gedagte; opinie; (a) gevoelig; gevoel=vol
**feint** (n) voorwendsel; (v) liemaak; skrikmaak
**felicita'tion** gelukwensing *also* **congratula't=ions**
**fell** (v) laat val; neerval; platslaan *see* **fall** (v)
**fell'ow** maat, kêrel, ou; lid(maat); genoot (van 'n vereniging); **good/jolly** ~ gawe kêrel; ~**-crea'ture** medemens; ~**ship** kameraad=skap; innige samesyn (kerk); genootskap (van 'n vereniging)
**fel'ony ..nies** misdaad, misdryf
**felt** (n) vilt; (a) vilt=; ~ **hat** vilthoed
**fem'ale** (n) vrou, vroumens; wyfie; (a) vroue=; vroulik; wyfie=; ~ **doc'tor** dokteres; ~ **suf'frage** vrouestemreg
**fem'idom** (n) femidoom *see* **con'dom**
**fem'inine** (a) vroulik; verwyf
**fem'inist** feminis (mens)
**fempower** vrouekrag *see* **man'power**
**fence** (n) heining, draad; muur; *sit on the ~* die kat uit die boom kyk; (v) omhein
**fen'cing** omheining; skermkuns
**fend** afweer, wegkeer; ~**er** modderskerm
**fenn'el** vinkel (kruie)
**ferment'** (v) gis, fermenteer; ~**a'tion** gisting, fermentasie
**fern** varing
**fero'cious** wild, wreed, woes *also* **sav'age**
**fer'ret** (n) fret (knaagdier); snuffelaar
**fer'ry** (n) veerboot, pont; (v) oorvaar
**fert'ile** vrugbaar
**fert'ilise** (v) bemes; ~**r** (n) kunsmis, misstof
**ferv'ent** (a) vurig, warm; ywerig
**fes'ter** (n) sweer, verswering; (v) etter
**fes'tival** (n) fees, feesdag; (a) feestelik
**fes'tive** feestelik, vrolik; ~ **sea'son** feestyd/feesgety (Kersfees en Nuwejaar)
**festiv'ity** (n) feesviering, makietie
**fetch** (v) (gaan) haal, bring, te voorskyn bring
**fête** fees, kermis, basaar *also* **bazaar'**
**feud** (n) (bloed)vete *also* **vendet'ta**; twis, rusie
**feud'al** leen=; feodaal; ~ **sys'tem** leenstelsel
**fev'er** koors; onrus; **scar'let** ~ skarlakenkoors; ~**ish** koorsig; koorsagtig
**few** party; 'n paar; min; weinig; ~ *and far between* dun/yl gesaai; seldsaam
**fian'cé** verloofde, aanstaande (manlik); ~**e** verloofde, aanstaande (vroulik)
**fias'co -s** mislukking, fiasko *also* **flop**
**fib** (n) leuen(tjie), kluitjie; *tell ~s* jok
**fi'bre** vesel; ~**glass** veselglas/glasvesel
**fic'kle** (a) wispelturig, veranderlik
**fiction** verdigsel; romankuns, fiksie; **science** ~ wetenskapfiksie
**fid'dle** (n) viool; *as fit as a ~* so reg soos 'n roer; (v) vermors (tyd); ~ *with* peuter aan; ~**stick** strykstok; ~**sticks!** gekheid!
**fidel'ity** (n) getrouheid, eerlikheid; ~ **guaran=tee'** getrouheidswaarborg; **high** ~ hoëtrou, louterklank *also* **hi-fi**
**fidg'et** (v) woel, vroetel; ~**y** woelig
**field** (n) veld, vlakte; speelveld; gebied; (v)

veldwerk doen (krieket); ~ **event'** veldnommer; ~ **mar'shal** veldmaarskalk
**fiend** (n) bose gees, demon *also* **de'vil, de'mon**; ~**ish** gemeen, demonies, hels
**fierce** wild, woes; fel, verbete; verwoed
**fier'y** vurig; gloeiend; driftig, opvlieënd
**fifteen'** vyftien; ~**th'** vyftiende
**fifth** vyfde; ~ **col'umn** vyfde kolonne
**fif'tieth** vyftigste
**fif'ty fifties** vyftig; ~-~ gelykop; half-om-half
**fig** vy; vyeboom; *I don't care a* ~ ek gee geen flenter om nie
**fight** (n) geveg, twis, rusie; (v) veg, twis, baklei; ~**er** bakleier, vegter; ~**er plane** vegvliegtuig, straaljagter; ~**ing spir'it** veggees
**fig'ment** (n) verdigsel; versinsel
**fig'urative** figuurlik, sinnebeeldig
**fig'ure** (n) gedaante; gestalte, vorm; figuur; syfer; *at a low* ~ teen 'n lae prys; ~ *of speech* stylfiguur; (v) vorm; figure maak; ~ *out* bereken; prakseer; uitreken; ~**head** (boeg)beeld (skip); strooipop, skynhoof (mens)
**file**[1] (n) vyl; (v) vyl
**file**[2] (n) dossier; lêer; gelid; ry; *stand in* ~ toustaan; (v) inryg; liasseer
**fil'ibuster** (n) vrybuiter, boekanier *also* **pi'rate**; kaper *also* **hi'jacker**
**fil'ing** liassering; ~ **cab'inet** liasseerkabinet
**fill** (v) vul; versadig; beklee (pos); stop (tand); ~ *in* invul; ~ *up* aanvul; invul; volgooi; voltap (petrol); ~**er** vuller(tjie)
**fill'et** (n) moot (vis); filet (beeshaas)
**fill'ing** aanvulling; vulsel, stopsel (tand); ~ **sta'tion** vulstasie, petrolstasie
**fill'y** (n) merrievul; lewendige/wilde meisie
**film** (n) vlies; film, rolprent; (v) verfilm; ~ **fan** fliekvlooi; ~ **li'brary** filmoteek
**fil'ter** (n) filter, suiweraar; (v) filtreer
**filth** vuilgoed, vullis; vuilheid; (a) ~**y** vuil, vieslik, morsig
**fin** vin; ~ **di'ving** vinduik, swemduik
**fin'al** (n) eindeksamen; eindwedstryd; eindrondte, finaal; (a) finaal; beslissend; ~ **score** eindtelling
**fin'ally** uiteindelik, ten slotte
**finance'/fin'ance** (n) inkoms(te); finansies, geldmiddele; geldwese; (v) finansier; ~ **commit'tee** finanskomitee
**finan'cial** geldelik, finansieel; ~ **year** boekjaar, geldjaar; **an'nual** ~ **sta'tements** finansiële jaarstate
**finch -es** vink (voël)
**find** (n) vonds (mv **vondste**); ontdekking; (v) vind, kry, aantref; ~ *fault with* afkeur; ~ *one's feet* regkom; ~ *guilty* skuldig bevind
**fine**[1] (n) (geld)boete; (v) beboet
**fine**[2] (a) mooi, fyn, fraai, suiwer; helder; ~ **arts** skone/beeldende kunste
**fing'er** (n) vinger; *little* ~ pinkie; *have a* ~ *in the pie* in die saak betrokke wees; (v) bevoel, betas; ~**print** vingerafdruk
**fin'ical/fin'icky/fin'iking** (a) puntene(u)rig
**fin'ish** (n) end, voltooiing; afwerking; (v) klaarmaak, eindig; ~**ed** klaar, gereed; ~**ing** (n) afwerking; ~**ing line** wenstreep; ~**ing school** afrondingskool; slypskool
**fiord'** fjord
**fire** (n) brand; vuur, vlam; *the fat is in the* ~ die poppe is aan die dans; (v) aansteek, skiet; (summier) afdank; besiel; ~ **alarm'** brandalarm; ~**arm** vuurwapen; ~ **bomb** brandbom; ~ **briga'de** brandweer; ~ **esca'pe** brandtrap; ~ **exting'uisher** brandblusser; ~ **fight'er** brandweerman; brandslaner; ~**fly** vuurvlieg, glimwurm; ~**hose** brandslang; ~ **insu'rance** brandversekering; ~**man** stoker; brandweerman; ~ **sta'tion** brandweerstasie; ~**wood** brandhout; ~**works** vuurwerk
**fi'ring** skietery; ontsteking; ~ **squad** vuurpeloton
**firm**[1] (n) firma; (sake)onderneming, organisasie *also* **concern** (n)
**firm**[2] (a, adv) standvastig, stewig, sterk; ~ **offer** vaste aanbod; ~**ly** vas, stewig
**firm'ament** (n) uitspansel, firmament
**first** (n) die eerste; begin; (a) eerste, vernaamste; *in the* ~ *place* in die eerste plek, in eerste instansie; (adv) eerste, eerstens, eers; ~ *come* ~ *served* eerste gesien eerste bedien; ~ **aid** noodhulp; ~**-class** eersteklas, uitstekend; bakgat (*kru*); ~ **floor** eerste vloer/vlak; ~ **name** voornaam; ~**-rate** eersteklas
**fir'tree** den(neboom)
**fish** (n) **-es, fish** vis; ~ *and chips* vis en skyfies/(slap)tjips; *neither* ~ *nor flesh* vis nóg vlees; (v) visvang; uitvis; ~ **bait** aas; ~**bone** graat; ~**erman** visser; visterman; ~ **paste** vissmeer; ~**y** (a) visagtig; verdag/suspisieus

**fis'hing** (a) vissers=, vis=; ~ **hook** (vis)hoek; ~ **rod** visstok; ~ **tack'le** hengelgerei
**fist** (n) vuis; handskrif
**fit**[1] (n) vlaag, aanval; nuk, gril
**fit**[2] (v) pas; aanpas; *the cap ~s* die skoen pas; *~ter and turner* passer en draaier; (a) fiks, fris; *deem ~* goedkeur/goedvind; **~ter** monteur; passer; **~ness** geskiktheid, fiks=heid; **~ting** (pl) benodig(d)hede; toebehore, onderdele, bybehore; (a) passend, gepas
**five** vyf; **~-course meal** vyfgang-ete; **~-speed gearbox** vyfgangratkas
**fix** (n) verleentheid, moeilikheid; (v) vasmaak; verrig; *in a ~* in 'n penarie; *~ up* regmaak
**fix'ture** vaste toebehore; bepaling (sport); (pl) wedstrydreeks, program
**flabb'ergasted** (a) verbluf/oorbluf, dronkge=slaan
**flabb'y** (a) slap, pap(perig), week
**flag** (n) vlag; *hoist the ~* die vlag hys; *lower/strike the ~* die vlag stryk
**flag'hoisting** vlaghysing; ~ **cer'emony** vlag=hysseremonie
**fla'grant** (a) verregaand, skandalig, flagrant; berug *also* **outra'geous**
**flair** aanleg, instink *also* **knack**
**flake** (n) vlok; vonk; skilfer; snysel; (v) af=skilfer; afdop
**flamboy'ant** (a) flambojant, swierig *also* **orna'te**
**flame** (n) vlam, vuur, hartstog; *burst into ~* aan (die) brand slaan; *fan the ~s* die vuur aanwakker/aanblaas; **~thro'wer** vlamwerper
**flaming'o -es** flamink (voël)
**flank** (n) sy, flank; lies
**flann'el** flanel; (pl) flanelbroek; flennieonder=klere; **~graph** flenniebord
**flap** (n) flap; deksel; valdeur(tjie); luik
**flapp'er** bakvissie (meisie); stert, vin
**flare** (n) seinfakkel (mil.); flikkerlig; (v) flikker, skitter; *~ up* opvlam/opvlieg
**flash** (n) **-es** blits, flits; *~ in the pan* 'n op=flikkering; 'n mislukking; (v) skitter; blits, uitstraal; *~ back* weerkaats; **~back** (n) te=rugflits; **~er** ontbloter (man); ~ **in'dicator** rigtingflitser; **~light** flits(lig); flikkerlig; **~point** brandpunt; **~y** (a) spoggerig
**flask** fles, bottel; **hip** ~ heupfles
**flat**[1] (n) woonstel
**flat**[2] (n) vlakte; laagte; mol (mus.); (v) plat maak; (a) plat; vlak; pap (band); ~ **beer** verslaande/verskaalde bier; ~ **rate** vaste tarief; ~ **footed** platvoet=; ~ **iron** stryk=yster; **~ly** ronduit; plat; **~ten** plat slaan, plet; ~ **tyre** pap band
**flatt'er** (v) vlei, flikflooi; **~er** vleier, witvoe=tjiesoeker; **~y** vleiery, vleitaal
**flav'our** (n) smaak; geur; (v) kruie, geur
**flaw** (n) fout, gebrek; defek; gles (in diamant)
**flax** vlas
**flea** vlooi; **~mar'ket** vlooimark, snuffelmark
**fleck** (n) vlek; sproet; stippie; (v) spikkel, vlek; **~ed** bont, gespikkel(d)
**fledg'ling** klein voëltjie; snuiter (mens)
**flee** (v) vlug (uit die land); ontwyk; padgee
**fleece** (n) vlies; vag; skeersel; **gol'den** ~ gulde vlies; (v) (af)skeer; uitbuit
**fleet**[1] (n) vloot; seearm; ~ **ow'ner** vlooteienaar (motorkarre)
**fleet**[2] (v) vervlieg; (a) vinnig; *~ of foot* vlugvoetig; **~ing** verganklik; vlugtig
**flesh** (n) vlees (menslik); vleis (dierlik); lig=gaam; *make one's ~ creep* hoendervleis laat kry; **~ly** vleeslik, sinlik
**flex** (n) elektriese koord; (v) buig; **~time/flexi-time** skiktyd *see* **core time**
**flex'ible** buigsaam, soepel, fleksiel, plooibaar; meegaande (mens)
**flick** tik, raps, vee(g); ~ **knife** springmes
**flick'er** (n) geflikker; getril; (v) flikker, tril; klap (vlerke); ~ **light** flikkerlig
**flight**[1] (n) vlug; ontsnapping *also* **esca'pe**
**flight**[2] vlug (groep vliegtuie); swerm; *put to ~* op loop jaag; *~ of stairs* trap; ~ **plan/sched'ule** vlugplan/vlugrooster; ~ **recor'=der** vlugopnemer, stemopnemer *also* **black box**
**flim'sy** dun; flenterig; flou (ekskuus)
**flinch** (v) aarsel, terugdeins, weifel
**fling** (n) gooi; dans; (v) gooi, slinger, smyt
**flint** vuurklip/vuursteen; vuurslag
**flirt** (n) flerrie, vryerige meisie, flirt; (v) koketteer, flankeer; *~ with the girls* flankeer met die nooiens
**flit** (v) vlieg, fladder
**float** (n) vlot; dobber; sierwa (optog); (v) dryf, dobber; floteer (lening); vlot maak (skip); oprig (maatskappy); dobber; **cash** ~ kon=tantvlot/wisselfonds (boekhou)
**floa'ting** drywend, dryf=, vlottend; ~ **dock** dryfdok; ~ **tro'phy** wisseltrofee
**flock** (n) trop, kudde; *~ together* saamstroom, saambondel
**flog** klop, pak gee, slaan; *~ oneself* jouself moor; (n) **~ging** pak slae, loesing *also*

**span′king, hi′ding**
**flood** (n) vloed/oorstroming; sondvloed; (v) oorstroom; versuip (vergasser); ~**gate** sluis; ~ **disas′ter** vloedramp; ~**lights** spreiligte
**floor** (n) vloer; verdieping; vlak; **se′cond** ~ tweede vloer/vlak; ~ **shift** (car) vloerkierie, plesierkierie (idiom.)
**flop** (n) plof; mislukking/misoes; fladder; neer-plof
**flop′py disc/disk** (n) disket; slapskyf; ~ **drive** slapskyfaandrywer (rek.)
**flor′a** plantegroei, flora
**flor′ist** bloemis, blomkweker (mens)
**floss** dons; vloksy/vlos(sy); **den′tal** ~ tande-vlos
**flot′sam** wrakgoed, opdrifsel
**floun′der** (v) spartel, sukkel, kleitrap
**flour** meelblom; ~**bag** meelsak
**flou′rish** (n) bloei; glans; prag; (v) bloei, floreer; pronk; ~**ing** bloeiend, welvarend, voorspoedig
**flow** (n) vloei; stroming; *ebb and* ~ eb en vloed; (v) vloei, stroom; ~**chart** vloeikaart
**flo′wer** (n) blom; bloeisel; (v) blom, bloei; ~ **arrange′ment** blommerangskikking; ~ **girl** strooimeisie; blommeverkoopster; ~**ing peach** sierperske; ~ **show** blommeskou; ~**y** blomryk; breedsprakig, hoogdrawend
**flu** griep, influensa *see* **influen′za**
**fluc′tuate** (v) sweef, skommel; wissel; **fluc′-tuating prices** skommelende pryse
**flue** skoorsteenpyp; windpyp
**flu′ent** (a) vloeiend; glad, vlot, pront (praat)
**fluff** (n) dons, pluisie; ~**y** donserig, donsagtig
**flu′id** (n) vloeistof; (a) vloeiend, vloeibaar
**fluke** (n) gelukskoot, gelukslag; meevaller; *the perfect* ~ die volmaakte gelukhou, putjie-in-een/fortuinhou (gholf)
**fluores′cent light** buislig
**flush** (v) deurspoel; aanvuur; blos (op wange) (a) blosend; volop (geld); ~*ed with wine* deur wyn verhit; **hot** ~**es** warm gloede
**flute** fluit; fluitblaser; groef ~**d** gegroef
**flut′ist** fluitspeler
**flutt′er** (n) gefladder, gejaagdheid; (v) fladder; opja(ag); in die war bring
**flux** (n) stroming, saamvloeiing; *state of* ~ vloeibare toestand; (v) stroom
**fly**[1] (n) **flies** vlieg; *there are no flies on her* sy is wawyd wakker
**fly**[2] (n) **flies** vliegwiel; onrus (horlosie); gulp (broek); (v) vlieg, laat waai; ~ *into a pas-sion* woedend word
**fly**[3] (a) geslepe; oulik, slim, gevat, oorlams
**fly′half** (n) losskakel (rugby)
**fly′ing** (a) vlieënd; ~ **ant** rysmier; ~ **sau′cer** vlieënde piering; ~ **squad** blitspatrollie
**fly:** ~**-over** oorbrug; ~ **swat(ter)** vlieëklap; ~**trap** vlieëvanger; ~**wheel** vliegwiel
**foal** (n, v) vul (perd)
**foam** (n, v) skuim; ~ **rub′ber** skuimrubber
**foc′al** (a) fokaal; ~ **point** brandpunt, fokus
**foc′us** (n) **..ci, -es** brandpunt; fokus; (v) saamtrek, konsentreer; instel, fokus
**fodd′er** voer
**foe -s** vyand *also* **en′emy**
**foet′us** (n) ongebore vrug, fetus
**fog** (n) mis *also* **mist**; newel; ~**gy** mistig, newelig; dof, onduidelik; ~ **horn** misho-ring; ~ **patch** miskol
**foil**[1] (n) foelie; bladmetaal, bladgoud
**foil**[2] (v) verydel, fnuik, uitoorlê
**fold**[1] (n) trop; kudde; kraal; (v) omsluit
**fold**[2] (n) vou; plooi; (v) vou; ~**er** voublad; omslag; ~**ing chair** voustoel
**fol′iage** (n) loof, blare, lommer; **fa′cial** ~ welige baard
**fol′io -s** bladsy; folio; foliant (boek)
**folk** mense; *little* ~*s* die kleinspan; *old* ~*s* ou mense; ~ **dan′cing** volksdanse; ~**lore** volksoorlewering, volkskunde, folklore; ~ **medi′cine** boereraat *also* **ho′me rem′edy**; ~**song** volksliedjie; ~ **tale** sprokie
**foll′ow** volg, navolg; ~ *up* voortsit; opvolg; ~**er** navolger, volgeling; ~**ing** (n) aanhang; gevolg; (a) volgende, onderstaande; ~**-on** opvolgbeurt (krieket); ~**-up** opvolg(brief)
**foll′y follies** dwaasheid, gekheid
**fond** (a) versot, verlief; ~ *of* lief vir/gek na
**fon′dle** liefkoos, streel; betas, bevoel
**font** doopbak(kie), doopvont
**food** kos, voedsel; ~ *for thought* stof tot nadenke; pitkos; ~ **poi′soning** voedselver-gift(ig)ing; ~**stuffs** eetgoed, eetware
**fool** (n) dwaas, gek; domkop, swaap; *make a* ~ *of* vir die gek hou; ~*s' paradise* gekkepa-radys; (v) fop, flous; vir die gek hou; ~**har′dy** domastrant, onbesonne; ~**ishness** dwaasheid; ~**proof** flatervry/peutervry
**foot** (n) **feet** voet; *put one's* ~ *into it* 'n flater begaan; (v) ~ *the bill* opdok/betaal; ~**ball** voetbal; ~**hold** vastrapplek; ~**note** voet-noot; ~**path** sypaadjie; ~**print** spoor; ~**slog** voetslaan; ~**wear** skoene, skoeisel

**fop** (n) modegek, fat, ydeltuit (mens)
**for** (prep) vir, na, om, tot, teen; ~ *all I care* sover dit my aangaan; *go ~ a walk* 'n ent gaan loop; ~ *goodness' sake* in hemelsnaam; *long* ~ verlang na; ~ *my part* wat my betref; ~ *my sake,* vir/om my ontwil; ~ *sale* te koop; (conj) want
**forbid′** verbied, belet, verhinder; *Heaven* ~ mag die Here dit verhoed; ~**den** ongeoorloof, verbode, belet
**force** (n) krag, mag, geweld; (pl) troepe; ~ *of gravity* swaartekrag; *in* ~ van krag; *put in* ~ in werking stel; (v) dwing, forseer; ~**d** gemaak, onnatuurlik; ~**d lan′ding** noodlanding *also* **crash lan′ding**
**for′ceps** (n) tang, tandetrekker, knyper
**fore′arm** (n) onderarm; voorarm
**for(e)′bear** (n) voorvader, voorsaat *also* **an′cestor**
**forebo′ding** voorgevoel, voorspooksel
**fore′cast** (n) vooruitskatting, projeksie; beraming; **wea′ther** ~ weervoorspelling
**fore′cast** (v) vooruitskat, projekteer
**fore′father** voorvader *also* **for(e)′bear**
**fore′finger** voorvinger
**fore′gone** verby; afgedaan; ~ **conclu′sion** uitgemaakte saak
**fore:** ~**ground** voorgrond; ~**hand** voorarm (tennis); ~**head** voorhoof/voorkop
**for′eign** buitelands, vreemd; uitheems; **F**~ **Affairs′** Buitelandse Sake; ~ **exchan′ge** buitelandse valuta; ~ **tra′de** buitelandse handel; ~**er** buitelander; vreemdeling
**fore′man ..men** voorman, opsigter
**fore′most** eerste, voorste, vernaamste
**fore′name** (n) voornaam; ~**d** voornoem(d)
**forerunn′er** (n) voorbode; voorloper
**foresee′** (v) verwag; voorsien, vooruitsien *also* **antic′ipate**; *in the ~able future* binne afsienbare tyd
**fore′shore** voorstrand, strandgebied
**fore′skin** voorhuid
**fo′rest** (n) bos, woud; (v) bebos
**fo′rester** (n) bosbouer; boswagter, houtvester
**fo′restry** bosbou, boswese
**fore′taste** (n) voorsmaak
**foretell′** (v) voorspel, vooruitsê
**fore′thought** voorbedagtheid; voorsorg
**forewarn′** vooruit waarsku
**fore′word** voorwoord *also* **pref′ace**
**forf′eit** (v) verbeur *also* **surren′der** (v); ~ **mon′ey** roukoop
**forge** (v) smee (smid); vervals *also* **fake**; ~**d sig′nature** vervalste naamtekening/handtekening
**forg′ery** ~**ries** vervalsing; namaking
**forget′** (v) vergeet, in gebreke bly; afleer; ~**ful** vergeetagtig
**forget′-me-not** vergeet-my-nietjie (blom)
**forgive′** (v) vergeef/vergewe; verskoon; ~**ness** vergifnis
**fork** (n) vurk; gaffel; mik (boom); (v) vertak; ~**lift** vurkhyser
**forlorn′** verlore, verlate; ellendig, wanhopig
**form** (n) vorm; gedaante; formulier; *be in good* ~ op sy stukke wees; (v) vorm; maak, vervaardig
**form′al** vormlik, stelselmatig, styf; formeel
**formal′ity ..ties** plegtigheid; formaliteit
**form′at** formaat
**forma′tion** vorming, stigting, formasie
**form′er** (a) vroeër; vorig; voormalig, gewese; (pron) eersgenoemde; ~ **pre′sident** voormalige president; ~**ly** (adv) voorheen, eertyds, vanmelewe, vroeër
**form′idable** (a) gedug, formidabel; imponerend
**form′ula -e, -s** voorskrif, formule
**fornica′tion** (n) hoerery, owerspel, ontug
**fort** (n) vesting, skans, fort *also* **strong′hold**
**forth** voorwaarts, verder, vervolgens; *and so* ~ ensovoorts; ~**com′ing** eerskomende, volgende; ~**with** dadelik, oombliklik
**fort′ieth** veertigste
**fortifica′tion** (n) versterking; verskansing
**fort′itude** moed, sterkte *also* **cour′age**
**fort′night** veertien dae; *this day* ~ vandag oor veertien dae
**fort′ress -es** vesting, fort *also* **cas′tle**
**fort′unate** (a) gelukkig, voorspoedig; gunstig
**fort′une** geluk; lot; fortuin; *tell one's* ~ sy toekoms voorspel; iem. inklim; *try one's* ~ jou geluk beproef; ~ **hun′ter** fortuinsoeker; geluksoeker; ~ **tel′ler** waarsêer
**fort′y** veertig; ~ *winks* 'n dutjie, effens skuinslê
**for′ward** (n) voorspeler; (v) (af)stuur, versend; (a) voorwaarts, voorbarig; parmantig; (adv) voorwaarts; *brought* ~ oorgebring, oorgedra; ~ *child* vroegryp/oulike kind; *look ~ to* uitsien na
**for′ward(s)** vooruit, verder
**foss′il** (n) verstening, fossiel; (a) fossiel
**fos′ter** grootmaak; kweek; ~ **child** pleegkind;

~ **pa'rents** pleegouers; ~ **care** pleegsorg
**foul** (v) bemors; besmeer; (a) walglik, vuil; ongunstig (weer); ~ **deed** gemene/veragtelike daad; ~ **lang'uage** vuil taal; ~**-mouthed** vuilbekkig; ~ **play** gemene spel, vuil spel; ~ **wea'ther** slegte/gure weer
**founda'tion** (n) stigting, grondslag; fondament/fondasie; ~ **gar'ment** vormdrag, postuurdrag; ~ **stone** hoeksteen
**foun'ded** opgerig, gestig (firma); gegrond
**foun'der** (n) oprigter, stigter; ~ **mem'ber** stigterslid
**found'ling** (n) vondeling; optelkind
**found'ry** (n) (metaal)gietery; smeltery
**foun'tain** fontein; bron; ~ **pen** vulpen; **wa'ter** ~ spuitfontein *also* **lea'ping** ~
**four** vier; *on all ~s* hande-viervoet; ~**footed** viervoetig; ~**pos'ter** ledekant/hemelbed; ~**some** vierspel
**four'teen** veertien; ~**th** veertiende
**fourth** vierde; ~**ly** vierdens
**fourway stop (street)** vierrigtingstop (straat)
**four-wheel drive** (n) vierwieldryf (voertuig)
**fowl** (n) hoender *see* **chick'en**; (pl) pluimvee; ~**run** hoenderkamp
**fox** (n) jakkals, vos; (v) flous; ~ **hunt** jakkalsjag; ~**terrier** foksterriër; ~**trot** jakkalsdraf (soort dans); ~**y** slu, skelm *also* **cun'ning, wi'ly**
**fo'yer** (n) voorportaal, foyer
**frac'tion** breuk; fraksie; deel; **de'cimal** ~ desimale breuk; **vul'gar** ~ gewone breuk
**frac'ture** (n) breuk, beenbreuk; (v) breek; ~ *of the skull* skedelbreuk
**frag'ile** breekbaar; bros, swak
**frag'ment** (n) brokstuk, fragment
**fra'grance** geurigheid *also* **per'fume**
**frail** (a) broos; tingerig, swak; ~ **a'ged** verswakte bejaardes; ~**care** verswaktesorg; ~**care u'nit** sorgeenheid
**frame** (n) raam, lys; kosyn (deur); (v) lys, omlys, raam; ~**work** raamwerk
**franc** frank (geldeenheid)
**France** Frankryk
**fran'chise** stemreg, kiesreg; konsessie; gebruiksreg, franchise
**frank** (a) vrymoedig, openhartig *also* **can'did**; *quite ~ly* om die waarheid te sê
**fran'tic** (a) woedend, waansinnig, rasend
**fratern'ity ..ties** broederskap, gilde
**fraud** (n) bedrog, bedrieëry; ~**ulent** oneerlik; bedrieglik, vals
**fray** (n) twis, rusie, geveg; *enter the* ~ tot die stryd toetree
**freak** nuk, gril, gier; frats; ~ **ac'cident** fratsongeluk; ~ **of na'ture** natuurgril, natuurfrats; ~ **wea'ther** fratsweer
**frec'kle** sproet, vlek
**free** (v) vrymaak, bevry, verlos; (a, adv) vry, gratis; ~**boo'ter** vrybuiter; ~**dom** vryheid; **F~dom Day** Vryheidsdag (vakansie); ~**dom figh'ter** vryheidsvegter; ~**dom of the ci'ty** ereburgerskap; ~ **en'terprise** vryemarkstelsel, private inisiatief; ~**hold prop'erty** vrypageiendom; ~**kick** strafskop; ~**lance** vryskut; ~**-lance jour'nalist** vryskutjoernalis; **F~man** ereburger; ~**post** vrypos
**Free'mason** Vrymesselaar
**free-range:** ~ **chick'en** skrophoender, werfhoender
**frees'ia -s** freesia, kammetjie (blom)
**Free State** (province) Vrystaat
**free:** ~**way** deurpad (tussenstedelik), snelweg; ~**wheel** vrywiel; ~**will** (n) vrywilligheid; (a) vrywillig, uit eie beweging
**freeze** (n) ryp; **deep~** vrieskas; (v) vries, bevries; stol (TV-beeld); ~**r** vrieskas
**freez'ing** (a) ysig; ~ **point** vriespunt
**freight** (n) vrag, lading; vraggeld; ~**er** vragskip
**French** (n, a) Frans; *take ~ leave* wegloop, dros; ~ **drain** syferput; ~ **pol'isher** lakvernisser (mens)
**fren'zy** waansin, kranksinnigheid, dolheid
**freq'uency** (n) frekwensie; ~ **modula'tion (FM)** frekwensiemodulasie (FM)
**frequent'**[1] (v) dikwels besoek; boer by
**fre'quent**[2] (a) herhaaldelik, gedurig, dikwels
**fre'quently** dikwels, herhaaldelik
**fresh** (a) vars, fris, koel; *as ~ as a daisy* springlewendig; ~**er/~ette/~man** nuweling, groentjie (aan univ.)
**fri'ar** monnik (mens)
**fric'tion** (n) wrywing
**Fri'day** Vrydag
**frid'ge** (n) *see* **refrig'erator**
**friend** vriend/vriendin, maat; ~**liness** vriendelikheid; ~**ly** vriendelik, vriendskaplik; ~**ly coun'try** bevriende land; ~**ly match** vriendskaplike wedstryd; ~**ship** vriendskap
**frig'ate** fregat(skip)
**fright** (n) skrik; *take a terrible* ~ oorhoeks skrik; ~**en** bang maak, vrees aanja; ~**ened** verskrik; ~**ful** verskriklik, vreeslik

**frig'id** (a) yskoud; koel, kil *also* **aloof**; styf
**fringe'** (n) fraiing; soom; ~ **ben'efits** byvoordele *also* **perks**
**frisk** (v): ~ *a suspect* 'n verdagte visenteer; ~**y** (a) lewendig, dartel
**friv'olous** ligsinnig, kinderagtig; beuselagtig
**frizz'ly** kroes (hare)
**frock** (n) rok, jurk; manel; toga
**frog** padda *also* **toad**
**frog'march** (v) dra-sleep (onwillige persoon)
**frol'ic** (n) plesier, vermaak; skerts; (v) vrolik wees, grappe maak, skerts; (a) vrolik
**from** van, vandaan; uit, vanuit; *apart* ~ afgesien van; behalwe, buiten; ~ *childhood* van jongs af
**front** (n) voorkant, front; ~**age** voorgewel; voorkant, front; ~**line sta'tes** frontliniestate; ~**loa'der** laaigraaf; hysvurk; ~**wheel drive** voorwielaandrywing/voorwieldryf
**front'ier** grens *also* **bor'der**; ~ **war** grensoorlog
**frost** (n) ryp; (v) ryp; versier (koek); ~**bite** (n) vriesbrand; ~**bit'ten** (a) gevriesbrand; ~**ed glass** matglas
**froth** skuim; ~**y** skuimagtig, skuimend
**frown** (n) frons; (v) frons
**froz'en** (v) *see* **freeze**; (a) bevries, yskoud; styf; ~ **meat** bevrore vleis
**frug'al** (a) spaarsaam *also* **thrif'ty**; suinig
**fruit** vrugte; resultaat; ~**fly** vrugtevlieg; ~**ful** vrugbaar; ~ **juice** vrugtesap; ~ **sal'ad** vrugteslaai
**frustra'tion** verydeling, frustrasie
**fry** (v) braai; **small** ~ (n) onbeduidende mense
**fudge** (n) fudge (lekkers); onsin
**fu'el** (n) brandstof; ~ **consump'tion** brandstofverbruik; ~ **injec'tion** brandstofinspuiting
**fu'gitive** (n) vlugteling; voortvlugtige (mens)
**fulfil'** (v) vervul; verwesenlik; uitvoer, volbring, nakom
**full** (a) vol; gevul; voltallig; ~*time employment* voltydse/heeltydse werk; *in ~ swing* in volle gang; (adv) ten volle, ruim; ~**back** heelagter; ~ **speed** in volle vaart; ~**stop** punt; ~**time** voltyds/heeltyds; ~**y** volkome, heeltemal, ten volle
**fum'ble** (v) friemel, frommel; swak hanteer
**fume** (n) rook, damp; woede; (v) damp, rook; briesend wees
**fum'igate** (v) berook, uitrook, fumigeer
**fun** pret; skerts; *poke ~ at* die gek skeer met; ~**fair** kermis, pretpark; ~**run** pretloop
**func'tion** (n) verrigting; byeenkoms, funksie; (v) werk, fungeer, funksioneer; ~**al** funksioneel
**fund** (n) fonds, kapitaal; (v) befonds; bekostig; ~**rai'sing** geldinsameling
**fundamen'tal** (a) fundamenteel; ~ **rights** menseregte *also* **hu'man rights**
**fun'di** (n) kenner, gesaghebbende, foendi
**fun'eral** (n) begrafnis; (a) begrafnis=, graf=, lyk=, doods=; ~ **march** treurmars; ~ **proces'sion** lykstoet; ~ **ser'vice** roudiens; ~ **underta'ker** begrafnisondernemer
**fun'gus -es, ..gi** fungus, swam; paddastoel
**funic'ular** kabel=, tou=, draad=; ~ **rail'way** kabelspoor; tandratspoor *also* **ca'bleway**
**funk** (n) vrees; bangbroek; *get the ~s* bang word; ~**y** bang, lafhartig
**funn'el** tregter; skoorsteen
**funn'y** (a) grappig, snaaks, koddig
**fur** (n) pels, bont; ~ **cloak** pelsmantel; ~ **coat** pelsjas
**fur'ious** (a) woes, woedend, rasend *also* **ra'ging**
**fur'nace** (smelt)oond; stookoond; smeltkroes
**furn'ish** verskaf, lewer; voorsien; meubileer/meubeleer; uitrus; ~**er** meubileerder/meubeleerder
**fur'niture** (n) meubels, huisraad, meubelment/meublement; **piece of** ~ meubelstuk
**fu'rrow** (n) voor; sloot *also* **ditch** (n)
**furth'er** (v) bevorder; aanhelp; (a, adv) verder, bowendien; ~ *information* meer/nader(e) inligting; ~**more** verder, bowendien; ~**most** verste/vêrste, uiterste
**furth'est** verste/vêrste, uiterste
**fur'y** woede, raserny; *in a* ~ rasend
**fuse** (n) lont; smeltdraadjie, sekering
**fu'sion** (n) (ver)smelting; fusie (atoom)
**fuss** (n) ophef, gedoente, herrie, opskudding
**fut'ile** (a) vergeefs, vrugteloos, ydel
**fu'ture** (n) toekoms; *bright* ~ rooskleurige toekoms; *the near* ~ die nabye/afsienbare toekoms; (a) toekomstig, aanstaande; ~ **tense** toekomende tyd

# G

**ga'ble** (n) gewel (van huis)
**gad** (v) ronddrentel; ~ *about* rondslenter
**gad'get** (n) toestel(letjie); katoeter, kontrepsie
**gaff** (n) ysterhaak, vishaak, gaffel
**gag** (v) muilband; die mond snoer
**gag'gle** (n) trop ganse; (v) snater, kekkel
**gai'ety** (n) vrolikheid; joligheid/jolyt, pret *also* **mirth, mer'riment**; vertoon
**gain** (n) wins, profyt; aanwins; (v) wen, verkry; verwerf; ~ *the upper hand* die oormag kry; *not for* ~ sonder winsoogmerk; ~**ings** winste
**gal'a -s** fees, gala; **swim'ming** ~ swemgala, swembyeenkoms
**gal'axy** (n) sterrestelsel; melkweg, hemelstraat
**gale** (n) stormwind, windvlaag
**gall** (n) gal; bitterheid; (v) terg; vergal
**gall'ant** (n) galant; (a) galant; swierig, statig
**gall'ery** galery; *play to the* ~ effek soek
**gall'ey -s** galei (plat slaweskip); ~ **proof** galeiproef/strookproef; ~ **slave** galeislaaf
**gal'livant** (v) rondjakker, jollifikasie hou; flankeer, rinkink
**gall'op** (n) galop; *at a* ~ op 'n galop
**gall'ows** galg
**galore'** in oorvloed, volop, soos bossies
**gal'vanise** (v) galvaniseer; ~**d** (a) versink; ~**d iron** (sink)plaat, (ge)galvaniseerde yster
**gam'ble** (n) dobbelary, dobbelspel; (v) dobbel, verkwis; ~ *away* verwed, verdobbel; ~**r** dobbelaar
**gam'bling** dobbelary; ~ **house** dobbelhuis/kasino; ~ **table** dobbeltafel
**gam'bol** (n) bokkesprong; (v) huppel, bok=spring, baljaar, ravot
**game**[1] (n) spel, spel(l)etjie, pot(jie), wedstryd; wild; *big* ~ grootwild; *play the* ~ eerlik handel; *the* ~ *is up* die saak is verlore
**game**[2] (a) bereid; *I am* ~ ek is reg/bereid; moedig; lam, mank
**game:** ~ **farm** wildplaas; ~**fish** sportvis; ~**keep'er** wildopsigter, boswagter; ~ **poa'=cher** wilddief, stroper; ~**ran'ger** wildwag=ter; ~ **reser've** wildtuin, wildreservaat
**gan'der** gansmannetjie
**gang** bende; ~ **lea'der** bendeleier; ~ **rape** groepverkragting/bendeverkragting
**gang'rene** verrotting; kouevuur, gangreen
**gang'ster** rampokker, straatboef *also* **thug**
**gaol** (n) gevangenis, tronk *also* **jail**; ~**bird** tronkvoël; ~**er** tronkbewaarder, sipier
**gap** gaping, opening; bres; leemte; *narrow the* ~ die gaping vernou
**gape** (v) gaap; hunker; ~ *at* aangaap
**ga'rage** garage, vulstasie, motorhawe (pu=bliek); motorhuis (privaat)
**garb'age** afval, oorskiet; vullis; ~ **bin** vullis=blik *also* **trash bin**
**gar'ble:** ~**d mes'sage** deurmekaar boodskap
**gard'en** tuin; hof; ~**er** tuinier (as eienaar); tuinhulp/tuinman; ~ **hose** tuinslang
**garden'ia -s** katjiepiering (blom)
**gar'den:** ~**ing** tuinmaak/tuinbou; ~ **par'ty** tuinparty
**gar'gle** (n) gorreldrank; (v) gorrel
**garl'ic** knoffel
**garm'ent** kleding, kledingstuk; ~ **wor'kers** klerewerkers
**ga'rrison** (n) garnisoen; (v) beset
**gart'er** (n) kousband
**gas** (n) **-es** gas; ~**bag** gassak; windlawaai *also* **brag'gart, boas'ter**; ~ **cyl'inder** gassilin=der; ~ **en'gine** gasenjin
**gash** (n) **-es** sny, hou; (v) sny, kloof
**gas'ket** pakstuk; pakking, voering, vulsel
**gasp** (n) snik; *the last* ~ doodsnik; (v) snik, snak, hyg; ~ *for breath* snak na asem
**gas'tric** maag=, gastries; ~ **fe'ver** maagkoors; ~ **ul'cer** maagseer
**gas'tronome** (n) koskenner; smulpaap/lekker=bek
**gate** (n) hek, hekgeld; toegang; (v) insluit; hok; ~**-crasher** hekstormer; indringer (par=tytjie); ~**kee'per** hekwagter, portier; ~ **mon'ey** toegangsgeld, hekgeld
**gath'er** (v) vergader, byeenkom; versamel; *the clouds* ~ die wolke pak saam; ~**ing** (n) vergadering, byeenkoms, saamtrek
**gaud'y** (a) opsigtig, bont *also* **flash'y**
**gauge** (n) spoorwydte; maat; **nar'row** ~ smal=spoor; (v) (af)meet; **rain** ~ reënmeter
**gauze** (n) gaas; wasigheid/dynsigheid
**gav'el** (n) voorsittershamer; klophamer
**gay**[1] (a) lewendig, vrolik
**gay**[2] (a) homoseksueel; (n) gay; homosek=sueel

**gaze** (n) starende/verbaasde blik; (v) (aan)=staar, aangaap; tuur
**gazelle'** gasel (bok)
**gazette'** (n) koerant, gaset; **gov'ernment** ~ staatskoerant; (v) aankondig
**gear** (n) rat, tandrat; gereedskap; tuig; uitrus=ting; *change* ~ oorskakel; *in* ~ in rat; *low (high)* ~ laagste (hoogste) versnelling; ~**box** ratkas
**geck'o** (n) boomgeitjie, gekko
**gei'ger coun'ter** geigerteller
**gel'atine** gelatien
**geld** (v) sny, kastreer; ~**ed pig** burg
**geld'ing** reun (perd)
**gem** (n) edelsteen; juweel; briljant
**gem' squash** skorsie; lemoenpampoentjie
**gen'der** (n) geslag; ~**-ben'ding** uniseksing; ~ **eq'uity** geslagsgelykheid
**ge'ne** (n) **-s** geen (erflikheidsbepaler) *see* **gen=et'ic engineer'ing**
**genealog'ical** genealogies, geslags=; ~ **tree** stamboom, geslagregister
**gen'eral** (n) generaal (mens); *in* ~ oor/in die algemeen; (bw) deurgaans; (a) algemeen; gewoon; **G~ Assem'bly** Algemene Verga=dering (VN); ~ **practi'tioner** algemene praktisyn *also* **fam'ily practi'tioner**; ~ **man'ager** hoofbestuurder; ~ **meet'ing** al=gemene vergadering; ~ **pub'lic** die gewone/algemene publiek; ~**ise** (v) veralgemeen
**gen'erate** opwek (elektrisiteit); ontwikkel (stoom); teel, voortplant
**genera'tion** (n) geslag, generasie; ~ **gap** ouder=domsgaping, generasiegaping
**gen'erator** kragopwekker; ontwikkelaar
**gener'ic:** ~ **med'icines** generiese medisyne
**generos'ity** vrygewigheid; grootmoedigheid
**gen'erous** (a) grootmoedig, vrygewig; ruim
**gen'et** muskeljaatkat, musseljaatkat
**genet'ic** geneties; ~ **enginee'ring** genetiese manipulering; ~**s** erflikheidsleer, genetika
**gen'itals** (n, pl) geslagsorgane, skaamdele
**gen'itive** genitief
**gen'ius** (n) genie (mens); beskermgees
**gen'ocide** volksmoord; menseslagting
**gen'tile** (n) nie-Jood; Christen; heiden (vir Jode)
**gen'tle** (a) sagsinnig, meegaande, vriendelik; *the* ~ *sex* die skone geslag; ~**man** fatsoen=like man; heer/gentleman: ~*man's agree=ment* ereooreenkoms; ere-akkoord
**gent'ly** saggies, soetjies; vriendelik
**gen'uine** eg, opreg, onvervals; *the* ~ *article* die ware Jakob, die regte ding
**geog'raphy** aardrykskunde, geografie
**geol'ogy** aardkunde, geologie
**geom'etry** meetkunde, geometrie
**geran'ium -s** geranium, malva (blom)
**geriat'ric:** ~ **prob'lems** ouderdomsprobleme; ~**s** (n) geriatrie, ouderdomskunde
**germ** (n) (siekte)kiem; oorsprong
**Ger'man** (n) Duitser; Duits; (a) Duits; ~ **mea'sles** Duitse masels, rooihond; ~ **sau='sage** metwors
**Ger'many** Duitsland
**germ'inate** (v) ontkiem, uitloop, opkom
**ges'ture** (n) gebaar, beweging; (v) gebare maak; deur gebare beduie
**get** (v) kry, verkry, bekom, verwerf; bereik; ~ *along with* met iem. klaarkom; ~ *going* val weg; kry koers, sny 'n lyn; ~ *the better of* die oorhand kry; ~ *the boot* in die pad gesteek word; ~ *a cold* koue vat; ~ *out of hand* handuit ruk; ~ *on* vooruitgaan; ~ *ready* klaarmaak; ~**-at'-able** bekombaar; bereikbaar; ~**-away' car** wegkommotor
**gey'ser** warm bron/spuitbron; geiser
**ghast'ly** afgryslik; vreeslik; aaklig
**ghost** spook, gees, skim; *give up the* ~ die gees gee; **Holy G~** Heilige Gees *also* **Ho'ly Spir'it**; ~**ly** spookagtig, aaklig; ~ **squad** skimpatrollie; ~ **sto'ry** spookstorie; ~**wri'ter/au'thor** skimskrywer
**ghoul** (n) lykverslinder, grafskender; monster
**gi'ant** (n) reus; (a) reuse=, reusagtig; ~ **buil'd=ing** reusegebou
**gidd'y** (a) duiselig, lighoofdig; ligsinnig
**gift** geskenk, present; gawe; ~**ed** talentvol; ~**ed child** begaafde kind; ~ **vouch'er** geskenkbewys; ~ **wrap** geskenkpapier
**gigan'tic** reusagtig; ontsaglik *also* **hu'ge**
**gig'gle** (v) giggel *also* **snig'ger**
**gig'olo** (n) gigolo; kooivlooi, katelknapie *also* **toy'boy**
**gild** (v) verguld, verfraai; ~**ed** verguld; ryk
**gill** (n) kieu/kief (van 'n vis); ~ **net** kieunet
**gilt** (n) verguldsel; klatergoud; (a) verguld; ~**-ed'ged** goudgerand (boek); doodveilig, prima (belegging); ~**s** prima effekte
**gim'mick** (n) truuk, foefie *also* **trick**
**gin** (n) jenewer
**gin'ger** gemmer; rooikop; ~ **ale** gemmer=lim(onade); ~**bread** (n) gemmerbrood; ~**ly** versigtig, behoedsaam *also* **cau'tious**

**gip′sy gipsies** sigeuner; swartoog; vabond
**giraffe′** kameelperd, giraf *also* **camel′opard**
**gird** (v) omgord, ombind
**gir′dle** (n) gordel, lyfband, buikgord; (v) om= gord; omsluit
**girl** meisie; meisiekind; nooi; ~ **Fri′day** nuts= meisie; ~**friend** vriendin; nooi/bokkie; ~**hood** meisie(s)jare; ~**ish** skaam, meisie= agtig; ~**s' high school** hoër meisieskool
**gist** (n) kern, hoofsaak *also* **core, es′sence**; *the ~ of the report* die kern van die verslag
**give** (v) gee, oorgee; toegee; skenk, lewer; ~ *chase* agternasit; ~ *in* tou opgooi; ~ *notice* kennis gee; ~ *offence* aanstoot gee; ~**n** gegewe; ~**r** gewer
**gla′cier** (n) gletser
**glad** bly, verheug; ~**den** bly maak, verbly; ~ **eye** knipogie
**gladiol′us -es ..li** gladiolus, swaardlelie (blom)
**glad:** ~**ly** graag; blymoedig; ~**ness** blydskap, vrolikheid; ~**wrap** (n) kleefplastiek
**glam′orous** (a) betowerend, verleidelik *also* **cap′tivating**
**glam′our** (n) oëverblinding; betowering, aan= treklikheid *also* **charm**; ~ **girl** prikkelpop *also* **pin-up** (n)
**glance** (n) oogopslag; skramshou; flikkering; (v) sydelings kyk, aanblik; flikker; ~ *off* afskram; ~ *over* vlugtig deurkyk, glylees
**gland** klier
**glare** (n) glans, skittering; blikkering (affek= teer sig in motor); (v) skitter, flikker; blikker
**glar′ing** (a) verblindend; skandelik; ~ **injus′= tice** skreiende onreg; ~ **omis′sion** skande= like versuim
**glass** (n) **-es** glas; ruit; (a) glas=, glaas=; ~= **blo′wer** glasblaser; ~**es** bril *also* **spec′tacles**
**glaze** (n) glasuur; (v) verglaas (ruite insit)
**glaz′ier** glasmaker; glasenier (mens)
**gleam** (n) ligstraal, flikkering; glimp; glans; (v) straal, flikker
**glee** vrolikheid, blydskap; ~**ful** bly, dartel
**glen** (n) dal, laagte, vlei
**glib** beweeglik; *a ~ tongue* 'n gladde tong
**glide** (v) gly, glip; sweef; ~**r** sweeftuig
**glimm′er** (n) flikkering, glinstering; (v) flik= ker, glinster
**glimpse** (n) vlugtige blik; kykie; glimp; *catch a ~ of* skrams raaksien
**glint** (n) skynsel, glinstering; (v) blink, glinster; *a ~ in his eyes* 'n (ondeunde) kyk/ flikkering in sy oë
**glitt′er** (n) glans, glinstering; luister; (v) glinster; ~**ing** skitterend; ~**ing occa′sion** glansgeleentheid
**globe** (n) (aard)bol; gla(a)skap (lamp)
**gloom** (n) somberheid; ~**y** somber, droefgees= tig, neerslagtig *also* **dis′mal/som′bre**
**glor′ify** (v) verheerlik, verhef; ophemel
**glor′ious** roemryk; heerlik
**glor′y** (n) roem, glorie; saligheid; (v) roem, trots wees, koning kraai; ~ *over* triomfeer oor
**gloss**[1] (n) **-es** kommentaar, kanttekening
**gloss**[2] (n) **-es** glans; opheldering; vals skyn; ~ **paint** glansverf; ~**y magazi′ne** glanstyd= skrif
**gloss′ary ..ries** glossarium, woordelys
**glove** handskoen; *be hand in ~* kop in een mus wees
**glow** (n) gloed, vuur; (v) gloei, blaak; ~**worm** glimwurm
**glu′cose** glukose, druiwesuiker
**glue** (n) lym, gom; (v) vaslym, vasplak; ~ **snif′fing** gomsnuif
**glum** (a) somber, bedruk, droefgeestig
**glut** (n) oorvoorsiening; (v) oorlaai; oorvoor= sien (die mark); volprop
**glutt′on** vraat, smulpaap, gulsigaard (mens)
**gly′cerine** gliserien
**gnash** kners; ~ *the teeth* op die tande kners
**gnat** muggie
**gnaw** (v) knaag, kou, knabbel
**gnu -s** wildebees; **brin′dled** ~ blouwildebees
**go** (n) gang; energie; (v) gaan; loop; ~ *halves* gelykop deel; ~ *mad* gek word
**goal** (n) grenspaal; doelpunt; doel (sport); oogmerk, doelwit; ~**keeper** doelwagter; ~**kick** doelskop; ~**post** doelpaal: *move the ~posts* die doelpale verskuif
**goat** bok
**gob′ble** (v) gulsig eet, inlaai; ~**r** vraat
**go-between** tussenganger, bemiddelaar *also* **me′diator**
**gob′lin** (n) spook, spooksel; bose gees
**go′-cart** kaskar *see* **go-kart**
**God** God; *for ~'s sake* in vadersnaam
**god** god; ~**child** peetkind; ~**dess** godin; ~**fa′ther** peetoom; ~**fea′ring** godvresend; ~**ly** godvresend; vroom; ~**send** uitredding
**go′-getter** pasaangeër; voorslag; inpalmer (mens)
**go′ing** (n) vertrek; gaan; *the ~ is good* dit gaan voor die wind; ~ **concern′** gevestigde/ lopende saak

**goi'tre** kropgeswel
**go-kart** (n) knortjor; ~ **ra'cing/kar'ting** knor=tjorrenne
**gold** (n) goud; (a) goue, goud=
**gol'den** goue; gulde; ~ **age** goue eeu; ~ **hand'shake** afdankpasella, tatatjek; ~ **ol'=dies** goue oues; ~ **rule** gulde reël; ~ **wed'ding** goue bruilof
**gold:** ~**leaf** bladgoud; ~**mine** goudmyn
**golf** (n) gholf; ~ **ball** gholfbal; ~ **club** gholfklub; gholfstok; ~ **course** gholfbaan; ~**er** gholfspeler/gholfer
**goll'iwog** (n) paaiboelie, spookpop
**gond'ola -s** gondel
**gone** (a) gegaan; verlore
**gong** ghong
**gonorrhoea'** druiper, gonorree (geslagsiekte)
**good** (n) welsyn; nut; *for his own* ~ in sy eie belang; (a, adv) goed, gaaf; ~ *gracious!* grote genugtig!; ~ *heavens!* my goeie tyd!; *make* ~ vergoed; regkom; (tekort) aanvul; (belofte) nakom; *in* ~ *spirits* in opgewekte stemming/luim; *do a* ~ *turn* 'n diens bewys; ~ **afternoon'** (goeie)middag; ~**bye'** tot siens/totsiens/goedgaan!; ~ **day** goeiedag/dagsê!; ~ **e'vening** (goeie)naand/naandsê!; ~ **fel'lowship** kameraadskap; ~**-for-nothing** niksnuts (mens)
**Good Friday** Goeie Vrydag
**good:** ~**-look'ing** aantreklik; ~ **luck** geluk; ~ **luck!** sterkte!; ~ **mor'ning** (goeie)môre; môresê!; ~**-na'tured** goedgeaard
**good'ness** goedheid, vriendelikheid; ~ *knows* nugter weet; *for* ~*' sake* in hemelsnaam
**good night** (goeie)naand, naandsê! (w)
**goods** (pl) goedere, goed; ~ **train** goedere=trein
**good'timer** (n) swierbol, pierewaaier, dartel=dawie *also* **play'boy**
**good'will** goedgesindheid; klandisie(waarde) (besigheid)
**Good'will Day** Welwillendheidsdag (vakansie)
**good'y-goody** skynheil, mamma se soet kind=jie
**goose geese** gans; uilskuiken; ~**berry** appel=liefie; ~**flesh/**~**pim'ples** hoendervleis (idi=om.); ~**step** paradepas
**Gord'ian** Gordiaans, ingewikkeld; *cut the* ~ *knot* die Gordiaanse knoop deurhak
**gorge** (n) kloof, ravyn; (v) verslind, inwurg
**gor'geous** skitterend, pragtig *also* **magni'fi=cent/exqui'site**
**gorill'a -s** gorilla
**go-slow' strike** sloerstaking
**gos'pel** evangelie; ~ **truth** heilige waarheid
**goss'ip** (n) skinderpraatjie; (v) skinder; ~**er** babbelkous, skinderbek (mens)
**gourm'et** (n) fynproewer, gastronoom (mens)
**gout** (n) jig; pootjie, podagra
**go'vern** regeer, bestuur; ~**ess** goewernante; ~**ing bod'y** bestuursraad
**go'vernment** (n) regering, goewerment; (a) regerings=, staats=; ~ **gazet'te** staatskoerant
**go'vernor** goewerneur; reëlaar (masjien)
**gown** (n) toga; tabberd; mantel; kamerjas
**grab** (v) gryp, beetpak
**grace** (n) genade, guns; tafelgebed; swier *also* **charm**; grasie; respyt; *by the* ~ *of God* by die grasie Gods; *days of* ~ respytdae; *say* ~ tafelgebed doen; ~**ful** (a) bekoorlik, be=vallig
**gra'cious** (a) deugsaam, hoflik *also* **po'lite**; *good* ~*!* goeie genade!/genugtig!
**grade** (n) graad; rang; (v) gradeer, sorteer; ~ **8** graad 8 (st. 6); ~**r** (pad)skraper
**grad'ient** helling; helling(s)hoek; gradiënt
**gra'ding:** ~ **list** ranglys, keurlys (sport)
**grad'ual** geleidelik; trapsgewyse; ~**ly** lang=samerhand, geleidelik, trapsgewyse
**grad'uate** (n) gegradueerde (mens); (v) pro=moveer, gradueer; gradeer
**gradua'tion:** ~ **ce'remony** gradeplegtigheid
**graft** (n) ent; bedrog; (v) ent; oorplant
**grain** (n) graan, graankorrel; grein, bietjie; draad; ~ **el'evator** graansuier/graansilo; ~ **sorg'hum** graansorghum
**gram** gram; *50* ~*s of sugar* 50 gram suiker
**gramm'ar** (n) spraakleer, spraakkuns, gram=matika
**gram'ophone** (n) grammofoon; ~ **rec'ord** grammofoonplaat
**granadill'a** grenadella (vrug)
**grand** (a) groot; groots; vernaam, verhewe; ~**child** kleinkind; ~**dad** oupa
**gran'deur** grootheid, grootsheid, aansienlik=heid; *illusions of* ~ grootheidswaan
**grand'father** oupa/grootvader; ~ **clock** staan=horlosie/staanoorlosie
**grand:** ~**mo'ther** ouma/grootmoeder; ~ **occa'sion** glansgeleentheid; ~ **pia'no** vleuel=klavier; ~**stand** hoofpawiljoen.
**gran'ite** graniet
**grann'y grannies** ouma/grootjie; ~ **flat** tuin=woonstel, herfshuisie

**grant** (n) toekenning; skenking; (v) toeken; skenk; verleen
**grape** druif; ~**fruit** pomelo; ~ **juice** druiwesap; ~**vine** wingerdstok; riemtelegram/bostamboer (idiom.)
**graph** (n) grafiek; (a) ~**ic** skilderend; lewendig, grafies
**graph'ite** grafiet, potlood
**grasp** (n) greep; bereik; houvas; *get a good* ~ 'n goeie begrip/houvas kry; (v) gryp; begryp; vashou
**grass** (n) gras; weiveld; *keep off the* ~ bly weg van die gras; ~**hop'per** sprinkaan; ~**roots lev'el** grondvlak, voetsoolvlak; ~ **wid'ow** grasweduwee
**grate** (n) rooster; traliewerk; vuurherd; (v) knars; ~**ful** dankbaar, erkentlik
**grat'er** (n) rasper
**gratifica'tion** bevrediging, voldoening
**grat'is** (a) gratis, vry, kosteloos
**grat'itude** dankbaarheid
**gratu'ity ..ties** geskenk; fooi(tjie); beloning, toelae, gratifikasie; bonus
**grave**[1] (n) graf
**grave**[2] (a) ernstig; plegtig; swaar *see* **grav'ity**
**grav'el** (n) growwe sand, gruis; (v) gruis
**grave:** ~**stone** grafsteen; ~**yard** kerkhof
**grav'ing dock** (n) droogdok
**grav'ity** swaarte, gewig; *centre of* ~ swaartepunt; **speci'fic** ~ soortlike gewig
**grav'y gravies** (vleis)sous; ~ **train** soustrein, strooptrein, weeldetrein, mannawa
**graze**[1] (n) skaafplek; skramskoot; (v) skram
**graze**[2] (v) wei, laat wei, graas
**graz'ing** (n) weiding, weiveld *also* **pas'ture**
**grease** (n) vet; ghries; (v) smeer, ghries; ~ *the palm* omkoop; ~ **gun** ghriesspuit
**greas'y** (a) olierig, vetterig; smerig; salwend
**great** groot; lang; beroemd, aansienlik
**Great Brit'ain** Groot-Brittanje
**great:** ~**-grandfat'her** oorgrootvader, oupågrootjie; ~**-great-grand'mother** bet-oorgrootmoeder; ~**ly** grootliks; ~**ness** grootte *also* **size**; grootheid
**greed'y** (a) gulsig; inhalig, hebsugtig; snoep
**green** (n) grasbaan; setperk (gholf); (a) groen; fris; onryp; ~ **fee** baangeld; ~**fly** plantluis, bladluis; ~**gage** groenpruim; ~**gro'cer** groentehandelaar; ~**horn** nuweling, groentjie (mens); ~**house** kweekhuis; broeikas; ~**house effect'** kweekhuiseffek; ~ **pep'per** soetrissie; ~**stick frac'ture** knakbreuk
**greet** (v) groet, begroet; ~**ing** groet, groetnis; groeteboodskap, groetewens(e); ~**ings!** dagsê!, mooi loop; goedgaan!
**grem'lin** (n) tokkelos(sie), duiweltjie; setfout/setsatan/drukfout
**grena'de'** granaat; **stun** ~ skokgranaat
**grenadel'la** *see* **granadilla**
**grenadier'** grenadier (soldaat)
**grey** (a) grys, grou; wit, gespikkel, blou (perd); ~ **horse** (blou)skimmelperd; ~**hound** windhond; ~**ish** valerig
**grid** (n) rooster, tralie; motorhek; bagasierak; ~**i'ron** traliewerk; Amerikaanse voetbal
**grief** (n) droefheid, hartseer, verdriet; kommer
**griev'ance** grief; beswaar, ergernis
**grill** (n) rooster; braaigereg, braaivleis; **mix'ed** ~ allegaartjie; (v) braai; rooster; ~**room** (rooster)restourant, braaihuis/braais
**grim** grimmig; nors; meedoënloos; wreed; fel, hard; ~ **hu'mour** galgehumor
**grime** (n) vuiligheid; roet, koolstof
**grim'y** (a) vuil, morsig *also* **grub'by**
**grin** (n) gryns, grynslag; (v) gryns; grinnik
**grind** maal, vergruis; ~ *the teeth* die tande kners; ~**ing stone** maalklip; ~**stone** slypsteen
**grip** (n) greep; begrip; beheer; houvas; *come to* ~*s* handgemeen raak; (v) (vas)gryp
**gripe** (n) maagkramp; klagte; (pl) koliek; (v) kramp, knaag; kla *also* **moan**
**gris'ly** (a) aaklig, grillerig; afskuwelik
**grit** (n) gruis; sand; durf, (waag)moed; (v) knars, skuur; ~**ty** sanderig, korrelrig
**griz'zly** (n) **..lies** grysbeer (Noord-Amerika); (a) grys; gryserig, valerig
**groan** (n) gekreun/gesteun; (v) kreun, steun
**gro'cer** kruidenier; ~**y** kruidenierswinkel; (pl) kruideniersware
**grog'gy** (a) aangeklam, dronkerig *also* **tip'sy**; bewerig
**groin** lies
**groom** staljong; bruidegom; (v) roskam; skoonmaak; ~*ed for a senior post* opgelei/voorberei vir 'n senior pos; *well* ~*ed* netjies uitgevat
**groove** (n) keep, groef; roetine; (v) ingroef
**gross**[1] (n) gros (12 dosyn)
**gross**[2] (a) lomp; grof; bruto; ~ **amount'** (groot)totaal; ~ **nat'ional prod'uct** bruto nasionale produk; ~ **neg'ligence** growwe nalatigheid; ~ **prof'it** bruto wins
**ground**[1] (n) grond; rede; *gain* ~ veld win

**ground**[2] (v) grond; grondves, bou; belet om te vlieg (vliegtuig); (a) gemaal, geslyp
**ground:** ~ **floor** grondvloer; onderste vloer/vlak; ~ **hos'tess** grondwaardin; ~**ing** grondslag; ~**nut** grondboon(tjie); ~**s'man** terreinopsigter
**group** (n) groep; (v) groepeer, rangskik; ~ **dynam'ics** groepdinamika; ~ **lea'der** groepleier
**grouse** (n) grief, klag; (v) mor, murmureer; ~**r** brompot, knorpot (mens) *also* **moa'ner**
**grow** groei, toeneem, aanwas; verbou/kweek (gewasse); ~ *up* groot word; ~ **veg'etables** groente kweek; ~**ing pains** groeipyne
**growl** (n) geknor; (v) knor, brom; ~**er** brompot, knorpot *also* **grum'bler**
**grown** begroei; gekweek; grootgeword; ~**-up** (n) volwassene; (a) volwasse
**growth** (n) groei; ~ **fund** groeifonds; ~ **point** groeipunt; ~ **rate** groeikoers
**groyne** (n) pier *also* **jet'ty, pier**
**grudge** (n) wrok *also* **mal'ice**; *bear a person a* ~ 'n wrok teen iem. koester; (v) beny, misgun
**gru'elling** (a) uitputtend, veeleisend; ~ **match** strawwe wedstryd
**grue'some** grusaam, afsigtelik; ~ **mur'der** grumoord
**gruff** (a) nors, stuurs, suur
**grum'ble** (v) mor, knor, brom; ~**r** brompot
**grump'y** ontevrede, knorrig
**grunt** (n) geknor, gebrom; (v) knor, brom
**G'-string** deurtrekker, genadelappie
**gua'no** ghwano/guano; voëlmis
**guarantee'** (n) waarborg, garansie; borg; (v) waarborg; borg staan *also* **war'rant** (v)
**guard** (n) wag; sekuriteitswag; beskerming, bewaking; brandwag; *rear* ~ agterhoede; (v) waghou; bewaak; ~ *against* waak teen
**guard'ian** voog, beskermer *also* **custo'dian**; ~ **an'gel** beskermengel, skutpatroon
**gua'va -s** koejawel (vrug)
**guess** (n) **-es** gissing, vermoede; (v) gis, raai; skat
**guest** gas, kuiergas; ~**house** gastehuis *also* **lod'ge**; ~ **speak'er** geleentheidspreker, gasspreker
**guid'ance** (n) leiding, bestuur; (beroeps)voorligting *also* **coun'sel** (n, v)
**guide** (n) gids, leidsman; wegwyser; raadgewer; handleiding; (v) lei; bestuur; raadgee; ~ **dog** gidshond; ~**d mis'sile** gerigte missiel; ~**d tour** begeleide toer/rondleiding; ~**line** riglyn
**guild** (n) gilde; vakvereniging
**guillotine'** (n) guillotine/gilotien, valbyl
**guilt** (n) skuld; misdaad; ~**y** skuldig, strafbaar: *found ~y of* skuldig bevind aan
**guin'ea** ghienie; ~**fowl** tarentaal, poelpetater; ~ **pig** marmotjie; proefkonyn (mens in proefrol)
**guitar'** (n) ghitaar/kitaar
**gulf -s** golf, baai; draaikolk
**gull** (n) seemeeu *also* **sea'gull**
**gull'ible** (a) liggelowig, goedgelowig
**gull'y** (n) geut, riool(put); (v) uitspoel
**gulp** (n) sluk; (v) insluk; wegsluk
**gum**[1] (n) gom; (v) gom, vasplak; ~**boot** waterstewel; ~**pole** teerpaal
**gum**[2] (n) tandvleis
**gun** geweer; roer; kanon; vuurwapen *also* **fire'arm**; ~ **bar'rel** geweerloop; ~**man** rampokker, gewapende boef/rower; ~**ner** kanonnier; ~**pow'der** kruit, buskruit; ~**run'ner** wapensmokkelaar; ~**shot** geweerskoot; ~**to'ting per'son** rolliepronker
**gur'gle** (n) borreling; gegorrel; (v) gorrel
**gu'ru** (n) (geestelike) leier, leermeester, ghoeroe *also* **lea'der, men'tor**
**gush** (v) uitstroom, oorborrel; ~**er** spuitbron; dweper (mens)
**gust** (n) windvlaag; stroom, vloed
**gut** (n) derm; dermsnaar; (pl) ingewande; fut, durf; ~ **fee'ling** intuïtiewe gevoel, kropgevoel; ~**string** dermsnaar
**gutt'er** (n) geut (aan dakrand)
**guy** (n) **-s** vent; kêrel(tjie), ou *also* **chap, fel'low**; voëlverskrikker
**gym** (n) springjurk; gimnasium/gimnastieksaal
**gymkha'na (-s)** ruitersport, gimkana
**gymna'sium -s** gimnasium *also* **gym**
**gym'nast** gimnas (mens)
**gymnas'tics** gimnastiek; ~ **display'** gimnastiekvertoning
**gynaecol'ogist** ginekoloog, vrouespesialis
**gyp'sum** gips; ~ **board** gipsbord

# H

**hab'erdasher** (n) kramer; ~**y** kramery (naaldwerkafdeling)
**hab'it** (n) gewoonte; neiging; geaardheid; (ry)kleed; kostuum; *force of* ~ mag van die gewoonte
**hab'itat** woonplek, tuiste, habitat
**habit'ual** (n) gewoonlik, gebruiklik; ~ **crim'inal** gewoontemisdadiger
**hack'ney -s** (n) drawwer (perd); huurrytuig; ~**ed** afgesaag, holruggery, verslete
**hack'saw** ystersaag
**hadd'ock** skelvis
**haem'orrhage** bloeding, bloedstorting
**haem'orrhoids** aambeie *also* **piles**
**hag** ou vrou/wyf, heks
**hagg'ard** verwilder(d), sku *also* **drawn** (a)
**hag'gle** (v) kibbel, kwansel, afding (prys)
**hail**[1] (n) hael; (v) hael; ~ **sho'wer** haelbui; ~**stone** haelkorrel; ~**storm** haelstorm
**hail**[2] (n) heilgroet; begroeting; (v) begroet; roep; aanroep; ~ *from* afkomstig wees van; ~**-fellow-well-met** allemansvriend
**hair** haar; *split* ~*s* hare kloof; ~**dres'ser** haarsnyer/haarkapper; ~**pin** haarnaald; ~**pin bend** dubbele draai, s-draai; ~**splitting** haarklowery, vittery; ~ **spray** haarsproei; ~**style para'de** kapselparade; ~ **sty'list** haarstileerder; ~**y** harig
**hake** stokvis
**hale** gesond, sterk; ~ *and hearty* gesond
**half** (n) **halves** helfte; halwe; (skrum)skakel; *better* ~ wederhelf; ~ *an hour* 'n halfuur; ~ *past three* halfvier; (a, adv) half; ~**brother** halfbroer; ~**mast** halfstok; ~**time** rustyd, pouse; ~**vol'ley** skephou (tennis); ~**-wit'ted** onnosel, simpel; ~**-year'ly** halfjaarliks *also* **bian'nual** (a)
**hall** (n) saal; voorportaal, hal; ~**stand** hoedestander
**hallucina'tion** hersenskim, hallusinasie
**hal'o** stralekrans, ligkrans
**halt** (n) halt; halte (spoor); stilstand
**hal'ter** (n) halter; strop
**halve** (v) in die helfte deel, halveer
**ham** ham; dy; **ra'dio** ~ radio-amateur
**ham'burger** hamburger, frikkadelbroodjie
**ham'let** dorpie, gehug(gie)
**hamm'er** (n) hamer; ~ *and sickle* hamer en sekel; (v) hamer
**hamm'ock** (n) hangmat
**ham'per**[1] (n) smulmandjie, keurpakket
**ham'per**[2] (v) belemmer, bemoeilik; hinder
**ham'ster** (n) hamster (troeteldier)
**ham'string** (n) dyspier; (v) verlam; kniehalter (fig.)
**hand** (n) hand; wyser/wyster (horlosie); *at* ~ byderhand; *by* ~ per bode; *be* ~ *in glove* kop in een mus wees; *second-*~ tweedehands; *under his* ~ deur hom onderteken; ~*s up!* han(d)sop!; *win* ~*s down* fluit-fluit wen; (v) oorhandig; hand gee; ~ *in* inlewer, indien; voorlê; ~ *in the assignment* die taak/werkstuk inlewer; ~**bag** handsak; ~**bill** strooibiljet; ~**book** handleiding; ~**cuff** (n) handboei *also* **shack'les**; (v) boei; ~**feed** hans grootmaak; ~ **grena'de** handgranaat; ~**gun** handwapen
**hand'icap** (n) voorgee; hendikep; (v) voorgee; strem; *the* ~*ped* die gestremdes, gestremde persone *also* **disa'bled**
**han'dicraft** handwerk, kunsvlyt
**hand'kerchief -s** sakdoek *also* **han'ky** (n)
**handle** (n) handvatsel; hingsel; (v) hanteer; behandel; behartig; ~**bar** stuur(stang)
**hand:** ~**-out** strooibiljet, vlugskrif; ~**pick'ed staff** handgekeurde personeel
**hand'some** mooi, fraai; aansienlik/aantreklik
**hands-on** (a): ~ **trai'ning** praktiese onderrig
**hand'writing** handskrif
**han'dy** handig, behendig; *come in* ~ goed te pas kom; ~**man** handlanger, nutsman, faktotum
**hang**[1] hang; helling; *get the* ~ *of a matter* die slag kry
**hang**[2] (v) hang; behang; ophang
**hang'ar** vliegtuigloods, hangar
**hang:** ~**gli'der** vlerkswewer (mens); ~**gli'ding** vlerksweef; ~**man** beul, laksman; ~**out** blyplek, lêplek; ~**over** bab(b)elaas, wingerdgriep, wynpyn; ~**-up** inhibisie, fobie; obsessie
**haphaz'ard** (a) lukraak; ongeorden
**happ'en** gebeur, plaasvind, voorkom; *I* ~ *to know* toevallig weet ek
**happ'ening** gebeurtenis; saamtrek, kunstenaarsfees/happening; makietie
**happ'iness** (n) geluk, vreugde *also* **joy**

**happy** (a) gelukkig, voorspoedig; *many ~ returns* veels geluk met u/jou verjaardag; onbekommerd, onbesorg, sorg(e)loos; **~-go-luck′y**
**harb′our** (n) hawe; skuilplek; (v) herberg
**hard** (a) hard, swaar; streng; hardvogtig; *a ~ and fast rule* 'n vaste reël; (adv) hard, stewig; *~ of hearing* hardhorend; dowerig; *try ~* hard probeer; *be ~ up* platsak wees; **~-boiled** hardgekook (eier); hardkoppig; **~ cash** koue kontant/klinkende munt; **~-disc/disk drive** hardeskyfaandrywer; **~en** hard maak, verhard; **~-hear′ted** hardvogtig; **~ la′bour** dwangarbeid/hardepad; **~ lines!**; **~ luck!** simpatie!/hoe jammer!; **~ly** nouliks, skaars; **~-pres′sed** verleë, in die knyp; **~ship** ontbering; **~ware** hardeware, ysterware; apparatuur (rek.); **~-work′ing** arbeidsaam, fluks; **~y** sterk, gehard, taai
**hare** (n) haas; **~lip** haaslip, gesplete lip *also* **cleft lip**
**harl′equin** harlekyn, hanswors, nar *also* **jo′ker**
**harm** (n) skade, nadeel; (v) benadeel; **~ful** skadelik, nadelig; **~less** onskadelik
**harmon′ica -s** mondfluitjie, harmonika
**harmon′ium** harmonium, huisorrel/traporrel
**harm′ony** (n) harmonie; eendrag
**harn′ess** (n) **-es** tuig; (v) optuig; inspan
**harp** (n) harp; *~ on the same string* op dieselfde aambeeld hamer; **Jew's ~** trompie
**harpoon′** (n) harpoen
**ha′rrow** (n) eg; (v) eg/êe; kwel/teister
**harsh** (a) ru; hard; nors; skerp; **~ mea′sures** streng/strawwe maatreëls
**hart′ebees** hartbees (bok)
**harv′est** (n) oes; (v) oes; insamel
**has′-been** (n) uitgediende persoon; ou knol (mens)
**hash** (n) fynvleis; mengelmoes; *make a ~ of* verknoei, verbrou
**hasp** (n) grendel; werwel; **~ and staple** kram en oorslag
**hassle** (n) gesukkel; moeite *also* **nui′sance**
**haste** haas, spoed; *more ~ less speed* hoe meer haas hoe minder spoed
**hat** hoed; *talk through one's ~* grootpraat; kaf verkoop
**hatch**[1] (n) **-es** luik; onderdeur; **~back** luikrug (kar)
**hatch**[2] (n) broeisel; (v) pik; uitbroei; uitdink, beraam; **~ery** broeiery
**hatch′et** handbyl; strydbyl; *bury the ~* vrede maak
**hate** (n) haat, afkeer; (v) haat, verafsku
**ha′tred** (n) haat, wrok, nyd
**hat: ~ stand** kapstok; **~ trick** driekuns (krieket)
**haught′y** (a) hoogmoedig; trots *also* **proud**
**haul** (n) vangs; (v) trek, sleep, hys; **~ier** (vrag)karweier/vragryer *also* **car′rier**
**haunch -es** heup; dy; boud; (pl) hurke
**haunt** (n) druk besoekte plek; boerplek (diere); (v) boer; ronddwaal/spook
**have** (v) hê; besit; kry; *~ a heart!* moenie laf wees nie; *~ no doubt* nie daaraan twyfel nie; *he had no objection* hy had geen beswaar nie (het geen beswaar gehad nie)
**ha′ven** (n) (veilige) hawe, toevlug(soord)
**hav′oc** (n) verwoesting
**hawk**[1] (n) valk; **~er** valkenier (mens); bedrieër; (v) met valke jag
**hawk**[2] (v) rondvent, smous; **~er** straatsmous *also* **street ven′dor/in′formal tra′der**
**hay** hooi; *make ~ while the sun shines* die yster smee terwyl dit warm is; **~box** hooikis, prutkis(sie); **~fe′ver** hooikoors; **~stack** hooimied
**haz′ard** (n) gevaar; risiko; hindernis (gholf); (v) waag, riskeer; **~ous** gevaarlik
**haze** (n) dyns(er)igheid, mis
**haz′y** dyns(er)ig, mistig; vaag
**he** (n) mansmens; mannetjie; (pron) hy
**head** (n) hoof, kop; koppenent; verstand; *~ of cattle* stuk(s) vee; *~ of state* staatshoof; *~ over heels* bolmakiesie; *lose one's ~* die kluts kwytraak; *~s or tails* kruis of munt; (v) aanvoer, lei; **~a′che** hoofpyn/kopseer; **~hun′ter** koppesneller; **~lights** hoofligte (kar); **~line** opskrif; hooftrek; **~mas′ter** skoolhoof, prinsipaal; **~-on colli′sion** trompop botsing, kop teen kop botsing; **~quar′ters** hoofkwartier; **~rest** kopstut; slagkussing (motorkar); **~strong** koppig, eiewys *also* **stub′born**
**heal** (v) genees, heel, gesond maak/word; **~er** heler, heelmeester
**health** gesondheid; welstand; **~care** gesondheidsorg; **~y** gesond
**heap** (n) hoop, klomp, stapel, menigte
**hear** (v) hoor; verneem; **~er** toehoorder, hoorder; **~ing** gehoor; verhoor; **~ing aid** (ge)hoorapparaat
**hear′say** hoorsê, gerug *also* **ru′mour**
**hearse** (n) roukoets/lykwa

**heart** hart; *to one's ~'s content* na hartelus; *learn by ~* van buite leer; *~ to ~* openhartig; **~ache** hartseer, sielsmart; **~ attack'** hart=aanval; **~-bro'ken** ontroosbaar; **~burn** sooi=brand; **~ by'pass** hartomleiding; **~ do'nor** hartskenker; **~ fail'ure** hartversaking
**hearth** (n) vuurherd, haard *also* **fi'replace**
**heart: ~ily** hartlik; **~ren'ding** hartverskeu=rend; **~s** hartens (kaarte); **~ pace'maker** hartpasaangeër; **~ trans'plant** hartoorplan=ting; **~y** hartlik; vrolik; gesond
**heat** (n) hitte, warmte; gloed; loopsheid (by diere); uitdun (wedstryd); *dead ~* gelykop; (v) verhit; **~er** verwarmer; **~ exhaus'tion** hitte-uitputting
**heath'en** (n) heiden (mens); (a) heidens
**hea'ther** heide; vlakte, heideveld
**hea'ven** hemel; lug; *move ~ and earth* hemel en aarde beweeg; *for ~'s sake* in vredes=naam; **~ly** hemels
**hea'vy** (a) swaar; gewigtig; moeilik; **~weight** swaargewig
**He'brew** (n) Hebreër (mens); (a) Hebreeus
**hec'kle** hekel; roskam; **~r** hekelaar (mens)
**hec'tare** hektaar
**hec'tic** (a) koorsagtig; woelig, wild
**hedge** (n) heining; (v) omhein; **~hog** krimp=ystervark
**heed** (n) aandag, sorg; hoede; (v) oppas, ag gee, oplet
**heel** (n) hakskeen; *take to one's ~s* op loop sit, weghol; (v) haak (voetbal)
**hef'ty** (a) fris, sterk ('n man)
**hei'fer** vers (kalf)
**height** hoogte; lengte
**heir** (n) erfgenaam; **~loom** erfstuk
**heist** (n) (bank)roof, rooftog *also* **hold-up**
**hel'icopter** (n) helikopter, tjopper, wentelwiek
**hel'ipad** heliblad (op gebou)
**hell** hel; speelhol; *~ of a noise* helse lawaai; **~cat** tierwyfie (vrou); **~driver** jaagduiwel
**Hellen'ic** Helleens, Grieks
**helm** roer, helmstok; *at the ~* aan die roer (van sake)
**hel'met** helm; **crash** ~ valhelm
**help** (n) hulp, steun, bystand; *I could not ~ laughing* ek kon my lag nie hou nie; *by the ~ of* met behulp van; (v) help, steun; **~ing push/shove** hupstootjie; **~er** helper, hulp; **~ful** behulpsaam, nuttig; **~ing** (n) porsie (kos, nagereg); **~less** hulpeloos
**hem'isphere** (n) halfrond, halfbol
**hemp** hennep; tou; **wild** ~ dagga
**hen** hen, hoenderhen; =wyfie, wyfie=
**hence** van nou af, vandaar; *~ this problem* vandaar hierdie probleem
**hench'man** handlanger; trawant *also* **cro'ny**
**hen: ~house** hoenderhok; **~peck'ed** onder die plak/pantoffelregering
**hep'tagon** sewehoek
**her** haar
**her'ald** (n) herout, voorloper, bode; heraldi=kus; (v) aankondig, uitroep
**her'aldry** (n) wapenkunde, heraldiek
**herb** kruid, bossie; (a) kruie=; **~alist'** kruie=kundige; bossiedokter; **~ gar'den** kruietuin, fyntuin; **~ici'de** onkruiddoder
**herd** (n) trop, kudde (beeste) *also* **flock**
**here** hier; hierso; hiernatoe; *that's neither ~ nor there* dit het niks met die saak te doen nie; **~af'ter** (n) hiernamaals; (adv) hierna, later; **~by'** hierby, hiermee
**hered'itary** (a) erflik, oorerflik
**here: ~in'** hierin; **~on** hierop
**her'esy** kettery, dwaalleer
**her'etic** (n) ketter *also* **un'believer, in'fidel**
**here: ~upon'** hierop, toe; **~with** hiermee
**her'itage** erf(e)nis, erfdeel; **H~ Day** Erfenisdag
**hermaph'rodite** (n) trassie, hermafrodiet; (a) tweeslagtig, hermafrodities
**herm'it** kluisenaar, hermiet (mens)
**hern'ia -e, -s** breuk
**he'ro -es** held; **~es' a'cre** heldeakker
**hero'ic** (a) heldhaftig, heroïes
**her'on** reier (watervoël)
**he'ro worship** heldeverering
**her'ring** haring
**hers** hare
**herself'** haarself
**hes'itate** (v) aarsel, weifel; skroom, huiwer
**hes'sian** goiingsak, goiingstof
**hex'agon** seshoek
**hey'day** glorietyd/glansperiode; vrolikheid
**hi'bernate** (v) oorwinter; hiberneer
**hibis'cus** vuurblom, hibiskus
**hic'cup** (n) hik; (v) hik
**hidd'en** verborge; **~agen'da** verskuilde agen=da
**hide**[1] (n) vel, huid; *dress a ~* 'n vel looi
**hide**[2] (v) wegkruip; wegsteek, verberg; *~ one's head* jou kop laat sak
**hid'eous** (a) afskuwelik, afsigtelik *also* **hor'rid**
**hide'-out** skuilplek; wegkruipplek
**hid'ing** pak (slae), afranseling, loesing; *be in*

~ wegkruip; ~ **place** skuilplek, skuiling
**hi′erarchy** kerkregering, hiërargie/gesagslyn
**hi-fi set** (n) hoëtroustel, klanktroustel
**high** (n) maksimum; toppunt; **~-den′sity housing** hoëdigtheid(s)behuising; (a) hoog; verhewe; *in ~ spirits* uitgelate; (adv) hoog; ~ **al′titude** hoog bo seespieël/seevlak; **~-al′titude ten′nis balls** hoëvlaktennisballe; ~ **blood pres′sure** hoë bloeddruk, hipertensie; ~ **court** hoërhof; ~ **fidel′ity** hoëtrou/klanktrou; **~-lev′el talks** hoëvlak samesprekings; **~light** hoogtepunt/glanspunt; (v) uitlig/kleur; beklemtoon; **~lighter** uitligter/kleurder
**high′ly** hoog, baie, besonder; ~ *commended* sterk aanbeveel
**high:** **~ness** hoogheid; hoogte; ~ **school** hoërskool *also* **sec′ondary school**; ~ **socie′ty** glanskring(e); **~-technol′ogy** (a) hoogtegnies *also* **hi′tech;** ~ **tide** hoogwater; ~ **trea′son** hoogverraad; **~way** (Am.), snelweg, deurpad (tussenstedelik); **~wayman** struikrower, rampokker *also* **ban′dit**
**hi′jack** (v) kaap; skaak; **~er** kaper (vliegtuig), motor; **~ing** motorkaping *also* **car′jacking**
**hike** (n) staptoer; (v) voetslaan
**hik′er** voetslaner, pakstapper
**hi′king trail** voetslaanpad, staproete
**hilar′ious** (a) lagwekkend; vrolik, opgeruimd, uitgelate
**hill** heuwel, bult, koppie
**hilt** (n) handvatsel, greep
**him** hom; **~self** homself
**hind** (a) agter=, agterste; **~sight** agternawysheid
**hin′der** (v) hinder, verhinder
**hin′drance** hindernis, belemmering
**hinge** (n) skarnier; hingsel; spil
**hint** (n) wenk, skimp
**hip** heup; ~ **flask** heupfles
**hippopot′amus ..mi** seekoei
**hire** (v) huur; verhuur; *for ~* te huur; **~pur′chase** huurkoop
**his** sy, syne, s'n
**hiss** (n) gesis; geblaas; gefluit; (v) sis, blaas; uitfluit; ~ *at* uitjou
**histor′ical** (a) geskiedkundig, histories
**his′tory ..ries** geskiedenis
**hit** (n) slag; treffer; (v) slaan; moker; ~ *and run case* tref-en-trapvoorval
**hitch** (n) lissie, haak; beletsel; (v) haak; vasmaak; ~ *on to* vashaak aan; **~hike** ryloop, duimry, duimgooi; **~hi′ker** ryloper, duimryer, duimgooier
**hi′tech** (a) hoogteg(nies) *see* **high-technol′ogy**
**hit:** **~list** moordlys; **~man** huurmoordenaar *also* **assas′sin;** ~ **para′de** trefferparade; **~squad′** moordbende
**hive** (n) byekorf, heuningnes
**hoard** (v) opstapel; opgaar; oppot (goud)
**hoar′frost** (n) ruigryp, ysel
**hoarse** hees, skor; **~ness** heesheid
**hoar′y** (a) grou, grys
**hoax** (n) **-es** grap, foppery; vals alarm; ~ **tel′ephone call** fop-oproep
**hob′ble** (n) strompelgang; (v) mank loop; strompel; ~ **skirt** hobbelrok
**hobb′y hobbies** stokperdjie, liefhebbery, tydverdryf; **~horse** stokperdjie
**hob′goblin** kaboutermannetjie; paaiboelie
**hob′nob** (v) meng (met ryker/vernamer mense)
**ho′bo** (n) boemelaar *also* **tramp**; landloper
**hock′ey** hokkie
**hoe** (n) skoffelpik; (v) skoffel; losmaak
**hog** vark, swyn, burg; smeerlap; *the whole ~* tot by oom Daantjie in die kalwerhok; **~s′back** middelmannetjie (in plaaspad)
**hog′sty ..sties** varkhok *also* **pig′sty**
**hoist** (n) ligter; hystoestel; (v) hys, optrek
**hold**[1] (n) skeepsruim, (vrag)ruim
**hold**[2] (n) vat, handvatsel; (v) hou; besit; behou; bevat; beklee (pos); ~ *the line* bly aan asseblief; (ek skakel u) deur; ~ *an office* 'n pos beklee; ~ *one's tongue* jou mond hou; **~er** houer; besitter, bekleër (pos); **~-up** aanhouding, ophoping (verkeer); roof; (v) beroof
**hole** (n) gat; putjie (gholf); **~-in-one** kolhou/fortuinhou (gholf)
**hol′iday -s** vakansie, feesdag; **Christ′mas ~** Kersvakansie; *on ~* met/op vakansie; ~ **resort′** vakansieoord; plesieroord
**Holl′and** Holland, Nederland; **~er** Hollander, Nederlander (mens)
**holl′ow** (n) holte; (v) uithol; (a) hol
**ho′locaust** (n) groot menseslagting *also* **car′nage**
**hol′ster** (n) holster *also* **pis′tol case**
**hol′y** heilig; ~ **wa′ter** wywater
**hom′age** eerbetoon; hulde; *pay ~ to* hulde betoon aan
**home** (n) tuiste; tehuis; *at ~* tuis; *~, sweet ~* oos, wes, tuis bes; (a) huislik, huis=; (adv) huis toe; ~ **affairs′** binnelandse sake; **~craft** huisvlyt; ~ **econom′ics** huishoud=

kunde; ~ **in'dustry** tuisnywerheid; ~**ly** eenvoudig; huislik; ~**made** tuisberei/tuisgebak; ~ **man'agement** huisbestuur
**hom'eopath** homeopaat, homopaat
**home'perm** tuiskarteling
**hom'er** posduif
**home:** ~ **page** tuisblad (Internet); ~**sick:** *be ~sick* heimwee hê; ~**stead** woonhuis, opstal; ~ **stretch** pylvak (atletiek); ~**work** tuiswerk/huiswerk
**hom'icide** manslag *also* **man'slaughter**
**ho'ming:** ~ **devi'ce** aanpeiler; ~ **pig'eon** posduif
**homosex'ual** (n, a) homoseksueel
**hon'est** (a) eerlik, opreg; ~**ly** regtig/rêrig
**hon'esty** eerlikheid, opregtheid; ~ *is the best policy* eerlikheid duur die langste
**hon'ey** (n) heuning; skat, hartlam; ~**comb** heuningkoek; ~**moon** wittebrood(sdae), huweliksreis; ~**suckle** kanferfoelie
**hon'ky-tonk (piano)** tokkelklavier
**honorar'ium ..ria, -s** honorarium
**hon'orary** ere=; honorêr, eervol; ~ **life mem'bership** lewenslange erelidskap; ~ **mem'ber** erelid; ~ **profes'sor** ereprofessor, professor-honorêr; ~ **sec'retary** eresekretaris
**hon'our** (n) eer; waardigheid; *debt of ~* ereskuld; *funeral ~s* laaste eer/eerbewys; *in ~ of* ter ere van; *word of ~* erewoord; *Your H~* Edelagbare; (v) eer; vereer, eer bewys; ~**able** edel; agbaar; eervol: *The H~able the President* Sy Edele die President
**hon'ours degree** honneursgraad
**hood** (n) hoofdeksel; kap; kleurserp
**hood'lum** (straat)boef, skobbejak *also* **thug**
**hoo'doo** (n) teenspoed, ongeluk; beswering, vloek; (v) toor, beheks
**hood'wink** (v) blinddoek; fop, kul, flous
**hoof** (n) hoef; klou
**hook** (n) hoek; haak; vishoek; *by ~ or by crook* eerlik of oneerlik; (v) haak, aanhaak; *~ed on* verslaaf aan/versot op *also: addicted to*; ~**er** haker (rugby); dief, rampokker; straathoer, prostituut, sekswerker; ~**worm** haakwurm
**hool'igan** straatboef; ~**ism** straatboewery
**hoop** (n) hoepel; band
**hoot** (n) gejou; getoet (motor); *not care a ~* geen flenter omgee nie; (v) uitjou; toeter; ~**er** toeter (van motor)
**hop**[1] (n) hop; ~**(s) beer** hopbier
**hop**[2] (n) sprong; (v) spring, huppel; wip; ~, *skip and jump* driesprong; ~**scotch** eenbeentjie/klippiehink (speletjie)
**hope** (n) hoop, verwagting; (pl) verwagtings; (v) hoop; ~**ful** veelbelowend; hoopvol; ~**ful'ly** hopelik; ~**less** hopeloos
**horde** (n) horde, bende; swerm, trop
**hori'zon** gesigseinder, horison
**horizon'tal** (n) horisontale lyn; (a) waterpas; horisontaal; ~ **bar** rekstok (gimn.)
**hormo'ne** (n) hormoon
**horn** horing; voelspriet
**horn'et** perdeby, wesp
**ho'roscope** horoskoop
**ho'rrible** afskuwelik, vreeslik, gruwelik
**horrif'ic** ysingwekkend, afgryslik
**ho'rror** (n) afsku, gruwel; afkeer/afgryse
**hors d'oeuvre' -s** voorspys, voorgereg
**horse** (n) perd; bok (gimn.) ~ *and trailer* voorhaker en treiler; ~**fly** perdevlieg; ~**man** (perde)ruiter; ~**manship** ruiterkuns/rykuns; ~**play** ruwe spel; ~**po'wer** perdekrag; ~ **ra'cing** perde(wed)renne; perdesport; ~**ri'ding competi'tion** ruiterkuns, perdesport; ~**shoe** hoefyster; ~**whip** peits, karwats *also* **quirt**
**hort'iculture** tuinbou
**hosann'a -s** hosanna, lofsang
**hose** kous; tuinslang; brandspuit; **pan'ty** ~ kousbroek *also* **pan'tihose**
**hos'pice** (n) hersteloord, hospies/hospitium
**hos'pital** hospitaal, siekehuis; **gen'eral** ~ algemene hospitaal; ~**isa'tion** hospitalisasie; ~**ise** (v) in hospitaal opneem
**hospital'ity** (n) gasvryheid, herbergsaamheid
**host**[1] gasheer; *we are ~ing the event* ons is gasheer vir die byeenkoms
**host**[2] menigte *also* **crowd, mul'titude**; skare
**hos'tage** (n) gyselaar; *release of ~* vrylating van gyselaar
**hos'tel** losieshuis; koshuis; hostel (myne)
**hos'tess** gasvrou; waardin; geselskap(s)dame; gesellin
**hos'tile** (a) vyandig; vyandelik (mil.); ~ **at'titude** vyandige houding
**hot** warm, heet; vurig; ~**bed** broeines; broeikas; ~**-air balloon'** (warm)lugballon; ~**blood'ed** warmbloedig; ~**cross bun** paasbolletjie, kruisbolletjie; ~**dog** worsbroodjie
**hotch'potch** mengelmoes, sameraapsel; allegaartjie *also* **hash**
**hotel'** hotel; ~**kee'per/hotel'ier** hotelhouer, hotelier
**hot:** ~**head** vuurvreter, heethoof; ~**hou'se**

kweekhuis; broeikas; ~**li'ne** rooilyn, blits=lyn; ~ **pursuit'** hakkejag; ~**-tem'pered** opvlieënd; ~**wa'ter bottle** warmwatersak
**hound** (n) jaghond; (v) agtervolg, vervolg
**hour** uur; ~**glass** sandloper(tjie), uurglas; ~ **hand** uurwyser/uurwyster
**house** (n) huis, woonhuis; ~ *of ill fame* bor=deel; (v) huisves; herberg; woon; ~ **arrest'** huisarres; ~**brea'king** huisbraak, inbraak
**house'hold** (n) huis(houding); huisgesin; (a) huishoudelik; ~ **appli'ances** huisgerei; ~ **effects'** huisraad; ~ **rem'edy** boereraat
**house:** ~ **jour'nal** firmablad, lyfblad; ~**keep'=er** huishoudster; ~**maid's knee** kniewater/skropknieë; ~ **rent** huishuur; ~**-trai'ned** (a) sindelik (huisdier); ~**war'ming** huisinwy=ding; ~**wife** huisvrou; ~**wives' lea'gue** huisvroueliga
**housing** (n) huisvesting; behuising; omhulsel
**hov'el** pondok, strooihuis/stroois; krot *also* **shan'ty**, **shack**
**ho'ver** fladder; sweef; ~ *about* rondswerf; ~**craft** skeertuig/kussingtuig
**how** hoe; waarom/hoekom; ~ *are you?* hoe gaan dit?; ~ *do you do* aangenaam, aange=name kennis, bly u te kenne; ~**ever** egter, nogtans; nietemin
**howl** (v) huil, tjank; ~**er** huiler, tjanker; (eksamen)flater, blaps; ~**ing** (n) getjank
**hubb'y hubbies** manlief
**hub'cap** wieldop/naafdop (motor)
**hud'dle** (n) hoop; bondel; *go into a* ~ beraad/koukus hou
**hue**[1] kleur, tint
**hue**[2] geskree(u); *raise a* ~ *and cry* moord en brand skree(u)
**huff** (n) opvlieëndheid; *be in a* ~ beledig voel; kwaad/opgeruk wees
**hug** (n) omhelsing; (v) omhels, vasdruk
**huge** (a) reusagtig, kolossaal, tamaai *also* **colos'sal**, **vast**; ~ **buil'ding** reusegebou
**hullabaloo'** (n) ophef, herrie, kommosie
**hum** (n) gegons; gemompel; (v) gons; neurie; mompel; zoem
**hu'man** (n) mens; (a) menslik; ~ **im'munode=ficiency vi'rus (HIV)** menslike immuniteit=smorende virus (MIV/HIV); ~ **rela'tions** menseverhoudinge; ~ **resour'ces** mense=bronne/menslike hulpbronne; ~ **rights** men=seregte/fundamentele regte; ~ **scien'ces** geesteswetenskappe; **H~ Scien'ces Re=search' Coun'cil** Raad vir Geestesweten=skaplike Navorsing
**Hu'man Rights' Day** Menseregtedag (vakansie)
**humane'** (a) mensliewend, humaan
**human'ity** mensheid, mensdom
**hum'ble** (a) nederig, beskeie; (v) verneder
**hum'bug** (n) bluf; grootpratery; swendelaar/bedrieër (mens)
**humid'ity** (n) vogtigheid, humiditeit
**humil'iate** (v) verneder, verlaag, (ver)kleineer
**hu'miture** (n) ongemak(likheid)syfer (kli=maat) *also* **dis'comfort in'dex**
**humm'ing** (n) gegons; ~**bird** kolibrie
**hu'morous** (a) luimig, grappig, geestig
**hum'our** (n) bui, luim; humeur; (v) inwillig, sy sin gee
**hump** (n) boggel; skof (dier); hobbel (spoedbre=ker); ~**-backed** geboggel *see* **hunch'back**
**hunch** knop; boggel; voorgevoel; ~**back** boggelrug (mens)
**hun'dred** honderd, honderdtal; ~**fold** honderd=voud(ig); ~**th** honderdste
**hung'er** (n) honger; ~ **strike** eetstaking
**hun'gry** honger; hongerig; lus
**hunt** (n) jag; (v) jag; najaag; vervolg; ~**er** jagter; ~**ing expedi'tion** jagtog; ~**ing sea'son** jagseisoen
**hur'dle** (n) hekkie; (v) oorspring; ~ **race** hek=kiewedloop
**hurl** (v) gooi, smyt, slinger
**hu'rricane** orkaan *also* **cy'clone**
**hu'rry** (n) gewoel, haastigheid; (v) jaag; gou maak; ~ *up* gou maak, opskud
**hurt** (v) seer maak, beseer; benadeel; *feel* ~ gekrenk voel; *I* ~ *my leg* ek het my been beseer
**hus'band** (n) man, eggenoot
**hush** (n) stilte, kalmte; (v) stil maak, bedaar; (interj) sjuut!; ~ **mon'ey** swyggeld
**husk** (n) dop, skil; bas; (v) uitdop; afskil
**hu'stle** (n) gedrang; harwar; (v) druk, stoot; ~ *and bustle* drukte
**hut** strooihuis, stroois, pondok, hut
**hy'acinth** naeltjie(blom), hiasint
**hy'brid** (n) baster, hibried; basterwoord; (a) baster=; ~**ise** baster, kruis; ~ **maize/mea'=lies** bastermielies
**hydran'gea** (n) hortensia, krismisroos
**hy'drant** brandkraan, hidrant
**hydraul'ic** hidroulies, water=
**hydro-elec'tric** (a) hidroëlektries
**hy'drogen** (n) waterstof
**hy'droplane** skeerboot *also* **hy'drofoil**

**hyen'a -s** hiëna, (strand)wolf
**hygien'ic** (a) higiënies, gesondheids=
**hymn** (a) gesang, kerklied, himne
**hyperb'ole** oordrywing, hiperbool
**hy'pertext** hiperteks (rek.)
**hy'phen** (n) koppelteken; (v) ~**ate** koppel
**hy'permarket** hipermark, alleswinkel
**hyperten'sion** (n) hoë bloeddruk, hipertensie
**hyp'notism** hipnotisme
**hyp'notise** (v) hipnotiseer
**hypochon'dria** verbeelsiekte, hipokondrie; hipo=konders, ipekonders
**hypochon'driac** (n) hipokonder/ipekonder (mens); (a) hipokondries
**hyp'ocrite** (n) huigelaar, skynheilige, twee=gatjakkals (mens)
**hysterec'tomy** (n) histerektomie, baarmoeder=verwydering
**hyster'ical** (a) histeries *also* **uncontroll'ed laugh'ing/cry'ing**

# I

**I** ek; ~ *say* hoor ('n) bietjie
**ib'is -es** ibis (voël); **brown** ~ hadida
**ice** (n) ys; ~**berg** ysberg; ~**cream** roomys; ~**cream cone** roomyshorinkie
**i'cing** yskors; ~ **su'gar** (ver)siersuiker
**i'cy** (a) ysagtig; yskoud *also* **free'zing**
**ide'a** (n) **-s** idee, denkbeeld; begrip
**ide'al** (n) ideaal; (a) ideaal, volmaak; ~**ist** idealis (mens); ~**ise** idealiseer
**iden'tical** identies, identiek, dieselfde
**identifica'tion** vereenselwiging; identifikasie; ~ **para'de** uitkenparade
**iden'tify** (v) vereenselwig; uitken, aantoon; identifiseer; ~ *with* vereenselwig met
**iden'tikit** (n) gesigsamestelling, identikit
**iden'tity** identiteit; ~ **doc'ument** identiteits=dokument
**ideol'ogy** (n) ideologie, begripsleer; dwepery
**id'iom** idioom, tongval; ~**a'tic** idiomaties
**id'iot** onnosele mens, idioot *also* **fool, dunce**
**i'dle** (v) leeglê, lanterfanter; luier (motor); (a) ledig, werkloos; uitgeskakel (rat); ~ *talk* kafpraatjies; ~**r** luiaard, leeglêer
**id'ol** (n) afgod; dwaalbegrip, skynbeeld
**idyll'ic** (a) idillies, landelik; rustig/bekoorlik
**if** (n) as; (conj) indien, as, so, ingeval; *funds available,* ~ *any* beskikbare fondse, as daar is; ~ *need be* desnoods; ~ *not* so nie
**igni'tion** ontbranding; ontsteking (motor)
**ig'norance** (n) onkunde, onwetendheid; *dis=play his* ~ sy onkunde openbaar
**ignore'** (v) verbysien, ignoreer, verontagsaam
**igua'na** likkewaan
**ilk** klas, soort
**ill** (a) siek, ongesteld; (adv) sleg, kwalik; skaars; ~ *at ease* nie op sy gemak nie; *be taken* ~ siek word; ~**-advi'sed** onverstan=dig, onbesonne, onwys
**illeg'al** onwettig, wederregtelik; ~ **im'mi=grant** onwettige immigrant
**illeg'ible** onleesbaar
**illegit'imate** onwettig; buite-egtelik (kind)
**ill:** ~**-feel'ing** kwaaivriendskap; ~**-for'tune** teenspoed; ongeluk; ~ **health** swak gesond=heid
**illi'cit** ongeoorloof, onwettig; ~ **dia'mond buy'=ing** onwettige diamanthandel
**illit'erate** (a) ongeletterd, analfabeties
**ill:** ~**-mannered** ongemanierd; ~**ness** siekte, ongesteldheid; ~**-tem'pered** humeurig, knor=rig; ~**treat** (v) mishandel
**illum'inate** verlig *also* **light up**; versier; opluister; ~**d address'** oorkonde, sieradres
**illu'sion** (n) sinsbedrog; waan, illusie
**ill'ustrate** ophelder, verduidelik/toelig; illu=streer; ~**d** verduidelik; geïllustreer
**illustra'tion** (n) illustrasie, toeligting
**illus'trious** (a) beroemd, vermaard
**im'age** (n) beeld; afbeelding; ~ **buil'der** beeld=bouer; **pub'lic** ~ beeld na buite
**im'agery** (n) beeldspraak; beeldrykheid
**ima'ginary** (a) denkbeeldig; onbestaanbaar
**imagina'tion** verbeelding, voorstelling
**ima'gine** (v) jou verbeel/voorstel; fantaseer
**im'becile** (n) swaksinnige, imbesiel (mens); (a) geestelik gestrem, imbesiel
**im'itate** (v) navolg, namaak, naboots
**imita'tion** (n) navolging, namaaksel, naboot=sing; ~ **lea'ther** kunsleer
**immac'ulate** (a) rein, onbevlek; onberispelik; ~ **concep'tion** onbevlekte ontvangenis
**immate'rial** geestelik; onbelangrik; *that's* ~ dis om 't ewe; dit maak nie saak nie
**immature'** (a) groen, onvolwasse; onryp

**imme′diate** onmiddellik, oombliklik; ~**ly** dadelik
**immense′** (a) onmeetlik, kolossaal
**immer′sion** onderdompeling, indompeling; ~ **hea′ter** dompelaar, dompelverwarmer
**im′migrant** (n) immigrant, inkomeling (mens)
**immigra′tion** verhuising *also* **reloca′tion**; im= migrasie
**imm′inent** dreigend; naby
**immo′bilise** immobiliseer, lam lê, buite geveg stel; ~**r** immobiliseerder
**immoral′ity** onsedelikheid; ontug
**immort′al** (a) onsterflik; onverganklik
**immortal′ity** onsterflikheid
**immo′vable** onbeweeglik; onroerend; vas; ~ **prop′erty** vaste eiendom, vasgoed
**immune′** vry van, immuun
**im′pact** (n) skok, stamp, botsing, impak
**impal′a** rooibok
**impar′tial** (a) onpartydig, afsydig
**impass′able** ontoeganklik, onbegaanbaar (pad)
**impa′tient** (a) ongeduldig; driftig, moeilik
**imped′iment** hindernis, beletsel; belemme= ring; **speech** ~ spraakgebrek
**impe′rative** gebiedend
**imperf′ect** (n) onvoltooid verlede tyd; (a) onvolmaak/onvolkome; onvoltooid
**imper′ial** keiserlik, imperiaal; ~**ism** impe= rialisme; ~**ist** imperialis (mens)
**impers′onal** onpersoonlik
**impers′onate** (v) verpersoonlik; vertolk; voor= stel; ~ *a character* 'n karakter speel/vertolk
**impert′inence** astrantheid; vermetelheid
**impert′inent** parmantig, astrant, vermetel
**impet′uous** voortvarend, onstuimig, heftig
**im′petus -es** beweegkrag, aandrang; *give a fresh* ~ *to* nuwe stukrag gee aan
**im′pi -s** impie, Zoeloeregiment
**im′pish** (a) ondeund/onnutsig, speels
**implant′** (v) inprent; inplant(eer) (med.)
**im′plement** (n) gereedskap, werktuig; (pl) benodig(d)hede; implemente (plaasgereed= skap); (v) uitvoer, toepas, implementeer
**implica′tion** (n) implikasie; gevolgtrekking; *by* ~ by implikasie; stilswyend
**implied′** stilswyend inbegrepe
**implode′** (v) inplof ('n ou gebou)
**implo′sion** (n) inploffing
**implore′** (v) bid, smeek *also* **beg, beseech′**
**imply′** bevat; behels; te kenne gee; sinspeel op
**im′port** (n) invoer; inhoud; belang; gewig; betekenis; (pl) invoerartikels
**import′** (v) invoer, importeer; te kenne gee
**import′ance** (a) belangrikheid; betekenis
**import′ant** belangrik, betekenisvol *also* **signi′= ficant, vi′tal**
**impose′** (v) oplê; te laste lê; skenk
**imposs′ible** onmoontlik, onbegonne
**impos′ter/impostor** (n) bedrieër, kuller, swen= delaar *also* **preten′der**
**im′potent** magteloos, impotent
**impound′** (v) skut (los diere); opsluit
**imprac′ticable** (a) onuitvoerbaar, onprakties
**impreg′nate** bevrug, beswanger; deurtrek, vervul; ~*d with* deurtrek van
**im′press** (n) **-es** stempel; merk, afdruk
**impress′** (v) indruk, beïndruk *also* **em′phasise**
**impress′ion** indruk; *create the* ~ die indruk wek; druk; uitgawe (van boek); ~**ism** im= pressionisme (in skilderkuns); ~**ist** impres= sionis (mens)
**impress′ive** (a) indrukwekkend, treffend
**im′prest** voorskot (boekhouding)
**im′print** (n) stempel; naam; indruk
**impris′on** (v) in die gevangenis sit
**improb′able** onwaarskynlik
**impromp′tu** (n) improvisasie; impromptu; (a, adv) uit die vuis (toespraak); onvoorberei(d)
**improp′er** (a) onbehoorlik, onbetaamlik
**improve′** (v) verbeter, veredel, verhoog; voor= uitgaan (pasiënt); ~**ment** verbetering
**im′provise** (v) improviseer, uit die vuis lewer (toespraak); haastig prakseer
**im′pudent** parmantig, (dom)astrant
**impul′sive** (a) impulsief, voortvarend
**impu′rity ..ties** onsuiwerheid; onreinheid
**in** (adv) in, binne; (prep) in, by, op, na, tot, met; ~ *Afrikaans* in/op Afrikaans; ~ *any case* in elk/alle geval; ~ *camera* agter geslote deure, in camera; ~ *fact* inderdaad; ~ *honour of* ter ere van; ~ *ink* met ink; ~ *a jiffy* in 'n kits; ~ *terms of* ingevolge, krag= tens; ~ *this way* op hierdie manier; ~ *a week* oor 'n week; ~ *writing* op skrif
**inabil′ity** (n) onvermoë, onbekwaamheid
**inacc′urate** onnoukeurig, onakkuraat
**inad′equate** (a) onvoldoende, ontoereikend
**inadvert′ent** onoplettend, agteloos, onopset= lik; ~**ly** per abuis/ongeluk
**inartic′ulate** (a) onverstaanbaar; *he is quite* ~ hy kan hom nie behoorlik uitdruk nie
**inasmuch′**: ~ *as* aangesien
**inaug′ural** intree=; wydings=; ~ **address′** intreerede; openingsrede; ~ **meet′ing** stig= tingsvergadering

**inaugura'tion** (n) inwyding, ingebruikneming; inhuldiging; bevestiging
**in'born** (a) aangebore, ingeskape
**incal'culable** onberekenbaar (skade)
**inca'pable** (a) onbekwaam, onbevoeg
**incen'diary** (n) brandstigter *also* **ar'sonist**; (a) brandstigtend; opruiend; ~ **bomb** brandbom
**in'cense**[1] (n) wierook; (v) bewierook
**incense'**[2] (v) kwaad maak, terg, vertoorn
**incen'tive** (n) aansporing; prikkel; ~ **bo'nus** aanspoorbonus; ~ **sche'me** aanspoorskema
**incep'tion** begin, aanvang
**incess'ant** (a) onophoudelik, aanhoudend
**in'cest** (n) bloedskande
**inch -es** duim; *every ~ a gentleman* 'n regte heer/gentleman
**in'cident** (n) gebeurtenis, voorval, insident; (pl) gebeure; (a) bykomstig, toevallig
**inciden'tal** toevallig, onvoorsiens; ~**ly** toevallig, terloops; ~**s** bykomende/onvoorsiene uitgawes
**incin'erator** (n) verbrandingsoond; verasser
**incite'** (v) opstook/opsweep, aanhits *also* **in'stigate/stir up**; ~**ment** aanhitsing
**inclem'ent** onbarmhartig; stormagtig; wreed; ~ **wea'ther** gure weer
**inclina'tion** (n) neiging; helling; skuinste
**incline'** (n) helling, afdraand, opdraand; skuinste; (v) neig; oorhang; hel
**incli'ned:** *be ~ to* geneig wees om
**include'** insluit, behels, bevat; meereken; *not ~d* nie inbegrepe nie
**inclus'ive** insluitend; ingeslote, inklusief; *VAT~* BTW inbegrepe/ingesluit
**incoher'ent** (a) onsamehangend (spraak)
**in'come** inkomste, inkome; ~ **sta'tement** inkomstestaat; ~ **tax** inkomstebelasting
**in'-com'pany trai'ning** indiensopleiding
**incompat'ible** onverenigbaar; ~ *with* strydig met
**incom'petence** (n) onbekwaamheid, onbevoegdheid
**incom'petent** (a) onbevoeg, onbekwaam
**incomplete'** onvoltooi; onvolledig
**incomprehen'sible** (e) onbegryplik, onverstaanbaar
**inconceiv'able** (a) ondenkbaar, onbegryplik
**inconsid'erate** (a) onbedagsaam, agte(r)losig
**inconsis'tent** (a) teenstrydig; onverenigbaar; ongerymd; ~ *with* strydig met
**inconve'nience** (n) ongerief, ongemak; *put to ~* ongerief veroorsaak; (v) ontrief
**inconve'nient** (a) ongerieflik, ongeleë
**incor'porate** (v) inlyf, inkorporeer; (a) ingelyf; *~d association not for gain* ingelyfde vereniging sonder winsoogmerk
**incorrect'** foutief, onjuis; inkorrek
**inco'rrigible** (a) onverbeterbaar (leerling)
**in'crease** (n) vermeerdering; aanwas (in bevolking); verhoging; *on the ~* aan die toeneem
**increase'** (v) vermeerder, vergroot, verhoog
**incred'ible** ongelooflik *also* **unbeliev'able**
**in'crement** (n) verhoging; inkrement; aanwas
**in'cubator** broeimasjien; kweekmasjien
**incum'bent** (n) amp(s)bekleër; predikant
**incur'** (v) op die hals haal, blootstel aan; ~ *debt* skuld maak
**incu'rable** ongeneeslik
**inda'ba** indaba, (bos)beraad *also* **lekgot'la**; beraadslaging
**indebt'ed** verskuldig, verplig; *be ~ to* verskuldig wees aan
**inde'cent** onbetaamlik; onfatsoenlik; onwelvoeglik; ~ **assault'** onsedelike aanranding
**indeed'** inderdaad, regtig/rêrig
**indef'inite** onbepaald; onbeslis; ~ **pro'noun** onbepaalde voornaamwoord
**indel'ible** onuitwisbaar; ~ **pen'cil** inkpotlood
**indem'nify** (v) vrywaar; skadeloos stel
**indem'nity** vrywaring; skadeloosstelling
**indent'** (v) inkerf; inspring (drukwerk); inboek; bestel
**indepen'dence** (n) onafhanklikheid; **declara'tion of** ~ onafhanklikverklaring
**indepen'dent** (n) onafhanklike (mens); (a) onafhanklik, selfstandig
**in'-depth study** dieptestudie
**indestruc'tible** (a) onvernietigbaar
**in'dex** (n) **indices, -es** bladwyser, indeks; register; ~ **fin'ger** voorvinger/wysvinger
**In'dian** (n) Indiër; Indiaan (Amerika); (a) Indies; Indiaans; ~ **sum'mer** ontydige somer; ~ **wrest'ling** armdruk(wedstryd) *also* **arm wrest'ling**
**in'dicate** (v) aandui, aanwys; toon
**indica'tion** aanduiding, aanwysing; teken
**indic'ative** (a) aanwysend; ~ **mood** aantonende wys
**in'dicator** (n) wyser; nommerbord; aantoner; **flash** ~ flikkerlig
**indict'** (v) beskuldig, aankla; ~**ment** aanklag
**In'dies** Indië; **East** ~ Oos-Indië; **West** ~ Wes-Indië
**indiff'erent** (a) onverskillig, agte(r)losig; *his*

*health is* ~ sy gesondheid is swak
**indig'enous** inheems; aangebore; ~ **tree** in=heemse boom
**indiges'tion** slegte spysvertering, indigestie
**indigna'tion** verontwaardiging
**indirect'** indirek, onregstreeks; ~ **speech** indirekte rede
**indiscreet'** (a) onverstandig/onbesonne; takt=loos
**indispen'sable** onontbeerlik, onmisbaar
**indispose'** (v) ongesteld maak; ~**d'** ongesteld, olik, siek; ongeneë
**indistinct'** (a) onduidelik, dof, vaag
**individ'ual** (n) individu, persoon, enkeling; (a) individueel, afsonderlik
**individ'ually** een vir een; individueel, apart
**indoctrina'tion** (n) indoktrinasie/indoktrine=ring
**in'dolent** (a) lui, traag *also* **i'dle**, **laz'y**
**Indone'sian** (n) Indonesiër (mens); Indonesies (taal); (a) Indonesies
**in'door** huis=, binne=; ~ **game** kamerspeletjie; ~ **plants** binnehuise plante
**in'doors** (a) binnenshuis/binnehuis
**induce** (v) beweeg; oorhaal, oorreed; ~**ment** aansporing, lokmiddel *also* **incen'tive**
**induct'** installeer; inwy; bevestig (dominee); ~**ion** induksie; inwyding; bevestiging; in=burgering (groentjies)
**indus'trial** (a) industrieel, nywerheids=; ~ **ac'=tion** protesoptrede; arbeidsonrus; ~**ist** fabri=kant, nyweraar; ~ **psychol'ogist** bedryfsiel=kundige; ~ **rela'tions** arbeidsverhoudinge; ~ **school** nywerheidskool/ambagskool
**indus'trious** (a) werksaam, fluks, vlytig
**in'dustry** vlyt, ywer, werksaamheid; nywer=heid, industrie, bedryf
**ine'briate** (n) dronkaard; (a) dronk
**ined'ible** (a) oneetbaar
**ineffic'iency** (n) onbekwaamheid, onbevoegd=heid; ondoeltreffendheid
**ineffic'ient** (a) onbekwaam; ongeskik *also* **in=com'petent, inca'pable**; onbruikbaar
**inequal'ity** ongelykheid; verskil
**iner'tia** traagheid, beweginglooshe id, inersie; ~ **reel seat'belt** rukstopgordel
**ines'timable** onskatbaar, onberekenbaar; ~ **dam'age** onberekenbare skade
**inev'itable** onvermydelik *also* **unavoi'dable**
**inexhaus'tible** onuitputlik; onvermoeid *also* **ti'reless**
**inexpen'sive** goedkoop, billik
**inexper'ience** onervarenheid; ~**d** onervare
**infall'ible** onfeilbaar *also* **unfai'ling**
**in'famous** (a) skandalig; verfoeilik; berug
**in'fant** (n) babatjie, kleuter, suigeling; (a) klein, jong/jonk; minderjarig; ~ **mortal'ity rate** kindersterftesyfer
**in'fantile** kinderagtig, infantiel; kinderlik; ~ **paral'ysis** kinderverlamming
**in'fantry** (n) infanterie, voetsoldate
**in'fant school** kleuterskool *also* **nur'sery school**
**infect'** (v) besmet, aansteek; ~**ed** besmet, aan=gesteek; ~**ion** besmetting, infeksie; ~**ious' disea'se** aansteeklike siekte/infeksiesiekte
**infe'rior** (n) ondergeskikte, mindere (mens); (a) minderwaardig; ondergeskik
**inferior'ity** minderwaardigheid; ~ **com'plex** minderwaardigheidskompleks
**infer'nal** (a) hels, verfoeilik
**infest'** vervuil, verpes; wemel (van); teister; ~*ed with rats* vervuil van die rotte
**in'fighting** binnegevegte; broedertwis
**in'filtrate** insypel, infiltreer
**infiltra'tor** (n) insypelaar *also* **insur'gent**
**in'finite** (n) oneindigheid; (a) oneindig, grens=loos
**infinites'imal** oneindig klein
**infin'itive** (n) onbepaalde wys; (a) oneindig, eindeloos; ~ **mood** onbepaalde wys
**infirm'** (a) swak; gebreklik; ~**ary** siekehuis
**inflamm'able** (ont)vlambaar, brandbaar *also* **flam'mable**
**inflamma'tion** ontsteking, inflammasie (siekte)
**infla'table** (n) rubber/opblaasbootjie *see* **din'ghy**
**infla'tion** (n) inflasie (ekon.); opblasing
**inflex'ion** verbuiging, infleksie
**inflict'** (v) oplê; toebring; ~ *punishment* straf toedien
**in'fluence** (n) invloed; (v) beïnvloed
**influen'tial** (a) invloedryk (mense)
**influen'za** influensa, griep *also* **flu**
**in'flux** (n) instroming, toestroming
**inform** (v) meedeel, verwittig; berig, aankondig
**inform'al** informeel; ~ **dress** informele drag; ~ **sec'tor** informele sektor; ~ **settle'ment** plakkerskamp
**informa'tion** (n) informasie, berig, inligting; *full* ~ volle/volledige inligting; *further* ~ meer inligting
**inform'ed** goed ingelig; saakkundig; *keep someone* ~ iem. op die hoogte hou
**inform'er** nuusdraer, informant (mens)
**in'frastructure** infrastruktuur

**infre′quent** seldsaam *also* **sel′dom**; ~**ly** selde
**infringe′** (v) oortree, inbreuk maak op
**infu′riate** (v) woedend/briesend maak, vertoorn
**ingen′ious** (a) vernuftig, vindingryk, knap
**ingrat′itude** (n) ondankbaarheid
**ingred′ient** (n) bestanddeel, ingrediënt
**inhab′it** bewoon; woon; ~**able** bewoonbaar; ~**ant** bewoner, inwoner
**inhale′** (v) inasem, intrek
**inher′ent** aangebore/ingebore, inherent
**inhe′rit** (v) erf; ~**ance** erfenis, erflating, erf=porsie; ~**ed** geërf, oorgeërf
**inhu′man** (a) onmenslik, gevoelloos, barbaars
**inim′itable** onnavolgbaar, onkopieerbaar
**ini′tial** (n) voorletter; (pl) paraaf; (v) parafeer; (a) eerste, begin=; aanvangs=; ~ **investiga′=tion/explora′tion** aanvang(s)ondersoek; ~**ly** (adv) aanvanklik
**ini′tiate** (v) inlei; inwy, insout, inisieer; ont=groen, inburger (student)
**initia′tion** inwyding, inburgering; ontgroe=ning; ~ **school** inisiasieskool, bergskool
**ini′tiative** (n) inisiatief, voortou; *take the* ~ die leiding/inisiatief neem
**inject′** (v) inspuit
**injec′tion** (n) inspuiting, injeksie
**in′jure** beseer; benadeel, beledig/krenk
**in′jury ..ries** besering; benadeling; letsel
**injus′tice** (n) onregverdigheid, onreg; *do an* ~ iem. 'n onreg aandoen
**ink** (n) ink; *write in* ~ skryf met ink
**ink′ling** vermoede, idee; wenk, snuf
**in′land** (a) binnelands; (adv) landwaarts
**in-law′** aangetroude familielid; *my* ~*s* my skoonfamilie
**in′line ska′tes** (n) inlynskaatse, rollemskaatse *also* **rol′lerblades**
**in′mate** bewoner, huisgenoot; inwoner (van 'n gestig)
**in′most** binneste; diepste, innigste
**inn** herberg *also* **tav′ern**; hotel
**inn′er** innerlik, inwendig; geheim; ~**most** bin=neste, innigste
**inn′ings** beurt; kolfbeurt (krieket)
**inn′keeper** herbergier, waard
**inn′ocence** (n) onskuld; eenvoudigheid
**inn′ocent** (a) onskuldig; onnosel (mens)
**innova′tion** nuwigheid *also* **nov′elty**
**inoc′ulate** (v) inent, ent, okuleer
**inoffen′sive** (a) onskadelik; argeloos
**inopportu′ne** (a) ongeleë, ontydig
**in′put** (n) inset (produksiemiddele); *make an* ~ 'n inset/bydrae lewer *see* **out′put**
**in′quest** geregtelike ondersoek; lykskouing
**inquire′** ondersoek instel; ~ *into the affairs of the company* ondersoek instel na die maat=skappy se sake
**inquir′y** (geregtelike) ondersoek *also* **inves=tiga′tion, probe** (n)
**inquisi′tion** inkwisisie
**inquis′itive** (a) nuuskierig; weetgierig
**insane′** (a) kranksinnig, mal *also* **mad**
**inscrip′tion** inskrywing; inskripsie (op iets)
**in′sect** insek, gogga
**insec′ticide** insekdoder, insektegif
**insecure′** onveilig, onseker *also* **unsa′fe**
**insemina′tion** bevrugting, inseminasie; **arti′=ficial** ~ **(AI)** kunsmatige bevrugting, kuns=matige inseminasie (KI)
**insep′arable** (a) onskei(d)baar; onafskeidelik (vriende)
**insert′** invoeg, inlas; inskakel; ~**ion** invoe=ging; opname, plasing (in koerant)
**in′-service:** ~ **trai′ning** indiensopleiding; ~ **tui′tion** (in)diensonderrig
**in′set** (n) bylae/byvoegsel; byblad; inlas
**in′side** (n) binnekant; binneste; inwendige; binnegoed; *know* ~ *out* deur en deur ken; (a) binneste=; binne=; (adv) binnekant, binne(n)shuis; (prep) binne
**in′sight** insig; begrip; blik
**insignif′icant** onbeduidend
**insincere′** (a) onopreg, huigelagtig
**insin′uate** (v) sinspeel, insinueer; te kenne gee
**insip′id** smaakloos, laf, flou
**insist′** (v) aanhou, aandring; volhou; volhard by; ~ *on* aandring op
**insofar′:** ~ *as* in dié mate dat, vir sover
**in′solence** (n) onbeskoftheid, parmantigheid
**insol′vency** bankrotskap, insolvensie
**insol′vent** (n) insolvent (mens); (a) bankrot, insolvent
**insom′nia** slaaploosheid/slapeloosheid
**inspan′** inspan
**inspect′** (v) inspekteer; ~**ion** inspeksie, onder=soek; ~**or** inspekteur; opsiener
**inspira′tion** (n) besieling, inspirasie, ingewing
**inspire′** inboesem; besiel; inspireer; aanvuur; inasem; ~ *confidence* vertroue inboesem; ~**d** besiel, geïnspireer, begeester(d)
**inspir′ing** (a) besielend, inspirerend
**install′** (v) installeer, aanlê, aanbring, vestig
**installa′tion** installasie; aanleg (fabriek)
**instal′ment** paaiement; aflewering; *pay in* ~*s*

in paaiemente afbetaal
**in'stance** (n) voorbeeld, geval; versoek; *in the first* ~ in die eerste plek, in eerste instansie; *for* ~ byvoorbeeld
**in'stant** (n) oomblik, tydstip; (a, adv) onmiddellik, dadelik; dringend; kits=; *the 16th* ~ 16 deser; ~**a'neous** oombliklik; ~ **cof'fee** kitskoffie
**instead' of** in plaas van, pleks van
**in'step** (n) voetboog, wreef
**in'stigate** (v) aanhits, opstook, aanpor
**in'stigator** opstoker, aanhitser *also* **ag'itator**
**instil'** inboesem *see* **inspi're**; inprent
**in'stinct** (n) instink, natuurdrif
**in'stitute** (n) instelling; wet; instituut; (pl) institute; (v) instel, stig, vestig; ~ *proceedings* regstappe doen/instel
**institu'tion** (n) instelling; inrigting; gestig
**instruct'** onderrig, leer; ~**ion** onderrig; bevel, instruksie; ~**ive** leersaam; ~**or** leermeester, instrukteur
**in'strument** (n) instrument, werktuig; middel
**instrumen'tal** (a) bevorderlik, behulpsaam
**insubordina'tion** (n) ongehoorsaamheid, verset, insubordinasie
**insuffi'cient** (a) ontoereikend, onvoldoende
**in'sulate** (v) afsonder, isoleer
**insula'tion** afsondering, isolering; ~ **tape** isoleerband
**in'sult** (n) belediging, affront; **cal'culated** ~ berekende affront
**insult'** (v) beledig; ~**ing** krenkend, beledigend, kwetsend *also* **abu'sive**
**insu'rance** versekering, assuransie; **third party** ~ derdepartyversekering; ~ **a'gent** assuransieagent; ~ **com'pany** versekering(s)maatskappy; ~ **pol'icy** versekering(s)polis/assuransiepolis
**insure'** verseker, verassureer; seker maak; ~**d'** (n) die versekerde; (a) verseker, verassureer; ~**r** versekeraar; onderskrywer
**insur'gent** (n) opstandeling; insypelaar (mens)
**insurrec'tion** (n) opstand, muitery
**intact'** ongeskonde, onaangeroer, intak(t)
**in'take** inname; toevoer; opvanggebied
**in'tegral** (a) heel, volledig, integraal/integrerend; ~ *part of* integrerende deel van
**integra'tion** (n) integrasie; inskakeling
**integ'rity** (a) opregtheid, egtheid; integriteit
**in'tellect** verstand, vernuf, gees, intellek
**intellec'tual** (n) intellektueel (mens); (a) verstandelik, intellektueel; verstands=
**intell'igence** verstand; intelligensie; inligting (mil.); ~ **quo'tient (I.Q.)** intelligensiekwosiënt (I.K.)
**intell'igent** skrander, intelligent, slim, knap
**intend'** voornemens wees, wil; ~ *no harm* geen kwaad bedoel nie; ~**ed** (n) aanstaande (mens); (a) bestem(d), voorgenome
**intense'** hewig, kragtig, fel *also* **fierce**
**inten'sify** (v) versterk, verskerp
**inten'sity** hewigheid, intensiteit
**inten'sive** intensief; intens; ~ **care u'nit** (intensiewe) sorgeenheid, waakeenheid
**intent'** (n) oogmerk, voorneme; *to all* ~*s and purposes* vir alle praktiese doeleindes
**inten'tion** voorneme; bedoeling; ~**al** opsetlik, moedswillig
**inter'**[1] (v) begrawe, ter aarde bestel
**in'ter**[2] (adv) tussen; ~ **a'lia** onder andere
**interact'** (v) op mekaar inwerk; ~**ion** wisselwerking; interaksie
**intercept'** onderskep; afsny; teenhou
**in'terchange** (n) wisseling; ruiling; **traf'fic** ~ (verkeers)wisselaar, wisselkruising
**interchange'** (v) wissel, ruil; verwissel
**in'tercourse** (n) omgang, verkeer; **sex'ual** ~ (geslags)gemeenskap
**interdenomina'tional** (a) interkerklik; intersektaries
**in'terdict** (n) verbod, interdik
**interdict'** (v) verbied, skors
**in'terest** (n) belang; belangstelling; rente; ~*ed parties* belangstellende/belanghebbende partye; *I am* ~*ed in* ek stel belang in; *in the* ~ *of* in (die) belang van; *take an* ~ *in* belang stel in; (v) belang stel, interesseer; **compound** ~ saamgestelde rente; **rate of** ~ rentekoers; **simple** ~ enkelvoudige rente; ~**ing** interessant, belangwekkend
**in'terface** (n) raakvlak/intervlak; (v) intervlak, koppel
**interfere'** (v) bemoei (met), inmeng (in)
**in'terim** (n) tussentyd; ~ **div'idend** tussentydse dividend/tussendividend
**inte'rior** (n) binneland; binneste; (a) binneste, binnelands; ~ **dec'orating** binneversiering
**interjec'tion** (n) tussenwerpsel; uitroep
**in'terlude** (n) tussenspel
**intermar'ry** ondertrou
**intermed'iary** (n) tussenganger *also* **go-between'**; (be)middelaar (mens); (a) tussen=
**intermed'iate** tussenkomend, intermediêr; ~ **examina'tion** intermediêre eksamen

**inter'ment** (n) begrafnis, teraardebestelling *also* **fu'neral, bu'rial**
**intermi'ssion** onderbreking; tussenpouse
**intermitt'ent** (a) afwisselend; periodiek
**in'tern**[1] (n) intern, (proef)arts/huisarts (mens)
**intern'**[2] (v) interneer
**inter'nal** (a) inwendig, binne; binnelands; innerlik; ~ **check** interne kontrole; ~ **combus'tion en'gine** binnebrandmotor; ~ **control'** interne beheer; ~ **mat'ter** huishoudelike/interne saak/aangeleentheid
**interna'tional** (n) internasionale speler; (a) internasionaal; ~ **air'port** internasionale lughawe; ~ **media'tion** internasionale bemiddeling
**Internet** Internet
**inter'pret** (v) verklaar, uitlê, vertolk; ~**a'tion** verklaring, vertolking, uitleg, interpretasie; ~**er** tolk; uitlêer; vertolker (musiek)
**interprovin'cial** interprovinsiaal
**inter'rogate** (v) ondervra, uitvra, kruisvra
**interrupt'** onderbreek; ~**ion** onderbreking
**intersect'** deursny, deurkruis, sny; ~**ion** snypunt, kruispunt; kruising (strate)
**in'terval** (n) rustyd, pouse; tussenruimte; tussentyd; interval; *at ~s* met tussenposes
**intervar'sity** (n) **..ties** intervarsity; (a) interuniversitêr
**interven'tion** (n) tussenkoms, intervensie
**in'terview** (n) onderhoud; vraaggesprek; (v) ondervra; 'n onderhoud voer; **ex'it** ~ vertrekgesprek; ~**er** ondervraer, onderhoudvoerder; ~**ing** onderhoudvoering
**intes'tine** (n) derm; (pl) ingewande, derms
**in-thing:** *the* ~ die inding (om te doen)
**in'timate**[1] (v) te kenne gee, aandui
**in'timate**[2] (a) vertroulik, intiem; innig
**intimida'tion** (n) vreesaanjaging, intimidasie
**in'to** in, tot; ~ *the bargain* op die koop toe
**intona'tion** intonasie, stembuiging; aanhef
**intoxica'tion** dronkenskap; bedwelming
**intraven'ous** binneaars; ~ **fee'ding** aarvoeding
**in'tricate** (a) ingewikkeld; verwar(d)
**intrigue'** (n) intrige, komplot; gekonkel
**introduce'** voorstel (mense); invoer; inlei; ~ *a bill* 'n wetsontwerp indien
**introduc'tion** inleiding (tot boek); voorstelling; introduksie; voorspel (mus.)
**in'trovert** (n) introvert (mens); (a) in homself gekeer(d)
**intrude'** (v) indring; lastig val; opdring; inbreuk maak; steur; ~**r** indringer
**intui'tion** intuïsie, aanvoeling
**invade'** inval/aanval; ~**r** invaller
**in'valid**[1] (n) sieke, invalide (mens); (a) swak, siek; gestrem, invalide
**inval'id**[2] (a) ongeldig *also* **null and void**
**inval'uable** onskatbaar *also* **pri'celess**
**inva'riably** gereeld, deurgaans
**inva'sion** inval (van leër)
**invent'** (v) uitvind; uitdink; ~**ion** uitvinding; uitvindsel; ~**or** uitvinder
**in'ventory** (n) inventaris; voorraadopname; (v) voorraad opneem *also* **take stock**
**in'verse** (n) omgekeerde; (a) omgekeer; ~ **propor'tion/ra'tio** omgekeerde verhouding
**invert'** omkeer, omsit; ~**ed com'mas** aanhaaltekens *also* **quota'tion marks**
**invest'** (v) belê, investeer (geld); beklee
**inves'tigate** (v) ondersoek *also* **pro'be**; navors; ~ *into* ondersoek instel na *see* **inquire**; **inves'tigating of'ficer** ondersoekbeampte
**investiga'tion** ondersoek, navorsing
**invest'ment** (n) belegging (geld); investering
**inves'tor** belegger
**invi'gilate** (v) toesig hou oor, oppas
**invi'gilator** toesighouer (eksamen); opsiener
**invin'cible** onoorwinlik
**invis'ible** onsigbaar; ~ **men'ding** fynstop, kunsstop
**invita'tion** (n) uitnodiging
**invite'** (n) uitnodiging; (v) (uit)nooi; ~ *your friends* jou vriende nooi; ~ *tenders* tenders aanvra; ~ *trouble* moeilikheid soek
**in'voice** (n) faktuur; (v) faktureer
**invol've** (v) omvat; betrek; inwikkel; *~d in* betrokke in/by ~**ment** betrokkenheid
**in'ward** (a) inwendig; innerlik; (adv) binnewaarts; die land in
**i'odine** (n) jodium, jood
**irate'** (a) kwaad, woedend, briesend
**ir'is -es** iris, reënboogvlies (oog); flap (blom)
**i'ron** (n) yster; strykyster; *have too many ~s in the fire* te veel hooi op die vurk hê; **cast** ~ gietyster; **wrought** ~ smeeyster; (a) yster=; ~ **foun'dry** ystergietery; ~**ware** ysterware
**iron'ic(al)** ironies
**irrecov'erable** (a) onverhaalbaar (skuld); ~ **debts** oninbare skuld, dooieskuld
**irreg'ular** (a) ongereeld; onreëlmatig
**irregula'rity ..ties** ongereeldheid; onreëlmatigheid; afwyking, fout
**irresis'tible** (a) onweerstaanbaar, verleidelik

**irrespec'tive:** ~ *of* ongeag, afgesien van
**irrespon'sible** (a) onverantwoordelik
**irrev'erent** (a) oneerbiedig
**ir'rigate** besproei, natlei
**irriga'tion** besproeiing, irrigasie
**ir'ritable** (a) prikkelbaar, liggeraak *also* **touch'y**
**ir'ritate** (v) vererg, prikkel, irriteer
**irrita'tion** irritasie, ergernis; wrewel
**Is'lam** (n) Islam (geloof)
**i'sland** eiland; vlugheuwel (verkeer); **~er** eilandbewoner
**i'slet** (n) eilandjie
**i'solate** afsonder, isoleer
**isola'tion** afsondering, isolasie; ~ **hos'pital** afsonderingshospitaal
**Is'rael** Israel; **~i** (n) Israeli (mens); (a) Israe= lies; **~ite** Israeliet (mens, histories)
**iss'ue** (n) uitgawe (boek); kwessie, knelpunt; uitgifte (aandele, banknote); afstammeling; ~ *from* (voort)spruit uit; *without male* ~ sonder manlike afstammeling; *point at* ~ geskilpunt; kwessie; (v) uitreik
**it** dit; hy; sy; *face* ~ die gevolge dra; *with* ~ daarmee; **with-it** byderwets; bydertyds *also* **tren'dy**
**ital'ic** (n) kursiefletter; *in ~s* kursief; (a) kur= sief, skuins; **~ise** (v) kursiveer
**itch** (n) (ge)jeuk (ge)juk; uitslag; hunkering; (v) j(e)uk, kriewel/kriebel
**it'em** item, nommer (op program); artikel
**itin'erary** (n) **..ries** reisplan; reisgids
**its** sy, syne; haar, hare
**i'vory** (n) ivoor, olifantstand; **i'vories** dobbel= steen; biljartbal; *black* ~ ebbehout; (a) ivoor=, van ivoor; ~ **poach'er** ivoorstroper; ~ **to'wer** ivoortoring
**iv'y ivies** klimop *also* **(wall) cree'per**
**ix'ia** kalossie, ixia (blom)

# J

**jab** (n) steek *also* **poke, prod**; (v) steek, stoot
**jacaran'da -s** jakaranda (boom)
**Jack**[1] Jan; ~ *of all trades* hansie-my-kneg; ~ *of all trades, master of none* twaalf am= bagte, dertien ongelukke
**jack**[2] (n) boer (kaartspel); domkrag; (v) opdomkrag
**jack'al** (n) jakkals (dier)
**jack'ass** eselhings, donkiehings; domkop
**jack'boot** (n) kapstewel
**jack'et** (n) baadjie; omhulsel; mantel
**jack: J~ Frost** die ryp; **~-in-the-box** kaart= man(netjie); **~knife** groot knipmes; jagmes; (v) knakvou (koppellorrie); **~pot** boerpot
**jag'uar** Amerikaanse luiperd, jaguar
**jail** (n) gevangenis, tronk *also* **gaol, pris'on**; (v) in die tronk sit; **~bird** tronkvoël; **~break** tronkbraak; **~er** tronkbewaarder; sipier
**jam**[1] (n) (fyn)konfyt
**jam**[2] (n) gedrang; verkeersknoop; haak; (v) (vas)klem; vasknel
**jamboree'** saamtrek; makietie; jamboree
**jan'itor** deurwagter, portier *also* **door'keeper**
**Jan'uary** Januarie
**japon'ica -s** japonika, kamelia (blom)
**jar**[1] (n) kruik; vrugtebottel (vir inmaak)
**jar**[2] (n) wanklank; rusie; (v) twis; skok
**jarg'on** (n) kliektaal, jargon; koeterwaals
**jas'mine** jasmyn; geelsuring (blom)
**jas'per** jaspis *also* **touch'stone**
**jaun'dice** (n) geelsug; nyd, jaloesie
**jaunt** (n) uitstappie; (v) rondflenter
**jav'elin** (n) werpspies (sport)
**jaw** (n) kaak, kakebeen; **~bone** kakebeen; **~brea'ker** tongknoper (swaar woord), snel= sêer *also* **tonguetwis'ter**
**jay'walker** bontloper, gansloper (in strate)
**jazz** jazz
**jeal'ous** (a) jaloers, afgunstig, naywerig; **~y** jaloesie, naywer
**jeans** (n) jeans; slenterdrag
**jeer** (n) spot, beskimping; (v) spot, uitlag
**jell'y jellies** jellie; **~beans** jellieboontjies; **~fish** seekwal
**jeo'pardise** (v) in gevaar bring/stel; waag *also* **endan'ger**; ~ *your promotion* jou bevorde= ring verongeluk
**jerk** (n) ruk; stamp; *by ~s* met rukke en stote; (v) ruk, pluk; **~y** (a) hortend
**je'rrybuilder** (n) knutselbouer, knoeibouer
**jers'ey -s** trui
**jest** (n) skerts, grap, korswel; (v) skerts, kors= wel; *~ing apart* alle gekheid op 'n stok= kie; **~er** (hof)nar, grapmaker, grapjas *also*

**jo'ker, come'dian**
**Je'sus** Jesus
**jet**[1] (n) git; (a) git=; ~**black** gitswart
**jet**[2] (n) straal; pit; straler (vliegtuig); tuit; spuit; (v) uitspuit; straal; ~**fighter** straaljagter, straalvegter; ~ **lag** straaldraal: *I am suffering from* ~ ek het straaldraal, ek is vliegvoos
**jet'sam** strandgoed; wrakstukke, opdrifsel
**jet'liner** (n) passasierstraler
**jet'set** stralerkliek; ~**ter** stralerjakker
**jet'ski** waterponie *also* **ski'-jet**
**jett'y jetties** hawehoof, pier *also* **pier**
**Jew** Jood
**jew'el** (n) juweel, kleinood; skat; ~**ler** juwe=lier; ~**lery** juwele, juweliersware
**jiff'(y)** ommesientjie, kits; *in a* ~ in 'n kits, in 'n japtrap, tjop-tjop
**jigg'le bar** (n) riffelstrook (spoeddemper)
**jig'saw** figuursaag; ~ **puz'zle** legkaart
**jin'gle** (n) reklamedeuntjie; klingel(rympie) *also* **chi'me, dit'ty**; (v) klingel, rinkel; ~ **bell** klingelklokkie
**jit'terbug** (n) ritteldans
**jit'ters** ritteltit; *get the* ~ op die senuwees kry
**jive** (n, v) jive (dans)
**job** (n) werk, betrekking, pos; taak; ~ **crea'=tion** werkskepping; ~ **descrip'tion** pos=beskrywing; ~ **evalua'tion** posevaluering; ~ **opportu'nity** werkgeleentheid; ~ **pla'ce=ment** indiensplasing; ~ **see'ker** werksoeker; ~ **satisfac'tion** werk(s)bevrediging
**job:** ~**ber** makelaar; knoeier; ~ **lot** rommelspul
**jock'ey** (n) **-s** jokkie (perde); snuiter, vent; **disc** ~ platejoggie
**jog** (v) draf, pretdraf; stamp, stoot, sukkel; ~ *along* voortsukkel; ~**ger** (pret)drawwer; ~**ging** (pret)draf, drafsport
**jog'trot** (n) sukkelgang; sukkeldraffie
**johnn'y johnnies** kêrel, vent *also* **guy**
**join** (n) voeg, naat, las; (v) verbind; saamvoeg; ~ *up* aansluit
**join'er** skrynwerker; meubelmaker
**joint**[1] (n) gewrig; lit; verbinding; las; *out of* ~ uit lit
**joint**[2] (a) mede-; gesamentlik; ~ **esta'te** ge=samentlike/gemeenskaplike boedel; ~**ly** ge=samentlik
**joke** (n) grap, frats; gekheid; *it is no* ~ dis geen/g'n kleinigheid nie; *play a practical* ~ *on someone* iem. 'n poets bak; (v) grappe maak; gekskeer; ~**r** grapmaker/grapjas; joker/asjas (kaartspel)
**jollifica'tion** vrolikheid, pret, joligheid
**joll'y** (a) vrolik, plesierig; aangeklam; ~ **jum'per** huppeltuig
**jolt** (n) stamp, stoot
**jot**[1] (n) jota, kleinigheid
**jot**[2] (v) aanteken, aanstip; ~ *down* aanstip
**journ'al** dagboek; joernaal, tydskrif; **house** ~ firmablad; ~ **en'try** joernaalinskrywing
**journ'alism** joernalistiek; die pers
**journ'alist** koerantskrywer, joernalis; verslag=gewer (mens)
**journ'ey** (n) **-s** reis; *a day's* ~ 'n dagreis
**jo'vial** (a) vrolik, plesierig, opgeruimd, joviaal
**jowl** kakebeen; wang; krop; onderken; keel=vel; *cheek by* ~ kop in een mus
**joy** (n) blydskap, vreugde; *it gives me* ~ dit doen my genoeë; ~**ful** vrolik; bly/verheug; ~**ous** vreugdevol; ~**ride** plesierrit; ~**stick** stuur=stang
**jub'ilee** (n) jubileum; bestaansjaar *also* **fes=tiv'ity, ga'la**
**judge** (n) regter; beoordelaar; (v) oordeel; vonnis; beoordeel; ~ *by* oordeel volgens
**judg'ment** (n) oordeel; vonnis; opinie
**judi'cious** (a) oordeelkundig, verstandig
**ju'do** judo
**jug** kan, beker; wasbeker
**jug'gle** (v) goël, wiggel; ~**r** goëlaar/wiggelaar, jongleur *see* **magi'cian**
**juice** sop, sap
**jui'cy** (a) sapperig/sappig; smaaklik
**jukebox** blêrkas
**juk'skei:** ~ **club** jukskeilaer; ~ **lea'gue** jukskei=liga
**July'** Julie; ~ **Han'dicap** Juliewedren
**jum'ble** (n) verwarring; mengelmoes; alle=gaartjie; ~ **sale** rommelverkoping
**jum'bo** lomperd, diksak; ~ **jet** makrostraler
**jump** (n) sprong; (v) spring
**jum'per** (n) springer; ~ **lead** aansitkabel *also* **boos'ter cable**; **jolly** ~ huppeltuig
**junc'tion** aansluiting (pad, spoorweg)
**June** Junie
**jung'le** (n) oerwoud; ruigte, wildernis; ~**-gym** klimraam, wouterklouter (speeltuig)
**jun'ior** jonger, junior
**junk** (n) rommel, uitskot; jonk (seilboot); ~ **food** prulkos, kafkos; ~ **mail** smouspos/strooipos; ~ **shop** help-my-krapwinkel
**jurisdic'tion** regsgebied, jurisdiksie
**jur'ist** juris, regsgeleerde (mens)
**jur'y** (n) **juries** jurie (in hofsitting)

**just** (a) regverdig, onpartydig; juis, presies
**just**[2] (adv) net, presies; ~ *as* net soos, nes; ~ *now* netnou; ~ *as well* ook maar goed
**jus'tice** (n) reg, geregtigheid; regverdigheid; justisie; *court of* ~ geregshof; *do* ~ *to* reg laat geskied; ~ *of the peace* vrederegter
**jus'tify** regverdig, staaf, bewys *also* **val'idate**
**jut** (n) uitsteeksel; (v) uitsteek
**jute** goiing, jute/juut (tou, sakke)
**ju'venile** (n) jeugdige; (a) jong, jeugdig; ~ **court** kinderhof; ~ **delin'quency** jeugwan=gedrag; jeugmisdadigheid; ~ **delin'quent** jeugoortreder, jeugmisdadiger; ~ **lit'era=ture** jeuglektuur
**juxtaposi'tion** naasmekaarstelling, jukstaposisie

# K

**kaleid'oscope** (n) kaleidoskoop
**kangaroo'** kangaroe; ~ **court** boendoehof, straathof
**kart** (n) renstel *see* **go'-cart**; ~**ing** knortjorrenne
**keel** (n) kiel; skip, vaartuig; (v) kiel; omslaan; omval; ~**haul** (v) kielhaal
**keen** (a) gretig, ywerig, skerp(sinnig) *also* **ea'ger**; *as* ~ *as mustard* uiters gretig; ~ *on* versot op *also* **hooked on**
**keep** (n) bewaring; onderhoud; toesig; *for* ~*s* om te hou; (v) hou; bêre; bewaar; in voorraad hou; ~ *an appointment* 'n af=spraak hou; ~ *a promise* 'n belofte nakom; ~ *time* maat hou; ~ *in touch with* in voeling/aanraking bly met; ~ *well* goed/gesond bly; ~**er** bewaarder, opsigter; ~**sake** (n) aandenking, soewenier
**keg** (n) vaatjie
**kenn'el** diereherberg; hondeherberg, woefie=tuiste; kietsiesorg
**kept** *see* **keep**; ~ **wo'man** houvrou, handperd
**kerb** (n) randsteen
**kern'el** pit *also* **core, es'sence**; korrel
**ketch'up** (n) ketjap; kruiesous, tamatiesous
**ket'tle** ketel; *a pretty* ~ *of fish* 'n mooi spul/gedoente; ~**drum** keteltrom, pouk
**key** (n) **-s** sleutel (van deur), klawer; toets; ~**board** klawers, toetsbord; ~**hole** sleutel=gat; ~ **in'dustry** sleutelnywerheid, sleutel=bedryf; ~**note** grondtoon; ~**note address'** tematoespraak; ~**stone** sluitsteen
**kha'ki** kakie; ~**bos** kakiebos
**kibb'utz** (n) kibboets (Israel); gemeenskaps=plaas
**kick** (n) skop; skok; (v) skop; ~ *the bucket* sterf, bokveld toe gaan; ~**back** gunsloon (oneerlike vergoeding); ~**box'ing** skopboks; ~**er** skop=per; ~**-off** afskop
**kid**[1] (n) boklam; bokvel; kidleer; kind, kan=netjie, snuiter; (v) lam
**kid**[2] (v) kul, fop, die gek skeer
**kid'dy kiddies** kleintjie, kleinding
**kid'nap** (v) ontvoer, skaak, steel ('n kind); ~**per** kinderdief; ontvoerder *also* **abduc'=tor**; ~**ping** ontvoering
**kid'ney -s** nier; ~ **bean** nierboon(tjie)
**kill** (v) doodmaak; slag; vermoor; ~*ed in=stantly* op slag dood (padongeluk); ~ *time* tyd verdryf; ~**ing** (n) doodmaak; slagting; (a) dodelik; onweerstaanbaar; ~**joy** suur=pruim, pretbederwer/spelbreker
**kiln** (n) (droog)oond
**kil'ogram** kilogram
**kil'ometre** kilometer
**kil'owatt** kilowatt
**kin** (n) familie, bloedverwant; afkoms
**kind**[1] (n) soort, geslag; aard; natuur; *nothing of the* ~ niks daarvan nie
**kind**[2] (a) vriendelik, minsaam; lief; ~ *regards* vriendelike groete
**kin'dergarten** kleuterskool, bewaarskool
**kind'hearted** (a) goedhartig, goedgeaard
**kin'dle** (v) aansteek; ontvlam; opflikker
**kind'ly** (a) vriendelik, goedhartig
**kind'ness** vriendelikheid, goedheid, welwil=lendheid
**kin'dred** (a) verwant; passend; gelyksoortig
**king** (n) koning, vors; heer; ~**'s Eng'lish** standaard-Engels; ~**dom** koninkryk; ~**fisher** visvanger; ~**size** bieliegrootte, reusegrootte
**kink** (n) kinkel; nuk, gril; ~**y** eksentriek; (seksueel) afwykend *also* **queer; sex'ually de'viant**
**kiosk'** kiosk; tuinhuisie; stal(letjie) *also* **booth, stall**
**kipp'er/kipp'ered her'ring** gerookte haring, kipper
**kiss** (n) **-es** soen, kus; (v) soen; ~ *goodbye*

soengroet, 'n afskeidsoen gee; ~ **curl** oor=krulletjie, koketkrulletjie
**kit** uitrusting; (op)boustel; ~**bag** knapsak
**kitch'en** kombuis; ~ **dres'ser** kombuiskas; ~ **tea:** *have a ~ tea* bruidskombuis/kombuis=tee hou; ~ **uten'sils** kombuisgerei
**kite** vlieër; kuikendief (voël); inhaler, haai (mens); *fly a ~* 'n proefballon oplaat
**kitt'en** (n) katjie
**kitt'y**[1] **kitties** katjie, kietsie
**kitty**[2] (n) poel/pot (met geldbydraes)
**knack** slag, handigheid *also* **flair**; gewoonte
**knap'sack** bladsak, knapsak *also* **kitbag**
**knead** (v) knie (deeg); masseer
**knee** (n) knie; ~**cap** knieskyf; knieskut (by voetbal); ~**joint** kniegewrig
**kneel** (v) kniel; ~ *down* neerkniel
**knick'erbockers** kniebroek, kuitbroek
**knick'-knack** snuistery, tierlantyntjie
**knife** (n) **knives** mes; ~ **blade** lem
**knight** (n) ridder; perd (skaak)
**knit** (v) brei; saamvleg; ~ *the brows* die wenkbroue frons; ~**ting** breiwerk; ~**ting machi'ne** breimasjien
**knob** (n) knop; ~**by** knoesterig; ~**ker'rie** knopkierie
**knock** (n) klop, klap, raps; stamp; (v) klop, stoot; stamp; ~ *spots off someone* iem. opdons; ~**er** klopper; ~**-kneed** met X-bene; lamlen=dig; ~**knees** aankapknieë; ~**-on** aanslaan
**knock'out:** ~ **blow** uitklophou; ~ **competi'=tion** uitklopkompetisie
**knot** (n) knoop; kwas; *cut the Gordian ~* die Gordiaanse knoop deurhak; (v) knoop; strik; verbind; ~**ty** geknoop; knoesterig; netelig ('n probleem)
**know** (n) wete; *be in the ~* ingelig wees; (v) weet, ken; verstaan; ~ *for a fact* seker weet; ~ *by heart* van buite ken; ~ *the ropes* gekonfyt wees in iets; ~**-all** beterweter (mens); ~**-how** kundigheid; sakevernuf *also* **experti'se**; ~**ingly** wetend; opsetlik
**knowl'edge** kennis; wete; *to the best of my ~* na my beste wete; *it is common ~* dis algemeen bekend; *without my ~* sonder my medewete; *a working ~* gangbare kennis (van iets)
**known** (a) bekend
**knuc'kle** (n) kneukel; ~**-dus'ter** vuisyster
**koek'sister** koe(k)sister *also* **crul'ler**
**kop'pie** koppie (heuwel) *also* **hil'lock, knoll**
**kosh'er** (a) kosjer/kousjer; fatsoenlik
**krans** krans, rotswand *also* **cliff, prec'ipice**
**ku'du** koedoe (bok)
**kum'quat/cum'quat** koemkwat
**kwashior'kor** (n) kwasjiorkor, ondervoedingsiekte

# L

**laag'er** (n) laer *also* **wag'on encamp'ment**; (v) laer trek
**la'bel** (n) etiket; (v) merk, klassifiseer; be=stempel, etiketteer
**labor'atory ..ries** laboratorium, werkvertrek
**la'bour** (n) arbeid, werk; **hard** ~ hardepad; ~ **intensive** arbeidintensief; (v) werk, arbei; ~**er** arbeider/werker; ~ **relations** arbeids=verhouding
**lab'yrinth** doolhof, labirint *also* **ma'ze**
**lace** (n) kant, band; skoenveter/skoenriem; (v) (toe)ryg; met kant versier; bymeng
**lack** (n) gebrek, gemis, behoefte; *for ~ of* by gebrek aan; (v) ontbreek
**lack'ey** (n) lyfkneg; lakei/handlanger
**lacq'uer** (n) lak, vernis; (v) verlak, vernis
**lad** (n) seun, jongeling *also* **young'ster**; maat, makker *also* **guy, pal**
**ladd'er** (n) leer; *go into ~s* lostrek
**ladd'ie** knapie, kêreltjie *also* **chap'pie**
**la'ding** lading, vrag; **bill of** ~ vragbrief
**la'dle** (n) (op)skeplepel, potlepel; (v) met 'n lepel skep, opskep; ~ *out* uitskep
**lad'y ladies** dame; ~ *of the house* gasvrou, huisvrou; ~**bird** liewe(n)heersbesie (insek); ~ **friend** vriendin; ~**like** damesagtig; fyn, beskaaf, vroulik; ~**'s man** rokjagter; laven=telhaan, ruikerridder
**lag** (v) draal *also* **daw'dle**; agterbly; deporteer; ~ *behind* agterbly
**lagoon'** (n) strandmeer, lagune
**lake** (n) meer; pan; ~ **dwel'ler** paal(be)woner
**lamb** (n, v) lam
**lame** (a) lam, mank, kruppel, gebreklik
**lament'** (n) weeklaag; (v) beween, betreur
**lam'inate** (v) lamelleer; uitklop, plat slaan; lamineer; (a) skilferig; ~**d door** lameldeur
**lamm'ergeyer** (n) lammervanger (berghaan)

lammergier (Eur.)
**lamp** lamp; lig; ~ **chim′ney** lampglas; ~**post** lamppaal
**lance** (n) lans; harpoen; lansier; (v) deursteek; oopsny; ~**r** lansier (soldaat)
**lan′cet** (n) vlym, lanset
**land** (n) land, grond; landerye; (v) land, aan wal stap
**land:** ~**ing strip** landingstrook; ~**la′dy** losieshoudster, hospita; ~**lord** huisbaas; woonstelverhuurder; ~**mark** landmerk; ~**mine** landmyn; ~**scape gar′dening** tuinargitektuur; ~ **survey′or** landmeter
**lane** laning/laan; deurgang; baan (verkeer)
**lang′uage** taal, spraak; ~ **labor′atory** taallaboratorium; ~ **me′dium** voertaal
**lank/lanky** (a) skraal, dun; rank
**lan′tern** (n) lantern; **Chi′nese** ~ lampion; **mag′ic** ~ towerlantern
**lap**[1] (n) skoot; klap (van saal); holte; (v) inwikkel; toevou
**lap**[2] (n) voeg; las; rondte (sport); ~ **rec′ord** baanrekord (motorrenne)
**la′pa** (n) lapa, saamkomplek
**lap′dog** skoothondjie
**lapel′** (n) kraagomslag, lapel; ~ **bad′ge** lapelwapen, lapelknopie
**lapse** (n) verloop; glips; ~ *of time* tyd(s)verloop; (v) verval; verstryk
**lap′top:** ~ **compu′ter** skootrekenaar
**lar′ceny ..nies** diefstal *also* **theft′**
**lard** (n) varkvet, reusel; (v) deurspek, lardeer; ~**er** (voorraad)spens
**large** (a) groot; breed, wyd; ruim; *as ~ as life* lewensgroot; *the public at ~* die groot/breë publiek; *to a ~ extent* in/tot 'n groot mate
**lark**[1] (n) lewerkie, leeurik (veldvoël)
**lark**[2] (n) gekskeerdery *also* **an′tics**; (v) gekskeer, grappe verkoop; ~**er** pretmaker
**lark′spur** ridderspoor
**larv′a -e** larwe, papie, maaier
**laryngit′is** keelontsteking, laringitis
**lar′ynx -es, larynges** strottehoof
**lasciv′ious** weelderig; wulps, wellustig *also* **sen′sual, lust′ful**
**la′ser** laser; ~ **beam** laserstraal; ~ **print′er** laserdrukker; ~ **scan′ner** lasertaster/laserskandeerder
**lash** (n) **-es** raps, sweepslag; voorslag; ooghaar; (v) raps, slaan, gésel
**lass -es** (n) meisie, nooientjie *also* **dam′sel, mai′den**
**lasso′** (n) **-s** vangriem, gooitou, lasso
**last**[1] lees (vir 'n skoen)
**last**[2] (n) laaste; *the ~ but one* op een na die laaste; *~ but not least* les bes; *to the very ~* tot die bitter end; (a, adv) laaste, vergange; eind=; *~ night* gisteraand; *last Saturday* verlede/laas Saterdag
**last**[3] (n) uithouvermoë; (v) duur, uithou/volhou, aanhou; voldoende wees
**last′comer** heksluiter, laatlammetjie (kind)
**last′ing** duursaam; ~ **peace** blywende vrede
**last′ly** uiteindelik, ten laaste, ten slotte
**latch** (n) **-es** knip; ~**key** nagsleutel
**late** (a) laat; wyle, oorlede (mens); (adv) laat; onlangs; *sooner or ~r* vroeër of later
**late′ly** onlangs, pas, kort gelede
**la′tent** verborge; latent
**lathe** (n) draaibank
**lath′er** (n) seepsop, skuim; (v) inseep
**lat′itude** breedte; ruimte; beweegruimte
**latt′er** laasgenoemde; laaste; ~**ly** onlangs, in die jongste tyd
**latt′ice** traliewerk, rasterwerk
**laud** (v) prys, ophemel; ~**able** lofwaardig, prysenswaardig *also* **commen′dable**
**laugh** (n) lag, gelag; (v) lag; ~ *at* uitlag; ~**able** belaglik, snaaks *also* **lu′dicrous**
**laugh′ing** lag; gelag; *I could not help ~* ek kon nie my lag hou nie; ~**ly** lag-lag; ~ **stock** die spot van iedereen
**laugh′ter** (n) gelag
**launch**[1] (n) **-es** plesierbootjie; barkas, sloep; lansering (ruimtetuig)
**launch**[2] (v) loods (skema), bekendstel; van stapel laat loop (skip); van stapel stuur; lanseer (ruimtetuig); gooi; slinger; aanpak; *~ a project* 'n projek loods; ~**(ing) pad** lanseerblad
**launderette′/laun′dromat** wasseret/muntwasser
**laun′dry ..dries** wassery; waskamer
**lau′rel** (n) lourier; *rest on one's ~s* op jou louere rus; ~ **wreath** louerkrans
**la′va** lawa
**lav′atory ..ries** latrine, kleinhuisie, privaat, toilet(kamer); waskamer
**lav′ender** (n) reukwater, laventel
**lav′ish** (a) kwistig; volop, oorvloedig
**law** wet; regsgeleerdheid, die reg; *study/read ~* in die regte studeer; **common** ~ gemenereg; ~ **of employment** arbeidsreg, diensreg; **international** ~ volkereg; **Roman Dutch** ~ Romeins-Hollandse reg; **statute** ~ wette=

reg, statutereg; ~**-abi'ding** wetsgehoorsaam; ordeliewend; ~**court** geregshof; ~ **enforce'ment** wetstoepassing; ~**ful** wettig, wetlik; ~**less** wetteloos
**lawn** grasperk; grasveld; ~ **mo'wer** grassnyer; ~ **ten'nis** tennis
**law'yer** prokureur *also* **attor'ney**; regspraktisyn
**lax** (a) slap, los; laks; nalatig; ~**ative** (n) lakseermiddel, purgeermiddel
**lay**[1] (v) lê (eier); indien ('n klag); voorlê; dek (tafel) *see* **lie**[2]; ~ *a bet* 'n weddenskap aangaan/sluit
**lay**[2] (a) wêreldlik; leke=; ~ **bro'ther** lekebroeder; ~ **prea'cher** lekeprediker
**lay'-by** bêrekoop; *on* ~ op bêrekoop
**lay'er** laag; loot (plant); lêhoender
**lay'man** leek, oningewyde (mens)
**lay-out** (n) uiteensetting, inkleding, uitleg
**la'ziness** luiheid, traagheid
**la'zy** lui, traag; ~**bo'nes** luilak; ~ **Su'san** draaistander (op eettafel)
**lead**[1] (n) lood; dieplood; koeël
**lead**[2] (n) leiding; leidraad; hoofrol; (honde)=leiband/hondeketting; voortou (sport); *play the* ~ die hoofrol vertolk; *take the* ~ die leiding/voortou neem; (v) lei, voorgaan; aanvoer; ~ *a dog's life* 'n hondelewe hê/voer; ~ *the way* die pad wys
**lead'er** leier, voorman; hoofartikel (koerant); ~**ship** leierskap
**lead'ing** (a) leidend, vernaamste; ~ **ques'tion** uitlokvraag
**leaf** (n) **leaves** blad; blaar; *turn over a new* ~ 'n nuwe blaadjie begin; ~**let** blaartjie (boom); vlugskrif, strooibiljet *also* **hand-out**
**lea'gue** (n) verbond; myl; liga; **L**~ **of Na'tions** Volke(re)bond (nou VN)
**leak** (n) lek(plek); lekkasie; (v) lek; uitlek (inligting); ~ *out* uitlek; ~**age** lekkasie, lek
**lean**[1] (a) maer, skraal; ~ **per'son** skarminkel
**lean**[2] (v) leun; oorhel; geneig wees; ~ *on* steun op
**leap** (n) sprong; (v) spring; huppel; oorspring; ~**frog** hasieoor; ~ **year** skrikkeljaar; ~**ing foun'tain** spuitfontein *also* **wa'ter fountain**
**learn** leer; verneem, hoor; ~ *by heart* uit die hoof leer; ~**ed** geleerd; ~**er** leerling; beginner; leerder; ~**er dri'ver's li'cence** leer(ling)rybewys; ~**ing** geleerdheid
**lease** (n) huurkontrak; bruikhuur; (v) verhuur; uithuur; ~**hold** huurbesit, huurpag
**leash** (n) **-es** leiriem, ketting (hond); *on* ~ aan 'n tou/ketting
**least** (n) die minste; *at* ~ minstens (tien vrae); ten minste; *not in the* ~ glad nie; *to say the* ~ *of it* op sy sagste uitgedruk; (a) kleinste; minste, geringste
**leath'er** leer, oorleer
**leave**[1] (n) verlof; vergunning; ~ *of absence* verlof; *on* ~ met/op verlof
**leave**[2] (n) afskeid; *take* ~ afskeid neem; (v) laat staan; verlaat; ~ *alone* met rus laat; uitlos; ~ *behind* agterlaat
**lect'ern** (a) lesingstander, koorlessenaar
**lec'ture** (n) lesing, voorlesing; (v) les gee; 'n voorlesing hou; vermaan *also* **admon'ish** (v)
**lec'turer** lektor; dosent
**lec'turing post** doseerpos
**ledge** (n) rand; lys; bergrand
**ledg'er** grootboek (boekhou); dwarsbalk
**leech -es** bloedsuier; arts, heelmeester
**left** (n) linkerhand; *second from* ~ naaslinks (foto); *to the* ~ links, aan die linkerkant; (a) linker=; hot; (adv) links
**left:** ~**hand dri've** linkerstuur; ~**han'ded** links, hotklou; onhandig; ~**o'vers** oorskietkos; ~**-wing** (a) linksgesind(e) (studente, werkers)
**leg** (n) been; poot; boud (vleis); *on one's last* ~*s* op sy uiterste; ~ *of mutton* skaapboud; *pull someone's* ~ met iem. die gek skeer; skerts, korswel; ~ *before wicket* been voor paaltjie; ~**-i'ron** voetboei
**leg'acy** (n) **..cies** erfenis; nalatenskap
**leg'al** (a) wetlik, wettig; regs=; ~ **lang'uage** regstaal; ~ **procee'dings** geregtelike stappe; ~ **represen'tative** regsverteenwoordiger; ~ **steps/ac'tion** regstappe; ~ **ten'der** wettige betaalmiddel
**leg'end** (n) legende, sprokie; verklaring (op padkaart); ~**ary** legendaries
**legg'ing(s)** kamas(te) (soldate); beenkouse *also* **leg'warmers, gai'ters**
**leg'ible** (a) leesbaar
**le'gion** keurbende, legioen; ~**naire** legioensoldaat
**legisla'tion** (n) wetgewing
**leg'islative** (a) wetgewend; ~ **assem'bly** wetgewende vergadering
**legit'imate** (a) wettig, eg *also* **law'ful**; ~ **sha're** regmatige (aan)deel
**leguan'** likkewaan *also* **igua'na**
**lei'sure** ledige tyd, vrye tyd; ~**ly** op sy/haar gemak, kuier-kuier; ~ **wear** slenterdrag

**lem′on** suurlemoen; ~ **squash** kwas
**lemonade′** limonade
**lem′ur** (n) lemur, vosaap, halfaap
**lend** (v) leen, uitleen; ~ *itself to* leen hom tot; ~**er** uitlener; ~**ing rate** uitleenkoers
**length** (n) lengte; duur, afstand; *go to any* ~ niks ontsien nie; ~**en** langer maak, verleng; ~**y** lang, langdurig, uitgerek
**le′nient** (a) versagtend, toegewend, toeskietlik
**lens -es** lens; brilglas
**len′til** lensie; ~ **soup** lensiesop
**leo′pard** luiperd (dier)
**le′per** melaatse (mens), lepralyer
**lep′rosy** (n) melaatsheid, lepra
**les′bian** (n) lesbiër (vrou); (a) lesbies, gay
**less** (n) minder; (a) minder, kleiner, geringer; *in ~ than no time* in 'n kits; (adv) minder; *none the* ~ nietemin; (prep) min; *for* ~ goedkoper; *five ~ four* vyf min vier
**lessee′** huurder (mens)
**less′on** (n) les, oefening; skriflesing
**less′or** verhuurder, huisbaas
**let** (v) laat; toelaat; verhuur; ~ *down* in die steek laat; ~ *go* loslaat/vrylaat; *to* ~ te huur
**leth′al** (a) dodelik, dodend *also* **dead′ly**
**lett′er** (n) letter; brief; (pl) lettere; ~ *of attorney* volmag; *by* ~ per brief; *capital* ~ hoofletter; *man of ~s* geleerde; ~**box** briewebus; ~**head** briefhoof
**lett′uce** (blaar)slaai, kropslaai *see* **sal′ad**
**leukem′ia** (n) leukemie, bloedkanker
**lev′el** (n) waterpas; vlak; *on the same* ~ op gelyke voet; *upper* ~ boonste vlak; (v) gelyk maak, aanlê; (a, adv) gelyk, waterpas; *do one's ~ best* jou uiterste bes doen; ~ **cros′sing** (spoorweg)oorgang; ~**-hea′ded** verstandig, ewewigtig, oorwoë
**le′ver** (n) hefboom; ligter; klawer (van slot)
**lev′y** (n) **levies** heffing, bybelasting; (v) hef; lig; oplê; invorder (geld); ~ *a fine* 'n boete oplê
**lexicog′rapher** leksikograaf, woordeboekmaker
**lex′icon -s** woordeboek, leksikon
**liabil′ity** (n) **..ties** aanspreeklikheid; verantwoordelikheid, verpligting; (pl) laste
**li′able** aanspreeklik; verantwoordelik; ~ *for* aanspreeklik vir
**liais′on** (n) skakeling/liaison; ~ **commit′tee** skakelkomitee; ~ **of′ficer** skakelbeampte/mediabeampte
**li′ar** leuenaar, spekskieter (mens)
**lib′el** (n) laster; (v) belaster, beklad; ~ **ac′tion** lasteraksie; ~**lous** lasterlik
**lib′eral** (n) vrysinnige, liberaal (mens); (a) liberaal, vrysinnig; onbekrompe; ~ **educa′tion** vrysinnige opvoeding; ~**ism** liberalisme
**lib′erate** (v) bevry, vrymaak, vrylaat
**lib′ertine** vrydenker; libertyn; losbol (mens)
**lib′erty ..ties** vryheid
**librar′ian** (n) bibliotekaris
**li′brary ..ries** biblioteek *also* **me′dia centre**; boekery (privaat)
**li′cence** (n) lisensie, permit; rybewys
**li′cense** (v) toelaat, vergun; lisensieer
**licen′tiate** lisensiaat (mens)
**licen′tious** (a) losbandig, ongebonde
**lick** (n) lek; (v) lek; uitstof, wen, klop; ~**ing** gelek/lekkery; loesing
**lid** deksel; ooglid
**lie**[1] (n) leuen; kluitjie; *tell a* ~ lieg, jok; **white** ~ noodleuen(tjie); (v) lieg, jok; ~ **detec′tor** leuenverklikker
**lie**[2] (n) ligging; (v) lê, rus; ~ *in state* in staatsie lê (gestorwene)
**lien** (n) retensiereg, retensiegeld
**lieuten′ant** luitenant; ~**-gen′eral lieutenants-general** luitenant-generaal
**life lives** lewe; lewensduur; leefwyse; *full of* ~ springlewendig; *not for the ~ of him* vir geen geld ter wêreld nie; *take one's ~ in one's hands* jou lewe waag; ~ **assur′ance** lewensversekering; ~**belt** redgordel; reddingsboei; ~**boat** reddingsboot; ~**buoy** reddingsboei; ~**guard** strandwag *see* **bo′dyguard**; ~**jack′et** reddingsbaadjie; ~**less** leweloos, dooierig; ~**long** lewenslank; ~**sa′ver** menseredder, strandwag; ~ **sen′tence** lewenslange gevangenisstraf; ~**-size** lewensgrootte; ~**style** leefwyse/lewenswyse
**lift** (n) hyser, hysbak; *give a* ~ iem. oplaai; (v) optel, oplig; iem. oplaai; ~ **club** saamryklub; ~**-off** lansering (ruimtetuig) *see* **launch** (v)
**lig′ament** band, ligament
**light**[1] (n) lig; *bring to* ~ aan die lig bring; lig; verlig; aansteek; (a) lig, helder; blond; **flash**~ flitslig; **flood**~ spreilig; **lime**~ kalklig; **search**~ soeklig; **spot**~ kollig
**light**[2] (a, adv) los; lig; gou, vinnig; ~ **deliv′ery van** (ligte) bestelwa, bakkie; ~ **rea′ding** ligte leesstof
**light′er** aansteker, vuurslag
**light′-hearted** (a) lughartig, vrolik, onbesorg

**light′house** vuurtoring

**light′ning** weerlig, blits; ~ **conduc′tor** weerligafleier

**light:** ~**-o-love** flerrie, snol (vrou); ~**weight** liggewig

**like** (n) gelyke; ewebeeld; *his ~s and dislikes* sy voorkeure en afkeure; (v) hou van, lief wees vir; (a, adv) gelyk; eenders/eners, soortgelyk; soos; ~**ly** waarskynlik, vermoedelik *also* **prob′ably**

**like′ness** (n) gelykenis, ewebeeld

**like′wise** eweneens; ingelyks, net so

**lik′ing** behae, smaak, welgevalle; *not to my ~* nie na my smaak nie

**li′lac** (n) sering; (a) pers, lila

**lil′y** (n) **lilies** lelie; (a) lelie=; ~**-white** leliewit, spierwit

**limb** (n) ledemaat; lit, tak; **artifi′cial** ~ kunsledemaat

**lime**[1] (n) kalk; voëlent; (v) vaslym

**lime**[2] lemmetjie; ~ **juice** lemmetjiesap

**lime:** ~ **kiln** kalkoond; ~**light** kalklig

**lim′erick** (n) bogrympie, limeriek

**lim′it** (n) grens, perk, limiet; *that's the ~!* dis darem te erg!; ~**a′tion** beperking; ~**ed** beperk, begrens; ~**ed liabil′ity com′pany** maatskappy met beperkte aanspreeklikheid

**limp** (v) mank loop, hink; (a) kruppel, mank; lenig, slap, buigsaam

**lim′pet** klipmossel; ~ **mine** kleefmyn *see* **stun grena′de**

**line** (n) reël; lyn; streep; verseël; *~ of communication* verbindingslyn; *drop a ~* 'n paar reëls skryf; *hard ~s!* simpatie!; hoe jammer!; *in ~ with* in lyn met; *read between the ~s* tussen die reëls lees; (v) lyne trek; onderstreep; *~ the route* die roete belyn (soldate)

**lin′en** (n) linne; linnegoed; beddegoed

**lines′man** vlagman; lynregter

**ling′er** (v) talm, draal, vertoef; kwyn, sukkel

**ling′erie** linnegoed; onderklere (vir vrou)

**ling′uist** taalgeleerde, linguis (mens)

**li′ning** (n) voering; bekleding

**link** (n) skakel; fakkel; (v) (aaneen)skakel; ~**s** gholfbaan (aan die see); mansjetknoop/mouskakel

**lin′seed** lynsaad; ~ **oil** lynolie

**lin′tel** latei (onderkant venster)

**li′on** leeu; ~**'s den** leeukuil; ~**'s share** leeueaandeel; ~**ess** leeuwyfie; ~**-hear′ted** moedig, dapper; ~**ise** (v) 'n besoeker ophemel/verafgo(o)d

**lip** lip; kant, rand; *keep a stiff upper ~* moed hou; ~ **ser′vice** lippediens; ~**stick** lipstif(fie)

**liqueur′** likeur, soetsopie

**liq′uid** (n) vloeistof; (pl) vloeibare kos; (a) vloeibaar; ~ **as′sets** likiede bates; ~**ate** vereffen, likwideer; uitdelg; ~**a′tion** likwidasie; ~**iser** versapper

**liq′uor** (sterk) drank; *the worse for ~* hoenderkop, lekkerlyf, getier

**liq′uorice** drop, soethout

**lisp** (n) gelispel; (v) lispel, sleeptong praat

**list** (n) lys; naamlys; **stock exchan′ge** ~**ing** notering op effektebeurs; (v) lys (die items); noteer (effektebeurs); kwoteer (aandele)

**lis′ten** luister; *~ in* (in)luister; ~**er** luisteraar; toehoorder; ~**ing post** luisterpos

**list′less** (a) lusteloos, dooierig *also* **dull**

**lit′chi** lietsjie (vrug)

**lit′eral** (a) letterlik, woordelik; (n) drukkersduiwel, setsatan *also* **grem′lin**

**lit′erary** letterkundig; ~ **tal′ent** skryftalent

**lit′erature** letterkunde, literatuur

**lit′re** liter; *two ~s of milk* twee liter melk

**litt′er** (n) drag, werpsel; *~ of pups* werpsel hondjies; ~**bug** morsjors, rommelstrooier (mens); (v) omkrap, mors; ~**ing** rommelstrooi

**lit′tle** (n) bietjie, min; (a) klein; min, bietjie; ~ **fin′ger** pinkie; (adv) min, weinig

**Little Red Ri′ding Hood** Rooikappie

**liv′e**[1] (v) leef, woon, bly; *~ up to one's promise* jou belofte gestand doen/nakom

**li′ve**[2] (a) lewend; lewendig; vars; stroomdraend (elektr.); ~ **ammuni′tion** skerppuntkoeëls; ~ **broad′cast** lewende uitsending; ~ **wire** wakker persoon; 'n voorslag; ~**lihood** bestaan; ~**ly** lewendig, opgeruimd; woelig

**liv′e-in lo′ver** blyervryer (man)

**liv′er** lewer

**li′vestock** (n) lewende hawe, vee; beeste

**liv′ing** (n) bestaan, broodwinning; *make a ~* 'n bestaan vind/voer/maak; (a) lewend; lewendig; *within ~ memory* binne mensegeheugenis; ~ **room** woonkamer; ~ **wage** bestaanbare/menswaardige loon

**liz′ard** akkedis

**load** (n) vrag, lading; (v) laai; belas; ~**ed dice** vals dobbelstene

**loaf**[1] (n) **loaves**: *a ~ of bread* 'n brood

**loaf**[2] (v) leeglê, slenter, lanterfanter; ~**er** leeglêer, lieplapper, niksdoener

**loan** (n) lening; geldlening; (v) leen, uitleen

**loathe** verfoei, verafsku *also* **disli'ke** (v)
**lob'by** (n) voorportaal; wandelgang (parlement)
**lobe** (oor)lel; lob
**lob'ster** (see)kreef
**lo'cal** (a) lokaal, plaaslik; ~ **anaesthet'ic** plaaslike verdowing; ~ **author'ity** plaaslike bestuur/owerheid; ~ **con'tent** plaaslike inhoud
**local'ity** omgewing; lokaliteit, plek, buurt
**loca'tion** ligging; aanduiding; plek
**lock**[1] (n) slot (van deur); *under ~ and key* agter slot en grendel; *~, stock and barrel* romp en stomp; die hele boel; (v) sluit; opsluit; afsluit
**lock**[2] (n) krul (hare); klos (aan skape)
**lock: ~er** sluitkas; **~et** hangertjie, medaljon; **~jaw** klem in die kake *also* **tet'anus**; **~smith** slotmaker
**locomo'tive** (n) lokomotief; (a) bewegend
**loc'ust** sprinkaan
**lodge** (n) hut; jaghuis *also* **cab'in**; losie (Vrymesselaars); (v) huisves; loseer; indien (klag); inwoon; ~ *a complaint* 'n klag indien/lê; ~ *an objection* beswaar opper; **~r** loseerder, kosganger
**lodg'ing** huisvesting, inwoning, losies
**loft** solder; solderkamer; duiwehok; (a) **~y** verhewe, hoog; trots
**log** (n) blok; lys, puntelys; logboek; (v) aanteken (in logboek)
**log'arithm** logaritme
**log: ~book** logboek; skeepsjoernaal; ~ **cab'in** blokhuis
**logg'erhead:** *at ~s* haaks, aan die twis
**log'ic** logika, redeneerkuns; (a) **~al** logies
**loin** lende; (pl) lendene; *gird up the ~s* die lendene omgord; **~cloth** lendedoek
**loit'er** (v) drentel, leeglê; draal, talm; sloer
**loll'ipop** stokkielekker/suigstokkie; suikerpop
**lone** eensaam; verlate; **~r** alleenloper/eenloper (mens); **~ly** eensaam, allenig
**long**[1] (n) lang tyd; (a) lang/lank; langdurig*; in the ~ run* op die duur; (adv) lang, lankal; ~ *ago* lankal, vanmelewe; *don't be ~* moenie lank wegbly nie; *so ~!* tot siens/goedgaan!
**long**[2] (v) verlang; ~ *for* hunker na
**long'ing** (n) verlange, hunkering, heimwee; (a) verlangend
**long: ~jump** vêrspring; ~ **play'ing rec'ord** langspeler
**loo** (n) kleinhuisie, toilet, privaat *also* **toi'let**
**look** (n) voorkoms; uitdrukking; (pl) voorkoms; (v) kyk, sien, aanskou; ~ *after* oppas; ~ *ahead* vooruitsien; ~ *forward to* uitsien na; ~ *for trouble* moeilikheid soek; ~ *up* naslaan; besoek; **~er-on** toeskouer; **~out** uitkykpos
**loom**[1] (n) weefmasjien; handvatsel; steel
**loom**[2] (v) oprys, opdoem; skemer
**loop** (n) lissie, strop; ~ *the* ~ bol(le)makiesie slaan; **~hole** skuiwergat; uitvlug, skietgat
**loose** (n) losspel (rugby); (v) losmaak; bevry; (a, adv) los, vry; **~-leaf book** losbladboek; **~ly** lossies; **~n** losmaak
**loot** (n) buit, roof *also* **loo'ting**; (v) plunder, buit(maak); **~er** plunderaar, buiter (mens)
**Lord** Here, Heer; *the ~'s prayer* die Onse Vader
**lord** (n) heer, baas; lord; *my* ~ edelagbare; ~ *and master* heer en meester; (v) kommandeer, baasspeel
**lor'ry lorries** vragmotor, lorrie; ~ **dri'ver** lorriedrywer, vragmotorbestuurder
**lose** (v) verloor; ~ *marks* punte verbeur; ~ *one's temper* kwaad word; ~ *one's way* verdwaal; **~r** verloorder
**loss** (n) **-es** verlies, skade; ~ *of memory* geheueverlies
**lost** verlore; *get* ~ verdwaal; ~ *in thought* in gedagtes verdiep
**lot** (n) lot; aandeel; klomp; *draw ~s* lootjies trek
**lott'ery ..ries** lotery *also* **raf'fle, sweep'stake**
**loud** (a) luid; hard; luidrugtig; opsigtig; **~hailer** luidroeper *also* **meg'aphone**; **~spea'ker** luidspreker
**lounge** (n) sitkamer, voorhuis; (v) luier; ronddrentel, slenter; ~ **suit** dagpak
**louse lice** luis
**lou'sy** (a) luisbesmet; beroerd (toestand)
**lout** lummel, gomtor, bullebak (mens)
**louv'er/louv're** luggat, rookgat; ~ **blind** hortjieblinding, hortjieruit
**love** (n) liefde; skat, liefling; stroop (tennis); *fall in ~ with* verlief raak op; *send one's ~* groete laat weet; (v) liefhê; *I ~ him* ek lief/bemin hom; ~ **affair'** (liefdes)verhouding; ~ **let'ter** minnebrief; **~liness** lieflikheid; beminlikheid; **~ly** lieflik; beminlik; ~ **poem** liefdesgedig, minnedig; **~r** minnaar; ~ **sto'ry** liefdesverhaal
**lo'ving** liefhebbend, teer; *your ~ daughter* u liefhebbende dogter
**low**[1] (n) gebulk; (v) bulk (bees) *also* **moo**
**low**[2] (n) laagtepunt; (a) laag, sag; nederig; *in*

~ *spirits* neerslagtig; ~ *profile* lae profiel; (adv) *run* ~ opraak; ~**-class** (a) agterklas; ~**er** (v) verlaag, laat sak; (a) laer; swakker; minder; ~ **tide** laagwater; ~**veld** laeveld
**loy′al** (a) getrou, lojaal; ~**ist** lojalis
**loz′enge** (n) suiglekker/hoeslekker; tablet(jie)
**lub′ricant** smeerolie; masjienolie
**lucerne′** lusern
**lu′cid** (a) helder *also* **clear**; deurskynend
**luck** geluk, toeval; *bad* ~*!* simpatie!; *good* ~*!* die beste!/beste wense!; ~**ily** gelukkig
**luck′y** (a) gelukkig; *a* ~ *hit (shot)* 'n gelukskoot; ~ **bean** sierboontjie, toorboontjie; ~ **dip/pack′et** gelukspakkie, grabbelsak
**lu′crative** (a) winsgewend, betalend, lonend
**lu′dicrous** belaglik, bespotlik *also* **ridic′ulous**
**lugg′age** bagasie *also* **bag′gage**; ~ **car′rier** bagasierak; dakrak
**lull** (n) stilte, kalmte; (v) kalmeer, sus
**lull′aby ..bies** slaapliedjie, wiegeliedjie
**lum′bar punc′ture** lumbaalpunksie, lendesteek
**lum′ber** (n) spul, rommel; timmerhout; ~**jack** boswerker, houtkapper; ~**jack′et** ritsbaadjie, bosbaadjie; ~ **room** rommelkamer
**lu′minous** liggewend; stralend; ~ **di′al** glimwyserplaat; ~ **paint** glimverf
**lump** (n) stuk, klont; hoop; ~ *sum* ronde som; ~ *together* saamgooi; ~**y** klonterig
**lu′nar** maan=; ~ **eclip′se** maan(s)verduistering
**lu′natic** (n) kranksinnige (mens); (a) maansiek, gek; ~ **asy′lum** kranksinnigegestig, sielsiekegestig; malhuis
**lunch** (n) **-es** middagete; (v) middagete geniet
**lunch′eon** formele middagete, noenmaal
**lung** long
**lurch** (n) **-es** ruk, swaai; *leave in the* ~ in die steek laat; (v) swaai, slinger
**lu′rid** (a) somber; donker; ~ **past** duister(e) verlede
**lust** (n) wellus; begeerte; (v) dors na
**lus′tre** (n) glans; roem, luister
**lute** luit
**lux′ury** (n) **..ries** luukse, weelde; ~ **ar′ticle** weeldeartikel; ~ **bus** luuksebus; ~ **car** weeldemotor
**lyre** lier
**ly′ric** (n) liriese poësie; liriek(e), luisterliedjie; (a) liries (poësie)

# M

**ma** ma *also* **mo′ther, mum′my**
**mace** ampstaf (parlement); ~**bearer** stafdraer
**machine′** masjien, werktuig; (v) masjineer; ~ **gun** (n) masjiengeweer
**machi′nery** masjinerie; **plant and** ~ aanleg en masjinerie
**machi′nist** masjinis, bediener (mens)
**mack′erel** makriel (vis)
**mack′intosh -es** reënjas *also* **rain′coat**
**mad** mal, gek, dol, kranksinnig; bossies (idiom.); *as* ~ *as a hatter/March hare* stapelgek; ~ *on* versot op
**mad′am** mevrou; juffrou; **Mad′am Chair** Agbare Voorsitter *see* **chair′person**
**mad cow disea′se** malbeessiekte
**made** gemaak; kunsmatig; ~**-up sto′ry** versinsel
**mad:** ~**house** malhuis; ~**ness** malheid
**magazine′** tydskrif *also* **jour′nal**; magasyn
**ma′gic** (n) towerkuns; **black** ~ duiwelskuns; (a) ~ **lan′tern** towerlantern; ~ **wand** towerstaf
**magi′cian** (n) kulkunstenaar; goëlaar
**ma′gistrate** (n) magistraat, landdros; ~**'s court** magistraatshof, landdroshof
**mag′nate** (n) magnaat; kapitalis *also* **tycoon′**
**mag′net** magneet
**magnet′ic** magneties
**mag′netism** magnetisme, aantrekkingskrag
**magnif′icent** (a) pragtig, heerlik; manjifiek
**mag′nify** (v) vergroot, verheerlik; ophemel; ~**ing glass** vergrootglas
**mag′nitude** grootte, omvang, trefwydte
**magno′lia** magnolia, tulpboom
**mag′pie** ekster (voël); babbelkous
**mahog′any** mahoniehout
**maid** meisie, maagd; diensmeisie; huishulp *also* **domes′tic** (n); *old* ~ oujongnooi
**maid′en** (n) meisie; nooi; maagd; leë boulbeurt; (a) maagdelik; eerste; ongetroud; ~ *aunt* ongetroude tante; ~ *flight* eerste vlug; ~ *name* nooiensvan; ~ *speech* intreerede; nuwelingstoespraak (parlement)
**mail** (n) pos; posbesending; (v) pos; ~**bag** possak; ~**coach** poskar
**maim** (v) vermink *also* **disa′ble**; skend

**main** (n) hoofdeel; (a) hoof=; vernaamste, grootste; ~ **body** hoofmag; ~ **en'trance** hoofingang; ~**frame** hoofraam (rek.); ~**land** vasteland; ~**ly** hoofsaaklik, vernaamlik; ~ **road** hoofweg, grootpad; ~ **street** hoofstraat; **water** ~**s** hoofwaterleiding
**maintain'** (v) handhaaf; onderhou; volhou; in stand hou; bewaar; ~**er** handhawer
**main'tenance** (n) instandhouding, onderhoud; handhawing; *pay ~/alimony to divorced wife* betaal onderhoud aan geskeide vrou; ~ **costs** instandhoukoste
**maize** mielies; ~ **far'mer** mielieboer; ~ **meal** mieliemeel
**majes'tic** (a) majestueus, verhewe
**maj'esty ..ties** majesteit; *Your M~* U Majes=teit
**maj'or**[1] (n) majoor (offisier)
**maj'or**[2] (n) meerderjarige, mondige; majeur (mus.); (a) mondig; hoof=; groot=; grootste, vernaamste
**major'ity** meerderheid; **ab'solute/clear** ~ vol=strekte meerderheid; ~ **gov'ernment** meer=derheidsregering
**make** (n) vorm, gedaante; soort; fabrikaat; (v) maak, doen; verrig; vervaardig; voer (oor=log); hou (toespraak); begaan/maak (fout); sluit (vrede); ~ *an example of* tot voorbeeld stel; ~ *a fool of* belaglik maak; ~ *good* vergoed (vir), opmaak; vooruitgaan; ~ *love* die hof maak; liefde maak; ~ *up one's mind* besluit; ~ *peace* vrede sluit; ~ *a speech* 'n toespraak afsteek/hou; ~ *sure of* verseker, sorg dat; ~ *up* inhaal (skade); goedmaak; versoen raak (ná rusie); versin (verhaal); ~**-believe** (n) voorwendsel; skyn; (a) oneg; ~**shift** redmiddel, noodhulp; ~**-up** grime=ring; vermomming; versinsel
**mal'adjusted** (a) wanaangepas *also* **unsta'ble**
**Malay'** (n) Maleier (mens); (a) Maleis; ~**sia** Maleisië (land)
**male** (n) mansmens, manspersoon; mannetjie (by diere); (a) manlik; mans=; ~ **nurse** verpleër
**mal'ice** (n) boosaardigheid; (bose) opset; haat
**malic'ious** kwaadwillig, boosaardig
**malig'nant** (a) skadelik, kwaadaardig; ~ **growth/tu'mour** kwaadaardige groeisel/gewas/tumor
**mall** wandellaan; winkelplein, mall
**malnutri'tion** (n) wanvoeding, ondervoeding
**malprac'tice** (n) wanpraktyk; wangedrag
**malt** (n, v) mout
**Mal'tese poodle** Malteserpoedel, Maltees (hond)
**maltreat'** (v) mishandel *also* **harm**
**mam'ba** mamba (slang)
**mam(m)a'** mamma *also* **moth'er**
**mamm'al** soogdier
**mam'moth** (a) reusagtig, kolossaal
**man** (n) **men** man; mansmens; eggenoot; mens; ~ *of straw* strooipop; *the ~ in the street* die gewone man; Jan Alleman/Pu=bliek; ~ *about town* pierewaaier, stadskoe=jawel; (v) beman; ~ *oneself* moed vat
**man'age** (v) bestuur; ~**ment** bestuur, leiding, beheer; ~**r** bestuurder; ~**ment by objec'ti=ves** doelwitbestuur; ~**ment commit'tee** bestuurskomitee; dagbestuur
**man'aging** besturend; ~ **direc'tor** besturende direkteur
**mand'arin**[1] mandaryn (Chinese amptenaar)
**mand'arin**[2] (n) (geel) nartjie (vrug)
**man'date** (n) volmag; mandaat/magtiging
**manda'tory** (a) voorskriftelik, verpligtend
**man'dolin** mandolien (musiekinstrument)
**mane** maanhaar
**mang'anese** mangaan
**man'ger** krip, trog, voerbak
**man'gle** (n) strykmasjien; mangel (vir was=goed); (v) vermink, verskeur; radbraak
**man'go -es** mango (vrug)
**mang'rove** wortelboom, mangliet
**man:** ~**han'dle** toetakel, afransel; ~**ha'ter** mensehater; ~**hole** skouput/inspeksieput; ~**hood** manlikheid; ~**hunt** polisiesoektog
**ma'niac** (n) waansinnige, maniak (mens)
**man'icure** (v) manikuur; ~ **set** naelstel, mani=kuurstel
**man'ifest** (v) bekend maak, manifesteer; ~**a'tion** openbaring, manifestasie
**manifes'to -es** manifes, openbare bekendma=king *also* **pub'lic sta'tement**
**man'ifold** (n) spruitstuk; (a) baie, menigvuldig *also* **mul'tiple**
**man'ikin** (n) dwergie, mannetjie; model
**manip'ulate** (v) hanteer, bewerk, manipuleer
**man:** ~**kind** (die) mensdom, mensheid; ~**liness** manlikheid; ~**ly** manlik *also* **mas'=culine**; (man)moedig
**ma'nna** manna
**mann'equin** mannekyn; modemodel; ~ **para'de** modeskou
**mann'er** (n) manier, gewoonte, wyse; ~**ism** gemaaktheid; aanwensel; ~**ly** beleef(d)

**mann′ing** (n) bemanning, personeelvoorsie= ning *also* **staf′fing**
**manoeu′vre** (n) maneuver, krygsoefening; (v) maneuvreer; bewerkstellig, manipuleer
**man′-of-war** oorlogskip, slagskip
**man′or** landgoed; herehuis (van adel) *also* **man′sion**
**man′power** (n) arbeidskrag, mannekrag *see* **fem′power**; ~ **research′** mannekragnavor= sing
**man′rope** valreep
**man′sion** herehuis *see* **man′or**
**man′slaughter** manslag *also* **hom′icide**
**man′telpiece** skoorsteenmantel, kaggelrak
**man′tis** (n) mantis
**man′tle** mantel; omhulsel; gloeikousie
**man′ual** (n) handleiding; handboek; ~ **la′bour** handearbeid; ~ **trai′ning** ambagsopleiding
**manufac′ture** (n) fabrikaat; (pl) fabrikate; (v) vervaardig; ~**r** fabrikant, vervaardiger
**manure′** (n) mis; misstof *also* **fer′tiliser**; (v) bemes
**man′uscript** manuskrip; handskrif
**ma′ny** (a) baie, veel; ~ *happy returns* (veels) geluk met u/jou verjaardag
**map** (n) kaart, landkaart; plattegrond; (v) karteer; afbeeld
**ma′ple** esdoring, ahornboom
**ma′rabou** maraboe, Indiese ooievaar
**mar′athon** (n) marat(h)on (wedloop)
**maraud′** (v) plunder, roof, buit; ~**er** buiter, plunderaar; ~**ing raid** plundertog
**mar′ble** (n) marmer; albaster; (a) marmer
**March**[1] Maart; *as mad as a ~ hare* stapelgek
**march**[2] **-es** (n) mars; (v) marsjeer; opruk; ~ *past* verbymarsjeer; (n) ~**-past** defileer= mars, parademars/verbymars
**mare** merrie
**margarine′** kunsbotter, margarien
**mar′gin** rand; kantlyn, kantruimte; marge, speling; ~**al** marginaal, grens=, kant=; ~**al note** kant(aan)tekening
**marg′uerite** margriet(jie), gansblom
**mar′igold** afrikaner; gousblom
**mari′na** (n) marina, waterdorp
**marine′** (n) vloot; seesoldaat/vlootsoldaat; **mer′cantile** ~ handelsvloot; ~ **cadet′** adel= bors; ~ **insu′rance** marine-assuransie
**marionette′** marionet, draadpop
**ma′rital** huweliks=; egtelik; ~ **state** huwelik= staat
**ma′ritime** maritiem; ~ **law** seereg
**mark**[1] (n) mark (geldeenheid)
**mark**[2] (n) merk; teken; doel; punt (eksamen); skoonvang (rugby); *below the* ~ benede peil; *make one's* ~ naam maak; (v) merk; nasien; ~ *time* die pas markeer; ~**er** merker, teller; nasiener (eksamenskrifte)
**mark′et** (n) mark; afsetgebied; (v) bemark; **bull** ~ bulmark/stygmark; **bear** ~ beer= mark/daalmark (aandele); ~ **in′dicator** markaanwyser; ~**ing** bemarking; ~**ing direc′tor** direkteur bemarking; ~ **mas′ter** markmeester; ~ **price** markprys; ~ **rela′ted** markverwant; ~ **research′** marknavorsing
**mark:** ~**ing** merk; tekening; ~**ing ink** merk= ink, letterink; ~**s′man** skerpskutter
**mar′lin** marlyn (swaardvis)
**marm′alade** lemoenkonfyt, marmelade
**maroon′** (a) maroen, bruinrooi
**marquee′** markee(tent)/markiestent
**mar′riage** (n) huwelik; bruilof, troue; ~ **cer= tif′icate** trousertifikaat; ~ **coun′sellor** hu= weliksberader
**mar′ried** getroud; ~ *to* getroud met; ~ **life** huwelikslewe; ~ **quar′ters** kwartiere vir ge= troudes
**ma′rrow** murg; ~ **bone** murgbeen
**mar′ry** (v) trou, in die huwelik/eg tree
**marsh -es** vlei, moeras *also* **swamp**
**marsh′al** (n) maarskalk; ordehouer (by beto= gings); (v) rangskik, orden; ~**ling yard** rangeerwerf, opstelterrein (spoorweë)
**marsh:** ~ **fe′ver** moeraskoors; malaria; ~**mal′= low** malvalekker; ~**y** moerassig
**mar′tial:** ~**arts** verweerkuns; ~ **law** krygswet
**mart** mark; verkoopsaal; vandisielokaal
**mart′yr** (n) martelaar (mens)
**mar′vel** (v) verwonder, verbaas; ~**lous** won= derlik, verbasend *also* **ama′zing**
**mas′cot** talisman, gelukbringer *also* **charm**
**mas′culine** manlik; sterk, fors; kragtig
**mash** (n) meelkos, mengsel; (v) fynstamp; meng; ~**ed pota′toes** kapokaartappels
**mask** (n) masker; mombakkies; (v) vermom; ~**ed ball** maskerbal
**mas′king tape** maskeerband
**ma′son** (n) messelaar; klipkapper
**Ma′sonry**[1] Vrymesselary
**ma′sonry**[2] messelwerk
**mass**[1] (n) **-es** massa, menigte; massa/gewig; ~ **ac′tion** protesoptrede/massa-optrede *also* **in= dus′trial ac′tion**; ~ **attack′** massa-aanval; ~ **me′dia** massamedia; ~ **mee′ting** monsterver=

gadering; ~ **produc'tion** massaproduksie
**mass**[2] (n) mis (kerk)
**mass'acre** (n) bloedbad, menseslagting *also* **car'nage**; (v) verdelg, uitmoor
**mass'age** (v) masseer; ~ **par'lour** masseersa= lon; streelperseel (idiom.)
**masseur'** masseur/masseerder (man/vrou)
**mass'ive** (a) massief, swaar *also* **bul'ky**
**mast** (n) mas
**ma'ster** (n) meester; baas; weesheer; onder= wyser; jongeheer; bobaas; ~ *of ceremonies* seremoniemeester/tafelheer; ~ *and servant* werkgewer en dienaar; (v) oormeester, baasraak; (a) hoof=; ~ **buil'der** meester= bouer; ~ **key** loper, diewesleutel; ~**ly** mees= terlik; ~**mind** meesterbrein; ~**piece** mees= terstuk; ~**'s degree'** magister(graad)/mees= tersgraad
**mas'tiff** (n) boel(hond), boerboel
**masturba'tion** masturbasie
**mat** (n) mat; (v) vleg
**mat'ador** matador, stiervegter (mens)
**match**[1] (n) vuurhoutjie; ~**box** vuurhoutjiedo= sie/vuurhoutjieboksie
**match**[2] (n) **-es** paar; eweknie; gelyke/portuur; wedstryd/kragmeting *also* **con'test**; *be a ~ for* opgewasse wees teen; (v) paar; pas; ~**less** weergaloos; ~**maker** huweliksmake= laar/paartjiemaker; ~ **point** wedstrydpunt
**mate** (n) maat/kameraad; metgesel, vriend; (v) maats maak; paar; trou
**mater'ial** (n) materiaal, stof, goed; (pl) bou= stof; (a) stoflik, materieel; ~**ism** materialis= me; ~**ist** materialis (mens); ~**ise** verwe= senlik, verwerklik
**matern'al** moederlik; ~ **love** moederliefde
**matern'ity** moederskap; ~ **home** kraaminrig= ting; ~ **leaf** kraamverlof; ~ **wear** kraam= drag/ooievaarsdrag
**mathemat'ic(al)** wiskundig, matematies
**mathemat'ics** (n) wiskunde, matesis; **applied'** ~ toegepaste wiskunde
**mat'inee** (n) middagvertoning
**matric'** matriek, matrikulasie
**matrimon'ial** huweliks=; egtelik; ~ **a'gency** huweliksburo
**ma'tron** (n) huismoeder; matrone
**matt'er** (n) stof, materie; saak; aangeleent= heid; kwessie; *what is the ~?* wat makeer?; ~ *of course* vanselfsprekend
**matt'ress -es** matras; **in'ner-spring** ~ binne= veermatras
**mature'** (v) ryp word/maak; verval (wissel); (a) ryp, beleë (wyn); volwasse; ~**d'** ryp; volgroei, volwasse
**matur'ity** rypheid; vervaldag; *at* ~ op (die) vervaldag
**mauve** ligpers, malvapers, mauve (kleur)
**max'imise** (v) maksimeer
**max'imum** (n) **..ma** maksimum; (a) maksi= mum, grootste, maksimale
**May**[1] Mei; ~**pole** meipaal/meiboom
**may**[2] (v) mag, kan; *come what* ~ wat ook al (mag) gebeur
**may'be** dalk; altemit(s) *also* **perhaps'**
**may'day** noodsein *also* **alarm' call**
**may'flower** meiblom
**may'or** burgemeester; *lady* ~ burgemeesteres; ~**ess'** burgemeestersvrou; ~**'s par'lour** bur= gemeesterskamer
**maze** (n) doolhof; verleentheid; warboel
**me** my; ek; *poor* ~ arme ek
**mea'gre** (a) maer, skraal; armsalig
**meal**[1] meel
**meal**[2] maaltyd; *at ~s* aan tafel; ~**s on wheels** reisende spyse (idiom.)
**mea'lie** mielie *also* **maize**; ~ **gro'wer** mielie= boer *also* **maize far'mer**; ~ **meal** mie= liemeel *also* **maize**
**meal'time** etenstyd
**mean**[1] (n) middel, middelmaat; gemiddelde; (pl) middele; geld, vermoë, *by all ~s* alte seker; *beyond his ~s* bokant sy vermoë; *not by any ~s* glad nie; *the golden* ~ die gulde midde(l)weg; (a) gemiddeld; middelmatig, middel=
**mean**[2] (v) meen, bedoel, beteken; *what do you ~?* wat bedoel jy?
**mean**[3] (a, adv) gemeen, laag *also* **nas'ty**
**mean'ing** betekenis *also* **connota'tion**; be= doeling; ~**ful** betekenisvol, sinvol; ~**less** betekenisloos, niksseggend
**mean'time/mean'while** intussen, ondertussen, onderwyl
**mea'sels** (n) masels
**mea'sure** (n) maat; maatstaf; maatreël; (v) meet, maat neem; takseer; ~**ment** maat, inhoud; meting
**meat** vleis; **min'ced** ~ maalvleis; ~ **pat'ty** frikkadel; ~ **pie** vleispastei
**mechan'ic** (n) werktuigkundige; ambagsman
**mechan'ical** meganies; ~ **engineer'** werktuig= kundige ingenieur; ~ **horse** voorhaker
**mech'anism** (n) meganisme, tegniek

**mech'anise** (v) meganiseer
**med'al** medalje; gedenkpenning; ~ **of hon'our** erepenning
**medal'lion** gedenkpenning, medaljon
**med'dle** (jou) bemoei, (jou) inlaat; ~**r** be≈moeial, lolpot; ~**some** bemoeisiek
**med'ia** (pl) media; ~ **cen'tre** mediasentrum; **mass** ~ massamedia; ~ **of'ficer** mediaska≈kel (mens); ~ **wor'kers** mediawerkers
**med'ian** (n) mediaan; middellyn
**med'iate** (v) bemiddel, tussenbei kom/tree
**med'iator** (be)middelaar; tussenganger
**med'ic** (n) mediese ordonnans
**med'ical** (a) medies, geneeskundig; ~ **aid fund** siekefonds, mediese fonds/skema; ~ **examina'tion** mediese/geneeskundige on≈dersoek; ~ **practi'tioner** geneesheer, dok≈ter, huisarts *also* **fam'ily/gen'eral practi≈tioner**; ~ **stu'dent** mediese student
**medica'tion** (n) medikasie, (genees)middels
**med'icine** (n) medisyne, geneesmiddel; ~ **chest** medisynekassie, huisapteek
**mediev'al** (a) middeleeus
**medita'tion** oordenking; (be)peinsing, medi≈tasie *also* **ep'ilogue**
**med'ium** (n) **..dia, -s** middel; medium; (a) gemiddeld; **lan'guage** ~ voertaal
**med'lar** mispel(boom)
**meek** (a) sagmoedig, sagsinnig; nederig
**meer'cat/meer'kat** meerkat
**meet** (v) ontmoet, raakloop, teenkom; ~ *with approval* die goedkeuring wegdra; ~ *half≈way* tegemoetkom; ~ *one's liabilities* jou verpligtinge nakom
**meet'ing** (n) vergadering, byeenkoms; saam≈trek; *adjourn a* ~ 'n vergadering verdaag; *convene a* ~ 'n vergadering belê/byeenroep; ~ **place** vergaderplek *also* **ven'ue**
**meg'abyte** megagreep (rek.)
**mel'ancholy** (n) swaarmoedigheid, droefgees≈tigheid
**mell'ow** (v) ryp word; saf/sag maak; laat oud word; ~ *with age* skafliker word met ouder≈dom; (a) ryp; saf/sag; mals
**melod'ious** welluidend, melodies
**melodramat'ic** melodramaties
**mel'ody ..dies** melodie, wysie, deuntjie
**mel'on** (n) meloen; (waat)lemoen; **ho'ney-sweet** ~ spanspek
**melt** (v) smelt; ~**ing** (n) smelting; vertedering
**mem'ber** (n) lid; lidmaat (van kerk); ~**ship** lidskap (van klub); ledetal (aantal lede); ~**ship card** lidkaart; ~**ship fee** lidgeld
**mem'orable** (a) heuglik, gedenkwaardig
**memoran'dum** memorandum, voorlegging
**memor'ial** (n) gedenkteken; (a) gedenk≈; ~ **ser'vice** roudiens/gedenkdiens
**mem'orise** (v) memoriseer, uit die hoof leer
**mem'ory ..ries** geheue; herinnering; nagedag≈tenis; *from* ~ uit die hoof; *a good* ~ 'n goeie geheue; *in* ~ *of* ter gedagtenis aan
**men** mense; mans; manne (van daad)
**men'ace** (n) bedreiging; oorlas; (v) bedreig
**mend** (v) heelmaak, lap; stop (kouse)
**mend'ing** herstelwerk; **invis'ible** ~ fynstop≈(werk)
**meningit'is** harsingvliesontsteking
**men'opause** menopouse, oorgangsleeftyd
**menstrua'tion** (n) maandstonde, menstruasie
**men'tal** geestelik, verstandelik; ~ **arith'metic** hoofrekene; ~ **defic'iency** swaksinnigheid; ~ **fac'ulties** geestesvermoë; ~ **hos'pital** sielsiekegestig
**mental'ity** geeskrag; denkwyse, mentaliteit
**men'tally** geestelik, verstandelik; ~ **han'di≈capped** verstandelik gestrem; ~ **retar'ded chil'dren** verstandvertraagde kinders
**men'tion** (n) melding; *don't* ~ *it* nie te danke nie; **hon'ourable** ~ eervolle vermelding; (v) meld, noem
**men'tor** (n) leermeester, leidsman, mentor
**men'u -s** spyskaart, menu; kieslys (rek.)
**merc'antile** handels≈, koopmans≈, kommersi≈eel; ~ **law** handelsreg *see* **commer'cial law**; ~ **mar'ine** handelsvloot
**mer'cenary ..ries** (n) huursoldaat
**merch'andise** (n) negosieware, koopware
**merch'ant** winkelier, handelaar, koopman *also* **tra'der**; ~ **bank** aksepbank
**mer'ciful** (a) genadig, barmhartig
**mer'ciless** onbarmhartig, meedoënloos
**merc'ury** kwik(silwer)
**mer'cy** (n) genade, barmhartigheid; *have* ~ *upon us* wees ons genadig; ~ **kil'ling** gena≈dedood *also* **euthana'sia**
**mere** (a, adv) eenvoudig, bloot, maar net; ~**ly** net, slegs, bloot
**merge** indompel; sink; saamsmelt; ~**r** same≈smelting/amalgamasie; oplossing
**merid'ian** (n) middaglyn, meridiaan
**meringue'** skuimpie, skuimkoekie
**me'rit** (n) verdienste, meriete; waarde; **cer≈tif'icate of** ~ sertifikaat van verdienste
**mer'maid** meermin

**me′rry** vrolik, plesierig; ~ **Christ′mas** geseënde Kersfees; ~**-go-round** mallemeule/rondomtalie *also* **carousel′**; ~**ma′king** pretmakery, jolyt, makietie (hou)
**mesh** (n) **-es** netwerk, maas; strik
**mess** (n) gemeenskaplike tafel; deurmekaarspul; menasie (militêr); *make a ~ of* verknoei; (v) saameet; knoei; mors; ~ *up* bederf; verongeluk; **of′ficers′** ~ offisiersmenasie
**mess′age** (n) boodskap, berig
**mess′enger** boodskapper, bode; ~ **of the Court** balju, geregsbode
**messieurs′** menere, here; ~ **Jo′nes & Co.** die firma Jones & Kie
**mess′y** (a) vuil, smerig, morsig
**met′al** (n) metaal; (a) metaal=, metaalagtig; ~ **detec′tor** metaalverklikker; ~ **fati′gue** metaalverswakking
**metamorpho′sis** (n) gedaantewisseling, metamorfose
**met′aphor** (n) beeldspraak, metafoor
**metapho′ric** figuurlik, oordragtelik
**met′eor** (n) vallende ster, meteoor
**met′eorite** meteoriet, meteoorsteen
**meteorol′ogist** (n) weerkundige, meteoroloog
**met′er** meter; ~ **maid** boetebessie (idiom.)
**meth′od** metode, manier; werkwyse
**meth′ylated spi′rits** brandspiritus
**metic′ulous** (a) nougeset, noulettend
**me′tre**[1] meter
**me′tre**[2] versmaat, metrum
**met′ric** metriek; ~ **sys′tem** metrieke/tiendelige stelsel; ~**al** metries, tiendelig
**metrop′olis** (n) wêreldstad, metropolis/metropool, moederstad *also* **meg′acity**
**metropol′itan** (a) metropolitaans; ~ **a′rea** stedelike/metropolitaanse gebied; ~ **sub′structure** metropolitaanse substruktuur
**met′tle** ywer, moed; fut, vuur, gees *also* **guts, spi′rit**; *show one′s ~* toon jou staal
**mews** stalkompleks; winkelhof; mews
**mezzanin′e** (n) tussenvloer
**mic′a** mika
**mic′robe** mikrobe
**mic′rochip** (n) mikrovlokkie/mikroskyfie
**mic′rocomputer** mikrorekenaar/mikrokomper
**mic′rofilm** mikrofilm
**mi′crolight:** ~ **air′craft/plane** mikroligte vliegtuig/mikrotuig
**mic′rophone** mikrofoon, klankversterker
**mic′roscope** mikroskoop
**mic′rosurgery** mikrochirurgie
**mic′rowave** mikrogolf; ~ **o′ven** mikrogolfoond
**mid′air:** *in ~* tussen hemel en aarde
**mid′day** (n) middag; (a) middag=
**mid′dle** (n) middel; midde(l)weg; (v) verdeel; (a) middel, middelste; **M~ Ages** Middeleeue; **M~ East** Midde-Ooste; ~**-aged** middeljarig; ~**man** middelman, tussenganger *also* **go-between′**
**midge** muggie; warmassie; dwergie
**midg′et** (n) dwerg; (a) klein; ~ **car** muggiemotor; ~ **golf** miniatuurgholf
**mid:** ~**land** (n) middelland; (a) binnelands; ~**night** (n) middernag; (a) middernagtelik: *burn the ~night oil* laat studeer; ~**night sun** middernagson; ~**shipman** adelbors, seekadet
**midst** (n) middel; *in our ~* in ons midde
**mid′term break** termynreses
**mid′way** halfpad
**mid′wife** (n) vroedvrou; kraamverpleegster; ~**ry** verloskunde, obstetrie
**might** mag, geweld; vermoë
**might′y** (a) magtig, groot, sterk; *high and ~* hoog verhewe
**mi′graine** (n) skeelhoofpyn, migraine
**mig′rant** (n) trekvoël; (a) trek=, rondtrekkend; ~ **la′bourer** trekarbeider
**migrate′** (v) verhuis/trek *also* **re′locate**
**mild** mild, sag; koel; sagsinnig, meegaande (mens); lig (siekte)
**mil′dew** (n) skimmel, muf; (v) beskimmel
**mile** myl; **nau′tical** ~ seemyl; ~**age** mylafstand; ~**stone** mylpaal
**mil′itant** (a) veglustig, strydend, militant
**mil′itary** (n) militêr, soldaat; (a) militêr, krygs=; ~ **court** krygshof *also* **court mar′tial**; ~ **force** krygsmag; ~ **intel′ligence** militêre inligting/intelligensie; **(compulsory)** ~ **ser′vice** diensplig
**milk** (n) melk; **conden′sed** ~ blikkiesmelk; **skim′med** ~ afgeroomde melk; (v) melk; ~ **bar** melksalon; ~ **jug** melkbeker; ~ **sa′chet** melksakkie; ~**shake** bruismelk; ~**tart** melktert; ~**tooth** melktand; ~**y** melkagtig/melkerig; soetsappig; ~**y way** melkweg
**mill** (n) meul(e); (v) maal; ronddraai
**mill′er** meulenaar (mens)
**mill′iard** miljard (1 000 miljoen) *also* **bil′lion**
**mill′igram** milligram
**mill′ilitre** milliliter

**mill'imetre** millimeter
**mill'iner** hoedemaakster, modiste
**mill'ion** miljoen; ~**aire'** miljoenêr (mens)
**milt** (n) milt; hom (van vis); (v) bevrug
**mime** (n) gebarespel, mimiek; (v) mimeer, naboots
**mim'ic** (n) na-aper, koggelaar; (v) (uit)=koggel, namaak *also* **im'itate**
**mimos'a** mimosa (doringboom)
**mince** (n) maalvleis; (v) maal; goedpraat; *do not ~ matters* moenie doekies omdraai nie; ~**meat** maalvleis: *make ~meat of* kafloop; ~ **pie** vleispastei; Kerspastei; ~**r** vleismeul(e)
**mind** (n) siel; gees, gemoed; verstand; me=ning; *change one's ~* van plan verander; *presence of ~* teenwoordigheid van gees; *speak one's ~* reguit/padlangs praat; *be in two ~s* twyfel; (v) oppas; oplet; *~ your own business* bemoei jou met jou eie sake; *I don't ~* graag; *never ~!* toe maar!; *would you ~?* gee jy om?; wil jy asb.?
**mine**[1] (n) myn; (v) delf, grawe; ontgin; **lim'pet** ~ kleefmyn
**mine**[2] (pron) myne
**mine:** ~ **cap'tain** mynkaptein; ~**field** myn=veld; ~**r** mynwerker/myner
**min'eral** (n) mineraal, delfstof; koeldrank; ~ **baths** kruitbad(dens), borrelbad
**mi'ners' phthis'is** (n) myntering
**mine:** ~ **survey'or** mynopmeter; ~**swee'per** mynveër; ~ **wor'kers' u'nion** mynwerkers=unie
**ming'le** (v) meng; deurmekaar maak
**min'i** (n) mini; (a) mini; ~**bus tax'i** mini=bustaxi; ~**dic'tionary** miniwoordeboek; ~**skirt** miniromp
**min'im** (n) klein bietjie; halwe noot; ~**al** minimaal; ~**ise** verklein; minimeer/mini=miseer; ~**um** (n) minste; minimum; (a) kleinste, minimum
**mi'ning** (n) mynbou; mynwese; (a) myn=
**min'ister** (n) minister (parlement); predikant/dominee/leraar; gesant; (v) versorg, hulp verleen
**mink** (n) nerts, mink
**mi'nor** (n) minderjarige (mens); mineur; (a) ondergeskik; mineur (mus.); minder, klei=ner; minderjarig
**minor'ity ..ties** minderheid; minderjarigheid; ~ **report'** minderheidsverslag
**mint**[1] (n) kruisement, peperment
**mint**[2] (n) munt; (v) munt; (a) eersteklas
**minuet'** menuet (mus.)
**min'us** min, minus
**min'ute**[1] (n) minuut; brief; memorandum; (pl) notule; *in the ~s* in die notule; *just a ~* net 'n oomblikkie; (v) notuleer
**minute'**[2] (a) baie klein, gering, nietig
**min'ute:** ~ **book** notuleboek; ~ **hand** minuut=wyster (horlosie)
**mir'acle** (n) wonderwerk, mirakel; *work ~s* wondere verrig; ~ **play** mirakelspel
**mirage'** lugspieëling, opgeefsel (fata morgana) *also* **illu'sion**
**mi'rror** (n) spieël; toonbeeld; (v) weerkaats/weerspieël
**mirth** (n) vrolikheid, opgeruimdheid; joligheid
**misappropria'tion** wanbesteding, verduiste=ring (geld, fondse)
**miscal'culate** (v) misreken, verreken
**miscar'riage** mislukking; miskraam *also* **abor'tion**
**miscellan'eous** gemeng; diverse, allerlei
**mis'chief** (n) onheil, kwaad; kattekwaad; on=nutsigheid; *be up to ~* iets in die skild voer; ~ **ma'king** kwaadstokery
**mis'chievous** (a) ondeund, onnutsig
**mis'er** gierigaard, vrek (mens)
**mis'erable** (a) ellendig, miserabel, naar
**mis'ery ..ries** ellende, nood, narigheid
**mis'fit** (n) slegpassende kledingstuk; misbak=sel/misgewas, mislukkeling (mens)
**misfort'une** (n) ongeluk, teenspoed
**mis'hap** ongeluk, ongeval *also* **ac'cident**
**mislaid'** verlê, weg (artikel)
**mislead'** (v) mislei; kul; (a) ~**ing** misleidend
**misman'age** (v) wanbestuur; (n) ~**ment** wan=bestuur, wanbeheer
**miss**[1] (n) **-es** (me)juffrou
**miss**[2] (n) **-es** misskoot; gemis; (v) mis; *~ the bus* die bus mis
**miss'ile** missiel; projektiel, werptuig
**miss'ing** verlore, ontbrekend; *reported ~* as vermis aangegee
**mis'sion** sending; opdrag; missie; ~**ary** (n) sendeling; (a) sending=; **fact-fin'ding** ~ fei=tesending; ~ **work** sendingwerk
**mist** (n) mis, newel *also* **fog**; (v) misreën
**mistake'** (n ) fout, vergissing; *by ~* per abuis; *make a ~* 'n fout maak/begaan; ~**n** ver=keerd
**mis'ter** meneer; (die) heer; **Mr Chair'man, Chairper'son** Meneer die voorsitter/Agbare voorsitter

**mis'tletoe** (n) mistel; voëlent
**mis'tress -es** mevrou; meesteres, nooi, ounooi; onderwyseres; houvrou/bywyf/minnares; *the ~ of the house* die huisvrou/gasvrou
**mistrust'** (v) wantrou, verdink
**mist'y** mistig, bewolk, dynserig *also* **ha'zy**
**misunderstand'** misverstaan; (n) **~ing** mis= verstand
**misuse'** (n) misbruik; mishandeling; (v) mis= bruik; mishandel
**mit'igate** (v) versag, verlig; **mit'igating cir'= cumstances** versagtende omstandighede *al= so* **exten'uating cir'cumstances**
**mix** (v) meng, vermeng
**mixed** gemeng, deurmekaar; *be ~ up with* be= trokke wees in; ~ **grill** allegaartjie, gemeng= de braaigereg; ~ **pickles** suurtjies, atjar
**mix'ture** mengsel, mikstuur
**mix'-up** warboel, deurmekaarspul
**moan** (n) gekerm; (v) kerm, steun; **~er** sanik= pot (mens); **~ing** gekerm, gekla
**mob** (n) gepeupel, oproerige skare
**mob'ilise** (v) mobiliseer; oproep (troepe)
**mock** (n) bespotting; namaaksel; (v) spot, (uit)koggel; bespot; ~ **fight** skyngeveg; **~ingbird** piet-my-vrou; ~ **lob'ster** kamma= kreef; ~ **shut'ters** kammahortjies; ~ **tri'al** skynverhoor
**mode** (n) metode, manier, gewoonte
**mod'el** (n) model, voorbeeld; (v) vorm, modelleer; **~ling** (n) boetseerkuns; model= (leer)werk
**mod'erate** (v) matig; modereer (eksamen); kalmeer; (a) matig, redelik
**mod'erating commit'tee** modereerkomitee
**mod'erator** moderator; bemiddelaar
**mod'ern** (a) modern, nuwerwets, bydertyds *also* **with-it, tren'dy**
**mod'est** (a) beskeie, ingetoë *also* **shy, de= mu're**; matig; **~y** beskeidenheid
**mod'ify** (v) wysig, verander; matig
**mod'ule** eenheidsmaat, maatstaf; module
**mo'hair** bokhaar, angorahaar
**Mohamm'ed** Mohammed
**moist** (a) kalm, vogtig; **~en** natmaak, bevog= tig; **~ure** vog, klammigheid; **~uriser** (n) bevogter
**mol'ar** (n) kiestand, maaltand
**molass'es** swartstroop, triakel, melasse
**mole**[1] (n) mol (dier); (v) ondergrawe; uithol
**mole**[2] (n) moesie, moedervlek
**mole**[3] (n) seehoof/hawehoof, pier; golfbreker
**mol'ecule** stofdeeltjie, molekule
**mole'hill** molshoop; *make a mountain out of a ~* van 'n muggie 'n olifant maak
**molest'** (v) pla, lastig val; molesteer; lol (met kinders)
**mo'ment** oomblik, rukkie, kits, moment; *half a ~* wag 'n bietjie; *in a ~* in 'n kits/oog= wenk
**mon'arch** (n) monarg, alleenheerser; poten= taat; **~ist** monargis (mens); **~y** monargie
**mon'astery** (n) **..ries** klooster (vir monnike)
**Mon'day** Maandag; *blue ~* blou Maandag
**mo'netary** geldelik, monetêr; **Internat'ional M~ Fund (IMF)** Internasionale Monetêre Fonds (IMF)
**mo'ney -s** geld, munt; betaalmiddel; *~ galore* geld soos bossies; *be out of ~* platsak wees; **~box** spaarpot, spaarbus; geldtrommel; ~ **len'der** geldskieter (mens); ~ **or'der** pos= wissel; ~ **spin'ner** geldmaker
**mon'goose** muishond; **yel'low** ~ rooimeerkat
**mo'ngrel** (n) baster; basterbrak; (a) baster=
**mon'itor** monitor; klasleier (skool); (v) moni= teer/monitor; kontroleer, verifieer
**monk** (n) monnik, kloosterling
**mon'key** (n) aap; (v) na-aap; **~nut** grond= boon(tjie); ~ **trick** bobbejaanstreek; ~ **wrench** moersleutel
**mon'ochrome** (a) eenkleurig, monochroom
**mon'ocle** oogglas, monokel
**mon'ologue** (n) alleenspraak, monoloog
**monop'oly ..lies** monopolie, alleenhandel
**monosyllab'ic** (a) eenlettergrepig
**monot'onous** (a) eentonig, monotoon
**monsoon'** passaatwind, moeson
**mon'ster** (n) monster, gedrog; dierasie
**mon'strous** (a) monsteragtig, wanskape, af= skuwelik, vreeslik *also* **hid'eous**
**month** maand
**month'ly** (n) maandblad; (pl) maandstonde/ menstruasie; (a) maandeliks, maand=; ~ **mee'ting** maandvergadering
**mon'ument** (n) monument, gedenkteken
**mood** (n) stemming, bui, luim; *in a good ~* in 'n goeie bui; **~iness** humeurigheid; **~y** buierig, knorrig *also* **grum'py**
**moon** maan; maand (poëties); *once in a blue ~* 'n enkele keer; **~bag** maansak, pensporte= feulje; **~light** maanlig; **~light'ing** sluik= werk/privaat werk *also* **double-job'bing**; **~shine** maanskyn; onsin; **~shi'ner** drank= smokkelaar; **~struck** maansiek, mal

**moor**[1] (n) heide; vlei, moeras *also* **marsh**
**moor**[2] (v) vasmeer, anker
**moot** (v) bespreek, debatteer; (a) betwisbaar; *a ~ point* 'n ope vraag
**mop** (n) stofdoek, dweil, opvryflap; (v) afvee, opvrywe; *~ the floor with somebody* iem. kafloop; *~ping up* opruim, bymekaarmaak
**mop′ed** kragfiets
**mor′al** (n) moraal; sedeles; boodskap; (a) sedelik; moreel; *one's ~ duty* jou morele plig; ~ **decay′** sedelike verval
**morale′** moed, volharding; moreel (van 'n leër); *improve the ~ of his soldiers* sy sol⸗date se moreel verstewig; ~ **boos′ter** mo⸗reelkikker
**moral′ity** sedelikheid, sedeleer, moraliteit; **..ties** sinnespel, moraliteit (drama)
**mor′als** sedes
**mor′bid** (a) sieklik, ongesond, morbied
**more** meer, groter; *the ~ the better* hoe meer, hoe beter; *~ or less* min of meer; *the ~ the merrier* hoe meer siele, hoe meer vreug(de); ~**over** bowendien, buitendien
**morg′en** (n) morg (oppervlakte)
**mor′gue** lykhuis; dodehuis *also* **mor′tuary**
**morn′ing** (n) môre, môreoggend, voormiddag; (a) môre⸗, môreoggend⸗; *good ~* goeiemôre; *tomorrow ~* môreoggend; ~ **glo′ry** purper⸗winde, trompettertjie; ~ **gown** kamerjas; ~ **pa′per** oggendblad/oggendkoerant
**mor′on** moron/moroon, volwasse swaksinnige
**morph′ia/morph′ine** morfien, morfine
**mors′el** (n) stukkie, happie, krummel
**mor′tal** (n) sterfling; (a) sterflik; dodelik; menslik; ~ **en′emy** doodsvyand; ~ **remains′** stoflike oorskot
**mortal′ity** sterflikheid, sterfte; **in′fant ~ rate** kindersterftesyfer
**mortg′age** (n) verband; (v) onder verband plaas, verband; verpand; ~ **bond** verband⸗; (akte); ~**e′** verbandhouer; ~**r/mort′gagor** verbandgewer
**mort′uary** (n) lykhuis *also* **mor′gue**
**mosa′ic** (n) mosaïek; (a) mosaïek⸗
**Mos′lem** (n) Moslem/Moesliem *also* **Mus′lim**
**mosque** (n) moskee
**mosquit′o** muskiet; ~ **net** muskietnet
**most** (a) meeste, uiterste, grootste; *at the ~* hoogstens; *for the ~ part* grotendeels; *~ probably* heel waarskynlik; *~ of us* die meeste van ons; (adv) hoogs, baie, uiters, besonders; ~**ly** mees(t)al, merendeels, hoofsaaklik
**mote** stofdeeltjie, stof; stipseltjie; splinter (in 'n ander se oog)
**motel′** motel *see* **hotel′**
**moth** mot; ~**-eaten** motgevreet
**mo′ther** (n) moeder, mamma; (v) vertroetel; (a) moeder⸗; ~ **coun′try** vaderland; ~**-in-law′** skoonmoeder; ~**ly** moederlik; ~**-of-pearl′** per⸗lemoen *also* **ab′alone/perlemoen′**; ~ **super′⸗ior** moederowerste; ~ **ton′gue** moedertaal
**mo′tion** (n) beweging; mosie; *~ of no con⸗fidence* mosie van wantroue; *in slow ~* in stadige aksie, in traagtempo; (v) wink; 'n teken gee; ~**less** botstil, bewegingloos; ~ **pic′tures** rolprent; bioskoop *also* **mo′vies**
**mot′ivate** (v) aanspoor, motiveer
**motiva′tion** (n) motivering
**mot′ive** (n) beweegrede, motief (vir 'n moord)
**mot′ley** (a) (kakel)bont; vreemdsoortig; ~ **crowd** bont menigte
**mot′ocross** motocross, motorfietsveldrenne
**mot′or** (n) motor; (a) dryf⸗; ~ **boat** motorboot; ~**cade** motorstoet, motorkade; ~**car** motor, motorkar; kar; vuurwa (idiom.); ~**coach** toerbus; ~**cy′cle** motorfiets; ~**ist** motoris/motorryer; ~ **ral′ly** motortydren; ~ **truck** vragmotor; ~ **van** bestelwa; ~ **ve′hicle** motorvoertuig; ~**way** deurpad (stedelik), motorweg
**mot′tle** (v) vlek; (a) bont, gevlek; gemarmer; ~**d** bont, gestreep; ~**d soap** blouseep
**mott′o -es** (n) leuse, slagspreuk, motto
**mould**[1] (n) (giet)vorm; matrys; (v) vorm, giet; modelleer
**mould**[2] (n) skimmel; (v) skimmel, kim
**moult** (v) verveer (hoender); verhaar (dier); vervel (slang)
**mound** (n) hoop, heuweltjie; wal, skans
**mount** (n) rydier; berg; (v) monteer, opplak; opklim; *~ing costs* stygende koste; *~ed in gold* in goud geset
**moun′tain** berg; *make ~s of molehills* van 'n muggie 'n olifant maak; ~ **bike** bergfiets; ~**eer′** bergklimmer/bergenier; ~**eer′ing** berg⸗klim; ~**ous** bergagtig; ~ **pass** bergpas, poort, nek; ~ **range** bergreeks; ~ **slide** bergstorting
**moun′ted** berede, te perd; ~ **poli′ce** berede polisie
**mourn** (v) rou, treur *also* **lament′**; ~**er** rou⸗klaer
**mouse** (n) **mice** muis; ~**trap** muisval
**moustache′** (n) snor(baard)

**mouth** (n) mond; bek; monding (rivier); ~**ful** mond vol; ~ **harp** trompie; ~ **or'gan** mondfluitjie; ~**piece** woordvoerder, segs= man; mondstuk; ~ **wash** (n) mondspoeling
**mo'vable** beweegbaar, verplaasbaar; ~ **prop'er= ty** losgoed, roerende eiendom
**move** (n) beweging; (v) beweeg, roer; verhuis; ~ *heaven and earth* hemel en aarde beweeg; ~ *in* intrek; (a) ~**d** bewoë, aangedaan; ~**ment** beweging; ~**r** voorsteller (van mosie)
**mo'vie** (n) rolprent, fliek; film; ~ **fan** fliek= vlooi
**mo'ving** bewegend, beweeg=; roerend, aan= doenlik; ~ **viola'tion** ry-oortreding
**much more, most** baie, veel; *nothing* ~ niks besonders nie; ~ *worse* veel erger
**muck** (n) mis *also* **dung**; bog; smerigheid; ~ **heap** mishoop; ~ **worm** miswurm
**mud** modder; **stick-in-the-~** agterblyer, rem= skoen (mens)
**mud'dle** (n) verwarring, warboel; (v) verwar; verbrou; ~**d** deurmekaar *also* **confu'sed**; ~**r** knoeier (mens)
**mud:** ~**dy** (a) modderig; troebel; ~**guard** modderskerm
**muezz'in** (n) muezzin/muedzin, gebedsroeper (Islam)
**muf'fin** roosterkoekie, plaatkoekie
**muf'ti** burgerdrag, siviele drag
**mug** (n) kommetjie; beker; bakkies, gevreet; domkop; (v) volprop; grimeer; straatroof; ~**ger** straatrower
**mul'berry mulberries** moerbei
**mule** muil, esel; hardekop; ~ **kick** volstruis= skop (by stoei)
**mull'et** harder (vis)
**mul'ti:** veel=, meer=; multi=; ~**col'oured** veel= kleurig; ~**cul'tural** multikultureel; ~**grade** meergraad; ~ **me'dia** multimedia (rek.); ~**millionai're** multimiljoenêr; ~**na'tional** veelvolkig
**mul'tiped** duisendpoot
**mul'tiple** (n) veelvoud; (a) veelvoudig/veel= vuldig; ~**-choi'ce ques'tions** veelkeusevrae; ~ **in'juries** veelvuldige beserings
**mul'tiply** (v) vermenigvuldig; toeneem
**mul'tiracial** (a) veelrassig
**mul'titude** (n) menigte, skare *also* **crowd**
**mum**[1] (n) mams, mamma
**mum**[2] (v) stilbly; vermom; (a) stil, soet; (interj) stil!; st! ~*'s the word!* stilbly!, geen kik nie; ~ *on the issue* swyg oor die kwessie
**mum'ble** (v) mompel; prewel
**mumm'y**[1] **mummies** mummie (gebalsem)
**mumm'y**[2] **mummies** mammie, mamsie
**mumps** pampoentjies (siekte), parotitis
**munici'pal** munisipaal, stedelik; ~ **coun'cil** stadsraad; ~ **rates** erfbelasting
**municipal'ity** (n) **..ties** munisipaliteit, stads= raad, plaaslike owerheid/bestuur
**mur'der** (n) moord; *commit* ~ moord pleeg/ begaan; *horrible* ~ grumoord; (v) vermoor; ~**er** moordenaar; ~**ous** moorddadig
**murm'ur** (v) murmel; mompel
**mu'scle** (n) spier; spierkrag; ~ **relax'ant** spierverslapper
**muse'um** (n) **-s, ..sea** museum
**mush'room** paddastoel, sampioen
**mu'sic** (n) musiek, toonkuns; *classical* ~ klas= sieke musiek; *face the* ~ die gevolge dra; *set to* ~ toonset; ~**al** musikaal, welluidend; (n) musiekblyspel; ~ **box** musiekdoos; ~ **cen'tre** musieksentrum
**musi'cian** musikus, toonkunstenaar; musikant (speler)
**musk'et** roer, geweer; ~**eer'** musketier
**Mus'lim** Moslem/Moesliem *also* **Mos'lem**
**muss'el** mossel
**must** (v) **must** moet, verplig wees
**mus'tard** mosterd; ~ **gas** mosterdgas
**mus'ter** (v) monster, oproep, versamel; ~ *up courage* moed skep
**must'roll** mosbolletjie *also* **mustbun**
**mus'ty** (a) muf, beskimmel, suf
**mu'ti** (n) toormedisyne, doepa/moetie
**mut'ilate** (v) vermink, skend *also* **maim**
**mutineer'** (n) muiter, oproerling (mens)
**mut'iny** (n) muitery, oproer; (v) muit
**mutt'er** (v) mompel; brom, prewel
**mutt'on** skaapvleis; skaap; *as dead as* ~ so dood soos 'n mossie; **leg of** ~ skaapboud
**mut'ual** wedersyds; wederkerig *also* **reci'= procal**; (a) gemeenskaplik; ~ **friend** ge= meenskaplike vriend
**muz'zle** (n) snoet, bek; loop (van geweer); muilband; (v) muilband; besnuffel; ~ **loa'= der** voorlaaier (geweer)
**my** my; *oh* ~*!* goeie genade!
**my'nah** (n) Indiese spreeu *also* **(In'dian) star'ling**
**myop'ic** (a) bysiende, stiksienig, miopies
**myself'** ekself, myself; *by* ~ alleen; *I am not* ~ ek voel nie lekker nie

**myster'ious** (a) geheimsinnig, misterieus; verborge, duister *also* **dark, cryp'tic**
**mys'tery ..ries** geheim, misterie; raaisel
**mys'tic** (n) mistikus; (a) misties, geheimsinnig, duister; ~**ism** mistiek
**myth** (n) mite, fabel *also* **leg'end**; ~**ol'ogy** mitologie *also* **folk'lore**; godeleer

# N

**naar'tjie = nartjie**
**nab** (v) betrap, gryp, arresteer
**nag** (v) pla; lol, sanik, seur, neul
**nag:** ~**ger** plaer, sanikpot, terger; ~**ging** gesanik, gelol, vittery, geneul
**nail** (n) spyker; nael; *a ~ in his coffin* 'n spyker in sy doodkis; (v) vasspyker; inslaan; ~**brush** naelborsel; ~**pol'ish** naellak
**naïve** (a) naïef, eenvoudig, kinderlik
**nak'ed** nakend/naak, kaal; *stark ~* poedelnakend; *the ~ truth* die blote/naakte waarheid; ~**ness** naaktheid
**Nama'qualand:** ~ **dai'sy** Namakwalandse gousblom
**name** (n) naam, benaming; *first (Christian) ~* voornaam; *make a ~* spore afdruk; (v) noem, naam gee; opnoem; ~**board** naambord *also* **sign'post**; ~**ly** naamlik; ~**sake** genant, naamgenoot; ~**tag** kenstrokie/naamplaatjie
**Namib'ia** Namibië; ~**n econ'omy** Namibiese ekonomie; ~**n** Namibiër (mens)
**nan'ny** (n) kinderoppasser; ~ **goat** bokooi
**nap**[1] (n) nop (klere, setperkgras); dons (vrugte); (v) pluis
**nap**[2] (n) dutjie, sluimering; *catch one ~ping* iem. onverwags betrap; *take a ~* 'n uiltjie knyp/knip; (v) dut, sluimer
**nap'kin** (n) servet; doek; luier (vir baba)
**narcism'** (n) narsisme, selfliefde
**narciss'us -es, ..cissi** narsing (plant)
**narcot'ic** (n) verdowingsmiddel/doofmiddel; (a) narkoties, verdowend; ~**s bur'eau** narkotikaburo
**narra'tion** vertelling, verhaal; relaas; **min'utes of** ~ notule van relaas
**narra'tor** verteller, verhaler (mens)
**nar'row** (v) vernou; beperk; (a) nou, smal; *a ~ escape* 'n noue ontkoming; *~ views* bekrompe idees; *~ the wage gap* die loongaping vernou; ~**-min'ded** kleingeestig; bekrompe
**nar'tjie -s** nartjie *see* **man'darin, tan'gerine**
**na'sal** (a) nasaal, neus=; ~ **cav'ity** neusholte; ~**ise** (v) nasaleer
**nastur'tium** kappertjie (blom); bronkors
**nas'ty** (a) naar, aaklig; gemeen, haatlik; vuil; ~ **feel'ing** nare gevoel; ~ **fel'low** onaangename/skurwe vent
**na'tion** (n) volk, nasie; moondheid; **Unit'ed N~s** Verenigde Nasies; ~**wide** land(s)wyd
**nat'ional** (n) burger, landgenoot; (a) nasionaal; vaderlands; volks=, staats=; ~ **an'them** volkslied; ~ **flag** landsvlag; ~**ism** nasionalisme; ~**ist** nasionalis (mens); ~**ity** nasionaliteit
**National Council of Provinces** Nasionale Raad van Provinsies
**Nat'ional Wo'men's Day** Nasionale Vrouedag (vakansie)
**na'tive**[1] (n) inboorling/boorling (van land/streek)
**na'tive**[2] (a) aangebore; oorspronklik; eie; inheems; vry; natuurlik
**nat'ural** (a) natuurlik; natuur=; ongekunstel(d); ~ **death** natuurlike dood; ~ **gas** aardgas; ~ **resour'ces** natuurbronne; ~**ly** natuurlik; ~**ise** naturaliseer; ~ **science** natuurwetenskap/natuurkunde
**na'ture** (n) natuur; karakter; aard, geaardheid, inbors; *freak of ~* natuurfrats; *in ~'s garb* in Adamspak; ~ **conserva'tion** natuurbewaring; ~ **resort'** natuuroord
**nat'uropath** natuurgeneser (mens)
**naught** (n) niks, nul *also* **nought**; (a) niks=werd, waardeloos
**naught'y** (a) ondeund, stout; ~ **boy** karnallie, rakker *also* **little ras'cal**
**naus'eous** mislik; walglik
**naut'ical** see=, skeeps=, seevaart=; ~ **batt'le** seeslag; ~ **mile** seemyl (1 852 m)
**na'val** see=, skeeps=, vloot=; ~ **battle** seeslag; ~ **cadet'** adelbors; ~ **po'wer** seemoondheid (land)
**na'vel** nawel (lemoen); nael (op maag); ~ **cord/string** naelstring
**nav'igate** vaar; bevaar *also* **cruise** (v)
**naviga'tion** skeepvaart; lugvaart

**nav'igator** seevaarder (mens); koerspeiler (lugv.); navigator (tydrenne)
**na'vy navies** seemag, vloot; ~ **blue** marine-blou
**neap'tide** laagwater/laaggety, dooie gety
**near** (v) nader (kom); (a) naby, digby, by; ~ **fu'ture** afsienbare toekoms; ~**est rel'ative** naaste bloedverwant/aanverwant; (adv) naby, digby, byna; ~**ly** amper, byna *also* **near'ly, al'most**; ~**-sighted** bysiende
**neat** (a) netjies, sindelik; keurig
**neat:** ~**ly** netjies; ~**ly done** mooi/knap gedoen; ~**ness** netheid; ~ **whis'key** skoon whiskey
**ne'cessary** (a) nodig, noodsaaklik
**necess'ity ..ties** noodsaaklikheid/noodsaak; behoefte; ~ *knows no law* nood breek wet
**neck** (n) nek (van mense, diere); pas, engte (tussen berge); ~**lace** halsketting, halssnoer; ~**lace mur'der** halssnoermoord; ~**tie** das
**nec'tar** nektar, godedrank; heuning (van plante)
**nec'tarine** kaalperske, nektarien
**need** (n) nood, behoefte; *in time of* ~ as die nood druk; (v) nodig hê, makeer; *you* ~ *not come* jy hoef nie te kom nie; *you* ~ *not have come* jy hoef nie te gekom het nie; (a) nodig, noodsaaklik
**need'le** naald; wyser; *on pins and* ~*s* op hete kole; ~ **case** naaldekoker
**need'less** (a) onnodig, nodeloos
**need'lework** naaldwerk/naaiwerk
**needs** (n) behoeftes, benodig(d)hede
**need'y** arm/armoedig, behoeftig
**ne'er'-do-well** niksnuts *also* **rot'ter** (person)
**neg'ative** (n) negatief; ontkenning; ~ **growth** negatiewe groei; ~ **sign** minusteken
**neglect'** (n) verwaarlosing, versuim; (v) verwaarloos
**neg'ligence** nalatigheid, versuim
**neg'ligent** (a) nalatig, agte(r)losig
**neg'ligible** nietig, onbeduidend
**nego'tiable** verhandelbaar; reëlbaar; *salary* ~ salaris reëlbaar
**nego'tiate** (v) onderhandel; behartig
**negotia'tion** (n) onderhandeling, beraad(slaging)
**nego'tiator** onderhandelaar (mens)
**Neg'ro -es** Neger
**neigh'bour** (n) buurman; ~**ing coun'tries** buurlande; (v) grens aan; (a) naburig; ~**hood** buurt; buurskap; ~**hood watch** buurtwag; ~**ing** naburig, aangrensend
**neith'er** (adv) ewemin, ook nie; (conj) nie een nie; *that's* ~ *here nor there* dit maak geen saak nie; ~ . . . *nor* nóg . . . nóg
**neol'ogism** (n) nuutskepping, neologisme
**neph'ew** neef/nefie, broerskind, susterskind
**nerd** nerd (asosiale slimkop), vaaljan/noffie
**nerve** (n) senuwee; spierkrag; moed, durf; (pl) senuwees; *get on a person's* ~*s* op iem. se senuwees werk; ~**-rack'ing** senutergend
**ner'vous** senuweeagtig; ~ **attack'** senuaanval; ~ **strain** stres *also* **stress**
**nest** (n) nes; *feather one's* ~ jou verryk; (v) nes maak, nestel; ~ **egg** neseier
**net**[1] (n) net; spinnerak; netwerk; (v) vang; inbring, oplewer; ~**work** netwerk
**net**[2] (a) netto; suiwer; ~ **prof'it** netto wins
**Neth'erlander** Nederlander/Hollander
**nett'ing** netwerk, gaas; ~ **wire** ogiesdraad, sifdraad
**nett'le** (n) brandnetel; (v) vererg, prikkel; ~ **rash** netelroos
**neural'gia** (n) senu(wee)pyn, sinkings
**neurot'ic** (n) senulyer; senuweemiddel; (a) neuroties
**neut'er** (n) onsydige geslag; (a) geslagloos; (v) kastreer, regmaak; spei (wyfiedier)
**neut'ral** (a) neutraal, onpartydig, onsydig
**nev'er** nooit, nimmer; ~ *mind* toe maar; dit maak g'n saak nie; ~**more** nooit meer/weer nie; ~**theless** nieteenstaande, nietemin, tog *also* **notwithstan'ding, despi'te**
**new** nuut, vars; ~**co'mer** nuweling, aankomeling; ~**-fang'led** nuwerwets, bydertyds *also* **tren'dy**; ~**ly appoin'ted** pas aangestel(de)
**news** nuus, tyding; *the latest* ~ die jongste nuus; ~ **a'gent** nuusagent; ~**cast** nuus (radio, TV); ~**flash** flitsberig (radio); ~**group** diskussiegroep (Internet); ~**pa'per** koerant, nuusblad; ~**let'ter** nuusbrief
**New Year'** Nuwejaar; ~**'s day** Nuwejaarsdag; ~**'s eve** Oujaarsaand; ~**'s resolu'tion** Nuwejaarsvoorneme
**next** (n) (die) volgende; (a) volgende, aanstaande; ~ **best** naasbeste; ~ **door** langsaan; ~ **of kin** naasbestaande(s); (prep) langsaan
**nib** (n) pen(punt)
**nib'ble** (v) knaag, peusel
**nice** (a) lekker; gaaf, lief; oulik; ~ **mess** mooi gemors
**nick** (n) kerf; stippie; kabouter; *in the very* ~ *of time* op die nippertjie; (v) inkerf; kul
**nick'el** nikkel; ~**-pla'ted** vernikkel
**nick:** ~**name** bynaam; ~**stick** kerfstok

**nic′otine** nikotien; pypolie
**niece** nig(gie); susterskind, broerskind
**nigg′le** (v) neul, sanik, seur *also* **nag, fuss**; (n) ~**r** neuler, neulpot, sanikpot (mens)
**night** nag, aand; *all* ~ die hele nag; *last* ~ gisteraand; ~ **ad′der** nagadder; ~**cap** slaapmus; aandsnapsie, slaapdop; ~**class** aandklas; ~**club** nagklub
**night′ingale** nagtegaal (voël)
**night:** ~**ly** nagtelik, snags; ~**mare** nagmerrie; ~**shift** nagskof
**nil** niks, nul; zero
**nim′ble** (a) lenig, vinnig, rats *also* **ag′ile**
**nine** nege; ~ **o'clock** nege-uur; ~**teen** negentien; ~**teenth** negentiende; ~**teenth hole** gholfklubkroeg; ~**tieth** negentigste; ~**ty** negentig
**ninth** negende
**nip**[1] (v) byt, knyp; ~ *in the bud* in die kiem smoor
**nip**[2] (n) halfbottel; snapsie
**nip′ple** (n) tepel (mens); speen (dier)
**Nko′si Sikelel′ iAfrika** God seën Afrika
**no** (n) **-es** nee, weiering; (a) geen, g'n; ~ *parking* geen parkering (nie); *in* ~ *time* in 'n kits/japtrap, tjop-tjop; (adv) nee; ~ *sooner said than done* so gesê, so gedaan
**nob** (n) knop; hoë meneer *also* **big shot**
**nobil′ity** adel, adeldom
**no′ble** (a) edel; adellik; ~**man** edelman
**no′body** niemand
**noc′turne** naglied, nokturne; nagtafereel
**nod** (n) knik, wenk; (v) knik; *getting the* ~ die jawoord/goedkeuring kry
**noise** (n) geraas, lawaai, rumoer; **big** ~ groot kokkedoor; (v) raas; ~**less** stil, geruisloos
**nois′y** (a) luidrugtig, rumoerig, lawaaierig
**nom′ad** swerwer, nomade (mens)
**no-man's-land** niemandsland
**nom de plume′** skuilnaam, skryfnaam
**nom′inal:** ~ **val′ue** nominale waarde
**nomina′tion** benoeming, nominasie
**nominee′** benoemde, genomineerde
**nonaggress′ion pact** nie-aanvalsverdrag
**non′chalant** (a) onverskillig, ongeërg
**nonconform′ist** nonkonformis (mens)
**none** (a) niks, geen; (pron) geeneen, niemand; (adv) niks; ~ *the worse for* glad nie slegter nie; ~**theless** nietemin, nogtans
**nonfic′tion** niefiksie
**nonpay′ment** wanbetaling/niebetaling
**non′profit underta′king** onderneming sonder winsoogmerk
**nonra′cial** (a) nierassig
**non′sense** onsin, bog, kaf, twak *also* **trash**
**non′stop** deurlopend, ononderbroke
**noon** (n) middag, twaalfuur
**noose** (n) strop; galgtou; lus, strik
**nor** ook nie, nóg; *neither* ... ~ nóg ... nóg
**norm** (n) standaard, maatstaf, norm
**nor′mal** normaal; ~ **col′lege** onderwyskollege
**north** (n) die noorde; (a) noord; noordelik; (adv) noordwaarts; **N**~ **Pole** Noordpool; ~**ward** noordwaarts
**Nor′thern Cape** (province) Noord-Kaap
**Northern Province** Noordelike Provinsie
**North West** (province) Noordwes
**nose** (n) neus; *blow your* ~ snuit jou neus; *under his* ~ vlak voor hom; (v) ruik; snuffel; ~**dive** (v) neusduik
**nos′tril** neusgat
**no′sy par′ker** nuuskierige agie (mens)
**not** nie; ~ *at all* glad nie; ~ *yet* nog nie
**no′tary ..ries** notaris (regsman)
**notch** (n) **-es** kerf, keep; (v) kerf; aanteken; uitkeep; ~ **stick** kerfstok
**note** (n) aantekening; toon, nota; noot (geld, musiek); ~ *of exclamation* uitroepteken; ~ *of interrogation* vraagteken; *make* ~*s* aantekeninge maak; (v) oplet, let wel (L.W.), opmerk; ~**book** aantekeningboek; ~**d** (a) beroemd/vermaard; ~**paper** skryfpapier, briefpapier; ~**wor′thy** merkwaardig *also* **remark′able**
**noth′ing** niks, glad nie; ~ *at all* glad niks nie; *next to* ~ so goed as niks; ~ *to speak of* onbenullig; ~ *like trying* aanhouer wen
**no′tice** (n) kennis; kennisgewing, berig; ~ *calling the meeting* byeenroepende kennisgewing; *until further* ~ tot nader kennisgewing; ~ *is hereby given* geliewe kennis te neem van . . .; (v) opmerk, bemerk, oplet; ~**able** merkbaar; ~ **board** aanspeldbord
**not′ify** (v) meedeel, aankondig, verwittig; **notifi′able disea′se** aanmeldbare siekte
**no′tion** (n) denkbeeld, opvatting, idee, begrip
**notor′ious** (a) berug; wêreldkundig
**notwithstand′ing** nieteenstaande, desnieteenstaande, nietemin, ondanks, tog
**nought** niks, nul, zero *also* **ze′ro**; ~**s-and-cros′ses** tik-tak-tol
**noun** selfstandige naamwoord
**nou′rish** voed *also* **nur′ture**; koester; ~**ing** voedsaam; ~**ment** voedsel/voeding

**nov'el**[1] (n) roman (boek)
**nov'el**[2] (a) nuut, modern *also* **new**; eienaardig
**nov'el:** ~**ette'** novelle; ~**ist** romanskrywer, romansier (mens)
**nov'elty** (n) nuwigheid; (pl) fantasieware
**Novem'ber** November
**nov'ice** (n) nuweling, groentjie *also* **fresh'er**; beginner *also* **lay'man**
**now** (n) hede, teenswoordige; (adv) nou, tans, teenswoordig; *every ~ and then* telkens; ~ *and then* af en toe; partykeer; (conj) nou; ~**adays** teenswoordig, deesdae
**no'where** nêrens, niewers
**noz'zle** nossel, sproeipyp; spuitkop; tuit
**nu'clear** kern=; ~ **fall-out** kern-as; ~ **deb'ris** kernoorskot; ~ **reac'tion** kernreaksie; ~ **war** kernoorlog; ~ **waste** kernafval
**nu'cleus nuclei** kern, pit *also* **core**
**nude** (a) kaal, naak, bloot; ~ **ba'ther** kaal=(bas)swemmer/kaalbaaier
**nu'dist** (n) naakloper, nudis; kaalbas
**nuis'ance** (n) oorlas, plaag; laspos; ~ **val'ue** irritasiewaarde, steurfaktor
**null** nietig; ongeldig; ~ *and void* van nul en gener waarde; nietig (kontrak)
**numb** gevoelloos; verkluim (van koue)
**number** (n) nommer; aflewering (blad); getal, aantal; klomp; *his ~ goes up* dis klaar(praat) met hom; (v) nommer; tel, reken; ~ **plate** nommerplaat
**nu'meral** telwoord; syfer
**numer'ical** numeriek, getal=; ~*ly stronger* getalsterker; ~ **or'der** getal(s)orde
**nu'merous** (a) talryk, baie
**numismat'ics** muntkunde, numismatiek
**num'skull** dwaas, domkop *also* **fool, dunce**
**nun** (n) non; ~**nery** nonneklooster *see* **mon'=astery** (for monks)
**nup'tial** huweliks=, bruilofs=; ~**s** bruilof
**nurse** (n) verpleegster; verpleegsuster; kinder=oppasser; (v) verpleeg, soog; kweek (plan=te); ~ *a grievance* 'n grief koester; ~**maid** kindermeisie; **male** ~ verpleër
**nurs'ery** kinderkamer; kwekery; ~ **rhyme** kleuterversie; ~ **school** kleuterskool
**nurs'ing** verpleging, verpleegkunde; ~ **home** verpleeginrigting; ~ **sister** verpleegsuster; ~ **staff** verpleegpersoneel
**nut** neut; moertjie; ~**crack'er** neutkraker; ~=**grass** uintjie; ~**meg** neutmuskaat
**nutri'tion** voeding, kos; voedingsleer (vak)
**nut'sedge** uintjie *also* **nutgrass**
**nut'shell** neut(e)dop; *in a ~* baie beknop, kort en saaklik
**nymph** (n) nimf; ~**oma'niac** nimfomaan, seks=behepte vrou; (a) mansiek

# O

**oak** eike(hout); (a) eike=; ~ **table** eikehouttafel; ~ **tree** eikeboom; *oak trees bear acorns* eikebome dra akkers
**oar** (n) roeispaan; roeiriem; ~**sman** roeier
**oa'sis** (n) **oases** oase
**oath** eed; vloek; ~ **of alle'giance** eed van ge=trouheid
**oat:** ~**meal** hawermeel; ~**s** hawer
**obe'dient** gehoorsaam, dienswillig
**obey'** gehoorsaam, luister na; ~ *traffic rules* verkeersreëls eerbiedig/gehoorsaam
**obit'uary** (n) **..ries** doodsberig
**ob'ject** (n) voorwerp; doel, oogmerk; bedoe=ling; *money is no ~* geld is bysaak
**object'** (v) beswaar maak, teenwerp, objekteer; ~**ion** beswaar, objeksie; *raise ~ions* be=sware opper; ~**ionable** aanstootlik, afkeu=renswaardig; ~**ive** (n) doelwit, doel; (a) objektief; **aims and** ~**ives** doelstellings; **man'agement by** ~**ives** doelwitbestuur
**object'or** beswaarmaker; **conscien'tious** ~ gewetensbeswaarde (mens)
**obliga'tion** (n) verpligting
**oblige'** verplig; diens bewys; *feel ~d* gedwonge/verplig voel; *much ~d* baie dankie
**ob'long** (n) reghoek; (a) langwerpig
**ob'oe -s** hobo (musiekinstrument)
**ob'oist** hobospeler (mens)
**obsce'ne** (a) onwelvoeglik, vuil, liederlik, ob=seen
**obscu're** (v) verduister; (a) duister, onbekend; ~ *poetry* duister(e) poësie
**observ'ant** (a) oplettend; gedienstig
**observa'tion** opmerking; waarneming; vie=ring; nakoming; ~ **post** observasiepos
**observ'atory** (n) **..ries** sterrewag

**observe′** (v) bemerk/opmerk, waarneem; ~ *the law* die wet eerbiedig; ~**r** waarnemer (mens)
**obsess′ion** obsessie, manie *also* **hang-up**
**obsoles′cense** veroudering; *planned* ~ beplan= de veroudering
**obsole′te** (a) verouder(d); uitgedien
**ob′stacle** hinderpaal, beletsel, belemmering; ~ **race** hindernis(wed)ren
**obstetri′cian** verloskundige (geneesheer)
**obstet′rics** verloskunde, obstetrie
**ob′stinate** (a) (hard)koppig, steeks *also* **stub′= born**
**obstrep′erous** weerspannig, opstandig *also* **unru′ly**
**obstruct′** (v) verhinder, belemmer, versper; teenhou; ~**ion** versperring
**obtain′** verkry, verskaf; ~**able** verkry(g)baar
**ob′vious** (a) klaarblyklik; vanselfsprekend
**occa′sion** (n) geleentheid; geselligheid; pleg= tigheid; (v) veroorsaak, teweegbring; ~**ally** af en toe
**occ′upant** (n) besitter; bewoner; insittende (in 'n kar)
**occupa′tion** beroep, ambag, besigheid, bedryf; ~**al disea′se** beroepsiekte; ~ **haz′ard** be= roepsrisiko; ~**al ther′apy** arbeidsterapie
**occ′upy** (v) besit; besig hou; bewoon, gebruik, okkupeer; beklee ('n pos)
**occur′** (v) voorkom, voorval, gebeur; byval; *it ~red to me* dit het my bygeval
**o′cean** (n) oseaan, wêreldsee
**o′clock′** op die klok; *it is ten* ~ dis tienuur
**octag′onal** agthoekig
**octane′** oktaan
**o′ctave** oktaaf
**Octob′er** Oktober
**oc′topus -es, ..pi** seekat, oktopus
**oc′ulist** oogdokter, oogarts; oogkundige
**odd** onewe, ongelyk; snaaks, koddig; ~ *and even* gelyk en ongelyk; ~**ly** snaaks, koddig; ~**ments** oorskietsels, afvalstukke
**odds** onenigheid; ongelykheid; waarskynlikheid; *the ~ are* die kans bestaan; *fight against* ~ teen die oormag stry
**ode** (n) ode, lofsang/lofdig
**o′dious** haatlik, verfoeilik, walglik
**o′dour** geur, reuk *also* **aro′ma**
**of** van, uit, aan; *she ~ all people* dat dit juis sy moet wees; *the city ~ Pretoria* die stad Pretoria
**off** (a) ander; regter=; *the ~ season* die slap tyd; (adv) af, weg, ver/vêr vandaan, van; *hands ~!* hande tuis!; *be well* ~ welgesteld wees; (prep) van, van . . . af; ~ *Church Street* uit Kerkstraat; ~ *duty* van diens af
**o′ffal** afval (vleis); oorskiet
**off′-chance** moontlikheid; geluk; vir geval
**off-col′our** van stryk; kroes, olik
**off′-course** (a) buitebaan (totalisator)
**off′-cut** afvalstuk
**offence′** (n) oortreding, misdryf; *give* ~ aan= stoot gee
**offend′** (v) beledig; ~**ed** beledig, kwaad; ~**er** oortreder, misdadiger
**offen′sive** (n) aanval, offensief; (a) beledigend, aanstootlik; stuitig
**off′er** (n) aanbod, aanbieding; bod; (v) aan= bied, bied; offer; ~ *an apology* verskoning maak; ~**ing** offerande
**off′-hand** (a) kortaf, hooghartig; ongeërg
**off′ice** kantoor; amp, diens; ~ **bear′er** be= ampte, ampsdraer; amp(s)bekleër; ~ **hours** kantoorure
**off′icer** offisier; amptenaar, beampte
**offi′cial** (n) amptenaar, beampte; (a) amptelik, offisieel; ~ **car** ampsmotor; ~ **coun′terpart** ampsgenoot; ~ **jour′nal** lyfblad
**offi′ciate** optree; ~ *as* optree/fungeer as
**off′ish** uit die hoogte, eenkant (houding)
**off′-peak** afspits; ~ **traf′fic** slapverkeer
**off′-ramp** afrit, uitrit (verkeer)
**off′-road ra′cing** veldrenne (motorkarre)
**off′-sales** buiteverkope/buiteverbruik (drank)
**off′-season** buiteseisoen(s)
**off′set** (n) teenrekening; (v) verreken (teen); goedmaak; neutraliseer
**off′shoot** loot, uitspruitsel, tak
**off′-shore** aflandig, seewaarts (wind)
**off′side** onkant (sport)
**off′spring** (n) kroos, spruite, nakomelingskap
**off′-street par′king** buitenstraatse parkering
**off′-white** naaswit
**o′ften** dikwels, baiemaal/baiekeer, baie maal/ baie keer
**oil** (n) olie; (v) olie (gee); ~ **consump′tion** olieverbruik; ~ **pipe′line** oliepypleiding; ~ **pain′ting** olieverfskildery; ~ **rig** olieboor; ~ **slick** olieslik/oliekol; ~**stone** oliesteen, slypsteen
**oint′ment** (n) salf, smeergoed
**O.K.** reg, okei *also* **okay′**
**oka′pi -s** boskameelperd, okapi (dier)
**old** oud, ou; ouderwets; *as ~ as the hills* so oud soos die Kaapse wapad; *of* ~ vanouds,

vanmelewe; ~-**fash'ioned** ouderwets, ou=tyds; ~-**a'ge home** ouetehuis, tehuis vir be=jaardes; ~ **pupil/ex-pu'pil** oudleerling; **O~ Tes'tament** Ou Testament; ~-**ti'mer** ringkop
**olean'der** selonsroos, oleander (blom)
**o'live** (n) olyf; ~ **oil** olyfolie
**olym'piad** (n) olimpiade (wisk., wetenskap)
**Olym'pic** Olimpies; ~ **games** Olimpiese spele
**om'budsman** ombudsman, burgerregtewaker *see* **pub'lic protec'tor**
**om'elet** (n) (eier)struif, omelet
**om'en** (n) voorteken; (v) voorspel
**om'inous** (a) onheilspellend, dreigend
**omi'ssion** weglating, uitlating, versuim
**omit'** (v) weglaat, uitlaat; versuim
**on** (a) aangeskakel; (adv) aan, deur, op; ver=der; (prep) op, in, aan, te, na, bo, met, teen; ~ *account of* as gevolg van/weens; ~ *business* met/vir sake; ~ *duty* op/aan diens; ~ *call* op roep (dokter); ~ *form* op stryk; ~ *holiday* met/op vakansie; ~ *purpose* op=setlik; ~ *time* betyds; op tyd
**once** (n) eenmaal; (a) vroeër; (adv) eendag, eens, eenmaal; ~ *again* nog 'n keer, nog eenmaal; *at* ~ dadelik; ~ *in a blue moon* baie selde; ~ *upon a time* eendag
**on'coming** (a) naderende; ~ **traf'fic** aanko=mende verkeer, teenverkeer
**one** (n) een; *little* ~*s* die kleintjies; (a) een, enigste; ~ *for the road* loopdop (drankie); (pron) een; iemand, 'n mens; ~ *and all* almal; *every* ~ elkeen; ~-**act play** eenbe=dryf; ~-**horse town** dooiedonkiedorp
**on'ion** ui
**on'line compu'ter** (n) inbaanrekenaar
**on'looker** toeskouer, aanskouer (mens)
**on'ly** (a) enigste; *the* ~ *of its kind* enig in sy soort; (adv) alleen, slegs, maar net; ~ *too glad* maar alte bly
**onomatopoe'ia** (n) klanknabootsing, onoma=topee
**on'ramp** oprit, inrit (verkeer)
**on'slaught** aanval, bestorming
**on'us** (no pl) (bewys)las; verpligting; onus; *the* ~ *rests on/upon him* die onus rus op hom
**on'ward** voorwaarts, verder
**on'yx -es** oniks; ~ **mar'ble** oniksmarmer
**ooze** (n) slyk, slik; sug (wond); (v) sypel/syfer
**op'al** opaal
**op'en** (n) ruimte; oopte; (v) oopmaak; open (konferensie); oopstel; begin; (a, adv) oop/deursigtig; openhartig; blootgestel; ~-**air muse'um** opelugmuseum; ~ **cast** oopgroef (myn); ~ **day** ope dag; ~-**en'ded** oopkeuse (vraag); ~**er** inleier (debat); oopmaker, oopsnyer; ~**ing** opening, kans; ~**ly** openlik
**op'era** opera; ~ **com'pany** operageselskap; ~ **glas'ses** toneelkyker
**op'erate** (v) werk; opereer; bedien (masjien)
**op'erating:** ~ **costs** bedryfskoste; ~ **the'atre** operasiesaal/teater
**opera'tion** operasie; bewerking; werking; verrigting; bediening; *in* ~ in werking
**op'erative** (a) werksaam; operatief; doeltref=fend; *become* ~ in werking tree
**op'erator** (n) werker, bediener; operateur
**ophthal'mic** (a) oog=; ~ **sur'geon** oogarts, oftalmoloog
**opin'ion** (n) opinie; mening; sienswyse; oor=deel; *be of* ~ van mening wees; *have a high* ~ *of* 'n hoë dunk hê van; *in my* ~ na/vol=gens my mening; *public* ~ openbare me=ning; ~ **for'mer** meningvormer; ~ **poll** me=ningspeiling/meningsopname
**op'ium** (n) opium, heulsap
**oppo'nent** teenstander, opponent
**opportu'nity ..ties** geleentheid, kans
**oppose'** (v) opponeer, teenwerk
**opp'osite** (n) die teenoorgestelde; (a) teen=oorgestel; teengestel; ~ *number* teëhanger; *the* ~ *sex* die ander geslag; (adv) oorkant, anderkant; (prep) teenoor, regoor
**opposi'tion** (n) teenstand, opposisie; teenparty
**oppress'** (v) onderdruk, verdruk; ~**ion** onder=drukking, verdrukking; neerslagtigheid; ~**or** onderdrukker, tiran
**op'tical** gesigs=, opties; ~ **illu'sion** gesigs=bedrog
**opti'cian** (n) brilmaker, optisiën, optikus
**optimis'tic** optimisties, hoopvol
**op'timum** optimaal (produksie), gunstigste
**op'tion** (n) opsie, keuse; *the* ~ *of a fine* boe=tekeuse; ~**al** opsioneel; ~**al sub'ject** keu=sevak
**op'ulent** (a) ryk, vermoënd *also* **af'fluent**
**op'us** (no pl) werk, opus
**or** of; *either* . . . ~, óf . . . óf
**or'acle** (n) godspraak, orakel
**or'al** mondeling; mond=; ~ **examina'tion** mondelinge eksamen
**or'ange** lemoen, soetlemoen; oranje(kleur); ~ **squash** lemoenkwas
**orang'utang'** orangoetang
**or'ator** spreker, redenaar (mens)

**orb'it** (v) wentel; (n) wentelbaan; oogholte
**orch'ard** boord, vrugteboord
**or'chestra** orkes
**or'chid** orgidee (blom)
**ord'er** (n) orde, volgorde; order, bevel, opdrag; bestelling (van goedere); *cash with* ~ kontant met bestelling; *in* ~ *that* sodat; *out of* ~ buite werking, stukkend; *place an* ~ bestel; (v) bestel; reël; beveel; ~ *about* rondkommandeer; ~ **form** bestelvorm; ~**ly** (n) lyfdienaar, ordonnans; (a) ordelik
**ord'inal** (n) rangtelwoord
**ord'inance** reglement; ordinansie (kerklik); ordonnansie (provinsie); voorskrif
**ord'inary** (a) gewoon, gebruiklik; *something out of the* ~ iets ongewoons/buitengewoons
**ore** erts; ~ **crusher** ertsbreker, vergruiser
**or'gan** (n) orgaan; orrel (mus.); werktuig; ~**s of speech** spraakorgane; ~ **do'nor** orgaanskenker; ~ **reci'tal** orreluitvoering
**org'anist** orrelis (mens)
**organisa'tion** inrigting/instelling, organisasie
**org'anise** (v) organiseer; inrig; ~**d** georganiseer; ~**r** organiseerder, organisator
**org'anising commit'tee** reëlingskomitee
**or'gy orgies** swelgparty, drinkparty, orgie
**or'ibi** (n) oorbietjie, oribie (bokkie)
**orienta'tion** oriëntering; ontgroening, inburgering, induksie *also* **induc'tion**
**o'rigin** (n) oorsprong, bron, herkoms
**ori'ginal** (n) oertipe; (a) oorspronklik
**orn'ament** (n) sieraad, ornament; (pl) tierlantyntjies; (v) versier, tooi, verfraai
**ornamen'tal** (a) sierlik, versierend; fraai, dekoratief; ~ **shrub** sierstruik
**ornithol'ogist** voëlkenner, ornitoloog (mens)
**orph'an** (n) weeskind; (a) wees=, ouerloos; ~**age** weeshuis
**orthodon'tist** (n) ortodontis (tandheelkundige)
**orth'odox** (a) regsinnig, ortodoks
**orthog'raphy** ortografie, spellingleer
**orthopae'dic** ortopedies; ~**s** ortopedie; ~ **sur'geon** ortopedis/ortopeed
**os'trich -es** volstruis; ~ **farm** volstruisplaas; ~ **fea'ther** volstruisveer
**o'ther** (n, pron, a) ander; anders; *the* ~ *day* nou die dag; *on the* ~ *hand* aan die ander kant; ~ *than* behalwe
**o'therwise** anders(ins); origens
**ott'er** otter (waterdier)
**ought** (v) behoort, moet; *you* ~ *to do it* jy behoort dit te doen; *he* ~ *to have said it* hy behoort dit te gesê het
**ounce** ons
**our** ons
**ours** ons s'n; *he likes* ~ *better* hy hou meer van ons s'n
**our'selve/our'selves** ons, onsself
**out** (a) nie tuis nie; (adv, prep) uit, weg, buite; ~ *of breath* uitasem; ~ *of print* uit druk; ~ *of the question* buite die kwessie; ~ *of town* uitstedig; ~ *of work* werkloos
**out'board** buiteboords; ~ **mo'tor** buiteboordmotor
**out:** ~**break** uitbreking; uitbraak (van epidemie); ~**buil'ding** buitegebou; ~**burst** uitbarsting; ~**cast** (n) balling; verstoteling (mens)
**outclass'** vêr oortref/oorskadu; *we were* ~*ed* hulle was veels te sterk vir ons
**out:** ~**come** resultaat, uitslag; ~**cry** lawaai, geskree(u); ~**do** oortref; ~*do someone* iem. ore aansit; ~**door** buite=, buitelug=
**out'er** buite; uiterste; ~ **dark'ness** buitenste duisternis
**out'fit** uitrusting, uitset; ~**ter** uitruster
**out:** ~**flow** uitvloei(ing); uitloop; ~**going** aftredende; uittredende (voorsitter); ~**house** buitegebou; ~**ing** uitstappie, kuier
**outland'ish** vreemd, uitlands, uitheems
**outlast'** (v) oorleef, langer duur
**out'law** (n) balling, voëlvryverklaarde; (v) ban, voëlvry verklaar
**out'lay** (n) uitgawe, koste; besteding
**out'let** verkooppunt, afsetpunt
**out'line** (v) skets; *in* ~ in hooftrekke
**out'look** (n) vooruitsig; beskouing
**out'lying** ver/vêr, afgeleë (distrik)
**outnum'ber** oortref; *they were* ~*ed* hulle was in die minderheid
**out-of-date** verouder *also* **outmo'ded/obsole'te** onvanpas
**out'-of-doors'** buite(ns)huis, buite
**out-of-pock'et:** ~ **expen'ses** klein/los uitgawes; sakgeld
**out:** ~**patient** buitepasiënt; ~**post** voorpos, buitepos; ~**put** opbrengs, produksie, uitset
**outra'geous** skandelik/skandalig, verregaande
**out'reach:** ~ **pro'gramme** uitreikprogram
**out'right** volkome, volstrek; openlik, onomwonde; ~ **major'ity** volstrekte meerderheid
**out'room** buitekamer
**out'set** begin, aanvang; *at (from) the* ~ uit die staanspoor
**out'side** (n) uiterlik; buitekant; (a) buite=,

uiterste; (prep) buite, buitekant; ~**r** oninge= wyde; buitestander; outsider (lett.); buite= perd; ~ **chance** buitekans
**out'size** buitemaat, ekstra groot
**out'skirts** grens, buitewyk (van stad)
**out'span** (n) uitspanning, uitspanplek; (v) uit= span
**outspo'ken** openhartig, reguit
**out'standing** onbetaal/uitstaande (skulde); uit= stekend; uitmuntend
**out'ward** (n) uiterlik; (a) uiterlik, uitwendig; (adv) uitwaarts; ~ **jour'ney** heenreis, uit= reis; ~ **pol'icy** uitwaartse beleid
**out'wit** uitoorlê, flous, fnuik *also* **out'smart**
**ov'al** (n) krieketveld; (a) ovaal
**ov'ary ..ries** eierstok, vrugbeginsel (bot.)
**ova'tion** (n) hulde, ovasie, toejuiging
**o'ven** oond
**ov'er** (n) boulbeurt (krieket); (adv) oor; om, onderstebo; *hand* ~ oorhandig; *run* ~ iem. raakry; (prep) oor, uit, bo, op; ~ *and above* bo en behalwe, boonop, bowendien
**ov'erall** (n) oorpak; (pl) oorklere; (a) totaal; algeheel; ~ **win'ner** algehele wenner
**o'verboard** oorboord
**overburd'en** (v) oorlaai (met take, opdragte)
**overcast'** (a) bewolk, betrokke
**over'charge** (n) oorvordering *also* **rip-off**; (v) *he ~d me* hy het my oorvra
**ov'ercoat** (oor)jas
**overcome'** (v) oormeester; oorkom, baasraak; (a) aangedaan, verslae; ~ *with grief* deur droefheid oormeester
**over'con'fident** oormoedig; oorgerus
**ov'erdraft** (n) oortrokke bankrekening
**ov'erdrive** (n) snelrat, spoedrat
**overdue'** agterstallig (skuld, paaiemente)
**overgrow'** oorgroei, toegroei
**ov'ergrowth** (n) uitwas, oorgroeisel
**overhaul'** (v) herstel; opknap/opdoen
**ov'erhead** (a) lug=, oorhoofs, oorkoepelend; bogronds; ~ **cam'shaft** bo-nokas; ~ **ex= pen'ses** bokoste; ~ **projec'tor** truprojektor; ~ **rail'way** lugspoor
**overjoy'ed** (a) verruk, opgetoë *also* **delight'ed**
**overlap'** (v) oorvleuel
**overleaf'** keersy; *see* ~ blaai om *also* **PTO**
**overlock'er** (sewing machine) omkap(naai)= masjien
**overlook'** oor die hoof sien, verskoon
**ov'ernight** die vorige nag, oornag
**ov'erpopulated** (a) oorbevolk
**overpow'er** (v) oorweldig, oorstelp
**overrate'** oorskat; ~**d** (a) oorskat
**overreact'** (v) oorreageer
**overrule'** verwerp (voorstel) *also* **overri'de, coun'termand**; van die hand wys (be= swaar)
**ov'erseas** oorsee; ~ **mail** oorsese pos
**ov'erseer** (n) opsigter, opsiener, toesighouer
**overshad'ow** oorskadu, oortref *also* **out'class**
**ov'ersight** (n) vergissing, fout, versuim
**oversleep'** (v) jou verslaap
**ov'erstatement** oorbeklemtoning
**overstrung'** (a) oorspanne *also* **tense**
**over'supply** (n) oorvoorsiening (mark); oor= aanbod
**overtake'**: ~ *a car* 'n motor/kar verbysteek
**overthrow'** (v) omverwerp; oorwin; tot 'n val bring (regering)
**ov'ertime** (n) oortyd (diens); ~ **pay** oortyd= betaling
**ov'erture** (n) voorspel, ouverture; uitnodiging; voorstel; *make ~s* toenadering soek
**overturn'** onderstebo keer, omkeer
**overwhelm'** (v) oorweldig, oorrompel; ~**ing** oorweldigend, verpletterend; ~**ing support'** oorweldigende steun/belangstelling
**overwork'** oorwerk, te veel werk
**ov'um ova** eier; eiersel (bot.)
**owe** (v) skuld; verskuldig wees; te danke
**ow'ing** (a) onbetaal, verskuldig; *the amount* ~ die verskuldigde bedrag; (prep) weens, vanweë; danksy; ~ *to an error* weens 'n fout
**owl** uil (voël); uilskuiken, domkop, swaap
**own**[1] (v) besit; erken, eien
**own**[2] (a) eie; *of one's* ~ *accord* uit eie beweging; ~**er** eienaar; besitter; ~**ership** eiendomsreg; eienaarskap (van 'n huis)
**ox -en** os; *young* ~ tollie; ~**bow** rivierdraai; ~**bow lake** kronkelmeer; ~**braai** osbraai
**oxida'tion** oksidasie
**ox'wagon** ossewa
**ox'ygen** suurstof; ~ **thief (OT)** nuttelose mens
**oys'ter** oester; ~ **cul'ture** oesterteelt
**oz'one** (n) osoon; ~ **friend'ly** osoonvrien= delik

# P

**pace** (n) tree, pas; gang; tempo; vaart; *keep ~ with* tred hou met; (v) stap; aftree; die pas aangee; **~ma′ker** pasaangeër (hart); **~set′ter** pasmaker (mens)
**paci′fic** vreedsaam, stil; **P~ O′cean** Stille Oseaan
**pa′cifist** (n) pasifis, vrede(s)voorstander (mens)
**pack** (n) pak; vrag; **~ed hall** stampvol saal; **~ of ro′gues** bende skurke; (v) pak, inpak; **~age** pakket (salaris; uittrede); **~age deal** pakketakkoord; **~age tour** groeptoer; **~et** pakkie/pakket; **~ing** verpakking
**pact** (n) verdrag, verbond, ooreenkoms, pakt
**pad** (n) kussinkie; skryfblok; beenskut; (v) opvul; volstop; **~ding** vulsel
**padd′le**[1] (v) plas; speel; waggel
**padd′le**[2] (n) roeispaan; skepper; (v) pagaai; roei; **~ skiing** skiroei; **~ skier** skiroeier; **~ wheel** skeprat
**padd′ling pool** plaspoel, plasdammetjie
**pad′dock** kamp; renbaanperk
**pad′lock** (n) hangslot; (v) toesluit
**pad′re** (n) priester; kapelaan, veldprediker
**paediatri′cian** kinderarts, pediater (mens)
**paedophi′le** pedofiel *also* **child moles′ter**
**pa′gan** (n) heiden; (a) heidens
**page**[1] (n) (hotel)bode, hoteljoggie; livreikneg; (v) spoor, roepsoek; **~er** roepradio, spoorder
**page**[2] (n) bladsy, pagina; (v) pagineer
**pag′eant** optog, skouspel, vertoning; **pomp and ~try** prag en praal
**page′ boy -s** hoteljoggie; slipdraertjie
**paid** betaal; voldaan; *reply ~* antwoord betaal(d) *see* **pay**
**pail** (n) emmer, dopemmer *also* **buck′et**
**pain** (n) pyn, smart, leed; (pl) moeite, inspanning; (v) seer maak, pyn; kwel; bedroef; **~ful** pynlik, seer, smartlik; **~kil′ler** pyndoder, pynstiller; **~less** pynloos
**painsta′king** (a) fluks, vlytig; presies
**paint** (n) verf; (v) verf; skilder; *~ the town red* fuif, jollifikasie hou; **~brush** verfkwas; **~er** verwer (ambag); (kuns)skilder; **~ing** skildery; skilderkuns; **~ remo′ver** verfstroper
**pair** (n) paar; *~ of scissors* skêr; *~ of spectacles* bril; *~ of trousers* broek; (v) paar; saampas; *~ off* afpaar
**pal** (n) maat, makker; tjom(mie); *jobs for ~s* baantjies vir boeties; (v) omgaan met; *~ up* maats maak
**pal′ace** (n) paleis
**pal′ate** verhemelte/gehemelte; **cleft ~** gesplete verhemelte
**pale** (v) verbleek; (a) bleek, vaal, flets; dof
**pall′bearer** (slip)draer (by begrafnis)
**pall′et** pottebakkerskyf, palet; hegstrook; laaikis, laaiplank (vir vrag)
**palm**[1] (n) palm(boom); segepalm
**palm**[2] (n) palm (hand); (v) inpalm; hanteer; streel; omkoop; *~ off upon* afsmeer aan; **~ grea′sing** omkopery; omkoopgeld; **~ist** handkyker/handleser; **~ oil** palmolie
**pal′pitate** klop (hart)
**pal′sied** verlam; gestrem; geraak; **cer′ebral ~** serebraal verlam/gestrem
**pam′per** (v) vertroetel, bederf, piep *also* **spoil**
**pamph′let** pamflet; bladskrif, vlugskrif, voublad, strooibiljet, blaadjie
**pan** (n) pan; pan (watervlak); (v) was
**pan′cake** (n) pannekoek
**pandemon′ium** (n) uitbarsting, hel, pandemonium *also* **bed′lam, ut′ter confu′sion**
**pane** ruit; paneel; vak
**pan′el** (n) paneel; naamlys; strook; **~bea′ter** duikklopper/paneelklopper; **~ling** paneelwerk; **~ van** paneelwa
**pan′ga** kapmes, panga
**pan′golin** ietermagô, miervreter
**pan′handle** pypsteel (straat)
**pan′ic** (n) skrik, paniek; (a) paniekerig; **~ky** paniekerig; **~ but′ton** angsknop(pie); **~ sta′tions** skarreltyd; **~-strick′en** paniekbevange
**panora′ma** (n) panorama, vergesig *also* **vis′ta**
**pan′sy pansies** gesiggie, viooltjie; verwyfde mansmens (neerh.)
**pant** (n) gehyg; (v) hyg, snak, kortasem wees
**pan′ther** panter; **~ lil′y** tierlelie
**pan′tie** knapbroekie, damesbroekie
**pan′tihose** kousbroekie
**pan′try pantries** spens *also* **lar′der**
**pants′** broek (in VSA); onderbroek (Eng.)
**papa′** (n) pa, pappie
**pa′paw** papaja (vrug)
**pa′per** (n) papier; vraestel; koerant; verhandeling; *read a ~* 'n (voor)lesing hou; (v) plak, behang; (a) papier=; **~back** slapband(boek);

~ **bag** kardoes, papiersakkie; ~ **chase** snipperjag; ~ **clip** skuifspeld; papierknyper; ~ **fas'tener** papierspy; ~ **han'ger** plakker, behanger; ~ **knife** papiermes; ~ **mill** papierfabriek; ~ **mon'ey/cur'rency** papiergeld
**par** pari, gelykheid; (baan)syfer (gholf)
**par'able** (n) gelykenis, parabel
**pa'rachute** (n) valskerm; (v) valspring
**pa'rachutist** val(skerm)springer (mens)
**para'de** (n) parade, vertoon, optog; wapenskou(ing); (a) paradeer
**pa'radise** (n) paradys, lushof; hemel
**pa'radox -es** paradoks; teenstrydigheid
**pa'raffin** paraffien, lampolie; ~ **stove** paraffienstoof, pompstofie
**pa'ragraph** (n) paragraaf; (v) paragrafeer
**pa'rakeet** parkiet; **grass** ~ budjie
**pa'rallel** (n) parallel, ewewydige lyne; *without* ~ sonder weerga; (a) parallel, ewewydig; ~ **bars** brug; ~**ism** parallelisme, vergelyking; ~**-me'dium school** parallel(medium)skool
**pa'ralyse** (v) verlam; magteloos maak
**para'lysis** (n) verlamming, beroerte; magteloosheid; **in'fantile** ~ kinderverlamming
**paramed'ic** paramedikus/mediese ordonnans *also* **med'ic** (person)
**pa'ramount** hoogste, vernaamste; *of ~ importance* van die allergrootste belang; ~ *chief* opperhoof
**paraphernа'lia** bybehore; rommel *also* **odd'ments**
**pa'raphrase** (n) parafrase; (v) parafraseer
**paraple'gic** (n) parapleeg (mens); (a) paraplegies
**pa'rasite** (n) parasiet; woekerplant; klaploper
**par'asol** (son)sambreel, sonskerm
**pa'ratroops** valskermtroepe
**par'cel** (n) pakkie, pakket; (v) inpak; verdeel; ~ **post** pakketpos
**parch** opdroog, verseng, versmag; ~**ed** verdroog, verskroei; (n) ~**ment** perkament
**pard'on** (n) vergifnis, pardon; ekskuus; *I beg your* ~ ekskuus, verskoon my; (v) vergewe, kwytskeld; begenadig; verskoon
**par'ent** (n) ouer; vader, moeder; (a) oorspronklik, moeder-; ~**age** afkoms
**paren'tal** ouerlik; ~ **care** ouersorg
**paren'thesis ..ses** parentese, hakies ( ); *in* ~ tussen hakies *also* **in brack'ets**
**Pa'ris** Parys; **plas'ter of** ~ gips
**pa'rish** (n) gemeente *also* **congegra'tion**; parogie
**pa'rity** gelykheid, pariteit, pari
**park** (n) park, wildtuin; (v) parkeer; *no ~ing* geen parkering; ~**ade** parkade; ~**ing a'rea/bay** staanplek/parkeerplek; ~**ing atten'dant** parkeerbeampte
**Park'town prawn** (n) koringkriek *also* **corn/har'vester cricket**
**parl'iament** (n) parlement
**parl'our** sitkamer, voorkamer; ontvang(s)kamer; ontvanglokaal (burgemeester); **beauty** ~ skoonheidsalon
**pa'rody** (n) parodie; spotskrif; (v) parodieer
**parole'** parool; erewoord, wagwoord
**parq'uet:** ~ **floor(ing)** blokkiesvloer
**par'rot** (n) papegaai; na-aper; (v) napraat
**pars'ley** pietersielie (groente)
**pars'on** predikant, dominee; ~**age** pastorie
**part** (n) deel; onderdeel, aandeel; *pirate* ~ roofonderdeel; *~s of speech* rededele; *take ~ in* deelneem aan; *take somebody's ~* iem. se kant kies; (v) deel, verdeel; ~ *with* afstand doen van
**partake'** (v) deelneem, deel in
**par'tial** gedeeltelik; partydig; *be ~ to* voortrek, partydig wees vir
**parti'cipant** (n) deelnemer; deelhebber
**parti'cipate** (v) deelneem, meedoen (aan spel/sport)
**participa'tion** deelneming, deelname; inspraak; ~ **bond** deelneemverband
**par'ticiple** deelwoord
**part'icle** (n) deeltjie, greintjie, sprankie
**partic'ular** (n) besonderheid; *in ~s* in besonderhede; (a) kieskeurig, puntene(u)rig; noukeurig; *a ~ friend* 'n intieme vriend
**partic'ularly** veral, vernaamlik; by uitstek
**part'ing** (n) deling, skeiding; paadjie (in die hare); ~ **meal** galgemaal
**partisan'** (n) partyganger; volgeling; partisaan
**parti'tion** (n) afdeling; partisie; afskorting; (v) afskort
**part'ly** gedeeltelik
**part'ner** (n) maat; deelhebber; vennoot; *sleeping* ~ stil/rustende vennoot; ~**ship** vennootskap: *dissolve a ~ship* 'n vennootskap ontbind; **spar'ring** ~ skermmaat (boks)
**part'ridge** patrys (voël)
**part-time** deeltyds; ~ **cour'ses** deeltydse/na-uurse kursusse; ~ **min'ister** tentmaker (predikant, geestelike)
**part'y ..ties** party, instansie; party(tjie), makietie; ~ **whip** partysweep

**pass**[1] (n) **-es** nek, bergpas; deurgang (by berge)
**pass**[2] (n) **-es** pas; aangee (voetbal); slaag (eksamen); (v) verbygaan; passeer; aangee; slaag (eksamen); vel (vonnis); ~ *away* ver= dwyn; sterf; ~ *a bill* 'n wetsontwerp aan= neem; ~ *an examination* (in) 'n eksamen slaag; ~ *a sentence* vonnis; ~**able** gangbaar *also* **ad'equate**; begaanbaar, rybaar (pad); ~**mark** slaagpunt
**pass'age** (n) gang, deurgang; oortog; reisgeld; *birds of* ~ trekvoëls
**pass'book** bankboek, depositoboek; bewysboek
**pass'enger** passasier; ~ **li'ner** passasierskip; ~ **plane** passasierstraler
**pa'ssing** (a) verbygaande; ~**-out para'de** voor= stel(lings)parade
**pas'sion** (n) hartstog, drif, passie/liefde; woede
**pas'sionate** (a) hartstogtelik, vurig
**pas'sion:** ~ **flo'wer** passieblom; ~ **play** pas= siespel; **P~ Week** Lydensweek
**pass'ive** (n) lydende vorm; ~ **resis'tance** lydelike verset; ~ **voice** lydende vorm
**Passov'er** Joodse Paasfees
**pass'port** paspoort
**pass'word** (n) wagwoord
**past** (n) verlede; (a) verlede, oud=; (adv, prep) verby, langs, oor; **ten** ~ **nine** tien na/oor nege; ~ **stu'dent** oudstudent
**paste** (n) gom; deeg; pasta (vir tande)
**pas'tel** (n) pastel, papierkryt
**pas'time** (n) tydverdryf, stokperdjie
**pas'tor** predikant, herder; pastor (Prot.); pas= toor (R.K./Prot.) *also* **cler'gyman**
**pas'toral:** ~ **play** herderspel; ~ **vis'it** huisbe= soek
**pas'try ..ries** deeg; tert, soetgebak
**pas'ture** (n) weiveld, gras; weiding; (v) wei
**pat** (n) tikkie, klappie; (v) tik, streel; (adv) vanpas, toepaslik; *know off* ~ op jou duim= pie ken; ~**-a-cake** handjie-klap
**patch** (n) **-es** lap, stuk; (v) lap, heelmaak; ~ *up* lap, saamflans; ~**work** lapwerk; laplas= (werk)
**pâté'** patee (gereg)
**pa'tent** (n) patent, oktrooi; (a) vanselfspre= kend; ~ **leat'her** glansleer; ~ **med'icine** huismiddel
**patern'al** vaderlik; ~**ism** paternalisme
**path** pad, weg, baan
**pathet'ic** (a) aandoenlik, pateties, roerend
**pathol'ogist** patoloog (spesialis)
**pa'tience** (a) geduld, lydsaamheid
**pa'tient** (n) pasiënt, sieke; (a) geduldig
**pa'tio** (n) patio, (buite)stoep
**pat'riarch** aartsvader, patriarg
**pat'riotism** vaderlandsliefdè, patriotisme
**patrol'** (n) patrollie; (v) patrolleer
**pa'tron** (n) beskermheer; gereelde besoeker; (pl) klandisie; ~ **saint** beskermheilige
**patt'ern** (n) patroon, voorbeeld; model
**pat'typan** (n) krulpampoentjie
**paunch -es** pens; ~**-bel'lied** boepens=
**paup'er** armlastige, behoeftige, pouper
**pause** (n) pouse, verposing, rustyd; (v) rus, wag, pouseer
**pave** plavei, bevloer; uitlê; ~ *the way for* die weg baan vir; ~**ment** plaveisel; sypaadjie *also* **si'dewalk**
**pavil'ion** pawiljoen/paviljoen; tent
**paw** (n) poot, klou; (v) krap, skop; betas
**pawn** (n) pand; pion; (v) verpand; ~**bro'ker** pandjieshouer; ~**shop** pandjieswinkel
**pay** (n) betaling, loon, soldy; (v) betaal; beloon; vereffen; ~ *one a compliment* iem. 'n kompliment maak; ~ *a dividend* 'n divi= dend uitbetaal/uitkeer; ~ *off* afbetaal; af= dank; ~ *out* uitbetaal; ~ *up* opdok, betaal; ~ *a visit* besoek; ~**able** betaalbaar; ~**-as-you-earn (PAYE)** lopende belastingstelsel (LBS); ~ **chan'nel** betaalkanaal (TV); ~**day** betaaldag; ~**ee'** ontvanger; ~**er** be= taler; ~**mas'ter** betaalmeester; ~**ment** beta= ling; ~**roll/~sheet** betaalstaat
**pea** ertjie; **green** ~ dop-ertjie; **sweet** ~*s* pronk-ertjies, blom-ertjies
**peace** (n) vrede, rus; kalmte; *justice of the* ~ vrederegter; ~**-loving** vredeliewend; ~ **of'= fering** soenoffer
**peach** (n) **-es** perske; *a ~ of a girl* 'n beeld van 'n nooi; ~ **bran'dy** perskebrandewyn, pers= kesnaps; mampoer
**pea:** ~**cock** pou; ~**hen** pouwyfie
**peak** (n) punt, spits; top; (v) piek
**peak:** ~ **pe'riod** spitstyd, spitsuur; ~ **traf'fic** spitsverkeer
**pea'nut** grondboon(tjie); ~ **but'ter** grond= boontjiebotter
**pear** peer (vrug)
**pearl** (n) pêrel; (a) pêrel=; *cast ~s before (the) swine* pêrels voor die swyne werp/gooi; ~ **di'ver** pêrelvisser
**pea'sant** (klein)boer, landman; ~**ry** boerestand
**pea' soup** ertjiesop
**peat** (n) veen, (moeras)turf

**peb'ble** spoelklippie
**pe'cannut** pekanneut
**peck** (n) hap; pik; (v) pik; ~ *at* pik na; vit op; ~**ing order** (n) pikprioriteit; gesagsorde
**pecu'liar** (a) eienaardig; buitengewoon, snaaks
**pecu'niary** geldelik, geld=; ~ **troubles** geld=nood
**pedagog'ic** opvoedkundig, pedagogies; ~**s** opvoedkunde, pedagogie
**ped'al** (n) pedaal; trapper; (v) trap; fiets; ~ **car** trapkar
**pedant'ic** (a) pedanties, verwaand
**ped'estal** voetstuk, onderstuk
**pedes'trian** (n) voetganger; (a) voet=, voetganger=; alledaags; ~ **mall** wandellaan; ~ **traf'fic light** voetganger(verkeers)lig
**ped'igree** (n) stamboom; geslagsregister; stam=boek; (a) volbloed= *also* **pu'rebred**; ~ **cattle/stock** stamboekvee
**ped'lar** (n) smous, venter *also* **haw'ker**
**peel** (n) skil; dop; (v) afskil; afdop
**peep** (n) kykie; (v) gluur, loer; **P~ing Tom** (af)loerder, loervink; ~**hole** loergaatjie; ~**show** kykspel; ~**sight** gaatjievisier
**peer** (n) edelman; gelyke, eweknie/portuur; ~ **group** portuurgroep
**peer** (v) loer, gluur
**peg** (n) (tent)pen; kapstok; wasgoedknyper; (v) vasslaan; afpen; ~ *prices* pryse vaspen
**pel'ican** pelikaan (voël)
**pell'et** (n) balletjie; pilletjie; koeëltjie; korrel; ~ **gun** windbuks
**pel'met** (n) gordynkap
**pel'vic** (a) bekken=; ~ **massa'ge** bekkenmasse=ring
**pel'vis** (n) **pelves** bekken
**pen**[1] (n) hok, kraal; kampie
**pen**[2] (n) pen; (v) neerpen, skryf/skrywe
**pen'al** straf=; strafbaar; ~**ise** straf, beboet, pe=naliseer
**pen'alty** (n) **..ties** straf, (straf)boete; strafskop, strafpunt
**pen'cil** potlood; *write in* ~ skryf met potlood; ~ **box**/~ **case** potloodkoker
**pend** (v) (laat) oorstaan
**pen'dant** (n) hangkroon; hanger(tjie), pendant
**pen'dent** (a) hangend; hang=; ~ **watch** hang=horlosie; halshorlosie
**pend'ing** (a) hangende ('n gebeurtenis); onbeslis
**pen'dulum -s** slinger; pendule/pendulum
**pen'etrate** deurdring; penetreer
**pen'etrating** deurdringend, skerp; ~ **oil** pene=treerolie
**peng'uin** pikkewyn
**penicil'lin** penisillien/penisilline
**penin'sula** skiereiland
**pe'nis** (n) penis *also* **fal'lus**
**pen'itent** (n) boeteling; (a) berouvol
**peniten'tiary** (n) strafgevangenis
**pen:** ~ **name** skuilnaam; skryfnaam; *also* **pseu'donym**; ~**pal** penvriend; ~ **por'trait** penskets; ~**push'er** pennelekker (mens), klerk
**penn'ant** wimpel *also* **strea'mer**; driehoek=vlaggie
**penn'y pence, pennies** pennie, dubbeltjie, oulap; ~ **hor'rible** sensasieverhaal; ~**whis'tle** kwe=lafluit; ~**wise** agterstevoor suinig
**pen'sion** (n) pensioen; *old-age* ~ ouderdoms=pensioen; *retire on* ~ met pensioen aftree; (v) pensioeneer; (a) pensioens=; ~**ed** gepen=sioeneer; ~**er** pensioentrekker, pensioe=naris; ~ **fund** pensioenfonds; ~ **mon'ey** kieriegeld (idiom.)
**pen'sive** (a) peinsend; swaarmoedig
**pen'tagon** vyfhoek
**pentam'eter** pentameter; **iam'bic** ~ vyfvoe=tige jambe (versmaat)
**pentath'lon** vyfkamp (sport)
**Pen'tecost** Pinkster
**pent'house** (n) dakwoonstel; skermdak; ~ **suite** dakstel
**peo'ple** (n) mense; volk; nasie; *he of all* ~ juis hy; (v) bevolk
**pep** (n) fut, lewe, pit; ~ **pill** opkikker(pil); ~ **talk** opkikpraatjie/motiveerpraatjie
**pepp'er** (n) peper; (v) peper; ~**corn** peper=korrel; ~**mint** peperment/pipperment
**per** per, deur, deur middel van; ~ **annum** jaarliks; ~ **cent** persent
**peram'bulator** (n) kinderwaentjie/stootwaen=tjie *also* **pram**; meetwiel
**per cent'** persent; per honderd
**percent'age** (n) persentasie
**percep'tion** (n) insig, begrip, persepsie
**perch** (n) **-es** stokkie (in 'n voëlkou); slaap=stok (hoenders)
**percus'sion** (n) skok, slag; ~ **band** slagorkes
**perenn'ial** (a) meerjarig (plant); standhoudend (water)
**perf'ect** (n) voltooid teenwoordige tyd; (a) volmaak; ideaal, volkome, perfek; ~ **fluke** kolhou (gholf); ~ **non'sense** klinkklare onsin
**perfect'** (v) (ver)volmaak; voleindig, perfek=

sioneer; ~ *the art* die kuns verfyn
**perfect′: ~ion** volmaaktheid, perfeksie, voor=treflikheid; **~ionist** perfeksionis (mens)
**perf′orate** (v) deurboor, perforeer
**perform′** uitvoer; opvoer, voordra; verrig; ~ **a play** ′n toneelstuk opvoer
**perform′ance** (n) opvoering (toneel); uitvoe=ring (mus.); vervulling; werkverrigting, prestasie; ~ **apprai′sal** prestasiemeting
**perform′ing:** ~ **arts** uitvoerende kunste; ~ **group/com′pany** toneelgeselskap
**perf′ume** (n) reukwater, parfuum, laventel
**perg′ola** (n) prieel, pergola
**perhaps′** miskien, dalk, altemit *also* **may′be**
**pe′ril** (n) gevaar; **~ous** gevaarlik
**perim′eter** (n) omtrek, buitelyn, buitekant
**per′iod** tydperk, tydvak, tyd, periode; punt; volsin; termyn; **~ic** periodiek
**period′ical** (n) tydskrif *also* **jour′nal, maga=zi′ne**; (a) gereeld, periodiek
**per′iods** maandstonde *also* **menstrua′tion**
**periph′erals** (n) randapparatuur (rek.)
**pe′riscope** periskoop
**pe′rish** vergaan, omkom; bederf; **~able** be=derfbaar (vrugte)
**pe′ri-urban** buitestedelik, omstedelik
**pe′riwig** (n) pruik *also* **wig**
**pe′riwinkle** alikreukel/alikruik; katoog (plant)
**perj′ury** (n) meineed, woordbreuk
**perk** orent sit; **~s** (n) byvoordele *also* **per′=quisites**; **~y** astrant, parmantig
**perlemoen′** (n) perlemoen *also* **ab′elone**; **moth′er-of-pearl**
**perm′anent** blywend, permanent; ~ **force** staande mag; ~ **wave** vasgolf (hare)
**permiss′ible** toelaatbaar, geoorloof
**permiss′ion** (n) verlof, vergunning, permissie; *give* ~ toestemming gee, die jawoord gee
**permiss′ive** toelaatbaar, permissief; **~ness** permissiwiteit, toegeeflikheid
**perm′it** (n) permit, vrybrief, pas
**permit′** (v) toelaat, veroorloof, vergun
**perpendic′ular** (n) loodlyn; (a) penregop; ver=tikaal, loodreg
**perpet′ual** onophoudelik, ewigdurend; ~ **mo′=tion** ewigdurende beweging
**perplex′** (v) verwar, oorbluf, verbouereer
**perq′uisite** (n) byvoordeel *also* **fringe ben′efit, perk**
**persecu′tion** vervolging; ~ **ma′nia** vervol=gingswaan
**persever′ance** (n) volharding; uithouvermoë
**persevere′** (v) volhard, aanhou, deurdruk
**persimm′on** tamatiepruim, persimmon
**persist′** aanhou, volhard; volhou; **~ent cough** aanhoudende hoes
**pers′on** persoon, mens; persoonlikheid; *every ~ who* elkeen/iedereen wat; *in ~* persoon=lik; **~age** persoon; **~al** persoonlik, self; **~al liabil′ity** persoonlike aanspreeklikheid, **~al compu′ter (PC)** persoonlike rekenaar (PR)
**personal′ity ..ties** persoonlikheid
**pers′onally** persoonlik
**personifica′tion** (n) verpersoonliking, perso=nifiëring, personifikasie
**personnel′** personeel *also* **staff**; ~ **man′age=ment** personeelbestuur
**perspec′tive** (n) perspektief; uitsig, vergesig
**perspire′** (v) sweet, perspireer
**persuade′** (v) oorhaal, ompraat; oorreed
**persua′sion** oorreding; oortuiging, geloof
**pert′inent** geskik, gepas, saaklik, ter sake
**peru′sal** deurlesing; *for ~* ter insae
**perverse′** pervers; eiewys; befoeterd
**pes′simist** pessimis (mens)
**pessimis′tic** (a) pessimisties, swaarmoedig
**pest** pes, plaag; ~ **control′** plaagbeheer; **~ici′de** plaagdoder, insekdoder
**pe′stle** (n) (vysel)stamper
**pet** (n) troeteldier, hansdier; (v) vertroetel, streel; (a) geliefde; hans=; *one′s ~ aversion/hate* jou doodsteek, jou grootste hekel; ~ **dog** skoothondjie; ~ **lamb** hanslam
**pet′al** (n) blomblaar
**pet′er:** ~ *out* doodloop, opraak
**petit′ion** (n) versoekskrif, beswaarskrif, petisie
**pet name** lieflingsnaam, troetelnaam
**pet′rify** (v) versteen *also* **har′den**; verstar
**pe′trol** petrol; ~ **atten′dant** pompjoggie; ~ **consump′tion** petrolverbruik
**petrol′eum** petroleum; aardolie
**pet′rol:** ~ **pump** petrolpomp; ~ **sta′tion** vul=stasie; ~ **tank** petroltenk
**pet′shop** (n) arkmark, troeteldierwinkel
**pett′icoat** onderrok; vrou; ~ **govern′ment** vroueregering
**pett′y** (a) onbeduidend *also* **insignif′icant**; nietig; ~ **cash** kleinkas
**pew** kerkbank
**pew′ter** (n) piouter, edeltin; tinkan
**phan′tom** spook, verskyning; (hersen)skim
**pha′raoh** farao
**pha′risee** fariseër, huigelaar, skynheilige
**pharmaceut′ical** (a) farmaseuties

**pharm'acy** apteek; artsenykunde
**phase** toestand, voorkome, verskynsel, stadium, fase; ~ *out* uitfaseer
**phea'sant** fisant (voël)
**phenom'enal** (a) buitengewoon, merkwaardig
**phenom'enon ..mena** (natuur)verskynsel
**philan'thropist** filantroop, mensevriend
**philat'elist** posseëlversamelaar, filatelis
**philharmon'ic** filharmonies, musiekliewend
**philos'opher** wysgeer, filosoof (mens)
**philos'ophy** wysbegeerte, filosofie
**pho'bia** (n) fobie, sieklike vrees
**phone** (n) telefoon; (v) (op)bel, skakel; **cell~** selfoon; **~-in chat show** (radio) inbelprogram
**phonet'ics** klankleer, fonetiek
**pho'ney** vals, nageboots *also* **hoax** (n)
**phos'phate** fosfaat
**phos'phorus** fosfor
**pho'to -s** (*abbrev. of* **pho'tograph**) foto, portret; **~copy** (n) fotokopie; (v) fotokopieer; **~-finish** fotobeslissing (wedrenne); **~gen'ic** fotogenies
**pho'tograph** (n) portret, foto; (v) afneem, fotografeer; ~ **al'bum** foto-album
**photog'rapher** afnemer, fotograaf (mens)
**photog'raphy** fotografie
**phot'ostat** fotostaat; fotostatiese afdruk
**phrase** (n) frase, sinsnede; (v) fraseer
**phthis'is** (n) longtering, myntering
**phys'ical** natuurkundig, fisies; liggaamlik, fisiek; ~ **educa'tion** liggaamsopvoeding/menslike beweegkunde; ~ **science** natuur- en skeikunde
**physi'cian** internis (spesialis); geneesheer, arts
**phys'ics** natuurkunde, fisika
**physiol'ogy** fisiologie, natuurleer
**physiothe'rapist** (n) fisioterapeut (mens)
**physiothe'rapy** fisioterapie
**physique'** liggaamsbou
**pi'anist** pianis, klavierspeler
**pian'o -s** piano, klavier; ~ **accom'paniment** klavierbegeleiding
**pick**[1] (n) keuse; (die) beste; *the ~ of the bunch* die allerbeste; (v) uitsoek
**pick**[2] (n) pik; tandestokkie; (v) pik; pluk; ~ *a bone with* appeltjie skil met; ~ *and choose* te kus en te keur; ~ *a quarrel with* rusie/skoor soek met; ~ *up* optel, oplaai; oplig
**pick'ax(e)** kiel(houer)pik
**pick'et** (n) brandwag; stakerswag/staakwag
**pi'ckle** (n) moeilikheid; pekel; (v) insout, inlê, inmaak; **~s** piekels; atjar, suurtjies
**pick'-me-up** (n) opknapper(tjie), sopie
**pick'pocket** sakkeroller, goudief
**pick'-up** toonopnemer (grammofoon); bakkie (motor); ~ **van** bestelwa(entjie)
**pic'nic** (n) piekniek, veldparty; (v) piekniek (hou) *also* **pic'nicking**
**pic'ture** (n) prent, skildery; afbeelding; (v) beskryf; afbeeld; ~ **book** prenteboek; ~ **puzzle** soekprentjie
**picturesque'** (a) skilderagtig *also* **viv'id**
**pie** (n) pastei, tert; *have a finger in the ~* in iets betrokke wees
**piece** (n) stuk, deel; *give a ~ of one's mind* goed die waarheid vertel; **~work** stukwerk
**pied** bont, geskakeer; **P~ Pi'per** rottevanger (van Hameln)
**pier** hawehoof, pier; pyler
**pierce** (v) deursteek, deurboor, 'n gat steek in
**pi'ety** vroomheid, piëteit
**pif'fle** bog, kaf, twak *also* **trash, tri'pe**
**pig** (n) vark, otjie; **gelded** ~ burg; **suck'ling** ~ speenvark
**pi'geon** (n) duif; **~hole** (n) (pos)vakkie, loket
**pig: ~gery** varkboerdery, ottery; **~gy-back heart** abbahart; **~gy bank** spaarvarkie/otpot; **~-head'ed** eiesinnig, dom; **~-iron** ruyster
**pig'ment** (n) kleurstof, pigment
**pig: ~sty** varkhok; **~tail** varkstert; (pruik)stert; **~weed** misbredie
**pike**[1] spies; lans; varswatersnoek
**pike**[2] tol, tolhek/tolboom *see* **toll'gate**
**pil'chard** sardyn, pelser (vis)
**pile**[1] (n) paal; pyler (brug); heipaal
**pile**[2] (n) hoop, massa, stapel; fortuin
**piles** aambeie
**pil'fer** (v) gaps, vaslê; **~ing** stelery/vaslê
**pil'grim** pelgrim; **~age** (n) pelgrimstog
**pi'ling** (n) heiwerk
**pill** (n) pil; **contracep'tive** ~ voorbehoedpil
**pill'ar** (n) pilaar; steunpilaar; *from ~ to post* van Pontius na Pilatus
**pill'ion** (n) saal, kussing, agtersaaltjie
**pill'ow** (kop)kussing; peul; **~case/~slip** kussingsloop
**pil'ot** (n) gids; stuurman (van boot); loods, vlieënier; **automa'tic** ~ stuuroutomaat; (v) lei, loods (vliegtuig)
**pimp** (n) koppelaar, pooier *also* **procu'rer**
**pim'ple** puisie
**pin** (n) speld; skroef; kegel; *be on ~s and needles* op hete kole sit; (v) vasspeld; ~

**al′ley** kegelbaan
**pin′cers** (n) tangetjie; knyper, pinset
**pinch** (n) **-es** knyp; nood, verleentheid
**pine**[1] (n) pyn, den; pynappel
**pine**[2] (v) kwyn; ~ *away* wegkwyn; ~ *for* smag/hunker na
**pine:** ~**ap′ple** pynappel; ~ **cone** dennebol; ~ **tree** denneboom; ~**wood** dennehout, grein= hout
**pink**[1] (n) toonbeeld; die beste; (a) pienk; lig= rooi
**pink**[2] (v) pingel, klop (motor)
**pinn′acle** toppunt *also* **peak**; toringspits
**pint** pint; ~**-si′zed** klein (van gestalte)
**pin′table** spykertafel
**pin′-up girl** prikkelpop, kalendermeisie
**pioneer′** (n) pionier, baanbreker
**pi′ous** (a) vroom, godvrugtig *also* **devout′**
**pip**[1] (n) vrugtepit
**pip**[2] (v) kafloop; raak skiet; troef/uitknikker
**pipe** (n) pyp; fluit; (pl) doedelsakke; ~**line** pypleiding (olie); ~**r** fluitspeler; ~**wrench** pypsleutel
**pir′ate** (n) seerower; letterdief; (v) plunder; ~ **part** roofonderdeel (motorhandel); ~ **vie′wer** roofkyker (TV)
**piss** (n, v) water, piepie; pis (*kru*)
**pis′tol** (n) pistool; **automat′ic** ~ outomatiese pistool
**pis′ton** (n) suier; klep; ~ **ring** suierring
**pit** (n) put, kuil; graf; afgrond; kuip (motor= wedren); ~ *one's strength against* kragte meet met; ~ **bullter′rier** (Amerikaanse) veghond
**pitch**[1] (n) pik; ~**-dark** (a) pikdonker
**pitch**[2] (n) **-es** hoogte, toppunt; toonhoogte (mus.); kolfblad (krieket); (v) opslaan (tent); gooi (bal); ~ *camp* kamp opslaan; ~**ed roof** staandak
**pitch′er** kruik; kan
**pit′fall** (n) vangkuil/valkuil; valstrik
**pit′iful** (a) armsalig, ellendig; treurig
**pit′y** (n) medelye, jammer(te); *take* ~ *on* medelye hê met; *what a* ~ hoe jammer tog; (v) jammer kry
**piv′ot** (n) spil, draaipunt
**plac′ard** (n) plakkaat, aanplakbiljet
**place** (n) plek, plaas; verblyf; (v) plaas, neer= sit; ~ *an order* bestel; bestelling plaas; ~**kick** stelskop; ~**name** pleknaam
**placen′ta** (n) nageboorte, plasenta
**pla′cid** (a) kalm, vreedsaam *also* **peace′ful**
**pla′giarism** plagiaat, letterdiefstal
**pla′gue** (n) plaag, pes; (v) kwel, pla
**plain** (n) vlakte; (a) eenvoudig; *the* ~ *truth* die naakte waarheid; (adv) duidelik; ~**ly** duide= lik, klaarblyklik
**plain′tiff** klaer, eiser (mens)
**plain′tive** (a) klaend
**plan** (n) plan; voorneme; ontwerp, skets; (v) beplan, ontwerp
**plane**[1] (n) plataanboom
**plane**[2] (n) skaaf; (v) skaaf/skawe
**plane**[3] (n) vlak; hoogte, gelykte; vliegtuig; (v) vlieg; skeer oor (die water); (a) plat
**plan′et** (n) planeet
**planetar′ium ..ria, -s** planetarium
**plank** (n) plank; beginsel; doelstelling
**plann′er** beplanner, ontwerper
**plant** (n) plant; aanleg, installasie; (v) plant, beplant; ~ **and machin′ery** aanleg en masjinerie; ~**a′tion** plantasie; ~**er** planter
**pla′que** (n) gedenkplaat, plakket; plaak (tande)
**plas′ter** (n) pleister; gips; ~ **of Pa′ris** gips
**plas′tic** beeldend, plasties, plastiek=; ~ **arts** beeldende kuns(te); ~ **cup** plastiekkoppie, plastiekbeker; ~ **sur′gery** plastiese snykunde
**plate** (n) bord; plaat; prys; ~ **event′** plaat= kompetisie (sport)
**plateau′** plato, hoogvlakte, hoogland
**plate glass** (n) spieëlglas, winkelglas
**plat′form** verhoog, platform, perron
**plat′inum** platinum, witgoud (element); plati= na (erts)
**platoon′** peloton (soldate)
**play** (n) vermaak; speelruimte; spel; toneelstuk; (v) speel; bespeel; ~ *the fool* die gek skeer; ~ *tricks* poetse bak; ~ *truant* stokkies draai; ~**boy** pierewaaier, darteldawie, swierbol *also* **good′timer**; ~**er** speler, toneelspeler; ~**ful** spelerig, dartel, speels; ~**ground** speel= terrein; ~**ing card** speelkaart; ~**ing field:** *level the* ~*ing field* die speelveld gelyk maak; ~**mate** speelmaat; ~**-off** uitspeelwed= stryd; ~**school** peuterskool; ~**time** speeltyd, pouse; ~**wright** toneelskrywer; dramaturg; ~**wri′ter** draaiboekskrywer
**plead** (v) soebat, smeek, pleit; ~ *guilty* skuld beken
**plea′sant** aangenaam, prettig *also* **enjoy′able**
**please** (v) beval, behaag, genoeë doen; ~ *God* as dit God behaag; *if you* ~ asseblief; (interj) asseblief; ~**d** ingenome, tevrede, bly: ~*d with his marks* bly oor/ingenome

met sy punte
**plea'sure** (n) genot, vermaak, genoeë, plesier; *I have ~ in* dis my 'n genoeë om; ~ **resort'** plesieroord
**pledge** (n) pand; waarborg; (v) verpand, plegtig belowe; ~**e'** pandhouer; ~**r/pledgor'** pand=geër
**plen'ary** volledig; voltallig (vergadering); ~ **po'wers** volmag; ~ **ses'sion** volsessie
**plenipoten'tiary** gevolmagtigde (mens)
**plen'tiful** (a) oorvloedig, volop
**plen'ty** (n) oorvloed; (a) oorvloedig, volop *also* **abun'dant**
**ple'onasm** oortolligheid (van woorde), pleo=nasme
**pleur'isy** borsvliesontsteking
**pli'able** buigsaam, lenig, soepel; plooibaar
**pli'ers** draadtang, knyptang
**plod** (v) swoeg, ploeter; ~ *along* aansukkel; ~**der** ploeteraar
**plot** (n) (klein)hoewe, perseel, plot *also* **small'=holding**; sameswering, komplot; intrige, knoop (roman); (v) saamsweer, saamspan
**plough** (n) ploeg; (v) ploeg, braak; ~**share** ploegskaar
**plo'ver** kiewiet; strandloper(tjie) (voël)
**ploy** (n) voorwendsel, set, streek, slenter, bluf
**pluck** (n) moed, durf; (v) ruk, pluk; kul; ~ *up courage/heart/spirits* moed skep; ~**y** moe=dig, dapper *also* **bold, brave**
**plug** (n) prop, stop; vonkprop; muurprop; (v) toestop, beskiet; dop/druip (eksamen)
**plum** pruim; die beste
**plumb'er** loodgieter
**plume** (n) pluim; veerbos; (v) pronk
**plump** (a) dik, vet; mollig (meisie)
**plum'pudding** (n) doekpoeding, Kerspoeding
**plun'der** (n) buit, roof; (v) buit, roof, plunder
**plunge** (n) indompeling; *take the ~* die sprong waag; (v) plons; indompel; stort
**plur'al** meervoud
**plus** (n) plusteken; (a) ekstra; (adv) meer, plus; ~**fours** pofbroek, kardoesbroek
**plush** wolfluweel; (a) weelderig, luuks
**ply** (n) **plies** draad (wol); laag (hout); (v) beoefen (beroep); behartig; gebruik; hanteer
**ply'wood** laaghout, plakhout
**pneumat'ic** lug=; pneumaties
**pneumon'ia** (n) longontsteking
**poach**[1] posjeer (eier)
**poach**[2] vertrap; wild steel
**poached' egg** posjeereier, kalfsoog
**poach'er** (n) wildstroper/wilddief
**pock'et** (n) sak; beursie; (v) wegbêre; toe-eien; ~ **knife** knipmes/sakmes; ~ **mon'ey** sak=geld; ~**-size** (a) sakformaat; sakpas *also* **afford'able**
**pod** (n) dop, skil, peul; (v) uitdop
**pod'ium podia** verhoog, podium
**po'em** (n) gedig, vers
**po'et** digter, poëet (albei geslagte)
**poet'ic** (a) digterlik, poëties; ~ **li'cence** dig=terlike vryheid
**po'etry** (n) digkuns, poësie
**poign'ant** skerp, skrynend; pynlik
**poinset'tia** (n) karlienblom, poinsettia
**point** (n) punt; onderwerp, kwessie; piek; (pl) wissel (treinspoor); *up to a ~* tot op sekere hoogte; ~ *of view* gesig(s)punt; (v) skerp maak; wys; ~**blank'** trompop, reguit; ~**du'ty** puntdiens/verkeersdiens; ~**ed** skerp; geestig, gevat; ~**er** wyser, pylflits (vir skerm); pointer (patryshond); ~**less** sinloos; ~**s'man** wisselwagter, verkeerreëlaar
**pois'on** (n) gif, gifstof; (v) vergiftig; **food** ~**ing** voedselvergift(ig)ing; ~**ous** giftig
**poke**[1] (v) pook, oppor; steek; ~ *fun at* gek=skeer met
**poke**[2] sak; *buy a pig in a ~* 'n kat in die sak koop
**pok'er** vuuryster/vuurpook; poker (kaartspel)
**pol'ar** pool=, polêr; ~ **bear** ysbeer
**polarisat'ion** polarisasie/polarisering
**pole** paal; disselboom (kar); roede
**pole'cat** muishond (SA)
**pole'vault** paalspring (atletiek)
**pol'ice** (n) polisie; ~ **investiga'tion** polisie-on=dersoek; ~**man** konstabel; polisiebeampte; ge=regsdienaar; ~ **ser'vices** polisiedienste; **polic'=ing** polisiëring; ~ **sta'tion** polisiekantoor
**pol'icy**[1] (n) **..cies** polis (assuransie)
**pol'icy**[2] beleid (mv beleide, beleidrigtings); ~ **ma'ker** beleidvormer
**pol'io(myelitis)** kinderverlamming
**pol'ish -es** politoer, waks; verfyning; (v) poleer, poets; ~ *off* kafloop; ~**ed** beskaaf(d); gepo=leer
**polite'** beleef(d), beskaaf; hoflik, verfynd
**polit'ical** (a) staatkundig, staats=; politiek, polities; ~ **science** staatsleer
**politi'cian** politikus (mens)
**pol'ka** polka (Tsjeggiese dans)
**poll**[1] (n) stembus; verkiesing; stemlys; *go to the ~s* gaan stem; (v) stem

**poll**[2] (n) poenskop(dier); (v) top, snoei
**poll'en** stuifmeel
**poll'ing** (n) stemmery, stem; ~ **booth** stem=bus/stemhokkie; ~ **of'ficer** stemopnemer, stembeampte; ~ **sta'tion** stemlokaal
**pollute'** (v) besoedel, verontreinig, bevuil
**pollu'tion** besoedeling, bevuiling
**pol'o** polo; ~ **neck** rolhals (trui)
**polon'y ..nies** polonie, dikwors
**polyg'amist** poligamis, veelwywer (mens)
**pol'yglot** (n) veeltalige (persoon), poliglot
**pol'yp** poliep (groeisel)
**pomegran'ate** granaat (vrug)
**pomp** (n) prag, praal; staatsie
**pom'pous** (a) verwaand; hoogdrawend
**pond** vywer, poel; pan
**pon'der** (v) peins, dink, oorweeg
**pontoon'** ponton, brug, pont
**pon'y ponies** ponie; ~**tail** poniestert
**pooch:** ~ **par'lour** woefieboetiek
**poo'dle** poedel
**pool**[1] (n) poel, kuil; (private) swembad
**pool**[2] (n) inset; ring; sindikaat; poel; **ty'ping** ~ tikpoel; (v) poel; winste deel
**poor:** (n) *the* ~ arm mense, die armes; (a) arm, behoeftig; *a* ~ *show* 'n swak vertoning
**pop**[1] (n) knal, slag; (v) skiet; ~ *up* opduik
**pop**[2] (a) populêr, pop=; ~ **mu'sic** popmusiek
**pop'corn** (n) springmielies, kiepiemielies
**pope** pous; ~**dom** pousdom
**pop'gun** speelgeweertjie; propgeweertjie
**pop'lar** populier (boom)
**popp'y poppies** papawer, klaproos
**pop'ular** (a) populêr; bemind, gewild
**popular'ity** gewildheid, populariteit
**popula'tion** (n) bevolking, populasie; ~ **ex=plo'sion** bevolkingsontploffing
**pop'-up:** ~ **menu** opwipkieslys (rek.); ~ **toas'ter** wiprooster
**porce'lain** porselein
**porch -es** portaal; stoep, veranda
**porc'upine** ystervark (dier)
**pore** (n) sweetgaatjie, porie
**pork** varkvleis; ~**er** vleisvark
**porn:** ~ **book/film** pornoboek/pornofilm
**pornograph'ic** (a) pornografies, obseen
**pornog'raphy** pornografie, prikkellektuur
**porp'oise** (n) to(r)nyn (seevark)
**po'rridge** pap
**port**[1] (n) hawe; ingang
**port**[2] (n) bakboord (linkerkant van skip)
**port'able** (a) draagbaar; vervoerbaar; ~ **ra'dio** draradio; ~ **televi'sion set** draagbare tele=visiestel
**por'ter** kruier; portier; pakdraer
**portfo'lio -s** portefeulje; ministerspos
**port'hole** patryspoort/kajuitvenster (skip)
**por'tion** (n) deel; porsie *also* **hel'ping**; ge=deelte; aandeel; (v) verdeel, uitdeel
**port'ly** (a) swaarlywig, dik
**por'trait** (v) portret; beeld/beeltenis
**portray'** afbeeld, uitbeeld; beskryf; ~**al** be=skrywing; uitbeelding
**pose**[1] (n) houding, pose; aanstellery; (v) po=seer; 'n houding aanneem; voordoen
**pose**[2] vasvra; ~**r** strikvraag
**posh** (a) deftig, vernaam *also* **grand**; eksklu=sief (woonbuurt); ~ **occa'sion** glansparty
**posi'tion** stand; toestand, posisie; ligging; (v) plaas, staanmaak, posisioneer
**pos'itive** (a) bevestigend, positief, seker
**possess'** besit, hê; bemagtig; beheers
**possessed'** besete *also* **demen'ted**; ~ *by the devil* deur die duiwel besete
**posse'ssion** besitting, besit, eiendom
**possess'ive** (n) tweede naamval; (a) besitlik
**possibil'ity ..ties** moontlikheid
**poss'ible** (a) moontlik, doenlik; haalbaar
**poss'ibly** miskien, straks, dalk, moontlik
**post**[1] (n) pos; poskantoor; poswese; betrek=king; *by return of* ~ per kerende pos; (v) pos; oorboek
**post**[2] (n) paal, stut; styl (van deur)
**post**[3] (voorvoegsel) na=; later
**pos'tage** posgeld; ~ **stamp** posseël
**post:** ~**bag** possak, briewesak; ~**card** pos=kaart
**postdate'** (v) vooruitdateer; ~**d che'que** voor=uitgedateerde tjek
**pos'ter** aanplakbiljet, plakkaat *also* **bill'=board**
**poster'ity** nageslag, nakomelingskap
**postgrad'uate** (n) gegradueerde (student); (a) nagraads; ~ **stu'dies** nagraadse studie
**post'humous** (a) postuum, nagelate
**post:** *keep* ~*ed* op die hoogte hou; ~**ing box** briewebus; ~**man** posbesteller, briewebe=steller, posbode; ~**mas'ter** posmeester
**postmort'em examina'tion** (n) lykskouing; nadoodse ondersoek *also* **autop'sy**
**post:** ~ **of'fice** poskantoor; ~ **box** (pos)bus
**postpone'** (v) uitstel, verdaag; ~**ment** verda=ging, uitstel, verskuiwing
**post:** ~**script** naskrif; ~**war** naoorlogs

**pos'ture** (n) houding, postuur
**pot** (n) pot, kan; blompot; *~s of money* geld soos bossies
**potat'o -es** aartappel/ertappel; *sweet* ~ patat(ta); ~ **chips** aartappelskyfies
**pot'ent** magtig, kragtig, potent
**poten'tial** (n) potensiaal; moontlikheid
**pot'hole** slaggat; rotsholte; maalgat
**po'tion** drank; gifdrank; doepa
**pot'jiekos** (n) potjiekos, ysterpotbredie *also* **iron-pot stew**
**pot'luck** wat die pot verskaf
**pott'er** (n) pottebakker; (v) peuter, knutsel; **~'s wheel** pottebakkerskyf; **~ing** (v) knutsel; **~y** pottebakkery; erdewerk
**pouch** (n) **-es** sak, tabaksak; beurs; buidel
**poul'try** (n) pluimvee; hoenders; ~ **far'ming** hoenderboerdery
**pounce** (v) aanval, gryp; afspring op
**pound**[1] (n) pond (geld); pond (massa, gewig)
**pound**[2] (n) skut; (v) skut (losloopdiere)
**pour** (v) giet, uitstort; inskink; stortreën; *~ing rain* gietende reën
**pov'erty** (n) armoede, gebrek
**powd'er** (n) poeier; kruit; (v) (be)poeier; fynstamp; ~ **box** poeierdoos; **~ed** fyn; gepoeier; ~ **puff** poeierkwas
**pow'er** (n) mag, krag; gesag; moondheid; bevoegdheid; ~ *of attorney* volmag, prokurasie; ~ *of resistance* weerstandsvermoë; ~ **boat** kragboot; ~ **brakes** kragremme; ~ **sharing** mag(s)deling; **~ful** magtig, kragtig; **~ful bomb** kragtige bom; **~house** kragbron; **~less** magteloos, kragteloos; ~ **lift'ing** kragoptel; ~ **plug** kragprop; ~ **source** kragbron; ~ **sta'tion** kragsentrale; kragstasie; ~ **stee'ring** kragstuur
**pox** pokke; **chick'en** ~ waterpokkies
**prac'tical** prakties; *play a ~ joke* 'n poets bak; ~ **expe'rience** praktiese ondervinding; ~ **teach'ing** praktiese onderwys, proefonderwys (vir studente)
**prac'tically** feitlik; prakties; ~ *everyone was there* feitlik almal was daar
**prac'tice** (n) praktyk; oefening; gebruik; gewoonte; ~ *makes perfect* oefening baar kuns; *in* ~ in die praktyk; *out of* ~ van stryk; ~ **run** oefenlopie; ~ **ses'sion** oefensessie
**prac'tise** (v) oefen; instudeer, praktiseer; ~ *a profession* 'n beroep beoefen
**practi'tioner** praktisyn; **gen'eral** ~ algemene praktisyn, huisarts; **le'gal** ~ regspraktisyn

**praise** (n) lof, roem, eer; (v) loof, prys, verheerlik, ophemel; ~ **sin'ger** lofsanger (imbongi); **~wor'thy** loflik, prysenswaardig
**pram** kinderwaentjie, stootwaentjie
**prank** (n) (kwajong)streek, poets; (v) pronk
**prawn** steurgarnaal, (swem)krewel
**pray** (v) bid, smeek, versoek
**prayer** (n) gebed; smeking; *the Lord's P~* die Onse Vader; *say one's ~s,* bid; ~ **mee'ting** biduur
**pray'ing man'tis** bidsprinkaan, mantis
**preach** (v) preek, verkondig; **~er** predikant, prediker
**precau'tionary** voorsorg-; ~ **mea'sures** voorsorgmaatreëls/voorsorg
**precede'** voorafgaan, voorgaan
**prec'edent** (n) voorbeeld, presedent; *create a* ~ 'n presedent skep
**pre'cious** kosbaar, kostelik; ~ *little* bloedweinig; ~ **stone** edelsteen *also* **gem'stone**
**pre'cipice** afgrond, krans; steilte
**préc'is** opsomming, samevatting, précis
**precise'** (a) noukeurig, presies; nougeset
**preci'sion** noukeurigheid, presiesheid, juistheid, presisie
**pred'atory** roofsugtig, roof-; ~ **an'imal** roofdier, predator
**predeces'sor** (n) voorganger (mens)
**predestina'tion** voorbeskikking; uitverkiesing, predestinasie
**predic'ament** (n) penarie, verknorsing *also* **dilem'ma**
**predict'** voorspel; **~ion** voorspelling
**pre-empt'** voorspring; vooruitloop ('n besluit)
**prefab'ricated:** ~ **house** opslaanhuis, monteerhuis/montasiehuis
**pref'ace** (n) voorwoord *also* **fo'reword**; (v) inlei
**pref'ect** (n) prefek, klasleier/klasvoog
**prefer'** (v) verkies, die voorkeur gee aan; ~ *tea to coffee* verkies tee bo koffie
**pref'erence** voorkeur; voorrang; voorliefde
**pref'ix** (n) **-es** voorvoegsel
**preg'nant** (a) verwagtend, swanger (vrou); dragtig (dier); vrugbaar; veelseggend
**prehistor'ic** (a) voorhistories, prehistories
**pre'judice** (n) vooroordeel; (v) benadeel
**prelim'inary** (a) inleidend, voorlopig, preliminêr; ~ **match** voorwedstryd
**prel'ude** (n) voorspel, prelude, inleiding
**prem'ature** (a) ontydig, voortydig; voorbarig
**premed'itate:** **~d** voorbedag; **~d mur'der**

moord met voorbedagte rade
**pre'mier** (n) premier; eerste minister; (a) eers= te, vernaamste
**prem'ise** (n) veronderstelling; (pl) werf, per= seel; gebou; *on the ~s* op die perseel
**prem'ium** premie; prys, beloning
**premoni'tion** (n) voorgevoel, voorbode
**prepaid'** posvry, vooruitbetaal
**prepara'tion** voorbereiding, gereedmaking; in= studering
**prepa'ratory** voorbereidend; inleidend; ~ **school** voorbereidingskool
**prepare'** voorberei (taak); berei (ete); gereed maak
**preposi'tion** voorsetsel
**prepos'terous** (a) ongerymd, dwaas, onsinnig
**prereq'uisite** (n) voorvereiste
**prero'gative** voorreg, prerogatief
**preschool'** (a) voorskools
**prescribe'** (v) voorskryf; behandel; ~**d** voor= geskrewe; verjaar (skuld); ~**d book** voor= geskrewe boek
**prescrip'tion** (n) voorskrif/preskripsie
**pres'ence** teenwoordigheid; ~ *of mind* teen= woordigheid van gees
**pres'ent**[1] (n) present, geskenk *also* **gift**
**pres'ent**[2] (n) die teenwoordige, hede; *at* ~ tans; (a) teenwoordig, aanwesig; ~ **tense** teenwoordige tyd
**present'**[3] (v) aanbied, skenk; oorhandig; ~ *oneself* jou aanmeld; ~ *prizes* pryse oor= handig; ~**able** (ver)toonbaar; presentabel; ~**a'tion** aanbieding; oorhandiging; ~**er** aan= bieder (radio/TV)
**pres'ently** netnou, nou-nou, aanstons, straks
**preserve'** (n) ingelegde vrugte; konfyt; (v) bewaar, preserveer; inmaak
**preside'** (v) voorsit, presideer; lei, bestuur
**pres'idency** presidentskap; presidentswoning/ presidensie; voorsitterskap
**pres'ident** president, staatshoof; voorsitter
**presiden'tial:** ~ **address'** voorsittersrede
**press** (n) pers, koerantwese; drukpers; druk= kery; (v) pers, druk; aanpor
**press:** ~**butt'on tel'ephone** drukknoptelefoon; ~ **cut'ting** koerant(uit)knipsel; ~**ing** drin= gend; dreigend; ~ **photog'rapher** persfoto= graaf; ~ **relea'se** persverklaring
**pre'ssure** (n) druk, drukking; **atmospher'ic** ~ lugdruk; ~ **burst** drukbars; ~ **cooker** druk= kastrol/drukkoker; ~ **group** drukgroep
**prestige'** invloed; prestige, aansien
**pretence'** (n) voorwendsel *also* **pre'text**
**pretend'** (v) voorgee; ~**er** aanspraakmaker: *~er to the throne* aanspraakmaker op die kroon/koningskap
**pre'text** (n) voorwendsel; *on/under the ~ of* onder voorwendsel/die skyn van
**pre'tty** (a) mooi, bevallig *also* **attrac'tive**; *cost a ~ sum* 'n mooi sommetjie kos; ~ *sure* taamlik seker
**prevail'** (v) heers; in swang wees
**prevent'** (v) belet, verhinder; voorkom
**preven'tion** voorkoming, verhindering
**preven'tive** (n) voorbehoedmiddel; (a) voor= komend, voorbehoed=; ~ **mea'sures** voor= komende maatreëls
**prev'iew** (n) voorskou; voorbesigtiging
**prev'ious** voorafgaande, vroeër, vorige; ~**ly** voorheen, vantevore
**prey** (n) prooi; buit; slagoffer; *bird of* ~ roofvoël; (v) roof, aas
**price** (n) prys; waarde; *at any* ~ tot elke prys; ~ **control'** prysbeheer; ~ **fix'ing** prysbin= ding; ~ **in'crease** prysstyging; **recommen'= ded** ~ rigprys; ~**less** onskatbaar *also* **in= val'uable**; ~**list** pryslys
**prick** (n) steek; prikkel; (v) steek, prik; ~ *up the ears* die ore spits; ~**ly pear** turksvy
**pride** (n) trots, hoogmoed; (v) trots wees
**priest** priester; geestelike (mens)
**prim** styf, sedig, preuts; ~ **and prop'er** net= jies; agtermekaar
**pri'mary** (a) eerste; aanvanklik; laer, primêr; ~ **health care** primêre gesondheidsorg; ~ **school** primêre skool/laerskool
**prime:** ~ **mini'ster** eerste minister; ~ **lend'= ing rate** prima uitleenkoers
**pri'mer** eerste leesboek, abc-boek; grondverf
**primev'al** (a) oer=, oeroud; ~ **for'est** oerwoud
**prim'itive** oorspronklik, primitief, vroegste
**prim'rose** sleutelblom, paasblom, primula
**prim'ula** primula (blom) *also* **prim'rose**
**prince** prins; *~ly reward* vorstelike beloning; **crown** ~ kroonprins
**prin'cess -es** prinses, koningsdogter; ~ **roy'al** koninklike prinses
**prin'cipal** (n) hoof, skoolhoof *also* **head'= master**; prinsipaal; opdraggewer; (a) ver= naamste; ~ **sen'tence** hoofsin
**prin'ciple** beginsel, grondbeginsel, prinsiep
**print** (n) merk, spoor; druk; *out of* ~ uit= verkoop; (v) druk; merk, stempel; uitgee
**print'er** drukker; ~**'s devil** drukkersduiwel,

setsatan *also* **grem′lin**
**print′ing** drukkuns, drukwerk; ~ **press** druk=pers
**print-out** (n) drukstuk; komperstaat
**pri′or** (a) vroeër, eerder, voorafgaande; ~ *approval* voorafgaande goedkeuring
**prio′rity** voorrang, prioriteit; *get your ..ties right* stel jou prioriteite reg; ~ **mail** voor=keurpos
**prism** prisma
**pris′on** gevangenis *also* **jail, gaol**; tronk
**pris′oner** gevangene, prisonier
**pris′on warder** bewaarder, sipier
**pri′vacy** afsondering, privaatheid
**priv′ate** (n) manskap, weerman; (a) privaat; vertroulik
**priv′ate:** ~ **bag** privaatsak; ~**ly** privaat; ~ **parts** geslagdele; ~ **sec′retary** privaat se=kretaresse (dame); privaat sekretaris (man); ~ **sec′tor** private sektor
**privatisa′tion** privatisering (proses); privati=sasie (produk)
**priv′ilege** (n) voorreg; privilege
**priv′y** (n) **privies** kleinhuisie *also* **loo, toi′let**
**prize** (n) prys *also* **award′**; voordeel; (v) op prys stel/waardeer
**prize:** ~**-fight′er** beroepsbokser; ~**-giving** prysuitdeling; ~ **ring** bokskryt; ~**win′ner** pryswenner
**pro** voor; *pros and cons* voor- en nadele
**prob′able** waarskynlik
**proba′tion** proeftyd; *on* ~ op proef; ~ **of′ficer** proefbeampte; ~**ary per′iod** proeftyd
**probe** (n) (geregtelike) ondersoek; (v) onder=soek/ondervra *also* **inves′tigate, in′quire** (in=to)
**prob′lem** probleem, vraagstuk; raaisel; ~ **sol′v=ing** probleemoplossing
**proced′ure** (n) handel(s)wyse, werkwyse, pro=sedure
**proceed′** (v) aangaan, voortgaan, verder gaan
**proceed′ing** (n) handel(s)wyse, handeling, gedragslyn; (pl) handelinge, verslae; ver=rigtinge/werksaamhede (op ’n vergadering)
**pro′ceeds** opbrengs/opbrings, wins
**pro′cess** (n) verloop; regsgeding; proses; (v) verwerk/prosesseer
**proces′sion** (n) optog, prosessie; stoet; reeks
**pro′cessor** verwerker; **word** ~ teksverwerker/woordverwerker
**proclama′tion** afkondiging, proklamasie
**procrastina′tion** (n) uitstel, getalm; ~ *is the thief of time* van uitstel kom afstel
**procure′** (v) verkry, verskaf, besorg; ~**r** ver=skaffer; koppelaar (vir prostitute) *also* **pimp**
**prod** (v) steek; priem; aanpor
**prod′igal** (a) verkwistend, spandabel *also* **extra′vagant**; ~ **son** verlore seun
**prod′igy ..gies** seldsaamheid; wonderkind
**prod′uce** (n) produk; oes, opbrengs/opbrings
**produce′** (v) voortbring; oplewer, produseer; ~ *a play* ’n toneelstuk opvoer; ~**r** produ=sent; produksieleier, regisseur
**prod′uct** opbrengs; produk
**produc′tion** vervaardiging, produksie; opvoe=ring (toneel)
**productiv′ity** produktiwiteit; vrugbaarheid
**profane′** (a) profaan; godslasterlik; ~ **lan=guage** skeldtaal, vloektaal
**profess′** (v) bely, erken; beoefen (’n beroep)
**profes′sion** beroep, professie; *by* ~ van be=roep; *follow a* ~ ’n beroep beoefen
**profes′sional** (n) beroepsman; beroepspeler; (pl) beroepslui; (a) beroeps=, professioneel; ~ *code of conduct/ethics* professionele gedragskode; ~ **know′ledge** vakkennis *also* **experti′se, know-how;** ~ **play′er** beroep=speler; ~ **rug′by** geldrugby; ~ **soc′cer** beroepsokker
**profess′or** (n) professor, hoogleraar; ~**ship** professoraat
**profi′ciency** (n) bedrewenheid, bekwaamheid; vaardigheid, kundigheid
**profi′cient** (a) bedrewe, vaardig, bekwaam
**pro′file** (n) profiel; buitelyn; *keep a low* ~ jou eenkant hou
**prof′it** (n) wins, profyt; ~ *after tax* (na)belaste wins; ~ *before tax* voorbelaste wins; ~ **mar′gin** winsgrens; (v) wins maak; voor=deel trek uit; ~**able** winsgewend
**profound′** (a) diep, diepsinnig, grondig
**prog′eny** nageslag, nakomelingskap
**prog′ramme/pro′gram** (n) program; ~**r** pro=grammeerder (mens)
**prog′ress** (n) vordering, vooruitgang
**progress′** (v) vorder, vooruitgaan
**progress′ive** vooruitstrewend; progressief
**prohib′it** (v) belet, verbied
**proj′ect** (n) plan, ontwerp, projek
**project′** (v) ontwerp, beraam; uitsteek; ~**ile** projektiel; ~**ing** uitstekend (rots); ~**ion** ont=werp, projeksie; vooruitskatting *also* **fo′re=cast**
**proletar′iat** proletariaat; Jan Rap en sy maat

**pro'logue** (n) voorrede, voorwoord; proloog
**prolong'** (v) verleng, uitrek; ~**ed ill'ness** langdurige siekte
**prom'inent** uitstekend; prominent; ~ **per'son** vername/vooraanstaande persoon
**prom'ise** (n) belofte; *keep one's* ~ jou belofte nakom; (v) beloof/belowe
**prom'ising** (veel)belowend
**prom'issory:** ~ **note** promesse, (skuld)bewys
**promote'** (v) bevorder; aanmoedig; loods; promoveer; ~ *(launch) a new product* 'n nuwe produk loods/bevorder
**promo'ter** (n) oprigter; promotor; vegknoper/vegventer (boks, stoei)
**promo'tion** bevordering, promosie; produkbe=vordering
**prompt** (v) aanspoor; voorsê; (a) stip, vaardig; ~ *payment* stipte betaling; ~**er** voorsêer, souffleur (toneel)
**prong** hooivurk, gaffel, tand (van eg, tuin=vurk)
**pron'oun** (n) voornaamwoord
**pronounce'** (v) uitspreek, uiter; ~ *sentence of death* die doodvonnis uitspreek
**pronuncia'tion** uitspraak; spraak, tongval
**proof** (n) **-s** bewys; proef; (a) beproef; ~**reader** proefleser
**prop** (n) stut; steun; stutpaal; ~ *up* onder=skraag
**propagan'da** propaganda
**prop'agate** (v) voortplant, verbrei, versprei
**propel'** voortdryf, beweeg; ~**ler** skroef (vlieg=tuig)
**prop'er** (a) betaamlik, behoorlik; ~**ly** behoor=lik; eintlik; ~ **name** eienaam
**prop'erty ..ties** eiendom, besitting; eienskap; ~ **devel'oper** eiendomontwikkelaar; **fixed** ~ vasgoed, vaste eiendom; **mo'vable** ~ losgoed, roerende goed
**proph'ecy** (n) **..cies** profesie, voorspelling
**proph'et** profeet; ~ *of doom* doemprofeet
**propor'tion** (n) eweredigheid, proporsie; *in* ~ *to* in verhouding tot
**propor'tional** (a) eweredig/proporsioneel
**propo'sal** voorstel, aanbod; huweliksaansoek
**propose'** voorstel, aanbied, vra; ~ *a vote of thanks* die dankwoord rig; ~**r** voorsteller
**proposi'tion** aanbod, proposisie; **bus'iness** ~ saketransaksie *also* **bus'iness deal**
**propri'etary** (a) eienaars=, eiendoms=; **P**~ **Limited** Eiendoms Beperk; ~ **med'icines** patente medisyne
**propri'etor** eienaar (van winkel)
**prosa'ic** (a) prosaïes, alledaags
**prose** (n) prosa; (a) prosa=; prosaïes
**pros'ecute** (v) vervolg; uitoefen; *trespassers will be* ~*d* oortreders word vervolg
**pros'ecutor** aanklaer; **pub'lic** ~ staatsaanklaer
**prose'writer** prosaskrywer, prosaïs
**pros'pect** (n) vooruitsig, verwagting
**prospect'** (v) prospekteer, ondersoek; ~**or** prospekteerder
**prospec'tus -es** prospektus (brosjure)
**prospe'rity** (n) voorspoed, welvaart
**pros'perous** voorspoedig; welvarend, bloeiend
**pros'titute** (n) prostituut, straathoer, seks=werker *also* **hoo'ker**
**prostitu'tion** hoerery, prostitusie
**pros'trate** (v) neerwerp, neerkniel; (a) neer=gebuig; ootmoedig; verslaan
**pro'tea** suikerbos, protea
**protect'** beskerm, beveilig; ~**ion** beskerming
**protec'tive** beskermend; ~ **clo'thing** skerm=drag
**protec'tor** beskermer; ~**ate** protektoraat; **pub'lic** ~ openbare beskermer
**prot'est** (n) protes, verset
**protest'** (v) beswaar maak, protesteer
**pro'tocol** (n) protokol, voorrangkode
**protrude'** (v) vooruitsteek, uitpeul (oë)
**proud** trots, hoogmoedig *also* **haugh'ty**
**prove** (v) bewys; beproef; bewys lewer
**prov'erb** spreekwoord, spreuk, segswyse
**provide'** (v) verskaf, voorsien, lewer; ~ *with* voorsien van; ~**d** mits, met dien verstande
**prov'idence** (n) voorsiening, spaarsaamheid
**prov'ident** sorgvuldig, spaarsaam; ~ **fund** voorsorgfonds
**provid'er** (n) verskaffer, leweransier, lewe=raar; **ser'vice** ~ diensverskaffer, dienslewe=raar
**prov'ince** provinsie; afdeling; vak
**provin'cial** (a) provinsiaal; bekrompe
**provi'sion** (n) voorsiening, voorsorg; bepa=ling; (pl) lewensmiddele, proviand; padkos (vir 'n reis); ~**al** voorlopig
**provoc'ative** (a) tartend, uitdagend, provoka=tief
**provoke'** (v) uitlok, (uit)tart, provokeer
**prowl** (v) rondsluip; uit op roof; ~**er** rond=sluiper (mens)
**prox'imo** aanstaande (maand)
**prox'y** (n) volmag; gevolmagtigde; *marry by* ~ met die handskoen trou

**pru'dence** (n) versigtigheid, verstandigheid *also* **discre'tion**; ~ *is the best part of valour* versigtigheid is die moeder v.d. wysheid
**pru'dent** (a) wys, verstandig, taktvol
**pru'dish** (a) preuts, skynsedig; *I am no prude* ek is nie preuts nie
**prune**[1] (n) pruimedant, gedroogde pruim
**prune**[2] (v) snoei; knot; ~**r** snoeiskêr
**psalm** psalm; ~**ist/**~**odist** psalmdigter
**pseud'o-** vals, oneg; half=, pseudo=
**pseud'onym** (n) pseudoniem, skuilnaam
**psychi'atrist** psigiater (mens)
**psycholog'ical** (a) sielkundig, psigologies
**psychol'ogy** (n) sielkunde, psigologie
**pub** (n) kantien, kroeg; tappery/taphuis; ~ **craw'ler** kroegvlieg *also* **bar'fly**
**pub'erty** (n) puberteit, geslagsrypheid
**pub'ic** skaam=; ~ **hair** skaamhare
**pub'lic** (n) publiek; *in* ~ in die openbaar; (a) openbaar, publiek; ~ **address' sys'tem** luid=sprekerstelsel; ~**a'tion** uitgawe, publikasie; ~ **im'age** openbare beeld, beeld na buite; ~**'ity** openbaarmaking, publisiteit; ~ **opin'ion** openbare mening; ~ **protec'tor** openbare beskermer *see* **om'budsman**; ~ **rela'tions** openbare betrekkinge; ~ **rela'=tions offi'cial/of'ficer** (openbare) skakel=amptenaar; mediaskakel; ~ **sec'tor** ower=heidsektor; ~ **ser'vice** staatsdiens; ~ **school** regeringskool; privaatskool (in Engeland); ~ **spea'king** openbare redevoering, (die) redenaarskuns
**pub'lish** (v) uitgee, publiseer; aankondig; ~**er** uitgewer; uitgewery
**puck** kaboutermannetjie, elf; stouterd
**pu'dding** poeding; nagereg; (soort) wors
**pud'dle** (n) poel; gemors; warboel
**puff** (n) geblaas, rukwind; poeierkwas; (v) blaas, hyg, pof; ~ **ad'der** pofadder
**pug** (n) mopshondjie (mopar); kabouter
**pull** (n) trek, ruk, pluk; (v) trek, ruk; roei; ~ *faces* skewebek trek; ~ *one's leg* iem. vir die gek hou; ~ *oneself together* jou reg=ruk
**pu'llet** jong hennetjie
**pu'lley -s** katrol
**pull'over** langmoutrui/oortrektrui *also* **jer'sey**
**pulp** (n) murg; pap; pulp (papier); moes (van vrugte); (v) fynmaak; verpulp
**pu'lpit** (n) preekstoel, kansel
**pulse** (n) pols; *feel one's* ~ die pols voel
**pum'a** (n) poema, bergleeu
**pum'ice** puimsteen
**pump** (n) pomp; (v) pomp; ~ **atten'dant** pomp=joggie, petroljoggie
**pump'kin** (boer)pampoen
**pun** (n) woordspeling
**punch** (n) vuisslag; deurslag; (v) knip; perfo=reer; ~ **sys'tem** ponsstelsel
**Punch:** ~ **and Ju'dy** poppekas/poppespel *also* **pup'pet show**
**punc'tual** stip, presies
**punctua'tion** (n) interpunksie, leestekens
**punc'ture** (n) lek(plek); (v) prik
**pun'ish** (v) straf, kasty; toetakel; ~**able** straf=baar; ~**ment** straf; boete
**punk** (n) punk (mens, anti-establishment); ~ **mu'sic** punkmusiek
**punt** (v) hoog skop; vlugskop; vir geld speel; ~**er** waagspeler (perde); vlugskopper
**pup** (n) jong hondjie; **lit'ter of** ~**s** werpsel hondjies
**pup'il** leerling; oogappel; kyker, pupil (oog); ~ **tea'cher** kwekelingonderwyser
**pupp'et** (n) handpop, marionet; strooipop *also* **stoo'ge** (mens); ~ **show** poppekas
**pupp'y puppies** jong hondjie; ~ **fat** jeugvet; ~ **love** kalwerliefde
**purch'ase** (n) koop, aankoop; (pl) inkope; (v) koop; ~ **price** koopprys; ~**r** (aan)koper; klant; **pur'chasing po'wer** koopkrag
**pure** (a) suiwer, rein, kuis; louter; ~ **non'=sense** pure onsin/kaf
**purge** (n) (uit)suiwering, reiniging; (v) (uit)=suiwer *also* **exter'minate**; reinig
**pur'ist** taalsuiweraar, puris (mens)
**pur'ity** suiwerheid; reinheid
**pur'ple** (n) purper (kleur); (a) purper, pers
**purp'ose** (n) voorneme, doel, oogmerk; *for* ~*s of* vir die doel van; *on* ~ opsetlik; (v) be=doel, beoog; ~**ly** opsetlik
**purr** (v) spin (kat), snor (w)
**purse** (n) beurs(ie); ~**r** betaalmeester (op skip)
**pursue'** (v) vervolg; agtervolg; nastreef/na=strewe; beoefen (beroep); volg (beleid)
**pursuit'** vervolging; (pl) werksaamhede; ~ **of know'ledge** die strewe na kennis
**pus** (n) etter, sug, pus (van wond)
**push** (n) **-es** stamp, stoot; deursettingsvermoë; *when it comes to the* ~ in geval van nood; (v) stamp; stoot; bespoedig; ~**bike** trapfiets; ~**-up** (n) opstoot
**pu'ssy pussies** katjie
**put** (v) neersit, stel, plaas; ~ *down an animal*

'n dier uitsit; ~ *out of action* buite geveg stel; ~ *in order* regmaak; ~ *up for sale* te koop aanbied; ~ *on weight* swaarder word; ~ *in writing* dit op skrif stel
**put'-off** uitstel; uitvlug
**putt** (n) sethou; (v) set, put (gholf)
**putt'er** setyster; setter, putter (gholf)
**putt'-putt** set-set
**putt'y** stopverf; ~ **plas'ter** fynpleister
**puz'zle** (n) raaisel; verleentheid; (v) verleë maak; verbyster; ~**d** verwar(d), deurmekaar; ~ **pic'ture** soekprentjie
**pyg'my pygmies** dwerg, pigmee
**pyja'mas** (n) slaapklere, pajamas; slaappak
**py'lon** spanmas; kragmas
**pyr'amid** piramide/piramied
**py'roman'iac** (n) piromaan (brandstigter)
**pyth'on** (n) luislang, piton; orakel

# Q

**quack**[1] (n) gekwaak; (v) kwaak
**quack**[2] (n) kwaksalwer (mens); ~ **doc'tor** kwaksalwer; ~ **med'icine** kwaksalwermiddels
**qua'drangle** (n) vierkant; vierhoek; binneplein
**qua'druple** (n) viervoud; (a) viervoudig
**quadrupleg'ic** (n) kwadrupleeg (mens); (a) kwadruplegies
**qua'druplet** vierling; viertal; ~**s** vierling
**quagg'a** kwagga
**quag'mire** modderpoel; drilgrond, welsand
**quail** (n) kwartel (patrysvoël)
**quaint** (a) snaaks, koddig; ouderwets
**quake** (n) bewing, siddering; (v) beef, tril
**qualifica'tion** (n) kwalifikasie; vereiste; bevoegdheid, bekwaamheid
**qua'lified** (a) bevoeg, gekwalifiseer
**qua'lify** (v) kwalifiseer; jou bekwaam; ~ *for* in aanmerking kom vir, kwalifiseer vir
**qua'lity ..ties** hoedanigheid, eienskap, kwaliteit; aanleg; gehalte; ~ **of life** lewensgehalte; ~ **control'** gehaltebeheer
**qualm** mislikheid; gewetenswroeging; ~*s of conscience* gewetenswroeging
**quan'dary** (n) **..ries** verleentheid, penarie, verknorsing; *be in a* ~ in die knyp sit
**quan'tity** (n) **..ties** hoeveelheid, kwantiteit, menigte; ~ **survey'or** bourekenaar (mens)
**qua'rantine** (n) kwarantyn; (v) onder kwarantyn stel, afsonder, isoleer
**qua'rrel** (n) twis, rusie; *pick a* ~ rusie/skoor soek; (v) rusie maak; twis; ~**ling** getwis; ~**some** twissiek
**qua'rry**[1] (n) **quarries** prooi; buit; wild
**qua'rry**[2] (n) **quarries** steengroef, gruisgat
**quar'ter** (n) kwartier; vierde deel; kwartaal; kwart; (pl) kwartiere; *give no* ~ geen genade betoon nie; ~ *of an hour* 'n kwartier; *married* ~*s* kwartiere vir getroudes; *single* ~*s* enkelkwartiere; ~**ly** (n) kwartaalblad; (a) driemaandeliks, kwartaal=; ~**ly test** kwartaaltoets; ~**mas'ter** kwartiermeester, betaalmeester
**quartet'** kwartet
**quartz** kwarts; ~ **watch** kwartshorlosie
**quash** (v) nietig verklaar; verwerp *also* **crush**
**quas'i** kamtig, kastig, kwansuis, kwasi=
**quat'rain** vierreëlige vers, kwatryn
**quav'er** (n) agtste noot; triller; (v) tril
**quay -s** hawehoof, kaai *also* **wharf**
**queen** (n) koningin; ~**ly** vorstelik, statig
**queer** (n) *(derog.)* homo(seksueel); (v) verbrou; (a) snaaks, sonderling; *be in Q~ street* in die verknorsing wees
**quell** (v) demp, onderdruk ('n opstand)
**quench** blus; les, bekoel; laat stilbly; ~ *thirst* dors les; ~**er** blusser; drankie
**quer'y** (n) navraag, twyfelvraag; vraagteken; (v) betwyfel, bevraagteken
**quest** (n) ondersoek; soektog *also* **pursuit'**; *the* ~ *for* die soeke/strewe na
**ques'tion** (n) vraag; kwessie; *beyond* ~ sonder twyfel; *out of the* ~ geen sprake van nie; (v) vra, ondervra; betwyfel; ~ *the accused* die beskuldigde ondervra; ~**able** twyfelagtig; ~ **bank** vraagbank; ~**ing** ondervraging; ~ **mark** vraagteken; ~**naire'** vraelys
**queue** (n) ry, tou; haarvlegsel; ~ *up/form a* ~ toustaan; (v) toustaan
**quick** (n) lewe; (a, adv) lewendig; vinnig, rats; *be* ~ *about it!* roer jou!; *a* ~ *eye* 'n skerp oog; ~**grass** kweek; ~**sand** welsand/wilsand, dryfsand; ~**silver** kwiksilwer; ~**-tem'pered** opvlieënd, kortgebonde; ~**-wit'ted** gevat
**quid** tabakpruimpie, tabakkoutjie
**quid pro quo'** teenprestasie, quidproquo

**qui'et** (n) stilte, rus; bedaardheid; *on the* ~ stilletjies; (v) stilmaak; kalmeer; (a) rustig, stil, bedaard; *keep* ~ stilbly; iets stil hou
**quilt** (n) donskombers/verekombers
**quince** kweper; ~ **jam** kweperkonfyt
**quinine'** kina, kinien/kinine
**quint** kwint; vyfkaart
**quintess'ence** kern, kwintessens
**quintet'** kwintet; vyftal
**quin'tuple** (n) vyfvoud; (a) vyfvoudig; ~**t** vyftal; ~**ts** vyfling (kinders)
**quip** (n) kwinkslag, geestigheid *also* **plea'santry**; spitsvondigheid; skimpskoot
**quit** (v) verlaat *also* **aban'don**; tou opgooi; ~ **a job** 'n werk/pos los
**quite** heeltemal, glad, volkome; *I* ~ *like him* ek hou nogal van hom; ~ *warm* taamlik warm
**quits** gelyk, kiets; *we are* ~ *now* nou is ons kiets
**quiv'er** (n) pylkoker; trilling; *in a* ~ sidderend; (v) tril, beef/bewe, ritsel
**quixot'ic** (a) buitensporig, avontuurlik
**quiz** (n) vasvrawedstryd; spotterny; (v) ondervra, uitvra *also* **inter'rogate**; belaglik maak
**quoit** (n) gooiskyf, gooiring
**quor'um** kworum
**quot'a -s** aandeel, kwota *also* **share**
**quota'tion** (n) aanhaling; kwotasie; notering; prysopgawe; ~ **marks** aanhaaltekens
**quote** (v) aanhaal, kwoteer, siteer; ~ . . . *unquote* aanhaal . . . afhaal
**quo'tient** resultaat (van deling), kwosiënt

# R

**rabb'i -s** rabbi, rabbyn
**rab'bit** konyn *see* **hare**; nuweling
**rabb'le** (n) gespuis, hoipolloi, gepeupel
**rab'id** woes, onstuimig *also* **berserk'**
**rab'ies** hondsdolheid
**race**[1] (n) ras, geslag; ~ **rela'tions** rasseverhoudinge
**race**[2] (n) wedloop (atletiek); wedren/ren (perde, motors); wedvaart (kano's, (seil)jagte); wedvlug (vlieg- en sweeftuie); (v) reisies/resies ja; hardloop; ren; ~**course** renbaan, re(i)siesbaan
**race:** ~**horse** renperd; ~ **mee'ting** wedren(ne)
**ra'cial** ras=; ~ **discrimina'tion** rassediskriminasie; ~**ism** rassehaat
**ra'cing** renne, wedrenne, resies (ja); ~ **dri'ver** renjaer (mens); ~ **car** renmotor
**rac'ism** (n) rassisme; rasseleer
**rac'ist** (n) rassis (mens); (a) rassisties
**rack** (n) pynbank; rak; (v) rek, strek; ~ *one's brains about*... jou hoof breek oor...
**rack'et**[1] (n) raket, spaan (tennis)
**rack'et**[2] (n) geraas/rumoer; moeilikheid; bedrogspul; (v) baljaar; lawaai (maak)
**racketeer'** rampokker, afperser, boef, swendelaar *also* **spiv, con'man**
**ra'dar** radar; ~ **op'erator** radaroperateur
**ra'dial ply** straallaag(band)
**ra'diant** (a) glansryk, glinsterend; ~ *with joy* stralend van geluk
**radia'tion** (uit)straling; bestraling
**ra'diator** (n) verwarmer; radiator, verkoeler
**rad'ical** (a) radikaal, ingrypend *also* **fanat'ical**; ~ *change* radikale verandering
**ra'dio** (n) radio, draadloos; (v) uitsaai
**ra'dioactive** radioaktief
**ra'dio:** ~ **announ'cer** (radio)omroeper; ~ **drama** hoorspel, radiodrama
**ra'dio ham** radio-amateur (mens)
**ra'diologist** radioloog (spesialis)
**ra'dio:** ~ **pa'ger** roepradio; ~ **play** hoorspel
**rad'ish -es** radys; **black** ~ ramenas
**ra'dius radii** straal, radius
**raff'ia** (n) raffia (palmdrade vir vleg)
**raf'fle** (n) kantoorloting; lotery; (v) uitloot
**raft** (n) vlot, dryfhout
**raf'ter** (n) dakbalk; kap, dakspar
**rag**[1] (n) vod, flard, toiing, flenter; ~*s to riches* lompe tot luukse; vodde na vere
**rag**[2] (n) (studente)jool; (v) skerts
**rag'amuffin** skobbejak, smeerlap, lieplapper
**rag' doll** (n) lappop
**rage** (n) raserny; hartstog; *all the* ~ hoog in die mode; (v) woed; tier
**rag:** ~ **magazi'ne** joolblad; ~ **proces'sion** jooloptog; ~**time** gesinkopeerde musiek
**raid** (n) rooftog, inval, strooptog; klopjag
**rail** (n) leuning; reling; treinspoor; spoorstaaf; *by* ~ per spoor; (v) spoorversend
**rail'age** spoorvrag, vraggeld; vervoerkoste

**rail'ing** reling, tralie; leuning
**rail'road/rail'way -s** spoorweg, treinspoor
**rail'way:** ~ **car'riage** spoorwa; ~ **compart'ment** (spoorweg)kompartement; ~ **cros'sing** spooroorgang; ~ **line** spoorlyn; ~ **tick'et** treinkaartjie; ~ **track** spoorbaan, trajek
**rain** (n) reën; (v) reën; *it's ~ing cats and dogs* dit reën outannies met hekelpenne; ~**bow** reënboog; ~**bow people** reënboogmense; ~**fall** reënval; ~ **gauge** reënmeter; ~**storm** stortbui; ~**water** reënwater; ~**y** reënerig
**raise** (n) verhoging (salaris); opslag; (v) optel, ophef, oplig; verhoog; verhef (stem); ~ *an objection* beswaar maak; ~ *objections* besware opper
**rais'in** (n) rosyn(tjie)
**rake** (n) hark; *as lean as a* ~ so maer soos 'n kraai; (v) hark; oprakel; versamel
**rall'y** (n) byeenkoms, saamtrek; tydren (motors); (v) vergader (mense); houe wissel (tennis); ~ *to the support* te hulp snel
**ram** (n) (storm)ram; stamper; (v) vasstamp
**ram'ble** (v) rondloop; afdwaal; ~**r** swerwer (mens); klimplant; rankroos
**ramp** (n) helling, opdraand; laaibrug; oprit
**ram'rod** (n) laaistok
**ram'shackle** (a) bouvallig, lendelam
**ranch** (n) (groot) beesplaas/veeplaas
**ran'cid** (a) suur, rens; goor, galsterig
**rand[1]** rand (geldeenheid); ~ *for* ~ *system* rand-vir-randstelsel
**rand[2]** rant; **the R**~ die Witwatersrand *also* **the Reef**
**ran'dom** (n) toeval; geluk; *at* ~ blindweg, lukraak; (a) ewekansig; ~ **sam'ple** steekproef *also* **spot check**
**ran'dy** (a) jags, wulps *also* **lech'erous**; **on heat**
**range** (n) ry, reeks; speelruimte; ~ **fin'der** afstandmeter
**ran'ger** veldwagter/boswagter; swerwer
**rank[1]** rang; ry; gelid; staanplek; (pl) geledere; (v) rangskik; *~ed/seeded third* derde op die ranglys; ~ *with* gelyk staan met; ~**ing** gradering, ranglys *also* **see'ding**
**rank[2]** (a) welig, geil; onbeskof; ~ **non'sense** pure kaf, klinkklare onsin
**ran'sack** (v) plunder; deursnuffel, fynkam
**ran'som** (n) losgeld, losprys; *hold/put to* ~ losgeld vra; (v) vrykoop, verlos
**rant** (v) grootpraat, spog; uitvaar (teen)
**ranunc'ulus** ranonkel, botterblom
**rap** (n) tik; klop; *take the* ~ die blaam/straf kry (vir iem. anders); (v) klop, tik; uitblaker; ~ **(mu'sic)** rap(musiek), kletsrym
**rape** (n) verkragting; roof; (v) verkrag; onteer; ~ **case** verkragtingsaak
**rap'id** (n) stroomversnelling; (a) gou, snel, rats; ~ **fire** snelvuur
**ra'pier** rapier (kort swaard); ~ **fish** swaardvis
**ra'pist** (n) verkragter (man)
**rapt** opgetoë, verruk; gespanne; ~ **atten'tion** die ene aandag
**rap'ture** (n) verrukking; *in ~s* verruk
**rare** seldsaam, skaars; buitengewoon; yl, dun; ~ **collec'tion** seldsame versameling
**rare'bit** roosterbrood met kaassous; **Welsh** ~ Walliese kaasroosterbrood
**rare'ly** selde
**ra'scal** (n) skurk, skelm, vabond, karnallie
**rash[1]** (n) uitslag (op vel); roos *see* **shin'gles**
**rash[2]** (a) onbesonne, voortvarend
**rasp** (n) rasper; gekrap; (v) raspe(r)
**ra'spberry ..berries** framboos (vrug)
**rat** (n) rot; oorloper
**rat'catcher** rot(te)vanger (mens)
**ratch'et** (n) (sper)rat, tandskyf
**rate[1]** (n) prys; graad; syfer; koers; ~ **of exchan'ge** wisselkoers; ~ **of in'terest** rentekoers; **mortal'ity** ~ sterftesyfer; (v) takseer, valueer; ~**payer** belastingbetaler (munisipaal); ~**s** erfbelasting
**rate[2]** (v) uitskel, inklim, uitvaar
**ra'ther** liewer(s), taamlik; nogal; ~ *not* liewer nie; ~ *pretty* nogal mooierig
**ra'tio -s** verhouding, ratio
**rat'ion** (n) rantsoen; porsie; (pl) kosvoorraad, proviand; (v) rantsoeneer
**rationale'** (n) grondrede/beweegrede, rasionaal
**rat'race** (n) rotren/rotresies, suksesjag
**rattan'** bamboes, rottang, spaansriet
**ratt'le** (n) geratel, gerammel; rammel(aar); (v) ratel, rammel; klets; ~**snake** ratelslang
**rat'trap** (n) muisval
**rauc'ous** hees, skor; ~ **voice** rasperstem
**rav'age** (v) verwoes, plunder; onteer
**rave** (v) raas, uitvaar; ~ *about* dweep met
**rav'en** (n) raaf (voël); (v) verslind; roof; (a) ~**ous** roofgierig, vraatsugtig
**ravine'** kloof, ravyn, skeur *also* **gorge**
**ra'ving** (a) rasend *also* **fren'zied**; ylend; ~ *mad* stapelgek
**rav'ish** (v) ontroof; verkrag; bekoor

**raw** (a) ru; rou; ~ **mate'rial** grondstof, ru=materiaal; ~ **recruit'** baar rekruut
**ray** (n) **-s** straal; (v) uitstraal
**raze** (v) uitkrap; sloop, afbreek; *~d to the ground* met die grond gelykgemaak
**ra'zor** skeermes; ~ **blade** skeerlem(metjie); ~ **strop** slypriem; ~ **wire** lemmetjiesdraad
**re = regar'ding** insake
**reach** (n) **-es** bereik; grens; *above my ~* bokant my vuurmaakplek; *within ~* binne bereik; (v) aanreik, aangee; uitstrek
**react'**, reageer, terugwerk; **~ion** reaksie, terugwerking; **~ion com'pany** reaksiemaat=skappy (beveiliging); **~ionary** (n) opstan=deling; (a) opstandig, reaksionêr
**read** lees; ~ *aloud* hardop lees, luidlees; ~ *for an examination* vir 'n eksamen studeer; **~able** leesbaar; **~er** leser; leesboek
**rea'dily** geredelik, graag
**rea'diness** (n) bereidwilligheid; paraatheid
**read'ing** (n) lees; (voor)lesing, belesenheid; vertolking; *light ~* ligte lektuur; (a) lesend, lees=; ~ **book** leesboek; ~ **desk** lessenaar; ~ **lamp** leeslamp; ~ **room** leeskamer
**rea'dy** klaar, gereed; ~ **cash** kontant; **~-made** klaargemaak(te); ~ **reck'oner** kitsrekenaar
**reaffirm'** (v) herbevestig, herbeklemtoon
**re'al** (a) wesenlik; werklik, reëel; eg; ~ **esta'te** vaste eiendom; ~ **esta'te a'gent** eiendoms=agent; ~ **Mackay** die ware Jakob
**re'alism** (n) realisme
**realisa'tion** verwesenliking; besef; realisering (van bates)
**re'alise** (v) besef; realiseer (geld oplewer)
**realis'tic** (a) realisties
**re'ally** regtig/rêrig, inderdaad, werklik
**realm** (n) ryk, koninkryk
**reap** (v) oes; insamel; win; ~ *advantage* voor=deel trek; **~er/~ing machine** snymasjien
**rear**[1] (n) agterhoede, agtergrond
**rear**[2] (v) kweek, teel; grootmaak; oplei; ~ *children* kinders grootmaak
**rear:** **~-ad'miral** skout-by-nag; skoutadmi=raal; **~guard** agterhoede
**rear'view mir'ror** truspieël(tjie)
**reas'on** (n) rede, verstand; *by ~ of* weens; *it stands to ~* dit spreek vanself; (v) redeneer; bespreek; **~able** redelik, billik; verstandig; **~ing** redenering
**reassure'** (v) herverseker; gerusstel
**re'bate** (n) korting, afslag *also* **dis'count**
**reb'el** (n) oproerling, rebel; (a) opstandig
**rebel'** (v) rebelleer; **~lion** opstand, rebellie; **~lious** oproerig, opstandig
**re'born:** ~ **Chris'tian** wedergebore/weerge=bore Christen
**rebound'** (n) terugstuiting, terugslag; reaksie; (v) terugstuit, terugkaats
**recall'** (v) herroep; terugtrek; *you will ~ that . . .*, jy sal onthou dat . . .
**recap'** (v) versool (bande) *also* **retread'**
**recapit'ulate** kortliks herhaal, saamvat/opsom
**receipt'** (n) ontvangs; bewys, kwitansie; *on ~ of* by ontvangs van; ~ **book** kwitansieboek
**receive'** ontvang; onthaal; opvang; kry
**receiv'er** ontvanger; hoorstuk/handstuk (te=lef.); ~ **of rev'enue** ontvanger van belas=tings/inkomste, (belasting)gaarder; Jan Taks
**re'cent** (a) nuut, vars, onlangs, pas gelede; **~ly** onlangs, kort gelede
**recep'tion** (n) ontvangs; onthaal; verwelko=ming; **~ist** ontvangsdame; ~ **room** ontvang=kamer
**recess'** (n) skuilplek; pouse; vakansie, reses; **~ion** slapte, resessie (handel)
**recharge'** (v) herlaai; **~able** herlaaibaar
**re'cipe** (n) resep, voorskrif
**recip'ient** (n) ontvanger (mens)
**recip'rocate** (v) terugdoen (gunstig); vergeld
**reciproc'ity** (n) wederkerigheid, resiprositeit
**recit'al** verhaal, vertelling; voorlesing; uitvoe=ring (mus.)
**recita'tion** voordrag, resitasie; opsomming
**recite'** (v) opsê, voordra, resiteer
**reck'less** roekeloos, onverskillig; ~ **dri'ving** roekelose bestuur
**reck'on** reken, tel, skat, glo; ~ *on* staatmaak op; *day of ~ing* vergeldingsdag
**reclama'tion** terugwinning; drooglegging
**recline'** (v) leun, agteroor lê, rus, neervly
**recluse'** (n) kluisenaar *also* **her'mit**
**recogni'tion** herkenning; erkenning, waarde=ring; *in ~ of* ter erkenning van
**rec'ognise** (v) herken; erken, insien
**recollec'tion** herinnering, geheue
**recommend'** (v) aanbeveel, aanprys, aanraai; **~ed price** aanbevole prys; rigprys
**recommenda'tion** aanbeveling; *letter of ~* aanbevelingsbrief
**rec'oncile** (v) versoen; herenig; bylê
**reconcilia'tion** (n) versoening, rekonsiliasie; toenadering
**Reconcilia'tion Day** Versoeningsdag (vakan=sie)

**recondi′tion** (v) opknap, vernu, opdoen
**reconn′aissance** verkenning, spioentog, spioe=nasie; ~ **flight** verken(nings)vlug
**reconsid′er** heroorweeg
**reconstruc′tion** heropbou, rekonstruksie; ~ **and devel′opment** heropbou en ontwikke=ling
**rec′ord** (n) verslag; register; dokument; re=kord; (grammofoon)plaat; *beat/break a* ~ 'n rekord slaan/oortref/breek; *keep a* ~ *of* rekord hou van (rekordhouding); *on* ~ aan=geteken, op rekord; ~ **turn′over** rekord=omset
**record′** (v) opteken; inskryf; boekstaaf; ver=meld; opneem (klank); ~**ed mu′sic** musiek=opname (CD/plaat/band); ~**ing** opname (klank, beeld)
**record′er** notulehouer; blokfluit
**rec′ord:** ~ **li′brary** diskoteek; ~ **play′er** pla=tespeler
**recov′er** (v) terugkry *also* **regain′**; terug=vorder; herstel, gesond word; verhaal (geld); ~ *consciousness* weer bykom; ~ *damages* skadevergoeding verhaal/kry; ~**y** herstel=(ling); terugvordering; (her)winning (myn)
**recrea′tion** (n) tydverdryf, vermaak, vryetyd=besteding, ontspanning; rekreasie (vak); ~**al facil′ities** ontspangeriewe
**recruit′** (n) rekruut; (v) werf, rekruteer; ~**ment** (n) werwing; rekrutering
**rectang′ular** (a) reghoekig
**rec′tify** (v) aansuiwer; regstel, reghelp
**rec′tor** rektor; universiteitshoof/prinsipaal; predikant; ~**ship** rektorskap; leraarskap; ~**y** pastorie (van kerk)
**rec′tum recta** endelderm, vetderm, rektum
**recup′erate** (v) herstel, aansterk (pasiënt)
**recur′** terugkom, herhaal; repeteer (desimaal); ~**rence** terugkeer, herhaling; ~**ring dec′i=mal** repeterende breuk
**recy′cle** (v) herwin, hergebruik; hersikleer; herraffineer (olie)
**red:** *in the* ~ in die skuld; (a, adv) rooi; **R**~ **Cross Soci′ety** Rooikruisvereniging; **R**~ **Ri′ding Hood** Rooikappie; ~**breast** rooi=borsie; ~**-car′pet recep′tion** vorstelike ver=welkoming/onthaal
**redeem′** (v) loskoop, vrykoop; delg (skuld); ~**ing death** soendood
**Redeem′er** Verlosser, Heiland
**redemp′tion** (n) verlossing; bevryding; del=ging, aflossing; ~ **period** delgtermyn

**red:** ~**-handed** op heter daad/heterdaad; ~**-hot** gloeiend warm, vuurwarm
**redirect′** heradresseer, aanstuur
**red′-letter** gedenkwaardig, besonder; ~ **day** gedenkwaardige dag
**red′ tape** burokrasie; rompslomp
**reduce′** (v) herlei; verminder; ~*d to despair* tot wanhoop gedryf; ~*d rate* verlaagde tarief
**reduc′tion** vermindering, afslag; inkorting
**redun′dant** oortollig (personeel); oorbodig
**red′water** rooiwater (dier); bilharziase (mens)
**reed** riet; matjiesgoed, biesie; (pl) riete, fluitjiesriet; ~ **war′bler** rietvink
**reef** (n) **-s** rif; klipbank, rotslaag
**reel**[1] (n) rolletjie; garetolletjie; (v) oprol, op=draai; ~ *off* afrol (tou)
**reel**[2] (v) 'n riel dans; wankel; waggel; *my head* ~*s* my kop draai
**re-elect′** herkies; ~**ion** herkiesing
**re-examina′tion** hereksamen
**re-exam′ine** (v) hereksamineer; herondersoek
**refer′** verwys; ~ *to* verwys na
**referee′** (n) skeidsregter; referent (om te getuig)
**ref′erence** (n) verwysing; referensie; getuig=skrif; *with* ~ *to* met betrekking tot; met ver=wysing na; ~ **guide** naslaangids; ~ **li′brary** naslaanbiblioteek; ~ **num′ber** verwysnom=mer
**referen′dum** referendum, volkstemming
**re′fill** (n) hervulling; vuller; (v) byvul
**refine′** (v) verfyn; raffineer (suiker, olie); ~**d′** verfyn; gesuiwer; ~**d man′ners** beskaafde maniere; ~**ment** verfyning, beskawing; ~**ry** raffinadery/raffineerdery; suiweringsaanleg
**reflec′tion** weerkaatsing; weerspieëling; ver=wyt; *cast a* ~ *upon* blaam werp op
**reflec′tor** weerkaatser; trukaatser/kaatser; ~ **strip**/~ **tape** glimstrook
**ref′lex** (n) **-es** refleks
**reflex′ive** wederkerend, refleksief; ~ **verb** we=derkerende werkwoord
**reform′** (v) hervorm, verbeter; ~**a′tion** her=vorming, reformasie; ~**atory** (n) verbete=ringsgestig; ~**ed** hervormd, gereformeerd; ~**er** hervormer; ~ **school** verbeteringskool
**refrain′**[1] (n) refrein
**refrain′**[2] (v) beteuel, bedwing, terughou, weer=hou; ~ *from* jou weerhou van
**refresh′** (v) verfris, verkwik, verkoel; ~**er course** opknapkursus; lenteskool *see* **crash course**; (a) ~**ing** verfrissend, verkwikkend
**refresh′ments** verversings

**refrig'erator** (n) yskas/koelkas; koelkamer (fabriek)
**ref'uge** (n) toevlug, skuilplek, toevlugsoord
**refugee'** vlugteling, uitgewekene (mens)
**refund'** (n) terugbetaling; (v) terugbetaal
**refur'bish** opknap, herstel *also* **ren'ovate**
**refus'al** weiering, verwerping
**ref'use**[1] (n) afval, vullis; oorskiet, rommel; ~ **bin** vullisblik; ~ **dump** vullishoop
**refuse'**[2] (v) weier, verwerp, afwys
**regain'** herwin, terugkry; ~ *consciousness* bykom
**reg'al** (a) koninklik, vorstelik
**regal'ia** koninklike waardigheidstekens; kroonsierade; ampsierade; *in full* ~ in volle ornaat/regalia
**regard'** (n) agting; opsig, betrekking; (pl) groete; *in* ~ *to* met betrekking tot; *kind* ~*s to* (hartlike) groete aan; *in this* ~ in hierdie opsig; *with* ~ *to* met betrekking tot; (v) beskou, ag; *as* ~*s myself* wat my betref; ~**ing** aangaande, betreffende, rakende *also* **concer'ning**
**regard'less:** ~ *of expense* ongeag die koste
**regatt'a -s** wedvaart/roeiwedstryd, regatta
**re'gent** (n) regent; vors
**regime'** (n) regering; bewind, regime; *under the old* ~ onder die ou bedeling/bewind
**reg'iment** regiment
**re'gion** (n) streek, landstreek, gebied
**re'gional** (a) streek(s)-; regionaal, gewestelik; ~ **commi'ttee** streekkomitee
**reg'ister** (n) register; rol; (v) registreer; aanteken; inskryf; ~ *a letter* 'n brief laat aanteken/registreer; ~**ed ow'ner** geregistreerde/regmatige eienaar; ~**ed stu'dent** ingeskrewe/geregistreerde student
**reg'istrar** (n) registrateur (universiteit); kliniese assistent (med.); griffier (hof)
**registra'tion** registrasie; inskrywing
**regret'** (n) spyt, berou, verdriet, hartseer; *hear with* ~ met leedwese verneem; (v) spyt hê, betreur; *I* ~ *to say* dit spyt my om te sê; ~**table** (a) betreurenswaardig
**reg'ular** (a) gereeld, reëlmatig; ~ **ar'my** staande mag; ~ **hours** vaste ure; ~ **mee'tings** gereelde vergaderings
**reg'ulate** (v) reël, rangskik, reguleer
**regula'tion** regulasie; voorskrif, reglement
**reg'ulator** balans; slinger (aan uurwerk); reëlaar (aan enjin)
**rehears'al** (n) repetisie, instudering
**rehearse'** (v) repeteer, instudeer/inoefen
**reign** (n) regering; bestuur; (v) regeer; ~ *of terror* skrikbewind
**reimburse'** (v) terugbetaal, vergoed; goedmaak
**rein** (n) teuel, leisel; (v) beteuel, in toom hou
**rein'deer** rendier (bok)
**reinforce'** (v) versterk, verstewig; inskerp; ~**ment/reinforcing** versterking; wapening
**reit'erate** herhaal
**re'ject** (n) afgekeurde goed; (pl) uitskot
**reject'** (v) verwerp, afwys; weier; verstoot
**rejoice'** (v) verheug/bly wees; juig
**rejuv'enate** verjong, verlewendig
**relate'** (v) vertel, verhaal; ~**d** verwant
**rela'tion** (n) betrekking; verwantskap; *in* ~ *to* met betrekking tot; ~**ship** verwantskap; verhouding; verband (tussen)
**rel'ative** (n) bloedverwant/familielid; (pl) familie; (a) betreklik, relatief; ~ **pro'noun** betreklike voornaamwoord
**relativ'ity** relatiwiteit
**relax'** (v) verslap; ontspan; verlig; ~**a'tion** verslapping; ontspanning; versagting
**relay'** (n) **-s** aflosspan; heruitsending (radio); (v) heruitsaai; ~ **race** afloswedloop
**release'** (n) loslating, ontslag; (v) loslaat; ontslaan; vrylaat; ~ *of hostages* vrylating van gyselaars; **press** ~ persverklaring
**rel'evant** toepaslik, ter sake, relevant
**reli'able** (a) betroubaar, vertroubaar; deeglik
**relief** (n) verligting, oplugting; ondersteuning, noodleniging; *what a* ~*!* wat 'n verligting!; ~ **fund** noodlenigingsfonds
**relieve'** (v) verlig, ondersteun; aflos; ~ *the guard* die wag aflos
**reli'gion** (n) godsdiens; geloof *also* **faith**
**reli'gious** godsdienstig, vroom; stip; ~ **denomina'tion** kerkverband; kerkgroep; ~ **instruc'tion** godsdiensonderrig
**relinq'uish** (v) afsien van, laat vaar, opgee
**rel'ish** (n) smaak, geur; voorsmaak; neiging; *eat with* ~ smaaklik eet
**reloca'te** (v) (weg)trek, verhuis *also* **mo've**
**reluc'tant** (a) weerstrewig, teensinnig; ~**ly** teensinnig, onwillig, langtand
**rely'** (v) vertrou/reken op, staatmaak op
**remain'** bly; oorbly; ~**der** oorblyfsel, oorskot; res; ~**s** oorblyfsels; stoflike oorskot
**remark'** (n) aanmerking (ongunstig); opmerking; (v) aanmerk (ongunstig); opmerk; ~**able** merkwaardig, opmerklik
**remed'ial** (a) heilsaam; helend/genesend; re-

mediërend; ~ **educa′tion** remediërende onderwys/onderrig
**rem′edy** (n) geneesmiddel/boereraat; kuur; regsmiddel; (v) regstel, herstel; genees; remedieer
**remem′ber** onthou; byval; ~ *me to your friends* sê groete aan jou vriende
**remem′brance** aandenking; gedagtenis; **day of** ~ gedenkdag
**remind′** herinner, help onthou; ~**er** aanmaning; wenk
**remit′** (v) terugstuur; terugkeer; terugbetaal; ~**tance** geldsending
**rem′nant** (n) oorblyfsel, oorskot; restant, oorskietlap; ~ **sale** restantverkoping
**remorse′** (n) (gewetens)wroeging, berou
**remote′** ver/vêr, afgeleë, verwyderd; ~ **control′** afstand(s)beheer; *not the ~st idea* nie die vaagste benul nie
**remov′al** verwydering; verhuising; verplasing; ~**s van** verhuiswa, meubelwa
**remove′** (v) verwyder; verplaas; verhuis *also* **re′locate**; ontslaan/afdank
**remunera′tion** (n) vergoeding, besoldiging
**ren′der** (v) lewer; oorgee; ~ *assistance* hulp verleen; ~ *a service* 'n diens bewys; **account′** ~**ed** gelewerde rekening
**ren′dering** lewering; vertolking (musiekstuk)
**ren′dezvous** (n) vergaderplek, versamelplek, saamtrek, rendezvous
**ren′egade** (n) renegaat; droster
**renew′** (v) vernuwe; hernu(we); hervat; *please ~ your subscription* geliewe u intekening/subskripsie te hernu; ~**al** hernuwing; ~**al no′tice** hernuwingkennisgewing
**renova′tion** vernuwing, opknapping
**rent** (n) huur; huurgeld; (v) huur, verhuur; ~**al** huur(geld)
**reo′pen** heropen (skool)
**reorganisa′tion** (n) herindeling, reorganisasie
**repair′** (n) herstel(ling), reparasie; (pl) herstelwerk; *out of* ~ onklaar; stukkend; (v) regmaak, herstel; vergoed
**repay′** terugbetaal; ~**able** terugbetaalbaar; ~**ment** terugbetaling
**repeat′** (n) herhaling; (v) herhaal, repeteer; ~**edly** herhaaldelik
**repel′** (v) verdryf, terugdryf; **odour** ~**lent** reukweerder, deodorant
**repent′** spyt hê, berou hê; ~**ance** berou
**repercus′sion** terugslag; nasleep, reperkussie; *cause ~s* opslae maak
**repeti′tion** herhaling, repetisie
**replace′** verplaas, vervang; terugsit
**re′play** (n) trubeeld, kyk weer (TV)
**replen′ish** aanvul, vol maak *also* **restock′**
**rep′lica** ewebeeld; replika (kopie)
**reply′** (n) **replies** antwoord; *in ~ to* in antwoord op; (v) antwoord (gee)
**report′** (n) berig, verslag, rapport; (v) aanmeld; berig, verslag doen/lewer; rapporteer; ~ *back* terugrapporteer; *he must ~ to the trainer* hy moet hom by die afrigter aanmeld; ~**er** verslaggewer *also* **jour′nalist**
**represent′** (v) verteenwoordig; voorstel
**represent′ative** (n) verteenwoordiger; (a) verteenwoordigend; ~ **commit′tee** skakelkomitee *also* **liai′son commit′tee**
**reprieve′** (n) uitstel, opskorting; *grant a* ~ begenadig; (v) uitstel, opskort
**rep′rimand** (n) berisping, teregwysing; (v) berispe, teregwys, bestraf *also* **admon′ish**
**re′print** herdruk; oordruk
**repri′sal** (n) vergelding, weerwraak; ~ **attack′** wraakaanval
**reproach′** (n) verwyt, berisping; blaam; (v) verwyt, berispe
**reproduce′** (v) kopieer, reproduseer; namaak
**reproduc′tion** reproduksie, weergawe
**rep′tile** (n) reptiel; kruipende gedierte
**repub′lic** republiek; ~**an** (n) republikein
**repud′iate** (v) repudieer; loën, ontken
**repul′sive** weersinwekkend, afstootlik
**rep′utable** (a) fatsoenlik, agtenswaardig, respektabel; betroubaar (firma)
**reputa′tion** aansien, eer, agting, reputasie
**request′** (n) versoek, vraag; *by* ~ op versoek; (v) versoek; vra; ~ *the company of* hartlik/vriendelik (uit)nooi; ~ **item** versoeknommer (radio)
**require′** (ver)eis; ~**d** gevra, verlang; ~**ment** vereiste, benodig(d)heid, behoefte
**requisi′tion** (n) rekwisisie; (v) opkommandeer
**res′cue** (n) redding; (v) red, bevry; ~ **attempt′** redpoging; ~ **par′ty** reddingspan; ~**r** redder
**research′** (n) navorsing; ondersoek; (v) navors, naspoor; ~ **work** navorsing, bronnestudie
**resem′blance** (n) ooreenkoms, gelykenis
**resent′** kwalik neem, beledig voel; ~**ful** liggeraak, gevoelig; ~**ment** wrok, wrewel
**reserva′tion** (n) voorbehoud; bedenking; bewaring; bespreking (plek)
**reserve′** (n) reserwe, noodvoorraad; terug=

houdendheid; reservaat; *without* ~ sonder voorbehoud; (v) voorbehou; agterhou, re=serveer; bespreek (sitplek); ~ *the right* die reg (voor)behou
**reserv'ist** reservis (polisie)
**res'ervoir** (n) reservoir, opgaardam
**reset'tle** hervestig; ~**ment** hervestiging
**reside'** (v) woon, bly *also* **live, stay**; setel
**res'idence** woonplek; verblyf, inwoning; *board and* ~ kos en inwoning; *be in* ~ inwoon; tuis/terug wees
**res'ident** (n) bewoner; inwoner; (a) woon=agtig; inwonend; ~ **doc'tor** inwonende ge=neesheer; ~ **engineer'** resident-ingenieur; ~**'s per'mit** verblyfpermit
**residen'tial** woon=; verblyf=; inwonend; ~ **area/quar'ter** woonbuurt
**resign'** (v) bedank, ontslag neem; ~ *from a committee* uit 'n komitee bedank; ~**a'tion** bedanking, ontslag; gelatenheid
**resil'ience** veerkrag, elastisiteit, fleksiteit
**res'in** (n) harpuis
**resist'** (v) weerstaan; teenstribbel; ~ *the temptation* die versoeking weerstaan
**resis'tance** weerstand, teenstand; *the line of least* ~ die weg van die geringste weer=stand; *passive* ~ lydelike verset; ~ **move'=ment** weerstand(s)beweging
**resolu'tion** (n) besluit, beslissing; resolusie (vergaderings); *good* ~*s* goeie voornemens
**resolve'** (v) voorneem; besluit, beslis; oplos ('n probleem)
**resort'** (n) toevlugsoord; redmiddel; (v) sy toevlug neem tot; ~ *to force* geweld ge=bruik; **hol'iday** ~ vakansieoord; **pleas'ure** ~ plesieroord
**resound'** (v) weergalm, weerklink, skal
**resource'** hulpbron, redmiddel; (pl) geldmid=dele, talente; **hu'man** ~**s** menslike hulp=bronne, mensebronne; **nat'ural** ~**s** natuur=bronne; ~**ful** slim, vindingryk, skerpsinnig *also* **in'novative**
**respect'** (n) eerbied; agting; (pl) groete; *in all* ~*s* in alle opsigte; *in* ~ *of* met betrekking tot; betreffende, rakende; uit hoofde van; *pay last* ~*s* die laaste eer bewys; *with* ~ *to* met betrekking tot; ~**able** fatsoenlik; res=pektabel; ~**ed** geëer, geag; ~**ful** eerbiedig, beleef(d); ~**ive** betreklik, respektief; ~**ive cap'tains** onderskeie kapteins
**respira'tion** asemhaling *also* **brea'thing**
**respond'** antwoord, reageer; ~**ent** verweerder, respondent (hofsaak)
**response'** (n) antwoord; respons(ie); weer=klank; *make no* ~ nie reageer nie
**responsibil'ity ..ties** verantwoordelikheid; aanspreeklikheid
**respon'sible** verantwoordelik; betroubaar
**rest**[1] (n) oorskiet, res
**rest**[2] (n) rus, pouse; blaaskans; *for the* ~ origens; *lay to* ~ ter ruste lê (begrawe); (v) rus; slaap; *the decision* ~*s with you* jy moet besluit
**res'taurant** restourant/restaurant; eetplek
**rest:** ~ **camp** ruskamp; ~ **cure** ruskuur; ~**ful** rustig, stil; ~ **house** herberg
**rest'less** rusteloos, woelig
**restore'** teruggee; herstel; restoureer
**restrain'** bedwing, beteuel, beperk, inhou
**restrict'** (v) beperk, begrens, bepaal; inperk
**restric'tion** beperking, restriksie, inperking
**result'** (n) gevolg, uitslag, resultaat; (v) volg, ontstaan, voortspruit; **examina'tion** ~**(s)** eksamenuitslag
**resume'** (v) hervat; saamvat; vervolg
**resurrec'tion** wederopstanding, verrysenis
**retail'** (v) rondvertel; ~ *at* verkoop teen
**ret'ail** (n) kleinhandel; ~ **dea'ler** kleinhande=laar; ~**er** kleinhandelaar; ~ **price** klein=handelprys, verbruikersprys
**retain'** behou; ~**ing fee/**~**er** bindgeld; reten=siegeld; ~**ing wall** stutmuur
**retal'iate** (v) vergeld, terugbetaal, terugveg
**retard'** vertraag, uitstel, belemmer; ~**ed child** (verstandelik) gestremde/vertraagde kind
**ret'ina** (n) netvlies (oog), retina
**retire'** (v) (jou) terugtrek; ontslag neem; aftree; uittree; ~ *on a pension* met pensioen aftree; ~**d'** oud=, gewese; stil; teruggetrok=ke; gepensioeneer; ~**d chair'person** uitge=trede voorsitter; ~**ment** aftrede; uittrede; ~**ment annu'ity** aftreeannuïteit; ~**ment vil'lage** aftreeoord
**retir'ing** stil, beskeie; ingetoë; ~ **chair'man/chair'person** uittredende voorsitter
**retract'** terugtrek (jou woorde); herroep
**retread'** (v) versool; ~**s** versoolde bande
**retreat'** (n) aftog, terugtog; skuilplek; *sound the* ~ die aftog blaas; (v) (jou) terugtrek
**retrench'** besnoei (personeel); afdank; ~**ment** besnoeiing, inkorting; afdanking
**retribu'tion** vergelding, weerwraak *also* **repri'sal**; *war of* ~ vergeldingsoorlog
**retrieve'** (v) terugkry; red; opspoor; ~ *in=*

*formation* inligting ontsluit; ~**r** jaghond
**ret′rospect/retrospec′tion** terugblik; *in* ~ agterna beskou, terugskouend
**retrospec′tive** terugwerkend
**return′** (n) terugkeer, terugkoms; opbrengs, rendement (op belegging); opgawe; *many happy ~s* nog baie jare; (v) terugkom; terugstuur, teruggee; ~ **date/**~ **day** keerda⸗tum, keerdag; ~ **jour′ney** terugreis; ~ **match** teenwedstryd; ~ **tic′ket** retoerkaartjie
**reun′ion** (n) hereniging, reünie/re-unie
**revamp′** (v) opknap; restoureer
**reveal′** openbaar, blootlê; onthul
**rev′el** (v) jolyt/rumoer/pret maak; fuif; swelg, bras; ~ *in* jou verlustig in
**revela′tion** openbaring, onthulling
**rev′eller** jolytmaker, pretmaker *also* **mer′ry⸗maker**
**revenge′** (n) wraak; (v) wreek; ~**ful** wraakgie⸗rig, wraaksugtig
**rev′enue** (n) inkomste; ~ **ser′vices** inkoms⸗tedienste; ~ **stamp** inkomsteseël
**rev′erence** (n) eerbied, hoogagting, ontsag; *hold in* ~ eer; *pay* ~ eer betoon
**rev′erend** (n) eerwaarde; dominee; (a) eer⸗waarde
**rev′erie** (n) mymering, dromery, gepeins
**reverse′** (n) keersy, agterkant; teenspoed; neerlaag; trurat; (v) omkeer; omdraai; tru; nietig verklaar (uitspraak); ~ *a judgment* 'n uitspraak omverwerp/ter syde stel; ~ **gear** trurat; ~ **side** keersy
**revert′** (v) omkeer; terugkeer; terugval
**review′** (n) oorsig; resensie/boekbespreking; (v) beoordeel, bespreek, resenseer; ~**er** be⸗oordelaar, resensent (mens)
**revise′** (v) hersien, bywerk; verbeter; wysig; ~**d edi′tion** hersiene uitgawe
**revi′sion** hersiening, revisie
**revi′val** (n) herlewing; oplewing; opwekking
**revive′** (v) herleef; opwek; bykom; ~ *a patient* 'n pasiënt bybring
**revoke′** (v) herroep ('n wet); vernietig; intrek
**revolt′** (n) opstand, oproer; (v) in opstand kom; ~**ing** weersinwekkend
**revolu′tion** revolusie/rewolusie; omwenteling; kringloop, wenteling, toer; ~**ary** (n) op⸗standeling, revolusionêr; (a) revolusionêr, opstandig; ~**s coun′ter** toereteller (masjien) *also* **rev coun′ter**; ~**ise** omkeer
**revol′ver** rewolwer
**revol′ving** draai⸗; wentel⸗; ~ **cred′it** wentel⸗krediet; ~ **restaurant** wentelrestourant
**revue′** (n) musiekkomedie, revue
**reward′** (n) beloning, vergoeding; *due* ~ verdiende loon; (v) beloon; vergeld
**rhap′sody ..dies** rapsodie (mus.)
**rhet′oric** retoriek, welsprekendheid; ~**al** reto⸗ries, hoogdrawend; welsprekend
**rheumat′ic** (n) rumatieklyer; ~ **fe′ver** ruma⸗tiekkoors, sinkingkoors
**rheum′atism** rumatiek
**rhinoc′eros -es** renoster *also* **rhi′no** (sing + pl)
**Rhode′sia** Rhodesië (tans Zimbabwe); ~**n ridge′back** rifrug(hond), pronkrughond
**rhu′barb** rabarber (groente)
**rhyme** (n) rym; rympie; poësie; (v) rym, dig
**rhy′thm** (n) ritme, maat; ~**ic(al)** ritmies
**rib** (n) rib, ribbetjie, ribbebeen
**ribb′on** lint, band; *tear to ~s* in flenters/flarde skeur; ~ **worm** snoerwurm *see* **tape′worm**
**rice** rys; ~ **pa′per** ryspapier
**rich** (a) ryk; kosbaar, vrugbaar (grond); voed⸗saam (kos); ~ **food** ryk kos; ~**es** rykdom; weelde; ~**ness** rykheid, oorvloed
**rick′ets** ragitis, Engelse siekte
**rick′ety** (a) slap, lendelam *also* **tot′tering**
**rick′shaw** riksja
**ric′ochet** (n) opslagkoeël; (v) opslaan
**rid** vry maak, ontslaan; verlos; verwyder; *be ~ of* kwyt wees; *get ~ of* ontslae raak van; ~**dance** bevryding, verlossing; *good ~dance* 'n ware oplugting, dankie bly
**rid′dle** (n) raaisel; (v) raai
**ride** (n) rit, toer; (v) ry, bery; ~**r** ruiter
**ridge** (n) rug; nok (dak); kant; krans; bult, bergrug; middelmannetjie; (v) rimpel, riffel; ~**back** rifrug(hond)
**ridic′ulous** (a) belaglik, verspot *also* **lu′dicrous**
**ri′ding:** ~ **bree′ches** rybroek; ~ **hab′it** ry⸗kostuum; ~ **whip/crop** rysweep, karwats, peits
**riem** riem; ~**pie** riempie
**riff′-raff** uitvaagsel, gespuis, skorriemorrie, hoipolloi *also* **rab′ble**
**ri′fle** (n) geweer; roer; ~ **club** skietvereniging; ~ **comman′do** skietkommando; ~**man** skut⸗ter; skerpskutter, skut; ~ **range** skietbaan
**rift** (n) skeur, bars; ~ **val′ley** slenkdal
**rig** (n) uitrusting; touwerk (skip); boortoring; (v) aantrek, optooi; manipuleer (verkiesing); ~**ger** takelaar (ambagsman)
**right** (n) reg, aanspraak; (pl) regte; *keep to the ~* hou regs; *might is ~* mag is reg; (v) reg⸗

stel; verbeter; (a) billik; regverdig; *at ~ angles* reghoekig; *in his ~ mind* by sy volle verstand; (adv) presies, reg; **~-about** regs om; ~ **angle** regte hoek; **~eous** regverdig, regskape; **~ful** regmatig, wettig; **~-handed** regs; **~ly** tereg, presies, juis; **~wing** reg⸗tervleuel; regsgesind (politiek)
**rig'id** (a) styf; streng; vas; rigied
**rig'marole** kaf; kletsery; gedoente
**rim** (n) rand; lys; velling (wiel)
**ring**[1] (n) ring; kring; kryt; (v) omring/omkring
**ring**[2] (n) klank; gelui; geluid; *have a familiar ~* bekend klink; (v) lui; telefoneer; bel
**ring:** **~fin'ger** ringvinger, naaspinkie; **~lea'der** belhamel, voorbok; **~let** ringetjie; ~ **road** ringpad/sirkelpad; **~worm** omloop
**rink** (n) baan, skaatsbaan/ysbaan; (v) skaats
**rinse** (v) uitspoel, afspoel
**ri'ot** (n) oproer, muitery; (v) muit, oproer maak; **~er** oproermaker; **~ous** oproerig; ~ **poli'ce** onluspolisie
**rip** (n) skeur; (v) oopskeur; **~cord** trekkoord (valskerm)
**ripe** ryp; oud; beleë (wyn); ~ **age** hoë ouder⸗dom; **~n** ryp word; ryp maak
**rip'ple** (n) rimpeling, kabbeling; (v) kabbel, rimpel; ~ **effect'** rimpeleffek
**rise** (n) styging, opgang; opkoms (son); verho⸗ging (salaris); toename; opdraand; *give ~ to* aanleiding gee tot; (v) styg; opkom; ontstaan
**risk** (n) gevaar, risiko; (v) waag, riskeer; **~y** gewaag, riskant
**rite** (n) plegtigheid, ritus/rite, seremonie
**rit'ual** (n) kerkgebruik; rituaal; ritueel; (a) ritueel; ~ **mur'der** rituele moord
**riv'al** (n) mededinger; teenstander *also* **oppo'⸗nent**; (v) meeding, wedywer; (a) mededin⸗gend; **~ry** mededinging, wedywer(ing)
**riv'er** rivier, stroom; ~ **ba'sin** stroomgebied; **~bed** rivierbedding; **~side** rivieroewer; ~ **tor'toise** waterskilpad
**riv'et** (n) klinknael; kram; (v) (vas)klink
**road** (n) pad, weg; *rules of the ~* verkeers⸗regulasies; **~block** padblokkade, padversper⸗ring; **~hog** padvark; jaagduiwel; **~house** padkafee; **~race** padwedloop, padren; ~ **sa'fety** padveiligheid; **~sign** padteken; **~wor'thy** padwaardig; **~wor'thy certif'icate** padwaardig(heid)sertifikaat
**roam** rondswerf/rondswerwe; ronddool; **~ing** swerming (selfoon)
**roan** skimmel (perd)
**roan' an'telope** bastergemsbok
**roar** (n) gebrul; gebulder; (v) brul; raas; *~ with laughter* skater van die lag
**roar'ing** (a) brullend; dreunend; eersteklas, uitstekend; *a ~ time* groot pret/plesier; *~ trade* lewendige handel, goeie besigheid
**roast** (n) braaivleis; (v) braai, bak
**rob** (v) (be)roof, steel; besteel; plunder; **~ber** rower, dief; **~bery** roof, rooftog *see* **heist**
**robe** (n) japon; toga; mantel; **~s of of'fice** ampsgewaad
**rob'in** rooiborsie (voël)
**ro'bot** robot; outomaat
**robust'** (a) sterk, gespierd, kragtig *also* **vir'ile**
**rock**[1] (n) rots, kliprots; **~drill** klipboor, diamantboor; **~ery'** rotstuin
**rock**[2] (v) skud, skommel; wieg; wankel; *~ to sleep* aan die slaap wieg
**rock**[3] rock (musiekstyl) *see* **soul, coun'try**
**rock'-'n'-roll** ruk-en-rol, ruk-en-pluk
**rock'et** vuurpyl; ~ **laun'cher** vuurpylrigter
**rock'ing:** ~ **chair** skommelstoel; ~ **horse** hobbelperd
**rock:** **~fall** rotsstorting; drukbars (myn); ~ **pi'geon** bosduif, kransduif; **~rab'bit** das (sie); **~y** rotsagtig, klipperig
**rod** stang, staaf; (tug)roede
**ro'dent** (n) knaagdier; (a) knaag⸗; ~ **exter'mi⸗nator** rot(te)vanger
**roe** takbokooi; **~buck** gemsbok (Bybel)
**rogue** skurk, boef, booswig; skelm, vabond; ~ **el'ephant** dwaalolifant
**role** rol, funksie; ~ **play'er** rolspeler
**roll** (n) rol, register; broodjie; *~ of honour* ererol; (v) rol, oprol; *~ one's R's* bry; *~ up* oprol; opdaag; **~call** appèl, naamlesing
**roll'er** roller; rolstok; **~bla'des** rollemskaatse, inlynskaatse *also* **in'line ska'tes**; ~ **blind** rolgordyn; ~ **coas'ter** wipwaentjie, tuimel⸗trein(tjie); ~ **skate** rolskaats
**roll'ick** (v) baljaar, vrolik wees
**roll'ing** golwend, rollend; ~ **pin** deegroller; ~ **stock** rollende materiaal (spoorweg)
**ro'ly-po'ly** (n) rolpoeding; klein vetsak, pot⸗jierol (kind)
**Ro'man** (n) Romein; romein (letter); (a) Romeins; Rooms; ~ **Cath'olic** Rooms-Ka⸗toliek
**roman'tic** (a) romanties; **~ism** romantiek
**Rome** Rome; *do in ~ as the Romans do* skik jou na die omstandighede
**romp** (v) stoei, baljaar, jakker, ravot; *~ home*

maklik eerste kom; fluit-fluit wen
**ronda'vel** rondawel
**roof** (n) **-s** dak; verhemelte (van mond); gewelf; *thatched* ~ grasdak; ~ **car'rier** dakrak, bagasierak (motor); ~**clut'cher** dakvink (motoris); ~ **gar'den** daktuin; ~**wet'ting** dakviering, huisinwyding *also* **house-war'ming**
**room** (n) kamer, vertrek; ~**s** spreekkamer (dokter); ~**y** ruim, groot *also* **spa'cious**
**roost** (n) slaapplek; slaapstok; *go to* ~ gaan slaap; *rule the* ~ baasspeel
**roos'ter** (hoender)haan
**root** (n) wortel; stam; oorsprong; *the* ~ *of all evil* die wortel van alle kwaad; (v) wortelskiet; ~ *up* uitroei
**rope** (n) tou, lyn; *know the* ~*s* goed ingelig/touwys wees; ~**lad'der** touleer; ~**wal'ker** koordloper
**ro'sary** rosekrans, paternoster; roostuin
**rose** (n) roos; roset; sproeier (gieter); *under the* ~ in die geheim; (a) rooskleurig; ~ **apple** jamboes; ~**bud** roosknop
**rose'mary ..ries** roosmaryn
**rosette'** roset, kokarde
**ros'in** (n) hars; vioolhars *also* **res'in**
**ros'ter** (n) rooster, tydtafel; skedule
**ros'trum** rostrum, podium; snawel, bek
**ro'sy** (a) rooskleurig, blosend
**rot** (n) verrotting; onsin; *dry* ~ vermolming; *tommy*~ kaf, onsin; (v) verrot, vergaan, verkwyn; terg, pla
**Rota'rian** Rotariër (mens)
**ro'tary** ronddraaiend, roterend
**rotate'** (v) draai, wentel *also* **revol've**; roteer; afwissel (gesaaides)
**rota'tion** rotasie, wenteling; *by* ~ om die beurt, rotasiegewys; ~ *of crops* wisselbou
**rott'en** (a) verrot, bederf; vrotsig, beroerd
**rough** (n) ruveld/sukkelveld (gholf); (v) ru/grof maak; touwys maak; ~ *it* jou ongerief/ongemak getroos; (a) ru, grof; ruig; *make a* ~ *guess* naastenby skat; ~**-and-tum'ble** (n) geveg, worsteling; ~**book** kladboek; ~ **draft** konsep; ~**ly** naastenby, ruweg; ~ **man'ners** onbeskaafde maniere; ~**ness** ruheid; oneffenheid; ~ **play** ruwe spel; ~**ri'der** perdetemmer, baasruiter
**roulette'** roulette/roelet, dobbelwiel
**round** (n) rondte (om baan); rondgang, kring; ronde (boks, stoei); (a) rond; gerond; ~ *figures* rondesyfers/rondesom (geld); (adv, prep) rondom, in die rondte; *bring* ~ bybring (na 'n floute); *show* ~ rondneem; ~**ed** gerond, afgerond; ~**ly** ronduit, botweg; ~**ness** rondheid, volheid; ~ **rob'in** rondomtalie (speelpatroon); ~ **up** bymekaarmaak (vee); klopjag
**Round Table** (n) Tafelronde; ~**r** Tafelaar
**rouse** (v) wakker maak; wek, opja
**route** (n) pad, koers, roete; *en* ~ onderweg
**routine'** (n) sleur, gewoonte, roetine
**row**[1] (n) ry; reeks; *in* ~*s* in rye
**row**[2] (v) roei
**row**[3] (n) geraas, lawaai; rusie; *kick up a* ~ lawaai maak; ~**dy** rumoerig *also* **noi'sy**
**roy'al** koninklik *also* **impe'rial**; rojaal, uitstekend, eersteklas; *a* ~ *time* 'n heerlike tyd; ~ **game** kroonwild; ~**ist** rojalis, koning(s)gesinde; ~**ty** koningskap; die koningshuis; outeursaandeel (aan skrywer); vrugreg (myn)
**rub** (n) wrywing; moeilikheid; *there's the* ~ daar lê die knoop; (v) blink maak; vryf; skuur; ~ *shoulders with* in aanraking kom met
**rubb'er** (n) gomlastiek, rubber; uitveër; ~ **stamp** stempel, tjap
**rubb'ish** vullis, vuilis *also* **trash**; rommel; onsin, kaf; ~ **remo'val** vullisverwydering
**rub'ble** puin; bourommel
**ru'by rubies** robyn; robynkleur
**ruck'sack** rugsak, knapsak *also* **knap'sack**
**ruc'tion** (n) rusie, twis; onenigheid
**rudd'er** roer, stuur (van boot)
**rude** (a) onbeskof; onbeskaaf *also* **cru'de**; ~**ness** onbeskoftheid
**ru'diment** grondslag, beginsel; (pl) grondbeginsels, eerste beginsels
**ruff'ian** (n) booswig, skurk, molesmaker
**ruf'fle** (v) frommel, kreukel; iem. vererg/ontstel; ~**d hair** deurmekaar hare
**rug** (reis)deken; vloerkleed
**rug'by** rugby(voetbal)
**ru'in** (n) bouval, puinhoop; ruïne/murasie
**rule** (n) reël; reglement; bewind; liniaal; *the golden* ~ die gulde reël; *hard and fast* ~*s* vaste reëls; ~ *of law* regsoewereiniteit; ~ *of the road* verkeersreël; (v) reël, vasstel; regeer; linieer; ~ *out* uitskakel; ~ *the roost* baasspeel; ~**r** heerser/regeerder; bewindhebber; liniaal
**rul'ing** (n) beslissing; uitspraak; reëling; (a) regerend, bewindhebbend; heersend; ~ **par'ty** bewindhebbende/regerende party; ~

**price** heersende prys
**rum** (n) rum
**rum'ble** (n) gerommel, geratel; (v) rommel, ratel, dreun; ~ **strip** dreunstrook (teerpad)
**rum'our** (n) gerug; *mere* ~ riemtelegram
**rump'steak** kruisstuk/kruisskyf, rumpsteak
**rum'pus** (n) herrie, moles, opstootjie; ~ **room** jolkamer, gesinskamer
**run** (n) lopie (krieket); verloop; wedloop; *have a ~ for one's money* waarde vir jou geld hê; (v) hardloop/hol; draf; stroom; dryf (saak); ~ *up bills,* ~ *into debt* skuld maak; ~ *down* omry/omloop; opspoor; slegmaak; ~ *the risk* die risiko loop; ~ *a shop* 'n winkel bestuur/bedryf; ~ *the show* baas wees
**run'away** (n) wegloper; (a) gevlug; op hol; ~ **vic'tory** wegholoorwinning
**rung** (n) sport (van 'n leer)
**runn'er** loper; boodskapper; hardloper; ~ **bean** rankboon; ~**-up** naaswenner
**runn'ing** (a) stromend, lopend; *three days ~* drie dae aanmekaar; ~ **com'mentary** (deur)lopende kommentaar; ~ **costs** loopkoste (motor); ~ **expen'ses** daaglikse uitgawes; ~ **no'se** snotneus (kind); ~ **shorts** drafbroekie; ~ **stom'ach/tum'my** loopmaag
**run'way** (n) aanloopbaan/stygbaan (vliegtuig); stroombed (rivier)
**rup'ture** (n) breuk *also* **frac'ture**; skeuring
**rur'al** (a) landelik; plattelands
**rush** (v) stormloop; voortsnel; haastig maak; ~ *at* bestorm; ~ *matters* oorhaastig te werk gaan; ~ **hour** spitsuur *also* **peak hour**
**rusk** (boer)beskuit (droog)
**Ru'ssia** Rusland; ~**n** (n) Rus; (a) Russies
**rust** (n) roes; (v) roes; verroes
**rus'tic** (a) landelik; vreedsaam; onbedorwe
**ru'stle** (n) geritsel; (v) ritsel, suisel; veediefstal pleeg; ~**r** veedief/veestroper
**rust:** ~**proof'ing** roeswering; ~ **resis'tant** (a) roeswerend
**rut** (n) groef; gewoonte, roetine; sleur
**ruth'less** (a) onbarmhartig, meedoënloos, wreed *also* **mer'ciless**
**rutt'ish** bronstig, loops, op hitte (diere)
**rye** rog; ~ **bread** rogbrood

# S

**Sabb'ath** (n) Sabbat, rusdag
**sabbat'ic** sabbat-; ~**al leave** sabbatsverlof (vir studie/navorsing)
**sa'ble an'telope** swartwitpens(bok)
**sab'otage** (n) sabotasie; (v) saboteer, ondermyn, rysmier, ondergrawe
**saboteur'** saboteur, ondermyner (mens)
**sa'bre** (n) sabel; ~ *rattling* wapengekletter
**sach'et** (n): **milk** ~ melksakkie
**sack**[1] (n) sak *also* **bag**
**sack**[2] (n) ontslag; plundering; *give the ~* ontslaan, in die pad steek; *get the ~* die trekpas kry; (v) afdank/ontslaan *also* **dismiss', fire**; plunder; afsê ('n kêrel)
**sac'rament** (n) sakrament
**sa'cred** (a) heilig, gewyd
**sac'rifice** (n) offer, offerande; opoffering; *make the supreme ~* die hoogste offer bring; (v) offer; opoffer
**sac'rilege** (n) heiligskennis, ontheiliging
**sad** treurig, droewig, somber *also* **dis'mal**
**sad'dle** (n) saal; stut; (v) opsaal; belas; *be ~d with* opgeskeep sit met; ~ **girth** buikgord; ~ **horse** ryperd; ~**r** saalmaker; ~**ry** saalmakery; ~**tree** saalboom
**sadis'tic** (a) sadisties
**sad'ness** droefheid, treurigheid, verdriet
**safa'ri** safari, jagtog; ~ **suit** safaripak
**safe**[1] (n) brandkas; kluis *also* **strong'room**
**safe**[2] (a) veilig, seker; ~ *and sound* fris en gesond; ~ **con'duct** vrygeleide; ~ **cus'tody** versekerde/veilige bewaring; ~**guard** (n) beskerming, beveiliging; (v) beskerm; vrywaar (van)
**safe'ty** veiligheid; sekerheid; ~ **belt** veiligheidsgordel, redgordel; ~ **clo'thing** glimdrag; ~ **match** (Sweedse) vuurhoutjie; ~ **pin** haakspeld
**sag** (v) afsak, hang, verslap
**sa'ga -s** sage, volksverhaal, legende; familieroman; saga (Noors), heldegeskiedenis
**sage** (n) salie (plant)
**sag'o** sago; ~ **tree** meelboom
**said** het gesê; genoemde

**sail** (n) seil; (v) vaar, uitseil; ~ **boar'ding** bordseil (sport); ~**cloth** seildoek
**sail'ing** afvaart; ~ **ves'sel** seilskip
**sail'or** matroos
**saint** (n) heilige; (a) heilig; ~**ly** heilig
**sake:** *for the ~ of* ter wille van; *for your ~* om jou ontwil; *for goodness' ~* in hemelsnaam
**sal'ad** slaai *see* **let'tuce**; ~ **dres'sing** slaaisous
**sal'amander** koggelmander; sal(a)mander
**sal'ary** (n) **..ries** salaris, loon, besoldiging; ~ *negotiable* salaris reëlbaar; (v) besoldig; ~ **pack'age** salarispakket
**sale** verkoop, (uit)verkoping, prysfees; veiling; vandisie/vendusie; *for ~* te koop; ~ **price** uitverkoopprys
**sales** (n) verkope, afset
**sales:** ~**man** verkoper, verkoop(s)man; ~**manship'** verkoopkuns; ~ **man'ager** ver= koopbestuurder; ~ **talk** smouspraatjies
**sal'ient** uitstaande; treffend, opvallend
**sal'ine** (n) soutbron; soutoplossing; (a) sout= agtig
**sali'va** (n) spoeg/spuug, speeksel
**salm'on** (n) salm; (a) salmkleurig
**saloon'** (n) saal, salon; eetsaal, kantien
**salt** (n) sout; (v) insout, pekel; ~**less** soutloos, laf; ~**pan** soutpan
**saltpet're** (n) salpeter
**saluta'tion** groet, begroeting; aanhef (brief)
**salute'** (n) saluut; (v) salueer
**sal'vage** (n) berging; bergloon; wrakgoedere; (v) berg, red; ~ **ship/ves'sel** bergingskip
**salva'tion** (n) saligheid, redding, verlossing
**Salva'tion Ar'my** Heilsleër
**Sama'ritan** (n) Samaritaan; *good ~* barmhar= tige Samaritaan
**same** (die)selfde; eenders/eners; gelyksoortig; *one and the ~* presies dieselfde
**samp** (n) stampmielies
**sa'mple** (n) monster/proefmonster; steekproef; **ran'dom** ~ steekproef; (v) monsters neem; proe; toets; ~ **room** uitstallokaal
**sa'mpling** monsterneming
**sanator'ium ..ria** sanatorium, hersteloord
**sanctimon'ious** (a) skynheilig, skynvroom
**sanc'tion** (n) goedkeuring; toestemming; (eko= nomiese) strafmaatreël, sanksie; (v) bekrag= tig, goedkeur *also* **appro've**
**sanc'tuary ..ries** toevlugsoord, heiligdom *also* **retreat'**; **bird** ~ voëlreservaat
**sand** (n) sand; (pl) strand, sandoewer
**san'dal** (n) sandaal
**sand:** ~ **glass** sandloper; ~**man** Klaas Vakie; ~**pa'per** skuurpapier
**sand'wich** (n) **-es** toebroodjie; (v) inskuif; ~ **course** stapelkursus *also* **crash course**
**sane** (a) verstandig, gesond (van gees)
**san'itary** sanitêr, gesondheids=
**San'ta Claus** sinterklaas; Kersvader
**sap** (n) sap, sop, vog; lewenskrag
**sap'ling** jong boompie
**sapp'er** sappeur, geniesoldaat
**sapph'ire** saffier
**sarcas'tic** (a) sarkasties, spottend, bytend
**sardine'** sardien(tjie)
**sash**[1] **-es** lyfband, serp
**sash**[2] **-es** raam; ~ **win'dow** skuifraam
**Sat'an** Satan; duiwel
**satch'el** boeksak, skooltas; handsakkie
**sat'ellite** satelliet; volgeling, naloper
**sat'in** (n) satyn; (a) satyn=
**sat'ire** (n) satire; spotskrif, hekelskrif
**sati'rical** satiries, spottend
**satisfac'tion** (n) voldoening, bevrediging
**satisfac'tory** (a) bevredigend; voldoende, toe= reikend, genoegsaam
**sat'isfied** tevrede; versadig; ~ *with* tevrede met, daarvan oortuig
**sat'isfy** (v) bevredig; voldoen aan; versadig; gerusstel; ~ *the examiners* slaag
**Sat'urday** Saterdag
**sat'yr** (n) sater, faun, bosgod; wellusteling
**sauce** (n) sous; ~**boat** souskom(metjie); ~**pan** kastrol, pot
**sau'cer** piering
**saun'ter** (n) slentergang; (v) slenter, drentel
**sau'sage** wors, sosys; ~ **roll** worsbroodjie
**sav'age** (n) barbaar; (v) toetakel, mishandel; (a) woes, barbaars *also* **barba'ric**
**savann'ah** savanne, grasvlakte *also* **prai'rie**
**save**[1] (v) red, verlos, salig maak; spaar, bêre; bewaar, behoed; ~ *one's skin* jou bas red
**save**[2] (prep) behalwe; uitgesonder; (conj) ten= sy; *the last ~/but one* die voorlaaste
**sa'ving** (n) besparing; (pl) spaargeld; (a) spaar= saam; ~**s bank** spaarbank
**Sa'viour** Heiland, Saligmaker
**sa'vour** (v) proe; ruik; ~**y** (n) soutigheid, southappie; (a) smaaklik, geurig
**saw** (n) saag; (v) saag; ~**dust** saagsel; ~**pit** saagkuil; ~**yer** saer (mens)
**sax'ophone** saxofoon/saksofoon
**say** (n) mening, bewering; *have a ~ in the matter* seggenskap in die saak hê; (v) sê,

vertel, beweer; *never ~ die* moenie moed opgee nie; *so to ~* as 't ware
**say'ing** (n) gesegde, spreekwoord *also* **expres'sion**; *it goes without ~* dit spreek vanself
**scab** roof; skurfte; brandsiek(te)
**scaff'old** steier; skavot (vir teregstelling); **~ing** steierwerk, stellasie
**scald** (v) skroei, brand; opkook; uitkook
**scale**[1] (n) skaal; toonleer; *on a large ~* grootskaals; grootskeeps; (v) opklim; *~ down* afskaal
**scale**[2] (n) skub (vis); skilfer; dopluis
**scale**[3] (n) weegskaal; *pair of ~s* (weeg)skaal; (v) weeg; trek
**scall'op** (n) kammossel; skulp; skulpwerk; (v) uitskulp; **~ed ed'ge** skulprand
**scalp** (n) skedel; kopvel; (v) skalpeer; kwaai kritiseer; **~ hun'ter** trofeejagter
**scal'pel** (n) ontleedmes, skalpeermes
**sca'ly** skubberig, skilferig
**scam** (n) swendelary, bedrogspul *also* **(finan'cial) fraud**
**scan** (v) skandeer/aftas; vluglees/glylees; (af)tas; (n) tasting, skandering; **brain ~** breinskandering/breintasting; **la'ser ~ner** lasertaster
**scan'dal** (n) skandaal, skande; **~mon'ger** skinderbek, kwaadspreker; **~ous** skandelik, skandalig *also* **disgra'ceful**
**scan'sion** skandering (poësie)
**scant** (a) skraal; *with ~ success* met weinig sukses
**scant'y** karig, skraps; **~-pan'ty** amperbroekie, einabroekie, sjoebroekie
**scape'goat** sondebok, skuldlose (mens)
**scar** (n) litteken; (v) skram; littekens vorm
**scarce** (a) skaars, skraps; seldsaam; **~ly** nouliks, kwalik, ternouernood
**scare** (n) paniek; (v) skrik maak; afskrik; *~ away* wegjaag; *~d stiff* lamgeskrik; **~crow** voëlverskrikker
**scarf** (n) **scarves** serp, halsdoek *also* **shawl**
**scar'let** (n) skarlaken, skarlakenrooi; (a) skarlakenrooi; **~ fe'ver** skarlakenkoors
**scathe** (n) letsel; *without ~* ongedeer(d)
**scatt'er** (v) verstrooi, versprei; **~-brai'ned** deurmekaar, verward
**scav'enge** opruim; skoonmaak; **~r** aasvoël; **~r beetle** miskruier *also* **dung beetle**
**scenar'io** (n) draaiboek, filmteks; toekomsbeeld, scenario
**scene** toneel, tafereel; skouspel; *it is not my ~* dis nie vir my nie; **~ry** natuurskoon, landskap; toneeldekorasie, dekor
**scen'ic** toneel=; skilderagtig; **~ rail'way** bergspoor; **~ road/drive** uitsigpad
**scent** (n) geur, reuk; reukwerk, laventel
**scep'tic** (a) skepties, ongelowig
**scep'tre** septer, staf; *wield the ~* die septer swaai
**sched'ule** (n) lys, skedule, opgawe, tabel; (v) skeduleer; lys; **~d flight** roostervlug
**scheme** (n) skema, plan, ontwerp; skets; (v) ontwerp; planne maak; konkel
**schol'ar** (n) leerling; geleerde; beurshouer; **~ly** geleerd, (vak)kundig; **~ patrol'** skolierpatrollie; **~ship** studiebeurs
**school**[1] (n) skool; skoolgebou; leerskool; *at ~* op skool; *keep after ~* laat skoolsit; (v) onderwys, leer, onderrig; skool
**school**[2] (n) skool (visse)
**school: ~board** skoolraad; **~boy** skoolseun; **~ hol'iday(s)** skoolvakansie; **~ing** opvoeding; onderrig; skoling; **~ inspec'tor** skoolinspekteur; **~lea'ver** skoolverlater; **~mas'ter** skoolmeester, onderwyser; **~mis'tress** onderwyseres; **~ prin'cipal** skoolhoof, hoofonderwyser; **~room** skoolkamer, klaskamer; **~tea'cher** onderwyser
**schoon'er** skoener (skip)
**sci'ence** natuurwetenskap; wetenskap; kennis, kunde; **~ fic'tion** wetenskapfiksie
**sci'entist** (n) wetenskaplike, natuurkundige
**scis'sors** skêr; *a pair of ~* 'n skêr
**scoff** (v) spot, skimp; **~ing** smalend
**scold** (v) uitskel, berispe, bestraf; **~ing** (n) uitbrander; berisping
**scone** (n) skon, botterbroodjie
**scoop** (n) potlepel, skeplepel; nuustreffer, scoop (joernalistiek); (v) uitskep; uithol; wins maak; **~ wheel** skeprat
**scoot'er** (n) bromponie; ryplank; skopfiets
**scope** omvang; speling; *beyond the ~ of* buite die bestek van
**scorch** (v) brand, skroei; *~ed earth* verskroeide aarde; **~er** doodhou/kishou, pragstuk
**score** (n) kerf; rekening; twintigtal; (punte)telling; partituur (mus.); *keep the ~* telling hou; *~s of times* baiemaal; (v) inkerf; aanteken; tel; onderstreep; **~board** telbord; punteleer; **~r** teller; puntemaker (mens)
**scorn** (n) veragting, hoon; (v) verag, versmaai
**scorp'ion** skerpioen
**scotch** (n) **-es** kerf, keep; wig; (v) kerf;

onskadelik maak; verydel; ~**cart** skotskar; ~**light** glimstrokies, glimplate
**scot-free** ongedeerd; ongestraf, skotvry
**scoun'drel** skelm, skurk, boef, skobbejak
**scour** (v) skuur, vryf; rondsoek; ~ *the area* die omgewing fynkam
**scourge** gésel; plaag; (v) kasty, teister
**scout** (n) spioen, verkenner; padvinder; (v) spioeneer, verken
**scowl** (n) suur gesig; (v) suur kyk, frons
**scrabb'le** gekrabbel, gekrap; (v) krap
**scrag** (a) brandmaer; ~**gy** dun, rietskraal, (brand)maer; verpot
**scram** (sl.) (v) trap; (interj) trap!; siejy!
**scram'ble** (n) gewoel; (v) klouter; woel; grab=bel; huts (syfers); ~**d eggs** roereiers; ~**r** veldfiets
**scram'bling** veldrenne *see* **kar'ting**
**scrap**[1] (n) stuk; oorskot, afval, skroot; (pl) uit=skot; *not care a* ~ geen flenter omgee nie; ~ **val'ue** oorskotwaarde; (v) skrap; weggooi; afkeur; sloop
**scrap**[2] (n) vegparty; (v) baklei
**scrap'book** plakboek/knipselboek; kladboek
**scrape** (n) moeilikheid; (v) skraap, kras; ~ *through* net deurglip; ~ *together* bymekaar=skraap; ~**r** krapper, krapyster; skraper (pad)
**scrap'heap** ashoop/asgate; afvalhoop
**scrap:** ~ **iron** afvalyster, skroot; ~ **val'ue** sloopwaarde; ~**yard** skrootwerf/wrakwerf
**scratch** (n) **-es** krap; (v) krap, skraap; ~ *a horse* 'n perd onttrek (aan 'n wedren); ~ *through* skrap, deurhaal, doodtrek
**scrawl** (n) slordige skrif, gekrap; (v) krap
**scream** (n) skree(u), gil; *a perfect* ~ iets om jou oor slap te lag; (v) skreeu, gil; ~ *with laughter* skater van die lag
**screech** (n) **-es** gekras, gekrys; (v) kras, krys, gil; ~ **owl** steenuil, kerkuil
**screen** (n) skerm; (silwer)doek; (v) beskerm, beskut; ~ *off* afskort; ~ **wi'per** ruitveër
**screw** (n) skroef; (v) vasskroef; ~**dri'ver** skroewedraaier; ~**jack** domkrag; ~**nut** moer
**scrib'ble** (n) gekrap; (v) krap, krabbel; ~**r** kladboek, kladskrif
**scribb'ling** gekrabbel; ~ **pad** kladblok
**scribe** skrywer; skriba (kerk); skrifgeleerde
**script** geskrif; manuskrip; draaiboek (film); antwoordskrif (eksamen); ~**ure** die Heilige Skrif, die Bybel
**scroll** (n) rol; lys; krul; (v) oprol, opkrul
**scrounge** (v) (rond)bedel, aas, skaai; ~**r** gapser, klaploper (mens)
**scrub** (n) bossies; ruigte, struikgewas; (v) skrop, skuur; ~**bing board** wasplank; ~**bing brush** skropborsel; ~**by** dwergagtig, klein; ruig
**scruff** nekvel; *take by the* ~ *of the neck* agter die nek beetkry
**scrum** (n) skrum; (v) skrum; ~**half** skrum=skakel
**scru'ple** (n) gewetensbeswaar; *a man without* ~ 'n gewetenlose persoon
**scru'pulous** (a) nougeset, sorgvuldig; noukeu=rig; ~*ly clean* silwerskoon
**scrutineer'** stemopnemer (by verkiesing)
**scru'tinise** (v) noukeurig bestudeer/bekyk
**scuf'fle** (n) skermutseling, stoeiery; geharwar
**scull'ery ..ries** opwasplek; waskamer
**sculp** beeldhou; ~**tor** beeldhouer; ~**ture** (n) beeldhouwerk; beeldhoukuns; (v) beeldhou
**scum** (n) skuim, afval; uitvaagsel (mens)
**scurv'y** skeurbuik
**scut'tle**[1] (n) luik; (v) kelder (skip), laat sink
**scut'tle**[2] (v) vlug, weghardloop
**scythe** (n) sens, seis
**sea** see; ~ **breeze** seebries; ~ **cap'tain** skeeps=kaptein; ~**front** strandgedeelte; ~**grass** see=gras; wier; ~ **gull** seemeeu; ~ **lev'el** see=spieël/seevlak
**seal**[1] (n) rob, seehond
**seal**[2] (n) seël, stempel; (v) verseël, toelak; ~**ed or'ders** verseëlde instruksies
**seal'ing wax** (seël)lak
**seal ring** seëlring
**seal'skin** robbevel
**seam** (n) soom, naat; ~ **bow'ler** naatbouler (krieket)
**sea'man** seeman, matroos; **able** ~ bevare see=man; ~**ship** seemanskap
**sé'ance** (n) sitting, séance (spiritisme)
**search** (n) soek(tog); (v) soek, ondersoek; ~**ing** (a) deurdringend; skerp; ~**light** soek=lig; ~ **par'ty** soekgeselskap; ~ **war'rant** lasbrief (vir visentering)
**sea:** ~**shell** seeskulp; ~**sick** seesiek; ~**side resort'** strandoord
**seas'on** (n) seisoen, jaargety; speelvak (teater); *out of* ~ buiteseisoen; *the* ~*s* die jaargetye; (v) toeberei; ~**al** seisoenaal; ~**ed** gekrui; beleë; ~**ing** kruie; ~ **tick'et** seisoenkaartjie
**seat** (n) sitplek; setel; sitting; sitvlak, boom (broek); ~**belt** (sitplek)gordel
**sea:** ~**weed** seewier; ~**worthy** seewaardig

**seclude′** uitsluit, afsonder; ~**d** afgesonder(d), afgeleë *also* **remo′te, i′solated**
**sec′ond** (n) sekonde (horlosie); tweede; ~ *from left* naaslinks (op foto); (v) sekondeer; ~ *a motion* 'n voorstel/mosie sekondeer; (a) tweede; ~ **cou′sin** kleinneef; ~ **floor** tweede vloer/verdieping/vlak
**second′** (v) sekondeer (na ander plek/pos)
**sec′ondary** (a) sekondêr; ondergeskik; ~ **school** sekondêre skool, hoërskool
**sec′ond class** tweede klas
**sec′ond:** ~ **best** naasbeste; ~ **hand** (n) sekondewyser; ~**hand** (a) tweedehands; ~**ly** tweedens; ~**-rate** tweederangs; minderwaardig
**sec′ret** (n) geheim; *let out a* ~ 'n geheim verklap; (a) geheim, heimlik
**secretar′ial** sekretaris=, sekretarieel; ~ **post** sekretariële betrekking
**sec′retary ..ries** sekretaris; **pri′vate** ~ privaat sekretaris (meestal man); privaat sekretaresse; ~ **bird** sekretarisvoël; ~**-gen′eral** sekretaris-generaal
**sec′ret:** ~**ly** stilletjies; ~ **ser′vice** geheime diens
**sect** (n) sekte
**sec′tion** afdeling, seksie; deursnee; ~**al ti′tle** deeltitel
**sec′tor** sektor; **pri′vate** ~ privaat sektor; **pub′lic** ~ owerheidsektor
**sec′ular** (a) wêreldlik, sekulêr; ~ **po′wer** wêreldlike mag; ~ **school** staatskool (teenoor kerkskool)
**secure′** (v) verseker, waarborg, beveilig; vasmaak; verkry; ~*d by a bond* gedek deur 'n verband
**secur′ity** (n) veiligheid, sekuriteit; beveiliging, sekerheid; waarborg; (pl) aandele, effekte, obligasies; **collat′eral** ~ kollaterale sekuriteit; **so′cial** ~ bestaansbeveiliging; ~ **clear′ance** sekerheidsklaring; **S**~ **Coun′cil** Veiligheidsraad (VN); ~ **guard** sekerheidswag, sekuriteitswag; lyfwag; ~ **staff** sekerheidspersoneel
**sed′ative** (n) pynstiller; (a) pynstillend
**sed′iment** besinksel, afsaksel, sediment
**seduce′** (v) verlei, verlok; ~**r** verleier (mens)
**seduc′tive** verleidelik, aanloklik
**see** (v) sien, kyk; ~ *a doctor* 'n dokter raadpleeg/sien; ~ *the manager* die bestuurder spreek/sien; ~ *off* wegsien, afsien; ~ *to it* sorg daarvoor
**seed** (n) saad; (v) saai; keur (sport) *also* **rank/grade** (v); *the first* ~ die eerste gekeurde (speler); eerste op die ranglys; ~**ling** saailing; ~ **pota′to** aartappelmoer; ~**y** (a) olik, oes, siekerig
**see′ing** (n) gesigsvermoë; sien; (conj) aangesien; omdat; ~ **eye** loerkyker(tjie)
**seek** (v) soek; beoog; ~ *advice* raad vra
**seem** lyk, skyn; *it* ~*s to me* dit lyk vir my; ~**ing** skynbaar, oënskynlik; ~**ly** betaamlik, geskik *also* **prop′er**
**seep** (v) lek, deursyfer
**se′er** siener; profeet (mens)
**see-saw** (n) wip(plank); (v) wipplank ry
**seethe** (v) kook, borrel, sied
**segrega′tion** afskeiding, segregasie
**seis′mograph** seismograaf (apparaat)
**seize** (v) gryp; konfiskeer; vasbrand (enjin)
**sel′dom** selde, min
**select′** (v) uitkies, keur, uitsoek; (a) uitgekies, keurig; vernaam; ~ **commit′tee** gekose komitee; ~**ion** keuse, keur; keuring/sifting/seleksie; versameling; ~**ive** selektief: ~*ive reporting* selektiewe beriggewing; ~**or** selektor (tegn.); keurder (sport)
**self selves** self; ~**-ca′tering** selfsorg (op vakansie); ~**-con′fidence** selfvertroue; ~**-con′scious** selfbewus; ~**defen′ce** selfverdediging, noodweer; ~**-determina′tion** selfbeskikking; ~**-esteem′** selfbeeld; selfrespek; ~**-ev′ident** klaarblyklik, vanselfsprekend; ~**-in′terest** eiebelang; ~**ish** selfsugtig; ~**-respect′** selfrespek; ~**ser′vice** selfbediening; ~**star′ter** aansitter (motor); ~**-suffi′cient** selfgenoegsaam; ~**-suppor′ting** selfonderhoudend
**sell** (v) verkoop, van die hand sit; bedrieg, kul; ~ *by auction* laat opveil; ~**er** verkoper
**se′men** (n) semen (mens); sperma (dier)
**semes′ter** semester, halfjaar
**sem′i** half=; ~**-cir′cle** halfsirkel; ~**co′lon** kommapunt (;); ~**detach′ed house** skakelhuis; ~**fi′nal** voorlaaste (wedstryd), halfeindronde, semifinaal
**sem′inar** (n) seminaar, kursus; slypskool
**sem′inary ..ries** kweekskool, seminarie
**sem′i-precious:** ~ **sto′nes** halfedelstene
**sen′ate** senaat; ~ **house** senaatsaal
**sen′ator** senator (mens)
**send** (v) stuur, wegstuur, versend; ~**er** versender, afsender; ~**-off** vaarwel; afskeidsfees
**sen′ile** (a) kinds; ouderdoms=; afgeleef, seniel
**sen′ior** (n) superior; senior; (a) ouer, senior; oudste; hoogste; ~ **cit′izen** senior burger; ~

**part'ner** oudste/senior vennoot
**senior'ity** voorrang, senioriteit
**sensa'tion** (n) opskudding, sensasie; *cause a* ~ opskudding veroorsaak; ~**al** sensasioneel/sensasiewekkend, opspraakwekkend
**sense** (n) sintuig; betekenis; *common* ~ gesonde verstand; *in every* ~ in elke opsig; *five* ~*s* vyf sintuie; ~ *of humour* humorsin; (v) voel, besef, begryp; ~**less** bewusteloos; dwaas
**sen'sible** verstandig *also* **wise, pru'dent**
**sen'sitive** fyngevoelig, liggeraak; sensitief
**sen'sual** sinlik, wellustig, vleeslik
**sen'tence** (n) sin; vonnis; (v) vonnis, (ter dood) veroordeel
**sentimen'tal** oorgevoelig, sentimenteel
**sen'try ..tries** skildwag
**sep'arate** (v) skei; afsonder; verdeel; (a) afsonderlik, apart; *send in a* ~ *envelope* stuur afsonderlik
**separa'tion** skeiding; afsondering
**sep'arator** afskeier; roomafskeier/romer
**Septem'ber** September
**sep'tic** verrottend; septies; ~ **tank** septiese tenk, rottingsput
**seq'uel** vervolg, gevolg, uitvloeisel/resultaat; vervolgprogram/verhaal
**seq'uence** volgorde, opeenvolging
**serenade'** (n) serenade; (v) serenadeer
**serene'** kalm, bedaard *also* **tran'quil**
**serge'ant** sersant; ~**-at-arms** stafdraer *also* **ma'cebearer**; ~**-major** sersant-majoor
**ser'ial** (n) vervolgverhaal; ~ **kil'ler** reeksmoordenaar; ~ **num'ber** volgnommer; ~ **port** seriepoort (rek.); ~ **ra'pist** reeksverkragter
**ser'ies** (same pl), serie, reeks
**ser'ious** (a) ernstig, plegtig; bedenklik (siektetoestand)
**serm'on** preek, predikasie; vermaning; *the S~ on the Mount* die Bergrede
**ser'pent** slang; serpent
**ser'um** (n) **sera, -s** serum, entstof
**serv'ant** bediende, huisbediende, diensmeisie; dienaar; kneg; **domes'tic** ~ huishulp; **pub'lic** ~ staatsamptenaar
**serve** (v) dien, bedien; afslaan (tennis); uitdien (tronkstraf); ~ *its purpose* aan sy doel beantwoord; ~*s you right* jou verdiende loon; ~**r** afslaner (tennis); bediener (rek.)
**serv'ice** (n) diens; kerkdiens; afslaan (tennis); versiening/diens (motor); servies; *at your* ~ tot u diens; (v) versorg, onderhou; versien/diens (motor); ~**able** diensbaar; ~ **charge** diensheffing; tafelgeld (restourant); ~**d flat** dienswoonstel; ~**d stands** dienserwe; ~ **provi'der** diensverskaffer; ~ **sta'tion** motorhawe/vulstasie
**serviette'** servet; **damp** ~ jammerlappie
**ser'ving hatch** dienluik
**serv'itude** serwituut, beperking
**se'ssion** sitting, sessie *also* **assem'bly**; **ple'nary** ~ volle/voltallige sitting, volsessie
**sestet'** sekstet (laaste 6 reëls van sonnet)
**set** (n) servies; stel; (v) sit; bring; plaas; skik; spalk (arm); rig; dek (tafel); vasstel; ondergaan (son); ~ *an example* 'n voorbeeld stel; ~ *fire to* aan (die) brand steek; ~ *off* verreken; ~ *the pace* die pas aangee; ~ *the table* die tafel dek; (a) *a* ~ *book* 'n voorgeskrewe boek *also* **prescri'bed**; ~**back** teenslag/teenspoed, terugslag; ~**-off** skuldverrekening; ~ **point** stelpunt (tennis)
**settee'** rusbank, sofa
**sett'er** jaghond, setter
**sett'ing** toonsetting; (toneel)dekor; agtergrond
**sett'le** vestig; vasstel; regmaak; vereffen; bepaal; bylê (twis); ~ *an account* 'n rekening vereffen; ~**d** vas; vasgesteld; betaal; ~**ment** nedersetting; vereffening; ~**ment plan** skikplan; ~**r** kolonis, nedersetter, setlaar
**sev'en** sewe; ~**-single** solus-sewe; ~**teen** sewentien; ~**teenth** sewentiende; ~**th** sewende; ~**tieth** sewentigste; ~**ty** sewentig; ~**ty four** streepvis
**se'ver** (v) skei, afsonder; skeur, afsny; ~ *relations with* betrekkinge verbreek met
**sev'eral** (a) verskeie, verskillende; (pron) verskeie, 'n hele paar; ~ *others* baie/heelparty ander; ~**ly** afsonderlik
**sev'erance pack'age** skeidingspakket, uittreepakket
**severe'** streng; ernstig; kwaai; *a* ~ *blow* 'n swaar slag; *a* ~ *winter* 'n strawwe winter
**sew** werk (met naald en gare), naai; ~ *on* aanwerk
**sew'age** rioolvuil, rioolwater
**sew'er** (n) riool *also* **drain**; ~**age** riolering
**sew'ing** naaldwerk; ~ **machi'ne** naaimasjien
**sex -es** geslag; seks; *they had* ~ hulle het seks/gemeenskap gehad
**sex' appeal** seksprikkeling, seksstraling *see* **sex'y**
**sex:** ~ **drive/urge** geslagsdrang; ~ **educa'tion** geslagsvoorligting; ~**ism** seksisme; ~

**kit'ten** sekska(a)tjie
**sex'ton** koster *also* **bea'dle**
**sex'ual** geslags=, seksueel; ~ **har'assment** seksuele teistering
**sex'y** (a) sexy; seksprikkelend; wulps
**shabb'y** kaal; toiingrig/verslete; gemeen
**shack** (n) pondok, hut *also* **shan'ty**
**shac'kle** (n) skakel; boei, ketting; (pl) boeie
**shadd'ock** (n) pampelmoes/pompelmoes
**shade** (n) skadu(wee); koelte; sweempie; *a ~ better* 'n ietsie/rapsie beter
**shad'ow** (n) skaduwee; *without a ~ of doubt* sonder die minste twyfel; (v) ongemerk volg
**sha'dy** skaduryk, lomerryk; verdag (vent)
**shaft** pyl; skag (myn); steel (gholf); straal (lig); ~ **sin'king** skagdelwing
**shag'gy** ruig, harig; ~ *dog* wolhaarhond
**shake** (n) skud; skok; (v) skud, skok; uitskud; *badly ~n* baie onthuts; ~ *with fear* van angs bewe; ~ *hands with* die hand gee; blad skud; ~ *off* afskud; ontslae raak van; ~**down** ker=misbed; ~**-up** drastiese hervorming
**sha'ky** (a) bouvallig; bewerig; onvas
**shale** skalie, leiaarde (geol.)
**shall should** sal; moet
**shallot'** salot *also* **spring on'ion**
**shall'ow** (a) vlak; ondiep; oppervlakkig
**sham** (n) bedrog, voorwendsel; skyn; (v) be=drieg, fop, kul, veins *also* **feign**
**sham'bles** deurmekaarspul, warboel; slagplek; bloedbad
**shame** (n) skande; skaamte; (v) skaam, be=skaam; (interj) foei tog!; sies tog!; ~**ful** skandelik; ~**less** skaamteloos
**sham:** ~ **fight** spieëlgeveg, skyngeveg; ~**mer** aansteller; bedrieër *also* **con'man**
**shamm'y** seemsleer *also* **cham'ois lea'ther**
**shampoo'** (n) harewas(middel), sjampoe
**sham'rock** klawer(blaar)
**shan'dy** shandy, lim(onade)bier, limbier
**shan'ty . .ties** pondok, krot *also* **shack**; ~**town** blikkiesdorp; krotbuurt, slum
**shape** (n) vorm; gedaante; gestalte; *take ~* vaste vorm aanneem; (v) vorm; fatsoeneer; *see how things ~* kyk/sien hoe sake ont=wikkel; ~**ly** welgevorm (meisie) *also* **cur=va'ceous**
**share**[1] (n) deel, porsie; aandeel; (v) deel, ver=deel; ~ *alike* gelykop deel
**share**[2] (n) ploegskaar
**share:** ~ **bro'ker** aandelemakelaar/effektema=kelaar; ~ **cap'ital** aandelekapitaal; ~**hold'=er** aandeelhouer; ~**ware** deelware (rek.)
**shark** haai; swendelaar (mens) *also* **con'man**
**sharp** (n) kruis (mus.); (a) skerp; skerpsinnig; bitsig; listig; ~ *contrast* skrille kontras; ~ *practices* kullery, knoeiery; (adv) presies; gou; *at five ~* klokslag vyfuur; ~**en** skerp maak, slyp; ~**shoo'ter** skerpskutter; sluip=skutter *also* **sni'per**; ~**-sighted** skerpsiende; skerpsinnig; ~**-witted** geestig, gevat
**shatt'er** (v) verbrysel, verpletter; verstrooi; ~**proof** splintervry
**shave** (n) skeer; noue ontkoming; *a close ~* naelskraap; (v) skeer; skaaf; ~ *off* afskeer; ~**r** skeerder (mens, masjien)
**sha'ving** skeerdery; (pl) krulle, skaafsels; ~ **brush** skeerkwas; ~ **strop** skeerriem
**shawl** tjalie, sjaal *also* **scarf**
**she** sy
**sheaf** (n) **sheaves** gerf; (v) in gerwe bind
**shear** (v) skeer; knip; pluk; ~**s** skaapskêr; tuinskêr
**shebeen'** (n) sjebien, smokkelkroeg
**she'-cat** katwyfie
**shed**[1] (n) loods, skuur, afdak
**shed**[2] (v) stort, laat val; ~ *blood* bloed vergiet; ~ *light upon* lig werp op; ~ *a skin* vervel; ~ *tears* trane stort
**sheen** (n) glans, skittering, skynsel
**sheep** (sing and pl) skaap; ~**ish** onnosel, dom; ~ **pen** skaapkraal; ~**skin** skaapvel; bokjol (dans); ~**'s trot'ters** skaappootjies
**sheer** (a) louter, volstrek; ~ **coin'cidence** blote toeval; ~ **non'sense** pure onsin
**sheet** (n) laken; vel/blad (papier); plaat (sink)
**she'-goat** bokooi
**sheik** sjeik (man)
**shelf shelves** plank; rak; plaat; rotslaag; *on the ~* afgedank, gebêre; op die bakoond (mei=sie); ~ **life** rak(leef)tyd, raklewe
**shell** (n) skil; skulp; peul; dop; (v) uitdop (van erte); skil; bombardeer; ~**fish** skulpdier; ~**shock** bomskok
**shel'ter** (n) skuilplek; beskerming *also* **sanc'=tuary**; ~**ed occupa'tion** beskutte/beskerm=de werk/beroep; (v) beskut, beskerm
**shelve** (v) bêre, weglê, wegsit; van rakke voor=sien; op die lange baan skuif *also* **postpone'**
**shel'ving** (n) rakke; rakplanke
**shep'herd** (n) skaapwagter, herder
**sher'iff -s** balju, geregsbode
**sher'ry** sjerrie (wyn)
**shield** (n) skild; beskerming; (v) beskerm

**shift** (n) verskuiwing/verwisseling; skof; (v) verwissel; vervang; verhuis; ~**ing** (n) ver= skuiwing; (a) veranderlik; ~**ing span'ner** skroefsleutel; ~**y** (a) skelm *also* **craf'ty**
**shin** (n) skeen, maermerrie
**shine** (n) skyn, glans; (v) skyn, glinster, blink; straal; uitblink/presteer
**shin'gle** (n) dakspaan; (v) stomp knip (hare); ~**d roof** spaandak
**shin'gles** (n) gordelroos ('n veluitslag)
**shin'guard** skeenskut/beenskut
**shi'ny** blink, glansend
**ship** (n) skip; (v) verskeep; ~**load** skeepslading, skeepsvrag; ~**ment** lading; ~**ping** skeep= vaart; verskeping; ~**ping a'gent** skeepsagent; ~**ping firm/line** skeepsredery; ~**'s cap'tain** skeepskaptein; ~**shape** in orde, agtermekaar; ~**hold** skeepsruim; ~**wreck** (n) skipbreuk; (v) skipbreuk ly; strand, vergaan; ~**yard** skeepswerf
**shirk** (v) vermy, ontduik; wegskram; ~**er** pligversaker, ontduiker *also* **dod'ger**
**shirt** hemp; *keep your ~ on* moenie kwaad word nie; ~ **col'lar** hempsboordjie; ~ **slee've** hempsmou
**shit** (*vulgar*) (n) kak, stront; vrotsige vent
**shiv'er** (n) rilling, siddering; (v) bewe, bibber; sidder, ril *also* **shud'der**
**shiv'ering** bewend, rittelend
**shoal**[1] (n) skool (visse); trop
**shoal**[2] (n) sandbank; vlak plek; (a) vlak
**shock** (n) skok, botsing; (v) skok; aanstoot gee; vererg; **delay'ed** ~ vertraagde skok
**shock' absorb'er** skokbreker, skokdemper
**shock'ing** (a) verskriklik, yslik; skokkend
**shodd'y** (a) verslons, armoedig; ~ **work** knoei= werk
**shoe** (n) skoen; hoefyster; (v) beslaan; ~**brush** skoenborsel; ~**horn** skoenlepel; ~**lace** skoenriem/skoenveter; ~**last** skoenlees; ~**maker** skoenmaker; ~**shine** skoenpoetser (mens); ~**string**: *on a ~string* op die goedkoopste manier
**shoot**[1] (n) skoot; (v) skiet; verskiet (ster); ~ *down* neerskiet; *prices shot up* pryse het die hoogte ingeskiet
**shoot**[2] (n) spruit, loot; (v) uitbot, uitloop
**shoot'ing** (n) skiet; jag; (a) skietend, skiet=; ~ **li'cence** jaglisensie; ~ **ran'ge** skietbaan *also* **ri'fle range**; ~ **sea'son** jagtyd; ~ **star** vallende ster
**shoot'out** (n) skietery, skietgeveg

**shop** (n) winkel; *closed ~* geslote geledere; *talk ~* vakpraatjies praat/gesels; (v) inkope doen; (gaan) winkel; ~ **assis'tant** winkelbediende; ~**brea'king** winkelinbraak; ~**keep'er** winke= lier *also* **dea'ler**; ~**lif'ter** winkeldief; ~**lift'= ing** winkeldiefstal/winkeldiewery; ~**per** win= kelaar (mens); ~**ping** (in)kopery: *go ~ping* inkopies doen; (gaan) winkel (w); ~**ping bag** winkelsak; ~**ping cen'tre** winkelsentrum; ~**soi'led** winkelslyt; ~**ste'ward** werkerska= kel/vloerleier (fabriek); ~**win'dow** winkel= venster, toonvenster
**shore** (n) kus, strand
**short** (n) tekort; kortsluiting; (a) kort, klein; beperk; *a ~ cut* kortpad; ~ *story* kort= verhaal; *fall ~ of* te kort skiet; ~ *but sweet* kort maar kragtig; ~**age** tekort; ~**bread** brosbeskuit; ~ **cir'cuit** kortsluiting; ~**en** verkort
**short'hand** (n) snelskrif, stenografie; ~ **ty'pist** snelskriftikster; ~ **wri'ter** stenograaf
**short:** ~**list** groslys; ~**ly** netnou, binnekort; ~**s** kortbroek; ~**-sigh'ted** kortsigtig; by= siende, miopies; ~**staf'fed** onderbeman; ~**-tem'pered** opvlieënd; ~**wave** kortgolf; ~**-winded** kortasem(ig)
**shot** (n) skut (persoon); hael; skoot (geweer); *like a ~* bliksemsnel; *putting the ~* gewig= stoot; ~**gun** haelgeweer; ~**put** gewig= stoot
**shoul'der** (n) skouer; skof; blad (dier); *give the cold ~* die rug toekeer; *straight from the ~* op die man af
**shout** (n) skree(u); (v) uitroep; skree(u); juig; ~ *for joy* jubel van vreugde; ~ *with laughter* skaterlag; ~**ing dis'tance** roepaf= stand
**shove** (n) stoot, stamp; (v) skuif, stoot
**shov'el** (n) skopgraaf *also* **spa'de**; skep
**show** (n) tentoonstelling, skou, vertoning; *put= ting his chickens on ~* sy hoenders skou; *Easter S~* Paasskou; (v) wys, toon; tentoon= stel, skou; ~ *mercy* genade betoon; ~ *off* spog, pronk; ~**bus'iness/show'biz** teaterbe= dryf; verhoogkuns; ~**case** toonkas/toonkabi= net; ~**down** (n) beslissende konfrontasie
**show'er** (n) reënbui; stortbad; (v) besproei; reën, stort; ~ *upon* oorlaai met
**show:** ~**girl** pronkpoppie; verhoogmeisie; ~**ground** skougrond; ~**house** skouhuis; ~**-in** aandeel, seggenskap; ~ **jum'ping** ruitersport, perdespringkompetisie; ~**room**

toonlokaal; ~ **win'dow** toonvenster
**shrap'nel** (n) granaatkartets, skrapnel
**shred** (n) reep; snipper; *torn to ~s* in flenters; (v) snipper, kerf; ~**der** snipperaar (masjien)
**shrew** feeks, wyf, heks, geitjie (vrou)
**shrewd** (a) slu *also* **sly**; listig; oorlams
**shriek** (n) skree(u), gil; (v) gil; ~ *with laughter* brul/gier van die lag, skaterlag
**shrike** janfiskaal, laksman (voël)
**shrill** (a) skril, skel, skerp
**shrimp** garnaal *see* **prawn**; dwerg
**shrine** (n) altaar; graftombe, heilige plek
**shrink** krimp; ~ *from* terugdeins vir
**shroud** (n) lykkleed
**shrub** (n) struik, bossie; ruigte; **ornamen'tal** ~ sierstruik; ~**bery** struiktuin
**shrug** (n) skouerophaling; (v) die skouers optrek/ophaal
**shudd'er** (n) siddering; *it gives one the ~s* dit laat 'n mens gril; (v) huiwer, sidder
**shuf'fle** (v) skuifel; skommel (kaarte); ~ *along* aansukkel
**shun** (v) vermy, ontwyk *also* **eva'de**
**shunt** regstoot, rangeer; ~**er** rangeerder; ~**ing yard** rangeerwerf, opstelterrein
**shu-shu** (n) sjoesjoe (rankplant)
**shut** (v) sluit, toemaak; ~ *one's mouth* jou mond hou; ~**ter** luik, blinder, hortjie; sluiter (kamera); **mock** ~**ter** kammahortjie
**shut'tle** spoel(tjie); **space** ~ pendeltuig; ~ **ser'vice** pendeldiens *see* **commu'te**
**shy** (a) skaam, bedees, skugter *also* **tim'id**
**sick** (n) sieke (mens); (a) siek, krank; mislik; naar; *feel* ~ naar voel; ~**bay** siekeboeg; ~**en** siek word/maak; naar word; walg; ~**fund** siekefonds
**sic'kle** sekel; ~**moon** sekelmaan
**sick:** ~ **leave** siekteverlof; ~**ness** siekte, krankheid; mislikheid; ~ **vis'itor** siekestrooster
**side** (n) sy, kant; rand; *take ~s* kant kies; (v) ~ *with* iem. se kant kies; (a) sy=; ~**board** buffet; ~**car** syspan(wa); ~**-effect'** newe-effek; ~**line** byverdienste, liefhebbery; sylyn; ~**step** (n) systap; swenk; (v) verbyspring, swenk; liemaak; ~**track** (n) syspoor, wisselspoor; (v) ontwyk; ~**walk** sypaadjie; ~ **whis'kers** wangbaard, bakkebaard
**si'ding** (spoorweg)halte; wisselspoor
**siege** (n) beleg, beleëring
**sieve** (n) sif
**sift** sif; uitvra, uitpluis
**sigh** (n) sug, versugting; (v) sug
**sight** (n) gesig; skouspel; vertoning; korrel (geweer); besienswaardigheid; *a ~ for sore eyes* 'n verruklike gesig; *make a ~ of oneself* jou belaglik maak; (v) sien; korrelvat; ~**ly** mooi, fraai; ~**see'ing tour** besigtigingstoer; kykrit
**sign** (n) teken, merk; uithangbord; (v) (onder)teken; ~ *on* aansluit
**sig'nal** (n) sein, teken, sinjaal; ~ **of distress'** noodsein; (v) sein; (a) merkwaardig; buitengewoon; ~ **hon'our** besondere/buitengewone eer
**sig'nature** handtekening, naamtekening; ~ **tune** kenwysie
**sig'net** seël; ~ **ring** seëlring
**signif'icant** (a) betekenisvol, beduidend
**sign:** ~ **lan'guage** gebaretaal; ~**post** padteken, predikant; ~**wri'ter** letterskilder
**si'lence** (n) stilte; stilswye; (v) laat swyg, laat bedaar; ~**r** klankdemper (motor); knaldemper (pistool)
**si'lent** (a) swygend; stil; *remain* ~ stilbly
**silhouette'** (n) silhoeët, skadubeeld
**silk** (n) sy; (a) sy=; ~**en** sy=; syagtig; ~ **hat** keil; ~**worm** sywurm; ~**y** syerig; stroperig
**sill** (n) drumpel; vensterbank
**sill'y** (a) onnosel, verspot, kinderagtig, laf *also* **fool'ish, child'ish**
**si'lo** (n) silo, graansuier; voerkuil
**silt** (n) afsaksel, slik; ~ *up* toeslik
**sil'ver** (n) silwer; (v) versilwer; (a) silwer=; ~ **coin** silwermunt; ~ **foil** bladsilwer; ~ **leaf** silwerblaar, silwerblad; ~**-pla'ted** versilwer; ~**smith** silwersmid; ~**ware** silwergoed, silwerware; ~ **wed'ding** silwerbruilof
**sim'ilar** (a) soortgelyk; gelyksoortig; eenders/eners
**similar'ity ..ties** gelyksoortigheid; gelykheid; ooreenkoms
**sim'ilarly** net so, op dieselfde manier
**sim'mer** prut, sag kook, stoof; sing (ketel)
**sim'ple** (a) eenvoudig; onnosel; ~ **in'terest** enkelvoudige rente; ~**-min'ded** eenvoudig (van gees)
**sim'pleton** swaap, dwaas, uilskuiken
**simplic'ity** eenvoud; natuurlikheid
**sim'ply** eenvoudig, gewoonweg
**sim'ulate** (v) naboots, simuleer; veins
**sim'ulator** nabootser (apparaat)
**sim'ulcast** (n, v) koppeluitsend(ing) (TV)

**simultan'eous** gelyktydig *also* **concur'rent**; ~**ly** tegelyk(ertyd)
**sin** (n) sonde; *as ugly as* ~ so lelik soos die nag; (v) sondig, oortree
**since** (adv) gelede; daarna; (prep) sinds, sedert; (conj) nadat, sinds; omdat, aangesien; vandat; *ever* ~ van toe af
**sincere'** (a) opreg, suiwer, eg, eerlik; **Yours** ~**ly** Opreg die uwe, Geheel die uwe
**sincer'ity** (n) opregtheid, openhartigheid
**sin'ew** sening, spier; ~**y** gespierd, taai
**sing** (v) sing; besing; ~ *one's praises* iem. se lof verkondig
**singe** (v) seng, skroei *also* **scorch**
**sin'ger** sanger (albei geslagte)
**sing'ing** sang, gesing; sangkuns; ~ **bird** sangvoël; ~ **les'son** sangles
**sing'le** (n) enkelspel; (v) ~ *out* uitsoek; (a) enkelvoudig; enkel; *he lost in the* ~*s* hy het in die enkelspel verloor; ~ **file** agter mekaar; ~**-hand'ed** sonder hulp; ~**s** enkelspel
**sing'ly** alleen, afsonderlik; een vir een
**sing'song** jolsang; deuntjie; sangoefening
**sing'ular** (n) enkelvoud; (a) enkelvoudig; seldsaam; vreemd; sonderling *also* **stran'ge**
**sin'ister** (a) onheilspellend, skrikwekkend, sinister; ~ **phiz** boewetronie (van 'n mens)
**sink** (n) wasbak, aanreg; (v) sink; sak; delf (skag); delg (skuld); ~ *differences* geskille laat rus; ~ *a shaft* 'n skag grawe; ~ *a ship* 'n skip kelder (laat sink); ~**er** dieplood; ~**hole** sinkgat
**sink'ing** (n) sink; keldering (skip); ~ **fund** delgingsfonds
**si'nus -es** kromming; (sinus)holte; baai
**sip** (n) mondjie vol, slukkie; (v) bietjie-bietjie drink
**si'phon** (n) hewel, sifon; spuitwaterfles; (v) opsuig; oortap; ~ *petrol out of the tank* petrol uit die tenk hewel/uitsuig
**sir** heer, meneer; sir
**sire** (n) sire; vader; vaar (dier); (v) verwek
**si'ren** sirene, mishoring; loeier; verleidster
**si'sal** sisalplant; garingboom
**sis'ter** suster; verpleegsuster; non; ~**-in-law** skoonsuster; ~**ly** susterlik, teer
**sit** (v) sit, gaan sit; ~ *for an examination* eksamen skryf/aflê; ~ *for one's portrait* poseer; ~**com(edy)** sitkom(edie); ~**down strike** sitstaking; ~**-in** sitbetoging
**site** ligging; bouterrein; perseel
**sitt'ing** (n) sitting; sessie; broeisel (eiers); (a) sitting; ~ **hen** broeishen; ~ **room** sitkamer, voorhuis
**sit'uated** geleë
**situa'tion** (n) ligging; plek; toestand, situasie, betrekking, pos; *the* ~ *causes concern* die toestand wek kommer
**six -es** ses; ~ *of one and half a dozen of the other* dis vinkel en koljander; ~**fold** sesvoudig; ~**shoo'ter** rewolwer; ~**teen** sestien; ~**teenth** sestiende; ~**th** sesde; ~**tieth** sestigste; ~**ty** sestig
**size** (n) grootte, omvang; maat; afmeting
**siz'zle** (v) sis, knetter, spat
**sjam'bok** sambok; aapstert
**skate** (n) skaats; (v) skaats; ~**board** skaatsplank
**ska'ting rink** skaatsbaan/ysbaan
**skeet shoo'ting** (n) pieringskiet, kleiduif skiet
**skel'eton** (n) geraamte, skelet; *a* ~ *in the cupboard* 'n pynlike geheim; ~ **key** diewesleutel, loper; ~ **staff** kaderpersoneel, skadupersoneel; kernstaf (mil.)
**sketch** (n) skets, ontwerp, uitbeelding; (v) skets
**ski/skiing** (n, v) ski, sneeuskaats; ~**boat** skiboot; ~**jet** waterponie *also* **jet'ski**
**skid** (v) gly, rondskuif; sleep, rem
**skier** skiër (mens)
**skil'ful** (a) bekwaam, bedrewe, handig, knap
**skill** bedrewenheid; vaardigheid; kundigheid *also* **experti'se**; ~**ed la'bour** geskoolde arbeid
**skim** (v) afskuim, afskep; vluglees/glylees; ~**med milk** afgeroomde melk
**skimp'y** skraal, skraps, karig, afgeskeep
**skin** (n) vel; vlies; bas; *save one's* ~ heelhuids daarvan afkom; *by the* ~ *of one's teeth* hittete, naelskraap; (v) afslag; ~**deep** oppervlakkig; ~**di'ving** vinduik/swemduik; ~**head** kalbaskop/beenkop (mens); ~ **magazi'ne** sekstydskrif; ~**ny** maer *also* **scrag'gy**; ~**ny-dip'per** kaalbaaier
**skip**[1] (n) hysbak; skip (mynbou)
**skip**[2] (n) sprong; (v) touspring; oorslaan
**skip**[3] (n) kaptein
**ski'pants** (n) knersbroek, kameelkouse
**skip'per** kaptein; skipper (rolbal)
**skip'ping rope** springtou
**skirm'ish** (n) **-es** skermutseling
**skirt** (n) romp; rok; slip, pant; kant, rand; (v) omsoom, omboor; langs die kus vaar; ~**ing board** vloerlys
**skit** (n) parodie, spotskrif, skimpskrif

**skit′tle** kegel; ~ **al′ley** kegelbaan; ~ **pin** kegel *see* **ten′pin bow′ling**
**skol′ly** skollie, leeglêer, kwaaddoener
**skull** skedel; doodskop; ~**cap** kalotjie
**skunk** (n) muishond *also* **pole′cat**; smeerlap, vuilis (mens)
**sky skies** lug, hemel(ruim); ~**di′ving** lugduik; ~**lark** lewerkie; ~**scra′per** wolkekrabber; ~**wri′ting** rookskrif
**slab** (n) plaat, steen; reep, skyf; ~ *of chocolate* blok sjokolade; sjokkie
**slack** (n) slapte; (pl) slenterbroek; (v) vertraag, verslap, verflou; (a, adv) slap; traag, lui; laks; ~**en** laat skiet, verslap; ~**er** luiaard/lamsak; ~**ness** laksheid; ~**suit** broekpak
**slake** (v) les; blus; ~**d lime** gebluste kalk
**slam** (n) harde slag; kap, slag (kaartspel); (v) toeslaan (deur); kritiseer, verdoem
**slan′der** (n) skinderpraatjies, laster; (v) belaster; ~**er** lasteraar, kwaadspreker; ~**ous** lasterlik
**slang** (n) sleng; groeptaal, jargon
**slant** (n) skuinste, helling; ~**ed news** skewe beriggewing
**slap** (n) klap, slag; (v) 'n klap gee; (adv) reg; plotseling; ~**dash** (a) voortvarend; ongeërg; halsoorkop; (adv) onverskillig
**slash** (n) sny; balkteken (/); (v) sny, raps; ~ **prices** pryse kerf
**slate** (n) lei; leiklip; (a) lei=, leikleurig
**slate:** ~ **pen′cil** griffel; ~ **quar′ry** leigroef
**slaught′er** (n) slagting; bloedbad; (v) slag; ~ **cattle** slagbeeste, slagvee
**slave** (n) slaaf; werkesel; (v) swoeg, slaaf
**sla′very** (n) slawerny
**slay** (v) doodmaak, vermoor
**sled/sledge/sleigh** (n) slee; (v) slee
**sledge′hammer** voorhamer, smidshamer
**sleek** (v) blink maak; (a) glad, glansend, blink; geslepe, slu, salwend
**sleep** (n) slaap, vaak; (v) slaap, rus; ~**er** sla=per; dwarslêer (spoor)
**sleep′ing** slapend; ~ **accommoda′tion** slaap=plek; ~ **bag** slaapsak; ~ **part′ner** rustende vennoot; ~ **pill** slaappil; ~ **sick′ness** slaap=siekte
**sleep:** ~ **wal′ker** slaapwandelaar *also* **som=nam′bulist**; ~**y** vaak, slaperig, dooierig
**sleet** (n) dryfsneeu, ysreën
**sleeve** mou; mof; *have something up one's* ~ iets in die skild voer; ~ **link** mouskakel, mansjetknoop *also* **cuff′link**
**sleigh** slee
**slen′der** (a) skraal, maer, slank, dun; gering
**sleuth** speurder; ~**hound** speurhond *also* **track′er dog**
**slice** (n) sny, skyf; ~ **of bread** sny brood
**slick** (a) handig, rats; glad, blink (diere); (adv) presies; glad, skoon; **city** ~**er** stadskoejawel (mens)
**slide** (n) gly; skuif; skyfie (fot.); haarknip; (v) gly, glip; skuif; ~ **rule** rekenliniaal
**sli′ding** glyend, dalend; skuif=; ~ **door** skuif=deur; ~ **scale** glyskaal
**slight** (a) gering, min, effentjies; ~ **injury** ligte besering; ~**ly** effentjies, 'n rapsie
**slim** (v) verslank; (a) slank, skraal *also* **lean**
**slime** slyk, modder, slym
**slim′ming** verslanking, vermaering
**sli′my** slymerig, glibberig; inkruiperig
**sling** (n) slingervel; draagband (vir arm); (v) slinger; swaai; ~**shot** slingervel
**slink** (v) wegsluip
**slip** (n) vergissing, fout; stiggie/steggie; kus=singsloop; onderrok; *give one the* ~ iem. ontglip; *a* ~ *of the pen* 'n skryffout; (v) gly, glip; 'n fout maak; ~**ped disc** skyfletsel; ~**per** pantoffel, sloffie; ~**pery** glibberig, glyerig; ~**shod** slordig, onpresies; ~**way** skeepshelling; glipweg (verkeer); sleephel=ling (vir bote)
**slit** (n) slip, spleet; bars, skeur; (v) kloof, splits; bars (hout)
**slobb′er** (v) kwyl, teem; slobber; mors; knoei
**slog** (v) moker, hard slaan; swoeg
**slo′gan** (n) leuse, slagspreuk, motto; wag=woord; wekroep *also* **mot′to, catch′word**
**sloop** sloep (boot)
**slop** (n) (pl) vuil water; slap drank; (v) mors, vuil maak; ~ **pail** slopemmer; ~**py** morsig; huilerig, oordrewe sentimenteel; ~ **sink** opwasbak
**slope** (n) skuinste, hang, helling; afdraand
**slot** gleuf, opening; program-item; ~ **ma=chine′** (munt)outomaat, slotmasjien
**sloth** (n) luidier; ai (indien 3 tone)
**slouch** (v) lomp loop; slof, sleep
**slo′ven:** ~**liness** slordigheid; ~**ly** slordig, morsig, vieslik *also* **mes′sy, slop′py**
**slow** (v) stadiger gaan; ~ *down* vertraag, ver=langsaam; (a) stadig, langsaam; traag; agter (horlosie); ~**coach** draaikous, drel, drente=laar; ~**-combus′tion stove** smeulstoof; ~ **mo′tion** stadige aksie *also* **slo′mo**
**sludge** modder, slik/slyk; boorslik; rioolslyk

**slug** slak; ~**gard**, leegloper, luilak; ~**gish** lui, traag
**sluice** (n) sluis; watervoor; ~ **gate** sluisdeur
**slum** (n) agterbuurt, krotbuurt, slum, gopse
**slum'ber** (n) sluimering; (v) sluimer
**slump** (n) in(een)storting; slapte (in ekono=mie); (v) inmekaar sak, in(een)stort
**slur** (n) vlek, smet; slordige uitspraak; (v) sleg uitspreek; bemors, besmet; trek (noot)
**slush** slyk, slik, modder; smeltende sneeu; sentimentaliteit; kletspraatjies
**slut** (n) sloerie; slet (vrou) *also* **tart, bitch**
**sly** (n): *on the* ~ tersluiks; (a) slu, uitgeslape, listig; slim; skelm *also* **cun'ning, craf'ty**; ~ **lod'ger** sluipslaper
**smack**[1] (n) klap, slag; klapsoen; (v) 'n klap gee; (adv) smak pardoems; ~ *up against* reg teenaan
**smack**[2] (n) geur, smakie; sweem; (v) smaak
**small** (a, adv) klein; gering, weinig, min; *in the* ~ *hours* ná middernag; ~**hol'ding** (land=bou)hoewe, kleinhoewe; ~**pox** (kinder)pok=kies; ~ **talk** kafpraatjies, geklets
**smart**[1] (v) skryn, seermaak, pynig
**smart**[2] (a) knap; oulik, wakker, slim; modieus; netjies, viets; keurig, elegant; ~*ly dressed* fyn uitgevat; ~ *cas'ual* deftig informeel; ~**card** knapkaart
**smash** (n) botsing; breekspul; mokerhou (ten=nis); (v) moker; ~**-up** botsing; in(een)stor=ting
**smear** (n) vlek, kol; (v) besmeer, besoedel; ~ **campaign'** smeerveldtog
**smell** (n) reuk, geur; ruik (van die see); snuf; (v) ruik; snuffel; ~ *a rat* lont ruik; ~**ing salts** vlugsout
**smelt** smelt; ~**ing fur'nace** smeltoond/smel=tery *also* **smel'ter**
**smile** (n) glimlag; (v) glimlag; *fortune* ~*s on us* die geluk lag ons toe
**smi'ling** vrolik, glimlaggend; *keep* ~*!* hou die blink kant bo!
**smirch** (n) **-es** klad, vlek, smet
**smith** smid *see* **black'smith**
**smithereens'** flenters, stukkies
**smog** (n) rookmis
**smoke** (n) rook, damp; (v) rook; uitrook; ~**d** rook=, gerook(te); ~ **detec'tor** rook(ver)klik=ker; ~**less** rookloos; ~**r** roker; ~**r's empo'r=ium** tabakboetiek; ~**screen** rookskerm
**smooth** (v) gelyk maak, laat bedaar; versag; (a) gelyk, glad; sag; vriendelik; vloeiend (styl); *a* ~ *tongue* 'n gladde tong; ~**-ton'gued** vleiend
**smoth'er** (v) smoor, verstik; onderdruk
**smoul'der** (n) smeulvuur; (v) smeul
**smudge** (n) vlek, vuil kol; smet; (v) besmeer
**smug** (n) selfgenoegsame mens; jansalie; (a) selfvoldaan, selfingenome; huigelagtig
**smug'gle** (v) smokkel; ~**r** smokkelaar (mens)
**smugg'ling** (n) smokkelary
**smut** (n) roet (van vuur); smerigheid; ~**ty** besmet, vuil; ~**ty joke** skurwe grap
**snack** porsie, happie, peuselhappie; snoepe=ry(e); ligte maaltyd; ~**bar** peuselkroeg; ~**s** versnaperings
**snag** kwas/knoes; haakplek; *I struck a* ~ ek het moeilikheid opgetel/teenspoed gekry
**snail** slak; ~**'s pace** slakkegang
**snake** slang; *cherish a* ~ *in one's bosom* 'n adder aan jou bors koester; ~ **char'mer** slangbesweerder; ~ **ex'pert** slangkenner; ~ **pit** slangkuil
**snap** (n) kiekie; slag; hap, byt; pit, energie; *a cold* ~ 'n skielike (vlaag) koue; (v) kraak; klap; breek; kiek; ~ *at* toesnou; ~ **deba'te** blitsdebat (parlement); ~**drag'on** leeubek=kie (blom); ~**pish** snipperig; ~**py** vurig, opgewerk; ~**shot** (n) kiekie; (v) kiek, afneem/fotografeer
**snare** (n) strik (vir kleinwild); wip (vir voëls); val
**snarl** (n) knor, snou; (v) knor, grom; **traf'fic** ~ verkeersknoop
**snatch** (n) ruk; (v) gryp, wegruk; ~**-and-grab thief** grypdief *also* **smash-and-grab thief**
**sneak** (v) sluip, verklap; ~ **thief** sluipdief; ~**y** gluiperig, agterbaks
**sneer** (n) spotlag, bytende skerts, hoonlag
**sneeze** (n) nies; (v) nies; *not to be* ~*d at* nie te versmaai nie; ~**wood** nieshout
**snide** (a) snedig, kwetsend; ~ **remark'** sne=dige aanmerking
**sniff** (n) gesnuffel; ruik; (v) snuffel, snuif; ~**er dog** snuffelhond, speurhond
**snigg'er** (n) skelm gegiggel; (v) grinnik
**snipe** (n) snip (voël); domkop; (v) sluipskiet; ~**r** sluipskutter (mens)
**sniv'el** (n) getjank, huigelary; (v) snotter, huil
**snob** (n) snob; flikflooier, inkruiper; ~**bery** snobisme; ~**bish** snobisties
**snook'er** snoeker, potspel
**snooze** (n) dutjie, slapie; (v) dut; 'n uiltjie knip/knap

**snore** (n) gesnork; (v) snork
**snort** (n) snork; snorkel, snort (van duikboot); (v) snuif (perd); proes
**snot** (n) snot *also* **mu′cus**; ~**ty nose** snotneus
**snout** snuit, snoet; ~ **bee′tle** snuitkewer
**snow** (n) kapok, sneeu; ~**ball** sneeubal; ~**drop** sneeuklokkie; ~**flake** sneeuvlok(kie); ~**-white** sneeuwit, spierwit; **S~-White** Sneeuwitjie; ~**y** spierwit
**snub**[1] (n) afjak, teregwysing; (v) afsnou; verwerp; vermy *also* **shun**
**snub**[2] (a) stomp; ~**nose** stompneus, mopsneus
**snuff** (n) snuif; snuitsel; (v) snuif; besnuffel; snuit (kers); ~**box** snuifdoos; ~**ers** (kers)snuiter
**snuf′fle** (n) gesnuif; (v) deur die neus praat
**snug** (a) gesellig, behaaglik, knus *also* **co′sy**
**snugg′le** warm toemaak, toedraai; knuffel; ~ *up to* nader skuif; aanvly teen
**so** so, dus, sodanig; *and ~ forth* ensovoorts; *quite ~!* presies; ~ *to say* as 't ware
**soak** (v) week, deurweek, drink; ~*ed in* deurtrek van; ~**ing** deurweek
**soap** (n) seep; (v) inseep; ~**box** (cart) kaskar; ~ **bub′ble** seepblaas, seepbel; ~**y** (n) sepie, strooisage (TV) *also* **soap op′era**; (a) seperig, vleierig
**soar** (v) hoog vlieg, opstyg; sweef/swewe
**sob** (n) snik; (v) snik
**so′ber** (a) matig; sober, nugter; beskeie
**so′-called** sogenaamd/sogenoemd; kastig
**soc′cer** sokker; ~ **hoo′ligans** sokkerboewe
**so′ciable** gesellig, aangenaam
**so′cial** (n) gesellligheid, partytjie; (a) sosiaal, maatskaplik; ~ **secu′rity** bestaansbeveiliging; sosiale sekerheid; ~ **wor′ker** maatskaplike werker; ~**ism** sosialisme; ~**ite** sosialiet; sosiale vlinder
**soci′ety** (n) samelewing, gemeenskap; genootskap, vereniging; **buil′ding** ~ bouvereniging
**sociol′ogy** sosiologie
**sock** (n) **-s** sokkie; *pull up your ~s* roer jou riete, doen jou bes
**sock′et** (n) holte; kas (van oog); potjie (heup); sok, huls; ~ **span′ner** soksleutel
**sod** (n) sooi, kluit
**so′da** soda; ~ **water** sodawater, spuitwater
**sod′omy** (n) sodomie, homoseksuele omgang
**so′fa** sofa, rusbank
**soft** (a) sag/saf, week; soetsappig; gevoelig; verwyf; ~**ball** sagtebal; ~**drink** koeldrank; ~**en** versag; ~ **goods** weefstowwe/wolstowwe, tekstielware; ~**-hear′ted** teerhartig; ~ **job** maklike baantjie; ~ **porn(og′raphy)** prikkellektuur; ~ **serve** (n) stroomys/roomdroom; ~**soap** (n) groenseep; vleiery; (v) vlei; ~ **spot** teer plek; ~ **tar′get** sagte teiken; ~**wa′re** sagteware/programmatuur (rek.); ~**y** goeierd; slapjas, papperd (mens)
**sogg′y** papnat, deurweek
**soil**[1] (n) grond, aarde; ~ **conserva′tion** grondbewaring
**soil**[2] (n) smet; (v) besmeer, besoedel
**so′lar** son=; ~ **eclip′se** sonsverduistering; ~ **en′ergy** sonenergie; ~ **hea′ting** sonverhitting; ~ **po′wer** sonkrag; ~ **sys′tem** son(ne)stelsel
**sol′der** (n) soldeersel; (v) soldeer; ~**ing i′ron** soldeerbout
**sol′dier** soldaat, krygsman; ~**′s pay** soldy
**sole**[1] (n) sool; (v) versool
**sole**[2] (n) tong(vis)
**sole**[3] (a) enkel, alleen, enigste; ~ **a′gent** alleenagent; ~ **rights** alleenreg
**sole′ly** enkel, alleenlik
**sol′emn** (a) plegtig, statig, indrukwekkend
**soli′cit** lok, uitlok, lastig val; onsedelike voorstelle maak; ~ *support* steun werf; ~**a′tion** aansoek; ~**ing** uitlokking
**soli′citor** prokureur (regsman)
**sol′id** (a) solied, massief; stewig, bestendig; ~**ar′ity** eensgesindheid, solidariteit; ~ **con′tents** kubieke inhoud
**solil′oquy** (n) alleenspraak *also* **mon′ologue**
**sol′itary** (a) eensaam, verlate, allenig; ~ **confi′nement** alleenopsluiting
**sol′itude** (n) eensaamheid, verlatenheid
**solo soli, -s** solo; ~**ist** solis, solosanger
**solu′tion** oplossing; ontbinding; rubberlym
**solve** (v) oplos; ~ *a problem* 'n probleem oplos/uitstryk
**som′bre** (a) somber, duister *also* **gloo′my**
**some** (pron) party, sommige; (a) party, sommige, enige; *to ~ extent* tot op sekere hoogte; (adv) erg, danig, baie; ~**body** iemand; ~**how** op een of ander manier; ~**one** iemand
**som′ersault** (n) bolmakiesie, salto, buiteling
**some′thing** iets; ~ *nice* iets lekkers
**some:** ~**times** soms, somtyds, partymaal; ~**where** êrens/iewers
**somnam′bulist** (n) slaapwandelaar, slaaploper
**son** (n) seun; ~ *of a gun* swernoot, skobbejak

**sona'ta** sonate
**song** (n) lied, sangstuk; poësie; *make a ~ about it* 'n ophef maak van; *for a mere ~* vir 'n kleinigheid/bakatel; ~ **fes'tival** sangfees
**son'-in-law sons-in-law** skoonseun
**sonn'et** sonnet, klinkdig
**son'ny** (n) seuntjie, boetie, mannetjie
**soon** gou, gou-gou, spoedig, binnekort; *as ~ as* sodra; *the ~er the better* hoe eerder, hoe beter
**soot** roet; ~**flake** roetkorreltjie
**sooth'ing** versagtend; troostend; ~ **mu'sic** strelende musiek
**sooth'sayer** waarsêer, voorspeller, siener
**sophis'ticate** verfyn; ~**d** verfynd, kundig; gesofistikeer(d)
**sop'ping:** ~ *wet* deurweek, sopnat/kletsnat
**sopp'y** papnat; sentimenteel, soetsappig
**sopra'no ..ni, -s** sopraan
**sor'bet** bruissuiker, vrugtedrank, sorbet
**sor'cerer** towenaar, goëlaar *also* **wiz'ard**
**sor'did** (a) laag, gemeen, vuil; inhalig
**sore** (n) seer, sweer, wond; (a) seer, pynlik; *a ~ point* 'n teer plek; *a sight for ~ eyes* 'n verruklike gesig
**sorg'hum** graansorghum
**sor'rel** (n) suring
**sor'row** (n) droefheid, smart, verdriet; ~**ful** verdrietig, droewig, treurig; (v) treur
**sor'ry** (a) jammer, spyt; *be ~* spyt wees; (interj) ekskuus (tog), jammer
**sort[1]** (n) soort, aard, klas; *nothing of the ~* niks van die aard nie
**sort[2]** (v) sorteer; ~ *out* uitsoek; uitsorteer (sake); ~**er** sorteerder
**sosa'tie** (n) sosatie *also* **ke'bab**
**soul** siel, gees, wese; soul (musiekstyl); *not a ~* nie 'n lewende wese nie; ~**-search'ing** selfondersoekend; ~**-stir'ring** aangrypend
**sound[1]** (n) geluid, klank; (v) klink, lui; ~ *the retreat* die aftog blaas; ~ **bar'rier** klankgrens; ~**board** klankbord; ~ **card** klankkaart (rek.); ~ **effects'** byklanke
**sound[2]** (a) gesond, gaaf, sterk; *a ~ beating/thrashing* 'n gedugte pak slae; ~ *reasons* gegronde redes; (adv) vas; ~ *asleep* vas aan die slaap
**sound:** ~**film** klankfilm; ~**proof** klankdig, geluidvry; ~**track** klankbaan
**soup** sop; *be in the ~* in die verknorsing wees; ~ **kit'chen** sopkombuis; ~ **plate** sopbord
**sour** (v) versuur; (a) suur; nors; ~ *grapes* suur druiwe; ~**puss** suurknol (mens)
**source** (n) bron, oorsprong; ~ **stu'dy** bronnenavorsing
**south** (n) suide; (a) suidelik, suid; (adv) suidwaarts
**South Afr'ica** Suid-Afrika; ~**n** (n) Suid-Afrikaner, Suid-Afrikaan (mens); (a) Suid-Afrikaans; ~**n War** Anglo-Boereoorlog, Tweede Vryheidsoorlog
**south:** ~**east'** suidoos; ~**eas'ter** suidooster, Kaapse dokter; ~**ern** suidelik; ~**paw** hotklou (links); **S~ Pole** Suidpool; ~**ward** suidwaarts; ~**wes'ter** suidwestewind; reënjas/oliejas
**South'ern Afr'ica** Suider-Afrika
**souv'enir** (n) soewenier, aandenking; herinnering, gedagtenis
**sov'ereign** (n) vors, heerser; (a) oppermagtig, soewerein; vernaamste
**Sov'iet** Sowjet; ~ **Repub'lics** Sowjet-Unie (voormalige USSR)
**sow[1]** (n) (vark)sog
**sow[2]** (v) saai; strooi; versprei; ~ *discord* tweedrag saai; ~**er** saaier
**soy'bean** sojaboon(tjie)
**spa** (n) badplaas, kruitbad, spa
**space** (n) ruimte; plek; spasie; (v) spasieer; ~ **de'bris** ruimterommel; ~**man** ruimtevaarder; ~**ship** ruimteskip; ~ **shut'tle** pendeltuig; ~ **tra'vel** ruimtevaart
**spa'cing** spasiëring
**spa'cious** (a) ruim, wyd, uitgestrek
**spade[1]** skoppens (kaarte); *ace of ~s* skoppenaas
**spade[2]** (spit)graaf; *call a ~ a ~* geen doekies omdraai nie; ~**work** aanvoorwerk
**span** (n) span; spanning (brug); (v) oorspan/oorbrug; ~ *of life* lewensduur
**span'iel** patryshond, spanjoel
**spank** (n) klap, slag; ~**ing** (n) loesing; (a) groot, sterk; gaaf, uitstekend
**spann'er** (n) skroefsleutel, skroefhamer
**spanspek'** (n) spanspek *also* **musk'melon**
**spare[1]** (n) ekstra; (pl) onderdele
**spare[2]** (v) spaar, bespaar; ~ *no expense* geen koste ontsien nie; ~ *oneself the trouble* jou die moeite bespaar
**spare[3]** (a) maer; skraal; ~ **diet** skraal kos
**spare:** ~ **part** onderdeel; ~ **room** vrykamer; ~ **time** vrye tyd; ~ **tyre** noodband; ~ **wheel** noodwiel
**spark[1]** (n) windmakerige kêrel, swierbol

**spark**[2] (n) vonk; sprank, greintjie; (v) vonk; ~**plug** vonkprop

**spark′le** (n) glans, vonkeling; (v) vonkel, flikker; bruis; ~**r** diamant

**spark′ling** vonkelend, skitterend; ~ **wine** vonkelwyn, bruiswyn

**spar′ring** skerm, boks; ~ **part′ner** oefenmaat, skermmaat

**spa′rrow** (n) mossie; ~ **hawk** sperwer, wit valk

**spasm** kramp, trekking; ~**od′ic** krampagtig; spasmodies

**spas′tic** (a) krampagtig, spasties

**spawn** (n) viseiertjies, saad, kuit; (v) eiers lê

**spay** (v) regmaak, spei (wyfiedier)

**speak** praat, spreek; sê; ~ *one's mind* padlangs praat; ~**er** spreker; *Mr S~er* mnr. die Speaker (parlement); ~**ing** (n) praat; (a) pratend; *not on ~ing terms* kwaaivriende; **pub′lic** ~**ing** (die) redenaarskuns

**spear** (n) spies, speer; wig; (v) deurboor; ~**head** speerpunt; ~ **fish′ing** spieshengel

**spe′cial** (n) spesiale uitgawe (koerant); dis van die dag (restourant); (a) spesiaal, besonder; ~**ist** spesialis (mens)

**special′ity** besonderheid, spesialiteit (bv. koek bak)

**spe′cialise** (v) spesialiseer; wysig, beperk

**spe′cies** (sing and pl) soort, spesie(s)

**specif′ic** soortlik, spesifiek; ~**a′tion** spesifikasie; ~ **gra′vity** soortlike gewig

**spe′cify** (v) spesifiseer

**spe′cimen** (n) (proef)monster *see* **sam′ple**; eksemplaar; ~ **sig′nature** proefhandtekening

**spec′tacle** (n) skouspel, vertoning; spektakel; toneel, gesig; (pl) bril; ~**d** gebril

**spectac′ular** (a) skouspelagtig, opsienbarend

**specta′tor** toeskouer, aanskouer

**spec′tre** (n) spook, skim, gestalte

**spec′ulate** bespiegel; spekuleer (geld, beeste); ~ *about the future* bespiegel oor die toekoms

**specula′tion** spekulasie; bespiegeling

**spec′ulator** spekulant (mens)

**speech -es** redevoering, toespraak; *make a ~* 'n toespraak hou/lewer/afsteek; *parts of ~* rededele; **after-din′ner** ~ tafelrede; ~ **imped′iment** spraakgebrek; ~**less** spraakloos, stom; ~ **ther′apist** spraakterapeut

**speed** (n) snelheid, spoed, vaart; *at full ~* in volle vaart; (v) spoed, haastig/gou maak; jaag; ~**boat** snelboot, kragboot; ~**cop** spietkop/padvalk; ~ **hump** (spoed)hobbel; ~ **lim′it** snelperk/spoedperk; ~**om′eter** snelheidsmeter; ~**ster** jaagduiwel *also* **hell′dri′ver**; ~ **trap** snelstrik/jaagstrik; ~**way** jaagbaan; snelweg, motorweg, deurpad; ~**way ra′cing** (motor)fietsrenne; ~ **wob′ble** spoedwaggel; ~**y** (a): ~ *recovery* spoedige herstel

**spell**[1] (n) towerkrag; betowering; *fall under the ~ of* onder die bekoring kom van

**spell**[2] (n) beurt; tyd, rukkie; *a cold ~* 'n skielike koue

**spell**[3] (v) spel; voorspel; ~ *out policy* beleid uitstippel

**spell′bound** betower(d), gefassineer

**spell:** ~ **check′er** spelgids; ~**ing** spelling; ~**ing er′ror/mistake′** spelfout

**spend** (n): *consumer ~ing* verbruiker(s)besteding; (v) uitgee, spandeer; bestee; ~ *time on* tyd bestee aan; ~**thrift** deurbringer, verkwister (mens)

**sperm** saad, sperma

**sphere** (n) kring; sfeer, bol; omvang

**sphinx** (n) sfinks

**spice** (n) spesery, kruie; (v) krui

**spick′-and-span′** (a) piekfyn, agtermekaar

**spi′der** spinnekop; spaider (rytuig); ~**'s web** spinnerak

**spike** (n) lang spyker; spykerskoen (atletiek); briefpriem; (v) vaspen; vasspyker

**spill** (n) val; *have a nasty ~* lelik val; (v) mors, uitstort, verspil

**spill′way** uitloop, oorloop (uit dam/rivier)

**spin** (n) draai; tolvlug (vliegtuig); toertjie, ritjie; *go for a ~,* gaan ry; (v) spin, weef; draai; wentel; ~ *a yarn* 'n storie vertel; kluitjies bak; ~ **bow′ler** draaibalbouler

**spin′ach** spinasie

**spi′nal** ruggraats=; ~ **col′umn** ruggraat; ~ **cord** rugmurg

**spin′dle** spil, as; ~**-leg′ged** met speekbene

**spin′drier** toldroër (vir wasgoed)

**spine** (n) ruggraat, rugstring; ~**less** ruggraatloos, slapgat; papbroekig

**spinn′ing** spin; ~ **mill** spinfabriek, spinnery; ~ **wheel** spinwiel

**spin′ster** (n) oujongnooi (dame)

**spi′ral** (n) spiraal; (v) kronkel, draai; ~ **stair′case** wenteltrap

**spir′it** (n) gees; geeskrag, lewe, vuur; (pl) bewussyn; brandspiritus; *in high ~s* opgeruimd; (v) aanwakker, besiel, aanvuur; ~ *away* wegtoor; ~**ed** lewendig, opgeruimd;

~ **lamp** spirituslamp; ~ **le'vel** waterpas; ~ **stove** pompstofie
**spir'itual** (n) geestelike lied (Afro-Am.); (a) geestelik, onstoflik; ~**ism** spiritisme; ~**ist** spiritis (mens)
**spit** (n) spoeg/spuug; (braai)spit; (v) spoeg/spuug; ~ *out* uitspoeg
**spite** (n) spyt, wrok; *in ~ of* ten spyte van, in weerwil van; (v) krenk, vermaak; vererg; ~**ful** vermakerig; haatlik, geniepsig
**spittoon'** (n) spoegbakkie, kwispedoor
**spiv** (n) vertroueswendelaar *also* **con'man**
**splash** (n) plas, plons; spatsel; (v) bespat, plas; ~**board** modderskerm; ~ **lan'ding** plons=landing (ruimtetuig); ~**y** (a) windmakerig
**spleen** (n) milt; ergernis
**splen'did** (a) pragtig, kostelik, luisterryk; uit=stekend, puik *also* **superb'**
**splen'dour** prag, glans, grootsheid
**splice** (n) splitsing; las (tou); (v) splits; las
**splint** (n) splinter; splytpen; (v) spalk
**splin'ter** (n) splinter; spaander; (v) (ver)splin=ter
**split** (n) skeuring, tweespalt; skeur, bars; (v) splits; ~ *personality* gesplete persoonlik=heid; *in a ~ second* oombliklik, blitsvinnig; (a) gesplits, verdeel; ~**peas** spliterte; ~**pin** splitpen; ~**pole fence** paaltjiesheining
**spoil** (n) buit, roof; ~*s of war* buit; (v) bederf; verwoes; verfomfaai (klere); ~**ed,** ~**t** be=dorwe; ~**sport** pretbederwer, spelbreker *al=so* **kill'joy**
**spoke** (n) speek; *put a ~ in a person's wheel* iem. dwarsboom
**spokes'man** woordvoerder, segsman *also* **spokesper'son**; mondstuk, spreekbuis
**sponge** (n) spons; klaploper/parasiet; *throw up the ~* tou opgooi; (v) afspons; ~ *on one* op iem. teer; iem. uitsuig; ~ **cake** suikerbrood; ~**r** klaploper, opskeploerder, inhaler; nek=lêer (mens)
**spon'sor** (n) borg; stigter; (v) borg staan vir; borg *also* **promote', fund**; ~ *a tournament* 'n toernooi borg; ~**ship** borgskap
**spontan'eous** (a) spontaan, ongedwonge
**spook** spook; ~**ish,** ~**y** spookagtig
**spool** (n) spoel(etjie), tolletjie, klos
**spoon** (n) lepel; (v) skep, (op/uit)lepel
**spoon:** ~**-feed** met die lepel voer; ~**ful** lepel vol
**sporad'ic** versprei(d), sporadies
**sport** (n) sport; grap, korswel; grapmaker; (v) jou vermaak; ~ *a gold watch* pronk met 'n goue horlosie; ~**ing** spelend; sport=, sportief
**sports:** sport; ~**man** sportman; ~**manlike** edelmoedig, sportief; ~**manship'** sport=manskap
**spot** (n) kol, merk, vlek; (v) merk; bespat; reg raai (vrae); ~ **cash** kontant; ~ **check** kol=toets, steekproef; ~ **col'our** pletterkleur; ~**fine** afkoopboete; ~**less** vlekloos; ~**light** soeklig, kollig; ~**ted** bont, gespikkel(d)
**spouse** (n) eggenoot; eggenote, gade
**spout** (n) tuit, geut; spuit; (v) spuit (walvis)
**sprain** (v) verrek, verstuit, verswik (enkel)
**spray** (n) skuim; sproeireën; (v) sproei; ~**er** spuit, sproeier; ~**can** spuitkan(netjie); ~ **paint** spuitverf
**spread** (n) omvang, uitgestrektheid; maaltyd; *prepare a ~* 'n feestelike onthaal (voor)be=rei; (v) versprei; ontplooi; voortplant; ~**sheet** (elektroniese) werkblad (rek.)
**spree** (n) drinkparty, fuif, makietie; (v) fuif, jol, rinkink *also* **rev'el**
**spright'ly** lewendig, vrolik, dartel
**spring**[1] (n) lente, voorsomer; *in ~* in die lente
**spring**[2] (n) bron, fontein *also* **well**
**spring**[3] (n) veer; spring, sprong; (v) spring; ontspring; ~ *a surprise* verras; ~ **bal'ance** veerbalans, trekskaaltjie; ~**board** spring=plank; duikplank; afspringplek (vir aanval=le); ~**bok** springbok; ~ **chick'en** piep=kuiken; bakvissie (opgeskote meisie); ~ **tide** springvloed, springty; ~**time** lente; jeug
**sprin'kle** (v) sprinkel, besproei; (be)strooi; ~ **irriga'tion** sprinkelbesproeiing; ~**r** sprinke=laar, sproeier
**sprint** (n) naelwedloop, naelren; (v) nael; sny (hardloop); ~**er** naelloper (atleet)
**sprite** (n) spook(gedaante); kabouter, fee
**sprout** (n) spruit, loot; (v) uitspruit, groei; opskiet; ~**s** spruitkool
**spruce** (v) opskik, mooi maak; (a) netjies, keurig; viets, piekfyn
**spunk** (n) moed, fut; durf; koerasie
**spur** (n) spoor; spoorslag; aansporing, prikkel; (v) aanspoor
**spurn** (n) veragting; (v) verag; wegskop, ver=stoot, versmaai
**spurt** (v) uitspuit; spat; weglê; laat nael
**spur'-toed frog/toad** platanna, plandoeka
**spur' wheel** tandrat, kamwiel
**spy** (n) **spies** spioen, verspieder; (v) spioeneer,

bespied; ~**glass** verkyker; ~**hole** loergat; ~**ing** spioenasie

**squab′ble** (n) rusie, twis; (v) twis, dwarstrek, kibbel; ~**r** dwarstrekker, korrelkop (mens)

**squad** seksie; afdeling (soldate); ~ **car** blitsmotor; **fly′ing** ~ blitspatrollie

**squad′ron** eskadron (ruiters); eskader (vloot, lugmag)

**squa′lid** vuil, morsig, smerig

**squa′lor** (n) morsigheid, smerigheid

**squan′der** (v) verkwis, verspil, deurbring

**square** (n) vierkant; kwadrant; plein; winkelhaak; ouderwetse persoon; (v) vierkantig maak; vereffen; ~ *accounts with* afreken met; ~ *up* betaal, in orde bring; (a) vierkantig; kwadraat; reghoekig; regskape; (adv) vierkant; eerlik; *they are ~ now* hulle is nou kiets; ~ **dealing** eerlikheid; ~**d** kwadraat ($x^2$); geruit; ~ **root** vierkantswortel

**squash**[1] (n) kwas, suurlemoendrank; muurbal; (v) kneus; verbrysel; die mond snoer

**squash**[2] (n) **-es** skorsie; **gem** ~ lemoenpampoen(tjie)

**squat** (v) neerhurk; plak; (a) gehurk; ~**ter** plakker; ~**ter camp** plakkerskamp *also* **infor′mal settle′ment**; ~**ting** plakkery

**squeak** (n) gepiep; gil; (v) piep, gil

**squeal** (n) gil, skree(u); (v) tjank; verklik/verkla

**squeeze** (n) drukking; gedrang; (v) druk, vasdruk; uitpers; ~ *money out of* geld afpers; ~ *to death* dooddruk

**squid** pylinkvis; **com′mon** ~ tjokka

**squint** (v) skeel kyk; (a) skeel; *slightly ~ing* soetskeel; ~**-eyed** skeeloog

**squi′rrel** (n) eekhorinkie (boomdiertjie)

**squirt** (n) spuit; straal; grootprater/windmaker; (v) (uit)spuit

**stab** (n) (dolk)steek; belediging; (v) deursteek; ~ *to death* doodsteek

**stabil′ity** (n) vastheid, standvastigheid, bestendigheid, stabiliteit

**stab′ilise** (v) stabiliseer ('n pasiënt); bestendig

**sta′ble**[1] (n) stal; renperde; (v) stal

**sta′ble**[2] (a) stabiel, standvastig, bestendig

**stack** (n) mied (hooi); hoop, stapel; (v) mied pak; opstapel

**sta′dium -s** stadion (sportpawiljoen)

**staff** (n) staf (militêr); personeel (skool, kantoor); **edito′rial** ~ redaksie

**stag** takbok, hert; kortspekulant (beurs) *see* **bull, bear**; ~ **par′ty** ramparty

**stage** (n) toneel; stadium; trek (bus); *at that ~* in daardie stadium; (v) opvoer; ~ **fe′ver** plankekoors; ~ **fright** plankevrees; ~ **man′agement** toneelleiding, regie; ~ **writ′er** toneelskrywer

**stagg′er** (v) waggel, wankel; steier; ~**ed hours** verspreide werkure; skiktyd; ~**ing** (a) wankelend; verbluffend, verbysterend (koste) *also* **baff′ling, stun′ning**

**stain** (n) vlek, klad, smet; kleur; (v) vlek, besmet, beklad; ~**ed** besoedel, besmet; ~**ed glass** kleurglas; brandskilderglas; ~**less** rein, skoon; vlekvry, roesvry (staal); ~ **remo′ver** vlekverwyderaar

**stair** (n) trap; *a flight of ~s* 'n trap; **up~s** bo; ~ **carpet** traploper; ~**case** trap

**stake** (n) paal; inset; (pl) wedgeld; *have a ~* belange hê in; (v) waag; wed; ~**hol′der** deelgenoot, aandeelhouer; belanghebber

**stal′actite** (hangende) druipsteen, stalaktiet

**stal′agmite** (staande) druipsteen, stalagmiet

**stale** (a) oud; verslete, afgesaag; ~ **beer** verslaande bier; ~**mate** dooiepunt

**stalk**[1] (n) steel, stingel; skag (van veer)

**stalk**[2] (v) deftig stap; wild bekruip

**stall** (n) stal; loket; padstal, (plaas)kiosk; (v) staak (motor)

**stall′ion** (n) (dek)hings

**stal′wart** (n) staatmaker (mens)

**stam′ina** uithouvermoë, stamina

**stamm′er** (v) stotter, hakkel; ~**er** hakkelaar *also* **stut′terer**; ~**ing** (n) gehakkel

**stamp** (n) stempel; seël, merk; posseël; (v) stempel; ~ **collec′tor** (pos)seëlversamelaar; ~ **du′ty** seëlreg

**stampede′** (n) dolle vlug; stormloop; (v) in 'n paniek vlug (diere)

**stand** (n) stand, posisie; standplaas; pawiljoen; stalletjie; (v) staan; uithou; trakteer; *can't ~ the fellow* ek kan die vent nie verdra nie; *it ~s to reason* dit spreek vanself

**stan′dard** (n) standerd (skool, nou graad); standaard, peil, gehalte; banier; maatstaf, norm; (a) standaard; ~ **bea′rer** vaandeldraer; ~**isa′tion** standaardisering; (v) ~**ise** standaardiseer

**stand′by** bystand *also* **back-up**; steun; gereedheidsdiens; nooddiens; *on ~* op bystand/roep

**stand′ing** (n) rang, stand; posisie, status, naam; *a man of high ~* iem. van aansien; (a) staande; duursame; ~ **joke** ou grap; ~ **room** staanplek; ~ **rule** vaste reël

**stand-of'fish** eenkant, terughoudend
**stand'point** (n) standpunt/gesigpunt
**stan'za** stansa, vers, strofe; koeplet
**sta'ple**[1] (n) kram; (v) kram
**sta'ple**[2] (n) stapel; (a) stapel=, vernaamste; ~ **food** stapelkos/stapelvoedsel
**sta'pler** kramdrukker; krambinder
**star** (n) ster; ~**board** stuurboord (regterkant)
**starch** (n) stysel; (v) styf/stywe
**stare** (v) aanstaar, aangaap; tuur
**stark** (a) sterk; styf; (adv) heeltemal, gans; ~ **mad** stapelgek; ~ **na'ked** poedelnakend
**starl'ing** spreeu; **watt'led** ~ sprinkaanvoël
**start** (n) begin, aanvang; voorsprong; (v) be=gin, vertrek; aansit (motor); ~**er** aansitter; afsitter (sport); voorgereg
**start'ing** begin, wegspring; ~ **block** weg=springblok (naellope); ~ **point** wegspring=plek, uitgangspunt
**star'tle** (v) ontstel, skrikmaak, laat skrik
**starva'tion** (n) uithongering, hongersnood
**starve** uithonger; van honger omkom
**state**[1] (n) staat; toestand; *lie in* ~ in staatsie lê; ~ **of affairs'** toedrag van sake; ~ **of emer'gency** noodtoestand
**state**[2] (v) meld, vermeld, berig, konstateer, vas=stel
**state:** ~ **aid** staatsteun; ~ **fu'neral** staatsbe=grafnis; ~**ly** statig, deftig, groots
**state'ment** (n) opgawe, staat; verklaring, bewering, stelling; formulering
**state:** ~ **pres'ident** staatspresident; ~**s'man** staatsman; ~**s'manship** staatsmanskap; ~ **witness** staatsgetuie
**stat'ic** (a) staties; vas
**sta'tion** (n) stasie; standplaas; ~ **wag'on** sta=siewa
**sta'tionary** (a) stilstaande, vas, onbeweeglik
**sta'tioner** handelaar in skryfware; boekhande=laar; ~**y** skryfgoed, skryfbehoeftes
**statis'tics** statistiek
**stat'ue** standbeeld
**stat'ure** (n) gestalte, grootte, statuur
**stat'us** stand, rang, status; posisie, aansien; ~ **sym'bol** statussimbool
**stat'ute** (n) wet, instelling, statuut; ~ **law** wettereg, statutereg, (die) landswette
**staunch** sterk, stewig, trou *also* **stur'dy**
**stave** (n) duig (van vat); staf; notebalk (mus.); (v) verbrysel; duie insit (vat); ~ *off* afwend/afweer
**stay** (n) verblyf; stut; (pl) korset; (v) bly, vertoef, loseer; ~ *with* loseer/woon by; ~**-away' ac'tion** wegbly-aksie
**stead** stede, plaas; *stand one in good* ~ goed te pas kom; *in* ~ *of* in plaas van; ~**fast** stand=vastig
**stead'y** (v) tot bedaring bring; (a) vas, gereeld; bestendig
**steak** steak/biefstuk; moot (vis); ~**house** braai=huis/braais, braairestourant; steakhuis
**steal** (v) steel; sluip; ~**ing** stelery, diefstal
**steam** (n) stoom; (v) stoom, damp; ~ **boi'ler** stoomketel; ~**ed pud'ding** doekpoeding; ~**er** stoomskip, stoomboot
**steel** (n) staal; (v) staal; (a) staal=, ~ **plate** staalplaat; ~ **trunk** trommel
**steen'bok** steenbok, vlakbok(kie)
**steen'bras** steenbras (vis)
**steep**[1] (a) steil; kras; *a* ~ *price* 'n hoë prys, baie duur; *a* ~ *turn* 'n skerp draai
**steep**[2] (v) inloop, indompel; ~*ed in alcohol* deurtrek van die drank; ~*ed in French* gekonfyt in Frans
**stee'ple** kloktoring; ~**chase** hinderniswedren, hinderniswedloop *also* **ob'stacle race**
**steer**[1] (n) bul; stier; jong os
**steer**[2] (v) stuur, rig; lei; ~ *clear of* vermy, omseil; ~**ing commit'tee** reëlingskomitee; ~**ing wheel** stuurwiel; stuurrat
**stem**[1] (n) stam, stingel, steel
**stem**[2] (v) stuit, teenhou
**stench** (n) stank
**sten'cil** (n) patroonplaat; wasvel; sjabloon
**stenog'rapher** snelskrywer, stenograaf (mens)
**step** (n) stap, tree; sport; trappie; voetstap; maatreël; (pl) trapleer; *take* ~*s* stappe doen; (v) stap, tree, betree, loop; ~**bro'ther** stief=broer; ~**lad'der** trapleer; ~**pa'rents** stief=ouers
**ste'reo** stereo=; ~**phon'ic** stereofonies
**ste'reotype** (n) stereotiep(druk); (v) stereoti=peer; (a) stereotiep, onveranderlik
**ste'rile** (a) onvrugbaar, steriel, dor
**ste'rilise** (v) steriliseer; spei (wyfiedier), kas=treer
**sterl'ing** sterling; eg, suiwer, onvervals; ~ **fel'low** eersteklas kêrel
**stern**[1] (n) agterstewe (skip); stert, agterste
**stern**[2] (a) ernstig, streng *also* **rig'id**; stroef
**steth'oscope** stetoskoop, gehoorpyp
**steve'dore** stuwadoor, dokwerker
**stew** (n) bredie *also* **bre'die/ragout'**; *be in a* ~ in die knyp sit; (v) stoof; smoor

**stew'ard** kelner; bottelier *see* **but'ler**; beampte (sport); ordehouer (by betoging)
**stick** (n) stok, lat; kierie; ~ *in the mud* (mens) sukkelaar; (v) steek; kleef, vassit; ~**er** plakker(tjie); kleefstrook; aanhouer; ~**iness** taaiheid, klewerigheid; ~**ing plas'ter** kleefpleister/hegpleister; ~**y** klewerig/taai
**stiff** (n) stywe vent; niksnuts; (a) styf, stram; koppig; *a ~ examination* 'n moeilike eksamen; *that's pretty ~* dis nogal kras; *scared ~* doodgeskrik
**stiffy** (n) stiffie; disket *also* **(computer) diskette'**
**sti'fling** (a) drukkend, bedompig (klimaat)
**stig'ma** brandmerk, skandvlek, stigma
**still**[1] (n) distilleerketel; stookketel
**still**[2] (v) stilmaak, bedaar; (a) stil, kalm; ~ *waters run deep* stille waters, diepe grond; (adv) nog, steeds
**still:** ~**born** doodgebore; ~ **life** stillewe (skildery)
**stilt** (n) stelt; *on ~s* op stelte; ~**ed** hoogdrawend; ~**wal'ker** steltloper
**stim'ulate** (v) aanspoor, aanvuur, stimuleer
**stim'ulating** prikkelend, stimulerend
**sting** (n) angel; prikkel; steek; (v) steek, prik; brand; ~**ing net'tle** brandnetel/brandnekel
**stin'gy** inhalig, gierig, vrekkerig (mens)
**stink** (n) stank; (v) stink; ~**bomb** stinkbom; ~**wood** stinkhout
**stip'ulate** (v) bepaal, voorskryf, neerlê, stipuleer
**stir** (n) beweging, opskudding; (v) roer, beweeg; *not ~ a finger* nie 'n vinger verroer nie
**sti'rrup** stiebeuel; ~ **strap** stiegriem
**stitch** (n) **-es** steek; hegsteek (wond); (v) stik
**stock** (n) voorraad; veestapel; aandele/effekte; vilet (blom); *of good ~* van goeie familie/afkoms; *in ~* in voorraad; (v) voorsien van
**stock:** ~**bree'der** veeboer; ~**bro'ker** effektemakelaar; ~ **car** stampmotor; ~ **exchange'** aandelebeurs; ~ **far'mer** beesboer; ~ **let'ter** vormbrief; ~ **ra'cing** stampmotor(wed)renne
**stock'ing** kous; windhoos (lughawe)
**stockpile** (v) opberg; oppot
**stock'taking** voorraadopname; ~ **sale** opruimverkoping
**stoep** stoep; patio/buitestoep *also* **pat'io/porch**
**stoke** stook; volstop; ~**r** stoker (mens)
**stok'vel** (n) stokvel, spaarklub/begrafnisklub *also* **bu'rial socie'ty**
**sto'mach** (n) **-s** maag; pens (dier); *on an empty ~* op jou nugter maag; (v) sluk, verdra; ~ **ache** maagpyn
**stone** (n) klip, steen; *leave no ~ unturned* hemel en aarde beweeg; (v) stenig; (a) klip-, steen-, (adv) totaal, heeltemal; ~ **age** steentydperk; ~ **blind** stokblind; ~ **dead** morsdood; ~ **deaf** stokdoof; ~**fruit** pitvrugte; ~ **quar'ry** steengroef, klipgat; ~**thro'wing** klipgooiery; ~**ware** erdewerk
**stooge** (n) strooipop, pion *also* **pup'pet**
**stool** stoel (sonder leuning); stoelgang
**stoop** (v) buk, buig; jou verlaag/verneder; ~**ing** krom, inmekaar
**stop** (n) halte (spoorweg); stilstand; end; (v) ophou; teenhou, keer; stelp (bloed); staak; stop; ~ *at nothing* vir niks stuit nie; ~ *payment* betaling staak; ~**cock** afsluitkraan; ~ **or'der** aftrekorder *also* **deb'it order**; ~**per** prop, kurk; ~**street** stopstraat; ~**watch** stophorlosie
**stor'age** ophoping; (op)berging; bergloon; bêreplek; pakhuisruimte; ~ **dam** opgaardam
**store** (n) voorraad; pakhuis; winkel; stoor(kamer); (v) bêre, opberg; opstapel; stoor; ~ *away* bêre, stoor; ~**house** pakhuis; stoor; ~**keep'er** winkelier; magasynmeester; ~**room** pakkamer, stoor
**stor'ey -s** verdieping; *double ~ (house)* dubbelverdieping(huis); *the first ~* die eerste verdieping/vloer
**stork** ooievaar; ~ **par'ty** ooievaarstee *also* **ba'by show'er**; *black ~* swart sprinkaanvoël
**storm** (n) storm; uitbarsting; (v) storm; ~**wa'ter** vloedwater; ~**y** stormagtig
**stor'y ..ries** storie, verhaal, vertelling; *tell stories* spekskiet; ~**book** storieboek; ~**teller** verteller; leuenaar
**stout** (a) fris, fors, sterk; dapper; swaarlywig; ~**-hear'ted** moedig, dapper
**stove** (n) stoof
**stow** (v) bêre; wegsit; ~ *away* wegpak; ~**away** verstekeling (op skip, ens.)
**strag'gle** dwaal, swerf; streep-streep loop; ~**r** agterblyer, afdwaler; sukkelaar (mens)
**straight** (n) pylvak (in sport); (a) reguit, direk; eerlik, opreg; ~ *talk* openhartige gesprek; (adv) onmiddellik; reguit; ~ *away* op staande voet; ~**en** reguit maak; ~**forward** reguit, padlangs; openhartig; ~ **sets** skoon stelle (tennis)
**strain** (n) inspanning; spanning; verstuiting (van enkel); *in the same ~* in dieselfde trant; (v) inspan; verstuit; ~**ed** gespanne; ~**er** melkdoek; siffie (tee); filtreerder

**strait** (n) seestraat; bergpas; ~**jack'et** dwang⸗baadjie; (a) ~**-laced** gedwonge; preuts
**strand**[1] (n) string; draad; vesel; ~**ed cot'ton** stringgare, breikatoen
**strand**[2] (n) kus, strand; (v) strand; ~**ed** gestrand; verleë *also* **help'less**
**strange** (a) vreemd, snaaks, eienaardig; ~ *but true* raar maar waar
**stran'ger** vreemdeling, onbekende (mens)
**stran'gle** (v) verwurg; ~**hold** wurggreep
**strap** (n) platriem, riem, band; (v) vasgord; vasmaak; ~**ping** sterk
**strate'gic** strategies
**strat'egy** krygskunde, strategie
**strat'osphere** stratosfeer
**straw** (n) strooi; nietigheid
**straw'berry** (n) **..ries** aarbei
**stray** (n) verdwaalde dier; (v) verdwaal; (a) afgedwaal; dakloos; ~ **bul'let** dwaalkoeël; ~ **dog** losloperhond/losloophond
**streak** (n) streep; strook; kaalhollery; (v) kaal hol/hardloop; poedel; ~**er** kaalholler/kaal⸗naeler, stryker
**stream** (n) stroom; spruit; (v) stroom, vloei; ~**er** wimpel, spandoek, papierlint; ~**let** stroompie; spruitjie; ~**li'ned** vaartbelyn
**street** straat; *the man in the* ~ die groot publiek, Jan Publiek; ~ **ar'ab** straatkind, skollie; ~ **light'ing** straatverligting; ~ **ven'dor** straatsmous, sypaadjiesmous; ~**wal'ker** straatmeisie, straatvlinder (pros⸗tituut) *also* **hoo'ker**
**strength** sterkte, krag; *on the* ~ *of* op grond van; ~**en** versterk
**stren'uous** (a) veeleisend; kragtig, energiek
**stress** (n) nadruk, klem(toon); stres; spanning; *lay* ~ *on* klem lê op; (v) beklemtoon, be⸗nadruk; ~ **man'agement** streshantering
**stretch** (n) **-es** uitgestrektheid; streek; *a long* ~ *of road* 'n lang ent pad; (v) rek, uitrek; span; inspan; ~**er** voukatel(tjie), kampbed⸗(jie); draagbaar; ~**er bea'rer** draagbaar⸗draer
**strict** (a) streng, stip; nougeset; presies; ~**ly confiden'tial** streng vertroulik
**stride** (n) tree; *get in one's* ~ op dreef kom
**strife** (n) twis, tweedrag, onenigheid, onmin
**strike** (n) (werk)staking; *go-slow* ~ sloersta⸗king; (v) stryk (vlag); trek (vuurhoutjie); staak (werkers); ~**r** staker (wegblywerker); slaner (van bal)
**strik'ing** (a) treffend, opvallend
**string** (n) lyn, tou; seilgare; snaar (viool); vlegsel (hare); koord; snoer, string (pêrels); (v) besnaar; ~ **band** strykorkes; ~ **bean** snyboon, rankboon; ~**ed in'strument** snaar⸗instrument; ~ **quar'tet** strykkwartet
**strip** (n) strook; (v) ontklee, afstroop; beroof; ~ *bare* poedelnakend uittrek
**stripe** streep, striem; ~**d** gestreep
**strip'per** ontkleedanser(es), poedeltart
**strip'tease** ontkleedans, lokdans
**strive** streef/strewe; wedywer; ~ *for* streef na, beywer vir
**stroke** (n) hou, raps; slag; beroerte-aanval; *a* ~ *of apoplexy* 'n beroerte-aanval; *a* ~ *of luck* 'n gelukslag; *on the* ~ *of one* op die kop (klokslag) eenuur; (v) streel, liefkoos
**stroll** (n) wandeling; (v) wandel, slenter
**strong** (a) sterk, kragtig; ~**hea'ded** koppig; ~**hold** vesting/burg *also* **cas'tle**; ~**room** (brand)kluis
**strop** (n) skeerriem/slypriem; (v) slyp
**struc'ture** bou, struktuur, bouwerk
**strug'gle** (n) worsteling; struggle/stryd; (v) baklei; sukkel, spook (w); ~**r** sukkelaar
**stub** stomp(ie), entjie
**stubb'orn** (a) hardnekkig/hardekwas, koppig; ~**ness** koppigheid
**stuck'-up** trots; verwaand *also* **ar'rogant**
**stud**[1] (n) stoetery (diere); (a) stoet⸗ ~ **horse** volbloedperd
**stud**[2] (n) boordjieknoop; klinknael; stut
**stu'dent** student; leerling; ~ **coun'cil** leerling⸗raad; studenteraad; ~ **tea'cher** aspirant⸗onderwyser
**stu'dio -s** ateljee; studio; ~ **or'chestra** atel⸗jeeorkes
**stu'dious** (a) fluks, ywerig, vlytig, leergierig
**stud'y** (n) **..dies** studeerkamer; studie; *take your studies seriously* jou studie ernstig op⸗neem; (v) studeer, bestudeer; instudeer (toneel); ~ *law/medicine* in die regte/medi⸗syne studeer
**stuff** (n) goed; goeters; (v) opstop, stoffeer; ~**ed an'imals** opgestopte diere; ~**y** bedom⸗pig, benoud
**stum'ble** (v) struikel, strompel
**stum'bling block** struikelblok
**stump** (n) stomp; pen; paaltjie (krieket); (v) stonk (krieket); vasvra
**stun** (v) verbyster, verbaas; bedwelm; ~ **bat'on** porstok; ~ **grenade'** skokgranaat; ~**ner** pragstuk (meisie)

**stun'ning** bedwelmend; pragtig *also* **gor'geous**
**stunt**[1] (n) toer, kordaatstuk, streek; (v) toere/kunsies uithaal; ~ **flier/fly'er** lugakrobaat; ~**man** waagarties
**stunt**[2] (n) dwerg; (v) die groei belemmer; teen=hou; ~**ed** dwergagtig, verpot
**stu'pid** (n) domkop; (a) dom, onnosel; toe
**stupid'ity/stup'idness** dwaasheid, domheid
**stur'dy** (a) kragtig, stoer, fors, robuus
**stutt'er** (n) (ge)stotter; (v) stotter; hakkel *see* **stam'mer**; ~**er** stotteraar
**sty**[1] (n) **sties** varkhok
**sty**[2] (n) karkatjie (op die oog)
**style** (n) styl, mode, manier; benaming; *live in* ~ op groot voet lewe; (v) noem, betitel
**styl'ish** deftig, modieus, stylvol *also* **chic**
**sua've** (a) vriendelik, goedig; glad, vleiend
**sub'committee** onderkomitee, subkomitee
**subcon'scious** (a) onderbewus, halfbewus; ~**ness** (n) onderbewussyn
**subdivi'sion** onderverdeling; gedeelte
**subdue'** (v) onderwerp, oorwin; demp (lig)
**sub'ject** (n) (studie)vak; onderdaan; onder=werp (gram.); individu; ~ *of study* leervak; (a) onderworpe, onderhorig; ~ *to approval* onderworpe aan goedkeuring
**subject'** (v) onderwerp, ondergeskik maak; blootstel aan; ~**ive** subjektief
**sublime'** (a) verhewe, voortreflik, subliem
**sub'marine** (n) duikboot; (a) ondersees
**submerge'** (v) onderdompel, onderduik
**submis'sion** (n) onderwerping; voorlegging
**submit'** (v) voorlê, indien; (jou) onderwerp
**subord'inate** (n) ondergeskikte (mens); (a) ondergeskik, onderhorig; ~ **sen'tence** on=dergeskikte sin
**subpoen'a** (n) dagvaarding; (v) dagvaar
**subscribe'** inteken; bydra; onderteken; ~ *to a newspaper* op 'n koerant/nuusblad inteken; ~**r** intekenaar
**subscrip'tion** (n) subskripsie, intekengeld; by=drae; lidgeld (vir klub)
**sub'sequent** volgend, daaropvolgende, nader=hand; ~**ly** daarna, vervolgens
**subside'** (v) sak, bedaar; wegsak/insak
**subsid'iary** (n) **..ries** plaasvervanger, nood=hulp; filiaal; (a) hulp=, aanvullend; ~ **com'=pany** filiaalmaatskappy
**sub'sidise** (v) geldelik steun, subsidieer
**sub'sidy ..dies** toelae/bydrae, subsidie
**subsist'ence** bestaan, broodwinning; ~ **econ'=omy** bestaansekonomie
**sub'stance** selfstandigheid; kern, inhoud; we=senlikheid; *man of* ~ vermoënde/welge=stelde man
**substan'tial** (a) wesenlik; aansienlik/groot
**sub'stitute** (n) plaasvervanger; (v) vervang; ~ *nylon for cotton* katoen vervang deur nylon
**sub'structure** (n) substruktuur (metropoli=taans); onderbou, fondament
**sub'tle** (a) listig, slu, subtiel, geslepe; fyn, skerpsinnig; ~ **distinc'tion** fyn onderskeid
**subtract'** (v) aftrek, verminder
**subtrop'ical** subtropies
**sub'urb** voorstad; stadswyk; woonbuurt
**suburb'an** voorstedelik (trein)
**subver'sion** ondermyning, ondergrawing
**subver'sive** (a) ondermynend, opruiend
**sub'way** duikweg; tonnel; ~ **train** moltrein
**succeed'** (v) opvolg; slaag
**success'** **-es** sukses, welslae; ~**ful** suksesvol, geslaag (kandidaat)
**succes'sion** opvolging; opeenvolging; *in rapid* ~ vinnig na mekaar
**success'or** opvolger; erfgenaam (mens)
**succ'ulent** (n) vetplant; (a) sappig
**succumb'** (v) beswyk, swig; ~ *to* swig voor/vir
**such** (a) sulke, sodanig; so; (pron) sulke men=se, sulkes; *as* ~ (as) sodanig; *all* ~ *persons who* almal wat
**suck** (v) suig; ~**er** pypkan; suier; loot; domkop/dwaas; stokkielekker; ~**ing pig** speenvark
**su'ction** suiging; ~ **pump** suigpomp
**sudd'en(ly)** plotseling, onverwags, skielik
**sue** (v) vervolg (geregtelik), dagvaar, aan=skryf; ~ *for damages* dagvaar vir skadever=goeding
**suède** (n) sweedsleer, suède
**su'et** niervet, harde vet; ~ **dump'ling** vetkoek
**suff'er** (v) ly, verduur; ~ *defeat* die neerlaag ly; ~ *from* ly aan; ~**er** lyer, pasiënt; ~**ing** (n) lyding; (a) lydend
**suffice'** genoeg/voldoende wees; volstaan met; ~ *to say* voldoende om te sê
**suffi'cient** (a) voldoende, toereikend
**suff'ix** (n) **-es** agtervoegsel, suffiks
**suff'ocate** (v) verstik, versmoor *also* **choke**
**suffragette'** stemregvrou, suffrajet
**sug'ar** (n) suiker; mooipraatjies; (v) versuiker; ~**bird** suikerbekkie, jangroentjie; ~ **bowl** suikerpot; ~ **can'dy** kandysuiker, teesuiker; ~**cane** suikerriet; ~**dad'dy** paaipappie, vroe=

telvader (mens); ~ **mill** suikerfabriek; ~ **re=fi′nery** suikerraffinadery; ~ **stick** borssuiker
**suggest′** (v) opper, aan die hand doen, sug=gereer, voorstel; *I ~ that* ek doen aan die hand dat; ~**ion** voorstel; ingewing
**su′icide** selfmoord; *commit ~* selfmoord pleeg
**suit** (n) (hof)saak; pak klere; kleur (kaartspel); (v) pas; voldoen; bevredig, deug; ~**abil′ity** geskiktheid; ~**able** paslik, geskik; ~**case** (hand)koffer, reistas
**suite** *(pron. sweet)* stel, suite; **bed′room** ~ (slaap)kamerstel; **exe′cutive** ~ bestuurstel; **pent′house** ~ dakstel; ~ **of rooms** stel ka=mers
**suit′or** vryer, vryerklong; minnaar *also* **lov′er**
**sulk** (v) pruil; ~**y** pruilerig; suur, nors, nuk=kerig *also* **sul′len**
**sul′ky sulkies** drafkarretjie
**sul′phur** (n) swa(w)el, sulfer; (v) swa(w)el
**sul′tan** sultan
**sulta′na** sultana(rosyntjie); sultane (vrou van sultan)
**sul′try** (a) drukkend, bedompig, broeierig
**sum** (n) som; totaal; ~ *up* saamvat; optel; ~ *total* totaalbedrag
**summ′arise** opsom; saamvat
**summ′ary** (n) opsomming, (kort) samevatting; ~ **dismis′sal** summiere ontslag/afdanking
**summ′er** (n) somer; ~**house** tuinhuis
**sum′mit** toppunt, piek; ~ **meet′ing/**~ **talks** spitsberaad, leiersberaad
**summ′on** (v) dagvaar; oproep; opeis
**summ′ons** (n) dagvaarding; (v) dagvaar; *serve a ~ on someone* 'n dagvaarding aan iem. bestel/beteken
**sump** oliebak; sinkput; mynput
**sump′tuous** (a) weelderig, luuks *also* **lav′ish, luxu′rious, plush**
**sun** (n) son; *rise with the ~* douvoordag op=staan; ~**ba′ther** sonbaaier; ~**beam** son=straal; ~**blind** rolgordyn; ~**bon′net** kap=pie; ~**burnt** (son)gebruin, songebrand
**sun′dae** (n) vrugte-ys; vrugteroomys
**Sun′day** Sondag; *his ~ best* sy kisklere *also* **Sun′day-go-to-mee′ting**
**sun:** ~**dial** sonwyser; ~**down** sononder, son(s)=ondergang; ~**downer** skemerkelkie/drankie
**sun′dry** allerlei, verskeie, diverse *also* **mis=cella′neous**; ~ **expen′ses** diverse uitgawes
**sun:** ~**flo′wer** sonneblom; ~**light** sonlig; ~**ny** (a) sonnig; opgewek, vrolik; ~**po′wer** son=krag *also* **so′lar po′wer**; ~**rise** sonop; ~**set** sononder; ~**shade** sambreel, sonskerm; ~**shine** sonskyn; ~**stroke** sonsteek; ~ **wor′shipper** sonaanbidder
**superb′** (a) voortreflik, pragtig, puik
**su′perbitch** (n) superfeeks (vrou)
**superfi′cial** oppervlakkig; oppervlak=
**super′fluous** (a) oortollig, oorbodig
**superhum′an** bo(we)menslik
**superimpose′** (v) superponeer, bo-op sit
**superintend′** (v) toesig hou; ~**ent** superinten=dent; toesighouer
**supe′rior** (n) meerdere (mens); (a) hooghartig; hoër, beter; *with a ~ air* uit die hoogte; ~ *numbers* oormag
**super′lative** (n) oortreffende trap; (a) oortref=fend; hoogste
**su′perman** (n) oppermens, supermens
**su′permarket** supermark, selfdienwinkel
**superna′tural** bonatuurlik *also* **occult′**
**superson′ic** supersonies; ~ **flight** supersoniese vlug
**supersti′tion** bygeloof
**supersti′tious** (a) bygelowig
**sup′ertax** bybelasting, bobelasting
**su′pervise** (v) toesig hou, kontroleer
**su′pervisor** toesighouer (fabriek); opsigter (woonstelle); opsiener
**supp′er** aandete *also* **din′ner**
**sup′ple** (a) lenig, buigsaam, soepel, slap
**supp′lement** (n) bylae/bylaag, byvoegsel
**supplement′** (v) aanvul, byvoeg; ~**ary** aan=vullend, supplementêr; ~**ary examina′tion** aanvulling(s)eksamen
**suppli′er** (n) verskaffer, leweransier; leweraar
**supply′** (n) **..lies** voorraad; toevoer; (pl) benodig(d)hede; ~ *and demand* vraag en aanbod; (v) verskaf, voorsien, lewer; ~ **dump** opslagplek; ~ **ship** voorraadskip
**support′** (n) steun, bystand, hulp; onderhoud; (v) steun, ondersteun, onderskraag, help; onderhou; staaf; ~ *a family* 'n gesin onder=hou; ~**er** ondersteuner; helper (mens); ~ **price** stutprys
**suppose′** (v) veronderstel, gestel; vermoed
**suppress′** (v) onderdruk; bedwing; demp; ~**ion** onderdrukking; geheimhouding
**sup′purate** (v) etter, sweer *also* **fes′ter** (v)
**suprem′acy** oppergesag; heerskappy
**supreme′** (a) oppermagtig; opperste, hoogste; **S**~ **Being** Allerhoogste/Opperwese; ~ **command′** oppergesag; **S**~ **Court** Hoog=geregshof

**sur'charge** (n) bybetaling; byslag, toeslag
**sure** (a) gewis, seker, veilig; (adv) seker(lik); ~**ly** seker(lik), stellig, ongetwyfeld
**sure'ty ..ties** borg; *stand ~ for* borg staan vir; ~**ship** borgskap *see* **spon'sorship**
**surf** (n) branders, branding; (v) branderplank ry, branders ry
**sur'face** (n) oppervlak; vlak; blad (van pad); *on the ~* op die eerste gesig; aan die oppervlak; (v) opduik, opkom
**surf:** ~**board** branderplank; ~**boat** reddings= boot; ~ **skiing** branderski
**surge** (n) golf, deining; (v) dein, golf
**sur'geon** snydokter, chirurg/sjirurg
**sur'gery** (n) snykunde, chirurgie; **plastic** ~ plastiese chirurgie/snykunde
**sur'icate** stokstertmeerkat, graatjiemeerkat
**sur'ly** (a) nors, stuurs, suur *also* **grum'py**
**surmount'** (v) oorwin, oorkom (probleme)
**sur'name** van, familienaam
**surpass'** (v) oortref, verbystreef; uitblink
**surp'lus** (n) oorskot, surplus; (a) oortollig; ~ **popula'tion** oorbevolking
**surprise'** (n) verrassing; *take by ~* verras, oor= rompel; (v) verras; betrap; ~ *in the act* op heter daad/heterdaad betrap; ~ **attack'** verrassingsaanval; ~ **pack'et** verrassings= pakket; ~ **par'ty** invalparty; ~ **vis'it** onver= wagte besoek
**surren'der** (n) oorgawe; (v) oorgee; hen(d)s= op; uitlewer; ~ *an insurance policy* 'n assu= ransiepolis afkoop; ~ **val'ue** afkoopwaarde
**sur'rogate:** ~ **mo'ther** surrogaatmoeder, leen= moeder, dra-ma
**surround'** (v) omring, omsingel, insluit; (n) ~**ings** omgewing, buurt
**surveill'ance** (n) toesig; waarneming; *under ~* onder bewaking/toesig
**sur'vey** (n) **-s** opmeting; opname; **mar'ket** ~ markopname
**survey'** (v) opmeet; ~**or** landmeter
**surviv'al** oorlewing; voortbestaan; ~ *of the fittest* oorlewing van die sterkste; ~ **course** oorlewingskursus
**survive'** (v) oorleef, lewend bly, voortleef
**surviv'or** oorlewende; langslewende; agter= blywende; opvarende (van gestrande skip)
**suscep'tible** (a) gevoelig, vatbaar
**sus'pect** (n) verdagte (mens/misdadiger)
**suspect'** (v) verdink; vermoed; *~ed of arson* verdink van brandstigting
**suspend'** (v) ophang; opskort; skors; intrek; ~ *payment* betalings staak; ~**ed sen'tence** op= geskorte vonnis; ~**er** kousophouer, sokkie= ophouer; ~**er belt** kousgordel
**suspense'** (n) spanning, angs; opskorting
**suspen'sion** staking, opskorting; vering (kar); ~ **bridge** swaaibrug/hangbrug
**suspi'cion** (n) agterdog, suspisie, argwaan; *be under ~* onder verdenking
**suspi'cious** (a) verdag, suspisieus, agterdogtig
**swab** (n) dweillap; skropbesem; depper
**swagg'er** (v) spog, uithang, grootpraat *also* **brag**; bluf; (a) windmakerig, spoggerig; ~ **cane** spogkierietjie
**swa'llow**[1] (n) sluk; (v) sluk, verswelg
**swa'llow**[2] (n) swael, swa(w)eltjie; ~ **tail** swael= stert
**swamp** (n) moeras, vlei; (v) oorstroom; ~**y** moerassig, drassig
**swan** (n) swaan; seejuffer (vloot)
**swank** (v) spog, pronk; ~**y** windmaker(ig), spoggerig; bakgat *(kru)*
**swan:** ~**nery** swaanboerdery; ~ **song** swane= sang
**swarm** (n) swerm; menigte; (v) swerm; we= mel, krioel
**swat** (v) doodslaan ('n vlieg)
**swatt'er** vlieëplak/vlieëklap
**sway** (v) swaai, slinger; beheers; bestuur; ~ *the sceptre* die septer swaai
**swear** (v) vloek, swets; beëdig, sweer; ~ *in* beëdig, inhuldig (burgemeester); ~ *an oath* 'n eed aflê
**sweat** (n) sweet; (v) sweet; swoeg; ~**er** oortrui/oortrektrui; uitbuiter; ~**ing** sweet; ~**y** natgesweet
**sweep** (n) veeg, slag; swaai; lotery; *make a clean ~* skoonskip maak; (v) vee, wegvee; ~ *the board* alles wen
**sweep'ing** allesomvattend; ingrypend, deurtas= tend; *a ~ majority* 'n verpletterende meer= derheid; ~ **sta'tement** wilde stelling; verre= gaande/oordrewe bewering
**sweep'stake** (n) (pos)lotery; wedren (prys)
**sweet** (n) soetigheid; skat, liefling; (pl) lekkers, lekkergoed; (a, adv) soet, lieflik; bevallig; aangenaam; dierbaar; ~**en** versoet; veraan= genaam; ~**ener** versoeter; ~**heart** soetlief, skat, hartjie, liefste; ~**mel'on** spanspek *also* **spanspek**; ~ **pea** pronk-ertjie; ~ **pota'to** (soet) patat(ta); ~ **tooth** lekkerbek (mens); ~**y** hartjie, liefste, liefling; lekkertjie
**swell** (n) swelsel, geswel; deining (see); (v)

swel, opswel; (a) puik, (piek)fyn; ~ *clothes* spoggerige/windmakerige klere; ~**ing** geswel/swelsel
**swel′ter** (v) verdroog, verskroei; versmag; ~**ing** snikwarm, skroeiend (hitte)
**swerve** (v) swenk; wegswaai; afwyk
**swift** (a, adv) vinnig, rats, gou; ~**-footed** rats
**swim** (v) swem; *my head* ~*s* ek word duiselig; ~**mer** swemmer; ~**ming bath** swembad; ~**ming pool** (private) swembad; ~**ming trunks** swembroek(ie)
**swind′le** (n) bedrog, swendelary; (v) swendel, bedrieg; ~**r** bedrieër, swendelaar, verneuker *also* **con′man**
**swine** vark, swyn
**swing** (n) skoppelmaai; swaai; (v) swaai; slinger; ~**bar** rekstok; ~ **bridge** draaibrug
**swipe** (n) mokerhou; (v) slaan, moker
**swirl** (n) warreling, wirwar; draaikolk; (v) draai, warrel
**swish** (n) geruis, ritseling; (v) swiep, suis
**Swiss** (n) Switser; (a) Switsers; ~ **roll** rolkoek/konfytrol
**switch** (n) **-es** skakelaar; wisselspoor; (v) (in)skakel; aanskakel (lig); verwissel; ~ *off* afdraai, afskakel; ~ *on* aanskakel; ~**board** skakelbord; ~**board op′erator** skakelbordoperateur/operatrise
**swiv′el** (n) draaiskyf, spil; ~ **chair** draaistoel
**swoon** (n) beswyming, floute; (v) swymel; flou word
**swoop** (n) verrassingsaanval; *with one* ~ met een slag; (v) neerskiet; neerstryk
**swop** ruil; uitruil, omruil; ~**shop** ruilwinkel, ruilhoekie
**sword** swaard, sabel; *put to the* ~ om die lewe bring; ~**s′man** swaardvegter; ~**s′manship** skermkuns *also* **fen′cing**
**sworn** beëdig, geswore; ~ **en′emies** geswore vyande; ~ **sta′tement** beëdigde verklaring
*also* **affada′vit**
**swot** (v) blok (vir eksamen); instudeer (toneelrol)
**syll′able** lettergreep, sillabe
**syll′abus -es** leergang, sillabus
**sym′bol** (n) sinnebeeld, simbool
**symbol′ic** simbolies, sinnebeeldig
**symmet′rical** simmetries, eweredig
**sympathet′ic** (a) medelydend, deelnemend; simpatiek *also* **compas′sionate/conge′nial**
**sym′pathy** (n) medely(d)e, meegevoel, simpatie
**sym′phony** simfonie
**sympo′sium** (n) simposium; seminaar; samespreking
**symp′tom** verskynsel, (ken)teken, simptoom
**syn′agogue** (n) sinagoge
**syn′chronise** saamval, reguleer, sinchroniseer/sinkroniseer
**syn′copate** (v) saamtrek, verkort, sinkopeer
**syn′dicate** sindikaat, kartel, sakegroep
**syn′drome** (n) siektebeeld, sindroom
**synec′doche** sinekdogee
**syn′od** sinode; ~**al** sinodaal
**syn′onym** (n) sinoniem
**synop′tic** sinopties, oorsigtelik; ~ **chart** sinoptiese kaart
**syn′tax** sintaksis, sinsbou; woordvoeging
**syn′thesis syntheses** samevoeging, samestelling, sintese
**synthet′ic** samestellend, sinteties; ~ **rub′ber** kunsrubber
**syph′ilis** (n) geslagsiekte, sifilis
**syph′on** spuitwaterfles; sifon, hewel
**syringe′** (n) spuit; **hypoder′mic** ~ onderhuidse spuit; (v) spuit, inspuit
**sy′rup** stroop; **gol′den** ~ geelstroop
**sys′tem** (n) stelsel, sisteem; metode; **so′lar** ~ sonnestelsel; ~**at′ic** stelselmatig, sistematies

# T

**tabb′y** (n) **tabbies** gestreepte kat; oujongnooi; (a) gestreep; gevlam
**tab′ernacle** (n) tabernakel; tent; *Feast of the T~s* Loofhuttefees
**ta′ble** (n) tafel, dis; tabel, lys; *the ~s are turned* die bordjies is verhang; (v) ter tafel (lê)
**ta′ble:** ~ **boar′der** kosganger, dagloseerder; ~**cloth** tafeldoek; ~**-knife** tafelmes; ~**land** plato, hoogvlakte
**Ta′ble Mountain** Tafelberg
**ta′ble:** ~**spoon** eetlepel; ~ **ten′nis** tafeltennis
**tab′loid:** ~ **(news)pa′per** poniekoerant
**taboo′** (n) verbod, taboe; (v) verbied, in die ban doen; (a) taboe, verbode

**tab'ulate** (v) tabelleer, tabuleer
**tack** (n) hegspyker, platkopspyker(tjie); rygsteek; (v) keer, laveer; ~ *together* aanmekaarryg; ~**ies** (n) tekkies
**tac'kle** (n) takel; duikwerk (voetbal); (v) duik; inspan, optuig; **block and** ~ katrolstel; **fish'ing** ~ hengelgerei
**tack'y tackies** seilskoen, tekkie; (a) klewerig
**tact** (n) takt; ~**ful** tak(t)vol; ~**ical** takties, meesterlik; ~**ics** taktiek, krygskunde; ~**less** dom, taktloos
**tad'pole** paddavis(sie)
**tag** (n) stif; lissie; etiket; naamplaatjie, kenstrokie; (v) aanheg
**tail** (n) stert; stuitjie; keersy (munt); ~**coat** swaelstert(manel); ~**less** stompstert; ~**light** agterlig/stertlig
**tail'or** (n) kleremaker, snyer; ~**made** aangemeet; pasklaar; ~**made suit** snyerspak
**taint** (n) kleur, tint; vlek; smet, besoedeling; (v) besmet, bevlek, besoedel *also* **tar'nish**; ~**ed** onrein, besoedel; ~**worm** miet
**take** (n) vangs; ontvangste; (v) neem, vat; gryp; ontvang; ~ *account of* rekening hou met; ~ *after* aard na; ~ *aim* korrel vat; ~ *care* oppas; pas op!; ~ *a chance* 'n kans waag; ~ *into consideration* in aanmerking neem; ~ *a fancy to* lief word vir; ~ *to heart* ter harte neem; ~ *a holiday* met/op vakansie gaan; ~ *ill* siek word; ~ *minutes* notule hou; ~ *notes* aantekeninge maak; ~ *offence* aanstoot neem; ~ *the opportunity* die geleentheid gebruik; ~ *part* deelneem; ~ *steps,* maatreëls tref; stappe doen; ~*n up* ingenome, bly, verheug; ~ *a walk* wandel, gaan stap; ~**-aways'** wegneemetes, koop-en-loophappies, vat-'n-waai; ~**-in** bedrog, kullery; ~**-off** wegspring; opstyging (vliegtuig, vuurpyl); ~**over** oorname
**ta'king** (a) innemend, bekoorlik; ~**s** ontvangste
**talc** talk
**tale** storie, vertelling, verhaal, sprokie; *tell ~s* klik; ~**bea'rer** nuusdraer
**tal'ent** talent, gawe, aanleg; ~**ed** begaaf, talentvol; ~**ed/gif'ted child** begaafde kind; ~ **scout** talentjagter
**tal'isman** talisman, gelukbringer *also* **mas'cot**
**talk** (n) gesprek; gerug; praatjie; onderhoud; samespreking; *have ~s with* samesprekings voer met; (v) praat, gesels, spreek; ~ *nonsense* kaf/twak praat; ~ *shop* vakpraatjies maak; ~**ative** spraaksaam; ~**er** prater, spreker; ~**ie** klank(rol)prent, klankfilm *also* **mo'vie**; ~**ing** (n) gepraat, pratery; ~**ing-to** skrobbering *also* **reprimand'** (n)
**tall** groot; lang/lank; hoog; *a ~ story* 'n ongelooflike verhaal; ~**boy** (hoë) laaikas
**tall'ow** kersvet, harde vet; talk; ~ **candle** vetkers; ~**-fa'ced** bleek
**tall'y** (n) kerfstok; keep; *take ~ of* tel; (v) inkerf; ooreenstem; klop (syfers); ~ *with* klop/strook/rym met
**tame** (v) mak maak, tem; (a) mak; gedwee
**tam'per:** ~ *with* knoei met, peuter aan; ~**proof** peutervry
**tan** (n) looibas; (v) looi; sonbruin; (a) geelbruin; taan (kleur); *going to ~ on the beach* op die strand gaan sonbraai/sonsoen
**tan'dem** (n) tweelingfiets; tandem
**tangerine'** (n) (rooi) nartjie
**tan'gible** voelbaar, tasbaar; ~ *proof of* tasbare bewys van
**tan'gle** (n) verwikkeling, warboel
**tank** (n) tenk, waterbak; tenk (vir oorlogvoering); ~**ard** drinkkan; ~**er** tenkskip; tenkwa; *fill up your ~* jou tenk voltap
**tan:** ~**ner** looier; ~**nery** looiery; ~**nin** looisuur, tannien
**tan'talise** (v) watertand; tempteer, tantaliseer; ~**r** kweller, tempteerder (mens)
**tan'trum** (onbeheerste) woedebui; stresprotes; *throw a ~* vloerstuipe gooi/vang
**tap**[1] (n) tikkie; (v) tik; klop; ~**dan'cer** klopdanser
**tap**[2] (n) kraan; kantien; tap; *beer on ~* bier uit die vat; (v) aftap (vloeistof); uittap; ~ *a telephone* meeluister; 'n luistervlooi los
**tape** (n) band, lint; maatband; *red ~* rompslomp; (v) vasbind, vasmaak; opneem; ~ **aid** bandhulp (vir blindes); ~**deck** banddek; ~ **li'brary** bandoteek; ~**line**/~ **meas'ure** maatband/meetlint
**ta'per** (v) taps maak; afspits; (a) taps
**tape:** ~ **recor'der** bandopnemer, bandmasjien; ~ **recor'ding** bandopname; ~ **slide se'quence** klankskyfiereeks
**tap'estry ..tries** muurtapyt, tapisserie
**tape'worm** lintwurm
**tap'root** (n) penwortel
**tar** (n) teer; matroos, janmaat; **Jack T~** pikbroek, matroos; (v) teer; ~ *and feather* teer en veer
**taran'tula** bobbejaanspinnekop, tarantula

**tard'y** traag, onwillig *also* **slug'gish**
**tare** eiegewig, eiemassa, tarra (massa)
**targ'et** skyf; mikpunt, teiken; *your ~ readers* jou teikenlesers; ~ **date** teikendatum/streef=datum; ~ **prac'tice** skyfskiet
**ta'riff** (n) tarief; ~ **u'nion** tolunie
**tarn'ish** (v) besoedel, bevlek; dof maak
**tarpaul'in** bokseil/kapseil; matrooshoed
**tart** (n) tert (koek); flerrie, snol (vrou)
**tar'tan** tartan, Skotse ruitwol; ~ **track** tartan=baan (atletiek)
**tar'tar** (n) wynsteen; **cream of** ~ kremetart
**task** (n) taak, werk; ~ **force** taakmag; ~ **group** taakgroep; ~**mas'ter** tugmeester
**tass'el** (n) tossel, kwas, klossie
**taste** (n) smaak; voorsmaak; bysmaak; voor=liefde; styl; (v) proe; smaak; *he ~s the pudding and it ~s nice* hy proe die poeding en dit smaak lekker; ~**ful** smaakvol (meu=bilering); ~**less** laf, smaakloos
**tas'ty** smaaklik, lekker *also* **sa'voury**
**tatt'er** flenter, toiing, flard; ~**ed** toiingrig
**tat'tle** (n) geklets, gebabbel; (v) babbel, kek=kel; ~**r** babbelaar; kekkelbek (mens)
**tattoo'**[1] (n) **-s** tatoeëring; (v) tatoeëer
**tattoo'**[2] (n) taptoe (militêr)
**tav'ern** (n) taverne, herberg; ~ **keeper** her=bergier *also* **inn'keeper**
**tax** (n) **-es** belasting; (v) takseer; belas; ~**able** belasbaar; ~**a'tion** belasting; ~ **collec'tor** belastinggaarder, ontvanger van belasting, Jan Taks; ~**-free** belastingvry
**tax'i -s** taxi (uitspraak: taksie); ~ **driver** taxi=drywer
**tax'idermist** (n) diere-opstopper, taksidermis
**tax'ing** (a) moeilik, veeleisend *also* **demand'=ing**
**tax'payer** belastingpligtige, belastingbetaler
**tea** tee; ligte ete; **high** ~ teemaaltyd
**teach** onderwys (gee), onderrig, skoolhou, leer; ~**er** onderwyser, leerkrag, (skool)=meester; ~**er stu'dent** student-onderwyser; ~**ing** (n) onderwys, leer; (a) onderwys=; ~**ing aids** leermiddele; ~**ing expe'rience** proefonderwys; praktiese onderwys (vir stu=dente)
**tea:** ~ **co'sy** teemus(sie); ~**cup** teekoppie
**teak** kiaat(hout), teak
**team** (n) span; ~ **spi'rit** spangees
**tear**[1] (n) skeur; *fair wear and ~* billike sly=tasie; (v) skeur, losruk; ~ *up* stukkend skeur; ~**-off slip** skeurstrokie
**tear**[2] (n) traan; *shed ~s* trane stort; ~**-jer'ker** tranetrekker (film, boek)
**tea'room** teekamer, koffiehuis, kafee
**tear'smoke** (n) traanrook
**tease** (n) terggees; (v) pla, terg, treiter; pluis=kam (hare); ~**r** plaaggees, plaer
**tea:** ~ **service/**~ **set** teestel, teeservies
**tea'spoon** teelepel; ~**ful ..fuls** teelepel vol
**teat** tepel (mens) *also* **nip'ple**; speen (dier)
**tech'nical** vak=, tegnies; ~ **knock'out** (k.o.) tegniese uitklophou
**techni'cian** tegnikus (mens)
**tech'nikon -s** technikon
**technique'** tegniek
**technol'ogy** (n) tegnologie
**ted'dy bear** teddiebeer, speelbeertjie
**ted'ious** vervelig/vervelend, saai *also* **bo'ring**
**tee** bof (gholf); pennetjie (ringspel)
**teem** (v) wemel, krioel; ~ *with* krioel/wemel van
**teen'age** tien(d)erjarig, tiener=; ~ **dress** tie=nerdrag; ~ **par'ty** tienerpartytjie; ~**r** tien=derjarige, tiener *also* (pl) **teens**
**teens** (n) tien(d)erjarige, tiener; *in one's ~* nog nie twintig jaar nie; in jou tienerjare
**teeto'taller** geheelonthouer, afskaffer (mens)
**teff** tef (gras)
**telecommunica'tion** telekommunikasie
**tel'egram** telegram
**tel'egraph** (n) telegraaf; (v) telegrafeer
**telep'athy** telepatie, gedagteoordrag
**tel'ephone** (n) telefoon; (v) bel, lui, skakel, telefoneer; ~ **call** telefoonoproep; ~ **ex=chan'ge** telefoonsentrale; ~ **op'erator** tele=fonis(te); ~ **recei'ver** gehoorbuis, hoorstuk
**teleph'onist** telefonis(te)
**tel'escope** (n) verkyker/vêrkyker; teleskoop; (v) teleskopeer
**tel'etuition** afstand(s)onderrig *also* **dis'tance lear'ning/teach'ing**
**tel'evise** (v) beeldsaai, beeldsend
**televi'sion** televisie; beeldradio; kykkas(sie)
**tell** sê, vertel, meedeel, berig; ~ *that to the marines* maak dit aan die swape wys; ~ *tales* jok; (ver)klik; ~**er** verteller; kassier (bank)
**tell'ing** vertel; verhaal; *you're ~ me!* weet ek dit nie!; ~**-off** uitbrander/skrobbering
**tell'tale** verklikker, klikbek, nuusdraer
**tem'per** (n) aard, temperament; humeur; ~ **tan'trum** *see* **tan'trum**; (v) temper, matig
**tem'perament** (n) temperament, geaardheid

**temperamen'tal** (a) temperamenteel, buierig

**tem'perance** matigheid, onthouding; ~ **socie'ty** matigheidsbond, afskaffersbond

**tem'perature** (n) temperatuur, warmtegraad; *have a* ~ koorsig wees, koors hê

**tem'pest** storm, orkaan

**tem'ple**[1] tempel

**tem'ple**[2] slaap (aan kop)

**tem'po -s** tempo, maat

**tem'porary** (a) tydelik, voorlopig; ~ **ap-point'ment** tydelike pos/betrekking

**tempt** (v) in versoeking bring; ~**a'tion** versoeking; *yield to the ~ation* swig voor die versoeking

**ten** tien

**tena'cious** (a) taai, hardnekkig *also* **tough**

**ten'ant** (n) huurder; bewoner (van huis)

**tend** (v) geneig wees; versorg, bedien

**ten'dency ..cies** strekking, neiging; aanleg; tendens *also* **trend**

**tenden'tious** (a) tendensieus, omstrede (boek)

**ten'der**[1] (n) tender, aanbod; inskrywing; *legal* ~ wettige betaalmiddel; (v) tender; ~ *one's resignation* jou bedanking/ontslag indien

**ten'der**[2] (a) sag, mals (vleis); teer, delikaat; ~**-hearted** teerhartig, gevoelig; ~**ness** sagtheid, teerheid

**ten'don** (n) sening, pees

**ten:** ~**fold** tienvoudig; ~**ner** tienrandnoot

**tenn'is** tennis; ~ **court** tennisbaan; ~ **tour'nament** tennistoernooi

**tenniset'te** tenniset/dwergtennis

**ten'or** tenoor (stem); gees, strekking

**ten'pin:** ~ **bow'ling** kegelspel/kegelbal

**tense**[1] (n) tyd; tempus (gram.)

**tense**[2] (a) strak, styf, gespan(ne)

**ten'sion** trek; spanning *also* **stress;** spankrag; **high** ~ hoogspanning

**tent** (n) tent; kap; (v) kampeer/uitkamp

**ten'tacle** voelorgaan, voelhoring; tentakel

**ten'tative** (a) voorlopig, tentatief

**ten'terhook** spanhaak; *on ~s* op hete kole

**tenth** tiende; ~**ly** in die tiende plek

**ten'ure** eiendomsreg, besit; ~ **of of'fice** dienstyd, ampstermyn

**ter'cet** terset (in sonnet); tersine; drieling

**term** (n) termyn, dienstyd; kwartaal; term; (pl) voorwaardes; *on ~s and conditions* onder/op bepalings en voorwaardes; *on equal ~s* op gelyke voet; *in ~s of* ingevolge, kragtens; ooreenkomstig; *not on speaking ~s* kwaaivriende; (v) noem, benoem

**term'inal** (n) eindpunt; terminaal; ~ **pa'tient** terminale/ongeneeslike pasiënt

**term'inate** (v) beëindig *also* **disconti'nue**; eindig, verstryk

**terminol'ogy** (n) terminologie

**term'inus -es** eindpunt/eindhalte, terminus

**term'ite** rysmier, termiet

**te'rrace** (n) terras; (v) terrasseer

**te'rrapin** (n) varswaterskilpad

**te'rrible** (a) verskriklik, yslik, vreeslik

**terrif'ic** verskriklik; wonderbaarlik

**ter'rified** (a) skrikbevange, doodbang

**te'rritory** (n) (grond)gebied, landstreek; terrein

**te'rror** skrik, ontsteltenis, angs; *reign of* ~ skrikbewind; ~**ism** terrorisme, terreur; **ur'ban** ~**ism** stedelike terreur; ~**ist** terroris; ~**ise** skrik aanja, terroriseer; ~**-strick'en** angsbevange/doodverskrik

**terse** beknop, bondig *also* **brief, succinct'**

**ter'tiary:** ~ **educa'tion** tersiêre onderwys

**test** (n) toets, proef; *the acid* ~ die vuurproef; *stand the* ~ die toets deurstaan; (v) toets

**tes'tament** (n) testament *also* **last will** (n)

**test:** ~ **case** toetssaak; ~**ed** beproef

**tes'ticle** (n) teelbal, saadbal, testikel

**tes'tify** (v) getuig, plegtig verklaar

**testimon'ial** getuigskrif *also* **ref'erence**

**test:** ~ **match** toetswedstryd; ~ **pi'lot** toetsvlieënier; ~ **tube** proefbuis; ~**-tube baby** proefbuisbaba

**tet'anus** (n) klem in die kaak/kake, tetanus

**text** teks; onderwerp; ~**book** handboek/handleiding

**tex'tile** (a) geweef(de), tekstiel=, weef=; ~ **fac'tory** tekstielfabriek

**tex'ture** (n) weefsel, tekstuur

**than** as; *bigger* ~ groter as

**thank** (v) dank, bedank, dankie sê; ~ *you* dankie; ~**ful** dankbaar; ~**less** ondankbaar; ~ **of'fering** dankoffer

**thanks!** dankie!; *many* ~ baie dankie; ~ *to Tom, we won;* danksy Tom het ons gewen

**thank-you card/let'ter** dankkaart(jie), dankbrief, dankiebrief

**that**[1] (a) soveel, sodanig; *in* ~ *way* op daardie manier; (pron) dié, daardie; wat

**that**[2] (conj) dat, sodat

**thatch** (n) dekgras; strooidak; (v) dek; ~**ed roof** grasdak; strooidak, rietdak

**thaw** (v) smelt (sneeu); ontdooi

**the** die; ~ *sooner* ~ *better* hoe eerder hoe beter

**the'atre** teater, skouburg; toneel; operasiesaal;

~**go'er** toneelganger
**theat'rical** (a) toneelmatig; teatraal
**thee** u (verouderd, intieme aanspreekvorm)
**theft** (n) diefstal, stelery
**their** hulle, hul; ~**s** van hulle, hulle s'n
**them** hulle, hul
**theme** (n) onderwerp, tema; opstel; ~ **tune** kenwysie *also* **sig'nature tune**
**themselves'** hulleself
**then** (a) destyds, toenmalig; (adv) dan, toe; *by* ~ teen daardie tyd; *every now and* ~ kort-kort; *now and* ~ af en toe; nou en dan; (conj) dan, dus
**theod'olite** hoogtemeter, teodoliet
**theol'ogy** godgeleerdheid, teologie
**theoret'ic** (a) teoreties
**the'ory theories** teorie; *in* ~ *and practice* in die teorie en praktyk
**ther'apist** terapeut (mens)
**ther'apy** geneeskuns, terapie; **phy'sio**~ fisio= terapie
**there** daar, daarso; daarnatoe, soontoe; daar= heen; ~**after** daarna; ~**by** daardeur; ~**fore** daarom, dus, derhalwe; ~**from** daaruit; ~**upon'** daarop, daarna
**thermom'eter** termometer; koorspennetjie
**ther'mos flask** (n) termosfles/koffiefles
**therm'ostat** termostaat
**these** hierdie, dié
**thes'is** (n) **theses** stelling; tesis, proefskrif, verhandeling, dissertasie
**they** hulle, hul; ~ *say* daar word gesê
**thick** (n): *in the* ~ *of* in die middel van
**thick:** ~**-hea'ded** dom, onnosel; ~**ness** dikte; ~**set** dig begroei; dik, geset (mens); ~**-skin'ned** dikvellig; ~**-skul'led** hardkop= pig, dom; ~**-wit'ted** dom, bot
**thief thieves** dief
**thieve** (v) steel *also* **steal**
**thigh** dy; ~ **bone** dybeen
**thill** disselboom *also* **beam** (wagon)
**thim'ble** vingerhoed
**thin** (v) verdun; (a) dun, maer; deursigtig; yl; *a* ~ *excuse* 'n flou ekskuus/verskoning; ~**ner** verdunner
**thing** (n) ding, goed; iets; (pl) goed, goeters; dinge; *he knows a* ~ *or two* hy is nie vandag se kind nie; *poor* ~ arme drommel; *the very* ~ net die regte ding
**think** dink, nadink; ~ *alike* eenders/eners dink; *if you* ~ *it fit* as jy dit goed vind; ~ *it over* daaroor nadink; ~**er** denker; filosoof; ~**ing** (n) dink; gedagte; denke; ~**-tank** dinkskrum, harsinggalop
**third** (n) derde deel; terts (mus.); (a) derde; ~ **degree'** afdreiging van bekentenis; ~ **floor** derde vloer/vlak; ~**ly** derdens, in die derde plek; ~ **par'ty** derde party; ~**-par'ty in= su'rance** derdepartyversekering; ~**-rate** der= derangs, minderwaardig; ~**-world coun'try** derdewêreldland
**thirst** (n) dors; begeerte; *quench* ~ dors les; (v) verlang; ~**y** dors, dorstig
**thirteen'** dertien; ~**th** dertiende
**thirt'ieth** dertigste
**thir'ty ..ties** dertig
**this** dit, hierdie, dié; ~ *day week* vandag oor 'n week; ~ *month* vandeesmaand; ~ *morning* vanmôre; ~ *way* hiernatoe; ~ *week* van= deesweek, hierdie week; ~ *year* vanjaar
**thi'stle** distel/dissel (steekstruik)
**thong** (n) riem *also* **riem**; agterslag; (v) looi; **beach** ~**s** plakkies *also* **slip-slops**
**thorn** (n) doring; ~**y** doringrig; netelig, lastig
**tho'rough** (a) grondig, deeglik; ~**bred** (n) volbloedperd, renperd/resiesperd; (a) vol= bloed=; ~**fare** deurgang; ~**ly** deeglik
**those** daardie, diegene, dié
**though** hoewel, ofskoon, tog; *even* ~ selfs as
**thought** (n) gedagte; mening; *in deep* ~ diep ingedagte; *on second* ~*s* na verdere oorwe= ging; ~**ful** bedagsaam, sorgsaam *also* **con= sid'erate**
**thou'sand** duisend
**thrash** (v) uitlooi, afransel; oortref, verslaan; ~**ing** pak slae, loesing
**thread** (n) draad; rafel; skroefdraad; ~ *beads* krale inryg; ~**bare** kaal, verslyt/verslete *al= so* **shab'by, tat'ty**; afgesaag
**threat** (n) bedreiging, dreigement
**threat'en** dreig, bedreig; ~**ing** (a) dreigend
**three** drie; *the* ~ *R's* lees-, skryf- en reken= kuns; ~**fold** drievoudig; ~**leg'ged** driebeen=; ~**ply** drielaag (hout); ~**quar'ter** (n) drie= kwart; (a) driekwart=
**thresh** (v) dors (koring); ~**er**/~**ing machi'ne** dorsmasjien
**thresh'old** drumpel; ingang, begin
**thrift** spaarsaamheid; ~**y** spaarsaam *also* **fru'gal** (a)
**thrill** (n) tinteling, ontroering, sensasie; (v) ontroer, aangryp; ~**er** riller; sensasieverhaal (boek, film); ~**ing** opwindend
**thriv'ing** (a) voorspoedig, florerend (besig=

heid), bloeiend
**throat** keel; gorrel; *jump down one's ~* iem. invlieg
**throb** (v) klop, hyg; bons; **~bing** (n) klop, geklop; (a) kloppend
**throe -s** hewige pyn, doodsangs, barensweë; **~s of death** doodsworsteling
**thrombos′is** aarverstopping, trombose
**throne** troon
**throng** (n) gedrang, gewoel; (v) toestroom
**throt′tle** (n) keelgorrel; strot, lugpyp; ver⸗snelklep (motor); (v) verwurg
**through** (a) deurgaande; (adv) deur; *fall ~* deur die mat val; (prep) deur; **~out′** dwars⸗deur; deurgaans; **~put** (n) deurset (produk⸗sie); **~way** deurpad, deurweg
**throw** (n) gooi; *a stone's ~* 'n hanetreetjie; (v) gooi, werp; *~ into prison* in die tronk smyt; *~ up the sponge* tou opgooi; **~er** gooier
**thrush**[1] spru/sproei (siekte)
**thrush**[2] lyster (voël)
**thrust** (n) stoot, steek; dryfkrag; (v) stoot, steek *also* **drive**
**thud′** (n) plof, bons; (v) plof
**thug** boef, skurk *also* **scoun′drel, ro′gue**
**thumb** (n) duim; *hold ~s for a person* vir iem. duim vashou; *Tom T~* Klein Duimpie, *~s up* hou moed; (v) beduimel; deurblaai; **~latch** deurknip; **~screw** duimskroef; **~ tack** duimspyker
**thump** (n, v) stoot, stamp; **~ing** kolossaal
**thun′der** (n) donder; (v) donder, bulder; **~bolt/ ~clap** donderslag; **~cloud** donderwolk; **~ing** (a) donderend, oorverdowend; (adv) verba⸗send; **~storm** donderstorm, swaarweer; **~-struck** verbaas, verstom
**Thurs′day** Donderdag
**thus** dus, so, aldus; *~ far* tot sover/sovêr
**thyme** tiemie (plant)
**thyr′oid** skildvormig; **~ gland** (n) skildklier
**tick**[1] (n) bosluis; luis
**tick**[2] (n) tik; merk; strepie; kruisie; *in two ~s* in 'n kits/japtrap; tjop-tjop; (v) tik; afmerk/ regmerk
**tick**[3] (n) krediet; *buy on ~* op krediet koop
**ticker-tape: ~ para′de** lintreën (in motor⸗stoet)
**tick′et** (n) kaartjie; (v) beboet; **~ exam′iner** kaartjie(s)ondersoeker; **~ of′fice** kaartjies⸗kantoor; loket *also* **box of′fice**
**tick′ey -s** trippens; **~ box** munthuisie (met telefoon); **~ so′cial** tiekieaand
**tick′-fever** bosluiskoors (mense); ooskuskoors (beeste)
**tic′kle** (v) kielie; kriebel/kriewel
**tick′lish** (a) kielierig; liggeraak; netelig, deli⸗kaat *also* **trick′y, sen′sitive**
**ti′dal: ~ pool** getypoel; **~ wave** vloedgolf
**tiddlywinks′** (n) vlooiespel
**tide** (n) gety, eb en vloed; tyd; stroming; *high ~* hoogwater; *low ~* laagwater; *neap ~* dooiety; *spring ~* springty, springvloed; **~ gate** sluisdeur
**ti′diness** (n) netheid
**ti′dings** berig, tyding, nuus
**ti′dy** (v) opknap; (a) netjies/ordelik
**tie** (n) band, knoop; das; (v) gelykop speel; bind, vasknoop; *~ up* vasbind; verbind; *~ with* gelyk staan met; **~brea′ker** valbylpot (tennis); **~s of friend′ship** vriendskapsbande
**tiff** (n) slegte bui; rusie(tjie)
**ti′ger** tier; **~'s eye** tieroog (halfedelsteen); **~ li′ly** tierlelie
**tight** nou, eng; gierig; dronk/geswael; *be in a ~ corner* in die knyp wees; (adv) styf; *hold ~* hou vas; **~en** vaster maak; **~-fis′ted** vrek⸗kerig, inhalig; **~-fit′ting** nousluitend; **~rope dan′cer** koorddanser; **~s** spanbroek/spanpak
**tile** (n) dakpan, teël; (v) teel; geteël
**till**[1] (n) kasregister *also* **cash reg′ister**; geld⸗laai(tjie)
**till**[2] (prep) tot; *~ now* tot nog toe; *~ then* tot dan; (conj) tot, totdat
**tilt** (n) skuinste; (v) steek, laat oorhel; *~ over* skeef staan; oorhel; *~ at windmills* teen windmeulens veg
**tim′ber** (n) timmerhout; **~ yard** houtwerf
**tim′bre** timbre, toonkleur/klankkleur
**time** (n) tyd; maat; keer; maal; tempo; *~ and again* herhaaldelik; *ask the ~* vra hoe laat dit is; *for the ~ being* tot tyd en wyl; *in the nick of ~* net betyds; *in no ~* in 'n kits; *on ~* betyds/op tyd; *at the same ~* terselfdertyd; *ten ~s five* tien maal/keer vyf; *~ is up* die tyd is om; *what is the ~?* hoe laat is dit?; (v) maat hou; *~ his speech* sy toespraak klok; **~ bomb** tydbom; **~keep′er** tydopnemer; **~ lim′it** tydgrens; **~ly** tydig, betyds; **~piece** uurwerk, klok; **~s** maal/keer; **~ sig′nal** tydsein; **~ slot** tydgleuf; **~ switch** tyd⸗skakelaar; **~table** (les)rooster, werkplan
**tim′id** (a) skaam/skamerig, skugter, bedees
**tim′ing** tydreëling, tydinstelling (motor), tyd⸗opname, tyd(s)berekening

**tin** (n) blik; tin; (v) vertin; inmaak, blik; ~**ned meat** blikkiesvleis; ~ **o'pener** bliksnyer
**tin'der** tontel; ~**box** tonteldoos
**tin' foil** (n) bladtin; foelie *also* **foil**
**tin'sel** (n) verguldsel; klatergoud; opskik; (v) verguld; (a) oppervlakkig
**tint** (n, v) tint, kleur
**ti'ny** (a) klein, nietig, gering *also* **small, minute'**
**tip**[1] (n) tip, top; punt
**tip**[2] (n) fooi, bedien(ings)geld *also* **gratu'ity**; wenk; (v) gooi; omkantel; 'n fooi gee; ~**-off** nuttige wenk/waarskuwing
**tip'sy** (a) hoenderkop, lekkerlyf, aangeklam, getier; ~ **cake** wynkoek
**tip'toe** (v) op die tone loop; (adv) suutjies, kat=voet, doekvoet
**tip'top** eersteklas, hoogste, beste, puik
**tip truck** wiplorrie
**tip-up door** wipdeur, opklapdeur
**tirade'** (n) tirade, woordevloed
**tire** (v) vermoei, verveel; ~**d** moeg, tam, mat; ~**less** onvermoeid; ~**some** vermoeiend; ver=velend
**tiss'ue** (n) weefsel; sneesdoekie/snesie; *get a ~ and blow your nose* kry 'n snesie en snuit jou neus; ~ **pa'per** snesie/traantrosie
**tit** (n) tepel, tiet; ~ *for tat* botter vir vet
**titan'ic** (a) reusagtig, tamaai, groot, titanies
**tit'bit** lekker, happie, lekkerny *also* **treat**
**tithe** (n) tiende, tiende gedeelte
**tit'illate** kielie; prikkel *also* **stim'ulate**
**tit'ivate** (v) opsmuk, mooi maak
**ti'tle** (n) titel; naam; aanspraak; (v) betitel, noem; ~**d** getitel; ~ **deed** transportakte; titelbewys; ~ **page** titelblad; ~ **role** titelrol
**T-junction** T-aansluiting
**to** (adv) toe; (prep) tot, na, na . . . toe, om te; ~ *the best of my ability* na my beste vermoë; ~ *the best of my knowledge* na my beste wete; *compared* ~ in vergelyking met, ver=geleke met; *face* ~ *face* van aangesig tot aangesig; *five* ~ *six* vyf minute voor ses; ~ *my mind* na/volgens my mening; ~ *the point* ter sake
**toad** padda; ~**stool** paddastoel; ~**y** (n) inkrui=per (mens); (a) inkruiperig, vleierig
**toast** (n) roosterbrood; heildronk; (v) braai; 'n heildronk instel; ~**er** (brood)rooster; ~**ed sand'wich** rooster(toe)broodjie; ~**mas'ter** seremoniemeester
**tobacc'o** tabak; twak; ~**nist** tabakwinkel(ier), tabakboetiek; ~ **pouch** tabaksak
**to-be'** toekomstig, aanstaande (bruid)
**to'by** (n) blaasoppie (vis)
**today'** vandag; teenswoordig, deesdae
**tod'dle** (v) waggel; ~**r** peuter *see* **kleu'ter**
**to-do'** drukte, gedoente, ophef
**toe** (n) toon; *big* ~ groottoon; *little* ~ klein=toontjie; ~ *the line* gehoorsaam wees; ~**nail** toonnael
**toff'ee** (n) toffie; tameletjie; ~**ap'ple** toffie-ap=pel
**tog** (n) kleding(stuk); (pl) sportklere, voetbal=klere; (v) aantrek
**tog'a** toga *also* **academ'ic gown**
**togeth'er** saam, bymekaar, gesamentlik; *all of us* ~ almal saam
**toil** (v) swoeg; ~ *and moil* swoeg en sweet
**toil'et** toilet; latrine, kleinhuisie *also* **loo**; ~ **pa'per** toiletpapier; ~ **soap** badseep/toilet=seep; ~ **set** wasstel, toiletstel; ~ **ta'ble** kleedtafel
**to'ken** teken; kenteken; aandenking; ~ *of appreciation* blyk van waardering
**tokolosh'** (n) tokkelos *also* **grem'lin**
**tol'erance** (n) verdraagsaamheid; speling; tole=ransie, toelaatbare afwyking (tegnies)
**tol'erant** (a) verdraagsaam, meegaande
**tol'erate** (v) verdra, duld *also* **allow'/permit'**
**toll**[1] (n) tol, tolgeld; *take* ~ *of* eis, verg
**toll**[2] (n) klokgelui; (v) lui; tamp (van klokto=ring)
**toll:** ~**bar** slagboom; ~**free** tolvry: ~*free number* vrybelnommer; ~**gate** tolhek; ~ **plaza** tolplaza; ~ **road** tolpad
**Tom:** ~, **Dick and Har'ry** Jan Rap en sy maat; ~ **Thumb** Klein Duimpie
**tom'ahawk** strydbyl
**toma'to -es** tamatie; ~ **sauce** tamatiesous
**tomb** (n) graftombe, graf
**tom'boy -s** rabbedoe (wilde meisie)
**tomb'stone** grafsteen *also* **grave'stone**
**tom'cat** mannetjie(s)kat/katmannetjie, kater
**tomm'y** tommie; ~**rot** bog, kaf, twak
**tomor'row** more/môre; *the day after* ~ oor=môre; ~ *morning* môreoggend
**ton** ton; ~*s of people* hope mense
**tone** (n) klank; ~ *down* bedaar
**tongs** (n) (gryp)tang (vir kole)
**tongue** tong; taal, spraak; klepel (klok); *with one's* ~ *in one's cheek* skertsend; *confusion of* ~*s* spraakverwarring; *a slip of the* ~ 'n onbedagsame woord; ~**-tied** spraakloos; ge=muilband; ~ **twi'ster** snelsêer, tongknoper

**ton′ic** (n) versterkmiddel, opknapper, tonikum; ~ **sol′fa** letternota, solfanotering
**tonight′** vanaand; vannag
**ton′nage** tonnemaat; skeepsruimte/lading
**ton′sil** mangel; ~**lit′is** mangelontsteking, tonsilitis
**too** te, alte, ook, eweneens; ~ *much of a good thing* darem te erg; *only* ~ *true* maar alte waar
**tool** (n) werktuig; gereedskap; (v) bewerk; ~**box** gereedskapkis
**toot** (n) getoeter; (v) toeter/toet
**tooth** (n) **teeth** tand; kam; *artificial* ~ vals tand, winkeltand; *long in the* ~ oud; *fight* ~ *and nail* met hand en tand beveg; *by the skin of the teeth* naelskraap; ~**a′che** tandpyn; ~**brush** tandeborsel; ~**paste** (tande)pasta; ~**pick** tandekrapper; ~**pow′der** tandepoeier; ~**some** smaaklik *also* **tas′ty**
**top**[1] (n) tol (speelding)
**top**[2] (n) top; toppunt, kruin; ~ *of one's class* eerste in die klas; *on* ~ bo-op; (v) aftop, snoei; uitmunt bo; ~ *the poll* die meeste stemme kry; (a) boonste; beste; (interj) goed!; eersteklas!
**top′az** topaas (vuurgeel edelsteen)
**top:** ~**boot** kapstewel; ~**dog** bobaas; ~**dressing** bolaag, bobemesting; ~ **gear** hoogste versnelling; bokerf; ~ **hat** keil; ~**heavy** topswaar
**top′ic** onderwerp, tema *also* **the′me, sub′ject**
**top′ical** aktueel *also* **cur′rent**; geleentheids=
**top:** ~**less** (a) kaalbuus (meisie); ~ **man′agement** topbestuur; ~**not′cher** bobaas, doring, uithaler
**top′ple** (v) omval, omkantel, omtuimel
**top:** ~ **qua′lity** topgehalte; ~ **se′cret** uiters geheim; ~**soil** bogrond; ~**spin** botol (van bal)
**topsy-tur′vy** (a) onderstebo, bolmakiesie
**torch -es** toorts, fakkel; flitslig; ~**bea′rer** fakkeldraer; ~**light proces′sion** fakkelloop
**to′reador** toreador, berede stiervegter
**torment′** (v) folter, pynig, kwel
**tornad′o -es** werwelstorm, tornado
**torped′o** (n) **-es** torpedo; (v) torpedeer
**tor′rent** stortvloed; *in* ~*s* in strome
**tor′rid** dor, verskroeiend; ~ **zone** trope
**tor′so -s** romp (liggaam), bolyf; torso
**tor′toise** skilpad; ~ **shell** skilpaddop
**tor′ture** (v) folter, martel; ~ **cham′ber** folterkamer, martelkamer; ~**r** folteraar
**toss** (n) **-es** loot; *win the* ~ die loot wen; (v) loot; skud; ~ *aside* opsy gooi; ~**-up** (n) onuitgemaakte saak, gelyke kans
**tot**[1] (n): **ti′ny** ~ kleuter/peuter; snuiter
**tot**[2] (n) snaps/sopie/dop (drank); ~ **mea′sure** dopmaat/sopiemeter
**tot′al** (n) volle som, totaal *also* **ag′gregate**; (v) optel; (a) volkome, totaal; ~ **ab′stinence** geheelonthouding; ~ **eclip′se** algehele verduistering
**tot′alisator** totalisator; ~ **jack′pot** boerpot
**tot′ally** heeltemal, glad, volslae
**tott′er** (v) waggel, wankel; ~**ing** waggelend
**touch** (n) aanraking; tik; aanslag (mus.); ~ *and go* naelskraap; *keep in* ~ *with* in voeling bly met; (v) voel, tas, aanraak; *no one can* ~ *him* sy maters is dood; ~ *down* neerstryk (vliegtuig); ~ *up* opknap; bywerk; ~**-and-go** so hittete, amper(tjies); ~**ing** (a) roerend, aandoenlik; ~ **kick** buiteskop; ~ **line** kantlyn; ~**ty′ping** blindtik; ~**y** liggeraak
**tough** taai; hard; styf; moeilik, lastig; *have a* ~ *time* les opsê, dit hotagter kry; ~ **cus′tomer** moeilike/lastige kalant/klant
**tour** (n) reis, toer; rondreis; (v) toer, rondreis; ~**ism** toerisme; ~**ist** reisiger, toeris; ~**ist attrac′tion** besienswaardigheid, toeriste-aantreklikheid
**tour′nament** toernooi, wedstrydreeks
**tourn′iquet** knelverband, toerniket
**tout** (n) kliëntelokker; (v) klante/kliënte lok
**tow** (n) sleep; sleeptou; *take in* ~ op sleeptou neem; (v) sleep, treil; ~**-away′ ser′vice** insleepdiens; ~**bar** trekstang/sleephaak; ~**truck′er** insleper/wegsleper
**toward′** (a) gewillig, volgsaam, leergierig
**towards′** na, tot, teen, jeens; *his attitude* ~ *me* sy houding teenoor my
**tow′el** (n) handdoek; *throw in the* ~ tou opgooi
**tow′er** (n) toring; ~ *of strength* steunpilaar
**town** (n) dorp, stad; *man about* ~ windmakerige niksdoener; stadskoejawel; *paint the* ~ *red* die dorp op horings neem; ~**clerk** stadsklerk; ~ **coun′cil** stadsraad; ~ **coun′cillor** stadsraadslid; ~ **hall** stadhuis/stadsaal; ~**house** meenthuis; ~**ship** township, woonbuurt; ~**s′man** stedeling, dorpenaar
**tox′ic** giftig; gif; ~ **waste** gevaarlike/giftige afval
**toy** (n) **-s** speelding; (pl) speelgoed; (v) speel; ~**boy** gigolo; kooivlooi, katelknapie (idiom.);

~ **dog** skoothondjie; ~**pom** dwergkees (hond)
**toy'i-toyi(ng)** (v) toi-toi
**trace**[1] (n) string (van tuig); *kick over the ~s* oor die tou trap
**trace**[2] (n) spoor; voetspoor; (v) opspoor; na=trek; ~**r-bu'llet** ligspoorkoeël
**tra'cing paper** natrekpapier, aftrekpapier
**track** (n) spoor; pad; spoorlyn; (ren)baan; *be on one's ~* op iem. se hakke wees; (v) na=speur; ~ *down* opspoor; ~**er** spoorsnyer; speurhond; ~**ing devi'ce** opspoorapparaat; ~ **rec'ord** diensrekord; reputasie; ~ **ste'=ward** baanbeampte; ~**suit** sweetpak
**trac'tor** (n) trekker
**trade** (n) handel, sake; bedryf, ambag; *a chemist by ~* apteker van beroep; (v) handel dryf, sake doen; ~ *in* inruil; ~**-in val'ue** inruilwaarde (van 'n motor); ~ **dis'count** handelskorting; ~ **jour'nal** vakblad; ~**mark** handelsmerk; ~**r** winkelier, handelaar; ~**s'man** koopman, winkelier; ~ **u'nion** vak(ver)bond, vakunie; ~ **wind** passaat(wind)
**trad'ing** (n) handeldryf; handel; ~ **com'pany** handelsmaatskappy; ~ **prof'it** bedryfswins
**tradi'tion** (n) oorlewering, tradisie; ~**al** tradi=sioneel; ~**al lea'der/ru'ler** tradisionele leier; hoofman, kaptein
**traff'ic** (n) verkeer; (v) handel dryf; ~ **calm'ing** verkeerdemping; ~ **control'** verkeerbeheer; ~ **in'terchange** verkeerswisselaar; wisselkrui=sing; ~ **is'land** vlugheuwel; ~ **jam** verkeers=knoop; ~ **light** verkeerslig; ~ **of'ficer** ver=keersbeampte; spietkop *also* **speed'cop**
**tra'gedy ..dies** treurspel, tragedie
**tra'gic** (a) tragies; treurig, droewig
**trail** (n) sleep; spoor; voetpad; stert (komeet); *hiking ~* voetslaanpad; wandelpad; (v) sleep, agtervolg; ~**er** rankplant; sleepwa/treiler; lokfilm; ~**er truck** laslorrie *also* **artic'ulated truck**; ~**net** treknet
**train** (n) trein; *by ~* per spoor; (v) oefen, dril; oplei; afrig; ~**ed** opgelei; geoefen; ervare, geskool; gedresseer (dier); ~ **bearer** slip=draer; ~ **dri'ver** treindrywer, masjinis
**trainee'** (n) kwekeling, kadet, opleideling
**train'er** instrukteur, afrigter, breier; opleier
**train' fare** (n) reisgeld, treingeld
**train'ing** opleiding; *be in ~* opgelei word; ge=oefen wees; ~ **col'lege** oplei(dings)kollege, onderwyskollege; ~ **ses'sion** oefensessie
**train-oil fac'tory** traankokery, walvisfabriek
**trait** (n) (karakter)trek; eienskap; streep/streek
**trait'or** verraaier
**traject'ory** (n) baan; koeëlbaan; trajek
**tram** trem; koolwa; ~**line** tremspoor
**tramp** (n) landloper/rondloper *also* **va'grant**; boemelaar
**tram'ple** (v) trap; vertrap; ~ *to death* doodtrap
**tramp'oline** (n) wipmat, trampolien
**trance** (n) verrukking; beswyming, skyndood; droomtoestand
**tranquill'ity** rus, stilte, kalmte
**tranq'uillise** gerusstel, sus; ~**r** kalmeermid=del/susmiddel; bedaarmiddel, sedatief
**transact'** (v) onderhandel; verhandel; verrig; ~**ion** onderhandeling, transaksie *also* **deal**
**transcribe'** oorskryf; transkribeer; kopieer
**trans'fer** (n) transport; oordrag; oorplasing; afdruk; **deed of ~** transportakte
**transfer'** (v) verplaas; oordra; oorplaas; *~red to Cape Town* na Kaapstad verplaas
**transform'** (v) vervorm, transformeer; her=skep; ~**a'tion** transformasie; omvorming; ~**er** transformator (elektr.)
**transfu'sion** (n) oortapping (bloed)
**transis'tor** (n) transistor
**transi'tion** (n) oorgang (fig.); ~**al pe'riod** oorgangstydperk
**translate'** (v) vertaal, oorsit; *~d from Afri=kaans* uit Afrikaans vertaal
**transla'tion** vertaling, oorsetting
**transla'tor** vertaler (mens)
**transmi'ssion** oorsending; transmissie (mo=tor); uitsending (radio)
**transmit'** (v) oorsend, oorsein (berig); oor=lewer; uitsend (radio); ~**ter** sender (radio)
**transpar'ency** (n) deursigtigheid/oopheid/open=heid; transparant (film)
**transpar'ent** deurskynend, deursigtig; opreg
**transpire'** uitlek; uitwasem; sweet; gebeur
**transplant'** verplant, oorplant; verplaas; **heart ~** hartoorplanting
**trans'port** (n) transport, vervoer; ~ **allow'=ance** vervoertoelae; ~ **and subsis'tence** reis en verblyf; ~ **ser'vices** vervoerdienste
**transport'** (v) vervoer, transporteer
**trap** (n) val, strik; slagyster; lokvink; *set a ~* 'n val stel; (v) vasstrik; ~**door** valdeur
**trapeze'** (n) sweefstok
**trap:** ~**ped** vasgepen (in motorongeluk); in 'n strik gevang; ~**per** wildvanger, pelsjagter; ~**pings** tooi(sel), versiering(s)
**trash** afval; vullis; bog, kletspraatjies, kaf;

~**can** vullisblik *also* **ref'use bin**
**trau'ma** (n) trauma/trouma; ~ **coun'selling** traumaberading
**trav'el** (v) reis, bereis; ~ **a'gent** reisagent; ~**a'tor** rolloper (lughawe)
**trav'eller** reisiger; ~**'s cheque** reis(iger)tjek
**trav'elling** reis; ~ **compan'ion** reisgenoot; ~ **expen'ses** reiskoste; ~ **li'brary** reisbiblio= teek
**trawl** (v) treil; ~**er** vistreiler; ~ **net** sleepnet
**tray -s** skinkbord; bakkie, (plat)kissie
**trea'cherous** (a) verraderlik, vals
**trea'chery** (n) verraad; valsheid
**trea'cle** (n) (swart) suikerstroop; melasse
**tread** (n) tree, tred, voetstap, skrede; loopvlak (band); (v) tree, stap, betree, bewandel; ~ *on thin ice* op gevaarlike terrein wees
**tread'mill** (n) trapmeul; sleurwerk
**treas'on** verraad; *high* ~ hoogverraad
**treas'ure** (n) skat; ~ **house** skatkamer; ~ **hunt** skattejag; ~**r** tesourier, penningmees= ter/sentmeester
**trea'sury** (n) skatkis, tesourie (regering)
**treat** (n) onthaal; (v) onthaal, trakteer; ~ *as a joke* as 'n grap beskou; ~ *a patient* 'n pasiënt behandel; ~**ment** behandeling
**trea'tise** (n) verhandeling *also* **disserta'tion**
**treat'y** (n) verdrag, traktaat; ooreenkoms
**tree** (n) boom; lees (vir skoene); ~ **fern** boomvaring; ~**fel'ler** boomkapper/boom= veller (mens); ~ **snake** boomslang
**trek** (n) trek; (v) trek; ~ **ox** trekos
**trell'is** (n) tralie(werk); prieel; ~ **work** tralie= werk, latwerk
**trem'ble** (n) bewing, bewerasie; (v) beef, sid= der; ~ *with fear* beef van angs/vrees
**trem'bling** (n) bewing, siddering, trilling; (a) bewend
**tremen'dous** (a) verskriklik; yslik, ontsaglik
**trem'or** aardskudding; bewing, siddering
**trench** (n) **-es** loopgraaf; voor; riool
**trend** (n) tendens; neiging, strekking; ~*s in literature* tendense in die literatuur; ~**y** by= derwets/bydertyds *also* **with-it**; ~**set'ter** by= derwetser/pasaangeër (mens)
**tres'pass** (n) **-es** oortreding, vergryp; sonde; *forgive us our* ~*es* vergeef ons ons oortre= dings; (v) oortree, vergryp; sondig; ~**er** oortreder; ~**ing** betreding
**tress -es** haarlok, haarstring, vlegsel
**tre'stle** stellasie, bok; skraag
**tri'al** (n) beproewing; proefneming; verhoor/ hofsaak; ~ *run* oefenlopie; proeflopie; *stand* ~ *for murder* weens moord teregstaan; ~**s and tribula'tions** beproewinge
**tri'angle** driehoek; triangel (mus.)
**tri'bal** stam=; ~ **war** stamoorlog
**tribe** (n) stam, volkstam; ras; geslag
**tribun'al** regbank, geregshof, tribunaal
**trib'utary** (n) syrivier, takrivier
**trib'ute** (n) hulde, huldeblyk; *floral* ~*s* kranse; ruikers; *pay* ~ *to* hulde betoon/betuig aan/ teenoor
**trick** (n) kultoertjie, kunsie, behendigheid; skelmstreek, truuk, foefie; *play* ~*s* poetse bak; *the* ~*s of the trade* fabrieksgeheime; (v) bedrieg; fop; kul; ~**ster** bedrieër, kuller *also* **con'man**; ~**ery** kullery, bedrieëry, verneukery
**tric'kle** (v) druppel, aftap; *tears* ~*d down her cheeks* trane het oor haar wange gerol/ gebiggel
**trick'y** (a) bedrieglik, listig *also* **craft'y**; oulik gewaag; ~ **ques'tion** strikvraag; ~ **situa'= tion** netelige situasie
**tri'cycle** driewiel(er)
**tri'dent** (n) drietand
**tri'fle** (n) kleinigheid/bakatel; koekstruif; (v) korswel, skerts; *he is not to be* ~*d with* hy laat nie met hom speel nie; (adv) bietjie
**tri'fling** (a) niksbeduidend, nietig, onbenullig
**trigg'er** sneller; ~**-hap'py** skietlustig
**trigonom'etry** driehoeksmeting, trigonometrie
**tril'ogy** (n) **..gies** trilogie; drieluik, triptiek
**trim** (n) opskik, tooisel; (v) tooi, versier; snoei, knip; afwerk; (a) netjies; mooi, in orde; ~**mer** afwerker; ~**ming** opsmuk; ~**park** trimpark
**trin'ity** drie-eenheid; drietal
**trink'et** (n) sieraad *also* **or'nament**; kleinood, snuistery; ~ **box** juwelekissie
**tri'o** (n) drietal; trio (mus.)
**trip** (n) uitstappie, rit; dwelmtoer; (v) struikel, val; pootjie
**tripe** beespens; bog, kaf
**trip'let** drieling; tersine (poësie); drietal
**tri'pod** (n) driepoot, drievoet
**trip'switch** (n) uitskopskakelaar
**trite** (a) alledaags; uitgedien; banaal
**tri'umph** (n) triomf; (v) triomfeer, seëvier; ~ *over all difficulties* alle moeilikhede oorwin
**trium'phant** (a) triomfant(e)lik, seëvierend
**triv'ial** (a) vervelig, plat, triviaal; ~ *matters* kleinighede, beuselagtighede
**trocha'ic** (n) trogee; (a) trogeïes

**trog'lodyte** grotbewoner, troglodiet *also* **ca've dwel'ler**
**trol'ley** (n) trollie; ~**bus** trembus
**trom'bone** tromboon, skuiftrompet
**troop** (n) trop, hoop, menigte; afdeling; (pl) troepe, soldate; *deploy ~s* troepe ontplooi; ~ **car'rier** transportskip; troepevliegtuig; troepedraer; ~**ie** troepie (rekruut)
**troph'y ..phies** trofee, beker; **floa'ting** ~ wisseltrofee
**trop'ic** (n) keerkring; (pl) trope; **T~ of Can'cer** Kreefskeerkring; **T~ of Cap'ricorn** Steenbokskeerkring
**trop'ical** tropies; ~ **disea'ses** tropiese siektes
**trot** (n) draf; *go for a ~* 'n entjie gaan draf; (v) draf; laat draf; ~**ter** drawwer; pootjie, afval (van vark, skaap)
**troub'adour** (n) minnesanger, troebadoer
**trou'ble** (n) moeite, sorg, moeilikheid; *be in ~* in die knyp sit; (v) moeite doen, lastig val; pla; neul; ~**ma'ker** skoorsoeker; ~**shoo'ter** foutspeurder; ~**some** lastig, neulerig
**trough** (n) trog, bak
**troupe** geselskap (toneelspelers); troep
**trouss'eau -s** (bruids)uitset, trousseau
**trout** forel (vis)
**trow'el** (n) troffel
**tru'ant** (n) stokkiesdraaier; *play ~* stokkies draai; (a) lui, pligversakend
**truce** wapenstilstand, verposing
**truck** (n) goederewa, trok; vragmotor; ~ **dri'ver** lorriedrywer; (v) trok; ~**er** karweier *also* **car'tage contrac'tor/truck'er**
**trudge** (v) aansukkel, strompel, swoeg
**true** (a, adv) waar; eg; opreg; suiwer; *his words have come ~* sy woorde is bewaarheid; ~**bred** raseg, opreg; ~ **cop'y** ware afskrif; ~**love** soetlief, hartjie, skattebol
**tru'ly** regtig/rêrig, inderdaad; **yours** ~ hoogagtend *also* **yours since'rely**
**trump** (n) troefkaart; (v) troef; oortroef; ~ *up* uit die duim suig; ~ **card** troefkaart
**trump'et** (n) trompet; *blow one's own ~* jou eie basuin blaas; (v) uitbasuin; ~ **call** trompetgeskal; ~**er** trompetblaser
**trunk** stomp; romp; stronk; koffer, kis; slurp (olifant); ~ **call** hooflynoproep; ~ **road** hoofweg, deurpad; ~**s** (n) draf/swembroek(ie)
**trust** (n) vertroue; trust; geloof; (v) vertrou; toevertrou; *I ~ that* ek hoop dat; ~ **deed** trustakte; ~**ee'** trustee, gevolmagtigde; ~ **mon'ey** trustgeld; ~**wor'thy** betroubaar; ~**y** eerlik; beproef; ~**y fel'low** staatmaker
**truth** waarheid; ~**ful** waarheidliewend, betroubaar; ~**less** ontrou, vals
**try** (n) **tries** poging; proef; 'n drie (rugby); *convert a ~* 'n drie verdoel; (v) verhoor; op die proef stel, probeer, beproef; ~**ing** lastig, moeilik, veeleisend; ~ **line** doellyn; ~ **square** winkelhaak
**tset'se fly** tsetsevlieg, gifvlieg
**tsot'si -s** tsotsi, boef *also* **ruf'fian**
**T-shirt** (n) T-hemp, frokkiehemp
**T'-square** tekenhaak, winkelhaak
**tub** (n) balie, kuip, bad; ~**by** vatvormig
**tube** pyp, buis; binneband; ~**less tyre** lugband; ~ **rail'way** moltrein
**tuberculos'is** tuberkulose, tering (siekte)
**tuck** (n) opnaaisel; (pl) eetgoed, snoepgoed; (v) plooi, intrek; ~ *in* lekker toe maak; instop, wegslaan (kos); ~**shop** snoepwinkel(tjie)/snoepie
**Tues'day** Dinsdag
**tuft** (n) bos, kuif, kwas, pluim; pol (gras)
**tug** (n) sleepboot; ~ **of war** toutrek; (v) trek, ruk; sleep
**tui'tion** onderwys, onderrig; **tel'e~** afstand(s)onderrig
**tul'ip** tulp; ~ **bulb** tulpbol
**tum'ble** (n) val, tuimeling; warboel; (v) bolmakiesie slaan; rol; val-val loop; ~ *down* instort; afrol; ~**bug** miskruier *also* **dung bee'tle**; ~ **dry'er** tuimeldroër; ~**r** drinkglas; tuimelaar (duif); akrobaat; ~ **switch** tuimelskakelaar
**tumm'y tummies** magie, pensie
**tu'mour** (n) gewas/groeisel; tumor
**tu'mult** opskudding, rumoer, lawaai
**tun'dra** toendra, mossteppe; moeraswêreld
**tune** (n) toon, klank, wysie; (v) stem, instem (radio); ~ *in to* instem/instel op (radio); ~**ful** melodieus, welluidend; ~**r** stemmer (mens); stemvurk; instemmer (radio)
**tun'ic** (n) uniform, skooldrag, springjurk
**tun'ing** (n) stem, gestem; ~ **fork** stemvurk
**tunn'el** (n) tonnel; gang, skag; (v) tonnel
**tunn'y tunnies** tornyn, tuna (vis)
**tur'ban** tulband (hoofbedekking)
**tur'bine** turbine
**tur'bulence** onstuimigheid; oproerigheid; turbulensie (wolke)
**tureen'** sopkom
**turf** turf, sooi; grasveld, baan; renbaan/reisiesbaan; ~ **club** renbaanklub

**turk'ey** (n) **-s** kalkoen; ~ **cock** kalkoenman=netjie; ~ **hen** kalkoenwyfie
**turm'oil** (n) onrus, gewoel *also* **confu'sion**
**turn** (n) draai, wending; beurt (by spele); *do somebody a good* ~ iem. 'n guns bewys; ~ **of the century** eeuwending; (v) draai; om=keer; wend; ~ *one's back on* die rug toe=keer; ~ *hundred* honderd jaar oud word; ~ *out for practice* vir oefening opdaag; ~ *the tables* die bordjies verhang; ~ *up* opdaag; ~ *upside down* onderstebo keer; ~**coat** man=teldraaier, oorloper; ~**er** draaier (ambag)
**turn'ing** (a) draaiend; ~ **point** keerpunt
**turn'ip** raap
**turn:** ~**key** (tronk)bewaarder, sipier; ~**-out** opkoms (van mense); ~**over** omset; ~**pike** tolsnelweg (Am.); slagboom, draaihek/tol=hek; ~**stile** draaihek; ~**table** draaitafel
**turp'entine** terpentyn
**turq'uoise** (n) turkoois (steen)
**tu'rret** torinkie; skiettoring
**tur'tle**[1] tortelduif
**tur'tle**[2] waterskilpad; *turn* ~ omslaan
**tusk** (n) olifant(s)tand; slagtand; (v) oopskeur
**tus'sle** (n) worsteling, gestoei; (v) stoei
**tu'tor** (n) private onderwyser/leermeester; stu=dieleier, afrigter; **private** ~ goewernant(e); (v) onderrig; privaat les gee
**tutor'ial** (n) studieklas/groepklas; (a) groep=
**twad'dle** (n) bogpraatjies; gebabbel; ~**r** klet=ser, babbelaar
**twang** (n) snaarklank; neusklank; (v) tokkel
**tweedledum':** ~ **and tweedledee'** vinkel en koljander (die een is soos die ander)
**tweet** (n) getjilp; (v) tjilp
**tweez'ers** (haar)tangetjie; pinset
**twelfth** twaalfde
**twelve** twaalf
**twen'tieth** twintigste; ~ **cen'tury** twintigste eeu
**twen'ty ..ties** twintig; ~**-four hours' ser'vice** etmaaldiens
**twice** twee maal/keer
**twid'dle** (n) draaitjie, krul; (v) draai; lol
**twig** takkie, twyg; waterwysstokkie
**twi'light** (aand)skemering, skemerlig, skemer=aand; ~ **sleep** pynlose bevalling
**twin** (n) tweeling; dubbelganger; ~ **broth'er** tweelingbroer
**twi'nkle** (n) flikkering, vonkeling; oogknip
**twi'nkling** flikkering; kits; *in the* ~ *of an eye* in 'n oogwink
**twirl** (n) draai; krul; (v) dwarrel, draai
**twist** (n) draai; kronkel; krul; rinkhalsdans; (v) (ver)draai; vleg; ~ *evidence* getuienis ver=draai; ~ *someone's arm* iem. se arm draai
**twitch** (n) **-es** senuweetrekking; (v) (ver)trek
**twitt'er** (n) gekwetter, getjilp; (v) kwetter; kweel; giggel
**two -s** twee; *cut in* ~ middeldeur sny; *put* ~ *and* ~ *together* jou gesonde verstand ge=bruik; ~**fold** tweevoudig; ~**ply** tweelaag=; ~**sea'ter** tweesitplekmotor; ~**some** twee=spel, dubbelspel; ~**-tongued** vals
**tycoon'** (n) geldmagnaat *also* **plu'tocrat**
**type** (n) tipe, soort; setsel (drukkery); (v) tik; ~**wri'ter** tikmasjien; ~**wri'ting** tikskrif
**typh'oid:** ~ **fe'ver** ingewandskoors/maagkoors
**typhoon'** tifoon (sikloon)
**typh'us** tifuskoors, vlektifus, luiskoors
**typ'ical** tipies *also* **characteris'tic**
**ty'ping** tik, tikwerk; ~ **pool** tikpoel
**ty'pist** tikster/tikker
**tyr'anny** (n) tirannie, dwingelandy
**ty'rant** tiran, dwingeland *also* **dicta'tor**
**tyre** buiteband; **tube'less** ~ lugband; ~ **le'ver** bandwipper; ~ **pres'sure** banddruk

# U

**ud'der** (n) uier
**ug'ly** (a) lelik; gemeen; skandelik; *an* ~ *cus=tomer* 'n nare/gevaarlike vent; ~ *weather* onaangename/gure weer
**ul'cer** (n) sweer, geswel; maagseer
**ulter'ior** (a) aan die ander kant; verborge; ge=heim; ~ **mo'tive** bybedoeling
**ul'timate** laaste, uiterste; beslissend
**ultimat'um -s, ..ta** ultimatum; laaste eis
**ul'timo** laaslede, van die vorige maand
**ul'tra:** ~**son'ic** ultrasonies; ~**vi'olet** ultravio=let (bestraling)
**umbil'ical** nael=; ~ **cord** naelstring
**umbrell'a** sambreel; ~ **bod'y** oorkoepelende liggaam; ~ **stand** sambreelstander; ~ **tree** kiepersolboom, nooiensboom *also* **cab'bage tree**
**um'pire** (n) skeidsregter; beoordelaar

**una′ble** (a) onbekwaam, nie in staat nie
**unaffect′ed** (a) natuurlik, ongekunstel(d)
**unan′imous** eenparig; eenstemmig
**unarmed′** ongewapen(d)
**unashamed′** onbeskaamd, onbeskof
**unassum′ing** (a) beskeie *also* **mod′est**; pre= tensieloos
**unauth′orised** ongemagtig, onwettig
**unavoid′able** onvermydelik *also* **inev′itable**
**unaware′** onbewus, onwetend
**un′ban** (v) ontban, ontperk
**unbear′able** ondraaglik, onuithoubaar
**unbeat′en** (a) onoorwonne
**unbecom′ing** onbetaamlik, onwelvoeglik *also* **unseem′ly**
**unbeliev′able** ongelooflik
**unbi′ased** onbevooroordeel(d), onpartydig
**unbun′dle** (v) ontknoop ('n maatskappy)
**uncall′ed:** ~ *for* onvanpas, ongevra
**uncer′tain** onseker, wisselvallig
**unchart′ed** ongekaart (oseane)
**unchecked′** los, vry, ongedwonge
**unciv′il** onbeleef(d), ongemanierd; ~**ised** on= beskaaf, barbaars
**unclaimed′** onopgeëis
**un′cle** oom; **U~ Sam** die VSA
**uncom′fortable** ongemaklik, ongerieflik
**uncomm′on** ongewoon, seldsaam
**uncondi′tional** onvoorwaardelik; ~ **surren′= der** onvoorwaardelike oorgawe
**uncon′scious** (a) bewusteloos; onwetend, on= bewus
**unconstitu′tional** (a) ongrondwetlik
**uncontest′ed** onbetwis, onbestrede; ~ **seat** on= betwiste setel (verkiesing)
**uncouth′** (a) ru, grof, onbeskaaf *also* **rude**
**uncov′er** ontdek, afdek; blootlê
**uncrossed′** ongekruis; onbelemmer; ~ **cheq′ue** ongekruiste tjek
**uncut′** ongekerf; ongesny; ongeslyp (diamante)
**undam′aged** onbeskadig, heel
**undaunt′ed** (a) onversaag, onverskrokke
**undelivered′** onafgelewer; nie verlos nie
**undeni′able** onweerlegbaar, onbetwisbaar
**undepend′able** onbetroubaar
**un′der** (a) onderste; (adv) onder, onderkant; (prep) onder; benede; ~ *one's hand* ge= teken; ~ *way* op pad; onderweg
**under′achie′ver** onderpresteerder (student)
**undercharge′** (v) te min vra/bereken
**un′derclothes/un′derclothing** onderklere
**un′dercurrent** onderstroom; neiging
**un′dercut**[1] (n) opstopper (boks)
**undercut′**[2] (v) ondergrawe; pryse verlaag; on= derbie; onderkruip
**un′derdeveloped** onderontwikkel *see* **un′de= vel′oped**
**un′derdog** verdrukte/ondergeskikte (mens); lydende party
**underdone′** halfgaar (biefstuk); halfrou
**underes′timate** (v) onderskat
**underexpose′** onderbelig, te kort belig (foto)
**undergo′** (v) ondergaan, ly, verduur
**undergrad′uate** (n) ongegradueerde (student); (a) voorgraads *see* **post′graduate**
**un′derground** (n) moltrein; (a) ondergronds, onderaards; (adv) heimlik, stilletjies
**un′dergrowth** (n) ruigte, struikgewas
**underhand′** (a) agterbaks, onderduims
**underline′** (v) onderstreep
**underly′ing** grond=; fundamenteel; ~ **prin′ci= ples** grondbeginsels
**undermen′tioned** ondergenoemde, onder= staande
**undermine′** ondermyn, benadeel; uitgrawe
**underneath′** benede, onder
**underpaid′** onderbetaal, te min betaal
**underpriv′ileged** (a) onderbevoorreg *also* **dis= advan′taged/impov′erished** (community)
**underrate′** onderskat; minag
**undersell′** goedkoper verkoop as, onderbie
**undersigned′** ondergetekende
**un′derstaffed** onderbeman (kantoor)
**understand′** verstaan, begryp; *I was given to* ~ hulle het my te kenne gegee
**understand′ing** (n) begrip, verstandhouding; *come to an* ~ tot 'n skikking kom; *on the* ~ *that* met dien verstande dat
**understate′** versag, verklein; ~**ment** onder= beklemtoning, onderskatting
**understood′** verstaan; vanselfsprekend
**un′derstudy** (n) poswaarnemer, plaasvervanger
**undertake′** onderneem, aanpak; ~**r** onderne= mer, entrepreneur (sakeman)
**un′dertaker** (n) lykbesorger, begrafnisonder= nemer
**undertak′ing** onderneming; verpligting
**un′derwear** onderklere
**un′derwood** (n) ruigte, struikgewas
**un′derworld** onderwêreld; boewewêreld; do= deryk
**un′derwriter** onderskrywer (assuransie); ver= sekeraar
**undeserved′** onverdien(d)

**undesir'able** (a) onwenslik, ongewens; ~ **publica'tion** ongewenste publikasie
**undetect'ed** onopgemerk; onontdek
**undevel'oped** onontwikkel(d)
**undig'nified** onwaardig
**undis'ciplined** ongedissiplineer *also* **unru'ly**
**undisput'ed** onbetwis; onbestrede
**undisturbed'** kalm, bedaard *also* **calm, plac'id**
**undivid'ed** onverdeel(d)
**undo'** losmaak; ongedaan maak; ~**ing** verderf, ondergang
**undone'** ongedaan, los; *what is done can not be* ~ gedane sake het geen keer nie
**undoubt'ed** ongetwyfeld, stellig, seker; ~**ly** ongetwyfeld, beslis
**undress'** (v) uittrek, ontklee; ~**ed'** uitgetrek, ongeklee; ongekap (klip)
**un'dulating** golwend, wegdeinend (vlakte)
**undy'ing** (a) ewig, onverganklik
**unearth'** opgrawe, openbaar; opdiep
**uneas'y** ongemaklik, onrustig; besorg
**uned'ucated** onopgevoed, ongeletterd
**unemployed'** (n, pl) werkloses; (a) werkloos; ongebruik, onaangewend
**unemploy'ment** werkloosheid; ~ **insur'ance** werkloosheid(s)versekering
**unend'ing** oneindig, eindeloos
**unenlight'ened** dom, oningelig, onkundig
**uneq'ual** ongelykmatig; nie opgewasse nie; ~ *to the task,* nie teen/vir die taak opgewasse nie; ~**led** ongeëwenaard, weergaloos *also* **unpar'alleled**
**une'ven** ongelyk, onewe; ~ **num'ber** ongelyke getal
**unexpect'ed** onverwags, onvoorsien
**unfail'ing** onfeilbaar; seker
**unfair'** (a) onbillik; oneerlik, onopreg
**unfaith'ful** ontrou; troueloos; ongelowig
**unfamil'iar** vreemd, onbekend; onvertroud
**unfa'sten** losmaak; losgespe
**unfav'ourable** ongunstig
**unfin'ished** onvoltooi, onafgewerk; ~ **sym'phony** onvoltooide simfonie
**unfit'** (a) onbekwaam, ongeskik; ~ *for a parson* nie vir predikant deug nie
**unflinch'ing** onverskrokke; onwrikbaar
**unfold'** ontvou, uitlê; ontplooi, uitsprei
**unforeseen'** onvoorsien (uitgawes)
**unforget'table** onvergeetlik; gedenkwaardig
**unfort'unate** (a) ongelukkig; rampspoedig; ~**ly** ongelukkig
**unfound'ed** ongegrond, vals *also* **fab'ricated**; ~ **ru'mour** riemtelegram
**unfriend'ly** onvriendelik; onbevriend (land)
**unfulfilled'** onvervul
**unfurn'ished** ongemeubileer(d) (huis)
**ungain'ly** (a) lomp *also* **clum'sy**; onhandig
**ungen'tlemanly** onwellewend, onhoflik
**unglazed'** onverglaas; sonder ruite
**ungov'ernable** onregeerbaar; wild, woes
**ungrate'ful** (a) ondankbaar; onerkentlik
**unguard'ed** onbewaak; onbedagsaam
**unham'pered** onbelemmer(d), ongehinder
**unhapp'y** ongelukkig, hartseer
**unharmed'** onbeskadig/ongedeerd; veilig
**unhealth'y** ongesond; onveilig
**unhurt'** ongedeerd, onbeseer *also* **unharmed'**
**unhygien'ic** onhigiënies
**u'nicorn** (n) eenhoring (dier)
**unifica'tion** eenwording, unifikasie
**u'niform** (n) uniform, mondering; (a) eenvormig/gelykvormig; gelyk
**uniform'ity** eenvormigheid, uniformiteit
**unilat'eral** eensydig
**unili'ngual** eentalig
**unima'ginative** (a) verbeeldingloos
**unimport'ant** onbelangrik
**uninhab'ited** onbewoon
**unin'jured** onbeseer, ongedeerd
**uninten'tional** onopsetlik
**unin'terested** onbelangstellend
**unin'teresting** oninteressant, vervelend
**uninterrup'ted** onafgebroke, ononderbroke, deurlopend
**u'nion** unie, vereniging; vakbond/vakunie; samesmelting; ~ *is strength* eendrag maak mag
**uniq'ue** enig, ongeëwenaard, uniek; ~ *of its kind* enig in sy soort
**u'nisex** enkelgeslag, uniseks; ~ **school** enkelgeslagskool (*teenoor* **koëdskool**)
**u'nison** harmonie, ooreenstemming; *in* ~ eenstemmig, eensgesind
**u'nit** (n) eenheid; ~ **trust** effektetrust/eenheidtrust
**unite'** (v) verenig; byeenvoeg; verbind, saamsmelt; ~**d** verenig; **U~d Na'tions** Verenigde Nasies; **U~d States of America (USA)** Verenigde State van Amerika (VSA)
**u'nity** eenheid; eensgesindheid
**univer'sal** algemeen, universeel; ~ **peace** wêreldvrede
**u'niverse** (n) heelal
**univer'sity** (n) universiteit, hoëskool; (a) universiteits-; universitêr

**unjust′** onregverdig, onbillik *also* **unfair′**
**umkempt′** ongekam; onversorg (voorkoms)
**unkind′** onvriendelik
**unknown′** (n) onbekende; (a) onbekend
**unlad′ylike** onvroulik, onfyn, onverfyn
**unlaw′ful** onwettig; ongeoorloof
**unlead′ed** (a): ~ **pet′rol** ongelode/loodvry(e) petrol
**unless′** tensy, so nie, behalwe
**unlike′** ongelyk; verskillend, anders; ~**ly** onwaarskynlik
**unlim′ited** onbegrens, onbeperk
**unload′** (v) aflaai, afpak *also* **off′load**
**unlock′** oopsluit, ontsluit; onthul
**unluck′y** ongelukkig; rampspoedig; ~ **number** ongeluksgetal
**unman′ageable** onbeheerbaar; onregeerbaar *also* **intrac′table**
**unmann′erly** ongemanierd, onhebbelik
**unmarked′** ongemerk; onopgemerk; onnagesien (opstelle)
**unmarr′ied:** ~ **moth′er** ongetroude/ongehude moeder
**unmistak′able** onmiskenbaar, seker
**unmoved′** onbewoë, koel; roerloos
**unnamed′** ongenoem; naamloos
**unna′tural** onnatuurlik
**unne′cessary** onnodig, oorbodig, oortollig
**unnot′iced** ongemerk, onopgemerk
**unobli′ging** ontegemoetkomend, ontoeskietlik; onsimpatiek
**unobstruct′ed** onbelemmer; ongehinder(d); ~ **view** onbelemmerde uitsig
**unobtain′able** onverkry(g)baar
**unocc′upied** onbewoon, leeg; onbeset
**unoffi′cial** nie-amptelik, onoffisieel
**unopposed′** onbestrede; ongehinder; ~ **seat** onbestrede setel (in verkiesing)
**unorth′odox** ketters, onortodoks
**unpaid′** onbetaal(d)
**unpar′alleled** ongeëwenaard, weergaloos
**unpard′onable** onvergeeflik, onverskoonbaar
**unperturbed′** onversteur(d), houtgerus
**unpleas′ant** onaangenaam; onplesierig
**unpop′ular** onpopulêr, ongewild
**unprac′tical** onprakties; onuitvoerbaar
**unprepared′** onvoorberei; onklaar
**unprin′cipled** beginselloos
**unprotect′ed** onbeskerm, onbeskut
**unpun′ished** ongestraf; *go* ~ ongestraf bly
**unqual′ified** ongekwalifiseer, onbevoeg
**unques′tionable** onbetwisbaar *also* **undeni′able**
**unreas′onable** onredelik, onbillik
**unreli′able** onbetroubaar
**un′rest** (n) onrus, angs; beroering
**unrestrict′ed** onbelemmer, onbeperk
**unriv′alled** weergaloos, ongeëwenaar(d)
**unrul′y** wild, losbandig, onhanteerbaar; onstuimig, weerspannig
**unsafe′** onveilig, gevaarlik
**unsatisfac′tory** onbevredigend
**unsav′oury** onsmaaklik; walglik; ~ **char′acter** ongure vent
**unscathed′** ongedeerd, ongeskaad
**unscrup′ulous** gewete(n)loos; beginselloos
**un′seeded** ongekeur; ~ **play′er** ongekeurde speler (sport)
**unseem′ly** onwelvoeglik, onbetaamlik
**unseen′** (n) (die) ongesiene; onvoorbereide vertaling; (a) ongesien, onsigbaar
**unsett′le** (v) verwar, van stryk bring; ~**d** rusteloos; onbestendig (weer)
**unsex′:** ~**ed** ongeseks (kuikens)
**unsight′ly** onooglik, lelik *also* **repul′sive, ug′ly**
**unskilled′** ongeskool; onbedrewe, onervare; ~ **la′bour** ongeskoolde arbeid
**unso′ciable** ongesellig, onsosiaal
**unsold′** onverkoop
**unsoli′cited** ongevra; onuitgelok; ~ **support′** spontane steun
**unsolved′** (a) onopgelos
**unsophis′ticated** (a) onvervals, eg; onskuldig, onbedorwe, ongesofistikeer(d)
**unsound′** ongesond; bederf; swak; sieklik; onbetroubaar; *of* ~ *mind* swaksinnig
**unspoilt′** (a) onbedorwe (kind); ~ **na′ture** ongerepte natuur
**unsports′manlike** onsportief
**unstab′le** onvas, veranderlik, onstabiel
**unsuccess′ful** onsuksesvol, vergeefs
**unsuit′able** ongeskik, onvanpas
**unsurpassed′** onoortroffe
**unsuspect′ing** argeloos, niksvermoedend, doodgerus
**unsympathet′ic** onsimpatiek
**unsystemat′ic** onstelselmatig, onsistematies
**unthank′ful** ondankbaar
**unthink′ing** onbedagsaam, onnadenkend
**untid′y** (a) slordig, onnet *also* **shod′dy**
**until′** tot, totdat; *not* ~ *then* toe eers
**untime′ly** ontydig; ongeleë
**untir′ing** onvermoeid *also* **perseve′ring**
**un′to** tot, aan
**untold′** talloos; onvermeld; onberekenbaar

**untouched′** onaangeroer; ongedeerd
**untrained′** onopgelei, ongeoefen; onafgerig
**untrue′** onwaar, vals; ontrou
**untrust′worthy** onbetroubaar
**unu′sual** ongewoon, buitengewoon
**unveil′** onthul (standbeeld); inwy
**unwant′ed** onbegeer; ongewens, ongevra; *an ~ child* 'n ongewenste kind
**unwell′** onwel, siek, ongesteld, olik
**unwiel′dy** (a) onhanteerbaar, swaar, log
**unwill′ing** onwillig; ongeneë, onbereid
**unwind′** afrol, losdraai; ontspan; loswikkel
**unwise′** onverstandig, dom *also* **indiscreet′**
**unwitt′ing(ly)** onwetend
**unworth′y** onwaardig
**unwritt′en** ongeskrewe; ~ **law** ongeskrewe wet
**unyield′ing** onversetlik, koppig, eiesinnig *also* **stub′born/ob′stinate**
**up** (n): *~s and downs* voor- en teenspoed; (v) oplig; styg; (adv) op, bo, boontoe; (prep) op; *cheer ~* opvrolik; *hurry ~* maak gou; wik= kel; *time is ~* die tyd is om/verstreke
**up′bringing** (n) opvoeding; grootmaak
**up-country** binneland(s)
**up′date** bywerk; hersien; *an ~d edition* 'n by= gewerkte/hersiene uitgawe
**up′grade** (v) opgradeer, kwaliteit verhoog
**upheav′al** (n) opstand, oproer; omwenteling
**up′hill** opdraand; swaar (werk)
**uphold′** handhaaf; staande hou; hooghou
**uphol′ster** stoffeer; ~**er** stoffeerder (mens)
**up′keep** onderhoud; instandhouding
**uplift′** (v) oplig, ophef
**up′market** (a): ~ **sub′urb** hoëklasbuurt
**upon′** op, bo-op, by; aan; *once ~ a time* een= dag; op 'n goeie dag
**upp′er** (a) bo, hoër, boonste; *gain the ~ hand* die oorhand kry; ~ **hand** oorhand; ~ **lip** bo= lip; ~**most** hoogste, boonste; ~ **sto′rey** boonste vloer/verdieping/vlak
**up′right** regop; opreg, eerlik, regskape
**upri′sing** opstand, oproer
**up′roar** oproer, lawaai, herrie
**uproot′** (v) uitroei, ontwortel
**upset′** (n) omval; verwarring; (v) omverwerp, omgooi; omkrap; verydel; ~ *someone* iem. omkrap/ontstel
**up′shot** (n) gevolg, uiteinde, uitslag; nadraai
**up′side down′** onderstebo, deurmekaar
**up′stairs** (a) bo=, boonste; hoogmoedig; (adv) op die boonste vloer/verdieping, boontoe
**up′start** (n) ('n) astrant; astrante/vrypostige mens; (a) verwaand
**up′swing** (n) oplewing, opswaai (ekonomie)
**up′take** begrip; *slow in the ~* traag van begrip
**up-to-date′** byderwets/bydertyds, nuwerwets; op die hoogte, tot datum
**up′turn** oplewing (ekonomie) *also* **up′swing**
**up′ward** opwaarts
**up′wards** opwaarts, boontoe; *pupils of seven and ~* leerlinge van sewe jaar en daarbo
**uran′ium** uraan; ~ **enrich′ment** uraanverry= king
**ur′ban** (a) stedelik, stads=; ~ **ter′rorism** stede= like terreur; ~ **trans′port** stedelike vervoer
**ur′banise** (v) verstedelik
**urge** (n) aandrang; **sex′ual** ~ geslagsdrang; (v) aandring, aanspoor; aanpor
**ur′gent** (a) dringend, spoedeisend; *an ~ mat= ter* 'n dringende saak
**ur′ine** urine/urien; pis, piepie
**us** ons
**u′sage** gebruik, gewoonte; behandeling
**use** (n) gebruik; nut; gewoonte; *it is no ~ talking* praat help tog nie; *put to good ~* goed benut; (v) gebruik; aanwend; *get ~d to* gewoond raak aan; ~**d car** gebruikte motor; ~**ful** nuttig, handig; ~**less** nutteloos; ~**r′friend′ly** (a) gebruikervriendelik
**ush′er** (n) plekaanwyser; deurwagter; (v) binnelei; ~ *in a new era* 'n nuwe tydvak inlui
**u′sual** gewoon(lik); gebruiklik; *as ~* soos ge= woonlik; ~**ly** gewoonlik
**u′sufruct** (n) vruggebruik
**uten′sil** (n) gereedskap; (kombuis)gerei
**u′terus** baarmoeder *also* **womb**
**util′ity** nut, nuttigheid; ~ **com′pany** nutsmaat= skappy
**u′tilise** (v) benut, gebruik, aanwend
**ut′most** uiterste, beste; *do one's ~* jou uiterste (bes) doen
**utt′er[1]** (v) uiter; uit; in omloop bring; **for′ging and ~ing** vervalsing en uitgifte
**utt′er[2]** (a) volkome, volslae, algeheel; ~ **mis′ery** die diepste ellende
**utt′erly** heeltemal, volkome *also* **whol′ly**
**utt′ermost** verste, uiterste
**u′vula** (n) kleintongetjie, uvula

# V

**va'cancy** (n) **..ies** vakature
**va'cant** (a) vakant, leeg; oop, onbeset; ~ **post** vakante pos; ~ **stare** wesenlose blik
**vacate'** (v) leeg maak; afstand doen van; ont= ruim
**vaca'tion** vakansie *also* **hol'iday**; vrye tyd; ~ **course** vakansiekursus
**vac'cinate** (v) inent, vaksineer
**vac'uum ..cua, -s** vakuum, lugleegte; ~ **cleaner** stofsuier; ~ **flask** koffiefles/termosfles
**vag'abond** (n) vagebond, swerwer *also* **ro'ver**
**vagi'na** (n) vagina, skede
**vag'rant** (n) rondloper, landloper; leeglêer
**vag'ue** vaag, onduidelik; *not the ~st notion* nie die flouste/vaagste benul nie
**vain** (a) ydel, verwaand; (te)vergeefs; *in ~* te= vergeefs
**valedic'tory** afskeids=; ~ **address'** afskeidsrede
**Val'entine's Day** Valentynsdag
**val'iant** dapper, moedig *also* **bold/brave**
**val'id** geldig, van krag; gegrond; ~ **rea'son** gegronde rede
**vall'ey** (n) laagte, vallei, dal; kloof
**val'uable** kosbaar, waardevol; **-s** (pl) kosbaar= hede
**valua'tion** waardering/waardasie; evaluering
**val'ue** (n) waarde, prys; *to the ~ of* ter waarde van; ten bedrae van; (v) waardeer, skat; op prys stel; ~ **added tax (VAT)** belasting op toegevoegde waarde (BTW)
**valve** klep; radiolamp; ventiel (band)
**vam'pire** bloedsuier, vampier
**van** (n) bagasiewa; kondukteurswa (trein); be= stelwa; bakkie; **light deliv'ery ~ (LDV)** ligte bestelwa; **poli'ce ~** patrolliewa
**van'dal** vandaal (mens); **~ism** vandalisme
**van'guard** voorhoede, voorpunt
**vanill'a** vanielje/vanilla
**van'ish** (v) verdwyn, wegraak; wegsterf
**van'ity** ydelheid; skyn; ~ **case** smuktassie/ tooitassie; ~ **mir'ror** smukspieëltjie
**va'pour** (n) damp, wasem; (v) (ver)damp
**var'iable** (n) veranderlike(s); (a) veranderlik; onbestendig
**varia'tion** variasie; verskeidenheid
**va'ricose** (op)geswel; ~ **veins** spatare
**var'ied** verskeie, verskillend
**vari'ety ..ties** verskeidenheid, variëteit; ~ **con'cert** verskeidenheid(s)konsert
**var'ious** verskillend; verskeie
**varn'ish** (n) vernis; glans; (v) vernis
**vars'ity** (n) universiteit; (a) universiteits=
**va'ry** (v) verander, afwissel; *tastes ~* smaak verskil; **~ing** afwisselend
**vase** vaas, blompot
**vast** (a) groot, uitgestrek *also* **huge/spa'cious**
**vat** (n) vat, kuip
**vault** (n) (brand)kluis; (graf)kelder; (v) oor= spring; **~ing horse** bok, perd (gimn.)
**veal** kalfsvleis
**veg'etable** (n) groente; (pl) groente; (a) plant= aardig; ~ **king'dom** planteryk
**vegetar'ian** (n) vegetariër, groente-eter
**vegeta'tion** plantegroei; plantwêreld
**ve'hement** (a) vurig, hewig, heftig, driftig
**ve'hicle** (n) voertuig; vervoermiddel; medium
**veil** (n) sluier; masker; dekmantel; *take the ~* non word; *under the ~ of* onder die dek= mantel van; (v) omsluier; bewimpel
**vein** (n) aar; luim, gees; aanleg; trant; *in the same ~* in dieselfde gees/trant
**veld** veld; ~ **school** veldskool
**velo'city** snelheid, vinnigheid
**vel'skoen** (n) veldskoen
**vel'vet** (n) fluweel
**vendett'a** bloedwraak; (bloed)vete, vendetta
**ven'ding machi'ne** (n) muntoutomaat
**ven'dor** verkoper; smous *also* **haw'ker**
**veneer'** (n) fineer; (v) fineer; **~ed brick** glasuur= steen; **~ed door** fineerdeur
**ven'erable** (a) eerwaardig, eerbiedwaardig
**vener'eal** veneries; ~ **disea'se** geslagsiekte
**Vene'tian** (a) Venesiaans; ~ **blind** hortjie(s)= blinding, hortjie(s)blinder
**ven'geance** (n) (weer)wraak; *with a ~* kwaai
**ven'ison** wildvleis, wildbraad
**ven'om** gif; venyn; **~ous** giftig; venynig
**vent** (n) opening, luggat; *give ~ to* uiting gee aan; (v) lug, uiting gee, uit
**ven'til** klep, ventiel; **~ate** lug gee, ventileer; **~a'tion** ventilasie, lugverversing
**ventril'oquist** buikspreker (mens)
**ven'ture** (n) onderneming, waagstuk; (v) waag; ~ *an opinion* 'n mening waag
**ven'ue** plek, vergaderplek; sentrum
**veran'da** veranda, (oordekte) stoep *also* **pat'io**

**verb** werkwoord
**ver'bal** (werk)woordelik; mondeling, verbaal; ~ **transla'tion** letterlike vertaling
**verben'a -s** verbena, ysterkruid (blom)
**ver'dict** (n) uitspraak, vonnis; bevinding
**verge** (n) rand, grens; staf
**ve'rify** (v) ondersoek, toets, tjek, verifieer; moniteer/monitor; bekragtig
**verm'in** (n) ongedierte, goggas; gespuis
**vernac'ular** (n) landstaal, volkstaal, spreek= taal; (a) inheems *also* **indi'genous**
**vers'atile** veelsydig; alsydig
**verse** (n) vers, versreël, poësie, gedig; koeplet; **blank** ~ rymlose verse
**ver'sion** (n) weergawe, bewerking; vertolking
**vers'us** teen/teenoor, versus
**vert'ebral** werwel=; ~ **col'umn** ruggraat
**ver'tical** (a) regop, vertikaal, loodreg
**ver'vet mon'key** blouaap/blouapie
**ve'ry** (a) eg, waar, opreg, werklik; *the ~ thing* net die regte ding; (adv) baie, regtig, erg, uiters; *the ~ best* die allerbeste
**ves'per** aand; aandster; aandgebed
**vess'el** vat; vaartuig/skip; kom, kruik
**vest**[1] (n) onderhemp; frokkie; onderbaadjie
**vest**[2] (v) beklee; toevertrou; ~ *with power* met mag/bevoegdheid beklee
**vest'ed** bestaande; ~ **in'terests** gevestigde be= lange
**ves'tibule** (voor)portaal, vestibule *also* **foy'er**
**ves'try ..tries** konsistoriekamer; sakristie
**vet'eran** (n) veteraan, oudgediende, oudstry= der *also* **old-ti'mer**; ringkop; (a) oud, be= proef; ~ **car** noagmotor, veteraanmotor
**veterinar'ian** (n) veearts, dierearts *also* **vet**
**vet'erinary** veeartsenykundig, veeartseny=; ~ **clin'ic** diereklinicik; ~ **sur'geon** veearts
**ve'to** (n) **-es** verbod, veto; (v) veto
**vi'a** oor, via
**viabil'ity** lewensvatbaarheid; ~ **stu'dy** lewens= vatbaarheidstudie/haalbaarheidstudie *also* **feasibi'lity stu'dy**
**vi'able** lewensvatbaar, ekonomies uitvoerbaar; haalbaar *also* **fea'sible**
**vi'be** (n) aanvoeling, atmosfeer (tussen mense)
**vibra'tion** trilling; slingering; vibrasie
**vic'ar** vikaris; predikant; ~**age** pastorie
**vice**[1] (n) ondeug; fout, gebrek; onsedelikheid
**vice**[2] (n) skroef; (v) vasdraai; vasknel; ~ **grip** klemtang/kloutang
**vice**[3] (prep) in die plek van, vise=; onder=; ~**-chair'man** ondervoorsitter, visevoorsit= ter; ~**-chan'cellor** visekanselier; ~**-prin= cipal** viseprinsipaal, onderhoof; ~**roy** on= derkoning
**vice vers'a** vice versa, andersom, omgekeerd
**vicin'ity** (n) buurt; omgewing, omstreke
**vi'cious** (a) boosaardig, venynig; kwaai; ~ **an'imal** dierasie; ~ **cir'cle/spi'ral** bose kringloop, duiwelspiraal
**vic'tim** (n) slagoffer, prooi; ~**ise** viktimiseer
**vic'tor** oorwinnaar (mens) *also* **con'querer**
**vic'tory ..ries** oorwinning, sege
**vi'deo:** ~ **casset'te** videokasset; ~ **li'brary** videoteek; ~ **recor'der** video-opnemer; ~ **ta'pe** videoband
**view** (n) vergesig/vêrgesig; uitsig; mening/ beskouing; (v) kyk (TV); besigtig, beskou; ~**er** kyker (TV); ~**point** gesig(s)punt
**vi'gil** wag; **-s** nagwaak; *keep ~s* waak; ~**an'te** (n) hulpkonstabel; vigilante/burgerwaker
**vig'orous** (a) kragtig, sterk; gespierd
**vill'age** dorp; ~**r** dorpeling/dorpenaar
**vil'lain** skurk, booswig (mens)
**vim** (n) fut, pit, oemf, vitaliteit, woema
**vindic'tive** wraakgierig, wraaksugtig
**vine** wingerdstok, wynstok; ~ **cul'ture** wyn= bou *see* **vi'ticulture**
**vin'egar** (n) asyn; (a) asyn=, asynsuur=
**vine'yard** wingerd (druiwe)
**vin'tage** (n) wynjaar; (a) uitstekend; oud; ~ **car** veteraanmotor, toekamotor, noagmotor; ~ **year** oesjaar
**vio'la**[1] **-s** altviool, viola
**vio'la**[2] somerviooltjie; (klein) gesiggie (blom)
**vi'olate** (v) skend, oortree; verkrag; onthei= lig
**vi'olence** (n) geweld, geweldpleging; *die by ~* 'n gewelddadige dood sterf; **contin'uing** ~ voortslepende geweld
**vi'olent** geweldig, verskriklik; gewelddadig
**vi'olet** (n) viooltjie; (a) perskleurig
**violin'** viool; ~**ist** violis, vioolspeler
**vi'per** (n) adder (slang)
**virag'o -s** mannetjiesvrou; tierwyfie *also* **bitch'= y woman**
**vir'gin** (n) maagd *also* **mai'den**; (a) maagde= lik; ongerep, suiwer; ~ **fo'rest** ongerepte (oer)woud
**vir'ile** manlik, manhaftig; gespierd, viriel
**virt'ual** wesenlik, werklik, feitlik, eintlik; *he is ~ly broke* hy is feitlik bankrot; ~ **real'ity** virtuele werklikheid; skynwerklikheid (rek.)
**vir'tue** (n) deug; krag; kuisheid; *by ~ of* krag=

tens; *of easy* ~ los van sedes
**vi'rus** gif, smetstof; virus; bitsigheid
**vi'sa** (n) visum; ondertekening
**viscos'ity** viskositeit, taaivloeibaarheid (van olie)
**vis'count** *(pron.* **vi'count**) burggraaf
**visibil'ity** sigbaarheid, sig
**vis'ible** sigbaar, duidelik, aanskoulik
**vis'ion** (n) gesig, visioen; visie, gesigskerpte
**vis'it** (n) besoek, kuier; *pay a* ~ besoek; (v) besoek, (gaan) kuier; ~**a'tion** beproewing, besoeking; ~**ing card** naamkaartjie, visite= kaartjie; ~**or** besoeker; kuiergas
**vis'ta** (n) uitsig, verskiet, vergesig/vêrgesig
**vis'ual** gesigs=, visueel; ~ **educa'tion** aan= skouingsonderwys; ~**ise** visualiseer
**vi'tal** lewensnoodsaaklik; beslissend/essensi= eel; *of* ~ *importance* van die (aller)hoogste belang
**vital'ity** lewenskrag, vitaliteit
**vit'amin** vitamine/vitamien
**vit'iculture** wynbou, wingerdbou
**viva'cious** (a) lewendig, lewenslustig, vrolik
**viv'id** duidelik, helder; ~ **imagina'tion** le= wendige/sterk verbeelding(skrag)
**vix'en** wyfiejakkals; feeks, helleveeg (vrou)
**vocab'ulary ..ries** woordeskat, taalskat
**voc'al** (n) klinker, vokaal; (a) stem=; ~ **cord** stemband; ~**ist** sanger
**voca'tion** (n) beroep/professie; ambag; roe= ping
**voca'tional** beroeps=, vak=; ~ **guidance/coun= selling** beroepsleiding; ~ **trai'ning** beroeps= opleiding, beroepsgerigte opleiding
**voet'sak!** (interj) voetsek! *also* **be off!**
**vogue** swang, mode *also* **cus'tom, fash'ion**
**voice** (n) stem, spraak; *active* ~ bedrywende vorm; *have no* ~ *in* geen seggenskap/in= spraak hê nie in; *passive* ~ lydende vorm; (v) uitspreek; ~ *my opinion* my mening lug
**void** (n) leegte, gaping; (a) leeg; *declare* ~ nietig verklaar; *null and* ~ van nul en gener waarde
**vol'atile** vlugtig; ongedurig; opvlieënd; ~ **oil** vlugtige olie; ~ **salts** vlugsout
**volcan'ic** (a) vulkanies; ~ **erup'tion** vulkanie= se uitbarsting
**volcan'o** (n) **-es** vulkaan, vuurspuwende berg
**voll'ey** (n) **-s** sarsie, salvo; vlughou (tennis); ~**ball** vlugbal
**volt** volt; ~**age** stroomspanning
**vol'uble** woordryk *also* **talk'ative**; glad
**vol'ume** (n) boekdeel, bundel; grootte, om= vang, volume; *speak* ~*s* boekdele spreek
**vol'untary** (a) vrywillig; spontaan
**volunteer'** (n) vrywilliger; (v) vrywillig on= derneem; *he* ~*ed* hy het gevrywil
**vom'it** (v) braak, opgooi
**vote** (n) stem; stemreg; begrotingspos; *casting* ~ beslissende stem; ~ *of no-confidence* mosie van wantroue; *put to the* ~ tot stem= ming bring; (v) stem, stem uitbring; ~ *by ballot* per stembrief(ie) stem; ~**r** kieser, stemgeregtigde; ~**rs' roll** kieserslys
**vot'ing** stemming, stem(mery); ~ **pa'per** stembrief(ie)
**vouch** bevestig; instaan vir; ~ *for the truth of* instaan vir die waarheid van; ~**er** kwitansie; bewys, bewysstuk
**vow** (n) eed, gelofte; (v) 'n gelofte doen; sweer, plegtig beloof
**vow'el** (n) klinker, vokaal
**voy'age** (n) seereis, vaart; ~**r** seereisiger
**vul'gar** (a) plat, ordinêr, vulgêr; ~ **expres'sion** plat uitdrukking; ~ **frac'tion** gewone breuk; ~**ism** platheid; plat uitdrukking
**vul'nerable** (a) kwesbaar; wondbaar
**vul'ture** (n) aasvoël; uitsuier (mens)

# W

**wad** (n) pluisie, prop, watte; ~**ding** watte, ka= pok
**wa'ddle** (v) waggel, strompel
**wa'fer** wafel (koek); hostie; ouel
**wa'ffle** wafel; (v) gorrel (in eksamen)
**wag** (v) kwispel, swaai; *the dog* ~*s his tail* die hond kwispel
**wage**[1] (n) verdienste, loon, besoldiging; ~ **de= mand'** looneis; ~ **ear'ner** loontrekker, brood= winner; ~ **dispu'te** loongeskil
**wage**[2] (v) voer, maak; ~ *war* oorlog voer
**wa'ger** (n) weddenskap; *lay a* ~ 'n wedden= skap aangaan; (v) wed *also* **bet**
**wag'on** wa, bokwa; ~ **dri'ver** wadrywer; ~ **house** waenhuis; ~ **load** wavrag
**wag'tail** kwikstertjie/kwikkie (voël) *also* **Wil'=**

lie **Wag'tail**
**wail** (v) weeklaag, kerm; ~**ing wall** klaagmuur
**waist** middel; lyfie; ~**band** gordel, lyfband; ~**coat** onderbaadjie; ~ **cloth** lendedoek
**wait** (n) wagtyd; (v) vertoef; wag; ~ *a minute* wag 'n bietjie; ~ *one's turn* jou beurt afwag; ~**er** tafelbediende/kelner; ~**ing** (n) wag; opwagting; bediening; (a) wagtend; ~**ing list** waglys; ~**ing room** wagkamer
**waive** (v) laat vaar, afstand doen van, kwytskeld
**wake**[1] (n) kielwater; volgstroom
**wake**[2] (v) wakker word; wakker maak/wek
**walk** (n) wandeling; pas, gang; voetpad; *go for a* ~ gaan stap; (v) loop, wandel, stap; ~**er** stapper, wandelaar; ~**ie-tal'kie** loopgeselser, tweerigtingradio; ~**ing ring** loopring; ~**ing stick** wandelstok, kierie; ~**ing tour** wandeltog, staptoer; ~**o'ver** wegholoorwinning
**wall** (n) muur; wal; (v) ommuur
**wall clock** hangklok
**wal'let** (sak)portefeulje; knapsak; notetas
**wa'llop** (v) afransel, looi; ~**ing** (n) loesing
**wall:** ~**paper** plakpapier; ~**-to-**~ **car'pet** volvloermat; volvloertapyt
**wal'nut** okkerneut
**wal'rus** walrus (dier)
**waltz** (n) **-es** wals; (v) wals
**wand** (n) staf; **mag'ic** ~ towerstaf
**wan'der** dwaal, swerf; ronddool; yl; *his mind* ~*s* hy yl; ~**er** swerwer/swerfling; ~**lust** swerfsug/wanderlust
**wan'dering** (a) ronddwalend, swerwend; **W**~ **Jew** Wandelende Jood
**want** (n) gebrek, behoefte, armoede, skaarste; *for* ~ *of* by gebrek aan; (v) wil, wens, verlang
**war** (n) oorlog, stryd *also* **war'fare**; *declare* ~ oorlog verklaar; *make* ~ oorlog voer; **civ'il** ~ burgeroorlog; **cold** ~ senuoorlog, koue oorlog
**war'ble** (v) kweel, sing; ~**r** sangvoël
**ward** (n) wyk; saal, afdeling (hospitaal); (v) bewaak; beskerm, beskut; ~ *off* afweer
**war:** ~ **cry** oorlogskreet/strydkreet; ~ **dance** krygsdans; ~ **debt** oorlogskuld
**war'den** hoof, opsigter; voog; bewaarder
**war'der** bewaarder (gevangenis), korrektiewe beampte; sipier
**ward'robe** klerekas; klere *also* **out'fit**
**ware** (n) ware, goed; (pl) koopware
**ware'house** (n) pakhuis; loods; (v) (op)berg
**war'lord** (n) krygsheer, strydleier
**warm** (v) warm maak, verwarm; (a) warm; innig, hartlik; *a* ~ *reception* 'n hartlike ontvangs; ~**-bloo'ded** warmbloedig; ~**-hear'ted** hartlik; ~**th** warmte; geesdrif
**warn** (v) waarsku, vermaan; ~**ing** waarskuwing; aanmaning; ~**ing light** kliklig(gie)
**warp** (n) skering (draad); ~ **and woof** skering en inslag; (v) kromtrek, skeeftrek
**wa'rrant** (n) volmag; lasbrief, magtiging; (v) vrywaar; waarborg; magtig; wettig; ~**ee'** gevolmagtigde; ~**er/**~**or** borg, waarborger; volmaggewer; ~ **of'ficer** adjudant-offisier; ~**y** volmag; waarborg/garansie
**wa'rrior** krygsman/kryger; vegsman
**wart** vratjie; knoes, kwas
**wart'hog** vlakvark (dier)
**wa'ry** (a) behoedsaam, versigtig *also* **cau'tious**
**wash** (n) wasgoed; (v) (uit)was; spoel; afspoel; ~ *one's dirty linen in public* onenigheid in die openbaar uitmaak; ~*ed out* pootuit; ~**ba'sin** waskom; ~**er** wasser/waster (ring); ~**ing machi'ne** wasmasjien; ~**ing pow'der** waspoeier; ~**stand** wastafel; ~**tub** wasbalie
**wasp** wesp, perdeby
**wast'age** verkwisting, vermorsing, verspilling; afval; slytasie
**waste**[1] (n) verkwisting; afval; oorskiet; **atom'ic** ~ kernafval; (v) weggooi, verkwis, mors; ~ *time* tyd verspil; ~ *not, want not* wie spaar, vergaar
**waste**[2] (a) verlate; ongebruik; woes, onbebou
**waste:** ~**ful** verkwistend; ~**pa'per** skeurpapier; ~**paper bas'ket** snippermandjie; ~**pipe** afvoerpyp
**watch** (n) **-es** horlosie/oorlosie; wag; waaksaamheid; (v) waghou; oplet; bewaak; ~**dog** waghond; ~**ful** waaksaam; ~ **hand** horlosiewyser; ~**ma'ker** horlosiemaker; ~**tow'er** wagtoring; ~**word** wagwoord
**wa'ter** (n) water; (v) water gee, natmaak/natlei; water (oë); laat suip (dier); ~ *down* verdun, verwater; ~**buck** waterbok; ~ **chute** glygeut; ~**col'our** waterverf; ~ **divi'ner** waterwyser *also* **dow'ser** (person); ~**fall** waterval; ~**foun'tain** spuitfontein *also* **leap'ing fountain**; ~**ing can** gieter; ~ **lev'el** waterpas *also* **spir'it level**; ~**mel'on** waatlemoen; ~**proof** (n) reënjas; (a) waterdig; ~ **resis'tant** waterwerend;

~**spout** waterhoos; ~**shed** waterskeiding; ~**tight** waterdig; ~**y** pap, waterig; laf
**wat'tle** looibasboom, wattelboom; ~**-and-daub hut** hartbeeshuisie
**wave** (n) golf, brander; wuif; *permanent* ~ vasgolf, permanente karteling; (v) golf; waai, wuif; ~**length** golflengte
**wa'ver** (v) weifel, aarsel *also* **hes'itate**
**wax**[1] (n) was; byewas; lak; (v) opvryf, waks
**wax**[2] (v) was, groei (maan); ~**ing moon** wassende maan
**wax:** ~**bill** rooibekkie (voël); ~ **can'dle** waskers; ~ **doll** waspop; ~**en** wasagtig
**way** (n) **-s** weg, pad, rigting; manier; wyse; *by* ~ *of* by wyse van; *by the* ~ terloops; *in the family* ~ swanger; verwagtend; *get one's* ~ jou sin kry; ~**side** (n) die kant van die pad; (a) langs die pad; ~**ward** eiewys, eiesinnig *also* **head'strong**
**we** ons
**weak** (a) swak; flou, pap; ~**-hear'ted** weekhartig; ~**ling** swakkeling (mens); ~**ness** swakheid
**wealth** (n) rykdom *also* **af'fluence**; welvarendheid; ~**y** welgesteld, ryk, vermoënd
**wean** (v) speen; afleer, afwen
**wea'pon** (n) wapen; ~**ry** wapentuig
**wear** (n) drag; slytasie; *fair* ~ *and tear* billike slytasie; (v) dra; ~**er** draer; ~**ied** vermoeid; ~**iness** moegheid, vermoeidheid; ~**isome** vervelig; vermoeiend *also* **exhaus'ting**; ~**y** (a) vermoeid/tam; afmattend
**weas'el** wesel (diertjie)
**wea'ther**[1] (n) weer; ~ *permitting* as die weer goed is
**wea'ther**[2] (v) deurstaan; verweer, verkrummel; ~ *the storm* die storm deurstaan
**wea'ther:** ~ **bureau'** weerburo; ~**cock** weerhaan; ~ **fore'cast** weervoorspelling; ~ **glass** weerglas, barometer
**weave** (v) weef; vleg; ~**r** wewer; ~**r bird** wewervoël, vink
**wea'ving** weef/wewery
**web** web, spinnerak; ~**foot** swempoot
**web'site** (n) webtuiste/webblad (rek.)
**wed** (v) trou *also* **mar'ry**; verenig
**wedd'ed** getroud; ~ **life** getroude lewe
**wedd'ing** (n) bruilof, troue; huwelik *also* **mar'riage**; ~ **cake** bruidskoek; ~ **card** troukaart(jie); ~ **day** troudag; ~ **recep'tion** huweliksonthaal; ~ **ring** trouring
**wedge** (n) wig, keil; punt; *the thin end of the* ~ die skerp kant van die wig
**wed'lock** huwelik, eg; *born out of* ~ buite-egtelik gebore *see* **illegit'imate child**
**Wed'nesday** Woensdag
**wee** baie klein; *a* ~ *bit* 'n baie klein bietjie
**weed** (n) onkruid, vuilgoed; *ill* ~*s grow apace* onkruid vergaan nie; (v) skoffel, skoonmaak; ~ *out* uitroei, suiwer; ~**-eat'er** randsnyer/randsnoeier; ~**kil'ler** onkruiddoder *also* **herb'icide**
**week** week; *this day* ~ vandag oor 'n week; ~**day** werkdag, weekdag; ~**end** naweek; ~**ly** (n) weekblad; (a) weekliks
**weep** (v) huil, ween *also* **cry**; treur; ~ *for joy* van vreugde huil; ~**ing** (a) huilend; ~**ing wil'low** treurwilg(er)
**weev'il** kalander
**weigh** (v) weeg; oorweeg; bedink
**weight** (n) gewig/massa; swaarte; *pick up* ~ vet word; (v) beswaar; ~**lif'ter** kragopteller/gewigopteller; ~**y** swaar; gewigtig; gesaghebbend
**weir** (n) stuwal; studam, keerwal
**weird** (a) eienaardig; spookagtig; bonatuurlik
**wel'come** (n) welkom, verwelkoming; *bid one* ~ iem. welkom heet; ~ *home* welkom tuis; (v) verwelkom, welkom heet; (a) welkom
**weld** (v) sweis; ~**ing rod** sweisstaaf
**wel'fare** welsyn; welvaart, voorspoed; ~ **work** maatskaplike werk; welsynswerk
**well**[1] (n) put, bron; fontein
**well**[2] (n) die goeie; *wish someone* ~ iem. die beste toewens; (a) wel; gesond; *get* ~ beter word; (adv) goed; terdeë; *be* ~ *aware* ten volle bewus wees; ~ *done!* goed so!; *be* ~ *off* welgesteld wees; *very* ~ goed
**well**[3] (interj) wel
**well:** ~**-beha'ved** fatsoenlik; ~**be'ing** welstand; welsyn; ~**bred** goed opgevoed; volbloed; ~**do'er** weldoener *also* **benefac'tor**; ~**-infor'med** goed ingelig; ~**-man'nered** welgemanierd; ~ **off** welgesteld; ~**-read** belese; ~**-spo'ken** wel ter tale; ~**-to-do** welgesteld/welaf, gegoed
**Welsh** (n) Wallies (taal); ~**man** Wallieser; ~ **ra'rebit** kaasroosterbrood
**wel'ter** (n) beroering; harwar; (v) slinger, rol, wentel; ~**weight** weltergewig (boks)
**wench** (n) meisie(mens), vroumens; slet
**wend** (v) gaan, jou begeef
**were'wolf ..wolves** weerwolf
**west** (n) in die weste; (a) weste-, westelik;

(adv) na die weste, wes; *go* ~ bokveld toe gaan; ~**erly** westelik; **W~ern Cape** (provinsie) Wes-Kaap; **W~ernise** (v) verwester(s); ~**ward** weswaarts
**wet** (n) nattigheid; (v) natmaak; bevogtig; ~ *the roof* huisinwyding vier; (a) nat, vogtig; klam; ~ **blan′ket** remskoen, pretbederwer; **drip′ping** ~ papnat/sopnat; ~**bike** waterponie
**weth′er** hamel (skaap)
**whack** (n) slag; deel; (v) slaan, moker
**whale** (n) walvis; ~**bone** balein; ~ **oil** walvistraan; ~**r** walvisvaarder (skip)
**wharf** (n) kaai *also* **quay**, **jet′ty**; (v) vasmeer
**what** (a) wat, watter; (pron) wat; hoe; *come* ~ *may* wat ook al gebeur; *so* ~ *?* en wat daarvan?; (adv) hè?; nè?
**whatev′er** wat ook al; *nothing* ~ niks hoegenaamd nie
**wheat** koring; ~ **flour** meelblom
**wheel** (n) wiel, rat; (v) draai, rol; ~ *round* swenk; ~ **align′ment** wielsporing; ~**bar′row** kruiwa; ~ **cap** wieldop; ~**chair** rolstoel; ~**wright** wamaker
**when** (adv, conj) wanneer; toe
**whence** waarvandaan; vanwaar
**whene′er′/whenev′er/whensoev′er** wanneer ook al
**where** (n) wanneer; (pron) waarheen, waarvandaan; (adv) waar; waarheen/waarnatoe, waarso; ~**about(s)** (n) verblyfplek; adres; (a) waaromtrent; waar; ~**as′** aangesien, daar; ~**by′** waardeur, waarby; ~**fore** waarom; ~**of′** waarvan; ~**on′** waarop; ~**to′** waarby, waarnatoe; ~**upon′** waarop
**wher′ever** waar ook al
**whet** (v) slyp; (op)wek (eetlus); prikkel
**wheth′er** (pron) watter van twee; (conj) hetsy; of; ~ *we go or not* of ons nou gaan al dan nie
**whey** (n) wei, dikmelkwater
**which** watter, wie, wat; ~**e′ver,** ~**soev′er** wat/watter ook (al)
**while**[1] (n) rukkie; *after a* ~ kort daarna/daarop; *once in a* ~ af en toe
**while**[2] (conj) terwyl, onderwyl, solank as
**whim** (n) gril, nuk, gier, frats
**whim′per** (v) kerm, kreun; sanik, grens
**whim′sical** (a) wispelturig, vol nukke/fiemies
**whine** (v) kerm, tjank, grens
**whip** (n) sweep, peits; karwats; sweep (parlement); (v) slaan, piets, raps; ~**-handle** sweepstok; ~**lash** voorslag
**whipped′ cream** slagroom
**whipp′et** windhond/renhond
**whipp′ing** pak slae, loesing *also* **beat′ing**; ~ **bag** slaansak; ~ **boy** sondebok *also* **scape′goat**
**whirl** (v) dwarrel, draai; maal (water); ~**pool** draaikolk, maalstroom; ~**wind** (n) (d)warrelwind; windhoos
**whisk** (n) stoffer; eierklitser; (v) rondfladder; klits, klop; ~ *away* vinnig wegvoer
**whis′ker** wangbaard; bak(ke)baard
**whis′per** (n) gefluister; geritsel; (v) fluister
**whis′tle** (n) gefluit; *wet one's* ~ 'n dop steek; (v) fluit
**white** (n) wit; blank; blanke/wit man; (a) wit; bleek; blank; ~ **lie** noodleuen; ~ **ant** rysmier; ~**-col′lar crime** handelsmisdaad; ~**wash** (n) witsel, witkalk; (v) wit, afwit
**whit′low** fyt; omloop
**whiz** (v) sis, gons, fluit; ~**kid** jong ster/uitblinker/genie
**who** wie, wat; ~**dunn′it** speurverhaal; ~**ev′er/**~**soev′er** wie ook (al)
**whole** (n) geheel; alles; totaal; *on the* ~ oor/in die algemeen; (a) heel; volkome; ~**-heart′ed** hartlik, opreg: *I agree with you* ~*-heartedly* ek stem volmondig/volkome met jou saam
**whole′sale** (n) groothandel; (a) groothandel-; (adv) op groot skaal; ~ **dea′ler** groothandelaar; ~ **pri′ces** groothandelpryse
**whole′some** (a) gesond, voedsaam
**whole′wheat** volgraan, volkoring
**wholl′y** heeltemal, volkome
**whom** wat, vir wie; ~**ev′er/**~**soev′er** wie ook (al)
**whoop** optrek (by kinkhoes); ~**ing cough** kinkhoes
**whop** (v) oorwin; verslaan; ~**per** deeglike loesing; 'n groot leuen
**whore** hoer, prostituut *also* **pros′titute, hook′er**
**whose** wie s'n, wie se, van wie
**why:** *go into the* ~*s and wherefores* alle besonderhede wil weet; (adv) hoekom, waarom
**wick** pit (van lamp of kers)
**wick′ed** (a) goddeloos, sondig, sleg, boos; onnutsig, ondeund
**wick′er** riet; rottang; ~ **chair** rottangstoel; ~ **cra′dle** biesiewieg; ~ **work** rottangwerk
**wick′et** deurtjie; paaltjie (krieket); baan;

~**kee'per** paaltjiewagter
**wide** (a, adv) wyd, breed, ruim; *a ~ difference* 'n hemelsbreë verskil; **~-awa'ke** wawyd wakker; uitgeslape; ~ **know'ledge** breë kennis; ~**spread** uitgebrei; wyd versprei
**wid'ow** (n) weduwee, weduvrou; ~**er** wewenaar; ~**'s weeds** rouklere
**width** (n) wydte; breedte; uitgestrektheid
**wield** (v) hanteer; swaai; ~ *the sceptre* die septer swaai
**wife wives** vrou, eggenote; ~ **bea'ter/bat'terer** vrou(e)slaner
**wig** pruik, vals hare *also* **hair'piece**
**wig'wam** Indiaanse tent/hut, wigwam
**wild** (n) wildernis, woesteny; (a, adv) wild, woes; onstuimig; *make a ~ guess* blindweg raai; *a ~-looking fellow* 'n wildewragtig; ~**cat** (n) wildekat; (a) onbesonne; ~**cat stri'ke** wilde/onwettige staking
**wil'debees** (n) wildebees *also* **gnu**
**wil'derness** wildernis, woesteny
**wild-goo'se cha'se** (n) dwase/onbesonne onderneming
**wild'life** natuurlewe; ~ **socie'ty** natuurlewevereniging
**wil'ful** (a) opsetlik; moedswillig; eiewys
**will**[1] (n) wil; wilskrag; wens; testament; (v) wil, begeer; bemaak (in testament)
**will**[2] (v) **would** sal; ~**ing** gewillig; bereid; ~**ingness** gewilligheid
**Will'ie Wink'ie** Klaas Vakie, Sandmannetjie
**will'ow** (n) wilg, wilgerboom
**will'power** wilskrag *also* **determina'tion**
**will'y-nill'y** noodgedwonge, teen wil en dank
**wilt** (v) kwyn, verwelk, verlep *also* **droop**
**wi'ly** (a) listig, geslepe, uitgeslape; oorlams
**wimp** (n) bleeksiel, papperd (mens)
**win** (n) oorwinning; (v) wen; verdien
**wince** (v) terugdeins; huiwer; ineenkrimp
**winch -es** windas; slinger; hystoestel
**wind**[1] (v) hys; slinger; draai, opwen; ~ *up* opwen (horlosie); likwideer
**wind**[2] (n) wind; lug; *find out how the ~ blows* die kat uit die boom kyk; (v) blaas; asem skep; ~**break** windskerm; ~**break'er** windjekker; ~**-chill fac'tor** aanvoeltemperatuur; ~**fall** buitekans; meevaller(tjie) *also* **bonan'za/jack'pot**; ~ **gauge** windmeter
**wind'ing** (a) kronkelend, draai=; ~ **stair'case** wenteltrap; ~**-up** likwidasie
**wind'mill** windmeul; windpomp
**win'dow** venster, raam; ~ **en'velope** ruitkoevert/vensterkoevert; ~ **pa'ne** vensterruit; ~ **shop'ping** kuierkoop, loerkoop; ~ **shut'ter** hortjie(s); ~ **sill** vensterbank
**wind:** ~ **resis'tance** windweerstand; ~**screen** voorruit (kar); ~**screen wi'per** ruitveër; ~ **surf'ing** seilplankry; ~**y** winderig; windmakerig; ydel (mens)
**wine** wyn, kromhoutsap; ~ **bib'ber** wynvlieg, drinkebroer (mens); ~**glass** wynkelkie, wynglas; ~**ry** wynkelder; ~ **tas'ting** wynproe(wery)
**wing** (n) vlerk (voël); vleuel; *clip one's ~s* iem. kortwiek; ~**span** vlerkwydte
**wink** (n) (oog)wink; knipogie; *for'ty ~s* dutjie; (v) wink; ~ *at* knik vir
**winn'er** (n) wenner, oorwinnaar
**winn'ing** (a) wen=; innemend (geaardheid); *the ~ side* die wenkant; ~ **post** wenpaal; ~ **shot** kishou (sport)
**win'some** (a) bevallig, bekoorlik *also* **hand'some, attrac'tive**
**win'ter** (n) winter; (v) oorwinter; ~ **sports** wintersport
**win'try** (a) winteragtig; koud, ysig (weer)
**wipe** (v) afvee, afdroog; ~ *one's eyes* jou oë afvee/uitvee; ~ *out* uitwis *also* **exter'minate**
**wire** (n) draad; **bar'bed** ~ doringdraad; **live** ~ wakker/lewendige mens; (v) bedraad; ~**cut'ter** draadtang; ~**dan'cer** koorddanser; ~**less** draadloos *also* **ra'dio**; ~ **net'ting** sifdraad, ogiesdraad; ~**pul'ler** draadtrekker; konkelaar (mens)
**wis'dom** (n) wysheid, verstand; ~ **tooth** verstand(s)kies/verstand(s)tand
**wise**[1] (n) manier, wyse *also* **man'ner**; *in this ~* op hierdie manier
**wise**[2] (a) verstandig, wys; raadsaam; *nobody would have been the ~r* daar sou geen haan na gekraai het nie; ~**acre** wysneus, beterweter *also* **know-all** (person)
**wish** (n) wens, begeerte; *good ~es* beste wense; (v) wens, begeer; ~ *one well* iem. die beste toewens; ~**bone/~ing bone** geluksbeentjie
**wish'ful:** ~ **think'ing** wensdenkery
**wish'ing well** (n) wensput
**wistar'ia** bloureent, wistaria (blom)
**wit** (n) geestigheid; vernuf; verstand; **rea'dy** ~ gevatheid *see* **wit'ty**
**witch -es** (n) (tower)heks, towenares; (v) toor, beheks; ~**craft** toordery; ~**doc'tor** toordokter
**with** met, saam (met); *put up ~* verdra;

*tremble ~ fear* bewe van angs
**withdraw′** (v) terugtrek; herroep; *~ from the match* hom onttrek aan die wedstryd; **~al** opvraging; terugtrekking; **~al slip** opvrastrokie; **~al symp′tom** onttrek(king)simptoom; **~n** (a) teruggetrokke
**with′er** (v) verwelk, verlep; kwyn; uitdor
**withhold′** (v) terughou, weerhou
**with-it** byderwets/bydertyds *also* **tren′dy**
**without′** (adv) buitekant; *do ~* sonder klaarkom; (prep) sonder, buite; *~ doubt* ongetwyfeld
**withstand′** weerstaan *also* **endu′re**
**wit′ness** (n) **-es** getuie (mens); getuienis; (v) sien; getuig; ~ **box** getuiebank
**wit:** **~ticism′** kwinkslag; **~tingly** opsetlik; **~ty** (a) geestig, gevat; snedig
**wiz′ard** towenaar; kulkunstenaar
**woe** (n) wee, ellende, ramp
**wolf wolves** wolf; **~call/whis′tle** roepfluit
**wo′man** (n) vrou; vroumens; (a) vroue=; ~ **doc′tor** dokteres; ~ **ha′ter** vrouehater; **~iser** rokjagter *also* **la′dykiller**; **~ly** vroulik; ~ **pow′er** vrouekrag *also* **fem′power**
**womb** (n) baarmoeder, moederskoot, uterus
**wom′en's:** ~ **lib(erty)** vrouevryheid; ~ **res′idence** dameskoshuis
**won′der** (n) wonder, wonderwerk; *work ~s* wondere verrig; (v) wonder; **~ful** wonderlik; verbasend; **~land** towerland
**woo** (v) die hof maak *also* **court**; (v) flikflooi
**wood** (n) bos, woud; (pl) bosse; **~bine** kanferfoelie; **~car′ving** houtsnykuns; **~cock** houtsnip; **~cut** houtsnee; **~cut′ter** houtkapper; **~ed** bosryk; **~en** van hout; houterig; ~ **nymph** bosnimf; **~peck′er** houtkapper/speg (voël); **~pig′eon** bosduif; **~work** houtwerk; **~y** bosryk
**wool** (n) wol; wolgoed; **~gro′wer** skaapboer/wolboer; **~len** van wol, wol=; **~len blan′ket** wolkombers; **~ly** wollerig; **~pack** wolbaal; **~shears** skaapskêr; **~trade** wolhandel; wolbedryf
**word** (n) woord; berig/tyding; *too funny for ~s* baie snaaks; *~ of honour* erewoord; *in other ~s* met ander woorde; **~ing** bewoording; **~-per′fect** rolvas; **~play** woordspeling; ~ **pro′cessor** woordverwerker/teksverwerker; ~ **split′ting** haarklowery
**work** (n) werk, arbeid; (pl) fabriek, werkplek; (v) werk, arbei; *~ together* saamwerk; **~ahol′ic** werkolis, werkslaaf; **~box** werkkissie; **~day** werkdag; **~er** werker, arbeider
**Wor′kers' Day** Werkersdag (vakansie)
**work′ing** (n) bewerking; beheer; (a) werkend; ~ **cap′ital** bedryfskapitaal; ~ **hours** werkure; ~ **know′ledge** gangbare kennis
**work:** **~man** werk(s)man; **~manship** vakmanskap; ~ **ses′sion** werksitting, werksessie; **~shop** werksessie, werkwinkel, slypskool/slypsessie; werklokaal; ~ **shy** werksku, lui
**world** wêreld; *all the ~ is a stage* die wêreld is 'n speeltoneel; **~ling** wêreldling; **~ly** wêrelds; **~wide** wêreldwyd *also* **glo′bal**; **~wide web** wêreldwye web (rek.)
**worm** (n) wurm; ruspe(r); (v) kruip; wurm
**worn** afgeleef, verslyt *see* **wear**
**wo′rry** (n) **worries** kwelling, bekommernis, sorg; (v) kwel, pla, lol; *~ oneself to death* jou doodkwel; ~ **beads** kommerkrale
**worse** (n) ergste, slegste; (a, adv) *from bad to ~* van kwaad tot erger; *for better and for ~* in lief en leed
**wor′ship** (n) aanbidding, verering; godsdiens; **His W~ the May′or** Sy Edelagbare die Burgemeester; (v) aanbid, vereer, dien; verafgo(o)d; *~ the Lord* die Here aanbid; **~per** aanbidder, kerkganger
**worst** (n) ergste; (a) ergste, slegste
**worth** (n) waarde, prys; (a) werd; nie die moeite werd nie **~less** waardeloos; **~while** (a) waardevol, lonend, verdienstelik; *not ~while*
**wor′thy** eerbaar, (agtens)waardig
**would** wou *see* **will**; *he ~ like to know* hy wil graag weet; **~-be** kastig, sogenaamd
**wound** (n) wond, besering, seerplek; (v) wond, verwond, kwes; grief; **~ed** gekwes; gewond; **~ed sol′dier** gewonde soldaat
**wra′ngle** (n) twis, rusie; (v) twis; **~r** rusiemaker, skoorsoeker *also* **trou′blemaker**
**wrap** (n) (om)hulsel; omslag; tjalie, serp, halsdoek; (v) inwikkel, inrol; *~ped in paper* in papier toegedraai; **~per** omslag; **~ping** omhulsel, omslag; **~ping pa′per** toedraaipapier; **gift** ~ geskenkpapier
**wrath** (n) gramskap, toorn *also* **an′ger, rage**
**wreath** (n) krans (begrafnis); vlegwerk
**wreck** (n) wrak; gestrande skip; *go to ~ and ruin* te gronde gaan; (v) strand; verongeluk; **~ed sai′lors** skipbreukelinge; **~age** wrakstukke
**wren** winterkoninkie (voël)
**wrench** skroefsleutel *also* **shif′ting span′ner**
**wres′tle** (v) worstel, stoei; **~r** stoeier

**wres'tling** (n) stoei, worsteling; **all-in** ~ rofstoei; **arm** ~ armdruk *also* **In'dian** ~; **profes'sional** ~ beroepstoei; ~ **ring** stoeikryt
**wretch** (n) ellendeling; skurk; ~**ed** (a) ellendig/vervlakste/vervloekste/armsalig *also* **forlorn', pathet'ic**
**wrig'gle** (v) woel, kronkel, kriewel
**wring** (v): ~ *the neck of* die nek omdraai
**wri'nkle** (n) rimpel, plooi; ~**d** gerimpel
**wrist** (n) handgewrig, pols; ~**band** armband; ~ **guard** polsskerm; ~**watch** polshorlosie
**write** skryf, neerskryf, opskryf; ~ *a cheque* 'n tjek uitskryf; ~**r** skrywer, outeur; ~**r's cramp** skryfkramp; ~**-up** (n) volledige verslag/berig; opvyseling (deur 'n verslag/berig)
**writhe** (ineen)krimp, (ver)wring; ~ *with pain* krimp van die pyn
**wri'ting** skrif, geskrif; *in* ~ op skrif; ~ **desk/table** lessenaar, skryftafel; ~ **pad** skryfblok; ~ **pa'per** skryfpapier
**writt'en** geskrewe; skriftelik (eksamen)
**wrong** (n) onreg, oortreding; (a) verkeerd; *what is* ~ *?* wat makeer?; (adv) mis, verkeerd; ~**do'er** kwaaddoener *also* **e'vildoer**; ~**do'ing** oortreding; ~**ful** onwettig
**wrought** gevorm, bewerk; ~ **i'ron** smeeyster
**wry** (a) skeef, verdraai; *with a* ~ *smile* met 'n skewe glimlag

# X

**Xho'sa -s** Xhosa (mens, volksgroep); isiXhosa, Xhosa (taal)
**X'mas** Kersfees
**X'-ray** (n) **-s** X-straal, röntgenstraal
**xyl'ograph** (n) houtsnede, houtgravure
**xyl'ophone** (n) xilofoon, houtharmonika
**xyl'ose** (n) houtsuiker

# Y

**yacht** (n) (seil)jag; ~ **club** jagklub; ~**ing** seiljagvaart; ~ **ra'cing** seiljagwedvaart
**yam** broodwortel
**yap** blaf, kef; klets
**yard**[1] agterplaas, werf; ~**snea'ker** sluipslaper
**yard**[2] jaart, tree; ~ **mea'sure** duimstok
**yarn** (n) storie, grap; draad, garing
**yawn** (n) gaap; (v) gaap; ~**ing** gegaap
**year** jaar; *the* ~ *before last* voorverlede jaar; ~**book** jaarboek; ~**-end** jaareinde; ~**ling** jaaroud (dier); ~**ly** jaarliks
**yearn** (v) smag, hunker *also* **crave, long (for)**; ~**ing** (n) verlange; (a) verlangend
**yeast** suurdeeg; gis
**yell** (n) gil, angskreet; (v) gil, skree(u)
**yell'ow** geel; jaloers; agterdogtig; lafhartig; ~ **peach** geelperske; ~ **press** sensasiepers; ~**wood** geelhout
**yelp** (v) tjank, kef (hond)
**yes** ja: ~**-man** jabroer (mens)
**yes'terday** gister; *the day before* ~ eergister
**yet** (adv) nog; egter; nogtans, tog; ~ *he comes to school* tog kom hy skool toe
**yield** (n) opbrengs/opbrings; produksie; (v) (op)lewer; toegee (by pad); ~ *profit* wins oplewer/afwerp; ~ *to temptation* vir die versoeking/verleiding swig; ~**sign** toegeeteken/voorrangteken
**yod'el** (v) jodel (falset sing)
**yo'ga** joga, yoga (Indiese mistiek)
**yo'gi** jogi (volgeling van joga)
**yog'hurt** jogurt (soort suurmelk)
**yoke** (n) juk; band; skouerstuk; ~**pin/skey** jukskei *also* **juk'skei**
**yok'el** (n) takhaar, agtervelder, jável/jafel
**yolk** eiergeel, dooier
**you** jou; jy; julle; u (beleef); ~ *never can tell* 'n mens weet nooit nie
**young** (n) kleintjie; (a) jong, jeugdig; *her* ~ *man* haar kêrel/vryer; ~**ster** seun, jongeling
**your** u; jou; julle/jul
**yours** joue; julle s'n; van u; ~ *faithfully*

hoogagtend/hoogagtend die uwe; ~ *sincere-ly* opreg die uwe
**yourself′** jouself, uself
**Youth Day** Jeugdag (vakansie)
**youth** jeug; **-s** jeugdige (mens); jongkêrel; **~ful** jeugdig; jong/jonk; ~ **hostel** jeugherberg
**yo′-yo** (n) klimtol, jojo
**Yule** Kersfees *also* **Christ′mas**; **~tide** Kerstyd
**yup′pie** jappie; ~ **flu** jappiegriep *also* **chron′ic fati′gue syn′drome**

# Z

**zeal** (n) ywer, geesdrif
**zeal′ous** (a) ywerig, vurig, geesdriftig, vlytig
**zeb′ra** sebra, kwagga; ~ **cros′sing** sebraoor-gang; ~ **reflec′tor** sebrakaatser
**zen′ith** toppunt, hoogtepunt, senit
**zeph′yr** sefier, luggie, windjie
**zep′pelin** (n) lugskip, zeppelin
**zer′o -es** zero, nul; vriespunt
**zest** (n) smaak, gretigheid, genot; geesdrif; ~ *for life* lewensvreugde
**zig′zag** (n) sigsag(pad); kronkel(pad); (a) sig-sag-, slingerend, kwing-kwang
**Zimbab′we** Zimbabwe; **~an econ′omy** Zimbab-wiese ekonomie; **~an** Zimbabwiër (mens)
**zinc** sink; ~ **oint′ment** sinksalf
**zinn′ia** jakobregop (blom)
**zip** gerits; gegons; pit/fut; rits; ~ **fas′tener/~per** rits(sluiter), treksluiter; rit(s)sluiting
**zith′er** siter (musiekinstrument)
**zo′diac** diereriem (volgens sterre), sodiak
**zol** (n) (sl) daggasigaret; handgerolde sigaret; (v) steel, gaps
**zom′bi** (n) zombi, wandelende lyk
**zone** songordel; sone; landstreek
**zon′ing** streekindeling; sonering; **re~** hersonering
**zoo** (n) dieretuin
**zoolog′ical** dierkundig; diere-; ~ **gar′den** diere-tuin *also* **zoo**
**zool′ogy** dierkunde, soölogie
**zoom** zoem; ~ *away* zoem weg; ~ *in* zoem in; ~ **appara′tus** zoemer *see* **buz′zer**; ~ **lens** zoemlens/skuiflens
**Zu′lu -s** Zoeloe/Zulu (mens, volksgroep); isiZulu, Zoeloe/Zulu (taal)

# Abbreviations/Acronyms

## A

**a./adj.** adjective ☐ byvoeglike naamwoord **b.nw.**
@ at ☐ teen @
**AA**[1] Automobile Association ☐ Automobiel-Assosiasie **AA**
**AA**[2] Alcoholics Anonymous ☐ Alkoholiste-Anoniem **AA**
**AA**[3] affirmative/corrective action ☐ regstellende/herstellende optrede —
**AC/a.c.** alternating current ☐ wisselstroom **WS/ws.**
**a/c** account ☐ rekening **rek.**
**actg.** acting ☐ waarnemend(e) **wnd.**
**AD** *Anno Domini* (in the Year of our Lord) ☐ *Anno Domini* (in die jaar van ons Here); ná Christus **n.C./nC**
**ad.** advertisement ☐ advertensie **advt.**
**ad inf.** *ad infinitum* (to the infinite) ☐ *ad infinitum* (tot die oneindige) **ad inf.**
**adj.** adjective ☐ byvoeglike naamwoord **b.nw.**
**ad lib.** *ad libitum* (at pleasure) ☐ *ad libitum* (na goedvinde) **ad lib.**
**Adm.** Admiral ☐ admiraal **adm.**
**Admin.** Administration/Administrator ☐ administrasie/administrateur **admin.**
**Adv.** Advocate ☐ advokaat **adv.**
**adv.** adverb ☐ bywoord **bw.**
**Afr.** Afrikaans; Afrikaner; African ☐ Afrikaans; Afrikaner; Afrikaan **Afr.**
**AGM/agm** Annual General Meeting ☐ algemene jaarvergadering —
**AHI** — ☐ Afrikaanse Handelsinstituut **AHI**
**AI** artificial insemination ☐ kunsmatige inseminasie **KI**
**Aids** acquired immunodeficiency syndrome ☐ verworwe immuniteitgebreksindroom **vigs**
**ald(.)** alderman ☐ raadsheer **rdh(.)**
**alt.** altitude ☐ hoogte bo seespieël **h.b.s./hbs**
**a.m.** *ante meridiem* (before noon) ☐ *ante meridiem* (voormiddag) **vm.**
**ANC** African National Congress ☐ — **ANC**
**app.** appendix ☐ aanhangsel/bylae **aanh./byl.**
**appro.** approval ☐ op sig —
**Apr.** April ☐ April **Apr.**
**art.** article ☐ artikel **art.**
**ASA** Advertising Standards Authority ☐ Gesagvereniging vir Reklamestandaarde **GRS**
**asst.** assistant ☐ assistent **asst.**
**ATKV** — ☐ Afrikaanse Taal- en Kultuurvereniging **ATKV**
**ATM** automatic tellermachine ☐ outomatiese tellermasjien/kitsbank **OTM**
**Aug.** August ☐ Augustus **Aug.**
**AWB** — ☐ Afrikaner-Weerstandsbeweging **AWB**
**awol** absent without official leave ☐ afwesig sonder amptelike verlof **asav/awol**
**AWS** — ☐ Afrikaanse Woordelys en Spelreëls **AWS**
**AZAPO** Azanian People's Organisation ☐ — **AZAPO**

## B

**b.** born/née; bowled ☐ gebore; geboul **geb.**
**B.A.** *Baccalaureus Artium* (Bachelor of Arts) ☐ *Baccalaureus Artium* **B.A.**
**BBC** British Broadcasting Corporation ☐ — **BBC**
**BC** before Christ ☐ voor Christus **v.C./vC**
**B.Comm.** *Baccalaureus Commercii* (Bachelor of Commerce) ☐ *Baccalaureus Commercii* **B.Com.**
**Bd.** Boulevard ☐ boulevard **bd.**
**B.D.** *Baccalaureus Divinitatis* (Bachelor of Divinity) ☐ *Baccalaureus Divinitatis* **B.D.**
**B.Ed.** *Baccalaureus Educationis* (Bachelor of Education) ☐ *Baccalaureus Educationis* **B.Ed.**
**B.Mus.** *Baccalaureus Musicae* (Bachelor of Music) ☐ *Baccalaureus Musicae* **B.Mus.**
**bn** billion (1 000 million) ☐ miljard —
**B/P** bill payable ☐ betaalwissel **BW/bw**
**B/R** bill receivable ☐ ontvangwissel **OW/ow**
**Bros** Brothers ☐ gebroeders (firma) **gebrs.**
**B.Sc.** *Baccalaureus Scientiae* (Bachelor of Science) ☐ *Baccalaureus Scientiae* **B.Sc.**
**B.V.Sc.** *Baccalaureus Veterinariae Scientiae* (Bachelor of Veterinary Science) ☐ *Baccalaureus Veterinariae Scientiae* **B.V.Sc.**

## C

**C** Celsius/Centigrade □ Celsius **C**
**c** cent(s) □ sent **c**
**c/ca** *circa* (about) □ *circa* (ongeveer) **ca/ong.**
**CA** Chartered Accountant □ Geoktrooieerde Rekenmeester **GR**
**CA** Constitutional Assembly □ Grondwetgewende Vergadering **GV**
**CAI** computer aided instruction □ rekenaargesteunde onderrig/opleiding **RGO/RO**
**caps.** capital letters □ hoofletters **hfl.**
**car./ct.** carat □ karaat **kar.**
**CBD** central business district □ sakekern; sentrale sakegebied **SSG**
**CC** close corporation □ beslote korporasie **BK**
**cc** cubic centimetre(s) □ kubieke sentimeter **cc**
**cc** carbon copy □ afskrif aan **aa**
**CD** compact disc □ laserplaat/laserskyf **CD**
**CE** chief executive □ (senior) bestuurshoof, hoofbedryfsleier —
**CEO** Chief Executive Officer □ hoofbedryfsleier **HBL**
**cert.** certificate □ sertifikaat **sert.**
**cf./cp.** *confer* (compare) □ vergelyk **vgl./cf.**
**cg** centigram(s) □ sentigram **cg**
**CID** Criminal Investigation Department □ Speurdiens —
**CIS** Institute of Chartered Secretaries and Administrators □ Instituut van Geoktrooieerde Sekretarisse en Administrateurs **GIS**
**CIS** Commonwealth of Independent States (Russia) □ Gemenebes van Onafhanklike State (Rusland) **GOS**
**cℓ** centilitre(s) □ sentiliter **cℓ**
**clr** councillor □ raadslid **rdl**
**cm** centimetre(s) □ sentimeter **cm**
**Co** Company □ Kompanjie/Maatskappy **Kie./My.**
**c/o** care of □ per adres **p.a.**
**CO** Commanding Officer □ bevelvoerende offisier **BO**
**COD** cash on delivery □ kontant by aflewering **k.b.a.**
**comp.** computer (science) □ rekenaar(wetenskap) **rek.**
**conj.** conjunction □ voegwoord **voegw.**
**contd.** continued □ vervolg **verv.**
**Contralesa** Congress of traditional leaders of SA □ — **Contralesa**
**co-op** co-operative (society) □ koöperasie/ko-operasie **koöp./ko-op.**
**cor./cnr.** corner □ hoek van **h.v.**
**Cosas** Congress of SA Students □ — **Cosas**
**Cosatu** Congress of SA Trade Unions □ — **Cosatu**
**CP** Conservative Party □ Konserwatiewe Party **KP**
**Cr.** credit/creditor □ krediet/krediteur **kt./kr.**
**CSA** Christian Students' Association □ Christelike Studentevereniging **CSV**
**CSIR** Council for Scientific and Industrial Research □ Wetenskaplike en Nywerheidnavorsingsraad **WNNR**
**cu(b).** cubic □ kubiek(e) **kub.**
**CV** *Curriculum Vitae* □ *Curriculum Vitae* (lewensprofiel), biodata **CV**
**CWO/cwo** cash with order □ kontant met bestelling **k.m.b.**
**cwt** centiweight □ centiweight **cwt**

## D

**D** Roman 500 □ Romeinse 500 **D**
**d.** *denarius* (penny) □ *denarius* (pennie/dubbeltjie) **d.**
**Dalro** Dramatic, Artistic and Literary Rights Organisation □ Dramatiese, Artistieke en Letterkundige Regte-Organisasie **Dalro**
**DBSA** Development Bank of Southern Africa □ Ontwikkelingsbank van Suider-Afrika **OBSA**
**Dec.** December □ Desember **Des.**
**def.** definition □ definisie/bepaling **def./bep.**
**dept.** department □ departement **dept.**
**Dg** decagram(s) □ dekagram **Dg**
**dg** decigram(s) □ desigram **dg**
**DG** Director-General □ direkteur-generaal **DG**
**dict./lex.** dictionary □ woordeboek **wdb.**
**DIN** *Deutsche Industrie-Norm* (German Industrial Standard) □ Duitse Industrienorm **DIN**
**dip.** diploma □ diploma **dipl.**
**dist.** district □ distrik **distr.**
**div.** division □ afdeling **afd.**
**div.** dividend(s) □ dividend(e) **div.**
**DIY** do it yourself □ doen dit self **DDS**
**Dℓ** decalitre(s) □ dekaliter **Dℓ**
**dℓ** decilitre(s) □ desiliter **dℓ**
**Dm** decametre(s) □ dekameter **Dm**
**dm** decimetre(s) □ desimeter **dm**
**DMS** decoration for meritorious service □ dekorasie vir voortreflike diens **DVD**

**do.** *ditto* (the same) □ *ditto* (dieselfde) **do.**
**doz.** dozen □ dosyn **dos.**
**DP** Democratic Party □ Demokratiese Party **DP**
**Dr.** Drive □ rylaan/ryweg **rln(.)**
**Dr** Doctor □ doktor; dokter **dr(.)**
**Dr.** debtor □ debiteur **dr.**
**DRC** Dutch Reformed Church □ Nederduitse Gereformeerde Kerk **NGK**
**DTP** desktop publishing □ tafeltopdrukwerk **TTD/DTP**
**d.t./DT** delirium tremens □ delirium tremens (horries) **d.t./DT**
**DV** *Deo volente* (God willing) □ *Deo volente* (so die Here wil) **DV**
**dwt.** pennyweight □ pennyweight **dwt.**

### E

**EC** European Community *see* **EEC** □ Europese Gemeenskap **EG**
**ECG** electrocardiogram □ elektrokardiogram **EKG**
**ECU** European currency unit □ Europese geldeenheid **EGE**
**Ed.** Editor □ redakteur/redaksie **red.**
**ed.** edition □ druk/edisie/uitgawe **dr./ed.**
**EEC** European Economic Community □ Europese Ekonomiese Gemeenskap **EEG**
**E & OE** errors and omissions excepted □ foute en weglatings uitgesonder **F en WU**
**e.g.** *exempli gratia* (for example) □ byvoorbeeld **bv.**
**encl.** enclosure □ bylae **byl.**
**e-mail/email** electronic mail □ elektroniese pos **e-pos**
**Eskom** Electricity Supply Commission □ Elektrisiteitvoorsieningskommissie **Eskom**
**ESP** extrasensory perception □ buitesintuigelike waarneming **BSW**
**Esq.** Esquire □ Weledele Heer **Weled. Hr.**
**est.** established □ gestig/opgerig **gest.**
**et al.** *et alii* (and others) □ *et alii* (en ander(e)/en so meer) **e.a./e.s.m.**
**etc.** *et cetera* (and so forth) □ ensovoorts/en dergelike (dies) meer/en so meer **ens./e.d.m./e.s.m.**
**EU** European Union *see* **EC** □ Europese Unie **EU**
**exam.** examination □ eksamen **eks.**
**Exc.** Excellency □ Eksellensie **Eks.**
**ex off.** *ex officio* (by virtue of his office) □ *ex officio* (ampshalwe) **ex off.**

### F

**F** Fahrenheit □ **— F**
**FAK** — □ Federasie van Afrikaanse Kultuurverenigings **FAK**
**fax** facsimile □ faksimilee **faks**
**FBI** Federal Bureau of Investigation □ **— FBI**
**FCIS** Fellow of the Chartered Institute of Secretaries and Administrators □ Genoot van die Instituut van Geoktrooieerde Sekretarisse en Administrateurs **FCIS**
**FCS** Fellowship of the College of Surgeons □ Genootskap van die Kollege van Chirurge **GKC**
**Feb.** February □ Februarie **Feb.**
**FF** Freedom Front □ Vryheidsfront **VF**
**FM** frequency modulation □ frekwensiemodulasie **FM**
**Finrand** financial Rand □ finansiële Rand **Finrand**
**forex** foreign exchange □ buitelandse valuta —
**Frelimo** *Frente de Libertação de Moçambique* (Front for the Liberation of Mozambique) □ **— Frelimo**
**Fri.** Friday □ Vrydag **Vr.**
**FS** Free State □ Vrystaat **VS**
**ft.** foot, feet □ voet **vt.**

### G

**g** gram(s) □ gram **g**
**gal.** gallon(s) □ gelling/gallon **gell./gall.**
**Gasa** Gay Association of South Africa □ **— Gasa**
**Gen.** General □ generaal **genl.**
**geog.** geography □ aardrykskunde/geografie **Aard./Geogr.**
**geol.** geology □ aardkunde/geologie **Aardk./Geol.**
**geom.** geometry □ meetkunde **Meetk.**
**Glow** Gay and Lesbian Organisation □ **— Glow**
**GMT** Greenwich Mean Time □ Greenwichtyd **GT**
**GNU** Government of National Unity □ Regering van Nasionale Eenheid **RNE**
**GP** general/family practitioner □ huisarts/mediese praktisyn —
**gym.** gymnastics/gymnasium □ gimnastiek/gimnasium **gimn.**

## H

**ha** hectare(s) □ hektaar **ha**
**HDE** Higher Diploma in Education □ Hoër Onderwysdiploma **HOD**
**hg** hectogram(s) □ hektogram **hg**
**HH** Her Highness □ Haar Hoogheid **HH**
**His Hon.** His Honour □ Sy Edele/Edelagbare **S.Ed./S.Ed. Agb.**
**HIV** human immunosuppressive virus □ mens-like immuniteitsmorende virus **MIV/HIV**
**hℓ** hectolitre(s) □ hektoliter **hℓ**
**HM** His/Her Majesty □ Sy/Haar Majesteit **SM/HM**
**hm** hectometre(s) □ hektometer **hm**
**HNP** — □ Herstigte Nasionale Party **HNP**
**Hon.** Honourable □ Edelagbare/Edele **Agb./Ed.**
**Hon. Sec.** Honorary Secretary □ Eresekretaris **eresekr.**
**h.p.** horsepower □ perdekrag **pk**
**HSRC** Human Sciences Research Council □ Raad vir Geesteswetenskaplike Navorsing **RGN**

## I

**IBA** Independent Broadcasting Authority □ Onafhanklike Uitsaai-owerheid **OUO**
**ICU** intensive care unit □ waakeenheid/waak-saal, intensiewe sorgeenheid —
**ID** identity document □ identiteitsdokument **ID**
**IDC** Industrial Development Corporation □ Nywerheidontwikkelingskorporasie **NOK**
**i.e.** *id est* (that is) □ dit is; dit wil sê **d.i./d.w.s./dws**
**IEB** Independent Examinations Board □ Onafhanklike Eksamenraad **OER**
**IFP** Inkatha Freedom Party □ Inkatha Vry-heidsparty **IVP**
**illus.** illustrated □ geïllustreer **geïll.**
**IMF** International Monetary Fund □ Inter-nasionale Monetêre Fonds **IMF**
**in.** inch(es) □ duim **dm.**
**incl.** inclusive/including □ insluitende/inklu-sief **insl./inkl.**
**infra dig.** *infra dignitatem* (beneath one's dignity) □ *infra dignitatem* (benede sy waardigheid) **infra dig.**
**INMDC** Interim National Medical and Dental Council □ — **INMDC**
**inst.** instant (this month) □ deser **des.**
**interj.** interjection □ tussenwerpsel **tw.**
**inv.** invoice □ faktuur **fakt.**
**IOC** International Olympic Committee □ Internasionale Olimpiese Komitee **IOK**
**IOU** I owe you □ skuldbewys —
**IQ** intelligence quotient □ intelligensiekwo-siënt **IK**
**IRA** Irish Republican Army □ Ierse Repu-blikeinse Leër **IRL**
**i.r.o** in respect of □ ten aansien van **t.a.v.**
**ISBN** International Standard Book Number □ Internasionale Standaardboeknommer **ISBN**
**Iscor** (South African) Iron and Steel Corpora-tion □ — **Iscor**
**ital.** italics □ kursief **kurs.**

## J

**Jan.** January □ Januarie **Jan.**
**JP** Justice of the Peace □ Vrederegter **VR**
**JSE** Johannesburg Stock Exchange □ Johan-nesburgse Aandelebeurs **JA**
**Jul.** July □ Julie **Jul.**
**Jun.** June □ Junie **Jun.**
**jun.** *junior* (the younger) □ junior **jr.**

## K

**kg** kilogram(s) □ kilogram **kg**
**KGB** *Komitet Gosudarstvennoi Bezopasnosti* (Russian Secret Police) □ — (Russiese geheimpolisie) **KGB**
**kℓ** kilolitre(s) □ kiloliter **kℓ**
**km** kilometre(s) □ kilometer **km**
**km/h** kilometre per hour □ kilometer per uur **km/h**
**kW** kilowatt(s) □ kilowatt **kW**
**KWV** — □ Koöperatiewe Wynbouersvereni-ging **KWV**
**KZN** KwaZulu-Natal □ KwaZulu-Natal **KZN**

## L

ℓ litre(s) □ liter ℓ
**ℓ/100 km** litres per 100 km □ liter per 100 km **ℓ/100 km**
**L** Roman 50 □ Romeinse 50 **L**

**£** *librae* (pounds, money) □ *librae* (pond, geld) **£**
**lb** *libra(e)* (pound, weight) □ *libra(e)* (pond, gewig) **lb/pd.**
**l.b.w./lbw** leg before wicket □ been voor paaltjie(s) **b.v.p./bvp**
**LDV** light delivery van □ ligte afleweringswa **LAW/l.a.w.**
**LL.B.** *Legum Baccalareus* (Bachelor of Laws) □ *Legum Baccalareus* **LL.B.**
**LS** *Lectori Salutem* (the reader, hail) □ *Lectori Salutem* (heil die leser) **LS/H.d.L.**
**Ltd** Limited □ Beperk **Bpk**

## M

**m** metre(s) □ meter **m**
**m.** mile(s) □ myl **m.**
**M** Roman 1 000 □ Romeinse 1 000 **M**
**M.A.** *Magister Artium* (Master of Arts) □ *Magister Artium* **M.A.**
**Mar.** March □ Maart **Mrt.**
**Masa** Medical Association of SA □ Mediese Vereniging van SA **MVSA**
**MBA** Master's degree in Business Administration □ Magister in Bedryfsleiding/Besigheidsadministrasie **MBL/MBA**
**MC**[1] master of ceremonies □ seremoniemeester/tafelheer —
**MC**[2] Metropolitan Council □ Metropolitaanse Raad **MR**
**MCC** Marylebone Cricket Club □ — **MCC**
**MCQ** Multiple Choice Question □ Veelkeusevraag **VKV**
**MD** managing director □ besturende direkteur **BD**
**ME** *myalgic encephalomyelitis* (yuppie flu) □ — **ME**
**Medunsa** Medical University of Southern Africa □ Mediese Universiteit van Suider-Afrika **Medunsa**
**Messrs** *Messieurs* (gentlemen) □ menere/(die) firma **mnre./firma**
**mg** milligram(s) □ milligram **mg**
**Mintek** Council for Mineral Technology □ Raad vir Mineraaltegnologie **Mintek**
**MK** Umkhonto Wesizwe □ — **MK**
**mℓ** millilitre(s) □ milliliter **mℓ**
**mm** millimetre(s) □ millimeter **mm**
**M-Net** Electronic Media Network □ Elektroniese Medianetwerk **M.Net.**
**MOH** Medical Officer of Health □ stadsgeneesheer —
**M(on).** Monday □ Maandag **Ma.**
**MOTH/Moths** Memorable Order of Tin Hat(s) □ — **Moths**
**Moz.** Mozambique □ Mosambiek —
**MP** Member of Parliament □ Lid van die Parlement **LP**
**mpg** miles per gallon □ myl per gelling **m.p.g./mpg**
**mph** miles per hour □ myl per uur **m.p.u./mpu**
**MPLA** *Movimento Popular de Libertação de Angola* (Angolan Peoples' Liberation Movement) □ — **MPLA**
**Mr** Mister □ meneer **mnr(.)**
**MRC** Medical Research Council □ Mediese Navorsingsraad **MNR**
**MRI** Medical Rescue International □ — **MRI**
**Mrs** Mistress □ mevrou **mev(.)**
**Ms** manuscript □ manuskrip/handskrif **ms., hs.**
**Ms** Mizz □ mejuffrou-mevrou **me(.)**
**MSS** Metropolitan substructure □ Metropolitaanse substruktuur **MSS**
**MTN** Mobile Telephone Network □ — **MTN**
**MWU** Mineworkers' Union □ Mynwerkersunie **MWU**

## N

**n.** noun □ selfstandige naamwoord **s.n.w.**
**n.** *natus* (born); née □ *natus* (gebore) **geb.**
**n.a./NA** not applicable □ nie van toepassing **n.v.t./NVT**
**Nasrec** National sport, recreation and exhibition centre □ Nasionale sport-, ontspan- en uitstalsentrum **Nasrec**
**NATO/Nato** North Atlantic Treaty Organisation □ Noord-Atlantiese Verdrag(s)organisasie **NAVO/Navo**
**NB** *Nota Bene* (mark well) □ *Nota Bene* (let wel) **NB/LW**
**NCOP** National Council of Provinces □ Nasionale Raad van Provinsies **NRP**
**No.** *numero* (number) □ *numero* (nommer) **no./nr.**
**NOCSA** National Olympic Committee of SA □ Nasionale Olimpiese Komitee van SA **NOKSA**
**Nov.** November □ November **Nov.**
**NP** National Party □ Nasionale Party **NP**
**NT** New Testament □ Nuwe Testament **NT**

**NUM** National Union of Mineworkers □ Nasionale Unie van Mynwerkers **NUM**

### O

**OAU** Organisation for African Unity □ Organisasie vir Afrika-Eenheid **OAE**
**ob** *obiit* (died) □ *obiit* (oorlede) **ob./oorl.**
**OBE** Outcomes Based Education □ Resultaatgegronde Onderwys **RGO**
**Oct.** October □ Oktober **Okt.**
**OK** all correct □ goed/reg/okei **OK**
**OPEC/Opec** Organisation of Petroleum Exporting Countries □ Organisasie van Petroleumuitvoerlande **OPUL/OPEC**
**OSEO** Office for serious economic offences □ Kantoor vir ernstige ekonomiese misdrywe **KEEM**
**OT**[1] Old Testament □ Ou Testament **OT**
**OT**[2] oxygen thief (useless person) □ suurstofsteler **ss**
**oz.** ounce □ onza **oz.**

### P

**p.** page □ pagina/bladsy **p./bl.**
**p.a.** *per annum* (per year) □ *per annum* (per jaar) **p.a./p.j.**
**PAC** Pan Africanist Congress □ — **PAC**
**part.** participle □ deelwoord **dw.**
**PAYE** pay as you earn □ lopende betaalstelsel **LBS**
**P/B** private bag □ privaatsak/private possak **ps/ps.**
**PC/pc** personal computer □ persoonlike rekenaar **PR**
**PC** politically correct □ politiek/polities korrek **PK**
**p.c.** per cent □ persent **p.s.**
**pd.** paid □ betaal(d) **bet.**
**per pro./p.p.** *per procurationem* (by proxy) □ *per procurationem* (by volmag) **per pro./p.p.**
**PI** private investigator/eye □ privaat speurder **PS**
**pl.** plural □ meervoud/pluralis **mv./pl.**
**PLO** Palestinian Liberation Organisation □ Palestynse Bevrydingsorganisasie **PBO**
**p.m.** *post meridiem* (after noon) □ namiddag **nm.**
**p.m.** *per mensem* (per month) □ *per mensem* (per maand) **p.m.**
**PO** Post Office □ Poskantoor **Pk**
**POPCRU** Police and Prisons Civil Rights Union □ — **POPCRU**
**POW** prisoner(s) of war □ krygsgevangene(s) —
**PP** Public Protector □ Openbare Beskermer **OB**
**pp.** pages □ paginas/bladsye **bl.**
**p.p./per pro.** *per procurationem* (by proxy) □ — (by volmag) **p.p./per pro.**
**p.p.** past participle □ verlede deelwoord **verl. dw.**
**PRC** People's Republic of China *also see* **RoC** □ — Volksrepubliek China (vasteland) —
**pred.** predicate □ predikaat **pred.**
**pref.** preface; prefix □ voorwoord; voorvoegsel **voorw.; voorv.**
**prep.** preposition □ voorsetsel **v(oor)s.**
**Pres./pres.** president □ president **Pres./pres.**
**PRO** public relations officer □ skakelamptenaar/mediaskakel —
**Prof(.)** Professor □ professor/hoogleraar **prof./hoogl.**
**pron.** pronoun □ voornaamwoord **vnw.**
**prox.** *proximo* (next) □ *proximo* (aanstaande maand) **as.**; eerskomende **ek.**
**PS** *post scriptum* (postscript) □ *post scriptum* (naskrif) **PS/Ns.**
**pt.** pint(s); point □ pint; punt **pt**
**PTO** please turn over □ blaai om/sien ommesy **b.o./SOS**
**Pty Ltd** Proprietary Limited □ Eiendoms Beperk **Edms Bpk**
**PU** Potchefstroom University □ Potchefstroomse Universiteit vir Christelike Hoër Onderwys **PUCHO**

### Q

**QED** *quod erat demonstrandum* (that which had to be demonstrated) □ *quod erat demonstrandum* (wat te bewys was) **QED**
**qt.** quart(er) □ kwart(aal) **kw.**

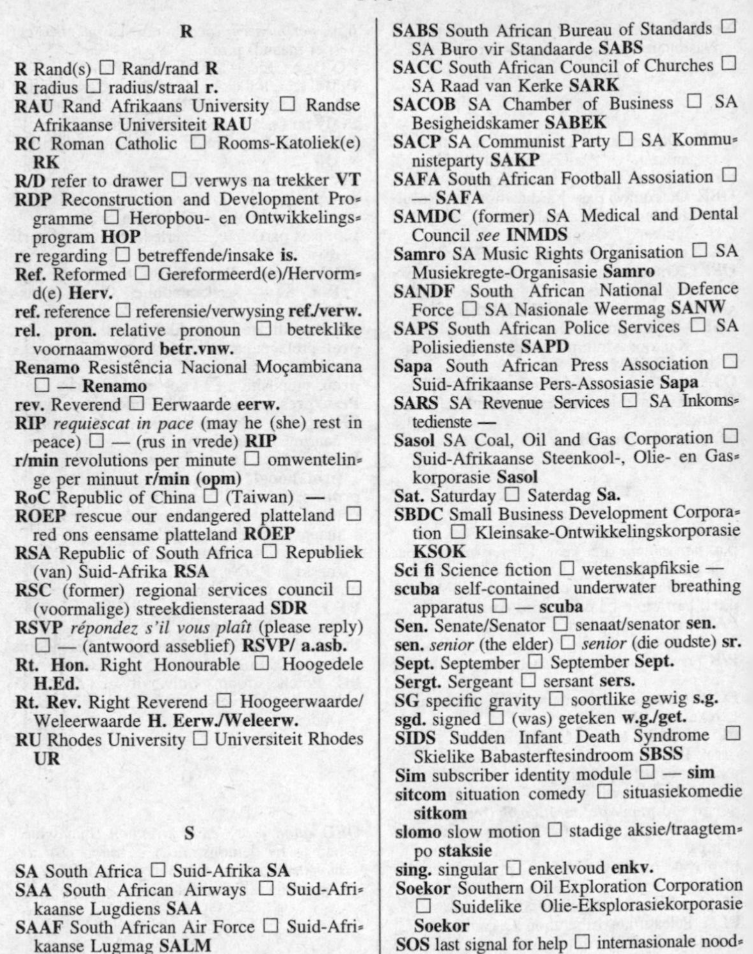

## R

**R** Rand(s) □ Rand/rand **R**
**R** radius □ radius/straal **r.**
**RAU** Rand Afrikaans University □ Randse Afrikaanse Universiteit **RAU**
**RC** Roman Catholic □ Rooms-Katoliek(e) **RK**
**R/D** refer to drawer □ verwys na trekker **VT**
**RDP** Reconstruction and Development Programme □ Heropbou- en Ontwikkelingsprogram **HOP**
**re** regarding □ betreffende/insake **is.**
**Ref.** Reformed □ Gereformeerd(e)/Hervormd(e) **Herv.**
**ref.** reference □ referensie/verwysing **ref./verw.**
**rel. pron.** relative pronoun □ betreklike voornaamwoord **betr.vnw.**
**Renamo** Resistência Nacional Moçambicana □ — **Renamo**
**rev.** Reverend □ Eerwaarde **eerw.**
**RIP** *requiescat in pace* (may he (she) rest in peace) □ — (rus in vrede) **RIP**
**r/min** revolutions per minute □ omwentelinge per minuut **r/min (opm)**
**RoC** Republic of China □ (Taiwan) —
**ROEP** rescue our endangered platteland □ red ons eensame platteland **ROEP**
**RSA** Republic of South Africa □ Republiek (van) Suid-Afrika **RSA**
**RSC** (former) regional services council □ (voormalige) streekdiensteraad **SDR**
**RSVP** *répondez s'il vous plaît* (please reply) □ — (antwoord asseblief) **RSVP/ a.asb.**
**Rt. Hon.** Right Honourable □ Hoogedele **H.Ed.**
**Rt. Rev.** Right Reverend □ Hoogeerwaarde/Weleerwaarde **H. Eerw./Weleerw.**
**RU** Rhodes University □ Universiteit Rhodes **UR**

## S

**SA** South Africa □ Suid-Afrika **SA**
**SAA** South African Airways □ Suid-Afrikaanse Lugdiens **SAA**
**SAAF** South African Air Force □ Suid-Afrikaanse Lugmag **SALM**
**SABC** South African Broadcasting Corporation □ — **SABC**
**SABS** South African Bureau of Standards □ SA Buro vir Standaarde **SABS**
**SACC** South African Council of Churches □ SA Raad van Kerke **SARK**
**SACOB** SA Chamber of Business □ SA Besigheidskamer **SABEK**
**SACP** SA Communist Party □ SA Kommunisteparty **SAKP**
**SAFA** South African Football Assosiation □ — **SAFA**
**SAMDC** (former) SA Medical and Dental Council *see* **INMDS**
**Samro** SA Music Rights Organisation □ SA Musiekregte-Organisasie **Samro**
**SANDF** South African National Defence Force □ SA Nasionale Weermag **SANW**
**SAPS** South African Police Services □ SA Polisiedienste **SAPD**
**Sapa** South African Press Association □ Suid-Afrikaanse Pers-Assosiasie **Sapa**
**SARS** SA Revenue Services □ SA Inkomstedienste —
**Sasol** SA Coal, Oil and Gas Corporation □ Suid-Afrikaanse Steenkool-, Olie- en Gaskorporasie **Sasol**
**Sat.** Saturday □ Saterdag **Sa.**
**SBDC** Small Business Development Corporation □ Kleinsake-Ontwikkelingskorporasie **KSOK**
**Sci fi** Science fiction □ wetenskapfiksie —
**scuba** self-contained underwater breathing apparatus □ — **scuba**
**Sen.** Senate/Senator □ senaat/senator **sen.**
**sen.** *senior* (the elder) □ *senior* (die oudste) **sr.**
**Sept.** September □ September **Sept.**
**Sergt.** Sergeant □ sersant **sers.**
**SG** specific gravity □ soortlike gewig **s.g.**
**sgd.** signed □ (was) geteken **w.g./get.**
**SIDS** Sudden Infant Death Syndrome □ Skielike Babasterftesindroom **SBSS**
**Sim** subscriber identity module □ — **sim**
**sitcom** situation comedy □ situasiekomedie **sitkom**
**slomo** slow motion □ stadige aksie/traagtempo **staksie**
**sing.** singular □ enkelvoud **enkv.**
**Soekor** Southern Oil Exploration Corporation □ Suidelike Olie-Eksplorasiekorporasie **Soekor**
**SOS** last signal for help □ internasionale noodsein **SOS**
**SPCA** Society for the Prevention of Cruelty to

Animals □ Dierebeskermingvereniging/Dieresorg **DBV**

**sq.** square □ vierkant(e) **vk.**

**SRC** Students' Representative Council □ (Verteenwoordigende) Studenteraad **VSR/SR**

**St.** Street □ straat **str.**

**St.** Saint □ Sint/Heilige **St.**

**Sun.** Sunday □ Sondag **So.**

**superl.** superlative □ oortreffend(e)/superlatief **oortr./sup.**

**s.v.p.** *s'il vous plaît* (if you please) □ — (asseblief) **asb./s.v.p.**

**Swapo** South West African People's Organisation □ — **Swapo**

## T

**t** ton(s) (metric) □ ton **t**

**t.** *tare (*own weight) □ tara (eiegewig) **t.**

**TB** tuberculosis □ tuberkulose **TB**

**Telkom** Telecommunication Services □ Telekommunikasiedienste **Telkom**

**temp.** temperature □ temperatuur **temp.**

**theol.** theology □ teologies(e) **teol.**

**Thur.** Thursday □ Donderdag **Do.**

**TKO/tko** technical knockout □ tegniese uitklophou —

**TRC** Truth and Reconciliation Commission □ Waarheid- en Versoeningskommissie **WVK**

**t.t.** *totus tuus* (wholly yours) □ *totus tuus* (geheel die uwe) **t.t.**

**Tues.** Tuesday □ Dinsdag **Di.**

**TV** television □ televisie **TV**

**twinkie** twin income couple no kiddies (*see* yuppie) □ —

## U

**UAE** United Arab Emirates □ Verenigde Arabiese Emirate **VAE**

**UCT** University of Cape Town □ Universiteit Kaapstad **UK**

**UFO** unidentified flying object □ vreemde vlieënde voorwerp **VVV**

**UFS** University of the Free State □ Universiteit van die Vrystaat **UVS**

**UK** United Kingdom □ Verenigde Koninkryk **VK**

**ULP** unleaded petrol □ ongelode petrol **OLP**

**ult.** *ultimo* (last) □ *ultimo* (laaslede/jongslede) **ult./ll./jl.**

**UN** United Nations □ Verenigde Nasies **VN**

**UN** University of Natal □ Universiteit Natal **UN**

**Unesco** United Nations Educational, Scientific and Cultural Organisation □ — **Unesco**

**Unibo** University of Bophuthatswana □ Universiteit Bophuthatswana **Unibo**

**Unisa** University of South Africa □ Universiteit van Suid-Afrika **Unisa**

**Unita** *União Nacional para a Independencia Total de Angola* □ — **Unita**

**Unitra** University of the Transkei □ — **Unitra**

**UP** University of Pretoria □ Universiteit (van) Pretoria **UP**

**UPE** University of Port Elizabeth □ Universiteit (van) Port Elizabeth **UPE**

**US** University of Stellenbosch □ Universiteit (van) Stellenbosch **US**

**USA** United States of America □ Verenigde State van Amerika **VSA**

**UW** University of the Witwatersrand (Wits) □ Universiteit Witwatersrand **UW**

**UWC** University of the Western Cape □ Universiteit Wes-Kaap **UWK**

**UZ** University of Zululand □ — **UZ**

## V

**V** Roman 5 □ Romeinse 5 **V**

**v./vs** *versus* (against) □ *versus* (teen) **vs./v.**

**VAT** value added tax □ belasting op toegevoegde waarde **BTW**

**v./vb** verb □ *verbum* (werkwoord) **verb./ww.**

**VD** venereal disease □ geslagsiekte —

**vet.** veterinary surgeon □ veearts/dierearts —

**VIP** very important person □ baie belangrike persoon **BBP**

**viz.** *videlicet* (namely) □ *videlicet* (naamlik/te wete) **viz./nl./t.w.**

**Vodacom** Voice and Data Communication □ — **Vodacom**

**vol.** volume □ volume/deel/jaargang **vol./dl./jg.**

## W

**w.** week □ week **w.**

**w.c.** water closet □ privaat/toilet —

**WCC** World Council of Churches □ Wêreld-

raad van Kerke **WRK**
**Wed.** Wednesday ☐ Woensdag **Wo.**
**WHO** World Health Organisation ☐ Wêreld-gesondheidsorganisasie **WGO**
**wpm** words per minute ☐ woorde per minuut **w.p.m./wpm**

**X**

**X** Roman 10 ☐ Romeinse 10 **X**
**Xmas** Christmas ☐ Kersfees —

**Y**

**yd.** yard(s) ☐ jaart **jt.**
**YMCA** Young Men's Christian Association ☐ Christelike Jongmannevereniging **CJMV/YMCA**
**Your Hon.** Your Honour ☐ U Edele/Edelagbare (in die hof) **U Ed./Ed.Agb.**
**Yuppie** young (urban) upwardly mobile professional person ☐ jong opkomende professionele persoon **Jappie**
**YWCA** Young Women's Christian Association ☐ Christelike Jongvrouevereniging **CJVV/YWCA**

**Z**

**Zim.** Zimbabwe ☐ Zimbabwe **Zim.**